经纬度·原典系列

# 资治通鉴

## 全本全注全译

第八册

晋纪

[宋]司马光 编著
张大可 韩兆琦 等 注译

浙江人民出版社

浙江省版权局
著作权合同登记章
图字：11-2023-344号

**图书在版编目（CIP）数据**

资治通鉴全本全注全译. 第八册 /（宋）司马光编著 ；张大可等注译. -- 杭州 ：浙江人民出版社，2024. 10（2025. 6重印）.

ISBN 978-7-213-11670-4

Ⅰ. K204. 3

中国国家版本馆CIP数据核字第2024WS7484号

## 资治通鉴全本全注全译　第八册

ZIZHI TONGJIAN QUANBEN QUANZHU QUANYI

[宋] 司马光　编著　　张大可　韩兆琦　等　注译

出版发行：浙江人民出版社（杭州市环城北路 177 号　邮编　310006）
　　　　　市场部电话：（0571）85061682　85176516
选题策划：胡俊生
项目统筹：潘海林　魏　力
责任编辑：方　程　潘海林　杨钰霆　昝建宇
特约编辑：于玲玲
营销编辑：顾　颖
责任校对：陈　春　汪景芬　何培玉
责任印务：程　琳　幸天骄
封面设计：北京之江文化传媒有限公司
电脑制版：北京之江文化传媒有限公司
印　　刷：浙江新华数码印务有限公司
开　　本：710 毫米 ×1000 毫米　1/16　　印　　张：40.25
字　　数：784 千字　　插　　页：4
版　　次：2024 年 10 月第 1 版　　印　　次：2025 年 6 月第 2 次印刷
书　　号：ISBN 978-7-213-11670-4
定　　价：124.00 元

# 目　录

# 卷第八十一　晋纪三

起上章困敦（庚子，公元二八〇年），尽著雍涒滩（戊申，公元二八八年），凡九年。

【题解】

本卷写了晋武帝太康元年（公元二八〇年）至太康九年共九年间的西晋与孙吴等国的大事。主要写了晋国数路出师伐吴，所向皆克，而王濬部顺江出川，一路破西陵、过荆门、克武昌，直逼建业，孙皓遂面缚舆榇而降，而淮南之王浑部坐失机宜，反而一再与王濬争功，相互攻击诬陷，从此怨隙不解；写了杜预的通情达理，助成王濬，与其驻守襄阳的练兵习武、引水浇田等政绩；写了晋武帝沉迷酒色、放松武备，整个统治集团豪华奢侈，为日后的天下大乱埋下伏笔；写了晋武帝宠信并极端曲护奸佞贾充、荀勖、冯紞等人，排挤母弟齐王司马攸，并将其迫害致死；写了傅咸、刘毅、秦秀等人忠直上书，纠弹时弊，都被昏庸的晋武帝否定；写了少数民族头领刘渊、慕容廆等人悄悄兴起，正在逐渐成为西晋王朝的掘墓人。

【原文】

世祖武皇帝中

太康元年（庚子，公元二八〇年）

春，正月，吴大赦。

杜预向江陵[①]，王浑出横江[②]，攻吴镇、戍[③]，所向皆克。二月戊午[④]，王濬、唐彬[⑤]击破丹阳监盛纪[⑥]。吴人于江碛[⑦]要害之处，并以铁锁横截之[⑧]。又作铁锥，长丈余，暗置江中，以逆拒舟舰。濬作大筏数十，方百余步，缚草为人，被甲持仗，令善水者以筏先行，遇铁锥，锥辄著筏而去[⑨]。又作大炬，长十余丈，大数十围，灌以麻油，在船前，遇锁，然炬[⑩]烧之，须臾[⑪]，融液断绝[⑫]，于是船无所碍。

【语译】

**世祖武皇帝中**

**太康元年（庚子，公元二八〇年）**

春季，正月，吴国实行大赦。

镇南大将军杜预率领军队由襄阳向江陵进发，安东将军王浑经由横江去攻打东吴边境的军镇与军事据点，大军所向，攻无不克。二月初一日戊午，晋国的龙骧将军王濬、巴东监军唐彬打败了东吴驻守丹阳的将领盛纪。东吴的军队在长江边的沙石滩以及险要之处，全都用大铁链横拦整个江面与江边的陆地。又制作了大铁锥，铁锥有一丈多长，埋伏在长江中，以阻挡晋国的舟舰通过。王濬于是制作了几十个大木筏，木筏长宽各一百多步，上面安放了好多草人，草人都身披铠甲手持兵器，命令善于游泳的人乘坐在筏子上在前边开路，木筏子遇到大铁锥，铁锥就扎在木筏子上随筏带走而被清除了。王濬又下令制作了巨型火炬，每支火炬长十多丈，粗数十围，火炬里面灌上麻油，被安放在船的前面，一旦碰到江面上的大铁链，就点燃焚烧铁链，用不了多久工夫，铁链化成铁水，也就中断了，于是战船畅行无阻。

庚申⑬，濬克西陵⑭，杀吴都督留宪等。壬戌⑮，克荆门⑯、夷道⑰二城，杀夷道监陆晏。杜预遣牙门⑱周旨等帅奇兵八百泛舟夜渡江，袭乐乡⑲，多张旗帜，起火巴山⑳。吴都督孙歆惧，与江陵督伍延书曰："北来诸军，乃飞渡江也。"旨等伏兵乐乡城外，歆遣军出拒王濬，大败而还。旨等发伏兵随歆军而入，歆不觉，直至帐下，虏歆而还。

乙丑㉑，王濬击杀吴水军都督陆景。杜预进攻江陵，甲戌㉒，克之，斩伍延。于是沅、湘㉓以南，接于交、广㉔，州郡皆望风送印绶㉕。预杖节称诏㉖而绥抚㉗之。凡所斩获吴都督、监军十四，牙门、郡守百二十余人。胡奋克江安㉘。

乙亥㉙，诏："王濬、唐彬既定巴丘㉚，与胡奋、王戎共平夏口、武昌㉛，顺流长骛㉜，直造秣陵㉝。杜预当镇静零、桂㉞，怀辑㉟衡阳㊱。大兵既过，荆州南境㊲，固当传檄而定㊳。预等各分兵以益濬、彬㊴，太尉充移屯项㊵。"

王戎遣参军襄阳罗尚、南阳刘乔将兵与王濬合攻武昌，吴江夏㊶太守刘朗、督武昌诸军㊷虞昺皆降。昺，翻㊸之子也。

杜预与众军会议，或曰："百年之寇，未可尽克。方春水生㊹，难于久驻，宜俟来冬㊺，更为大举㊻。"预曰："昔乐毅借济西一战，以并强齐。㊼今兵威已振，譬如破竹，数节之后，皆迎刃而解，无复著手处㊽也。"遂指授群帅方略，径造建业㊾。

吴主闻王浑南下㊿，使丞相张悌督丹阳太守沈莹、护军孙震、副军师诸葛靓(51)帅众三万渡江逆战。至牛渚(52)，沈莹曰："晋治水军于蜀久矣，上流诸军，素无戒备，名将皆死，幼少当任(53)，恐不能御也。晋之水军必至于此，宜畜众力以待其来，与之一战。若幸而胜之，江西

二月初二日庚申，王濬攻克西陵，杀死了东吴都督留宪等人。初五日壬戌，王濬攻占荆门、夷道两个城池，杀死了东吴防守夷道的将领陆晏。杜预派遣牙门将周旨等人率领八百名奇兵乘船趁黑夜渡过长江去袭击乐乡，沿途插上许多晋国的旗帜以迷惑吴国的守军，又在巴山上燃起熊熊大火。东吴都督孙歆看到这种情况感到十分恐惧，就写信给江陵督伍延说："从北边过来的晋军，就像是飞过长江一样。"周旨等人把军队埋伏在乐乡城外，孙歆派兵出城迎战王濬，被王濬打得大败，逃回城中。周旨指挥埋伏在城外的晋军趁着混乱跟随孙歆的败兵一起拥入乐乡城，孙歆却一点也没有察觉，晋军一直跟入孙歆的军帐，出其不意地俘虏了孙歆，并把孙歆押回到晋军营帐。

二月初八日乙丑，王濬斩杀了东吴水军都督陆景。杜预率军攻打江陵，十七日甲戌，攻克江陵城，杀死江陵督伍延。于是沅水、湘水以南，一直到交趾、广州，各州各郡都望风归降，纷纷送出印绶。杜预手执旌节，以晋国皇帝的名义安抚百姓。从开始攻打东吴以来，总计斩杀和俘虏了东吴都督、监军以上官员十四人，牙门、郡守一百二十多人。此时胡奋又攻克了江安。

二月十八日乙亥，晋武帝司马炎下诏说："王濬、唐彬已经平定了巴丘，应该立即与胡奋、王戎共同攻取夏口、武昌，然后顺流而下、长驱直入，直取东吴的都城秣陵。杜预应当镇抚、安定零陵、桂阳一带，而后招纳、安抚衡阳郡。晋国大军过去之后，只要发布一道檄文，荆州南部地区就会望风而降。杜预等人将自己所率领的军队各分出一部分补充到王濬、唐彬的麾下，太尉贾充将自己的总指挥部从襄阳向前移到项县。"

建威将军王戎派遣参军襄阳人罗尚、南阳人刘乔率军与龙骧将军王濬合力攻打武昌，东吴江夏太守刘朗、武昌都督虞昺全都向晋军投降。虞昺是虞翻的儿子。

镇南大将军杜预召开军事会议，有人说："立国百年的东吴，不可能一下子就全部攻克。现值春季，雨水将逐渐多起来，大军很难在此长久驻扎，应该等待下一个冬季到来，再派大军彻底消灭东吴。"杜预说："战国时期燕国的乐毅凭借济西一战，就几乎灭掉了强大的齐国。如今我军的威风已经振奋起来，形势就如同是快刀破竹，头几节被破开之后，剩余的部分就会迎刃而解，用不着再花费很大的力气了。"于是杜预把进攻东吴的方略教授给各路统帅，而后各路大军直捣东吴的都城建业。

吴主孙皓听说晋国安东将军王浑率大军已经由淮南地区南下，赶紧派丞相张悌率领丹阳太守沈莹、护军孙震、副军师诸葛靓带着三万军队渡过长江去迎战晋军。东吴的军队到达牛渚时，沈莹说："晋国在蜀郡训练水军已经很久了，而我们在长江上游防守的军队，平常根本没有什么戒备，有名的将领都已经死去，目前都是一些少年人在担当军事重任，恐怕他们抵挡不住晋军的进攻。晋国的水军必然会很快到达这里，我们应该养精蓄锐，等待晋军的到来，与他们决一死战。如果我们侥幸能

自清㊹。今渡江与晋大军战，不幸而败，则大事去矣！”悌曰：“吴之将亡，贤愚所知，非今日也。吾恐蜀兵㊺至此，众心骇惧，不可复整。及今渡江，犹可决战。若其败丧，同死社稷，无所复恨。若其克捷，北敌奔走，兵势万倍，便当乘胜南上，逆之中道㊻，不忧不破也。若如子计，恐士众散尽，坐待敌到，君臣俱降，无复[1]一人死难者，不亦辱乎？”

三月，悌等济江，围浑部将城阳都尉㊼张乔于杨荷㊽。乔众才七千，闭栅请降。诸葛靓欲屠之，悌曰：“强敌在前，不宜先事其小，且杀降不祥。”靓曰：“此属以救兵未至，力少不敌，故且伪降以缓我，非真伏也。若舍之而前，必为后患。”悌不从，抚之而进。悌与扬州刺史㊾汝南周浚结陈相对，沈莹帅丹阳锐卒、刀楯㊿五千，三冲晋兵，不动。莹引退，其众乱。将军薛胜、蒋班因其乱而乘之(61)，吴兵以次奔溃(62)，将帅不能止。张乔自后击之，大败吴兵于版桥(63)。诸葛靓帅数百人遁去，使过迎张悌(64)，悌不肯去，靓自往牵之曰：“存亡自有大数，非卿一人所支，奈何故自取死！”悌垂涕曰：“仲思(65)，今日是我死日也！且我为儿童时，便为卿家丞相(66)所识拔，常恐不得其死(67)，负名贤知顾(68)。今以身徇社稷，复何道邪？”靓再三牵之，不动，乃流泪放去。行百余步，顾之，已为晋兵所杀，并斩孙震、沈莹等七千八百级，吴人大震。

初，诏书使王濬下建平(69)，受杜预节度(70)，至建业，受王浑节度。预至江陵，谓诸将曰：“若濬得建平，则顺流长驱，威名已著，不宜令受制于我。若不能克，则无缘(71)得施节度(72)。”濬至西陵，预与之书

够战胜他们，长江的西北岸一带自然就平定了。如果我们现在渡过长江与晋国大军决战，不幸失败的话，那么大势一去就无法挽回了！”张悌说：“吴国就要灭亡，这是无论贤能与愚钝，人人都知道的事实，并不是到现在我们才知道。我所担心的是，一旦王濬、唐彬率领的从四川下来的水军到达这里，我军已经心惊胆战，再也无法约束了。我军趁着现在渡过长江，还可以与晋军拼死一战。如果我们战败，共同为国殉难，也就再没有什么可遗憾的了。如果我们侥幸战胜晋军，晋军败逃，我军就会兵威大振，士气高涨一万倍，到那时就可以从南北上，在半路上拦击王濬、唐彬的水军，不用担心打不败他们。如果按照你的策略等待晋军到来，恐怕士兵已经逃散殆尽，只能眼睁睁地坐等敌人到来，君臣一起投降了，如果再没有一个人为国殉难捐躯，难道这不是我们吴国的耻辱吗？”

三月，张悌等人率军渡过长江，把晋国安东将军王浑的部将城阳郡都尉张乔围困在杨荷，张乔的兵力只有七千人，他关闭寨栅向吴军请求投降。诸葛靓想把他们全部杀掉，张悌说：“敌人强大的主力就在前面，我们不能把精力消耗在对付这样的小股部队上，况且杀掉已经投降的敌人是不吉祥的。”诸葛靓说：“这些人是因为救兵还没有到来，力量弱小打不过我们，才暂且假装投降以减缓我们的进攻，并非真心投降我们。如果我们舍弃他们继续前进，他们必定成为我们的后患。”张悌不肯听从诸葛靓的劝告，只是安抚了他们一阵便继续率军前进。张悌与晋国扬州刺史汝南人周浚摆开阵势南北相对，沈莹率领着丹阳的精锐部队和手持大刀、盾牌的敢死队五千人，向晋军阵地发起三次猛烈的冲锋，而晋军岿然不动。沈莹只得率领部队向后撤退，于是军队开始混乱。晋军将领薛胜、蒋班乘着吴军混乱之际发起了攻击，吴军节节败退、四处奔逃溃散，将帅制止不住。张乔率领自己的部下趁机杀出城来从后面攻击吴军，在板桥把吴军打得大败。诸葛靓率领着几百人逃走，他派人去接应张悌撤退，张悌拒绝逃走，诸葛靓亲自来到张悌军中拉着张悌的手说：“国家兴亡，自有天意，不是你一个人能支撑得了的，为什么要自去寻死！”张悌泪流满面地说：“仲思，今天就是我死亡的日子啊！况且我在孩童时期就受到你家诸葛亮丞相的赏识与提拔，经常担心自己死得不得其所，辜负了诸葛丞相的赏识。如今我能以身殉国，还有什么可说的呢？”诸葛靓再三拉他逃走，张悌坚决不逃走，诸葛靓只好流着眼泪放开张悌自行离去。他走出一百多步，再回头看时，张悌已经被晋兵杀死，晋军还斩杀了东吴的孙震、沈莹等共计七千八百人，吴国上下大为震恐。

当初，晋武帝在诏书中让王濬攻下建平郡后，就接受杜预的调度指挥，到达建业后，再接受王浑的调度指挥。杜预到达江陵后，对诸位将领说：“如果王濬攻下了建平郡，就会顺流直下、长驱直入，自然威名大震，就不再适宜接受我的调度指挥。如果王濬攻不下建平郡，我也就没有可能对他行使指挥的职权了。”王濬到达西陵，

曰："足下既摧其西藩[73]，便当径取建业，讨累世[74]之逋寇[75]，释吴人于涂炭[76]，振旅还都[77]，亦旷世一事[78]也。"濬大悦，表呈[2]预书[79]。及张悌败死，扬州别驾[80]何恽谓周浚曰："张悌举全吴精兵殄灭于此，吴之朝野莫不震慑。今王龙骧[81]既破武昌，乘胜东下，所向辄克，土崩之势见矣。谓[82]宜速引兵渡江，直指建业，大军猝至，夺其胆气，可不战禽也。"濬善其谋，使白王浑[83]。恽曰："浑暗于事机[84]，而欲慎己免咎[85]，必不我从。"濬固使白之，浑果曰："受诏但令屯江北以抗吴军，不使轻进。贵州虽武[86]，岂能独平江东[87]乎？今者违命，胜不足多[88]；若其不胜，为罪已重。且诏令龙骧受我节度，但当具君舟楫[89]，一时俱济[90]耳。"恽曰："龙骧克万里之寇，以既成之功来受节度，未之闻也。且明公[91]为上将，见可而进，岂得一一须诏令[92]乎！今乘此渡江，十全必克，何疑何虑而淹留不进[93]？此鄙州[94]上下所以恨恨[95]也。"浑不听。

王濬自武昌顺流径趣[96]建业。吴主遣游击将军张象帅舟师万人御之，象众望旗而降。濬兵甲满江，旌旗烛天[97]，威势甚盛，吴人大惧。

吴主之嬖臣[98]岑昏，以倾险谀佞[99]致位九列[100]，好兴功役[101]，为众患苦。及晋兵将至，殿中亲近数百人叩头请于吴主曰："北军日近而兵不举刃[102]，陛下将如之何？"吴主曰："何故？"对曰："正坐岑昏[103]耳。"吴主独言[104]："若尔[105]，当以奴谢百姓[106]。"众因曰："唯！"遂并起收昏[107]。吴主骆驿追止[108]，已屠之矣。

陶濬将讨郭马[109]，至武昌，闻晋兵大入，引兵东还。至建业，吴主引见，问水军消息，对曰："蜀船皆小，今得二万兵，乘大船以战，自足破之。"于是合众，授濬节钺。明日当发，其夜，众悉逃溃。

杜预写信给王濬说："您既然摧毁了东吴的西部屏障，就应该一鼓作气径直去攻取建业，讨伐经历了几代而未被消灭的东吴逃寇，将吴国百姓从水深火热之中解救出来，然后胜利回京，这也是旷古少有的一件美事。"王濬看了书信心中非常高兴，于是上表呈上杜预的书信。等到张悌战死，晋国担任扬州别驾的何恽对周浚说："张悌率领的吴国精兵强将都被我们消灭在这里，吴国举国上下无不感到震惊恐慌。如今龙骧将军王濬已经攻破武昌，乘胜东下，所向披靡，东吴土崩瓦解的形势已经显现出来了。我认为我们应该赶紧率军渡过长江，直取建业城，大军突然而至，敌人必定被吓破胆，可以不用战斗就将他们俘虏。"周浚赞成何恽的谋略，就派何恽去请示王浑。何恽说："王浑缺乏先见之明，只想谨慎行事，以求自己没有过错，必然不会听从我们的建议。"周浚坚持让何恽去请示王浑。王浑果然说："皇上在诏书中只让我们屯扎在长江以北抗击吴军，不让轻易进军。你们扬州刺史周浚虽然英勇善战，难道能够独自平定东吴吗？如今我们违抗诏命，胜利了也不值得称赞；如果不能取胜，罪过将会很严重。而且皇上命令龙骧将军王濬接受我的节制，你们只管准备好过长江用的船只，到时候与王濬的舰队一起渡江作战就可以了。"何恽说："龙骧将军王濬征战万里，连战连捷，就凭他所建立的丰功伟业，肯来接受您的节制，这样的事情我还从来没有听说过呢。而且您身为上将，应该抓住战机迅速前进，岂能件件事情都要等待皇上的诏命呢！如今我们趁机渡江，有十全的把握胜利，还有什么值得疑虑而停止不前呢？这是扬州所有将士所深感遗憾的。"王浑不听劝告。

王濬率领得胜之师自武昌顺流而下直扑建业城。吴主孙皓派遣游击将军张象率领水军一万人前往迎战，张象的水军刚刚望见王濬军队的旗帜就纷纷投降了。王濬的战船布满江中，旌旗映照天空，声势盛大，吴国人感到非常害怕。

吴主孙皓最宠幸的臣子岑昏，一向以阴险狡诈、善于谄媚逢迎而爬到九卿的高位，专好兴建宫殿等土木劳役，给百姓造成了很大的灾难和痛苦，百姓都非常憎恨他。等到晋国的军队快要到达建业城的时候，宫中吴主的几百个亲信都叩头请求吴主说："北方晋国的军队一天一天逼近，而我们吴国的军队竟然无人抵抗，陛下将怎么办呢？"吴主说："为什么会这样？"众人齐声回答说："都是让岑昏闹的。"吴主自言自语地说："如果是这样，就应该杀了这个奴才以向天下的百姓谢罪。"众人趁机说："是！"于是众人一跃而起共同去逮捕岑昏；孙皓连续派人去阻止诛杀岑昏，而岑昏早已被杀死了。

东吴陶濬于上年奉命去广州讨伐叛将郭马，到达武昌后，听说晋国的军队已经大举入侵东吴，于是率军而回。他返回建业，孙皓接见陶濬，向他询问水军的情况，陶濬回答说："蜀地所造的船只都很小，如果现在能够集中两万士兵，乘坐大船与晋军作战，完全能够打败他们。"于是孙皓下令调集军队，将代表皇帝权威的旌节和斧钺授予陶濬，派陶濬率领这两万水军前去迎战晋军。陶濬准备第二天早晨出发，而就在当天夜里，这两万军队就全部逃散了。

时王浑、王濬及琅邪王伷皆临近境，吴司徒何植、建威将军孙晏悉送印节诣浑降。吴主用光禄勋薛莹、中书令胡冲等计，分遣使者奉书于浑、濬、伷以请降。又遗其群臣书⑩，深自咎责，且曰："今大晋平治四海，是英俊展节⑪之秋，勿以移朝改朔⑫，用损厥志⑬。"使者先送玺绶于琅邪王伷。壬寅⑭，王濬舟师过三山⑮，王浑遣信⑯要濬暂过论事⑰。濬举帆直指建业，报曰："风利，不得泊⑱也。"是日，濬戎卒八万，方舟百里⑲，鼓噪入于石头。吴主皓面缚舆榇⑳，诣军门降㉑。濬解缚焚榇㉒，延请相见。收其图籍㉓。克州四㉔，郡四十三，户五十二万三千，兵二十三万。

朝廷闻吴已平，群臣皆贺上寿。帝执爵㉕流涕曰："此羊太傅㉖之功也！"骠骑将军孙秀㉗不贺，南向流涕曰："昔讨逆㉘弱冠以一校尉创业㉙，今后主举江南而弃之，宗庙山陵，于此为墟，悠悠苍天，此何人哉！㉚"

吴之未下㉛也，大臣皆以为未可轻进，独张华坚执以为必克。贾充上表称："吴地未可悉定，方夏㉜，江、淮下湿，疾疫必起，宜召诸军还，以为后图。虽腰斩张华不足以谢天下。"帝曰："此是吾意，华但与吾同耳。"荀勖复奏，宜如充表，帝不从。杜预闻充奏乞罢兵，驰表固争，使至轘辕㉝而吴已降。充惭惧，诣阙请罪，帝抚而不问。

夏，四月甲申㉞，诏赐孙皓爵归命侯。

乙酉㉟，大赦，改元㊱。大酺㊲五日。遣使者分诣荆、扬㊳抚慰，吴牧、守㊴已下皆不更易㊵。除其苛政，悉从简易㊶，吴人大悦[3]。

滕脩讨郭马㊷未克，闻晋伐吴，帅众赴难㊸。至巴丘，闻吴亡，缟

当时王浑、王濬以及琅邪王司马伷所率领的晋军都已经逼近吴国的都城建业，吴国司徒何植、建威将军孙晏都把自己的印绶、符节送到王浑那里请求投降。吴主孙皓采纳光禄勋薛莹、中书令胡冲等人的计策，分别派遣使者带着书信到王浑、王濬、司马伷军中请求投降。孙皓又给吴国的群臣写信，在信中深刻地责备自己，他说："如今大晋国已经平定四海，正是有才干的人施展才华的好机会，不要因为改换朝廷，奉行新的历法而丧失你们的远大志向。"孙皓先派使者把皇帝玺绶呈送给琅邪王司马伷。三月十五日壬寅，王濬的水军通过三山，王浑派遣信使邀请王濬暂时到自己的军中商议军事。王濬扬帆直指建业，让信使回报王浑说："长江风大浪急，船只无法抛锚停泊。"当天，王濬率领全副武装的八万水军，蔽江而下的战舰绵延百里，擂鼓呐喊之声传进石头城。吴主孙皓反绑着自己的双手，让人抬着棺材，亲自到王濬的军营投降。王濬为孙皓解去绑绳，烧毁棺木，然后邀请孙皓相见。王濬接收了吴国的地图和户籍簿册。晋军攻克东吴的交州、广州、扬州、荆州四个州，四十三个郡，五十二万三千户，军队二十三万人。

晋国朝廷得到东吴已被平定的消息，文武大臣全都向晋武帝敬酒表示祝贺。晋武帝端着酒杯眼里流着热泪说："这都是羊太傅的功劳啊！"骠骑将军孙秀没有像其他大臣那样举杯祝贺，而是面向南方流着眼泪说："回忆往昔，讨逆将军在二十岁的年纪以一个校尉的身份开创了吴国的基业，如今后代君主却把整个江南一齐抛弃，宗庙陵园，从此变为一片废墟，苍天啊苍天，面对自己的故国变成废墟的人是多么的伤心啊！"

在东吴还没有被攻下的时候，晋国的大臣都认为军队不可轻易进攻，唯独张华坚持认为晋军必能取得胜利。贾充上表说："吴国不可能被全部平定，现在正值夏季，长江、淮河一带低洼潮湿，必定会有瘟疫流行，应该命令各军撤回国内，做好以后再进攻吴国的打算。否则的话，即使腰斩了张华也不足以向天下人谢罪。"晋武帝说："这是我的意见，张华只是与我的意见相同而已。"荀勖又奏请，应该采纳贾充的意见，晋武帝没有听从他们的意见。杜预听说贾充等人奏请罢兵的消息后，立即派使者飞马赶往京城，上表据理谏诤，当使者到达轘辕关的时候东吴已经投降了。贾充感到既惭愧又恐惧，马上到皇宫门口向晋武帝请罪，晋武帝安慰他一番没有问他的罪。

夏季，四月二十八日甲申，晋武帝下诏封孙皓为归命侯。

二十九日乙酉，大赦天下，改年号为"太康"。允许天下百姓尽情聚会饮酒五天以庆祝胜利。晋武帝派遣使者分别前往荆州、扬州这些吴国的故地进行安抚和慰问，东吴原有的州刺史与郡太守两级以下的官员都官居原职。宣布废除东吴原有的严刑苛法，各种法令与规章制度都力求简便易行，原来的吴国民众大为高兴。

东吴将领滕脩率领吴军讨伐郭马未能取得胜利，听说晋国兴师伐吴，立即率军火速赶回援救吴国都城。到达巴丘的时候，听说吴国已经灭亡，于是穿上白色丧服，

素流涕，还，与广州刺史闾丰、苍梧太守王毅各送印绶请降。孙皓遣陶璜[144]之子融持手书谕璜，璜流涕数日，亦送印绶降。帝皆复其本职。

王濬之东下也，吴城戍皆望风款附[145]，独建平太守吾彦婴城不下[146]。闻吴亡，乃降。帝以彦为金城[147]太守。

初，朝廷尊宠孙秀、孙楷[148]，欲以招来吴人。及吴亡，降秀为伏波将军，楷为度辽将军。

琅邪王伷[4]遣使送孙皓及其宗族诣洛阳。五月丁亥朔[149]，皓至，与其太子瑾等泥头面缚[150]，诣东阳门[151]。诏遣谒者[152]解其缚，赐衣服、车乘、田三十顷，岁给钱谷、绵绢甚厚。拜瑾为中郎[153]，诸子为王者皆为郎中[154]。吴之旧望[155]，随才擢叙[156]。孙氏将吏渡江者[157]复十年[158]，百姓复二十年。

庚寅[159]，帝临轩[160]，大会文武有位[161]及四方使者，国子学生[162]皆预[163]焉。引见归命侯皓及吴降人。皓登殿稽颡[164]。帝谓皓曰："朕设此座以待卿久矣。"皓曰："臣于南方，亦设此座以待陛下。"贾充谓皓曰："闻君在南方凿人目、剥人面皮，此何等刑也？"皓曰："人臣有弑其君及奸回[165]不忠者，则加此刑耳。"充默然甚愧，而皓颜色无怍[166]。

帝从容问散骑常侍薛莹，孙皓所以亡，对曰："皓昵近[167]小人，刑罚放滥[168]，大臣诸将，人不自保，此其所以亡也。"他日，又问吾彦，对曰："吴主英俊，宰辅[169]贤明。"帝笑曰："若是，何故亡？"彦曰："天禄永终[170]，历数有属[171]，故为陛下禽耳。"帝善之。

王濬之入建业也，其明日，王浑乃济江，以濬不待己至，先受孙皓降，意甚愧忿，将攻濬。何攀[172]劝濬送皓与浑，由是事得解。何恽以浑与濬争功，与周浚笺[173]曰："《书》贵克让[174]，《易》大谦光[175]。前破张悌，吴人失气[176]，龙骧因之[177]，陷其区宇[178]。论其前后，我实缓

痛哭流涕，率军再回广州，与广州刺史闾丰、苍梧太守王毅各自交出印绶向晋国请求投降。孙皓派遣陶璜之子陶融带着自己的手书通知陶璜投降，陶璜痛哭了好几天，也向晋国送上印绶投降。晋武帝都让他们官复原职。

王濬大军东下的时候，吴国各处守卫城池的将士都望风诚心归附，唯独建平郡太守吾彦据城固守，不肯投降。听到吴国灭亡的消息后，才肯投降。晋武帝任命吾彦为金城郡太守。

当初，晋国朝廷尊宠孙秀、孙楷，是为了让他们招徕吴国人投降。等到吴国灭亡以后，晋武帝便将孙秀降职为伏波将军，孙楷降职为度辽将军。

琅邪王司马伷派遣使者护送孙皓及其宗族前往洛阳。五月初一日丁亥，孙皓一行到达洛阳，和他的太子孙瑾等人把泥涂抹在头上，双手绑在背后，来到洛阳城的东阳门。晋武帝诏令负责导引宾客的谒者为孙皓等人解去身上绑缚的绳索，赏赐给他们衣服、车辆、三十顷地，每年拨给他们的金钱谷物、丝绵绸缎很多。任命孙皓的太子孙瑾为中郎，其他皇子当中凡是在东吴时已经被封为亲王的都被任命为郎中。对于吴国那些素有声望的人，根据他们的才能提升任用。凡是归降晋国并随晋军参加渡江灭吴之役的原吴国将士官吏，一律免除十年的劳役和赋税，普通百姓免除二十年的劳役和赋税。

五月初四日庚寅，晋武帝来到殿前，召见文武百官和有爵位的人，以及来自四方的各国使者，就连国子监的学生也都参加了。晋武帝派人引见归命侯孙皓以及投降过来的原吴国官员。孙皓上殿之后就非常虔诚地向晋武帝行了稽颡礼。晋武帝对孙皓说："我设这个座位等待你已经很久了。"孙皓说："臣在南方，也设此座位以等待陛下。"贾充对孙皓说："听说你在南方挖人的眼睛，剥人的面皮，这是哪一等刑罚呢？"孙皓说："弑杀了自己君主的臣子，以及奸邪不忠的人，就用这种刑罚处置他。"贾充默然不语，感到非常惭愧，而孙皓的脸上却没有任何惭愧的神色。

晋武帝很随意地向散骑常侍薛莹问起孙皓为什么会亡国，薛莹回答说："孙皓亲近小人，恣意滥用刑罚，大臣以及诸将人人自危，生命没有保障，这就是他灭国的原因。"过了几天，晋武帝又拿同样的问题来问吾彦，吾彦回答说："吴主孙皓英明俊朗，辅佐他的大臣也很贤明。"晋武帝笑着说："如果真像你说的那样，吴国怎么会灭亡呢？"吾彦说："上天赐予的福禄他已经享受完毕，天命已经另外有了归属，所以孙皓才被陛下擒获。"晋武帝很赞赏他的回答。

龙骧将军王濬进入建业的第二天，安东将军王浑才渡过长江，王浑因为王濬不等自己到达就抢先接受了孙皓的投降，心中感到非常愤怒，就准备攻击王濬。何攀劝说王濬把孙皓移交给了王浑，两人的矛盾算是暂时得到化解。何恽因为王浑与王濬争功，就写信给周浚说："《尚书》教人以谦让为贵，《易经》推崇人的谦让。先前在打败张悌的时候，吴人已经丧气，龙骧将军王濬抓住这个有利时机，攻陷了东吴

师[179]，既失机会，不及于事[180]，而今方竞其功[181]。彼既不吞声[182]，将亏雍穆之弘[183]，兴矜争之鄙[184]，斯实[5]愚情[185]之所不取也。”濬得笺，即谏止浑。浑不纳，表濬违诏不受节度，诬以罪状。浑子济，尚常山公主[186]，宗党强盛。有司奏请槛车征濬[187]，帝弗许，但以诏书责让濬以不从浑命，违制昧利[188]。濬上书自理[189]曰：“前被诏书，令臣直造秣陵，又令受太尉充节度。臣以十五日至三山，见浑军在北岸，遣书邀臣。臣水军风发[190]，乘势[6]径造贼城，无缘回船过浑[191]。臣以日中至秣陵，暮乃被浑所下当受节度之符[192]，欲令臣明十六日悉将所领还围石头[193]，又索[194]蜀兵及镇南诸军[195]人名定见[196]。臣以为皓已来降，无缘空围石头。又，兵人定见，不可仓猝得就，皆非当今之急，不可承用[197]，非敢忽弃明制[198]也。皓众叛亲离，匹夫独坐，雀鼠贪生，苟乞一活耳。而江北诸军不知虚实，不早缚取，自为小误[199]。臣至便得[200]，更见怨恚[201]，并云‘守贼百日[202]，而令他人得之’。臣愚以为事君之道，苟利社稷，死生以之[203]。若其顾嫌疑，以避咎责，此是人臣不忠之利[204]，实非明主社稷之福也！”浑又腾周浚书[205]云：“濬军得吴宝物。”又云：“濬牙门将李高放火烧皓伪宫。”濬复表曰：“臣孤根独立，结恨强宗。夫犯上干主[206]，其罪可救；乖忤[207]贵臣，祸在不测。伪中郎将[208]孔摅说：去二月[209]武昌失守，水军行至[210]。皓按行石头还[211]，左右人皆跳刀大呼[212]，云‘要当为陛下一死战决之。’皓意大喜，意[7]必能然[213]，便尽出金宝以赐与之。小人无状[214]，得便驰[8]走[215]。皓惧，乃图降首[216]。降使适去[217]，左右[218]劫夺财物，略[219]取妻妾，放火烧宫。皓逃身窜首[220]，恐不脱死。臣至，遣参军主者[221]救断其火耳。周浚先入皓宫，浑又先登皓舟，臣之入观，皆在其后。皓宫之中，乃无席可坐[222]。若有遗宝，则浚与浑先得之矣。浚等云臣屯聚蜀人[223]，

的全部领土。论起前因后果，实在是我们自己行动迟缓，贻误了军机，已经失去大好的机会，所以没能建立大功，而今才与人家去争功。王浑既不愿咽下这口气，就将失去谦和的美德，闹出斗气争功的丑事，这实在是我内心所不赞同的。”周浚收到何恽的书信，立即就去劝谏王浑。王浑不听劝告，反而上表给晋武帝，说王濬违背诏命不肯听从自己的节制，诬陷王濬有罪。王浑的儿子王济娶常山公主为妻，因而宗族党羽盛多。有司奏请晋武帝用囚车征召王濬进京，晋武帝不允许，只是用诏书的形式责备王濬不听从王浑的命令，为了争利而违抗诏令。王濬上疏为自己申辩说：“先前我接到诏书，命我直取秣陵，又让我接受太尉贾充的调度。我于十五日到达三山，看见王浑的军队驻扎在长江北岸，他派使节邀我登岸。我所率领的水军正乘风顺流而下，乘势径直扑向贼城，没有办法掉转船头去找王浑。我在日中时分到达秣陵，等到天黑的时候我才接到王浑下达的让我接受他指挥的命令，他想让我第二天即十六日率领手下所有的军队回军围困石头城，又向我讨要蜀军以及原属于镇南将军杜预所统帅的军队现役的数目。我认为孙皓已经派使臣前来请求投降，没有必要再去围困石头城。再有，现役军人数目不可能在仓促之间编制完成，而且都不是当务之急，我没法执行，我并非敢于忽视而不执行皇上的英明指令。孙皓已经众叛亲离，成了孤家寡人，就连老鼠麻雀还知道贪生怕死、乞求活命，何况是孙皓呢。而江北各路大军不知虚实，不能及早生擒活捉孙皓，是他们自己造成的小小失误。我到了建业便将孙皓生擒，更遭到王浑等人的怨恨，并说‘这伙敌人我们已经围困了上百天，却让他人得到贼首’。我认为侍奉君主的道理是只要有利于国家，不管死活都要全力以赴。如果只顾瞻前顾后，以避免犯错误遭受指责，这只能对不忠的人有好处，实在不是圣明的皇帝和国家的福分！”王浑又指使周浚上书说：“王濬的军队得到了吴国的金银财宝。”又说：“王濬手下的牙门将李高放火烧毁了孙皓的伪宫殿。”王濬又上表申辩说：“我孤单一人，却得罪了强盛的王氏家族。如果是冒犯了君主，其罪过还有被赦免的可能；而我得罪的却是尊贵的当权大臣，灾祸将难以预测。投降过来的吴国中郎将孔摅说先前二月间，武昌失守后，我率领的水军即将抵达建业，孙皓巡行、视察石头城回来，他身边的人全都挥舞着大刀高声呼喊，说‘要为陛下决一死战，以决定胜负’，孙皓听了非常高兴，认为他们必能如此去做，于是就把金银财宝全部拿出来赏赐给他们。可是那帮奸佞小人简直太不像话，得到财宝后便飞快地逃走了。孙皓感到十分恐惧，这才考虑投降服罪。孙皓刚刚把奉表投降的使者派出去，他左右的人就开始争抢财物，掠夺宫中的美女姬妾，放火烧毁了宫殿。孙皓抱头鼠窜，唯恐逃不脱性命。我率军到达后，立即派参军负责把火扑灭。周浚首先进入孙皓的宫殿，王浑又首先登上孙皓的船只，我进伪宫观看，都是在他们进去之后。我进去的时候，孙皓的宫中竟连可坐的席子都没有了。如果说还有遗留下来的宝物的话，那么周浚与王浑早已经先拿到手了。周浚等人说我集结巴蜀士卒，

不时送皓[224]，欲有反状。又恐动[225]吴人，言臣皆当诛杀[226]，取其妻子，冀其作乱[227]，得骋私忿[228]。谋反大逆，尚以见加[229]，其余谤嗜[230]，故其宜耳。今年平吴，诚为大庆；于臣之身，更受咎累[231]。"濬至京师，有司奏濬违诏，大不敬[232]，请付廷尉科罪[233]，诏不许。又奏濬赦后烧贼船百三十五艘，辄敕[234]付廷尉禁推[235]，诏勿推。

浑、濬争功不已，帝命守廷尉[236]广陵刘颂[237]校其事[238]，以浑为上功，濬为中功。帝以颂折法失理[239]，左迁京兆太守[240]。

庚辰[241]，增贾充邑八千户。以王濬为辅国大将军[242]，封襄阳县侯。杜预为当阳县侯，王戎为安丰县侯。封琅邪王伷二子为亭侯。增京陵侯王浑邑八千户[243]，进爵为公。尚书关内侯张华进封广武县侯，增邑万户[244]。荀勖以专典诏命功[245]，封一子为亭侯。其余诸将及公卿以下，赏赐各有差。帝以平吴功[9]策告[246]羊祜庙，乃封其夫人夏侯氏为万岁乡君[247]，食邑五千户。

王濬自以功大，而为浑父子及党与所挫抑[248]，每进见，陈其攻伐之劳及见枉之状，或不胜忿愤，径出不辞[249]，帝每容恕之。益州护军[250]范通谓濬曰："卿功则美矣，然恨[251]所以居美者未尽善[252]也。卿旋旆[253]之日，角巾私第[254]，口不言平吴之事，若有问者，则[10]曰：'圣人之德，群帅之力，老夫何力之有？'此蔺生所以屈廉颇[255]也，王浑能无愧乎？"濬曰："吾始惩邓艾之事[256]，惧祸及身，不得无言。其终不能遣诸胸中[257]，是吾褊也[258]。"时人咸以濬功重报轻，为之愤邑[259]。博士秦秀等并上表讼濬之屈[260]，帝乃迁濬镇军大将军。王浑尝诣濬[261]，濬严设备卫，然后见之。

杜预还襄阳，以为天下虽安，忘战必危，乃勤于讲武[262]，申严戍守[263]。又引滍、淯水[264]以浸田[265]万余顷，开扬口[266]通零、桂之漕[267]，公

不及时把孙皓送交王浑，准备造反。他们又恐吓、挑拨吴人，说我要把他们全部杀掉，掠取他们的妻儿，希望激起吴人的反抗，以发泄他们个人的愤怒。就连谋反这等大逆不道的罪名，他们都敢强行加到我的头上，至于其他的诽谤恶语，当然就更不在话下了。今年平定东吴，实在是国家头等的喜庆大事；而对于我个人来说，反而遭受了诬陷。”王濬到达京师洛阳，有关部门奏称王濬违抗诏命，犯下了大不敬之罪，请求把王濬移交给廷尉去治罪，晋武帝不允许。又有人奏报王濬在大赦后烧毁贼船一百三十五艘，应该立刻下旨将他交付廷尉关进监狱严加审问，晋武帝依然没有批准。

王浑、王濬争功不止，晋武帝命令暂时代理廷尉的广陵人刘颂比较、核实二人的事迹，刘颂认为王浑是上等功劳，王濬为中等功劳。晋武帝认为刘颂的判断不公，于是把刘颂降职为京兆太守。

庚辰日，晋武帝为贾充增加封邑八千户。任命王濬为辅国大将军，封为襄阳县侯。封杜预为当阳县侯，王戎为安丰县侯。封琅邪王司马伷的两个儿子为亭侯。为京陵侯王浑增加封邑八千户，进爵位为公。尚书关内侯张华进封为广武县侯，他在广武县的食邑增加到一万户。荀勖因为为皇帝起草诏令有功，封他的一个儿子为亭侯。其余各将领以及公卿以下的官员，按照不同等次都进行了封赏。晋武帝将平吴的功劳，以诏书的形式到羊祜庙中祭告羊祜，并封羊祜的夫人夏侯氏为万岁乡君，食邑五千户。

王濬认为自己劳苦功高，却被王浑父子及其党羽压制，心中不服，所以每次进见晋武帝的时候就陈述他征伐东吴的劳苦以及被冤枉的情形，有时因为不胜愤怒，竟然扬长而去，连向皇帝告辞的礼节都忘了，晋武帝每次都容忍宽恕了他。益州护军范通对王濬说：“你的功劳要说大确实是很大了，然而令人感到遗憾的是你面对自己功劳的态度，却没有做到尽善尽美。如果你在凯旋之后，立即换上便服、戴上角巾，悄悄地回到家中，嘴里不说平定吴国的事情，如果有人问到你，你就说：‘这是皇上决策的英明，诸位将帅同心协力为国效力才取得的胜利，我这个老头，何功之有呢?’这就是蔺相如折服廉颇的办法，王浑能不感到惭愧吗?”王濬说：“开始的时候，我是接受邓艾当年受锺会之害的教训，畏惧灾祸降临到我身上，所以不得不替自己申辩。而后来却始终不能从心底放下这件事情，确实是我的气量太小了。”当时的人都认为王濬的功劳大而得到的赏赐轻，很为他愤愤不平；担任博士的秦秀等人都上表替王濬申诉委屈，晋武帝于是升任王濬为镇军大将军。王浑曾经到王濬家拜访，王濬严加戒备之后，才出来与王浑相见。

镇南大将军杜预回到了襄阳，他认为天下虽然安定了，但是如果忘记战争必然会导致危险，于是经常操练军队，下令部属提高戒备。又引滍河、淯河之水浇灌万顷良田，从扬口开始，疏通通往零陵、桂阳郡的河道，开展水路运输，政府和百姓

私赖之。预身不跨马，射不穿札[268]，而用兵制胜，诸将莫及。预在镇，数饷遗洛中贵要[269]。或问其故，预曰："吾但恐为害，不求益也。"

王浑迁征东大将军，复镇寿阳[270]。

诸葛靓逃窜不出。帝与靓有旧[271]，靓姊为琅邪王[272]妃，帝知靓在姊间[273]，因就见焉。靓逃于厕，帝又逼见之，谓曰："不谓今日复得相见！"靓流涕曰："臣不能漆身皮面[274]，复睹圣颜，诚为惭恨。"诏以为侍中，固辞不拜，归于乡里[275]，终身不向朝廷而坐[276]。

六月，复封丹水侯睦[277]为高阳王。

秋，八月己未[278]，封皇弟延祚为乐平王，寻薨[279]。

九月庚寅[280]，贾充等以天下一统，屡请封禅[281]，帝不许[282]。

冬，十月，前将军青州刺史淮南胡威卒。威为尚书，尝谏时政之宽[283]。帝曰："尚书郎以下，吾无所假借[284]。"威曰："臣之所陈，岂在丞、郎、令史[285]，正谓如臣等辈[286]，始可以肃化明法[287]耳。"

是岁，以司隶所统郡[288]置司州[289]，凡州十九[290]，郡国一百七十三，户二百四十五万九千八百四十。

诏曰："昔自汉末，四海分崩，刺史内亲民事，外领兵马。今天下为一，当韬戢干戈[291]，刺史分职[292]，皆如汉氏故事[293]。悉去州郡兵，大郡置武吏百人，小郡五十人。"交州牧陶璜上言："交、广东西数千里，不宾属[294]者六万余户，至于服从官役[295]，才五千余家。二州唇齿[296]，唯兵是镇[297]。又，宁州诸夷，接据上流[298]，水陆并通，州兵未宜约损[299]，以示单虚。"仆射山涛亦言"不宜去州郡武备"，帝不听。及永宁[300]以后，盗贼群起，州郡无备，不能禽制，天下遂大乱，如涛所言。然其后刺史复兼兵民之政，州镇愈重[301]矣。

全部因此受益。杜预从不骑马，射箭穿不透铠甲上的铁片，而用兵打仗却能出奇制胜，其他将领都比不上他。杜预在襄阳，屡屡给京城里的权贵赠送礼品。有人问他为什么这样做，杜预说：“我只是预防有人对我栽赃陷害，而不求对我有什么好处。”

王浑被擢升为征东大将军，再次镇守寿阳。

诸葛靓逃得性命后，便躲藏起来不肯露面。晋武帝与诸葛靓是旧交，诸葛靓的姐姐是琅邪王司马伷的王妃，晋武帝知道诸葛靓一定躲藏在他姐姐的家里，于是就亲自到琅邪王司马伷的王府去见他。诸葛靓躲藏到厕所里，晋武帝就找到厕所里，对他说：“想不到我们今天还能相见！”诸葛靓泪流满面地说：“我不能像豫让那样浑身涂漆，像聂政那样划破面皮使人无法辨认，今天又看到圣上，实在是惭愧悔恨得很。”晋武帝下诏任命诸葛靓为侍中，诸葛靓坚决拒绝接受任命，后来他回归故乡，终身不面朝晋国的都城洛阳而坐。

六月，晋武帝再次封丹水侯司马睦为高阳王。

秋季，八月初五日己未，晋武帝封自己的弟弟司马延祚为乐平王，不久，乐平王司马延祚去世。

九月初六日庚寅，贾充等人认为天下已经统一，便屡次请求晋武帝到泰山祭祀天地，进行封禅活动，晋武帝不同意。

冬季，十月，前将军青州刺史淮南人胡威去世。胡威在担任尚书的时候，曾经进谏，指出当时执法不严格的弊政。晋武帝说：“对于尚书郎以下的官员，我一点都不宽容。”胡威说：“我所说的，哪里是指丞、郎、令史这样的下层官员呢，我指的是要严格管理像我们这样的高级官员，才能够严肃风化，申明法纪。”

这一年，将司隶校尉所统辖的几个郡，设置为司州，任命司州刺史，全国共设置十九个州、一百七十三个郡和封国，全国总户数为二百四十五万九千八百四十户。

晋武帝下诏说：“自从汉朝末年以来，国家四分五裂，刺史对内管理民政，对外负责领兵打仗。如今天下统一，应当将兵器收藏起来，刺史既管民、又管军的状况应该分开，一切按照汉代的旧制度办理。凡属于州郡所管辖的军队全部撤销，大郡设置武职官吏一百人，小郡设置武职官吏五十人。”担任交州牧的陶璜上疏说：“交州、广州东西全长数千里，不肯服从我们晋国管辖的就有六万余户，至于服从政府、肯为政府服劳役的，才五千多家。两州唇齿相依，只有靠武力才能镇守。还有，宁州境内的各少数民族，相互连接地居住在交、广诸河的上游，水陆交通都很便利，州中的军队不宜裁减，以免显得朝廷力量过于单弱、空虚。”担任仆射的山涛也说“不适宜取消州郡的武装力量”，晋武帝不听劝告。等到晋惠帝永宁年之后，盗贼蜂起，各州郡因为没有武装力量防守，因而无力对盗贼进行缉捕控制，天下于是大乱，正如山涛所预料的那样。然而此后刺史又兼管军事和民政，州刺史的权势遂更大了。

汉、魏以来，羌、胡、鲜卑降者，多处之塞内诸郡[302]。其后数因忿恨，杀害长吏，渐为民患。侍御史[303]西河郭钦上疏曰："戎狄强犷[304]，历古为患。魏初民少，西北诸郡，皆为戎居，内及京兆[305]、魏郡[306]、弘农[307]，往往有之。今虽服从，若百年之后有风尘之警[308]，胡骑自平阳[309]、上党[310]不三日而至孟津[311]，北地[312]、西河[313]、太原[314]、冯翊[315]、安定[316]、上郡[317]尽为狄庭[318]矣。宜及平吴之威，谋臣猛将之略，渐徙内郡杂胡[319]于边地，峻四夷出入之防[320]，明先王荒服之制[321]，此万世之长策也。"帝不听。

---

【段旨】

以上为第一段，写晋武帝太康元年（公元二八〇年）一年间的大事。主要写了晋国数路出师伐吴，所向皆克，而王濬部顺江出川，一路破西陵、过荆门、克武昌，直逼建业，孙皓遂面缚舆榇而降，而淮南之王浑部坐失机宜，反而一再与王濬争功，相互攻击诬陷，从此怨隙不解；写了孙皓进入洛阳，与司马炎、贾充之辈应对无怍，胜过刘禅千倍；写了杜预的通情达理，助成王濬，与其驻守襄阳的练兵习武、引水浇田等政绩，而司马炎则放马归田、放松武备，为日后的天下大乱做了伏笔。

【注释】

① 向江陵：由襄阳向江陵。② 出横江：经由横江。横江，渡口名，在今安徽和县东南长江上。③ 镇、戍：军镇与军事据点。④ 二月戊午：二月初一。⑤ 唐彬：字儒宗，鲁国邹（今山东邹城）人，西晋名将。传见《晋书》卷四十二。⑥ 丹阳监盛纪：吴国丹阳驻军的头领名叫盛纪。丹阳在今湖北秭归东南。丹阳监，吴国丹阳驻军的头领。⑦ 江碛：江边的沙石滩。⑧ 以铁锁横截之：用铁锁横拦整个江面与江边的陆地。建平郡长吾彦铸铁链横断长江事见本书卷第七十九泰始八年（公元二七二年）。⑨ 著筏而去：扎在木筏上，随筏带走。⑩ 然炬：点燃火炬。然，通"燃"。⑪ 须臾：一会儿工夫。⑫ 融液断绝：铁化成汁，铁链中断。⑬ 庚申：二月初二。⑭ 西陵：吴县名，县治在今湖北宜昌东南。⑮ 壬戌：二月初五。⑯ 荆门：吴县名，在今湖北宜昌东。⑰ 夷道：吴城名，在荆门城东。⑱ 牙门：牙门将，略低于将军。⑲ 乐乡：吴城名，在今湖北松滋东北约四十里处。⑳ 巴山：吴山名，在今湖北松滋西南十五里。㉑ 乙丑：二月初八。㉒ 甲戌：二月十

汉、魏以来，那些投降过来的羌人、胡人、鲜卑人等少数民族，大多被安置在长城以内的沿边各郡。后来，他们屡次因为愤恨官府而杀害官吏，逐渐成为边境居民的祸患。担任侍御史的西河人郭钦上疏说：“少数民族强横凶悍，自古以来一直是中原的祸患。魏国初年人口稀少，西北各郡都是少数民族居住，就连内地的京兆、魏郡、弘农郡往往也有少数民族居住。如今虽然他们服从我们，如果百年之后有什么风吹草动，胡人的骑兵从平阳、上党郡出发用不了三天就能到达孟津，那么北地郡、西河郡、太原郡、冯翊郡、安定郡、上郡就都将成为少数民族的天下了。现在应该趁着平定吴国的威势、谋臣猛将的谋略，逐渐地把在内地与汉民杂居的这些少数民族迁徙到边塞地区，严格限制四周少数民族与中原汉族之间的相互往来，进一步明确先王所制定的荒服制度，这是使国家长治久安的根本大计。”晋武帝没有采纳他的意见。

---

七。㉓沅、湘：沅水、湘水。沅水发源于贵州且兰县（今贵州福泉）东北，东南流至洪至口，会辰水，至沅陵，会酉水，又东北流经桃源、常德入洞庭湖。湘水发源于湖南零陵阳海山，东北过衡阳、长沙、岳阳入长江。㉔交、广：交州、广州。交州指今广西南部与越南北部、中部，广州指今广东一带地区。㉕送印绶：表示投降。㉖杖节称诏：手执旌节，以皇帝的名义。㉗绥抚：安抚。㉘江安：吴国南平郡的郡治所在地，在今湖北公安城西北。㉙乙亥：二月十八。㉚巴丘：吴县名，即今湖南岳阳。㉛夏口、武昌：皆吴国军事要地名，夏口即今湖北武汉武昌区，武昌即今湖北鄂州市鄂城区。㉜长骛：长驱直下。㉝秣陵：古县名，即当时的吴国都城建业，今江苏南京。㉞镇静零、桂：镇抚、安定零陵、桂阳一带地区。零陵是吴郡名，郡治即今湖南永州市零陵区，桂阳是吴郡名，郡治即今湖南郴州。㉟怀辑：招纳；安抚。㊱衡阳：吴国郡名，郡治湘南，在今湖南湘潭西南。㊲荆州南境：指今湖南境内。㊳传檄而定：一道檄文发布出去，各地自应望风而降。㊴分兵以益濬、彬：派军队补充到王濬、唐彬麾下。㊵太尉充移屯项：太尉贾充的总指挥部要前移到今河南项城。在此以前贾充驻兵襄阳。㊶吴江夏：吴国的江夏郡，郡治武昌。㊷督武昌诸军：官名，即武昌都督，级别略当于刺史。㊸翻：虞翻，字仲翔，东吴的狂直之士。传见《三国志》卷五十七。㊹方春水生：现值春季，雨水将多。㊺俟来冬：等待下一个冬季到来。㊻更为大举：再起兵消灭它。㊼乐毅借济西一战二句：乐毅是战国时燕昭王的将领，率五国之兵大破强齐于济西，随后长驱东下，几乎灭掉齐国。事见《史记·乐毅列传》。济西，济水之西，约当今之山东济南以西地区。㊽无复著手处：用不着再使什么劲。㊾径造建业：直扑吴国都城。径造，直捣。㊿王浑南下：晋将王浑率军由淮南地区南下。(51)诸葛靓：诸葛诞之子，诸葛诞反司马昭失败被杀

后，诸葛靓逃到吴国，事见本书卷第七十七甘露二年（公元二五七年）。㊾牛渚：今安徽当涂的采石矶，历来为军事要地。㊿幼少当任：少年人担当军事重任，指陆晏、陆景、留宪、孙歆等。㊴江西自清：长江的西北岸（今安徽淮南一带）自然就平定了，指晋将王浑所率之军就不可能再有什么作为。㊵蜀兵：指王濬、唐彬率领的从四川下来的水军。㊶逆之中道：去半路迎着打它。㊷城阳都尉：城阳郡的都尉，城阳郡的郡治即今山东莒县。㊸杨荷：一作杨桥，在今安徽和县境内。㊹扬州刺史：此指晋国的扬州刺史，晋国扬州的州治即今安徽寿县。㊺刀楯：手持大刀、盾牌的敢死队。㊻因其乱而乘之：趁吴军之乱而发起攻击。乘，乘势而攻。㊼以次奔溃：节节奔逃溃散。㊽版桥：在今安徽和县境内。㊾使过迎张悌：派人前往迎接张悌撤退。㊿仲思：诸葛靓字仲思。⑥⑥卿家丞相：指诸葛亮。张悌是襄阳人，诸葛亮隐居的隆中即在襄阳。⑥⑦不得其死：不能死在应死的地方。⑥⑧负名贤知顾：辜负了诸葛亮对我的赏识。⑥⑨下建平：攻下建平郡后。吴国的建平郡郡治即今重庆市巫山县。⑦⓪受杜预节度：接受杜预的指挥。⑦①无缘：没有可能。⑦②施节度：行使指挥的职权。⑦③西藩：吴国西部的屏障，指西陵。⑦④累世：经历了几代。⑦⑤逋寇：逃寇，指未被消灭之敌。⑦⑥释吴人于涂炭：将吴国百姓从水深火热之中解救出来。⑦⑦振旅还都：犹言"胜利回京"。振旅，整理军队，这里指胜利而回。⑦⑧旷世一事：历代少有的大事。⑦⑨表呈预书：将杜预此书呈送给晋武帝。⑧⓪扬州别驾：这里所说的是晋国的"扬州别驾"，扬州刺史周浚的僚属。周浚，字开休，西晋名将。传见《晋书》卷六十一。⑧①王龙骧：指王濬，当时为龙骧将军。⑧②谓：我认为。⑧③使白王浑：让他去跟王浑说。⑧④暗于事机：看不出事物变化的苗头，即缺乏先见之明。⑧⑤慎己免咎：行事谨慎，但求无过。⑧⑥贵州虽武：你们扬州刺史周浚尽管英勇善战。贵州，敬称周浚。⑧⑦江东：芜湖一带的长江以东地区，此指孙皓统治下的吴国。⑧⑧胜不足多：如果胜了也不值得称赞。多，赞美。⑧⑨具君舟楫：准备好你们过江用的船只。⑨⓪一时俱济：到时候与王濬的舰队一齐渡江。⑨①明公：敬称王浑。⑨②须诏令：等待皇上的指示。⑨③淹留不进：停止不前。⑨④鄙州：谦称本部扬州。⑨⑤恨恨：遗憾的样子。⑨⑥径趣：直扑。趣，通"趋"。⑨⑦烛天：映照天空。烛，照耀。⑨⑧嬖臣：受宠信之臣。嬖，宠的贬义词。⑨⑨倾险谀佞：阴险狡诈，谄媚逢迎。⑩⓪致位九列：爬到了九卿的高位。九列，即"九卿"。⑩①好兴功役：好兴建宫殿等土木劳役。⑩②兵不举刃：指吴兵无人抵抗。⑩③正坐岑昏：都是让岑昏闹的。坐，因。⑩④独言：自言自语地说，没有正式下命令。⑩⑤若尔：如果是这样。⑩⑥当以奴谢百姓：应该杀了这个奴才以告慰天下人。⑩⑦并起收昏：大家一哄而起，去逮捕岑昏。⑩⑧骆驿追止：连续派人前去阻止诛杀。⑩⑨陶濬将讨郭马：陶濬于上年奉命前往广州讨伐叛将郭马。⑪⓪遗其群臣书：给吴国的群臣写信。⑪①英俊展节：有才干的人施展才干。⑪②移朝改朔：改换朝廷，奉行新的历法。⑪③用损厥志：因而丧失了自己的志向。二句意即"请你们去为新王朝效力吧"。⑪④壬寅：三月十五。⑪⑤三山：吴都附近的山名，在南京西南的长江东岸，以有三峰得名，为军事要地。⑯遣信：派遣信使。⑰要濬暂过论事：邀请王濬到他的军部商议军务，想实现他“节度”王濬的职权。⑱不得泊：船停不下来。⑲方舟百里：蔽江而下的战舰绵延百里之远。方舟，并舟。⑳面缚舆榇：反绑双手，抬着棺木。这是古代帝王向人投降的一种惯行仪式，意即自己甘愿请死。㉑诣军门降：到王濬的营门请求投降。〖按〗东吴自魏文帝黄初三年（公元二二二年）建国，至此公元二八〇年灭亡，共历五十九年。㉒解缚焚榇：解开其缚着的双手，烧掉他带来的棺材。这是古代接受别国君主投降的一种仪式。意即不会受到这样的处置。㉓收其图籍：接过吴国的地图和户籍簿册。㉔克州四：得到了吴国的国土共四个州，即扬州、荆州、交州、广州。㉕执爵：拿着酒杯。爵，古代的一种饮酒器皿。㉖羊太傅：羊祜，死后赠“太傅”。㉗孙秀：孙权的侄孙，于泰始六年被迫弃吴降晋，见本书卷第七十九。㉘讨逆：指孙策，吴国基业的创建者，被封为“讨逆将军”。㉙以一校尉创业：由一个校尉起家，打出了一片江山。〖按〗孙策起兵之初，袁术任他为怀义校尉。㉚悠悠苍天二句：语出《诗经·黍离》，这是一首伤感自己故国灭亡的诗。此何人哉，这是《黍离》诗的作者自指，意思是这个面对自己故国废墟的人是多么伤心啊。㉛未下：未投降之前。㉜方夏：现在正值夏天。㉝轘辕：关塞名，在今洛阳东南的轘辕山上，历代为军事要地。㉞甲申：四月二十八。㉟乙酉：四月二十九。㊱改元：改元“太康”，自此之前为咸宁六年。㊲大酺：尽情聚会饮酒。㊳分诣荆、扬：分别到荆州、扬州这些吴国的故地。㊴牧、守：指州刺史与郡太守两级官员。㊵皆不更易：都官居原职。更易，改换。㊶悉从简易：各种法令与规章制度，都力求宽松。㊷滕脩讨郭马：滕脩是吴国将领，其率兵讨伐郭马叛乱事，见本书卷第八十。㊸赴难：指赶回援救吴国都城。㊹陶璜：字世英，东吴交州刺史。传见《晋书》卷五十七。㊺款附：诚心归附。㊻婴城不下：据城而守。婴城，绕城。㊼金城：晋郡名，郡治榆中，在今甘肃兰州东。㊽孙楷：孙韶之子，孙楷弃东吴降晋事见本书卷第八十咸宁二年（公元二七六年）。㊾五月丁亥朔：五月初一是丁亥日。㊿泥头面缚：把泥涂抹在头上，双手绑在背后，以此表示谢罪。⑮东阳门：洛阳城东有建春、东阳、清明三门。东阳门为中门。⑮谒者：帝王身边的侍从官名，掌导引宾客。⑮中郎：帝王的侍从官员。⑮郎中：帝王的侍从官员，级别较中郎为低。⑮旧望：素有声望的人。⑮随才擢叙：根据才能提升官职。⑮孙氏将吏渡江者：归降晋国的将士官吏，随晋军参加了渡江灭吴之役者。⑮复十年：免除十年的劳役、赋税。⑮庚寅：五月初四。⑯临轩：站在楼上的前廊。⑯文武有位：文武百官及虽无官职但有爵位的人。⑯国子学生：国子监的学生。国子监即当时的太学。⑯皆预：都参加。预，参加、出席。⑯稽颡：四肢与头皆触地，是最虔敬的跪拜礼。颡，额。孙皓行稽颡礼表示无颜见晋帝。⑯奸回：奸邪。隐指贾充世受魏恩而奸邪不忠，附司马氏弑高贵乡公曹髦。⑯无怍：无任何惭愧之色。⑯昵近：亲近。⑯放滥：恣意滥用。⑯宰辅：宰相。⑰天禄永终：上天赐予的福禄已经享用完毕。天禄，指享有国家。⑰历数有属：天命已经另有了归属。历数，犹言“运命”“气数”。有属，另有所归。⑰何攀：王濬的僚属。⑰笺：书信。⑰《书》贵克让:《尚书》教人以谦让为贵。《尚书·尧典》有所谓“允恭克让”之语。⑰《易》大谦光:《易经》推崇人的谦虚。《易经·谦卦》有所谓“谦尊而光”之语。⑰失气：丧气；泄气。⑰龙骧因之：王濬趁着这种局势。⑰陷其区宇：攻陷了东吴的全部领土。⑰缓师：行动迟缓，贻误了军机。⑱不及于事：在这件事上已失去了机会。⑱方竞其功：才与人家去争功。竞，争。⑱彼既不吞声：他既不愿咽下这口气。彼，指王浑。⑱将亏雍穆之弘：就要失去谦和的美德。⑱兴矜争之鄙：就要闹起斗气争功的丑事。⑱愚情：我的内心。⑱尚常山公主：娶司马炎的女儿为妻。尚，高攀，谦称娶帝王之女。⑱槛车征濬：用囚车把王濬押解回京。⑱违制昧利：为了争利而违抗诏令。⑱自理：自己申辩。⑲风发：顺风而下。⑲无缘回船过浑：没法掉转船头去找王浑。过，到……处。⑲暮乃被浑所下当受节度之符：到天黑时我才接到王浑下达的让我受他指挥的命令。⑲还围石头：回军包围石头城。石头城即当时吴都建业的城墙，旧址在今南京清凉山一带。⑲索：讨要。⑲镇南诸军：指随王濬东下的原属镇南将军杜预所统的军队。⑲人名定见：指现役军人的数目。⑲不可承用：没法接受；没法执行。⑲忽弃明制：忽视而不执行皇帝的英明指令。⑲自为小误：自己造成了小小的失误。⑳臣至便得：我一到建业，孙皓就立即投降了。⑳更见怨恚：更遭到王浑的怨恨。⑳守贼百日：围困这伙敌人已经上百天。⑳死生以之：不管死活都要全力以赴。⑳此是人臣不忠之利：这对不忠的人有好处。⑳腾周浚书：用周浚的名义上书。腾，指使，借用。⑳犯上干主：冒犯君主。干，也是“犯”的意思。⑳乖忤：违背；得罪。⑳伪中郎将：投降过来的吴国的中郎将。中郎将是帝王的卫队长官。⑳去二月：犹言“前在二月”。⑳行至：即将抵达。㉑按行石头还：巡行视察石头城回来。㉑跳刀大呼：挥动着大刀呼喊。㉑意必能然：以为他们必能如此。㉑无状：没个人样。㉑得便驰走：得到财宝后就飞快逃走。㉑乃图降首：这才考虑投降伏罪。首，自首、归降。㉑降使适去：奉表前来投降的使者刚刚派出。㉑左右：指孙皓左右的人。㉑略：掠夺。㉒逃身窜首：抱头鼠窜。㉒主者：管事的人。㉒乃无席可坐：已经被抢得连张可坐的席子都没有。㉒屯聚蜀人：集结巴蜀士卒。㉒不时送皓：不及时地把孙皓送交王浑。㉒恐动：恐吓、挑拨。㉒皆当诛杀：将把他们全部杀光。㉒冀其作乱：希望激起吴人反抗晋军。㉒得骋私忿：以发泄我们自己的愤怒。㉒尚以见加：尚且能加到我头上。㉓其余谤嗜：其他别的诽谤恶语。㉓更受咎累：反而更遭受了诬陷。咎累，罪过。㉓大不敬：犯下“大不敬”之罪，按律当满门处斩。㉓科罪：按律定罪。㉓辄敕：皇帝应该立刻下旨意。㉓禁推：关进监狱追究审问。㉓守廷尉：权且代理廷尉的人。守，暂时代理。廷尉是全国的最高司法长官。㉓刘颂：字子雅，广陵人。历任淮南相、吏部尚书、光禄大夫等，传见《晋书》卷四十六。㉓校其事：比较、核实二人的事迹。校，考查。㉓折法失理：判断不公。㉔左迁京兆太守：降职为京兆太守。晋时京兆郡的郡治长安，在今陕西西安西北。㉔庚辰：五月丁亥朔，无庚辰日，此处记事有误。㉒辅国大将军：二品高官。王濬任职后，增兵五百人为辅国营，给官骑，并置司马。㉓增京陵侯王浑邑八千户：指王浑除京陵旧食邑外，再增八千户。㉔增邑万户：张华广武县食邑增加到一万户。㉕专典诏命功：专门掌管为皇帝起草诏令的功劳。荀勖为中书监，主管草拟、发布诏令。㉖策告：以诏书祭告。㉗万岁乡君："万岁乡"是地名，封给羊祜的夫人做食邑。"君"是对女人的封号，有"郡君""县君""乡君"等不同级别。㉘挫抑：压制。㉙径出不辞：扬长而去，不向皇帝告辞。㉚益州护军：龙骧将军王濬幕府的属官，主军纪及考核下级将士。㉛恨：憾；令人感到遗憾。㉜所以居美者未尽善：面对自己功劳的态度，没有做到尽善尽美。居美，对待自己的功劳、优点。㉝旋旆：回师；凯旋。旆，大旗。㉞角巾私第：换上便服，悄悄回家。角巾，古代隐士常戴的一种有棱角的头巾。㉟蔺生所以屈廉颇：蔺相如不与廉颇争功争位，最后感动得廉颇负荆过府请罪。事见本书卷第四周赧王二十六年（公元前二八九年）。屈，折服。㊱惩邓艾之事：接受邓艾当年受锺会之害的教训。邓艾灭蜀有大功，而为锺会所害事，见本书卷第七十八。㊲遣诸胸中：犹言"释然于怀"，即从心里放下这件事。㊳是吾褊也：是我的气量太小了。褊，狭窄。㊴愤邑：愤愤不平。邑，通"悒"。忧郁不乐貌。㊵讼濬之屈：替王濬申诉委屈。㊶尝诣濬：曾到过王濬家。㊷讲武：讲习武事，包括练兵。㊸申严戍守：下令部属提高戒备。㊹滍、淯水：滍水今名沙河，发源于河南鲁山县西吴大岭，东流经宝丰、叶县、舞阳，合于北沙河。淯水一名白河，发源于河南嵩县南攻离山，东流经南召县，折南流经南阳、新野入湖北襄阳会唐河。㊺浸田：灌溉农田。㊻扬口：在今湖北荆州之长江南岸。㊼零、桂之漕：零陵与桂阳二郡之间的水路运输。零陵郡的郡治即今湖南永州市零陵区，桂阳郡的郡治即今湖南郴州。㊽射不穿札：射箭穿不透铠甲上的铁片，极言其儒将风度。㊾数饷遗洛中贵要：屡屡给京城里的权贵赠送礼品。洛中，京都洛阳城中。㊿寿阳：寿春，晋人为避讳改称寿阳。(271)有旧：有旧交。(272)琅邪王：司马伷，司马懿的儿子，司马炎的叔叔。(273)在姊间：在其姐家。(274)漆身皮面：指像豫让那样浑身涂漆，像聂政那样划破面皮使人无法辨认。以上二事皆见《史记·刺客列传》。(275)乡里：故乡。诸葛靓的故乡在今山东诸城。(276)终身不向朝廷而坐：因其父诸葛诞被司马昭攻杀故也。(277)丹水侯睦：司马睦，司马懿之侄，司马炎之叔，其被贬事见本书卷第八十咸宁三年（公元二七七年）。(278)己未：八月初五。(279)寻薨：不久死去。寻，不久。(280)九月庚寅：九月初六。(281)封禅：到泰山祭祀天地。(282)帝不许：司马炎之"不许"是表示谦让，意思是说自己的功业德行还不够格。(283)时政之宽：指执法不严格。(284)无所假借：一点都不宽容。(285)丞、郎、令史：各部门的中下层办事人员。(286)正谓如臣等辈：我指的是严格管理像我们这些高官。(287)肃化明法：严肃风化，申明法纪。(288)以司隶所统郡：在司隶校尉所统辖的几个郡。(289)置司州：设置司州，任命司州刺史。(290)凡州十九：全国共有十九个州，即司州（治洛阳）、兖州（治廪丘，今河南范县东南七十里）、豫州（治项，今河南项城北）、冀州（治信都，今河北衡水市冀州区）、并州

（治晋阳，今山西太原西南）、青州（治临淄，今山东淄博）、徐州（治彭城，今江苏徐州）、荆州（治襄阳，后迁江陵）、扬州（治寿春，后迁建业，今江苏南京）、凉州（治姑臧，今甘肃武威）、雍州（治长安，今陕西西安西北）、秦州（初治冀县，后移上邽，今甘肃天水）、益州（治今四川成都）、梁州（治南郑，今陕西汉中）、宁州（治滇池，今云南昆明东南）、交州（治龙编，今越南河内）、广州（治番禺，今广东广州）、幽州（治河北涿州）、平州（治襄平，今辽宁辽阳，后移昌黎，今辽宁义县）。㉑韬戢干戈：将兵器收藏起来。㉒刺史分职：刺史既管民、又管军的状况应该分开。㉓如汉氏故事：汉代刺史只管政务，不管军事。汉武帝置十三刺史部（州），部置一人，职掌监察。奉诏巡行诸郡，省察治政，黜陟能否，断理冤狱。㉔不宾属：指不归顺，不服从晋王朝。㉕服从官役：服从政府，为政府出劳役。㉖唇齿：唇齿相依，相互共安危。㉗唯兵是镇：只有靠武力才能镇守。㉘接据上流：相互连接地居住在交、广诸河的上游。㉙未宜约损：不应当裁减。㉚永宁：晋惠帝年号。㉛州镇愈重：州刺史的权势遂更加重大。㉜处之塞内诸郡：将他们安置在长城以内的沿边各郡。㉝侍御史：皇帝的侍从官名，主管受纳章奏，监察检举百官。㉞强犷：强横凶悍。㉟京兆：郡治长安，辖今陕西西安及其周围数县。㊱魏郡：郡治邺县，在今河北临漳西南。㊲弘农：郡治弘农，在今河南灵宝北。㊳风尘之警：隐指造反作乱。㊴平阳：郡治在今山西临汾西南。㊵上党：郡治壶关，在今山西长治北。㊶孟津：古黄河津渡名，在今河南洛阳市孟津区东北、孟州西南，历代为兵争要地。㊷北地：郡治富平，在今宁夏吴忠西南。㊸西河：郡治即今山西吕梁市离石区。㊹太原：郡治晋阳，在今山西太原西南。㊺冯翊：郡治临晋，即今陕西大荔。㊻安定：郡治临泾，在今甘肃镇原东南。㊼上郡：郡治肤施，在今陕西榆林东南。㊽尽为狄庭：都将成为少数民族的

---

【原文】

**二年（辛丑，公元二八一年）**

春，三月，诏选孙皓宫人五千人入宫。帝既平吴，颇事游宴[322]，怠于政事，掖庭[323]殆将万人。常乘羊车[324]，恣其所之[325]，至便宴寝。宫人竞以竹叶插户，盐汁洒地，[326]以引帝车。而后父杨骏及弟珧、济始用事，交通[327]请谒[328]，势倾内外，时人谓之“三杨”，旧臣多被疏退。山涛数有规讽，帝虽知而不能改。

初，鲜卑莫护跋[329]始自塞外入居辽西棘城[330]之北，号曰慕容部。

天下。⑲ 内郡杂胡：内地与汉人杂居的少数民族。⑳ 峻四夷出入之防：严格限制四周少数民族与中原汉族之间的相互往来。峻，严加限制。㉑ 荒服之制：使周边少数民族远离中原地区，减少相互往来。据《尚书·禹贡》，除京畿外，分天下为五服，即甸服、侯服、绥服、要服、荒服，每服五百里，荒服离中原最远。

【校记】

［1］复：原无此字。据章钰校，甲十一行本、乙十一行本、孔天胤本皆有此字，今据补。［2］呈：原作“陈”。据章钰校，甲十一行本、乙十一行本、孔天胤本皆作“呈”，张敦仁《通鉴刊本识误》同，今据改。［3］吴人大悦：原无此四字。据章钰校，甲十一行本、乙十一行本、孔天胤本皆有此四字，张敦仁《通鉴刊本识误》、张瑛《通鉴校勘记》同，今据补。［4］仙：原误作“仲”。据章钰校，甲十一行本、乙十一行本、孔天胤本皆作“仙”，熊罗宿《胡刻资治通鉴校字记》同，今据校正。〖按〗本卷下文“仙”字尚不误。［5］实：据章钰校，甲十一行本、乙十一行本、孔天胤本皆无此字。［6］乘势：原无此二字。据章钰校，甲十一行本、乙十一行本、孔天胤本皆有此二字，张敦仁《通鉴刊本识误》、张瑛《通鉴校勘记》同，今据补。［7］意：据章钰校，甲十一行本、乙十一行本、孔天胤本皆作“谓”，张敦仁《通鉴刊本识误》同。［8］驰：据章钰校，甲十一行本、乙十一行本、孔天胤本皆作“持”。［9］功：据章钰校，甲十一行本、乙十一行本、孔天胤本皆无此字，张敦仁《通鉴刊本识误》同。［10］则：据章钰校，甲十一行本、乙十一行本、孔天胤本皆作“辄”，张敦仁《通鉴刊本识误》同。

【语译】

**二年（辛丑，公元二八一年）**

春季，三月，晋武帝司马炎下诏，从孙皓的宫女当中挑选五千人入宫。晋武帝自从平定了吴国之后，逐渐沉迷于游乐宴饮，而懒于处理朝政，后宫中的嫔妃宫女将近万人。他经常在宫内乘坐着用羊拉的小车，任凭山羊走到哪里算哪里，走到哪里就在哪里设宴住宿。宫女们于是竞相把竹叶插在门前，把盐水洒在地上，以此来引诱晋武帝的羊车。而皇后杨芷的父亲杨骏和他的弟弟杨珧、杨济开始掌握朝廷大权，他们互相勾结串通，权势压倒了朝廷内外的所有人，当时的人们称他们为“三杨”，旧有的大臣大多被皇帝疏远或辞退。山涛屡次规劝，晋武帝虽然知道自己的错误但就是不能改正。

当初，鲜卑人从莫护跋开始从塞外移居到辽西郡棘城县以北地区，号称慕容部

莫护跋生木延，木延生涉归，迁于辽东[331]之北，世附中国，数从征讨有功，拜大单于。冬十月，涉归[332]始寇昌黎[333]。

十一月壬寅[334]，高平武公陈骞薨。

是岁，扬州刺史周浚移镇秣陵[335]。吴民之未服者，屡为寇乱，浚皆讨平之。宾礼故老，搜求俊乂[336]，威惠并行，吴人悦服。

**三年（壬寅，公元二八二年）**

春，正月丁丑朔[337]，帝亲祀南郊[338]。礼毕，喟然问司隶校尉刘毅[339]曰："朕可方[340]汉之何帝？"对曰："桓、灵[341]。"帝曰："何至于此？"对曰："桓、灵卖官钱入官库，陛下卖官钱入私门[342]。以此言之，殆不如[343]也。"帝大笑曰："桓、灵之世，不闻此言。今朕有直臣，固为胜之[344]。"

毅为司隶，纠绳[345]豪贵，无所顾忌。皇太子鼓吹入东掖门[346]，毅劾奏[347]之。中护军、散骑常侍羊琇[348]与帝有旧恩，典禁兵，豫机密[349]十余年，恃宠骄侈，数犯法。毅劾奏琇罪当死。帝遣齐王攸私请琇于毅[350]，毅许之。都官从事[351]广平程卫径驰[352]入护军营[353]，收琇属吏[354]，考问阴私[355]，先奏琇所犯狼籍[356]，然后言于毅。帝不得已，免琇官。未几，复使以白衣领职[357]。

琇，景献皇后[358]之从父弟[359]也。后将军王恺[360]，文明皇后[361]之弟也。散骑常侍、侍中[11]石崇[362]，苞之子也。三人皆富于财，竞以奢侈相高[363]。恺以粭澳釜[364]，崇以蜡代薪[365]。恺作紫丝步障[366]四十里，崇作锦步障五十里。崇涂屋以椒[367]，恺用赤石脂[368]。帝每助恺，尝以珊瑚树赐之，高二尺许。恺以示石[12]崇，崇便以铁如意碎之。恺怒，以为疾[369]己之宝。崇曰："不足多恨[370]，今还卿！"乃命左右悉取其家珊瑚

落。莫护跋生慕容木延，慕容木延生慕容涉归，慕容涉归率领部落迁移到辽东郡北部一带居住，世代依附于中原，屡次跟随出征讨伐叛逆而立下战功，被封为大单于。冬季，十月，慕容涉归开始入侵昌黎郡。

十一月二十五日壬寅，高平公陈骞去世，谥号为“武”。

这一年，扬州刺史周浚将办公机构从寿春迁移到秣陵。吴国那些不肯归顺晋国的人，屡次聚集起来作乱，都被周浚镇压下去了。周浚对吴国旧臣和当地有声望的人就像对待宾客一样尊重，他到处寻访有才干的人加以任用，由于恩威并用，吴人逐渐感到心悦诚服。

**三年（壬寅，公元二八二年）**

春季，正月初一日丁丑，晋武帝亲自到南郊祭天。祭祀完毕，他叹息着问司隶校尉刘毅说：“你看我可以和汉朝的哪一位皇帝相比呢？”刘毅回答说：“可以和汉桓帝、汉灵帝相比。”晋武帝说：“我何至于糟糕到这种程度呢？”刘毅回答说：“汉桓帝、汉灵帝把卖官的钱收入国库，而陛下却把卖官的钱归入卖官者的私人腰包。由此看来，陛下似乎还比不上汉桓帝、汉灵帝呢。”晋武帝大笑着说：“汉桓帝、汉灵帝的时候，听不到像你这样直率的话。如今我有你这样正直的大臣，所以还是要比汉桓帝、汉灵帝二帝强。”

刘毅担任司隶校尉，他对那些不法的豪强贵族加以纠举弹劾，并将其绳之以法，无所顾忌。皇太子司马衷带着仪仗队、乐队直接进入皇宫的东掖门，违反了朝廷的有关规定，刘毅立即上奏章弹劾、举报太子。担任中护军、散骑常侍的羊琇曾经对晋武帝有过恩惠，羊琇掌管禁军、参与朝廷重大决策十多年，他倚仗着晋武帝的宠爱，骄横奢侈，屡次触犯法律。刘毅就弹劾羊琇罪当处死。晋武帝派遣齐王司马攸私下里替羊琇向刘毅求情，刘毅答应了司马攸的请求。但刘毅的属官都官从事广平人程卫却骑马径直闯入羊琇所统领的禁军兵营，逮捕了羊琇，将羊琇交给有关司法部门进行审讯，拷问出许多不被外人所知的罪恶行径，于是先向皇帝奏明羊琇所犯的罪行之多之重，然后才报告了刘毅。晋武帝不得已，免去了羊琇的官职。但不久，羊琇又以平民的身份代理中护军的职权。

羊琇，是司马师景献皇后的堂弟。后将军王恺，是司马昭文明皇后的弟弟。散骑常侍、侍中石崇，是石苞的儿子。三家都非常富有，互相攀比着看谁家最奢侈。王恺家用饴糖浆刷锅子，石崇家用蜡烛代替木柴烧火。王恺用紫色丝绸夹道拉帐子，帐子长四十里，石崇就用锦缎夹道拉帐子，帐子长五十里。石崇用花椒粉涂抹墙壁，王恺就用赤石脂涂抹墙壁。晋武帝每每帮助王恺，他曾经把一棵高二尺左右的珊瑚树赏赐给王恺。王恺把珊瑚树拿给石崇观看，石崇却用铁如意把珊瑚树打得粉碎。王恺大怒，认为石崇是妒忌自己的宝物。石崇说：“你用不着生那么大的气，现在就偿还你！”于是命令身边的侍从把自己家中的珊瑚树全部拿出来，高三四尺的就有六七

树，高三四尺者六七株，如恺比者甚众，恺恍然自失[371]。

车骑司马[372]傅咸[373]上书曰："先王之治天下，食肉衣帛，皆有其制[374]。窃谓奢侈之费，甚于天灾。古者人稠地狭，而有储蓄，由于节也。今者土广人稀，而患不足，由于奢也。欲时[13]人崇俭，当诘其奢[375]，奢不见诘，转相高尚[376]，无有穷极[377]矣。"

尚书张华以文学才识，名重一时，论者皆谓华宜为三公，中书监荀勖、侍中冯统以伐吴之谋[378]深疾[379]之。会帝问华："谁可托后事者？"华对以"明德至亲[380]，莫如齐王[381]"。由是忤旨[382]，勖因而谮之。甲午[383]，以华都督幽州诸军事。华至镇，抚循[384]夷夏[385]，誉望益振，帝复欲征[386]之。冯统侍帝，从容语及锺会[387]，统曰："会之反，颇由太祖[388]。"帝变色曰："卿是何言邪！"统免冠谢曰："臣闻善御者[389]必知六辔缓急之宜[390]，故孔子以仲由[391]兼人[392]而退之[393]，冉求[394]退弱[395]而进之[396]。汉高祖尊宠五王而夷灭[397]，光武[398]抑损诸将而克终[399]。非上有仁暴之殊，下有愚智之异也，盖抑扬与夺[400]，使之然[401]耳。锺会才智有限，而太祖夸奖无极，居以重势[402]，委以大兵，使会自谓算无遗策[403]，功在不赏[404]，遂构凶逆[405]耳。向令[406]太祖录其小能[407]，节以大礼[408]，抑之以威权，纳之以轨则[409]，则乱心无由生矣。"帝曰："然。"统稽首曰："陛下既然臣之言，宜思坚冰之渐[410]，勿使如会之徒复致倾覆[411]。"帝曰："当今岂复有如会者邪？统因屏左右[412]而言曰："陛下谋画之臣，著大功于天下，据方镇[413]，总戎马[414]者，皆在陛下圣虑矣。"帝默然，由是止不征华。

株，与王恺拿来的那棵珊瑚树差不多大小的有很多，王恺惊得目瞪口呆，惘然若失。

担任车骑司马的傅咸上书说："古代圣贤帝王治理天下，对于人多大岁数才可以食肉，多大岁数才可以穿丝绸，都有明确的规定。我认为现在的奢侈浪费所造成的损失，超过了天灾。古时候人多地少，却有储蓄，这是生活节俭的结果。如今地广人稀，却忧虑生活得不到满足，这是奢侈浪费造成的。要想让时下人民崇尚节俭，就要对那些奢侈浪费的人给予谴责，奢侈浪费的行为如果不受到谴责，反而以此竞赛，越奢侈越好，那么奢侈浪费的现象就不会停止，反而越发不可收拾了。"

担任尚书的张华因为文学修养、才能和见识都卓越超群，因而名重一时，评论的人都认为张华应该位列三公，而担任中书监的荀勖、担任侍中的冯统却因为张华坚持主张伐吴并取得成功而非常嫉恨他。碰巧晋武帝问张华："我百年之后可以把后事托付给谁呢?"张华回答说"品德高尚而又是至亲的，谁也比不上齐王司马攸"。因为在这件事情上张华违背了晋武帝的旨意，荀勖便趁机进谗言诋毁张华。正月十八日甲午，晋武帝任命张华统领幽州诸军事。张华到达镇所后，采用宣抚、安慰胡人与汉人的办法，很快收到成效，因而他的声誉和名望就更大了，晋武帝又想把张华召回京师，委以重任。冯统趁侍奉晋武帝的机会，便装作随便闲谈似的提到了锺会，冯统说："其实锺会造反，问题有些是出于太祖司马昭的处置失宜。"晋武帝脸色都变了，说："你这是说的什么话呀!"冯统赶紧免冠谢罪说："我听说善于赶车的人必须知道六条缰绳中哪根缰绳应该拉紧，哪根缰绳应该略微放松，要相机掌握，所以孔子因为仲由能力过人，好凌驾于人便贬退他，而冉求性情谦恭怯弱，孔子便对他适当加以鼓励。汉高祖刘邦尊崇韩信、彭越、英布、卢绾、韩王信五个人，并把他们都封为王，最后却导致五人被灭族，光武帝刘秀由于能及早对诸将加以裁抑，故而东汉的开国诸将反能善终。并不只是因为君王有仁慈和残暴的区别，臣子有愚钝和智慧的差异，而是帝王对诸将的或升或降、或予或夺的不同对待方式，造成他们日后的不同结局罢了。其实锺会的才能与智慧都很有限，而太祖过分地夸奖了他的聪明才智，又让他掌握了过重的权势，把庞大的军队交给他掌管，使锺会产生了一种错觉，认为自己谋划什么都不会有失误，而自己的功劳已经到了无法再赏赐的地步，遂萌生了谋反的念头。假令当初太祖既能发挥他的现有能力，又能以严格的礼法对其加以控制，用威权制约他，把他放在条条框框的监督之中，那么他造反的心思就无从产生了。"晋武帝说："你说得有道理。"冯统磕头说："陛下既然认为我说得有道理，就应该想到冰冻三尺非一日之寒，不要使像锺会那样的人再次遭遇翻车之患。"晋武帝问："当今之世难道还有像锺会那样的人吗?"冯统趁机屏退左右的人员，然后对晋武帝说："那些帮助陛下谋划，对统一天下立有大功，又占据着一方军镇，总统一个地区军马的大臣，都应该在陛下的考虑之内。"晋武帝默默不语，因此不再征调张华进京任职。

三月，安北将军严询败慕容涉归于昌黎，斩获万计。

鲁公贾充老病，上遣皇太子省视起居。充自忧谥传[415]，从子模曰："是非久自见，不可掩也。"夏，四月庚午[416]，充薨。世子[417]黎民早卒[418]，无嗣，妻郭槐欲以充外孙韩谧[419]为世孙[420]，郎中令[421]韩咸、中尉曹轸谏曰："礼无异姓为后之文[422]，今而行之，是使先公[423]受讥于后世而怀愧于地下也。"槐不听。咸等上书，求改立嗣，事寝不报[424]。槐遂表陈之，云充遗意。帝许之，仍诏"自非功如太宰[425]，始封无后[426]者，皆不得以为比"。及太常[427]议谥，博士秦秀曰："充悖礼溺情[428]，以乱大伦[429]。昔鄫养外孙莒公子为后[430]，《春秋》书'莒人灭鄫'[431]。绝父祖之血食[432]，开朝廷之乱原。按《谥法》'昏乱纪度[433]曰荒'，请谥'荒公'。"帝不从，更谥曰"武"。

闰月丙子[434]，广陆成侯李胤[435]薨。

齐王攸德望日隆，荀勖、冯紞、杨珧皆恶之。紞言于帝曰："陛下诏诸侯之国[436]，宜从亲者始；亲者莫如齐王，今独留京师，可乎？"勖曰："百僚内外皆归心齐王，陛下万岁后，太子不得立矣。陛下试诏齐王之国，必举朝[437]以为不可，则臣言验矣。"帝以为然。冬，十二月甲申[438]，诏曰："古者九命作伯[439]，或入毗朝政[440]，或出御方岳[441]，其揆一也[442]。侍中、司空、齐王攸，佐命立勋[443]，劬劳王室[444]，其以为大司马、都督青州诸军事，侍中如故，仍[445]加崇典礼，主者[446]详按旧制施行。"以汝南王亮[447]为太尉、录尚书事[448]、领太子太傅，光禄大夫山涛为司徒，尚书令卫瓘为司空。

征东大将军王浑上书，以为："攸至亲盛德，侔于周公[449]，宜赞皇朝[450]，与闻政事[451]。今出攸之国，假以都督虚号[452]，而无典戎干方[453]之

三月，安北将军严询率军在昌黎打败了慕容涉归，斩首、缴获的财物以万计算。

鲁公贾充年老多病，晋武帝派遣皇太子司马衷前往问候。贾充特别担心自己死后，人们给他的“谥”字是什么和日后的传记会怎么写，他的侄子贾模说：“是是非非，时间长了自然就会显示出来，不可能掩盖得住。”夏季，四月二十五日庚午，贾充逝世。贾充的嫡子贾黎民很早就死了，也没有其他子嗣，贾充的妻子郭槐想把贾充的外孙韩谧过继过来作为贾充的嫡孙，成为贾氏的合法继承人，担任郎中令的韩咸、担任中尉的曹轸都劝郭槐说：“礼仪中没有把异姓作为后代的条文规定，如果现在把异姓作为自己的后代，将使先公遭到后世的讥笑讽刺，先公在地下也会为此感到惭愧。”郭槐不听劝告。于是韩咸等人上书晋武帝，请求改变郭槐立外孙韩谧为嗣的决定，但奏章被晋武帝压下，没有给予回复。郭槐随即上表陈述情由，说立外孙韩谧为嗣是贾充的遗愿。晋武帝表示同意，但仍然下诏说“如果不是像太宰建立那样大的功劳，自己因功获得封爵而绝嗣无后的人，都不得以此相比”。等到太常讨论贾充谥号的时候，博士秦秀说：“贾充违背礼教，沉溺私情，以异姓为嗣而混乱了人伦。过去鄫国诸侯无子，以其外孙莒国诸侯之子为其继承人，《春秋》便记载说‘莒人灭鄫’。这样做是断绝了父亲和祖宗的祭祀，开启了朝廷混乱的根源。按照《谥法》‘破坏纲纪法度称作荒’，请送给贾充‘荒公’的谥号吧。”晋武帝不同意给贾充这样的谥号，而是更改为“武”。

闰四月初一日丙子，广陆侯李胤去世，谥号为“成”。

齐王司马攸的道德声望日益升高，荀勖、冯𬘘、杨珧都非常忌恨齐王司马攸。冯𬘘对晋武帝说：“陛下下诏让诸侯王都离开朝廷到自己的封地上去，就应该首先从最亲近的人开始实行，最亲近的人中没有人能比过齐王，如今却唯独齐王留在京城，这可以吗?”荀勖说：“文武百官、朝廷内外都心向齐王，陛下万岁之后，太子恐怕无法继承皇位。陛下可以验证一下，您下诏让齐王回到他的封国去，如果朝廷上下都认为不可以，那么我说的话就得到了验证。”晋武帝认为荀勖说得有道理。于是，冬季十二月十三日甲申，晋武帝下诏说：“古时候，被九次加封而成的方伯，有的在朝辅佐帝王执政，有的外出任一方的诸侯之长，其规模都是一样的。侍中、司空、齐王司马攸，为协助朕治理国家立下了汗马功劳，为司马氏家族的政权极尽辛劳，现在任命齐王司马攸为大司马，统领青州诸军事，原有的侍中职位不变，再增加崇敬的礼仪，主管这项具体工作的人必须详细按照旧有的制度执行。”任命汝南王司马亮为太尉，总管尚书省的事务，兼任太子太傅，任命光禄大夫山涛为司徒，任命尚书令卫瓘为司空。

征东大将军王浑上书说：“齐王司马攸和陛下血缘关系最亲，又德高望重，可以和周朝初年周公的德业相比，应该留在朝廷辅佐皇帝，参与过问朝廷大事。如今让司马攸离开京师回到他的封国去，只授予他一个都督的虚名，却没有统帅大军、为

实，亏友于款笃之义[454]，惧[455]非陛下追述[456]先帝、文明太后[457]待攸之宿意[458]也。若以同姓宠之太厚，则有吴、楚逆乱之谋[459]，汉之吕、霍、王氏[460]，皆何人也？历观古今，苟事之轻重所在[461]，无不为害，唯当任正道而求忠良耳。若以智计猜物[462]，虽亲见疑，至于疏者，庸可保乎[463]？愚以为太子太保缺[464]，宜留攸居之，与汝南王亮、杨珧共干朝事[465]。三人齐位，足相持正，既无偏重相倾[466]之势，又不失亲亲仁覆[467]之恩，计之尽善者也。”于是扶风王骏、光禄大夫李憙、中护军羊琇、侍中王济[468]、甄德皆切谏[469]，帝并不从。济使其妻常山公主及德妻长广公主[470]俱入，稽颡涕泣，请帝留攸。帝怒，谓侍中王戎曰：“兄弟至亲，今出齐王，自是朕家事，而甄德、王济连遣妇来生哭人[471]邪！”乃出[472]济为国子祭酒[473]，德为大鸿胪[474]。羊琇与北军中候[475]成粲谋见杨珧，手刃杀之。珧知之，辞疾不出，讽[476]有司奏琇，左迁太仆。琇愤怨，发病卒。李憙亦以年老逊位[477]，卒于家。憙在朝，姻亲故人[478]与之分衣共食，而未尝私以王官[479]，人以此称之。

是岁，散骑常侍薛莹[480]卒。或谓吴郡陆喜曰：“莹于吴士当为第一[481]乎？”喜曰：“莹在四五之间[482]，安得为第一？夫以孙皓无道，吴国之士，沉默其体[483]，潜而勿用者，第一也，避尊居卑[484]，禄以代耕[485]者，第二也，侃然体国[486]，执正[487]不惧者，第三也，斟酌时宜，时献微益[488]者，第四也，温恭修慎[489]，不为谄首[490]者，第五也。过此以往，不足复数。故彼上士[491]多沦没而远悔吝[492]，中士有声位而近祸殃。观莹之处身本末[493]，又安得为第一乎？”

**四年（癸卯，公元二八三年）**

春，正月甲申[494]，以尚书右仆射魏舒[495]为左仆射，下邳王晃为右仆射。晃，孚之子也。

一方骨干的实际，这样做会使兄弟间的忠诚友爱之情受到亏损，我担心这不是陛下继续遵行先帝和文明太后对待司马攸的一贯意愿。如果认为他是同姓，对他宠信太过会导致吴、楚七国之乱的事件发生，那么汉朝的吕产、吕禄、霍禹、王莽，他们难道不都是以外戚操纵政权而构成祸乱的吗？纵观古今，如果让某人的权势过重，没有不造成危害的，唯一的办法就是任用那些正直的，寻求那些忠诚贤良的大臣辅佐朝政。如果凭借小聪明胡乱猜忌人，即使是最亲近的人也要怀疑，至于关系疏远的人，难道就能保证不出问题吗？我认为太子太保的位置还空缺着，应该留下司马攸担任太子太保，与汝南王司马亮、卫将军杨珧共同主持朝廷大事。三个人地位相同，完全可以保持正直，既无权势偏重一方的局面出现，无法形成权重的一方倾轧另外一方的可能，又保证对各方面的亲戚都施以恩惠，这是最好的措施了。”于是扶风王司马骏、光禄大夫李憙、中护军羊琇、侍中王济、甄德等人都恳切地劝谏晋武帝不要让司马攸回到封国去，晋武帝对这些劝告一律不听。担任侍中的王济让他的妻子常山公主，甄德让他的妻子长广公主都入宫劝说晋武帝，她们在司马炎面前磕头哭泣，请求晋武帝留下司马攸。晋武帝大怒，他对侍中王戎说：“朕与司马攸是兄弟至亲，如今放齐王出外任职，这自然是朕的家务事，而甄德、王济竟然多次派他们的夫人来哭，这不是哭活人吗？”于是把王济逐出宫廷降为国子祭酒，将甄德降为管理宾客、朝仪等事务的大鸿胪。羊琇与北军中候成粲密谋见到杨珧，就寻找机会将杨珧刺死。杨珧听到风声，便称病闭门不出，他暗示有关部门弹劾羊琇，晋武帝于是把羊琇降为太仆。羊琇又生气又怨恨，发病死去。李憙也因为年老退职，死于家中。李憙在朝为官的时候，那些亲戚、老朋友来找他，他就把他们留在家中热情地款待，却从不出于私心任用他们为官，人们因此称赞他为官清廉。

这一年，担任散骑常侍的薛莹去世。有人问吴郡的陆喜说：“薛莹在吴国应该算是九品中的上上等吗？”陆喜说：“薛莹应该排在第四等或是第五等，怎么能算是第一等的贤才呢？因为孙皓昏庸无道，吴国的贤能之士都沉默不语，隐居起来、躲藏起来不肯出来做官的人，才称得上是第一等贤才；避开高位，居于低位，把获得的微薄俸禄拿来维持生活的人，称得上是第二等贤才；敢于直抒己见，一切以国家利益为重，坚持正确的意见而不顾及个人安危的人，称得上是第三等贤才；把握时机，偶尔提出一些有益建议的人，称得上是第四等贤才；温和恭敬，谨慎小心，不带头做谄媚的事情的人，称得上是第五等贤才。除此以外，不能一一列举。所以那些上等的贤才大多湮没无闻而远离了荣辱悔恨，中等贤才有声望地位反而接近祸殃。纵观薛莹一生行事，又怎么能算得上是第一等贤才呢？”

**四年（癸卯，公元二八三年）**

春季，正月甲申日，任命尚书右仆射魏舒为左仆射，任命下邳王司马晃为右仆射，司马晃是司马孚的儿子。

戊午[496]，新沓康伯山涛[497]薨。

帝命太常议崇锡齐王之物[498]。博士庾旉、太叔广[499]、刘暾、缪蔚、郭颐、秦秀、傅珍上表曰：“昔周选建明德以左右[500]王室，周公、康叔、聃季皆入为三公[501]，明股肱之任[502]重，守地之位[503]轻也。汉诸侯王，位在丞相、三公上，其入赞朝政[504]者，乃有兼官[505]；其出之国，亦不复假台司虚名[506]为隆宠也。今使齐王贤邪[507]，则不宜以母弟之亲尊居鲁、卫之常职[508]；不贤邪，不宜大启土宇[509]，表建东海[510]也。古礼，三公无职[511]，坐而论道[512]，不闻以方任婴之[513]。惟宣王救急朝夕[514]，然后命召穆公征淮夷[515]，故其诗曰：‘徐方不回，王曰旋归。’[516]宰相不得久在外也。今天下已定，六合为家，将数延三事[517]，与论太平之基。而更出之[518]，去王城二千里，违旧章矣。”旉，纯之子；暾，毅之子也。旉既具草，先以呈纯，纯不禁[519]。

事过太常郑默[520]、博士祭酒曹志[521]，志怆然叹曰：“安有如此之才，如此之亲，不得树本助化[522]，而远出海隅[523]。晋室之隆[524]，其殆矣乎[525]！”乃奏议曰：“古之夹辅王室[526]，同姓则周公，异姓则太公[527]，皆身居朝廷，五世反葬[528]。及其衰也，虽有五霸代兴[529]，岂与周、召之治[530]同日而论哉！自羲皇[531]以来，岂一姓所能独有[532]！当推至公之心，与天下共其利害，乃能享国久长。是以秦、魏[533]欲独擅其权而才得没身[534]，周、汉能分其利而亲疏为用[535]，此前事之明验也。志以为当如博士等议。”帝览之，大怒曰：“曹志尚不明吾心[536]，况四海乎！”且谓：“博士不答所问[537]，而答所不问，横造异论。”下有司[538]策免郑默。于是尚书朱整、褚䂮等[14]奏：“志等侵官离局[539]，迷罔[540]朝廷，崇饰恶言[541]，

十八日戊午，新沓伯山涛去世，谥号为“康”。

晋武帝命令太常商议，要表示对齐王司马攸的尊崇应该赏赐给他什么东西。博士庾旉、太叔广、刘暾、缪蔚、郭颐、秦秀、傅珍上表说：“古时候周朝挑选品德完美的人辅佐王室，周公、康叔、聃季，都入朝为官，位居三公，表明在帝王身边当辅佐重臣的责任重大，相比之下那些为国守土的方面大员的责任较轻。汉朝的诸侯王地位在丞相、三公之上，但他们只有在入朝辅佐皇帝执政的时候，才有一个朝官的职务，如果离开朝廷回到自己封国的时候，朝中的官职自然就解除了，朝廷也不再加给他们一个朝官的虚衔以表示恩宠。如果认为齐王司马攸的确是一位贤才，那么就不应该以陛下亲弟弟的尊贵身份去当一个像鲁公伯禽、卫康叔那样不管朝廷事务的诸侯；如果认为司马攸不是贤才，就不应该封给他大片疆土，使他建国于东海之滨。古代的礼法制度，三公不担负某一方面的具体职务，只管坐在君主身旁研究治国大略，而没有听说过把某一局部地区的责任加到他们的头上。只有周宣王姬静为了临时解决突然发生的问题，这才下令让召穆公去征讨淮河流域那些少数民族的叛乱，所以《诗经》中有这样的诗句：‘徐方的夷人已经不再叛乱，周宣王让召穆公赶紧回朝。’因为宰相不能长久在外。如今天下已经平定，全国已经统一，应该多多地召请三公们商讨国家的大政方针，探讨如何建立使天下长治久安的基础。现在反而将齐王逐出朝廷，让他到远离京城两千多里的地方去，这违背了旧有的规章。”庾旉是庾纯的儿子；刘暾是刘毅的儿子。庾旉写好奏章之后，首先让他的父亲庾纯过目，庾纯没有提出反对的意见。

当庾旉等人的表章传到太常郑默、博士祭酒曹志之手的时候，曹志很伤感地叹息着说：“怎么会有这样贤能，又与朝廷如此亲近的人，却不得留在朝中巩固国家的根基，辅助帝王推广教化，反而让他到遥远的海角去。晋朝的兴盛，怕是要危险啦！”于是上奏章给晋武帝说：“古代周朝的辅佐大臣，同姓的有周公姬旦，异姓的有太公姜子牙，他们都是身居朝廷，五世之后才运回封国安葬。等到周朝衰落的时候，虽然有五个霸主一个接一个地兴起，然而岂能与周公、召公共同辅佐成王时期的政治局面同日而语呢！自伏羲氏以来，哪有一姓能够长久地独霸天下的道理呢！朝廷应当出于至公之心，与天下人共同享受利益和承担灾害，才能长久地享有国家。秦王朝和曹魏王朝虽然一心想独自占有国家的权力，然而创业者一死，国家立即大乱，周朝、汉朝能够分出一部分利益给别人，所以不论是关系亲近还是关系疏远的人都肯为朝廷效力，以前的这些事情就是明显的验证。曹志认为应当采纳博士们的建议。”晋武帝看过表章后大怒，说：“连曹志都不明白我的心思，更何况是全天下的人呢！”又说：“博士没有回答我所提出的问题，却回答了我没有问的问题，凭空编造出这些奇谈怪论。”于是给有关部门下令，罢免郑默的官职。于是尚书朱整、褚䂮等上奏说：“曹志等人超越本职，越位侵权，迷惑朝廷，尊崇粉饰荒谬的言论，

假托无讳[542]，请收志等付廷尉科罪。”诏免志官，以公还第[543]，其余皆付廷尉科罪。

庾纯诣廷尉自首：“旉以议草[544]见示[545]，愚浅听之[546]。”诏免纯罪。廷尉刘颂奏旉等大不敬，当弃市。尚书奏请报听廷尉行刑[547]。尚书夏侯骏曰：“官立八座[548]，正为此时[549]。”乃独为驳议。左仆射下邳王晃[550]亦从骏议。奏留中七日[551]，乃诏曰：“旉是议主[552]，应为戮首[553]。但旉家人[554]自首，宜并广等七人皆丐其死命[555]，并除名。”

二月，诏以济南郡益齐国[556]。己丑[557]，立齐王攸子长乐亭侯寔为北海王[558]。命攸备物典策[559]，设轩县之乐[560]，六佾之舞[561]，黄钺[562]朝车[563]，乘舆之副从焉[564]。

三月辛丑朔[565]，日有食之。

齐献王攸愤怨发病，乞守先后陵[566]，帝不许。遣御医诊视，诸医希旨[567]，皆言无疾。河南尹向雄谏曰：“陛下子弟虽多，然有德望者少。齐王卧居京邑，所益实深，不可不思也。”帝不纳，雄愤恚而卒。攸疾转笃，帝犹催上道[568]。攸自强[569]入辞，素持容仪[570]，疾虽困，尚自整厉[571]，举止如常，帝益疑其无疾。辞出数日，欧血而薨。帝往临丧，攸子冏号踊[572]，诉父病为医所诬[573]。诏即诛医，以冏为嗣。

初，帝爱攸甚笃，为荀勖、冯统等所构[574]，欲为身后之虑[575]，故出之。及薨，帝哀恸不已。冯统侍侧，曰：“齐王名过其实，天下归之，今自薨殒，社稷之福也，陛下何哀之过！”帝收泪而止。诏攸丧礼依安平献王[576]故事。

假借直言而无所忌讳，请求朝廷批准逮捕曹志等人，交付廷尉定罪。”晋武帝下诏免去曹志的职务，以甄城公的身份回家赋闲，其余的人都交付廷尉审理定罪。

庾旉的父亲庾纯赶紧到廷尉那里自首，他说：“庾旉曾经把奏章的草稿拿给我过目，由于我愚蠢浅陋，就听任他们上奏了。”晋武帝下诏赦免庾纯的罪过。廷尉刘颂上奏章指陈庾旉等人犯了大不敬之罪，应当拉到闹市斩首。尚书催促皇帝立即将其执行死刑。担任尚书的夏侯骏说：“朝廷设立尚书令、尚书仆射和下属的六曹尚书，就是为了要讨论这些有争议的问题。”于是便单独写了一份反对刘颂意见的奏章。担任左仆射的下邳王司马晃也表示同意夏侯骏的意见。奏章在皇宫里被压了七天，晋武帝才下诏说：“庾旉是这种意见的发起者，应该把他第一个杀掉。但庾旉的家人庾纯能够自首，应该将庾旉连同太叔广等七人全部判处死刑，只是先暂且饶其死罪，全部除去名籍。”

二月，晋武帝下诏，把济南郡划归齐国。十九日己丑，封齐王司马攸的儿子长乐亭侯司马寔为北海王。命令司马攸有权使用皇家的仪仗、礼器等，有权保有记载典章制度的各种书籍，有权按照诸侯的级别设置乐器、使用纵横都是六个人的舞蹈队，并赐予司马攸象征生杀大权的黄色大斧和朝见皇帝时所用的车子，晋武帝还把自己的副车也赏赐给了齐王司马攸。

三月庚子朔，发生日食。

齐王司马攸因气恼哀怨而发病，便上书请求为死去的母亲文明皇后守陵，晋武帝不准许。派遣御医给司马攸看病，那些御医为了迎合晋武帝的旨意，都说司马攸没有病。担任河南尹的向雄向晋武帝进谏说：“陛下虽然子弟众多，然而真正有德望的人却很少。齐王司马攸留在京城即使是卧病在床，对国家也是有很大好处的，陛下不可不三思啊。”晋武帝对他的建议置若罔闻，向雄也因气恼恚恨而死。司马攸病情越来越重，晋武帝仍然催促他动身去齐国。司马攸勉强打起精神入宫向司马炎辞行，因他一向注重自己的仪表，虽然病情已经很重，但还是表现得很有精神、很有风度，举止上与平常没有什么两样，晋武帝就更加怀疑司马攸没有病。司马攸向司马炎告辞后没有几天，就吐血而死。晋武帝亲自去吊丧，司马攸的儿子司马冏顿足号哭，控诉父亲本来身患重病却遭到御医的诬陷，故意说他无病。晋武帝立即下诏诛杀御医，并让司马冏继承了司马攸的爵位。

当初，晋武帝对司马攸非常疼爱，后来因为受到荀勖、冯𬘘等人的挑拨离间，便担心自己死后太子司马衷的帝位会被司马攸夺取，所以坚持要司马攸离开朝廷。等到司马攸去世，晋武帝哀痛不已。冯𬘘当时侍奉在晋武帝身边，冯𬘘说：“齐王的名望超过了他的实际能力，天下人心都倾向于他，如今司马攸自己病死，这是国家的福分，陛下何必过分悲哀！”晋武帝才收住眼泪止住悲哀。晋武帝下诏，司马攸的丧礼仿照安平献王司马孚的规模办理。

攸举动以礼[577]，鲜有过事[578]，虽帝亦敬惮[579]之。每引之同处，必择言而后发[580]。

夏，五月己亥[581]，琅邪武王伷[582]薨。

冬，十一月，以尚书左仆射魏舒为司徒。

河南及荆、扬等六州大水。归命侯孙皓卒[583]。

是岁，鲜卑慕容涉归卒。弟删篡立[584]，将杀涉归子廆，廆亡匿[585]于辽东徐郁家。

---

【段旨】

以上为第二段，写晋武帝太康二年（公元二八一年）至四年共三年间的大事。主要写了晋武帝沉迷酒色，宠信并曲护奸佞贾充、荀勖、冯紞等人；写了王恺、石崇相互斗富；写了晋武帝与群小排挤齐王司马攸，并将其迫害致死；写了张华因直正而被排斥于朝外；写了傅咸、刘毅、秦秀等人的一些卓荦言行，以及鲜卑慕容廆开始登上历史的舞台等。

【注释】

㉜颇事游宴：逐渐沉迷于游乐宴饮。㉝掖庭：皇宫中的旁舍，宫嫔所居的地方。㉞羊车：一种由山羊拉的小车。㉟恣其所之：随山羊随便走，到哪里算哪里。㊱竹叶插户二句：据说山羊喜吃竹叶，又喜吃带咸味的东西，所以宫嫔们使用这两样东西引诱山羊上门。㊲交通：互相勾结。㊳请谒：参拜，这里指“走后门”。㊴莫护跋：鲜卑首领，曾跟随司马懿讨伐辽东的公孙渊，封“率义王”。事见本书卷第七十四景初二年（公元二三八年）。㊵棘城：魏晋时的县名，在今辽宁义县西南。㊶辽东：古郡名，郡治襄平，即今辽宁辽阳。㊷涉归：慕容廆之父。事见《晋书》卷一百八。㊸寇昌黎：入侵昌黎郡。昌黎郡的郡治即今辽宁义县。㊹十一月壬寅：十一月二十五。㊺移镇秣陵：将扬州刺史的办公机构迁移到秣陵。秣陵即今江苏南京。晋国的扬州原治寿春，今已灭吴，遂东迁秣陵。㊻俊乂：有才干的人。㊼正月丁丑朔：正月初一是丁丑日。㊽亲祀南郊：亲自到南郊祭天。㊾刘毅：字仲雄，东莱掖（今山东莱州）人，以直言敢谏著名，主张废除九品中正制度。“上品无寒门，下品无势族”即出其论。传见《晋书》卷四十五。㊿方：比。[341]桓、灵：东汉十一代桓帝刘志、十二代灵帝刘宏，历史上有名的昏君。[342]入私门：指归入卖官者的私人腰包。[343]殆不如：似乎还比不上。殆，似乎、差不多。[344]固为胜之：还是要比桓、灵二帝强。[345]纠绳：纠举弹劾，绳之以法。[346]鼓吹入东

司马攸一举一动都符合礼节规定，很少有过失，即便是晋武帝也对他深感敬畏。晋武帝每次召见齐王司马攸，都必须先想好了，然后才敢开口说话。

夏季，五月初一日己亥，琅邪王司马伷去世，谥号为“武”。

冬季，十一月，任命尚书左仆射魏舒为司徒。

河南和荆州、扬州等六个州发生洪水。

归命侯孙皓去世。

这一年，鲜卑部落的慕容涉归去世。他的弟弟慕容删篡位代立，慕容删想除掉慕容涉归的儿子慕容廆，慕容廆为了避祸便逃亡到辽东徐郁的家中躲藏起来。

---

掖门：指带着仪仗队、乐队，直入皇宫的东掖门。按规定，任何臣子到达东掖门，必须下车步行，前导仪仗队不能进去。㊼劾奏：弹劾；举报。㊽羊琇：羊耽之子，司马师夫人的堂弟，司马炎的堂舅。传见《晋书》卷九十三。㊾豫机密：参与重大决策。㊿私请琇于毅：私下向刘毅给羊琇求情。51都官从事：司隶校尉的属官，协助监察百官。52径驰：骑马径直闯入。53护军营：羊琇所统禁兵的兵营。54收琇属吏：逮捕了羊琇，将羊琇交给有关司法部门。55阴私：不为人知的罪恶行径。56先奏琇所犯狼籍：先向皇帝奏明羊琇所犯的罪行之多之重。57以白衣领职：以平民的身份代理中护军的职权。白衣，古代未仕者所服。58景献皇后：司马师的正室羊徽瑜。59从父弟：堂弟。60王恺：字君夫，司马炎的舅舅。曾任龙骧将军，领骁骑将军、后将军等，以骄奢淫逸闻名于史。传见《晋书》卷九十三。61文明皇后：司马昭的正室王元姬。62石崇：字季伦，小字乔奴，司徒石苞之子。以骄奢淫逸闻名于史。传见《晋书》卷三十三。63相高：互相比高低。64以粭澳釜：用糖浆洗锅。粭，通“饴”。用米或麦制成的糖浆或食品。澳，刷洗。65以蜡代薪：用蜡烛代替木柴烧火。66紫丝步障：用紫色丝绸夹道拉帐子，以挡人观看。这里是为了摆阔气。67涂屋以椒：用花椒粉涂刷墙壁。今花椒已不是贵重之物，但当时花椒来自西域，价格昂贵。花椒性温和而有芳香，只有皇宫才用来涂刷墙壁，因此皇后居室也被称为“椒房”。68用赤石脂：用“赤石脂”涂墙。赤石脂是一种颜色鲜艳、质地滑腻的类似胭脂的膏土。69疾：嫉妒。70不足多恨：用不着生那么大的气。恨，遗憾、心疼。71怃然自失：被惊呆、吓傻的样子。72车骑司马：车骑将军的高级幕僚，主管军中司法。73傅咸：字长虞，傅玄之子，为人忠直敢谏。传见《晋书》卷四十七。74皆有其制：都有不同的等级规定。据胡注，古时黎民五十岁之后才可吃肉，六十岁以上才可穿丝绸。75当诘其奢：对于奢侈浪费者应予以问罪。诘，谴责、治罪。76转相高尚：反而以此竞赛，越奢侈越好。77无有穷极：没个休止；不可收拾。78伐吴之谋：指张华坚持讨伐东吴的主张。79疾：嫉恨。80明德至亲：品德高尚，

又是至亲。㊳⑧¹ 齐王：司马攸，司马炎的亲兄弟。㊳② 忤旨：违背了晋武帝的旨意。㊳③ 甲午：正月十八。㊳④ 抚循：宣抚、安慰。㊳⑤ 夷夏：胡人与汉人。㊳⑥ 征：指召其回朝，任以政事。㊳⑦ 从容语及锺会：随意闲谈地说到锺会。㊳⑧ 颇由太祖：问题有些是出于太祖司马昭的处置失宜。颇，有点。锺会谋反见本书卷第七十八咸熙元年（公元二六四年）。㊳⑨ 善御者：善于赶车的人。㊴⓪ 六辔缓急之宜：哪根缰绳应拉紧、哪根缰绳应略松的相机掌握。㊴① 仲由：子路，孔子的学生，好勇力，志亢直。㊴② 兼人：能力过人，也好压过别人。㊴③ 退之：对之做适当的批评、贬压。㊴④ 冉求：冉有，孔子的学生，以为人谦退著称。㊴⑤ 退弱：谦恭怯弱。㊴⑥ 进之：对其适当加以鼓励。〖按〗以上孔子因材施教事，见《论语》与《史记·孔子世家》。㊴⑦ 尊宠五王而夷灭：对韩信、彭越、英布、卢绾、韩王信等恩宠过盛，因而导致五人皆造反被杀。刘邦杀五王事见《史记》相关各传。㊴⑧ 光武：汉光武帝刘秀。㊴⑨ 抑损诸将而克终：由于能及早对诸将加以裁抑，故东汉开国诸将反而能善终。克终，能善终。刘秀建国后，不让功臣执掌政权，故无造反被杀者。㊵⓪ 抑扬与夺：或升或降，或予或夺。指帝王对诸将的不同对待。㊵① 使之然：造成了他们日后的这种结局。㊵② 居以重势：使他掌握了过重的权势。㊵③ 自谓算无遗策：自己相信谋划什么从来没有失误。㊵④ 功在不赏：功劳已到了无法再赏赐的程度。㊵⑤ 遂构凶逆：一直到了谋反。㊵⑥ 向令：假令当初。㊵⑦ 录其小能：发挥他的现有能力。录，任用。㊵⑧ 节以大礼：以严格的礼法对之加以控制。㊵⑨ 纳之以轨则：把他放在条条框框的监督之中。㊶⓪ 坚冰之渐：冰冻三尺，非一日之寒。《易·坤卦》："履霜坚冰至。《象》曰：'履霜坚冰，阴始凝也，驯致其道，至坚冰也。'"这里的意思是告诉司马炎要及早提防张华，不能让他权力太大。㊶① 复致倾覆：再次造成翻车。㊶② 屏左右：让左右退下。屏，通"摒"。支开。㊶③ 据方镇：占据一方军镇，指任刺史，都督众军。㊶④ 总戎马：总统一个地区的兵马。㊶⑤ 自忧谥传：担心人们在他死后，给他的谥字是什么，和日后的传记会怎么写。因为他的罪孽太多，光是杀害魏帝曹髦一事，就非被加上恶谥不可，再加上他一贯的奸邪行径，更无法逃过良史的诛伐。㊶⑥ 四月庚午：四月二十五。㊶⑦ 世子：嫡长子，即继位人。㊶⑧ 黎民早卒：贾黎民被其母郭氏折磨而死事见《晋书》卷八十四。㊶⑨ 韩谧：贾充幼女贾午与女婿韩寿的儿子。㊷⓪ 世孙：继承祖父的嫡孙，即合法继承人。㊷① 郎中令：贾充鲁国公府的属官，主管戍卫府第。按晋制，诸王及诸郡公设有郎中令、中尉、大农三卿。㊷② 文：条文；规定。㊷③ 先公：指贾充。㊷④ 事寝不报：上书被压下，没有回音。意即皇帝默许贾充妻的想法。㊷⑤ 太宰：指贾充。㊷⑥ 始封无后：自己因功获得封爵而绝嗣无后，以别于后人继承爵位者。㊷⑦ 太常：朝官名，主管朝廷礼仪与祭祀的官员。㊷⑧ 悖礼溺情：违背礼教，沉溺私情。〖按〗此处故意未提其弑魏帝曹髦事。㊷⑨ 以乱大伦：指以异姓为嗣。㊸⓪ 鄫养外孙莒公子为后：鄫国诸侯无子，以其外孙莒国诸侯之子为其继承人。鄫是春秋时期的诸侯国名，故城在今山东枣庄市峄城区东八十里，莒国的都城即今山东莒县。㊸①《春秋》书"莒人灭鄫"：语见《左传》襄公六年。《穀梁传》解释此事说，并不是鄫真被莒吞并，而是因鄫国国君把女儿的儿子作为后裔，鄫国的血统已经变了。㊲ 血食：指祭祀。㊳ 昏乱纪度：破坏纲纪法度。㊴ 闰月丙子：闰四月初一。㊵ 广陆成侯李胤：李胤被封为广陆侯，“成”字是其死后的谥。李胤是西晋的正直官吏，传见《晋书》卷四十四。㊶ 之国：离开朝廷，到自己的封地上去。㊷ 举朝：满朝上下。㊸ 十二月甲申：十二月十三。㊹ 九命作伯：被九次加封而成的“方伯”。《周礼》：“一命受职，再命受服，三命受位，四命受器，五命赐则，六命赐官，七命赐国，八命作牧，九命作伯。”伯，为一方诸侯之长。㊺ 入毗朝政：在朝辅佐帝王执政。㊻ 出御方岳：外出任一方的诸侯之长。御，治理、出任。方岳，一方的诸侯之长。㊼ 其揆一也：其规模都是一样的。揆，制度、规模。㊽ 佐命立勋：为协助司马炎治国立下丰功伟绩。㊾ 劬劳王室：为司马家族的政权费尽辛劳。㊿ 仍：这里是“并”“再”的意思。446 主者：主管安排这次具体工作的人。447 汝南王亮：司马亮，司马懿之子，司马炎之叔。448 录尚书事：总管尚书省的事务。449 侔于周公：可以和周初的周公姬旦德业相比。侔，相当、相比。450 宜赞皇朝：应该辅佐皇帝。赞，辅佐。451 与闻政事：参与过问朝廷大事。452 都督虚号：因当时已解除各地的驻军，故都督一职仅有虚名。453 典戎干方：统率大军，为一方之骨干。454 亏友于款笃之义：指兄弟间的忠诚友爱之情受到亏损。友于，指兄弟。因《尚书·君陈》中有“孝友于兄弟”之文，后人遂取前二字以代后二字之义。款笃，深情厚爱。455 惧：我担心。456 追述：继续遵循。述，遵行。457 先帝、文明太后：先帝指司马昭，文明太后指司马炎与司马攸的生母王元姬。458 待攸之宿意：对待司马攸的一贯意愿。文明太后嘱托司马炎好好对待司马攸之事见本书卷第八十咸宁二年（公元二七六年）。459 吴、楚逆乱之谋：指西汉吴王刘濞、楚王刘戊等发动的“七国之乱”。事见《史记·吴王濞列传》与本书卷第十六景帝前三年（公元前一五四年）。460 吕、霍、王氏：指吕产、吕禄、霍禹、王莽，都是以外戚操纵政权构成祸乱。王浑之意是说司马攸不应疑，而贾充、“三杨”（杨骏、杨珧、杨济）等人不应信。461 事之轻重所在：指让某人掌握的权势过重。462 以智计猜物：凭小聪明猜忌人。463 庸可保乎：难道就能保证不出问题吗？464 太子太保缺：太子太保的位子现在还空着。太子太保是辅佐太子的大臣。465 共干朝事：共同主持朝廷大事。466 偏重相倾：指权力偏归于一人。467 亲亲仁覆：对各方面的亲戚都施以恩惠。亲亲，意即亲爱亲戚。468 王济：字武子，王浑之子。传见《晋书》卷四十二。469 切谏：恳切地劝阻。470 常山公主及德妻长广公主：都是司马炎之女。471 生哭人：哭活人，人还没死就来哭。472 出：逐出宫廷，即免去其“侍中”之职。473 国子祭酒：国子监（太学）的长官。474 大鸿胪：官名，管理宾客、朝仪等事务。475 北军中候：禁卫军的长官，监领屯骑、越骑、步兵、长水、射声校尉所统的北军五营。476 讽：暗示。477 逊位：退职。478 姻亲故人：亲戚、朋友。479 未尝私以王官：从不出于私心地任以官职。480 薛莹：原是东吴丹阳郡长，降晋后任散骑常侍。481 第一：指九品中的上上等。482 四五之间：第四等或是第五等，指中上或是中中。483 沉默其体：沉默不言，隐居起来。484 避尊居卑：避开高位，居于低位。㊽禄以代耕：只求能维持生活。㊾侃然体国：直抒己见，一切以国家为重。体国，治国。㊿执正：坚持正确意见。⑱时献微益：不时地进献一些有益的意见。⑲温恭修慎：温和恭敬、谨慎小心。⑳不为谄首：不带头做谄媚的事。㉑上士：上等贤才。㉒远悔吝：指不居官，远离一切荣辱悔恨。吝，悔恨。㉓处身本末：一生行事。㉔正月甲申：正月辛丑朔，无甲申日，此处记事有误。㉕魏舒：字阳元，又称剧阳子。曾任侍中，尚书，左、右仆射，司徒等职。传见《晋书》卷四十一。㉖戊午：正月十八。㉗新沓康伯山涛：新沓伯是山涛的封号，新沓是县名，"康"字是谥。㉘崇锡齐王之物：要表示对齐王司马攸的尊崇而赏赐给他什么东西。物，指仪仗、礼器等。㉙太叔广：复姓太叔，名广。⑤⑩左右：犹言"辅佐"。⑤⑪皆入为三公：周公、康叔、聃季都是周武王的弟弟。《左传》定公四年卫太祝子鱼曰："武王之母弟八人，周公为太宰，康叔为司寇，聃季为司空。"⑤⑫股肱之任：比喻在帝王身边当辅佐重臣。⑤⑬守地之位：指在一方任为国守土的方面大员。⑤⑭入赞朝政：在朝廷辅佐皇帝执政。赞，助、辅佐。⑤⑮乃有兼官：才有一个朝官的职务。⑤⑯假台司虚名：再加给他一个朝官的虚衔。台司，意即朝廷。⑤⑰使齐王贤邪：如果齐王的确是贤才。邪，通"耶"。反问语气词。⑤⑱居鲁、卫之常职：指如鲁公伯禽、卫康叔那样去鲁、卫封国为侯，不管朝廷事务。⑤⑲大启土宇：指封给他大片的疆土。启，开设。⑤⑩表建东海：建国于东海之滨。⑤⑪三公无职：三公不担负具体某一方面职务。⑤⑫坐而论道：坐在君主身旁研讨治国大略。⑤⑬以方任婴之：把某一局部地区的责任加到他头上。婴，劳烦、拖累。⑤⑭宣王救急朝夕：周宣王姬静，厉王之子，周王朝的第十一任帝王，公元前八二八至前七八二年在位。救急朝夕，为了临时解决突然发生的问题。⑤⑮命召穆公征淮夷：召穆公的名字不详，其受宣王命征讨当时居住在淮河一带的少数民族事，详见《诗经·江汉》。《诗序》曰："《江汉》，尹吉甫美宣王也，能兴衰拨乱，命召公平淮夷。"但《国语》与《史记·周本纪》皆不载其事。⑤⑯徐方不回二句：语出《诗经·常武》，意思是，徐方的夷人已经不再邪恶、叛乱，宣王就让召穆公赶紧回朝了。〖按〗《江汉》与《常武》都是写平定淮夷之事，"徐方"是地区名，指今安徽、江苏的淮河流域，故当时这一带的夷族也称"徐夷"。⑤⑰数延三事：多次召请三公商讨国家大政。三事，即三公。⑤⑱而更出之：反而将齐王逐出朝廷。⑤⑲不禁：不反对。⑤⑳事过太常郑默：当庾旉等人的表章传到太常郑默之手。⑤㉑博士祭酒曹志：曹植之子。曹植是曹操之子，曹丕之弟，当时著名的文学家。博士祭酒是诸博士中的领头人物。⑤㉒树本助化：巩固国家的根基，辅助帝王推广教化。⑤㉓海隅：海角，指齐国疆土。⑤㉔隆：兴盛。⑤㉕其殆矣乎：将要危险啦。⑤㉖夹辅王室：辅佐朝廷。⑤㉗太公：姜太公，名望，字子牙。辅佐武王灭商有大功。事见《史记·齐太公世家》。⑤㉘反葬：据《礼记·檀弓》："太公封于营丘，比及五世，皆反葬于周。"⑤㉙五霸代兴：指齐桓公、晋文公、秦穆公、宋襄公、楚庄王都以"尊王"为口号，一个接一个地兴起。⑤㉚周、召之治：周公、召公共同辅佐成王的政治局面。召公名奭，也是武王的弟弟。武王去世后，周公与召公一道辅佐成王治理天下。531 羲皇：伏羲氏，传说中的“三皇”之一。532 岂一姓所能独有：通常所说的“天子轮流做”。533 秦、魏：秦王朝和曹魏王朝。534 才得没身：指创业者一死，天下立即大乱。秦始皇死后，明显如此。曹丕死后，魏国虽未立即就乱，但政权已开始转入司马氏手中。535 亲疏为用：亲近和疏远的人才都肯为朝廷效力。536 曹志尚不明吾心：司马炎的意思是，曹志身为曹植之子，应该通过当年魏文帝曹丕那么严厉地对待曹植，而明白我今天所担心的是什么，可是他居然不明白。537 不答所问：没有回答我所提出的问题，即应“崇赐”齐王什么礼物。538 下有司：给主管部门下令。539 侵官离局：脱离本职，越位侵权。540 迷罔：迷惑。541 崇饰恶言：尊崇粉饰荒谬的言论。542 假托无讳：假借直言而无所忌讳的名义。543 以公还第：以公爵的身份回家赋闲。曹志在魏袭其父爵为甄城王，入晋后降为甄城公。544 议草：奏章的草稿。545 见示：给我过目。546 愚浅听之：由于我的愚蠢浅陋，就听任他们上奏了。547 尚书奏请报听廷尉行刑：定庾旉为死罪后，尚书催促皇帝立即将其执行死刑。〖按〗“尚书”二字疑当作“上书”。548 八座：指尚书令、尚书仆射及下属的六曹尚书。549 正为此时：就是为了要讨论这些有争议的问题。550 下邳王晃：司马晃，司马懿之侄，司马炎之堂叔，被封为下邳王。551 留中七日：在皇宫里被压了七天。552 旉是议主：庾旉是这种意见的发起者。553 应为戮首：应该第一个被杀。554 旉家人：指庾旉之父庾纯。555 丐其死命：饶其死罪。丐，暂借、暂让他欠着。556 以济南郡益齐国：将济南郡割给齐国，以扩大其疆域。济南郡的郡治历城，即今山东济南。557 己丑：二月十九。558 北海王：封地北海郡，郡治平寿，在今山东潍坊西南。559 备物典策：可以拥有皇家所有的器物，指仪仗、礼器等；可以保存朝廷的典章书籍。560 轩县之乐：诸侯的音乐。天子用的音乐称为“宫悬”，四面悬挂；诸侯王用的乐器称“轩悬”，三面悬挂。561 六佾之舞：指诸侯使用的舞蹈队。佾舞是乐舞的行列，纵横都是六人，称“六佾”，封国国君专用。《左传》隐公五年：“天子用八，诸侯用六，大夫四，士二。”562 黄钺：黄色大斧，象征有生杀之权。563 朝车：朝见时用的车。564 乘舆之副从焉：指司马炎把自己的副车也给了齐王攸。565 三月辛丑朔：此处记载有误，太康四年的五月为辛丑朔，三月应作“庚子朔”。566 乞守先后陵：上书请求为死去的母亲守陵，意即不愿去齐国为王。先后，指文明皇后王元姬，司马炎与司马攸的生母。567 希旨：迎合司马炎的旨意。568 催上道：催促司马攸动身去齐国。569 自强：勉强打起精神。570 素持容仪：一向注意自己的仪表，即尽量不露病态。571 尚自整厉：还表现得很有精神、很有风度。572 号踊：顿足号哭。573 为医所诬：因医生不说实话，故病重致死。574 构：挑拨；编造。575 身后之虑：指担心自己死后太子的帝位被夺。576 安平献王：司马孚，司马懿之弟。司马孚的葬礼见本书泰始八年。577 举动以礼：一举一动都符合礼节规定。578 鲜有过事：很少有过失。鲜，少。579 敬惮：敬畏。580 必择言而后发：怕在其弟面前暴露短处。581 五月己亥：五月初一。582 琅邪武王伷：司马伷，司马懿之子，被封为琅邪王，武字是谥。583 孙皓卒：时年四十二岁。584 篡立：篡位代立。585 亡匿：逃亡躲藏。

【校记】

[11] 侍中：原无此二字。据章钰校，甲十一行本、乙十一行本、孔天胤本皆有此二字，张敦仁《通鉴刊本识误》同，今据补。《晋书》卷三三《石苞传》载，晋武帝即位，

【原文】

五年（甲辰，公元二八四年）

春，正月己亥[586]，有青龙二，见武库井中。帝观之，有喜色。百官将贺，尚书左仆射刘毅表曰："昔龙降夏庭，卒为周祸。[587]《易》称'潜龙勿用，阳在下也'。[588]寻案[589]旧典，无贺龙之礼。"帝从之。

初，陈群[590]以吏部不能审核[591]天下之士，故令郡国各置中正[592]，州置大中正[593]，皆取本土之人任朝廷官、德充才盛者为之，使铨次等级[594]以为九品[595]，有言行修著[596]则升之，道义亏缺则降之，吏部凭之以补授百官。行之浸久[597]，中正或非其人[598]，奸敝日滋[599]。刘毅上疏曰："今立中正，定九品，高下任意，荣辱在手，操人主之威福[600]，夺天朝之权势[601]，公无考校之负[602]，私无告讦之忌[603]，用心百态，营求万端[604]，廉让之风灭，争讼之俗成，臣窃为圣朝耻之。盖中正之设，于损政之道[605]有八：高下逐强弱[606]，是非随兴衰[607]，一人之身，旬日异状[608]。上品无寒门，下品无势族，一也。置州都[609]者，本取州里清议咸所归服[610]，将以镇异同[611]、一言议[612]也。今重其任而轻其人[613]，使驳违之论[614]横于州里，嫌仇之隙[615]结于大臣，二也。本立格之体为九品[616]者，谓才德有优劣，伦辈有首尾[617]也。今乃使优劣易地[618]，

石苞迁大司马，进封乐陵郡公，加侍中。[12] 石：据章钰校，甲十一行本、乙十一行本、孔天胤本皆无此字。[13] 时：原无此字。据章钰校，甲十一行本、乙十一行本、孔天胤本皆有此字，今据补。[14] 等：原无此字。据章钰校，甲十一行本、乙十一行本、孔天胤本皆有此字，今据补。

## 【语译】

### 五年（甲辰，公元二八四年）

春季，正月初四日己亥，有两条青龙出现在国家武器库的水井中。晋武帝司马炎看到后，面露欣喜之色。百官都准备向晋武帝祝贺，而担任尚书左仆射的刘毅上表说："夏朝的时候有一条龙降落在宫廷中，而最终导致西周灭亡。《易经》称'潜藏在水底的龙没有作为，这是阳气受到压迫的缘故'。考察古代的各种典籍，从来没有祝贺龙的记载。"晋武帝听从了他的意见。

当初，魏国大臣陈群因为吏部不能审查、评定天下的贤才，所以命令各郡国分别设置掌管评定士人等级以供朝廷选用的中正，州里设置的叫作大中正，都是从现任朝官中选择那些德望很高、能力很强的各州人兼任本州的大中正，让他们负责对本州的人才进行审查评定并排列出九个级别，对那些言行卓越显著的人士就提升他的级别，对那些在道义方面有欠缺的人士就降低他的级别，吏部就根据大中正的这些评定、考核来决定录用谁来补授官位的空缺。然而这个政策实行的时间一长，有些担任中正的人不是称职的人选，于是各种弊端就越来越严重。于是刘毅上疏说："如今设立的中正，他们在确定九品的时候，全凭主观意愿，随意性很大，让谁荣、让谁辱都由他们说了算，用皇帝给予的权力作威作福，把本属于朝廷的权势掌握在手里，国家没有人来检查他们评议中的问题，他们也没有被人揭发、举报的顾忌，因而在评定人品的过程中，费尽心机，使用什么手段的都有，于是廉洁谦让的风气荡然无存，争斗诉讼的恶习成为风气，我很为我们圣明的晋朝有这种不良的现象而感到耻辱。设置中正，在破坏国家的政治秩序方面有八种表现。人品的高低随着其家族势力的大小而转移，谁对谁错都凭着家族势力的强弱来评定，对于同一个人，十天之内的评价会完全不同。被评为上品的人没有出身贫寒的，而被评为下品的人也没有出身贵族的，这是其一。州里设置的中正官，本来是想找一个本州众望所归的人担任，以便调和、处理各种不同的意见，使言论归于统一。如今大中正的权力很大而任其职的多非其人，于是导致与公众舆论完全相反的评价充斥州里，又互相猜疑而使大臣之间结成很深的仇恨，这是其二。回想当初之所以要把人才分为九等，是因为人的才能、品行有优有劣，次序要有先有后。如今竟然使优劣的位置互相颠倒，

首尾倒错[619]，三也。陛下赏善罚恶，无不裁之以法。独置中正，委以一国之重[620]，曾无赏罚之防[621]，又禁人不得诉讼，使之纵横任意，无所顾惮。诸受枉[622]者，抱怨积直[623]，不获上闻[624]，四也。一国[625]之士，多者千数，或流徙异邦，或取给殊方[626]，面犹不识，况尽其才[627]？而中正知与不知，皆当品状[628]，采誉于台府[629]，纳毁于流言[630]，任己[631]则有不识之蔽，听受[632]则有彼此之偏[633]，五也。凡求人才者[15]，欲以治民也。今当官著效[634]者或附卑品[635]，在官无绩者更获高叙[636]，是为抑功实[637]而隆空名[638]，长浮华而废考绩[639]，六也。凡官不同人[640]，事不同能[641]。今不状其才之所宜[642]，而但第为九品[643]，以品取人，或非才能之所长，以状取人[644]，则为本品之所限，徒结白论[645]而品状相妨[646]，七也。九品所下[647]不彰其罪[648]，所上[649]不列其善[650]，各任爱憎，以植其私[651]，天下之人焉得不懈德行而锐人事[652]，八也。由此论之，职名'中正'，实为奸府，事名'九品'，而有八损。古今之失，莫大于此。愚臣以为宜罢中正，除九品，弃魏氏之敝法，更立[653]一代之美制。"太尉汝南王亮、司空卫瓘亦上疏曰："魏氏承丧乱之后，人士流移，考详无地[654]，故立九品之制，粗且[655]为一时选用之本[656]耳。今九域同规[657]，大化方始[658]，臣等以为宜皆荡除末法，咸用土断[659]。自公卿以下，以所居为正[660]，无复县客远属异土[661]。尽除中正九品之制，使举善进才，各由乡论[662]，则华竞[663]自息，各求于己[664]矣。"始平王文学[665]江夏李重上疏，以为："九品既除，宜先开移徙[666]，听相并就[667]，则土断之实[668]行矣。"帝虽善其言而终不能改也。

先后的次序首尾倒置，这是其三。陛下赏善罚恶，无不依据法律进行裁决。唯独设置中正，把评定全国人才的重任全都交给了他们，却对他们没有任何的赏罚条例，又禁止人们诉讼，致使中正任意胡来，无所顾忌、无所畏惧。那些受了委屈的人无处申诉，只能把许多真心话埋藏在肚子里，使朝廷无从了解，这是其四。一个郡或一个诸侯国的优秀人才，多的有上千人，这些人中有的流落或迁徙到其他的郡国，有的人到其他地区谋求衣食，中正和他们连面都没有见过，又如何能准确地评定出他们品行才能的等级呢？然而中正不管知不知道这些人的情况，都得勉强地给他们评定出等级、写出评语，而这些评语或是来自朝廷大官中的一些赞美之词，或是采自街谈巷议中的一些毁谤之语，如靠他们自己拿主意，那么就有不了解真实情况的弊端，如果根据别人的说法，就必然带来各种不同的偏见，这是其五。凡是搜求人才，目的都是治理人民。如今居官任职又政绩斐然的有的被列为下等，而那些居官没有什么政绩的反而被评定的等级很高，这实际上是压制了实有的功劳而抬高了徒有虚名的华而不实之辈，助长了华而不实的风气而败坏了考核官员政绩的制度，这是其六。不同的官职需要不同类型的人，不同的事情要求有不同才能的人来办理。如今不写明这个人适合做什么，只是把他们笼统地列为九个等级，又只按照划分的品级进行录用，就使得有人担任的职务并不是他所擅长的，如果要按照实际表现来选用人，又会受到品级的限制而无法实行，评语所写的都是一些空洞的套话，而所评定的品级往往与此人的品行、表现互相矛盾，这是其七。九品之中被降为下品的官吏，不写明他的罪过，被提升为上品的官员，也没有写出他的优点和长处，全都是根据中正官自己的爱憎，喜欢的就列为上等，憎恶的就列为下等，以此来培植私人党羽，天下之人怎么能不懈怠于品德修养而热心于苟且钻营呢，这是其八。由此论断，官职虽然叫作‘中正’，实际上却成了邪恶的衙门，官员在名义上分为‘九品’，实际上却有八项弊端。从古到今，最大的失策，没有比这项制度再大的了。我认为应该取消中正，废除九品制度，抛弃曹魏时期的这项弊端百出的旧制度，重新建立起一套完善的人事制度。”担任太尉的汝南王司马亮、司空卫瓘也都上疏说：“曹魏建国于长期混乱之后，人才流散各地，无法考查流动人员的来龙去脉，所以才建立了九品的制度，姑且作为一种选用人才的依据。如今全国统一了制度，伟大的教化就将普遍实行，臣等认为应该将曹魏时期的考评制度彻底荡除，一律按照人住在哪里，就参加哪个地区的考评。公卿以下的官吏，居住在哪里，哪里就作为正式籍贯，不再允许那些漂泊异地的人自称其户籍在遥远的某地。要全部废除中正九品的制度，使所推举的、选拔的人才，都由他所居住的本乡提出评论，那么喧哗、竞争的风气就会自然消失，人们必然会把精力运用到提高自己的品德修养与才能训练方面去。”在始平王司马裕手下担任文学的江夏人李重上书认为：“九品制度被废除之后，应该首先准许人们流动迁徙，允许人们到自己愿意去的地方居住，那么土断政策的本质就可以实现了。”晋武帝虽然赞同他们的意见却始终没有改变原有的政策。

冬，十二月庚午[669]，大赦。

闰月[670]，当阳成侯杜预[671]卒。

是岁，塞外匈奴胡太阿厚[672]帅部落二万九千三百人来降，帝处之塞内西河[673]。

罢宁州入益州[674]，置南夷校尉[675]以护之。

**六年（乙巳，公元二八五年）**

春，正月，尚书左仆射刘毅致仕[676]，寻卒[677]。

戊辰[678]，以王浑为尚书左仆射，浑子济为侍中。浑主者[679]处事不当，济明法绳之[680]。济从兄佑素与济不协，因毁[681]济不能容其父。帝由是疏济，后坐事免官。济性豪侈，帝谓侍中和峤[682]曰："我将骂济而后官之，如何？"峤曰："济俊爽[683]，恐不可屈。"帝乃[16]召济，切让[684]之，既而曰："颇知愧不？"济曰："'尺布''斗粟'之谣[685]，常为陛下愧之。他人能令亲者疏，臣不能令亲者亲，以此愧陛下耳。"帝默然。峤，洽[686]之孙也。

青、梁、幽、冀州旱。

秋，八月丙戌朔[687]，日有食之。

冬，十二月庚子[688]，襄阳武侯王濬卒。

是岁，慕容删为其下所杀，部众复迎涉归子廆[689]而立之。涉归与宇文部[690]素有隙，廆请讨之，朝廷弗许。廆怒，入寇辽西[691]，杀略甚众。帝遣幽州军[692]讨廆，战于肥如[693]，廆众大败。自是每岁犯边。又东击扶余[694]，扶余王依虑自杀，子弟走保沃沮[695]。廆夷其国城，驱万余人而归。

**七年（丙午，公元二八六年）**

春，正月甲寅朔，日有食之。

魏舒称疾，固请逊位，以剧阳子[696]罢。舒所为，必先行而后言，逊位之际，莫有知者。卫瓘与舒书曰："每与足下共论此事[697]，日日未果[698]，可谓'瞻之在前，忽焉在后'[699]矣。"

夏，慕容廆寇辽东[700]，故扶余王依虑子依罗求帅见人[701]还复旧国[702]，

冬季，十二月初十日庚午，大赦天下。

闰十二月，当阳侯杜预去世，谥号为“成”。

这一年，居住在塞外的匈奴胡人首领太阿厚率领自己部落中的二万九千三百人前来归降，晋武帝把他们安置在长城内的西河郡居住。

撤销宁州，把宁州并入益州，设置南夷校尉负责镇守南中。

**六年（乙巳，公元二八五年）**

春季，正月，担任尚书左仆射的刘毅辞官退休，不久去世。

正月初九日戊辰，晋武帝任命王浑为尚书左仆射，任命王浑的儿子王济为侍中。王浑手下的管事人处理事情不得当，王济公开地将他绳之以法。王济的堂兄王佑平素与王济不和睦，便趁机诋毁王济不能容忍他的父亲王浑。晋武帝因此而逐渐地疏远了王济，后来王济又因为其他事情受到牵连而被免去官职。王济性情豪放、生活奢侈，晋武帝对担任侍中的和峤说：“我准备先责骂王济一顿，然后再给他官做，你看怎样?”和峤回答说：“王济才情卓荦、性格豪爽，恐怕不能使他屈服。”晋武帝于是召见王济，对他严加斥责，然后问他：“你知不知道惭愧?”王济说：“‘尺布’‘斗粟’的歌谣，使我常对陛下感到心里惭愧。别人能让最至亲的人关系疏远，我却不能让最至亲的人更加亲密，我常常因为此事而感到愧对陛下。”晋武帝沉默不语。和峤是和洽的孙子。

青州、梁州、幽州、冀州大旱。

秋季，八月初一日丙戌，发生日食。

冬季，十二月十七日庚子，襄阳侯王濬去世，谥号为“武”。

这一年，鲜卑部落的首领慕容删被自己的部下杀死，其部众又把逃亡、躲避到辽东徐郁家中的慕容涉归的儿子慕容廆迎接回来立为首领。慕容涉归与宇文部落一向有仇，慕容廆请求朝廷允许他去讨伐宇文部落，朝廷不允许。于是慕容廆大怒，便率众进犯辽西郡，杀死、掠夺了很多百姓和财物。晋武帝派遣驻扎在幽州的军队去讨伐慕容廆，在肥如县把慕容廆打得大败。从那以后，慕容廆每年都率众骚扰边境。又向东袭击扶余国，扶余王依虑被逼自杀，扶余王的子弟逃往沃沮据守。慕容廆把扶余国的都城夷为平地，驱赶着一万多名扶余人得胜而回。

**七年（丙午，公元二八六年）**

春季，正月初一日甲寅，发生日食。

魏舒自称有病，坚决请求辞职，最后得以以子爵的身份回自己的封地剧阳养老。魏舒做事，都是先做了再对人说，所以辞职之事，事先没有任何人知道。卫瓘写信给魏舒说：“我经常与您谈论到辞职的事情，而自己却一直没有行动，与您比较起来真可谓是‘瞻之在前，忽焉在后’了。”

夏季，慕容廆率众入侵辽东郡，已故扶余王依虑的儿子依罗向朝廷请求率领自

请援于东夷校尉[703]何龛，龛遣督护[704]贾沈将兵送之。廆遣其将孙丁帅骑邀之于路[705]，沈力战，斩丁，遂复扶余。

秋，匈奴胡都大博[706]及萎莎胡[707]各帅种落[708]十万余口诣雍州降[709]。

九月戊寅[710]，扶风武王骏[711]薨。

冬，十一月壬子[712]，以陇西王泰都督关中诸军事。泰，宣帝弟馗之子也。

是岁，鲜卑拓跋悉鹿[713]卒，弟绰立。

**八年（丁未，公元二八七年）**

春，正月戊申朔，日有食之。

太庙殿陷。九月，改营太庙，作者六万人。

是岁，匈奴都督大豆得一育鞠[714]等复帅种落万一千五百口来降[715]。

**九年（戊申，公元二八八年）**

春，正月壬申朔，日有食之。

夏，六月庚子朔，日有食之。

郡国三十三[716]大旱。

秋，八月壬子[717]，星陨如雨。

地震。

---

**【段旨】**

以上为第三段，写晋武帝太康五年（公元二八四年）至太康九年共五年间的大事。主要写了直臣刘毅上书抨击“九品中正”制度的腐败，要求将其废止，司马炎维持不改；写了王济受责后反讥司马炎迫害司马攸，司马炎无言以对；写了慕容廆在辽东、辽西一带与晋王朝的军事摩擦等。

**【注释】**

[586]正月己亥：正月初四。[587]龙降夏庭二句：夏末有一龙降于夏庭，夏人收其口水封而藏之，至周厉王时，打开装龙口水的坛子观看，一宫女践之而怀孕，后生一女，即褒姒，周幽王宠之，招致西周灭亡。事见《国语》及《史记·周本纪》。[588]潜龙勿用二句：

己现有的部众返回原来的国土，向晋国的东夷校尉何龛请求援助，何龛派遣担任督护的贾沈率领军队护送依罗回国。慕容廆派遣他的将领孙丁率领骑兵在半路伏击他们，贾沈奋勇作战，杀死了孙丁，于是扶余人得以复国。

秋季，匈奴部落首领都大博以及萎莎族首领各自率领他们的部落十万多人前往雍州投降晋朝。

九月二十九日戊寅，扶风王司马骏去世，谥号为“武”。

冬季，十一月初四日壬子，任命陇西王司马泰统领关中诸军事。司马泰是晋宣帝司马懿的弟弟司马馗的儿子。

这一年，鲜卑拓跋悉鹿去世，他的弟弟拓跋绰继位。

**八年（丁未，公元二八七年）**

春季，正月初一日戊申，发生日食。

太庙大殿塌陷。九月，改换地方重新修建太庙，参与修建的人有六万。

这一年，匈奴都督大豆得一育鞠等人又率领自己部落中的一万一千五百人来归降晋朝。

**九年（戊申，公元二八八年）**

春季，正月初一日壬申，发生日食。

夏季，六月初一日庚子，发生日食。

三十三个郡和封国遭受旱灾。

秋季，八月十四日壬子，流星陨落像下雨一样。

发生地震。

---

二句见《周易·乾卦》。龙潜于下层，这是阳气受压的表现。⑤⑧⑨寻案：寻找、考查。⑤⑨⓪陈群：字长文，魏晋之际的名臣。传见《三国志》卷二十二。⑤⑨①审核：审查、评定。⑤⑨②中正：各郡国的官名，掌管评定士人的等级，供政府选用。⑤⑨③大中正：州里的官名，由司徒选择现任朝官中有才德的各州人，兼任本州的大中正，以品评其本州人才，供国家选用。⑤⑨④铨次等级：审查并排列出等级次序。具体情况见本书卷第六十九黄初元年（公元二二〇年）。⑤⑨⑤九品：九个级别。⑤⑨⑥言行修著：言行卓越显著。⑤⑨⑦浸久：时间长了。魏“九品中正”制自魏文帝黄初元年至此时已实行了六十多年。⑤⑨⑧或非其人：有的不是称职的人选。⑤⑨⑨奸敝日滋：弊病越来越严重。⑥⓪⓪操人主之威福：用皇帝给予他们的权力作威作福。⑥⓪①夺天朝之权势：把本属于朝廷的权势窃取到了他们手里。⑥⓪②公无考校之负：国家没有人检查他们评议中的问题。负，错误、失误。⑥⓪③私无告讦之忌：私人之间也不

存在揭发举报的顾忌。私，私人。忌，顾忌、忧虑。⑹⓪④营求万端：指在评定人品的过程中，使用什么手段的都有。⑹⓪⑤损政之道：在破坏国家的政治方面。⑹⓪⑥高下逐强弱：人品的高低随着其家族势力的大小而转移。⑹⓪⑦是非随兴衰：谁对谁错都凭着家族的强弱来评定。⑹⓪⑧旬日异状：十天之内的评价会完全不同。⑹⓪⑨州都：州里的中正官。⑹①⓪本取州里清议咸所归服：本来是想找一个本州众望所归的人。清议，公正的舆论。⑹①①镇异同：调和、处理不同的意见。⑹①②一言议：使言论归于统一。⑹①③重其任而轻其人：大中正的权力甚大，而任此职者多非其人，滥竽充数。⑹①④驳违之论：与公众舆论完全相反的评价。⑹①⑤嫌仇之隙：因互相猜疑而结成的仇恨。⑹①⑥本立格之体为九品：回想当初之所以把人才分为九等。本，追考其原因、目的。⑹①⑦伦辈有首尾：次序有先后。⑹①⑧优劣易地：优劣的位置颠倒。⑹①⑨首尾倒错：次序颠倒。错，通“措”。置。⑹②⓪委以一国之重：指把评定全国人才的重任都交给他们。⑹②①曾无赏罚之防：竟然没有任何的赏罚条例。防，指规章、条例。⑹②②受枉：受到委屈。⑹②③积直：许多真心话都藏在肚子里。⑹②④不获上闻：不被朝廷了解。⑹②⑤一国：指一个诸侯国和与此相当的一个郡。⑹②⑥取给殊方：到其他地区谋求衣食。⑹②⑦况尽其才：又如何能准确地评定其才能的等级。尽，准确、恰当。⑹②⑧皆当品状：都得勉强地给他们评出等级、写出评语。⑹②⑨采誉于台府：从朝廷大官中听来一些赞美之辞。⑹③⓪纳毁于流言：从街谈巷议中听来一些诽谤之语。⑹③①任己：靠自己拿主意。⑹③②听受：据别人的说法。⑹③③则有彼此之偏：就必然带有各自不同的偏见。⑹③④当官著效：居官任职而又政绩斐然。⑹③⑤或附卑品：有的被列在下等。⑹③⑥更获高叙：反而被评的等级很高。叙，排列。⑹③⑦抑功实：压制了实有的功劳。⑹③⑧隆空名：抬高了徒有虚名的华而不实之辈。⑹③⑨废考绩：败坏了考核官员政绩的制度。⑹④⓪官不同人：不同的官职需要不同类型的人。⑹④①事不同能：不同的事情要求有不同才能的人来办。⑹④②不状其才之所宜：不写明这个人适合做什么。⑹④③但第为九品：只是把他们列为九等。但，只是。第，排列。⑹④④以状取人：按实际表现选用人。⑹④⑤徒结白论：评语所写都是一些空洞的套话。⑹④⑥品状相妨：所定的品级与此人的才能特点互相矛盾。⑹④⑦所下：所定为下品的。⑹④⑧不彰其罪：不写明其罪过。⑹④⑨所上：所定为上品的。⑹⑤⓪不列其善：不写出其优长。⑹⑤①以植其私：以培植其私党。⑹⑤②懈德行而锐人事：不重视品德修养，指集中力量到处钻营。⑹⑤③更立：重新建立。⑹⑤④考详无地：无法考查流动人员的来龙去脉。⑹⑤⑤粗且：姑且。粗，大致。且，暂时。⑹⑤⑥为一时选用之本：作为一种暂时地选用人才的依据。⑹⑤⑦九域同规：全国统一了制度。九域，九州。⑹⑤⑧大化方始：伟大的教化就将普遍实行。⑹⑤⑨咸用土断：一律按照人住在哪里，就参加哪个地区的考评。⑹⑥⓪以所居为正：居住在哪里，哪里就是正式的籍贯。⑹⑥①无复县客远属异土：不再允许漂泊异地的人自称其户籍在遥远之地。县客，到处游荡之士。县，通“悬”。⑹⑥②各由乡论：都由他所居住的本乡提出评论。⑹⑥③华竞：喧哗、竞争。⑹⑥④各求于己：各自进行品德修养与才能训练。⑹⑥⑤始平王文学：始平王司马裕的文学。司马裕是司马炎之子。文学是当时诸国亲王的属官，主管以五经辅导亲王学习。⑥⑥⑥ 先开移徙：先要准许流动迁徙。⑥⑥⑦ 听相并就：允许人们到自己愿去的地方居住。⑥⑥⑧ 土断之实：土断政策的本质。⑥⑥⑨ 庚午：十二月初十。⑥⑦⓪ 闰月：闰十二月。⑥⑦① 当阳成侯杜预：杜预被封为当阳侯，成字是其死后的谥。⑥⑦② 匈奴胡太阿厚：匈奴胡即匈奴族人，太阿厚是这股匈奴胡的首领。⑥⑦③ 塞内西河：长城内的西河郡，郡治即今山西吕梁市离石区。⑥⑦④ 罢宁州入益州：撤销宁州（州治云南曲靖，辖境约当今云南大部和贵州、广西小部），将其地并入益州。⑥⑦⑤ 南夷校尉：统兵镇南中，掌五十八部夷族，级别与刺史同。⑥⑦⑥ 致仕：辞官退休。⑥⑦⑦ 寻卒：不久去世。⑥⑦⑧ 戊辰：正月初九。⑥⑦⑨ 主者：王浑手下的管事人。⑥⑧⓪ 明法绳之：公开地绳之以法。⑥⑧① 毁：诋毁，在当权者面前说人坏话。⑥⑧② 和峤：字长舆，晋初的正直官僚，以爱钱闻名。传见《晋书》卷四十五。⑥⑧③ 俊爽：才情卓荦，性格豪爽。⑥⑧④ 切让：严厉斥责。⑥⑧⑤ "尺布""斗粟"之谣：汉文帝时，其同父异母弟淮南王刘长恣肆不法，文帝下令将其流放四川，刘长中途绝食而死。于是当时民间有歌谣说："一尺布，尚可缝，一斗粟，尚可舂，兄弟二人，不能兼容。"见《史记·淮南衡山列传》。这里王济借以讽刺司马炎将其母弟司马攸迫害致死。⑥⑧⑥ 洽：和洽，字阳士，曹操时代的名臣。传见《三国志》卷二十三。⑥⑧⑦ 八月丙戌朔：八月初一是丙戌日。⑥⑧⑧ 十二月庚子：十二月十七。⑥⑧⑨ 涉归子廆：慕容廆，慕容儁与慕容垂的祖父，少数民族前燕政权的奠基者。⑥⑨⓪ 宇文部：鲜卑族的一支。据《通志·氏族略》："宇文氏本出辽东南单于之后，有葛乌兔为鲜卑郡长，世袭大人。至普回（人名），因猎而得玉玺，自以为天所授，鲜卑谓天子为宇文，因号宇文氏。"⑥⑨① 辽西：晋郡名，郡治阳乐，在今河北昌黎西北。⑥⑨② 幽州军：驻扎在幽州的军队。当时的辽西郡属幽州管辖，幽州的首府即今河北涿州。⑥⑨③ 肥如：晋县名，县治在今河北卢龙北。⑥⑨④ 扶余：古国名，亦作凫臾、夫余，其领土约当在今吉林长春以北地区。⑥⑨⑤ 沃沮：古地名，约当今长白山以南的朝鲜东北部一带。⑥⑨⑥ 剧阳子："剧阳"是封地名，"子"是爵级。⑥⑨⑦ 共论此事：一起谈到辞职的事情。⑥⑨⑧ 日日未果：自己一直没有行动。⑥⑨⑨ 瞻之在前二句：原话见《论语·子罕》，是颜渊赞扬孔子伟大的话，这里是卫瓘借用以嘲笑自己的犹豫不决、光说不做。⑦⓪⓪ 辽东：晋郡国名，都城襄平，即今辽宁辽阳。⑦⓪① 求帅见人：请求率领现存的部众。见，通"现"。⑦⓪② 还复旧国：返回到原来的领土上，即今吉林北部。⑦⓪③ 东夷校尉：三国魏置，主管东北及华北北部地区的鲜卑慕容部、段部、宇文部和高句丽等少数民族事务。驻地即今辽宁辽阳。⑦⓪④ 督护：魏、晋时期的下级军官名。⑦⓪⑤ 邀之于路：半路伏击他们。邀，截击。⑦⓪⑥ 都大博：匈奴部落的酋长名。⑦⓪⑦ 萎莎胡：与匈奴血统相近的北方民族名，这里指该部落的头领。⑦⓪⑧ 种落：犹言"部落"。⑦⓪⑨ 诣雍州降：到雍州投降晋朝。雍州的州治长安，在今陕西西安西北部。⑦①⓪ 九月戊寅：九月二十九。⑦①① 扶风武王骏：司马骏，司马懿之子，扶风王是封号，武字是谥。⑦①② 十一月壬子：十一月初四。⑦①③ 拓跋悉鹿：北魏拓跋氏的祖先，拓跋力微之子。传见《魏书》卷一。⑦①④ 大豆得一育鞠：人名。⑦①⑤ 来降：指从塞外南来归降。⑦①⑥ 郡国三十三：连郡带国共三十三个，极言其区域之广。⑦①⑦ 八月壬子：八月十四。

## 【校记】

［15］者：原无此字。据章钰校，甲十一行本、乙十一行本、孔天胤本皆有此字，今据补。［16］乃：原无此字。据章钰校，甲十一行本、乙十一行本、孔天胤本皆有此字，今据补。

## 【研析】

本卷写了晋武帝太康元年（公元二八〇年）至太康九年共九年间的西晋与东吴等国的大事，其中可议论的有以下几点。

第一，司马氏及其追随者是一个包藏祸心，一贯靠阴谋诡计攫取权势的集团，这样的人怎么就会获得成功，而且还取得了天下呢？这人世上的事情到底还有没有个“天理”“良心”呢？但细细回想一遍，他们对待曹氏的手段，与当年曹氏对待刘氏相同，本无所谓对错善恶；若考察司马师、司马昭对待部下、黎民百姓所实行的政策来说，不可否认，有不少方面曾经是对社会、百姓有利的。既然如此，就让这个政权“和平”地由这一家“过渡”到另一家，黎民百姓也省去一场血流成河的大拼杀，又有什么不好呢？王志坚《读史商语》对此说：“三国之士皆以绝人之才，百战以争天下，而卒莫能一，司马昭父子其非曹孟德之匹明矣，乃能混一天下，岂独时异哉？盖亦有其道焉。张悌之言曰：‘曹操虽功盖中夏，民畏其威，而不怀其德也。丕、叡承之，刑繁役重，无有宁岁。司马懿父子除其烦苛，而布其平惠，民之归心已亦久矣。’噫，此司马氏取天下之本也。昭他日知锺会之必反而卒用之，彼亦深知夫人心在已，必不肯从会反耳。济大事未有不以人心为本者也。自古取天下，至司马氏几于盗矣，岂知盗亦有道哉！”时至今日，我们干脆连这个“盗”字也不用说了，试检查汉武帝、唐太宗的发家史，看看哪个没有“盗”的痕迹？

第二，司马炎在其党羽的协助下，改变了其父司马昭的初衷，夺得了其弟司马攸的继承权，手段与当年的曹丕完全相同，司马炎称帝后，听信小人的谗言，又继续迫害司马攸至死，反而对身边的几个大权奸分外宠爱有加。曹丕所行政策的结果，司马炎应该是再清楚不过的，但一股极端狭隘的私心邪念，遂障蔽了大如丘山的前车之鉴。司马炎也远远不如司马昭，从一上台就带着一股纨绔子弟的颓废与腐朽，所实行的政策，许多是既偏执盲目，又愚蠢透顶，可惜羊祜、杜预、王濬、张华、傅咸、刘毅等一批名将、良臣，怎么就遇上了这么一个家伙！

第三，当吴国的亡国之君孙皓被押解到洛阳，司马炎以一种胜利者的姿态，嘲弄孙皓说：“朕设此座以待卿久矣。”孙皓说：“臣于南方，亦设此座以待陛下。”当贾充也人模狗样地嘲笑孙皓说：“闻君在南方凿人目、剥人面皮，此何等刑也？”孙皓说：“人臣有弑其君及奸回不忠者，则加此刑耳。”孙皓暴虐残忍，形同桀纣，亡国之日，理应如当年的殷纣，被胜利者斩其头悬挂于太白之旗，但他在回答司马炎与贾充这两个败类的时候却有如此出人意表的妙语，千年之下令亿万读史者为之爽然一笑，真可为之浮一大白。

第四，西晋从一开国就是一个腐败王朝，能令人感到兴奋的事情不多，唯有几个历史上并不著名的人物，其言论行事却令人心旷神怡。晋朝的博士有秦秀者，其人官职虽甚小，而脾气秉性却大是可人。当司马氏的铁杆党羽，一生“侈汰无度，日食万钱，厚自奉养，过于人主”的伪君子何曾病死，司马炎让人给他议谥时，秦秀说：“曾骄奢过度，名被九域。宰相大臣，人之表仪，若生极其情，死又无贬，王公贵人复何畏哉！谨按《谥法》，‘名与实爽曰缪，怙乱肆行曰丑’，宜谥缪丑公。”当活着坏事做尽，临死又想得个美名的大权奸贾充死后，司马炎让太常给他议谥时，秦秀说：“充悖礼溺情，以乱大伦。昔鄫养外孙莒公子为后，《春秋》书‘莒人灭鄫’。绝父祖之血食，开朝廷之乱原。按《谥法》‘昏乱纪度曰荒’，请谥‘荒公’。”由于司马炎的曲护，秦秀之说虽未得行，但其凛然姿态，真可使“台阁生风”！王济是王浑之子，父子两个都不是什么好人，但王济颇有其可人处。王济的日常生活类似王恺、石崇，极其豪华奢侈；当司马攸被司马炎肆意折磨、倾轧的时候又上表劝阻，因而被司马炎嫉恨。司马炎罢了他的官，又把他找来当面骂了一顿。而后问他：“颇知愧不?”济曰：“‘尺布’‘斗粟’之谣，常为陛下愧之。他人能令亲者疏，臣不能令亲者亲，以此愧陛下耳。”但这些竟然都没有使司马炎大发雷霆，痛加诛杀。原因何在？莫非在这个腐败王朝的政治中也还有某些言论的宽松之处？还待进一步考察。

# 卷第八十二　晋纪四

起屠维作噩（己酉，公元二八九年），尽著雍敦牂（戊午，公元二九八年），凡十年。

【题解】

本卷写晋武帝太康十年（公元二八九年）至晋惠帝元康八年（公元二九八年）共十年间的全国大事。主要写了淮南相刘颂上书指述晋朝建国以来的弊政，指出司马氏藩王的势力太大，而朝廷权力又过分集中于尚书，司马炎不听；写了晋武帝司马炎之死，其临死前皇后父杨骏广树党羽，与其女共同排挤当时在京的汝南王司马亮，独揽朝权；写了傅咸、孙楚等劝杨骏秉以公心，广纳善言，与司马氏诸王共理朝政，杨骏拒不听从；写了贾皇后勾结楚王司马玮、东安公司马繇诛灭杨氏家族，并将杨太后迫害致死；写了汝南王司马亮与太保卫瓘执掌朝政，因其欲裁抑贾氏与司马玮、司马繇之权，结果贾氏与司马玮勾结，诬以“欲行废

【原文】

## 世祖武皇帝下

### 太康十年（己酉，公元二八九年）

夏，四月，太庙成。乙巳①，祫祭②，大赦。

慕容廆③遣使请降。五月，诏拜廆鲜卑都督④。廆谒见何龛⑤，以士大夫礼⑥，巾衣诣[1]门⑦。龛严兵⑧以见之，廆乃改服戎衣而入。人问其故，廆曰：“主人不以礼待客，客何为哉⑨！”龛闻之，甚惭，深敬异之。时鲜卑宇文氏⑩、段氏⑪方强，数侵掠廆，廆卑辞厚币⑫以事之。段国单于阶⑬以女妻廆，生[2]皝、仁、昭。廆以辽东⑭僻远，徙居徒河⑮之青山⑯。

立”之名，被满门诛灭；又写了楚王司马玮欲诛贾氏而犹豫未决，结果被贾后、张华等人诛杀，从此张华与贾氏执掌朝政，国家暂时获得数年安定；写了北部沿边地区的鲜卑人拓跋禄官、拓跋猗㐌、拓跋猗卢等部势力强大；写了秦、雍地区的氐族首领齐万年起兵反晋，司马肜率兵往讨，周处兵败身死；写了略阳一带的氐族首领杨茂搜率部移居仇池，逐渐形成割据；写了略阳一带的氐族首领李特、李庠、李流兄弟，招募流民，于巴、蜀、汉中一带逐渐形成气候；而相反晋朝则是王戎、王衍、乐广等一群显官贵族倡导老、庄，崇尚清谈，整个社会风气日益颓败，为西晋王朝的崩溃做了铺垫。

---

【语译】

世祖武皇帝下

**太康十年（己酉，公元二八九年）**

夏季，四月，太庙落成。十一日乙巳，晋武帝司马炎在太庙中将历代祖先的灵牌聚集在一起进行祭祀，宣布大赦天下。

鲜卑首领慕容廆派遣使者到晋朝请求投降。五月，晋武帝下诏封慕容廆为鲜卑都督。慕容廆拜访晋国东夷校尉何龛，他依照中原士大夫的礼仪，头上冠巾裹发，身穿单衣，以一个普通士人的身份来到何龛军营门口。何龛却戒备森严，按照军中之礼接见他，慕容廆于是赶紧改穿军服而入。有人问慕容廆为什么要这样做，慕容廆回答说：“主人不以士大夫之礼接待客人，我何必要遵循‘巾衣’之礼呢！”何龛听到后感到非常惭愧，因此对慕容廆深感敬佩，觉得此人非同一般。当时鲜卑人中的宇文部落、段氏部落正处于势力强盛的时期，他们屡次侵扰、掠夺慕容廆部落，慕容廆不仅对他们言辞谦卑，还要向他们进贡厚礼。段氏部落的首领段阶把自己的女儿嫁给慕容廆为妻，她为慕容廆生了慕容皝、慕容仁、慕容昭。慕容廆认为辽东郡偏僻遥远，于是率部落迁移到徒河县青山一带定居下来。

冬，十月，复明堂⑰及南郊五帝位⑱。

十一月丙辰⑲，尚书令济北成侯荀勖卒。勖有才思，善伺人主意⑳，以是能固其宠㉑。久在中书㉒，专管机事。及迁尚书㉓，甚罔怅。人有贺之者，勖曰："夺我凤皇池㉔，诸君何贺邪？"

帝极意声色，遂至成疾。杨骏㉕忌汝南王亮，排出之。甲申㉖，以亮为侍中、大司马、假黄钺、大都督、督豫州诸军事，镇[3]许昌㉗，徙南阳王柬为秦王，都督关中诸军事，始平王玮为楚王，都督荆州诸军事，濮阳王允为淮南王，都督扬、江二州㉘诸军事，并假节之国㉙。立皇子乂为长沙王，颖为成都王，晏为吴王，炽为豫章王，演为代王，皇孙遹为广陵王。又封淮南王㉚子迪为汉王，楚王㉛子仪为毗陵王，徙扶风王畅为顺阳王，畅弟歆为新野公。畅，骏之子也。琅邪王觐弟澹为东武公，繇为东安公。觐，伷之子也。

初，帝以才人㉜谢玖赐太子，生皇孙遹。宫中尝夜失火，帝登楼望之。遹年五岁，牵帝裾㉝入暗中㉞，曰："暮夜仓猝㉟，宜备非常，不可令照见人主。"帝由是奇之。尝对群臣称遹似宣帝㊱，故天下咸归仰之。帝知太子不才，然恃遹明慧，故无废立之心。复用王佑㊲之谋，以太子母弟柬、玮、允分镇要害㊳。又恐杨氏㊴之逼㊵，复以佑为北军中候㊶，典禁兵。帝为皇孙遹高选僚佐㊷，以散骑常侍刘寔志行清素，命为广陵王傅㊸。

寔以时俗喜进趣㊹，少廉让㊺，尝著《崇让论》，[4]欲令初除官㊻通谢章㊼者，必推贤让能㊽，乃得通㊾之。一官缺则择为人所让最多者用之。以为："人情争则欲毁己所不如㊿，让则竞推于胜己。故世争则优劣难分，时让则贤智显出。当此时也，能退身修己，则让之者多

冬季，十月，晋朝恢复明堂制度以及在南郊祭天时同时祭祀五帝的神位。

十一月丙辰日，尚书令济北成侯荀勖逝世。荀勖有才能、有思想，善于窥测、迎合皇帝的心思，因此能巩固晋武帝对他的宠信。荀勖在中书省任职很久，专门负责机要事务。他升迁到尚书省担任尚书令之后，心里却感到非常迷茫、惆怅。有人向他表示祝贺，荀勖说："夺去了我在凤凰池的职务，诸位先生还道贺什么呢？"

晋武帝一味沉湎于声色，遂导致疾病缠身。杨皇后的父亲杨骏非常妒忌汝南王司马亮，决心把他排挤出朝廷。十一月二十三日甲申，晋武帝任命司马亮为侍中、大司马、假黄钺、大都督，总领豫州各种军事，镇许昌，又改封南阳王司马柬为秦王，总领关中各种军事，改封始平王司马玮为楚王，总领荆州各种军事，改封濮阳王司马允为淮南王，总领扬州、江州二州各种军事，以上诸王一律以"假节"的身份前往自己的封国。封皇子司马乂为长沙王，封司马颖为成都王，封司马晏为吴王，封司马炽为豫章王，封司马演为代王，封皇孙司马遹为广陵王。又封淮南王司马允的儿子司马迪为汉王，封楚王司马玮的儿子司马仪为毗陵王，改封扶风王司马畅为顺阳王，封司马畅的弟弟司马歆为新野公。司马畅，是司马骏的儿子。封琅邪王司马觐的弟弟司马澹为东武公，司马繇为东安公。司马觐，是司马伷的儿子。

当初，晋武帝把自己的才人谢玖赏赐给了太子司马衷，谢玖生下皇孙司马遹。皇宫曾经夜里失火，晋武帝跑到楼上去观察火情。当时司马遹年方五岁，他拉着晋武帝的衣袖躲到灯光照不到的地方，对晋武帝说："深更半夜里突然发生火灾，应该防备有意外情况发生，不能让火光照见皇上。"晋武帝由此对司马遹的聪明智慧感到非常惊奇。他曾经对大臣们称赞司马遹很像自己的祖父宣帝司马懿，所以天下人心都归向司马遹，对司马遹非常景仰。晋武帝知道太子司马衷没有才能，然而倚仗着皇孙司马遹的聪明智慧，没有萌生废黜司马衷而另立太子的念头。晋武帝又采纳王佑的计谋，任命太子的同母兄弟司马柬、司马玮、司马允分别镇守军事要地。又恐怕皇后娘家杨氏家族权势过大而对皇室构成威胁，于是任命王佑担任北军中候，负责统领禁卫军。晋武帝为皇孙司马遹精心挑选那些有声望的名人充当僚属与辅佐之官，认为担任散骑常侍的刘寔品德清廉质朴，便任命他为广陵王司马遹的太傅。

刘寔因为当时的习俗为喜欢钻营，谋求往上爬，很少有人清廉、退让，曾经撰写了《崇让论》，想让刚被授予官职的官员在给皇帝上谢表的时候，一定要把授予的官职推让给别的更好的人担当，只有这样才能给他向上转达谢恩表章。一旦官员出现空缺，就从被推让次数最多的人选中任命官员。他认为："人之常情是：在你争我夺的情况下，一定对那些比自己强的人进行诋毁，而在谦让的时候就会竞相推荐胜过自己的人。所以当世道盛行争夺的时候，就很难分辨出人才的优劣，如果当时的风俗崇尚谦让，那么贤能有智谋的人就会显现出来。在这种时候，如果能够主动做

矣，虽欲守贫贱，不可得也。驰骛进趋㉛而欲人见让㉜，犹却行而求前㉝也。”

淮南相㉞刘颂上疏曰：

“陛下以法禁宽纵，积之有素，未可一旦以[5]直绳御下㉟，此诚时宜也。然至于矫世救弊㊱，自宜渐就清肃㊲。譬犹行舟，虽不横截迅流㊳，然当渐靡而往㊴，稍向所趋㊵，然后得济㊶也。

“自泰始以来，将三十年㊷，凡诸事业，不茂既往㊸。以陛下明圣，犹未反叔世之敝㊹，以成始初之隆㊺，传之后世，不无虑乎？使夫异时㊻大业，或有不安，其忧责㊼犹在陛下也。

“臣闻为社稷计，莫若封建亲贤㊽。然宜审量事势，使诸侯率义而动㊾者，其力足以维带京邑㊿。若包藏祸心者[6]，其势不足独以有为⑴。其齐此甚难⑵，陛下宜与达古今之士⑶，深共筹之。周之诸侯，有罪诛放其身，而国祚不泯⑷。汉之诸侯，有罪或无子者，国随以亡。今宜反汉之敝，循周之旧，则下固而上安矣。

“天下至大，万事至众，人君至少，同于天日⑸。是以圣王之化，执要于己⑹，委务于下⑺，非恶[7]劳而好逸，诚以政体宜然也。夫居事始⑻以别能否，甚难察也；因成败以分功罪，甚易识也。今陛下每精于造始⑼而略于考终⑽，此政功所以未善也。人主诚能居易执要⑾，考功罪于成败之后，则群下无所逃其诛赏⑿矣。

“古者六卿分职⒀，冢宰为师⒁。秦、汉已来，九列执事⒂，丞相都总⒃。今尚书制断⒄，诸卿奉成⒅，于古制为太重。可出众事付外寺⒆，使得专之⒇。尚书统领大纲，若丞相之为，岁终课功㉑，校簿赏罚㉒而

到谦让、修身自爱，推让他的人就会很多了，即使他想要坚守贫穷低贱也是不能够的。而一个善于奔走钻营的人要想被人推荐，就如同倒退着走却企图能够前进一样，是根本不可能的。”

担任淮南王国相的刘颂向晋武帝上疏说：

“陛下认为法律禁令的宽松放纵由来已久，不能突然之间就使用严厉的法律来管理群臣，这的确是时代因素使然。然而，想要矫正世俗、救治时弊，还是应该逐渐地走向清廉严肃。就比如水中行船，虽然不能在河水湍急的河面上径直地驶向对岸，然而却可以渐渐斜着横渡过去，只要是朝着对岸的目标前进，就一定可以渡过河去。

“晋国从泰始元年以来到现在已经将近三十年了，而各种事业，并不比以前更加繁盛兴旺。以陛下的圣明，还没有改变衰世的各种弊端，以成就王朝开创时期应有的兴盛，将之流传给后世子孙，难道陛下不为此而感到忧虑吗？假如将来有一天国家遭遇动乱不安，其忧虑与责任恐怕还是要追溯到陛下身上的。

“我听说为了国家的长治久安考虑，没有比分封亲属与任用贤能之人再好的办法了。然而这样做也应该审时度势，如果能使每个诸侯不论办什么事情都能符合礼义，那么他们的力量就完全可以拱卫朝廷。如果有诸侯包藏祸心、图谋不轨，那么就要使他的势力不可能独立地干成什么事情。两方面都能照顾到确实很困难，陛下应该与博古通今的大臣，共同深入筹划，制订出相应的对策。周朝对待诸侯的政策是：诸侯王获了罪就将诸侯王诛杀或流放，而不废除他们的封国。汉朝对待诸侯的政策是：诸侯王犯了罪或者没有子嗣的，诸侯国也就随之消亡了。如今应该一改汉朝的弊端，遵循周朝的旧制，那么下边的诸侯国稳固，而朝廷也就安定了。

“天下地域广大，各种事务繁杂，而人君又最少，就像天上的太阳一样独一无二。所以圣明的君王治理国家、推行教化，自己只要抓住最主要、最关键的部分就可以了，而把那些具体的事务全部交给下属去办理，这并不是君王好逸恶劳，实在是政治体制所决定的必须那样做罢了。当事情还没有开始办的时候就判断出某人能否办好，确实是很难的；如果用办事的成败来区分办事人员的功劳与罪过，就很容易识别人才了。如今陛下往往善于决策事情的该办与不该办而忽略了对办事结果的考察，这就是政务、功业没能尽善尽美的原因。陛下如果确实能不陷入那些烦琐事务的处理之中而抓住最关键的问题，根据事情的成败来考核官员的功劳与罪过，再根据功过进行奖赏和处罚，就能做到所有的官员有罪被诛、有功受赏了。

“古代每个大臣都有自己应管的职事，天官冢宰作为六卿的首脑掌管国内外大事。自从秦朝、汉朝以来，由九卿分掌各部门的权力，丞相总揽全局。如今由尚书令决断大事，诸大臣只管照章办事，和古代的制度相比尚书令的事务太重。可以将一些一般性的事务交给外面的主管部门去做，让他们负起这方面的责任。尚书令总揽全局，就像丞相所做的那样，年末考察他们的管理功效，只需检查其纪录，确定

已，斯亦可矣。今动皆受成于上[93]，上之所失，不得复以罪下，岁终事功不建[94]，不知所责也。

“夫细过谬妄[95]，人情之所必有，而悉纠以法，则朝野无立人[96]矣。近世以来为监司[97]者，类大纲不振[98]而微过必举，盖由畏避豪强而又惧职事之旷[99]，则谨密网以罗微罪[100]，使奏劾相接[101]，状似尽公，而挠法[102]在其中矣。是以圣王不善碎密之案[103]，必责凶猾之奏[104]，则害政之奸[105]，自然禽矣。夫创业之勋，在于立教定制，使遗风系人心，余烈[106]匡幼弱[107]。后世凭之，虽昏犹明[108]，虽愚若智，乃足尚[109]也。

“至夫修饰官署[110]，凡诸作役[111]，恒伤太过[112]，不患不举，此将来所不须于陛下而自能者也。今勤所不须[113]以伤所凭[114]，窃以为过矣。”

帝皆不能用。

诏以刘渊为匈奴北部都尉[115]。渊轻财好施，倾心接物[116]，五部豪桀，幽、冀[117]名儒，多往归之。

奚轲[118]男女十万口来降。

---

**【段旨】**

以上为第一段，写晋武帝太康十年（公元二八九年）一年中的大事。主要写了淮南相刘颂上书指述晋朝建国以来的弊政，建议分封应行周代之旧法，以及权力不宜一概集中于尚书；写了司马炎宠爱皇孙司马遹，为之高选僚佐，以及皇孙之傅建议朝廷应提倡礼让，司马炎都不听；此外还写了少数民族头领刘渊、慕容廆等初露头角的一些活动。

其功过赏罚就可以了。如今下边的一切行动都是遵照上边既成的决定去做，上边决策有了失误，也不能归罪于下边的执行者，到年底的时候事情办不成功，却不知道应该去责备谁。

“小的过失或一些小的差错，人人在所难免，如果全部严格地用法律进行纠正，那么无论是官府还是民间，恐怕就没有一个人能够留得下来。近世以来担任监察和司法的官员，通常都是不解决大问题，而对轻微的过错却有错必纠，这是由于他们既畏惧、躲避权势豪门，又惧怕别人说自己没有尽到职责，就只好把法网弄得密密的，专门惩治低级官员的小过失，使弹劾有罪官员的奏章不断呈递，表面上似乎大公无私，而徇私枉法的事情却隐藏在其中了。所以圣明的君王不喜欢批阅琐碎细小的案件，而对于那些告发大恶人的奏章一定要追究、处理，那么损害国家政事的大恶人，自然就在掌握之中了。创业者的功勋，在于建立教化和确定制度，使良好的遗风能够维系人心，遗留下来的功业使后世能力不强的继承人能得到补益与救助。后世的继承人凭借着这些好的典章制度，即使他是一个昏聩的君主，也仍能像明君一样，即使他是一个愚笨的君主，也能像睿智的君主一样，这才是最值得称赞的。

“至于给各个衙门盖房子，各种繁多的劳役，经常担心的是搞得太多，而不用忧虑这些事情办不成功，这些事情不需要陛下为之担忧，将来他们自己有能力办好。如今陛下勤于去做那些根本不需要陛下费心的事情，却不肯在推行教化和完善法律制度方面下功夫，我认为这种做法是不对的。”

对于这些建议，晋武帝都没有采纳。

晋武帝下诏任命刘渊为匈奴北部都尉。刘渊轻视财物，乐善好施，诚心诚意地待人接物，匈奴五部的豪杰，幽州、冀州有名的知识分子，许多都去归附了他。

奚轲部落男女十万人前来投降晋朝。

---

**【注释】**

①乙巳：四月十一。②祫祭：在太庙中将历代祖先的灵牌聚集在一起进行祭祀。③慕容廆：字奕洛瓌，鲜卑人，晋武帝时被部众推为首领，本住棘城，后迁青山（今辽宁义县东北），又迁大棘城（今辽宁义县西北）。西晋末，招徕中原流人，在辽东割据，然犹奉晋名号。至其孙慕容儁称帝，追谥慕容廆为武宣皇帝。传见《晋书》卷一百八。④鲜卑都督：武官名，掌管鲜卑部落的军事。⑤何龛：时为东夷校尉，驻兵于今辽宁辽阳。⑥以士大夫礼：依照中原士大夫的礼仪。⑦巾衣诣门：冠巾裹发，身穿单衣，以一个普通的士人自居，谦卑至极。魏、晋间，士大夫谒见尊贵者，以冠巾单衣为守礼。⑧严兵：戒备森严。⑨客何为哉：我还何必遵循“巾衣”之礼呢。⑩宇文氏：鲜卑

部落名，辽东南单于之后，活动于今内蒙古东部一带。详见《魏书》卷一百三。⑪段氏：东部鲜卑部落名，活动在今辽西一带。详见《魏书》卷一百三。⑫厚币：厚礼，即进贡。币，指礼品。⑬段国单于阶：段氏部落的头领名阶。史称“段阶”。⑭辽东：晋郡名，郡治襄平即今辽宁辽阳。辖境相当于今辽宁之大凌河以东。⑮徒河：晋县名，县治即今辽宁锦州。⑯青山：在今辽宁义县东北。⑰复明堂：恢复明堂制度。相传“明堂”是古代天子宣明政教的地方，凡朝会、祭祀、庆赏、选士、养老、教学等大典，均于其中举行。但此典因无人能说清，故汉代亦不甚实行。⑱南郊五帝位：在南郊祭天时，同时祭祀五帝的神位。“五帝”即青帝、赤帝、白帝、黑帝、黄帝。旧时南郊祭天，兼设五帝之位，泰始二年（公元二六六年）将其撤除，见本书卷第七十九。今又恢复之。⑲十一月丙辰：十一月壬戌朔，没有丙辰日，疑记载有误。⑳善伺人主意：善于窥测皇帝的心思以迎合之。伺，即察颜观色。㉑固其宠：巩固人主对他的宠信。㉒中书：中书省，主管接纳奏章，并草拟皇帝诏令。晋时，中书省权力甚大，中书省长官（中书令）多为实际宰相。㉓尚书：尚书省，综理全国政务，是执行机关。㉔凤皇池：也简称“凤池”，借指中书省。因旧时颁布诏令，有使铜凤衔书的仪式，故称中书曰“凤台”。㉕杨骏：皇后杨芷的父亲，当时的大权奸。㉖甲申：十一月二十三。㉗许昌：县名，县治在今河南许昌东，曾是汉献帝时的都城。㉘扬、江二州：扬州的州治即今南京，江州的州治即今江西九江。据惠帝元康元年，有司奏请荆、扬二州疆土旷远，难以统理，于是割扬州的豫章、鄱阳、庐陵、临川、南康、建安、晋安，荆州的桂阳、安城、武昌，共合十郡，置江州。本年尚未设江州。疑“江二”两字衍。㉙并假节之国：一律以“假节”的身份前往自己的封国。晋制，都督诸军事有三等，上等“使持节”，权最重，无论平时、战时，都可诛杀二千石（郡守）以下的官员。中等“持节”，权次重，平时不可诛杀官员，只可诛杀平民。但战时与“使持节”权相同，可诛杀二千石以下官员。下等“假节”，权最轻，只可在战时诛杀违犯军令的人。㉚淮南王：司马允，司马炎之子。㉛楚王：司马玮，司马炎的第五子。㉜才人：嫔妃中的第十四级，位次美人。晋武帝采汉、魏之制，后宫有三夫人、九嫔、美人、才人、中才人。㉝牵帝裾：拉着司马炎的衣袖。㉞入暗中：躲到灯光照不见的地方。㉟暮夜仓猝：深更半夜突然发生事故。㊱似宣帝：活像当年的司马懿（司马炎的祖父）。㊲王佑：王济的堂兄，历事司马昭、司马炎。㊳分镇要害：分别镇守军事要地，指雍州的长安、荆州的襄阳、扬州的南京等等。㊴杨氏：指皇后娘家的杨氏家族，如杨骏、杨珧等人。㊵逼：威胁。㊶北军中候：禁卫军长官，监领屯骑、越骑、步兵、长水、射声校尉所统的北军五营。㊷高选僚佐：选拔有声望的名人为之充当僚属与辅佐之官。㊸为广陵王傅：为皇孙司马遹的太傅官。自魏以来，诸王国皆置太师，晋朝为司马师避讳，改“太师”为“太傅”。㊹喜进趣：喜欢钻营，谋求向上爬。趣，通“趋”。㊺少廉让：很少有人清廉、退让。㊻初除官：刚被授予官职。㊼通谢章：给皇帝上谢表。㊽必推贤让能：指在谢表上一定要推让给别的更好的人。㊾乃得通：才给他向上转达。⑩毁己所不如：对比自己强的人进行诽谤。⑤驰骛进趋：一个善于奔走钻营的人。⑫欲人见让：要想做到被别人推荐。⑬犹却行而求前：如同倒退着走路，还希望前进。⑭淮南相：淮南王国的相，相是诸侯国的最高行政长官，掌辅导、监督诸侯王，兼掌民政，职如郡守。⑮未可一旦以直绳御下：不可能突然使用严厉的刑法管理群臣。直绳，严格的法律。⑯矫世救弊：矫正世俗，救治时弊。⑰渐就清肃：逐渐地走向清廉严肃。⑱横截迅流：在河水湍急的河面径直驶向对岸。横截，径直渡过。⑲渐靡而往：渐渐斜着过去。⑳稍向所趋：望着对岸的目标。㉑济：渡过。㉒将三十年：西晋自泰始元年（公元二六五年）建立，至此共二十五年。㉓不茂既往：不比从前繁盛兴旺。㉔未反叔世之敝：还没有改变衰世的弊病。叔世，末世、衰世。㉕始初之隆：王朝开创时期应有的兴盛。㉖异时：日后；将来某一天。㉗忧责：忧虑与责任。㉘封建亲贤：分封亲属与任用贤能之人。㉙率义而动：指不论办什么事都能符合礼义。率，遵循。㉚维带京邑：拱卫中央王朝。㉛不足独以有为：不可能独立地干成什么事，指篡夺君位。㉜齐此甚难：两方面都能照顾是很难的。即一方面使诸侯王能拱卫京师，另一方面又使他们不能单独造反。㉝达古今之士：博古通今之士。㉞国祚不泯：指不废除他的封国。如西周懿王烹了齐哀公，改立哀公的弟弟姜静；周宣王杀了鲁君伯御，改立伯御的叔父姬称。㉟同于天日：如同天空只有一个太阳。㊱执要于己：自己要掌握最主要的。㊲委务于下：指具体事务交给下属办理。㊳居事始：当事情还没有开始办的时候。㊴精于造始：善于决策事务的该办不该办，如灭吴大事。㊵略于考终：忽略对结局的考察。㊶居易执要：不陷入烦琐事务，而能抓住关键问题。㊷无所逃其诛赏：真正做到该罚则罚，该赏则赏。诛，讨。㊸六卿分职：每个大臣都有自己应管的职事。六卿，即《周礼》中的天官冢宰、地官司徒、春官宗伯、夏官司马、秋官司寇、冬官司空。㊹冢宰为师：天官冢宰是其首脑。冢宰，百官之长，掌国家内外事务。冢，大。㊺九列执事：九卿分掌各部门的权力。九列即九卿，指少府、郎中令、卫尉、太仆、大司农、宗正、太常、典客、廷尉。㊻都总：犹言“总理”“总管”。㊼尚书制断：由尚书令决断大事。〖按〗此所谓“尚书制断”实际是指一切都由皇帝直接决定。㊽诸卿奉成：诸大臣就只管照章办事。〖按〗自东汉光武帝以来，由尚书主管各级官吏，台阁决断各项事务，诸卿奉命行事而已。奉成，按定好的规矩办事。㊾出众事付外寺：将一些一般性的事情交给外面的主管部门去做。外寺，指负责执行的各部门，即上文所说的“诸卿”。㊿使得专之：让他们负起这方面的责任。91 岁终课功：年末考查他们的管理功效。92 校簿赏罚：检查其记录，确定其功过赏罚。93 动皆受成于上：一切都遵照上面既成的决定。动，动不动，指所有、一切。94 事功不建：事情办不成。95 细过谬妄：小的过失或一些小的差错。96 无立人：无一人可留下。97 为监司：指担任监察和司法的官员，即御史台官员和诸州刺史。98 类大纲不振：通常都是不解决大问题。类，一般、通常。99 惧职事之旷：怕让人说自己没有尽到职责。100 谨密网以罗微罪：把法网弄得密密的，专门惩治低级官员的小过失。罗，抓捕、惩治。[101]奏劾相接：弹劾有罪官员的奏章不断呈递。[102]挠法：枉法；不按法律办事。[103]碎密之案：琐碎细小的案件。[104]必责凶猾之奏：对告发大恶人的奏章一定要追究、处理。[105]害政之奸：损害国家政事的大恶人。[106]余烈：遗留下来的功业。烈，业。[107]匡幼弱：使后来能力不强的继承人能得到补益与救助。匡，扶助、补正。[108]虽昏犹明：即使是昏君，也仍能像明君一样，因有好的旧章可以遵照执行。[109]足尚：值得称赞。[110]修饰官署：给各个衙门盖房子。[111]凡诸作役：各种繁多的劳役。[112]恒伤太过：担心的是搞得太多。[113]勤所不须：指为修饰官署费心思。[114]伤所凭：指不给后代立教定制。[115]匈奴北部都尉：刘渊原任匈奴左部帅，见本书卷第八十咸宁五年（公元二七九年），本年改任北部都尉，即北部匈奴部落的军事长官。[116]倾心接物：诚心诚意地待人接物。接物，意同“待人”。[117]幽、冀：晋之二州名，幽州辖地为今河北北部，和与之邻近的内蒙古、辽宁一带地区，冀州辖地为今河北中部和与之邻近的山东西北部地区。[118]奚轲：北方的少数民族部落名，居住地不详。

---

**【原文】**

**孝惠皇帝上之上**

**永熙元年（庚戌，公元二九〇年）**

春，正月辛酉朔[119]，改元太熙。

己巳[120]，以王浑为司徒。

司空、侍中、尚书令卫瓘子宣尚繁昌公主[121]。宣嗜酒，多过失。杨骏恶瓘，欲逐之，乃与黄门[122]谋共毁宣，劝武帝夺公主[123]。瓘惭惧，告老逊位。诏进瓘位太保，以公就第[124]。

剧阳康子[125]魏舒薨。

三月甲子[126]，以右光禄大夫石鉴为司空。

帝疾笃[127]，未有顾命[128]。勋旧之臣多已物故[129]，侍中、车骑将军杨骏独侍疾禁中。大臣皆不得在左右，骏因辄以私意改易要近[130]，树其心腹。会帝小间[131]，见其新所用者，正色谓骏曰：“何得便尔[132]？”时汝南王亮尚未发[133]，乃令中书作诏，以亮与骏同辅政，又欲择朝士有闻望[134]者数人佐之。骏从中书借诏观之，得便藏去。中书监华廙恐惧，自往索之，终不与。会帝复迷乱[135]，皇后奏以骏辅政，帝颔之[136]。

## 【校记】

［1］诣：原作“到”。据章钰校，甲十一行本、乙十一行本、孔天胤本皆作“诣”，张敦仁《通鉴刊本识误》同，今从改。［2］生：原作“主”，显系误刻，今径改。［3］镇：原作“治”。据章钰校，甲十一行本、乙十一行本、孔天胤本皆作“镇”，张敦仁《通鉴刊本识误》同，今据改。〖按〗“镇”字义长。［4］尝著《崇让论》：原无此句。据章钰校，甲十一行本、乙十一行本、孔天胤本皆有此句，张瑛《通鉴校勘记》同，今据补。［5］以：据章钰校，甲十一行本、乙十一行本、孔天胤本皆无此字。［6］者：原无此字。据章钰校，甲十一行本、乙十一行本、孔天胤本皆有此字，张敦仁《通鉴刊本识误》同，今据补。［7］恶：据章钰校，甲十一行本、乙十一行本、孔天胤本皆作“惮”。

---

## 【语译】

### 孝惠皇帝上之上

### 永熙元年（庚戌，公元二九〇年）

春季，正月初一日辛酉，改年号为“太熙”。

初九日己巳，晋武帝司马炎任命王浑为司徒。

担任司空、侍中、尚书令的卫瓘的儿子卫宣娶司马炎之女繁昌公主为妻。卫宣嗜酒，过失很多。杨骏憎恶卫瓘，就想借机把卫瓘逐出朝堂，于是便与黄门官密谋共同诋毁卫宣，并劝说晋武帝强行让繁昌公主与卫宣离婚。卫瓘对此感到既惭愧又恐惧，于是告老辞职。晋武帝下诏，擢升卫瓘为太保，以菑阳公的身份退职回家赋闲。

剧阳子魏舒逝世，谥号为“康”。

三月初五日甲子，晋武帝任命右光禄大夫石鉴为司空。

晋武帝病情严重，却还没有留下遗诏。元老重臣大多数都已经去世，只有侍中、车骑将军杨骏独自在皇宫中侍奉病重的晋武帝。其他的大臣都不能到晋武帝身边侍奉，杨骏于是就按照自己的心意随意更换皇帝身边的重要亲近官员，安插自己的心腹。晋武帝病情稍微有些好转，看见自己身边全都换上了新人，就严肃地对杨骏说：“怎么能变成这个样子？”当时汝南王司马亮还没有离开京城到许昌赴任，于是晋武帝命令中书省写诏书，让司马亮与杨骏共同辅政，又想在朝中选择几个有声望的人协助他们辅政。杨骏从中书省借出诏书观看，乘便藏匿起来。中书监华廙感到非常恐惧，就亲自到杨骏那里向他索要诏书，但杨骏却始终没有把诏书归还给他。晋武帝再次陷入神志昏迷状态，杨皇后奏请让杨骏辅政，晋武帝点了点头。

夏，四月辛丑[137]，皇后召华廙及中书令何劭，口宣帝旨作诏，以骏为太尉、太子太傅、都督中外诸军事、侍中、录尚书事。诏成，后对廙、劭[138]以呈帝，帝视而无言。廙，歆[139]之孙；劭，曾[140]之子也。遂趣汝南王亮赴镇[141]。帝寻小间[142]，问："汝南王来未？"左右言未至，帝遂困笃[143]。己酉[144]，崩于含章殿[145]。帝宇量弘厚[146]，明达好谋，容纳直言，未尝失色于人[147]。

太子即皇帝位，大赦，改元[148]，尊皇后曰皇太后，立妃贾氏[149]为皇后。

杨骏入居太极殿[150]，梓宫将殡[151]，六宫出辞[152]，而骏不下殿[153]，以虎贲[154]百人自卫。

诏石鉴与中护军张劭监作山陵[155]。

汝南王亮畏骏，不敢临丧[156]，哭于大司马门[157]外。出营城外[158]，表求过葬而行[159]。或告[160]亮欲举兵讨骏者，骏大惧，白太后，令帝为手诏与石鉴、张劭，使帅陵兵[161]讨亮。劭，骏甥也，即帅所领趣鉴速发。鉴以为不然，保持之[162]。亮问计于廷尉何勖，勖曰："今朝野皆归心于公[163]，公不讨人而畏人讨邪？"亮不敢发。夜，驰赴许昌，乃得免。骏弟济及甥河南尹李斌皆劝骏留亮[164]，骏不从。济谓尚书左丞傅咸曰："家兄若征大司马[165]，退身避之[166]，门户庶几可全。"咸曰："宗室外戚[167]，相恃为安[168]。但[169]召大司马还，共崇至公[170]以辅政，无为避[171]也。"济又使侍中石崇见骏言之，骏不从。

五月辛未[172]，葬武帝于峻阳陵。

杨骏自知素无美望，欲依魏明帝即位故事，普进封爵[173]以求媚于众。左军将军傅祗[174]与骏书曰："未有帝王始崩，臣下论功者也。"骏不从。祗，嘏[175]之子也。丙子[176]，诏中外群臣[177]皆增位一等，预丧

夏季，四月十二日辛丑，杨皇后召集华廙和中书令何劭，口头宣布皇帝的旨意，让他们书写诏书，任命杨骏为太尉、太子太傅、都督中外诸军事、侍中、录尚书事。诏书写成之后，杨皇后当着华廙、何劭的面呈交给晋武帝过目，晋武帝只是看了看而没有说话。华廙，是华歆的孙子。何劭，是何曾的儿子。随后催促汝南王司马亮离开京城到许昌赴任。不久，晋武帝忽然又清醒过来，问:“汝南王司马亮来了没有?”他身边的人说没有到，晋武帝随即病势垂危。二十日己酉，晋武帝在含章殿驾崩。晋武帝气宇轩昂，度量宽宏仁厚，聪明豁达而有谋略，能够包容、接纳正直的言论和建议，从来没有在别人面前表现过不该有的脸色。

太子司马衷即皇帝位，大赦天下，改年号为“永熙”。尊杨皇后为皇太后，立贾妃为皇后。

杨骏进住太极殿，晋武帝的棺木将要移入灵堂以供群臣吊唁，后宫的妃嫔全都出来号哭辞别，而杨骏却不出太极殿，还安排了一百多名虎贲侍卫保护自己。

晋惠帝司马衷下诏，命令司空石鉴与中护军张劭负责为晋武帝修建陵墓。

汝南王司马亮因为惧怕杨骏，不敢进宫哭丧，就在大司马府的外门哭丧。哭丧之后汝南王司马亮便退出京城到城外驻扎，他上表给新皇帝司马衷请求参加完葬礼之后再前往许昌赴任。有人向杨骏报告说司马亮准备起兵讨伐杨骏，杨骏非常害怕，就报告了杨太后，杨太后命令晋惠帝司马衷亲自写下诏书交予司空石鉴和中护军张劭，让他们率领修建陵墓的军队去讨伐汝南王司马亮。张劭，是杨骏的外甥，他接到诏书后立即率领自己属下的士兵并催促石鉴快速出发。石鉴认为汝南王司马亮不会举兵讨伐杨骏，因而自己按兵不动。司马亮向廷尉何勖请求对策，何勖说:“如今朝野人心都倾向于你，你不去讨伐别人反而畏惧别人讨伐你?”司马亮最终不敢举兵讨伐杨骏。夜里，司马亮快马加鞭奔赴许昌赴任，才得以免除灾难。杨骏的弟弟杨济和外甥河南尹李斌都劝说杨骏把汝南王司马亮留在京城共同辅政，杨骏不听劝告。杨济对担任尚书左丞的傅咸说:“我哥哥如果征召大司马司马亮回京辅政，自己辞职退避，杨氏家族恐怕还能够保全门户。”傅咸说:“皇帝家族与皇后家族这两股政治势力如果能够互相依靠、协同辅政，其实是最安全的。只要能够召回大司马司马亮，全都本着公正无私的原则辅佐朝政，根本用不着辞职避位。”杨济又让担任侍中的石崇去见杨骏，加以规劝，杨骏根本不听从劝告。

五月十三日辛未，把晋武帝安葬于峻阳陵。

杨骏深知自己一向没有什么好声望，就想依照魏明帝曹叡即位时的故事，对官僚贵族们普遍加官进爵，以求向众人献媚，博得大家的好感。担任左军将军的傅祗写信给杨骏说:“从来没有听说帝王刚刚驾崩，臣下就论功封赏的事情。”杨骏不听劝告。傅祗，是傅嘏的儿子。五月十八日丙子，司马衷下诏，不论是朝廷还是地方，所有官员每人晋升一等，参与为晋武帝办丧事的官员每人晋升二等，凡是俸禄在

事⑱者增二等，二千石⑲已上皆封关中侯⑳，复租调一年㉑。散骑常侍石崇、散骑侍郎何攀共上奏，以为："帝正位东宫㉒二十余年，今承大业，而班赏行爵㉓，优于泰始革命之初㉔及诸将平吴之功，轻重不称㉕。且大晋卜世无穷㉖，今之开制㉗，当垂于后㉘。若有爵必进，则数世之后，莫非公侯矣。"不从。

诏以太尉骏为太傅、大都督、假黄钺，录朝政[189]，百官总己以听[190]。傅咸谓骏曰："谅暗[191]不行久矣[192]。今圣上谦冲[193]，委政于公，而天下不以为善，惧明公未易当[194]也。周公大圣，犹致流言[195]，况圣上春秋非成王之年[196]乎？窃谓山陵既毕[197]，明公当审思进退之宜，苟有以察其忠款[198]，言岂在多！"骏不从。咸数谏骏，骏骏[8]渐不平，欲出咸为郡守。李斌曰："斥逐正人，将失人望。"乃止。杨济遗咸书曰："谚云：'生子痴，了官事。'[199]官事未易了也。想虑破头[200]，故具有白。"咸复书曰："卫公有言：'酒色杀人，甚于作直。'[201]坐酒色死，人不为悔。而逆畏以直致祸[202]，此由心不能正，欲以苟且为明哲[203]耳。自古以直致祸者，当由矫枉过正，或不忠笃[204]，欲以亢厉为声[205]，故致忿[206]耳，安有悾悾忠益[207]而返见怨疾[208]乎！"

杨骏以贾后险悍，多权略[209]，忌[210]之，故以其甥段广为散骑常侍，管机密，张劭为中护军[211]，典禁兵。凡有诏命，帝省讫[212]，入呈太后[213]，然后行之。

骏为政严碎专愎[214]，中外多恶之。冯翊太守孙楚[215]谓骏曰："公以外戚居伊、霍之任[216]，当以至公[217]、诚信、谦顺处之。今宗室强盛，而公不与共参万机[218]，内怀猜忌，外树私昵[219]，祸至无日矣！"骏不从。楚，资之孙也。

弘训少府[220]蒯钦，骏之姑子也，数以直言犯骏，他人皆为之惧。

二千石以上的官员都晋封为关中侯，免除土地税与劳役税一年。散骑常侍石崇、散骑侍郎何攀共同上奏，他们认为："陛下为东宫太子已经二十多年，如今继承帝位，而遍行奖赏、升官晋爵的幅度，远远超过了晋朝建国之初和诸将平定吴国之时的奖赏，功劳的大小与所得赏赐的厚薄不相称。而且预测大晋国将传国久远，现在开创的制度，应当能够流传后世。如果有爵位的就要晋级，那么经过几世之后，就没有人不是公侯了。"这个建议也没有被采纳。

晋惠帝下诏任命太尉杨骏为太傅、大都督、假黄钺，总管一切朝廷政务，百官都要约束自己，听从杨骏的指挥。尚书左丞傅咸对杨骏说："古代天子守丧三年的制度很久不实行了。如今皇上为人谦虚，把朝政委托给你，而天下人却不认为这样做是件好事情，我担心你难以承当这份重任。周公是个大圣人，辅佐周成王忠心耿耿，结果还有管叔、蔡叔散布流言，说周公想篡权，更何况如今皇上已经不是周成王那样幼小呢？我私下认为晋武帝的丧事办完之后，你应当认真考虑考虑自己是进还是退，怎样做才最合时宜，如果你能够体谅我的一片忠心，哪里还用得着我多说什么呢！"杨骏不听劝告。傅咸多次规劝杨骏，杨骏对他渐渐地反感起来，就想把傅咸赶出朝廷打发到地方上去担任郡守。杨骏的外甥河南尹李斌劝杨骏说："斥责、放逐正人君子，将会失去民心。"杨骏这才打消了让傅咸去担任郡守的念头。杨骏的弟弟杨济给傅咸写信说："谚语说：'只有傻小子才想快刀斩乱麻地解决国家问题。'其实国家的事情是很不容易了断的。我担心你掉脑袋，所以跟你说这些话。"傅咸回信说："卫公曾经说过：'死于酒色的远比死于言行正直的人多。'因为嗜酒好色而死，人不感到后悔。而遇到事情首先就害怕直言直行会给自己招致祸患，这是因为其心并不正直，将苟且敷衍、不负责任说成是'既明且哲'罢了。自古以来因为言行正直招致灾祸的人，往往是由于矫枉过正，或者是自己原本就不够忠正诚恳，只图落个刚直的名声，以致招来怨恨，岂有一片赤诚地尽心做好事反而遭到嫉恨的道理呢！"

杨骏因为贾皇后为人阴险强悍，擅长权术谋略，因而非常畏忌她，所以就让自己的外甥段广担任散骑常侍，负责掌管朝政机密，另一个外甥张劭为中护军，负责掌管禁卫军。凡有诏令，晋惠帝看过中书省起草的诏令之后，杨骏就进宫呈给皇太后杨芷过目，然后实行。

杨骏处理朝政既严厉琐碎又独断专行、自以为是，朝廷内外很多人都厌恶他。担任冯翊太守的孙楚对杨骏说："您以外戚的身份居于伊尹、霍光那样的权位，处理朝政就应当大公无私，讲究诚信，对人谦让和顺。如今司马氏势力强大，而您却不许这些司马氏的王公大臣参与协商国家大事，您对内怀有猜忌之心，在外拉起一伙私党亲信，恐怕用不了多久就要大祸临头了。"杨骏没有听从孙楚的劝告，依然我行我素。孙楚，是孙资的孙子。

担任弘训宫少府的蒯钦，是杨骏姑母的儿子，他屡次直言冒犯杨骏，别人都为

钦曰："杨文长虽暗[221]，犹知人之无罪不可妄杀，不过疏我，我得疏，乃可以免[222]。不然，与之俱族[223]矣。"

骏辟匈奴东部[224]人王彰为司马，彰逃避不受。其友新兴张宣子[225]怪而问之，彰曰："自古一姓二后[226]，未有不败。况杨太傅[227]昵近小人，疏远君子，专权自恣，败无日矣。吾逾海出塞[228]以避之，犹惧及祸，奈何应其辟[229]乎！且武帝不惟[230]社稷大计，嗣子既不克负荷[231]，受遗者[232]复非其人，天下之乱，可立待也。"

秋，八月壬午[233]，立广陵王遹为皇太子。以中书监何劭为太子太师[234]，卫尉裴楷为少师[235]，吏部尚书王戎为太傅[236]，前太常张华为少傅[237]，卫将军杨济为太保[238]，尚书和峤为少保[239]。拜太子母谢氏为淑媛[240]。贾后常置谢氏于别室，不听[241]与太子相见。

初，和峤尝从容[242]言于武帝曰："皇太子有淳古之风[243]，而末世多伪[244]，恐不了陛下家事[245]。"武帝默然。后与荀勖等同侍武帝，武帝曰："太子近入朝差长进[246]，卿可俱诣之[247]，粗及世事[248]。"既还，勖等并称太子明识雅度[249]，诚如明诏。峤曰："圣质如初[250]。"武帝不悦而起。及帝即位，峤从太子遹入朝，贾后使帝问曰："卿昔谓我不了家事，今日定如何？"峤曰："臣昔事先帝，曾有斯言。言之不效[251]，国之福也。"

冬，十月辛酉[252]，以石鉴为太尉，陇西王泰[253]为司空。

以刘渊为建威将军、匈奴五部大都督[254]。

他担惊受怕。蒯钦说："杨骏虽然为人昏庸，但他还是知道如果别人没有犯罪是不能随便杀害的，只不过他会疏远我，我被他疏远，将来才不至于受他牵连而招致灭门之祸。不然的话，我将要与他一起被灭族了。"

杨骏招聘匈奴东部人王彰为司马，王彰逃避躲藏起来，不肯接受任命。王彰的朋友新兴人张宣子感到很奇怪，就去问王彰，王彰回答说："从古至今，凡是一个家庭出两个皇后的，最终没有不败亡的。更何况杨太傅亲近小人，疏远君子，独揽朝政大权又任意而行，离败亡没有几天了。我即使越过大海、逃到塞外来躲避他，还恐怕大祸临头呢，怎么可能接受他的聘请到他手下为官呢！况且晋武帝不能为国家的长治久安深谋远虑，选择的继承人既没有能力担当起治理国家的重任，接受遗命辅佐嗣君的大臣又不是合适的人选，天下大乱，恐怕指日可待了。"

秋季，八月二十六日壬午，晋惠帝立广陵王司马遹为皇太子。任命担任中书监的何劭为太子太师，担任卫尉的裴楷为太子少师，吏部尚书王戎为太傅，前任太常张华为少傅，担任卫将军的杨济为太保，担任尚书的和峤为少保。晋惠帝册封皇太子的生母谢氏为淑媛。贾皇后经常把谢氏赶往其他宫室居住，不准许皇太子和他母亲见面。

当初，和峤装作漫不经心地和晋武帝谈论说："皇太子司马衷不了解现实事务，而现实社会充满诡诈，恐怕他管理不了陛下家族应管的事务。"晋武帝默然不语。后来和峤与荀勖等人共同陪侍在晋武帝的身边，晋武帝说："太子近来入朝觐见稍微有些长进，你们可以一起到他跟前，与他稍微谈些当世之事。"等从太子那里回来之后，荀勖等都称赞太子既有高明的见识，又有优雅的气度，确实像陛下所说的那样。只有和峤说："太子的气质品性还是和从前一样。"晋武帝很不高兴，立即起身离去。等到司马衷即位，和峤跟随太子司马遹入朝，贾皇后让惠帝问和峤："你过去说我处理不了家事，今日怎么样呢？"和峤说："我过去侍奉先帝时，曾经说过这样的话。如果我说的话得不到验证，那是国家的福气。"

冬季，十月初六日辛酉，晋惠帝任命石鉴为太尉，任命陇西王司马泰为司空。

任命刘渊为建威将军，统领山西境内的全部匈奴人。

---

**【段旨】**

以上为第二段，写晋惠帝永熙元年（公元二九〇年）一年间的大事。主要写了晋武帝司马炎之死，其临死前皇后父杨骏操纵政权，广树党羽，与其女共同排挤当时在京的汝南王司马亮，而后假传遗诏令杨骏独揽朝权；写了傅咸、孙楚等劝杨骏秉以公心，广纳善言，与司马氏诸王共理朝政，杨骏拒不听从，以及贾充之女控制晋惠帝，迫害惠帝生母等。

【注释】

⑲ 正月辛酉朔：正月初一是辛酉日。⑳ 己巳：正月初九。㉑ 尚繁昌公主：娶繁昌公主为妻。繁昌公主是司马炎之女，“繁昌”是封地的名称。尚，高攀，娶帝王之女的敬称。㉒ 黄门：宦官。㉓ 夺公主：强令离婚。㉔ 以公就第：以菑阳公的身份退职，回家赋闲。㉕ 剧阳康子：魏舒被封为剧阳子，康是谥，子是爵位。㉖ 三月甲子：三月初五。㉗ 疾笃：病情严重。㉘ 未有顾命：没有留下遗诏。㉙ 物故：去世。㉚ 辄以私意改易要近：随便按着自己的意思更换皇帝身边的重要亲近官员。㉛ 会帝小间：刚好司马炎的病情又稍微好转。㉜ 何得便尔：怎能变成这个样子。㉝ 尚未发：还没有离开京城。去年已下令派汝南王司马亮往镇许昌。㉞ 闻望：声望。㉟ 迷乱：神智昏迷。㊱ 颔之：点头。㊲ 四月辛丑：四月十二。㊳ 对廙、劭：当着华廙、何劭的面。㊴ 歆：华歆，字子鱼，曹操的心腹。传见《三国志》卷十三。㊵ 曾：何曾，字颖考，魏晋之交时司马氏的心腹。传见《晋书》卷三十三。㊶ 趣汝南王亮赴镇：催促汝南王司马亮离开京城，到许昌上任。趣，催促。㊷ 寻小间：过了不久又稍稍清醒过来。寻，不久。间，略好。㊸ 困笃：病重垂危。㊹ 己酉：四月二十。㊺ 含章殿：在皇后宫中。〖按〗司马炎终年五十五岁。㊻ 宇量弘厚：器宇度量开阔宽宏。〖按〗就其对待母弟司马攸而言，未必弘厚。㊼ 未尝失色于人：从没有在别人面前表现过不应当表现的脸色。㊽ 改元：在此之前是晋武帝太熙元年，改元后为晋惠帝永熙元年。㊾ 妃贾氏：此贾妃即贾充之女，名南风。㊿ 太极殿：宫廷里的前殿。(151) 梓宫将殡：皇帝的棺木将要移入灵堂，供群臣吊唁。(152) 六宫出辞：后宫嫔妃出来号哭送别。(153) 不下殿：不出太极殿，怕有人趁其不在发动政变。(154) 虎贲：皇帝身边的卫士。(155) 监作山陵：主管为司马炎修建陵墓。(156) 临丧：进宫哭丧。(157) 大司马门：大司马府的外门。司马亮以大司马的身份出镇许昌，此时尚在京城的大司马府中。(158) 出营城外：在京城之外扎营。(159) 表求过葬而行：上表请求参加完葬礼后再去许昌。(160) 或告：有人向杨骏报告。(161) 帅陵兵：率领修建陵墓的士兵。(162) 保持之：担保司马亮不会举兵，而自己按兵不动。(163) 归心于公：都倾向于您。公，敬称司马亮。(164) 留亮：将司马亮留在京城，共同辅政。(165) 征大司马：指征召大司马司马亮回京辅政。(166) 退身避之：自己辞职退避。(167) 宗室外戚：皇帝的家族与皇后家族这两部分人。(168) 相恃为安：互相倚靠，共同办事是最安全的。(169) 但：只要能够。(170) 共崇至公：共同本着公正无私的原则。(171) 无为避：根本用不着自请辞职避位。(172) 五月辛未：五月十三。(173) 普进封爵：给官僚贵族们普遍升级。(174) 左军将军傅祗：左军将军平时无具体职掌，有战事则典禁兵戍卫京师，或率军出征。傅祗，字子庄，傅嘏之子。晋武帝时，起家为太子舍人，后为荥阳太守，以建造沈莱堰造福于民，后又官居廷尉、左军将军、司隶校尉。传见《晋书》卷四十七。(175) 嘏：傅嘏，字兰石，曹魏时的才臣。传见《三国志》卷二十一。(176) 丙子：五月十八。(177) 中外群臣：朝廷与地方上的所有臣工。(178) 预丧事：参与为司马炎办丧事的一

切官员人等。⑰二千石：指郡太守与诸国之相一级的官员。⑱关中侯：级别在关内侯之下。关内侯比列侯低一等，没有正式封地，只在关内地区享有一小块食邑。“关中侯”是当年曹操所设，食邑比关内侯还要小。⑱复租调一年：免除土地税与劳役税一年。⑱正位东宫：指正式被立为太子。⑱班赏行爵：遍行奖赏，升官晋爵。⑱泰始革命之初：指司马炎篡位称帝之时。革命，指改朝换代。⑱轻重不称：功劳的大小与所得赏赐的厚薄不相称。⑱卜世无穷：预计将传国久远。《左传》宣公三年有“卜世三十，卜年七百”之语，此改用旧文。⑱今之开制：现在开创的制度。⑱当垂于后：应当能够流传到后代给后人做榜样。⑱录朝政：总管一切朝廷政务。⑲总己以听：谓约束自己，听命于杨骏。⑲谅暗：古代天子的守丧之礼，据说在居丧三年期间闭口不言，不管朝政，一切都听宰相的安排。谅暗，即闭口不言。⑲不行久矣：自汉文帝实行短丧制，嗣君很快便自行听政，“谅暗三年”已有四百多年不实行了。⑲谦冲：谦虚，实际是呆傻、弱智。⑲未易当：难以承当这份重任。⑲犹致流言：周公辅佐成王忠心耿耿，结果管叔、蔡叔散布流言，说周公想篡权。事见《史记·周本纪》。⑲非成王之年：当年周成王姬诵登极时只有十二岁，而司马衷本年已三十二岁。⑲山陵既毕：司马炎的丧事办完之后。⑲苟有以察其忠款：只要您能体谅我的忠心。⑲生子痴二句：只有傻小子才想快刀斩乱麻地解决国家问题。了，了断、解决。杨济是以老庄哲学看待人事关系。⑳想虑破头：我是怕你掉脑袋。⑳酒色杀人二句：死于酒色的远比死于言行正直的人多。〖按〗此“卫公”指晋代的权臣卫瓘。⑳逆畏以直致祸：自己首先害怕直言直行会引来祸端。逆，预先、事先。⑳以苟且为明哲：将苟且敷衍、不负责任说成是“既明且哲”。《诗经·烝民》有所谓“既明且哲，以保其身”。⑳不忠笃：不够忠正诚恳。⑳以亢厉为声：只图落个刚直的名声。亢厉，刚正严厉。⑳故致忿：以致招来怨恨。⑳悾悾忠益：一片赤诚地尽心做好事。悾悾，诚恳的样子。⑳返见怨疾：反而是遭到嫉恨。⑳权略：权术谋略。⑳忌：畏忌。㉑张劭为中护军：张劭是杨骏的另一个外甥。中护军是掌管宫廷卫戍部队的长官。㉑帝省讫：皇帝看过中书省起草的诏令后。㉑太后：杨骏之女、司马炎的皇后杨芷。㉑严碎专愎：严厉琐碎而又专断，自以为是。㉑孙楚：孙资之孙。孙资历事曹操、曹丕、曹叡，传见《三国志》卷十四。㉑伊、霍之任：伊尹、霍光般的权位。伊尹是商代大臣，霍光是汉代的大臣，都以受遗命辅佐少主闻名。㉑至公：大公无私；全心为公。㉑不与共参万机：不与这些司马氏的王公协商国家大事。㉑树私昵：拉起了一伙私党亲信。㉒弘训少府：为弘训宫管理金钱物资的官。当时司马师的夫人羊徽瑜居于弘训宫。㉒杨文长虽暗：杨骏即使为人昏庸。杨骏字文长。暗，昏聩无能。㉒乃可以免：指将来不致因他而牵连灭门。㉒与之俱族：跟着他一起被灭族。㉒匈奴东部：匈奴左部，居于今之山西太原一带。㉒新兴张宣子：新兴郡人，姓张名宣子。晋时的新兴郡治九原，即今山西忻州。㉒一姓二后：一个家庭出两个皇后，指司马炎的第一个皇后杨艳和第二个皇后杨芷。㉒杨太傅：指杨骏。㉒逾海出塞：越过大海，逃到塞外。㉒应其辟：

接受他的聘请，到他手下为官。㉚不惟：不考虑。㉛不克负荷：不能担当治理天下的重任。克，能。负荷，担当。㉜受遗者：指受遗命辅佐嗣主的人。㉝八月壬午：八月二十六。㉞太子太师：掌辅导太子。㉟少师：太子少师，协掌辅导太子。㊱太傅：太子太傅，掌辅导太子，位在太子太师下，太子太保上。㊲少傅：太子少傅。协助太子太傅辅导、翼护太子。㊳太保：太子太保，职掌同“太子太师”。㊴少保：太子少保，职掌同“太子少师”。㊵淑媛：九嫔之一，是九嫔妃的第二级。据《晋志》，晋时的九嫔为淑妃、淑媛、淑仪、修华、修容、修仪、婕妤、容华、充华。㊶不听：不准许。㊷从容：像是漫不经心地自然说起。㊸淳古之风：不了解现代事务，含蓄地说他呆傻。㊹末世多伪：现实社会充满诡诈。㊺恐不了陛下家事：恐怕管理不了你们家族应管的事务，即治理国

---

【原文】

**元康元年（辛亥，公元二九一年）**

春，正月乙酉朔[255]，改元永平。

初，贾后之为太子妃也，尝以妒手杀数人，又以戟掷孕妾，子随刃堕。武帝大怒，修金墉城[256]，将废之。荀勖、冯紞、杨珧及充华[257]赵粲共营救之，曰：“贾妃年少，妒者妇人常情，长自当差[258]。”杨后曰：“贾公闾[259]有大勋于社稷[260]，妃亲其女[261]，正复[262]妒忌，岂可遽忘其先德[263]邪?”妃由是得不废。

后[264]数诫厉妃[265]，妃不知后之助己，返[266]以后为构己于武帝[267]，更恨之。及帝即位，贾后不肯以妇道[268]事太后，又欲干预政事，而为太傅骏所抑。殿中中郎[269]渤海孟观、李肇，皆骏所不礼也，阴构骏，云将危社稷。黄门董猛素给事东宫[270]，为寺人监[271]，贾后密使猛与观、肇谋诛骏，废太后。又使肇报汝南王亮，使举兵讨骏，亮不可。肇报都督荆州诸军事楚王玮[272]，玮欣然许之，乃求入朝。骏素惮玮勇锐，欲召之而未敢，因其求朝，遂听之。二月癸酉[273]，玮及都督扬州诸军事、淮南王允[274]来朝。

三月辛卯[275]，孟观、李肇启帝，夜作诏，诬骏谋反，中外[276]戒严，

家。不了，处理不了、不能完成。㉔⑥差长进：稍微有些长进。差，略、稍。㉔⑦俱诣之：一起到他跟前。㉔⑧粗及世事：稍微谈谈当世之事。㉔⑨明识雅度：既有高明的见识，又有优雅的气度。㉕⓪圣质如初：太子的气质品性还和从前一样。㉕①不效：得不到证明。㉕②十月辛酉：十月初六。㉕③陇西王泰：司马泰，司马懿之侄，当时被封为陇西王。传见《晋书》卷三十七。㉕④匈奴五部大都督：统领山西境内的全部匈奴人。

## 【校记】

［8］骏骏："骏"字原不重。据章钰校，甲十一行本、乙十一行本、孔天胤本皆重"骏"字，张敦仁《通鉴刊本识误》同，今据补。

## 【语译】

### 元康元年（辛亥，公元二九一年）

春季，正月初一日乙酉，改年号为"永平"。

当初，贾皇后做太子妃的时候，曾经因为嫉妒亲手杀死了好几个人，又用戟投掷已经怀孕的姬妾，姬妾腹中怀着的胎儿随着戟刃划破肚腹而坠落。晋武帝司马炎闻讯大怒，立即派人去清扫金墉城，准备废黜贾妃，把她囚禁到金墉城。荀勖、冯𬘘、杨珧以及充华赵粲共同营救贾妃，他们对晋武帝说："贾妃年纪还小，嫉妒是女人的常情，年龄大了，她自然就会逐渐好起来。"杨皇后也劝谏晋武帝说："她的父亲贾充对国家社稷立有大功，贾妃是他的亲闺女，即使她妒忌，岂能因此而立马就忘了她先人对我们的恩情呢？"贾妃由于这个原因才没有被废掉。

杨皇后曾经多次告诫训斥贾妃，贾妃不知道杨皇后是在帮助自己，反而认为杨皇后在晋武帝面前说自己的坏话，因此更加痛恨杨皇后。等到司马衷即位，贾妃当上皇后之后，她既不肯按着做儿媳的本分侍奉杨太后，又想要干预朝政，因而遭到太傅杨骏的压制。担任殿中中郎的渤海人孟观、李肇，都是被杨骏轻视、不以礼相待的人，于是他们便暗中诬陷杨骏，说杨骏将要危害国家社稷。黄门董猛一直在东宫供职，充任宦官的首领，贾皇后暗中指使董猛与孟观、李肇密谋诛杀杨骏，然后再废黜杨太后。贾皇后又派李肇去通知汝南王司马亮，让司马亮起兵讨伐杨骏，司马亮认为不可以这样做。李肇又去通知都督荆州诸军事的楚王司马玮，司马玮欣然答应，于是司马玮请求入朝。杨骏一向忌惮司马玮勇猛、雷厉风行的作风，早就想召他回京任职却又不敢，现在趁司马玮主动请求入朝任职，便立即答应了他的请求。二月二十日癸酉，司马玮与都督扬州诸军事的淮南王司马允同时入朝。

三月初八日辛卯，孟观、李肇奏报惠帝司马衷，司马衷连夜写下诏书，诬陷杨

遣使奉诏废骏，以侯就第[277]。命东安公繇[278]帅殿中四百人讨骏，楚王玮屯司马门[279]，以淮南相刘颂为三公尚书[280]，屯卫殿中。段广跪言于帝曰：“杨骏孤公[281]无子，岂有反理！愿陛下审之。”帝不答。

时骏居曹爽故府[282]，在武库南，闻内有变，召众官议之。太傅主簿[283]朱振说骏曰：“今内有变，其趣[284]可知，必是阉竖[285]为贾后设谋，不利于公[286]。宜烧云龙门[287]以胁之，索造事者[288]。首开万春门[289]，引[290]东宫及外营兵[291]拥皇太子入宫，取奸人。殿内震惧，必斩送之。不然，无以免难。”骏素怯懦，不决，乃曰：“云龙门，魏明帝[292]所造，功费甚大，奈何烧之？”侍中傅祗白骏[293]，请与尚书武茂入宫观察事势，因谓群僚曰：“宫中不宜空。”遂揖而下阶。众皆走，茂犹坐。祗顾曰[294]：“君非天子臣邪？今内外隔绝[295]，不知国家所在[296]，何得安坐？”茂乃惊起。骏党左军将军刘豫陈兵在门，遇右军将军裴頠[297]，问太傅所在。頠绐[298]之曰：“向[299]于西掖门遇公乘素车[300]，从二人[301]西出矣。”豫曰：“吾何之？”頠曰：“宜至廷尉[302]。”豫从頠言，遂委而去[303]。寻诏頠代豫领左军将军，屯万春门。頠，秀[304]之子也。皇太后题帛为书，射之城外曰：“救太傅者有赏。”贾后因宣言太后同反。寻而殿中兵出，烧骏府。又令弩手[9]于阁上临骏府而射之，骏兵皆不得出。骏逃于马厩，就杀之[305]。孟观等遂收骏弟珧、济，张劭、李斌、段广、刘豫、武茂及散骑常侍杨邈、中书令蒋俊、东夷校尉文鸯，皆夷三族，死者数千人。

珧临刑，告东安公繇曰：“表在石函[306]，可问张华。”众谓宜依锺毓例[307]为之申理。繇不听，而贾氏族党趣使行刑。珧号叫不已，刑者以刀破其头[308]。繇，诸葛诞之外孙也，故忌文鸯[309]，诬[10]以为骏党而诛之。

骏谋反，朝廷内外一律戒严，然后派使者捧着皇帝的诏书罢免了杨骏的职务，让他以临晋侯的身份回家赋闲。又命令东安公司马繇率领殿中的四百禁卫军去讨伐杨骏，楚王司马玮率兵驻扎在司马门，任命淮南国的国相刘颂为主管审理刑狱的三公尚书，让他率领军队驻扎在殿中担任守卫。杨骏的外甥，担任散骑常侍的段广跪在司马衷面前哀求说："杨骏只是一个孤老头，又没有儿子，岂有反叛的道理！希望陛下明察。"司马衷不回答。

当时，杨骏居住在曹爽当年所住的府邸中，地处武库的南边，他听说宫内发生政变，立即召集众官商议对策。担任太傅主簿的朱振对杨骏说："如今宫内有变，目的很明显，必然是宦官为贾皇后出谋划策，恐怕将会加害于你。现在应该放火烧毁云龙门，用火势威胁皇宫，勒令宫中交出制造事端的人。然后先打开万春门，带领东宫和驻防于东宫外面的警卫部队簇拥着皇太子司马遹进入皇宫，逮捕奸党。宫中感到震惊恐惧，必然会把主谋者杀掉送出来。否则的话，没有办法躲过这场灾难。"杨骏一向胆小懦弱，此时更是犹豫不决，他竟然说："云龙门是魏明帝时修建的，耗费了巨大的财力物力，为什么要烧掉它呢？"担任侍中的傅祗向杨骏禀告，请求允许自己与尚书武茂入宫去观察形势，并趁机对同僚们说："宫中不能没有人。"于是向杨骏作了一个揖便下台阶而去。众人全都散去，只有武茂还独自坐在那里。傅祗回头对武茂说："你难道不是天子的大臣吗？如今宫内宫外消息隔绝，不知道皇帝目前在哪里，你怎能安然地坐在这里呢？"武茂这才惊慌起身。杨骏的党羽，担任左军将军的刘豫率军在门前守卫，他遇见担任右军将军的裴頠，就向裴頠打听太傅杨骏现在在哪里。裴頠哄骗他说："我刚才在西掖门遇见杨太傅乘坐着一辆白色的小车，有两个人跟随着从西门出去了。"刘豫说："我应该去哪里呢？"裴頠说："你应该主动到廷尉那里去接受惩治。"刘豫听从了裴頠的劝告，他把军队托付给裴頠统领便脱身而去。不一会儿，有诏书命裴頠代替刘豫兼任左军将军，负责驻守万春门。裴頠，是裴秀的儿子。杨太后用帛写了一封书信，用箭射出城外，帛书上说："谁能救出太傅杨骏，有重赏。"贾皇后趁机宣称杨太后一同谋反。不一会儿，宫中派出军队，放火烧毁了杨骏的府邸。又命令弓弩手站在阁楼上居高临下地向杨骏的府邸放箭，杨骏府中的士兵无法出门。杨骏逃到马厩里，在马厩里被人杀死。孟观等人随即逮捕了杨骏的弟弟杨珧、杨济，张劭，李斌，段广，刘豫，武茂以及散骑常侍杨邈，中书令蒋俊，东夷校尉文鸯，他们全部被诛灭三族，被杀死的有几千人。

杨珧在临刑的时候，对东安公司马繇说："我过去的奏章收藏在太庙的石匣里，你们可以去询问张华。"众人都说应该依照锺毓的例子为他申述。司马繇不听劝阻，而贾氏的党羽又催促赶紧行刑。杨珧口称冤枉，哀号挣扎不止，刽子手就用刀劈开了他的头颅。司马繇，是诸葛诞的外孙，所以忌恨文鸯，诬蔑文鸯是杨骏的死党而诛杀了。

是夜，诛赏皆自繇出，威振内外。王戎谓繇曰：“大事之后，宜深远权势㉛⓪。”繇不从。

壬辰㉛①，赦天下，改元㉛②。

贾后矫诏，使后军将军荀悝送太后于永宁宫㉛③，特全㉛④太后母高都君庞氏㉛⑤之命，听就太后居㉛⑥。寻复讽群公有司奏㉛⑦曰：“皇太后阴渐奸谋㉛⑧，图危社稷，飞箭系书，要募㉛⑨将士，同恶相济㉜⓪，自绝于天。鲁侯绝文姜㉜①，春秋所许㉜②。盖奉祖宗，任至公于天下。㉜③陛下虽怀无已之情㉜④，臣下不敢奉诏㉜⑤。”诏曰：“此大事，更详之。”有司又奏：“宜废皇[11]太后为[12]峻阳庶人㉜⑥。”中书监张华议：“皇太后非得罪于先帝，今党其所亲㉜⑦，为不母于圣世㉜⑧，宜依汉废赵太后为孝成后㉜⑨故事，贬皇太后之号，还称武皇后，居异宫㉝⓪，以全始终之恩㉝①。”左仆射荀恺与太子少师下邳王晃㉝②等议曰：“皇太后谋危社稷，不可复配先帝，宜贬尊号，废诣金墉城。”于是有司奏从晃等议，废太后为庶人，诏可。又奏[13]：“杨骏造乱，家属应诛，诏原其妻庞命，以尉㉝③太后之心。今太后废为庶人，请以庞付廷尉行刑。”诏不许。有司复固请㉝④，乃从之。庞临刑，太后抱持号叫，截发稽颡，上表诣贾后称妾，请全母命，不见省㉝⑤。董养游太学㉝⑥，升堂㉝⑦叹曰：“朝廷建斯堂，将以何为乎㉝⑧？每览国家赦书，谋反大逆皆赦，至于杀祖父母、父母不赦者，以为王法所不容故也。奈何公卿处议㉝⑨，文饰礼典㉞⓪，乃至此乎？天人之理既灭，大乱将作矣！”

有司收骏官属，欲诛之。侍中傅祗启曰：“昔鲁芝为曹爽司马，斩关赴爽㉞①，宣帝㉞②用为青州刺史。骏之僚佐，不可悉加罪。”诏赦之。

这一夜，是诛杀还是赏赐都由司马繇说了算，司马繇的威势震动了宫廷内外。王戎对司马繇说:“大事之后，你应当远离权势。”司马繇不听劝告。

三月初九日壬辰，大赦天下，改年号为“元康”。

贾皇后假传圣旨，派后军将军荀悝把杨太后送入永宁宫，特别开恩保全了杨太后的母亲高都君庞氏的性命，并准许她随其女儿杨太后一起居住。过了不久，贾皇后又指使大臣向司马衷奏请说:“杨太后暗地里一直参与其父的奸谋活动，企图危害国家社稷，她飞箭传书，招募将士，与杨骏互为表里，共同作恶，自绝于天下人民。鲁庄公驱逐了自己的母亲桓公夫人文姜，孔子在《春秋》中对此事表示赞许。这完全是身为鲁国祖宗基业的继承者，对天下人所表现的一种大公无私。陛下虽然对母亲杨皇后怀有无穷无尽的孝思，但臣下不能执行陛下的诏命留下杨太后。”晋惠帝于是又下诏说:“是不是留下杨太后这是件大事情，应该再慎重讨论。”有关部门又奏请说:“应该把皇太后杨氏废为峻阳庶人。”担任中书监的张华建议说:“皇太后并没有得罪先帝，而是跟她的亲眷结成党羽，对当今皇帝做了母亲不应该做的事情，应该依照汉朝废赵太后为孝成后的故事，贬黜皇太后的称号，还称她为武皇后，另找一个宫殿让她居住，让她能够寿终。”担任左仆射的荀恺与担任太子少师的下邳王司马晃等人建议说:“杨太后阴谋危害国家，不可以再配享先帝，应当贬黜她太后的尊号，废为庶人，把她关进金墉城。”于是有关部门奏请应该听从司马晃等人的意见，废杨太后为庶人，晋惠帝下诏认为可以。于是司马晃等人又奏请说:“杨骏谋反作乱，家属应该一律诛杀，上次下诏宽宥了杨骏的妻子庞氏，为的是安慰杨太后之心。如今杨太后已经被废为庶人，请把庞氏交付廷尉执行死刑。”惠帝下诏不许。有关部门一再请求，惠帝只得听从了有司的建议。庞氏临刑的时候，杨太后紧紧抱住她的母亲放声哀号，并剪去头发磕头不止，又上表给贾皇后称自己为妾，请求保全她母亲的性命，根本不被贾皇后理睬。当时的隐士董养到太学游览参观，他登上讲书的课堂叹息着说:“朝廷建造这个太学堂，不就是为了讲授孝悌之义吗？而今贾氏虐待杨皇后，诛杀庞氏，毫无人性，还要这欺人的‘太学’干什么呢？我每次观看国家的赦书，那些谋反、犯了大逆不道之罪的人都在赦免的范围之内，而杀害祖父母、父母的不在赦免的范围之内，因为杀害祖父母、父母的行为是王法所不能容忍的。为什么三公及九卿等高级官员在讨论的过程中，对这种丧尽天良的坏事，还要引经据典，极力加以粉饰，竟然到了如此的程度呢？天理人情已经丧失殆尽，天下将要大乱了!”

有关部门逮捕了杨骏的属官，想把他们全部杀掉。担任侍中的傅祗向晋惠帝启奏说:“过去鲁芝为曹爽担任司马，当听说宣帝要除掉曹爽的时候，鲁芝断然破门而出去投奔曹爽，宣帝不仅没有杀害鲁芝还任命他为青州刺史。杨骏的僚属，不可以全部加罪处死。”晋惠帝于是下诏赦免了杨骏的僚属。

壬寅[343]，征汝南王亮为太宰，与太保卫瓘皆录尚书事，辅政。以秦王柬为大将军，东平王楙为抚军大将军，楚王玮为卫将军、领北军中候[344]，下邳王晃为尚书令，东安公繇为尚书左仆射，进爵为王。楙，望之子也。封董猛为武安侯，三兄皆为亭侯。

亮欲取悦众心，论诛杨骏之功，督将侯者千八十一人[345]。御史中丞傅咸遗亮书曰："今封赏熏赫[346]，震动天地，自古以来，未之有也。无功而获厚[14]赏，则人莫不乐国之有祸，是祸原[347]无穷也。凡作此[348]者，由东安公。人谓殿下既至，当有以正之。正之以道[349]，众亦何怒？众之所怒者，在于不平耳。而今皆更倍论[350]，莫不失望。"亮颇专权势，咸复谏曰："杨骏有震主之威，委任亲戚，此天下所以喧哗。今之处重[351]，宜反此失[352]。静默颐神[353]，有大得失，乃维持之。[354]自非大事，一皆抑遣[355]。比过尊门[356]，冠盖车马，填塞街衢，此之翕习[357]，既宜弭息[358]。又夏侯长容[359]无功而暴擢为少府[360]，论者谓长容，公之姻家，故至于此。流闻四方，非所以为益也。"亮皆不从。

贾后族兄车骑司马模[361]、从舅右卫将军郭彰、女弟之子贾谧[362]与楚王玮、东安王繇并预国政[363]。贾后暴戾日甚，繇密谋废后，贾氏[364]惮之。繇兄东武公澹素恶繇，屡谮之于太宰亮曰："繇专行诛赏，欲擅朝政。"庚戌[365]，诏免繇官。又坐有悖言[366]，废徙带方[367]。

于是[368]贾谧、郭彰权势愈盛，宾客盈门。谧虽骄奢而好学，喜延[369]士大夫，郭彰，石崇，陆机[370]、机弟云[371]，和郁[372]及荥阳潘岳[373]，清河崔基，勃海欧阳建，兰陵缪徵，京兆杜斌、挚虞[374]，琅邪诸葛诠，弘农王粹，襄城杜育，南阳邹捷，齐国左思[375]，沛国刘瑰、周恢，安平牵秀，颍川陈眕，高阳许猛，彭城刘讷，中山刘舆、舆弟琨皆附于谧，号曰二十四友。郁，峤之弟也。崇与岳尤谄事谧，每候谧及广城君郭槐[376]出，皆降车路左，望尘而拜。

太宰亮、太保瓘以楚王玮刚愎[377]好杀，恶之，欲夺其兵权，以临

三月十九日壬寅，征召汝南王司马亮为太宰，让他与太保卫瓘共同掌管尚书省的事务，辅佐朝政。任命秦王司马柬为大将军，东平王司马楙为抚军大将军，楚王司马玮为卫将军，并兼任北军五营的监察长官，下邳王司马晃为尚书令，东安公司马繇为尚书左仆射，进爵位为王。司马楙，是司马望的儿子。封董猛为武安侯，他的三个哥哥都被封为亭侯。

司马亮想要讨好众人，于是评定诛杀杨骏的功劳，中级军官被封为侯爵的就有一千零八十一人。担任御史中丞的傅咸写信给司马亮说："如今的封赏显赫盛大，可谓震天动地，是自古以来从未有过的。如果没有建立功劳却受到厚赏，那么就没有人不乐意国家发生灾祸，国家灾祸的根源将要无穷无尽。首先开这个头的，是东安公司马繇。人们都说殿下您回到京师后，就应当对以前的这种错误做法予以纠正。纠正得合情合理，众人还有什么可恼怒的呢？众人之所以恼怒，是由于赏赐不公平。而如今又加倍地赏赐，天下人无不对此感到失望。"司马亮特别专擅权势，傅咸又劝谏他说："杨骏拥有使人主感到震恐的威势，他只信任、重用他的亲戚，这是天下哗然的原因。如今你处在重要的位置上，应该改变杨骏那样的错误做法。少下命令，少讲话，自己安养精神，有了关系国家安危的大问题，才稍微过问一下。如果不是什么大事情，一概压下不办或让别人去管。不久前我曾到过你的府上，看到冠盖车马填衢塞巷，这种奔走钻营的习气，应当一概刹住。还有夏侯长容没有功劳却一下子被提升为少府官，议论的人都说夏侯长容是你的亲家，所以才有这样的事发生。这件事情要是流传到四面八方，对你实在没有什么益处。"司马亮不听劝告。

贾皇后的同族哥哥车骑司马贾模，表舅右卫将军郭彰，妹妹的儿子贾谧与楚王司马玮，东安王司马繇全都参与管理国家大事。贾皇后残暴乖戾的程度一天比一天严重，于是东安王司马繇密谋废黜贾皇后，贾氏家族对此深感畏惧。司马繇的哥哥东武公司马澹一向讨厌司马繇，屡次在太宰司马亮面前说司马繇的坏话，他说："司马繇独断专行，任意诛杀赏赐，想要自己专擅朝政。"三月二十七日庚戌，惠帝下诏罢免了司马繇的官职。司马繇又因为有悖逆、不满的言论而获罪，被贬为平民，流放到带方郡。

当时贾谧、郭彰的权势越来越大，宾客盈门。贾谧虽然骄傲奢侈然而爱好学习，喜欢接纳、招引士大夫，郭彰，石崇，陆机，陆机的弟弟陆云，和郁以及荥阳人潘岳，清河人崔基，勃海人欧阳建，兰陵人缪徵，京兆人杜斌、挚虞，琅邪人诸葛诠，弘农人王粹，襄城人杜育，南阳人邹捷，齐国人左思，沛国人刘瑰、周恢，安平人牵秀，颍川人陈眕，高阳人许猛，彭城人刘讷，中山人刘舆、刘舆的弟弟刘琨都依附于贾谧，号称二十四友。和郁，是和峤的弟弟。其中石崇与潘岳尤其谄媚、侍奉贾谧，他们二人经常故意等候在贾谧的门前，当看到贾谧及广城君郭槐出门的时候，就赶紧下车跪拜在路的左边，一直跪拜到连车子扬起的尘土都看不见了为止。

太宰司马亮、太保卫瓘认为楚王司马玮刚愎自用，嗜好杀戮，非常厌恶他，就

海侯裴楷[378]代玮为北军中候。玮怒。楷闻之，不敢拜[379]。亮复与瓘谋，遣玮与诸王之国[380]，玮益忿怨。玮长史公孙宏、舍人岐盛皆有宠于玮，劝玮自昵[381]于贾后，后留玮领[382]太子少傅。盛素善[383]于杨骏，卫瓘恶其反覆[384]，将收[385]之。盛乃与宏谋，因[386]积弩将军李肇矫称玮命，谮亮、瓘于贾后，云将谋废立[387]。后素怨瓘[388]，且患二公[389]执政，己不得专恣[390]，夏，六月，后使帝作手诏[391]赐玮曰："太宰、太保欲为伊、霍之事[392]，王[393]宜宣诏，令淮南[394]、长沙[395]、成都王[396]屯诸宫门，免亮及瓘官。"夜，使黄门赍[397]以授玮。玮欲覆奏[398]，黄门曰："事恐漏泄，非密诏本意也。"玮亦欲因此复私怨[399]，遂勒本军[400]，复矫诏[401]召三十六军[402]，告以"二公潜图[403]不轨，吾今受诏都督中外诸军，诸在直卫者[404]，皆严加警备，其在外营[405]，便相帅径诣行府[406]，助顺讨逆"。又矫诏"亮、瓘官属，一无所问，皆罢遣之[407]。若不奉诏，便军法从事"。遣公孙宏、李肇以兵围亮府，侍中清河王遐[408]收瓘。

亮帐下督[409]李龙，白"外有变，请拒之"，亮不听。俄而兵登墙大呼，亮惊曰："吾无贰心，何故至此？诏书其可见乎？"宏等不许，趣[410]兵攻之。长史刘准谓亮曰："观此必是奸谋。府中俊乂[411]如林，犹可力战。"又不听，遂为肇所执，叹曰："我之赤心，可破示天下也！"与世子矩俱死[412]。

卫瓘左右亦疑遐矫诏，请拒之，须[413]自表得报[414]，就戮未晚，瓘不听。初，瓘为司空[415]，帐下督荣晦[416]有罪，斥遣之[417]。至是，晦从遐收瓘，辄杀瓘及子孙共九人，遐不能禁。

岐盛说玮[418]："宜因兵势，遂诛贾、郭[419]以正王室，安天下。"玮犹豫未决。会天明[420]，太子少傅张华使董猛说贾后曰："楚王既诛二

想剥夺他的军权，然后让临海侯裴楷取代司马玮为北军中候。司马玮非常愤怒。裴楷听说后，也不敢接受北军中候的职务。司马亮又与卫瓘商议，让司马玮与其他诸侯王全都离开京城回到他们自己的封国去，司马玮对此更加怨恨和愤怒。担任司马玮长史的公孙宏、舍人岐盛都很受司马玮的宠信，他们劝说司马玮主动去亲近贾皇后，于是贾皇后留下司马玮兼任太子少傅。岐盛一向与杨骏交情很好，卫瓘憎恶岐盛反复无常、没有操守，就准备拘捕岐盛。岐盛于是与公孙宏密谋，通过积弩将军李肇假传司马玮的命令，在贾皇后面前构陷司马亮、卫瓘，说他们准备废黜皇帝司马衷另立新君。贾皇后平常就很怨恨卫瓘，而且深恨司马亮、卫瓘二人执掌朝政，使自己不能大权独揽、为所欲为，夏季，六月，贾皇后让司马衷亲手写下诏书赐予司马玮，说："太宰司马亮、太保卫瓘要学伊尹、霍光的榜样行废立之事，楚王司马玮应该宣布诏书，命令淮南王司马允、长沙王司马乂、成都王司马颖率兵屯驻各宫门，罢免太宰司马亮和太保卫瓘的官职。"当天夜里，贾皇后派黄门到司马玮那里宣读诏书。司马玮准备再请示一遍，黄门说："恐怕事情会泄露，那就不是颁布密诏的本意了。"司马玮也想利用这个机会报复私仇，于是就统率自己手下的军队，又诈称奉皇帝的诏命，召集起京城内外的三十六军，宣告"司马亮、卫瓘二人暗中图谋不轨，我今天接受了皇帝的诏命负责统领朝廷内外各路军队，凡是正在执勤、担任卫护防守之职的人，都要严加警戒，其他所有在外的武装部队，都要带着本部人马到朝廷在外地设立的办事部门，协助正义之师讨伐逆贼"。又假传皇帝的诏命说"司马亮、卫瓘的属官，一概不追究，全部罢免遣散。若不奉诏，便按军法处置"。司马玮派公孙宏、李肇率兵围住司马亮的府邸，派担任侍中的清河王司马遐去逮捕卫瓘。

司马亮的帐下督李龙向司马亮报告说"外边情况有异常，请立即发兵抵抗"，司马亮不听劝告。不一会儿，外边的士兵登上院墙大呼，司马亮这才惊慌地说："我对朝廷毫无二心，为什么要这样对待我呢？能不能让我看一下诏书？"公孙宏等不许司马亮观看诏书，而是催促士兵加紧攻打。长史刘准对司马亮说："由此看来，必有奸谋。您府中的英雄才俊多如树林，还可以借此决一死战。"司马亮又不听从劝告，于是司马亮被李肇抓获，司马亮叹息着说："我的一片赤诚之心，可以通过破开肚子让天下人观看！"司马亮与长子司马矩一同被杀死。

卫瓘左右的人也怀疑清河王司马遐是假传诏命，请求卫瓘率人抵抗，等候自己给皇帝上的表章有了明确答复，再接受刑戮也不算晚，卫瓘不肯听从劝告。当初，卫瓘为司空的时候，帐下督荣晦犯了罪，卫瓘斥责他并把他逐出了司空府。现在，荣晦跟随清河王司马遐前来拘捕卫瓘，他当场就杀死了卫瓘及其子孙共九人，清河王司马遐禁止不住。

岐盛劝说司马玮说："应该借助现在的兵势，立即诛杀贾谧、郭彰，以匡扶王室，安定天下。"司马玮犹豫不决。此时天已大亮，担任太子少傅的张华派董猛提醒

公[421]，则天下威权尽归之矣，人主何以自安！宜以玮专杀之罪[422]诛之。”贾后亦欲因此除玮，深然之。是时内外扰乱，朝廷恂惧，不知所出[423]。张华白帝，遣殿中将军王宫赍驺虞幡[424]出麾众[425]曰：“楚王矫诏，勿听也！”众皆释仗而走。玮左右无复一人，窘迫不知所为，遂执之，下廷尉。乙丑[426]，斩之。玮出怀中青纸诏[427]，流涕以示监刑尚书刘颂，曰：“幸托体先帝[428]，而受枉乃如此[429]乎！”公孙宏、岐盛并夷三族。

玮之起兵也，陇西王泰[430]严兵[431]将助玮。祭酒[432]丁绥谏曰：“公为宰相[433]，不可轻动。且夜中仓猝，宜遣人参审定问[434]。”泰乃止。

卫瓘女与国臣[435]书曰：“先公[436]名谥[437]未显[438]，每怪一国蔑然无言[439]。春秋之失[440]，其咎安在[441]？”于是太保主簿[442]刘繇等执黄幡[443]，挝登闻鼓[444]，上言曰：“初，矫诏者至，公即奉送章绶[445]，单车从命[446]。如矫诏之文唯免公官[447]，而故给使荣晦[448]辄收公父子及孙，一时斩戮。乞验尽情伪[449]，加以明刑[450]。”乃诏族诛荣晦，追复亮爵位，谥曰“文成”。封瓘为[15]兰陵郡公，谥曰“成”。

于是贾后专朝，委任亲党，以贾模[451]为散骑常侍，加侍中。贾谧与后谋，以张华庶姓[452]，无逼上之嫌[453]，而儒雅有筹略，为众望所依，欲委以朝政[454]。疑未决，以问裴頠，頠赞成之。乃以华为侍中、中书监，頠为侍中；又以安南将军裴楷为中书令，加侍中，与右仆射王戎[455]并管机要。华尽忠帝室，弥缝遗阙[456]。贾后虽凶险，犹知敬重华。贾模与华、頠同心辅政，故数年之间，虽暗主在上，而朝野安静，华等之功也。

秋，七月，分荆、扬十郡为江州[457]。

八月辛未[458]，立陇西王泰世子越为东海王。

九月甲午[459]，秦献王柬[460]薨。

辛丑[461]，征征西大将军梁王肜[462]为卫将军、录尚书事。

贾皇后说：“楚王司马玮已经诛杀了司马亮、卫瓘二人，如今天下的威权就全部归属于楚王司马玮掌握了，皇帝怎么能够得到安全！应该以擅自诛杀大臣的罪名除掉司马玮。”贾皇后也想借机除掉司马玮，因此非常赞同张华的建议。当时宫内宫外一片混乱，朝廷大臣也都惊慌失措，不知道如何是好。张华禀报惠帝司马衷，派遣担任殿中将军的王宫带着“驺虞幡”出宫，王宫一边向众人挥动“驺虞幡”，一边对众人宣布：“楚王司马玮假传圣旨，不要听他的指挥！”于是众人都放下武器四散而走。司马玮左右一个人也没有了，窘迫之中不知如何是好，于是将司马玮逮捕，交付廷尉审理。六月十三日乙丑，将司马玮斩首。临刑时司马玮拿出怀中的青纸诏书，流着眼泪拿给监刑尚书刘颂观看，说：“我有幸是先帝的亲生儿子，竟然会蒙受这样的冤枉！”公孙宏、岐盛一并被诛灭了三族。

司马玮起兵的时候，陇西王司马泰调集军队准备增援司马玮。担任祭酒的丁绥劝阻说：“你身为宰相，不可轻举妄动。而且是在黑夜之中事起仓促，应该派人去了解核实情况。”司马泰这才没有贸然采取行动。

卫瓘的女儿给朝中的大臣写信说：“先父的谥号还没有宣布，我为此感到很奇怪，全国上下竟然没有一个人敢出来说句公道话。《春秋》大义不能得到贯彻，责任应该由谁来负呢?”于是在卫瓘属下担任太保主簿的刘繇等人高举着黄幡，擂响皇宫门前的登闻鼓，然后上奏章说：“当初，假传圣旨的人一到，卫瓘就赶紧向传旨者交出印章绶带，单身一人上车跟随传旨者而去。如果诏书假传的内容只是免掉卫瓘的官职，而从前曾在卫瓘手下担任帐下督的荣晦竟然逮捕了卫瓘父子及其孙子，一时之间就诛杀了九人。请求彻底查明事情的真伪，对假传诏书之人给予公开惩处。”于是惠帝下诏诛灭荣晦全族，追认恢复司马亮的爵位，给司马亮的谥号为“文成”。追封卫瓘为兰陵郡公，谥号为“成”。

于是贾皇后专擅朝政，对自己的亲信党羽委以重任，她任命贾模为散骑常侍，兼任侍中。贾谧与贾皇后密谋，认为张华出身平民，不是司马氏家族的人，不会对皇帝构成威胁，而且温文儒雅，又有谋略，为众望所归，就想委派他主持朝政。因为犹豫不决，就去询问裴頠，裴頠表示赞成。于是任命张华为侍中、中书监，任命裴頠为侍中；又任命安南将军裴楷为中书令，兼侍中，与右仆射王戎共同掌管朝廷机要文书。张华对司马氏忠心耿耿，尽心竭力弥补朝廷的缺失。贾皇后虽然凶恶阴险，尚且懂得敬重张华，贾模与张华、裴頠同心辅佐朝政，所以数年之间，虽然晋惠帝昏庸无能，而朝野安然无事，这都是张华等人的功劳。

秋季，七月，把荆州、扬州等十个郡划分出来设置为江州。

八月二十日辛未，立陇西王司马泰的长子司马越为东海王。

九月十四日甲午，秦王司马柬去世，谥号为“献”。

二十一日辛丑，征召征西大将军梁王司马肜回京师担任卫将军、录尚书事。

## 【段旨】

以上为第三段，写晋惠帝元康元年（公元二九一年）的大事。主要写了贾皇后勾结楚王司马玮、东安公司马繇诬杨骏谋反，起兵诛灭杨氏家族；写了贾皇后原本受杨太后护持，为皇后之后反而百般迫害杨太后，将其废为庶人，将杨太后之母惨杀的情景；写了汝南王司马亮与太保卫瓘执掌朝政，为取悦众心而滥肆封赏，又欲裁抑贾氏与司马玮、司马繇之权，结果贾氏与司马玮勾结，诬以“欲行废立”之名，被满门诛灭；又写了楚王司马玮欲诛贾氏而犹豫未决，结果被贾后、张华等人诛杀，从此张华与贾氏执掌朝政，国家暂时获得数年安定的情景。

## 【注释】

㉕⑤正月乙酉朔：正月初一是乙酉日。㉕⑥修金墉城：打扫金墉城里的住处。金墉城，洛阳城西北角的小城。㉕⑦充华：九嫔之一，是九嫔中的第九级，最低一级。㉕⑧长自当差：年龄大了就会变好。差，改变、变好。㉕⑨贾公闾：贾充，字公闾。㉖⓪有大勋于社稷：指帮着司马氏杀魏帝曹髦与篡取魏国政权等。㉖①妃亲其女：贾妃是他的亲闺女。㉖②正复：即使。㉖③遽忘其先德：一下子就忘了其先人对我们的恩情呢。遽，立即、一下子。㉖④后：指司马炎的皇后杨芷。㉖⑤数诫厉妃：曾多次告诫训斥贾妃。㉖⑥返：反而。㉖⑦构己于武帝：在武帝跟前说自己的坏话。构，说坏话、陷害。㉖⑧以妇道：按着做儿媳的本分。㉖⑨殿中中郎：官名，统领殿中护卫，位在殿中将军下，由皇帝亲信充任。㉗⓪素给事东宫：一直在东宫（太子宫）供职。㉗①为寺人监：充任宦官的头领。㉗②楚王玮：司马玮，晋武帝的第五子。传见《晋书》卷五十九。㉗③二月癸酉：二月二十。㉗④淮南王允：司马允，字钦度，武帝之子。事迹见《晋书》卷六十四。㉗⑤辛卯：三月初八。㉗⑥中外：指朝廷内外。㉗⑦以侯就第：免去职务，以临晋侯的身份回家赋闲。㉗⑧东安公繇：司马繇，司马懿的孙子，晋惠帝司马衷的堂叔。㉗⑨司马门：宫城的前外门。㉘⓪三公尚书：官名，隶尚书台，主管审理刑狱。㉘①孤公：一个孤老头。〖按〗段广是杨骏的外甥，故为之分解。㉘②曹爽故府：曹爽当年所住的房子。曹爽是魏末的宗室大臣，司马懿政变时被杀。传见《三国志》卷九。㉘③太傅主簿：杨骏的僚属。主簿相当于今之“秘书长”。㉘④趣：目的。㉘⑤阉竖：指宦官小人。㉘⑥不利于公：将加害于您，指杨骏。㉘⑦云龙门：洛阳皇宫正南门。㉘⑧索造事者：勒令里头交出制造事端的人。㉘⑨万春门：皇宫东门。㉙⓪引：带领。㉙①东宫及外营兵：驻扎在东宫外面的警卫部队。㉙②魏明帝：曹叡，曹丕之子，公元二二七至二三九年在位。㉙③白骏：告诉杨骏；给杨骏出主意。㉙④顾曰：回头对他说。㉙⑤内外隔绝：宫内宫外消息不通。㉙⑥不知国家所在：不知皇帝现在哪里。国家，指皇帝司马衷。㉙⑦裴頠：字逸民，裴秀之子，博学稽古，为一时之杰，与贾后是表兄妹。传见《晋书》卷三十五。㉙⑧绐：哄骗。㉙⑨向：刚才。㉚⓪乘素车：乘着白色小车，

离开朝廷的样子。㉛从二人：有两个人跟着。㉜宜至廷尉：应该自动到廷尉那里去接受惩治。廷尉是国家的最高司法长官。㉝委而去：指把军队托付给裴颜统领，自己脱身离去。㉞秀：裴秀，字季彦，魏晋之交受知于司马氏，为晋朝创制朝仪。传见《晋书》卷三十五。㉟就杀之：将他杀死在马厩中。㊱表在石函：我昔日的奏章收藏在太庙的石匣中。杨珧上表劝司马炎不要从杨氏家族连娶二后事，见本书卷第八十咸宁二年（公元二七六年）。㊲依锺毓例：锺毓是锺会之兄，曾劝司马昭不要重用其弟。锺会叛逆被诛后，锺毓已死，司马昭特赦免其二子，官爵如故。事见本书卷第七十八咸熙元年（公元二六四年）。㊳以刀破其头：因杨珧哀号挣扎，刽子手无法砍准脖子，遂用刀劈开了他的头颅。㊴故忌文鸯：诸葛诞与文鸯之父文钦一同反司马昭，后诸葛诞杀文钦，文鸯逆降司马昭，诸葛诞兵败被杀，事见本书卷第七十七甘露三年（公元二五八年）。㊵深远权势：要远远地离开权势。㊶壬辰：三月初九。㊷改元：在此以前是永平元年，现在改称元康元年。㊸永宁宫：自曹魏以来是太后居住的地方。㊹特全：特别开恩保全。㊺高都君庞氏：杨骏之妻，皇太后杨芷的生母，姓庞，被封为高都君。㊻听就太后居：准许她随其女一处居住。㊼寻复讽群公有司奏：不久又指使大臣向皇帝建议。寻，不久。讽，示意、指使。㊽阴渐奸谋：暗地里一直参与其父的奸谋活动。渐，染、参与。㊾要募：聚集、招募。㊿同恶相济：指与杨骏互相帮助，共同作恶。(321)鲁侯绝文姜：指鲁庄公驱除其母桓公夫人文姜。文姜是齐襄公的妹妹，兄妹私通，事情泄露，齐襄公又将鲁桓公杀死。由于鲁国是小国，不敢得罪齐国，故鲁桓公的儿子庄公继位后，只是将文姜送回齐国。(322)春秋所许：孔子在《春秋》上对这件事写道："夫人逊于齐。"《穀梁传》曰："不言氏姓，贬之也。"许，赞许。(323)盖奉祖宗二句：这完全是出于身为鲁国祖宗基业的继承者，对天下人所表现的一种大公无私。(324)无已之情：指对母亲无尽的孝思。(325)不敢奉诏：没法按着您的意思办，意即反对留着杨后。(326)峻阳庶人：庶人，平民。武帝司马炎的陵墓叫"峻阳陵"，故称杨氏"峻阳庶人"。(327)党其所亲：跟她的亲眷结成党羽。(328)不母于圣世：对当今皇帝做了母亲不该做的事。(329)汉废赵太后为孝成后：赵太后即赵飞燕，汉成帝的皇后，因与其妹谋杀汉成帝的许多儿子，后被废去"太后"称号，只以"孝成后"相称。事见本书卷第三十五元寿元年（公元前二年）。(330)居异宫：另找一个宫殿让她居住。(331)全始终之恩：让她一直活到死。(332)下邳王晃：司马晃，司马懿之兄司马孚的儿子，被封为下邳王。(333)尉：通"慰"。(334)复固请：还是坚决请求。这些人当然都是贾后指使。(335)不见省：不被理睬。(336)董养游太学：当时的隐士董养到太学游览参观。董养是浚仪县（今河南开封）人，事迹见《晋书·隐逸传》。(337)升堂：登上讲书的课堂。(338)将以何为乎：兴建太学不就是讲授孝悌之义吗？而今贾氏虐待杨后，诛杀庞氏，毫无人性，还要这欺人的"太学"干什么。(339)公卿处议：三公及九卿等高级官员的讨论意见。处议，坐而议论。(340)文饰礼典：干尽了丧尽天良的事，还要引经据典，为自己粉饰。(341)斩关赴爽：司马懿发动政变要杀曹爽，曹爽的僚属鲁芝当时正在司马懿处，听说后，断然破门而出，往依曹爽。事见本书卷第七十五嘉平元年（公元二四九年）。㉜宣帝：指司马懿，司马炎即位后谥之为宣帝。㉝壬寅：三月十九。㉞领北军中候：兼任北军五营的监察长官。五营指屯骑、越骑、步兵、长水、射声，都是驻扎在京城的警卫部队。㉟督将侯者千八十一人：督将，将军手下的中级军官。中级军官被封侯的达一千多人，可见其滥封之严重。㊱熏赫：显赫盛大。㊲祸原：祸乱的根源。原，通“源”。㊳作此：兴这个头儿。㊴正之以道：纠正得合理。㊵更倍论：又加倍地封赏。㊶处重：居于重要地位，即掌管大权。㊷反此失：改变杨骏那样的错误做法。㊸静默颐神：少下命令，少说话，自己安养精神。实际是安定人心。㊹有大得失二句：有了关系国家安危的大问题，才稍微过问一下。㊺一皆抑遣：一概压下不办或让别人去管。㊻比过尊门：不久前曾到过府上。比，近来、前不久。尊门，敬指司马亮的府门。㊼此之翕习：这样的风气。翕习，风气、习惯。㊽既宜弭息：应当一概刹住。既，意思同“概”。弭，息、刹住。㊾夏侯长容：夏侯骏，字长容，司马亮的姻亲。㊿暴擢为少府：一下子被提升为少府官。少府的职务是掌管皇宫的财富、物资，属九卿一级。㊿车骑司马模：贾模。车骑司马是车骑将军的高级幕僚，掌参赞军务，管理本部武官。㊿贾谧：贾皇后的妹妹贾午嫁与韩寿所生的儿子。贾充无子，遂以韩寿的儿子韩谧为孙，改称贾谧。㊿并预国政：共同管理国家大事。预，过问。㊿贾氏：指贾氏家族。㊿庚戌：三月二十七。㊿悖言：悖逆、不满的言论。㊿带方：晋郡名，在今朝鲜京畿道及忠清北道，治所在今平壤西南。㊿于是：此时；当时。㊿延：接纳；招引。㊿陆机：字士衡，吴（今江苏苏州）人，东吴大司马陆抗之子，当时有名的诗人之一。传见《晋书》卷五十四。㊿机弟云：陆云，字士龙。传见《晋书》卷五十四。㊿和郁：晋初直臣和峤之弟。传见《晋书》卷四十三。㊿潘岳：字安仁，当时有名的文学家，以容貌美丽闻名。㊿挚虞：字仲洽，历任中郎、秘书监、卫尉卿等职。传见《晋书》卷五十一。㊿左思：字太冲，临淄（今山东淄博）人，貌丑口讷，但辞藻壮丽。《三都赋》与《咏史》诗为其代表。传见《晋书》卷九十二。㊿广城君郭槐：贾谧的祖母，贾充的妻子，贾皇后的生母，被封为广城君。㊿刚愎：自以为是，不听别人意见。㊿裴楷：字叔则，裴徽的儿子，裴頠的堂叔，当时的名士。传见《晋书》卷三十五。㊿不敢拜：不敢接受该项职务。㊿之国：离开京都洛阳，回到各自的封地上去。㊿自昵：主动亲近。㊿领：兼任。㊿素善：一向交情很好。㊿恶其反覆：讨厌岐盛的反复无常，没有操守。㊿收：拘捕。㊿因：依靠；通过。㊿谋废立：阴谋废黜皇帝，另立新君。㊿后素怨瓘：因卫瓘曾暗示司马炎不要传位于司马衷。事见本书卷第八十。㊿二公：司马亮、卫瓘。㊿专恣：专权放纵，为所欲为。㊿作手诏：亲手撰写诏书。㊿伊、霍之事：指行废立。商朝的伊尹曾放逐太甲，西汉的霍光曾废昌邑王，另立汉宣帝。㊿王：楚王司马玮。㊿淮南：淮南王司马允。㊿长沙：长沙王司马乂。㊿成都王：司马颖。㊿赍：持；拿着。㊿覆奏：再重新请示一遍。㊿因此复私怨：趁此机会报私仇。㊿勒本军：带领着司马玮所掌的北军五营。㊿复矫诏：又诈称奉皇帝诏命。㊷㊂ 三十六军：当时洛阳城内外共三十六军。㊷㊃ 潜图：秘密图谋。㊷㊄ 在直卫者：正在值勤，担任卫护防守之职的人。㊷㊅ 其在外营：其他所有在外的武装部队。㊷㊆ 相帅径诣行府：带着本部人马到朝廷在外地设立的办事部门。㊷㊇ 皆罢遣之：全部罢免、遣散。㊷㊈ 清河王遐：司马遐，司马炎之子。㊷㊉ 帐下督：诸公及诸大将帐下门前的武官名，负责警卫。㊶ 趣：催促。㊷ 俊乂：英雄才俊。㊸ 与世子矩俱死：汝南王司马亮是司马懿的第四子，自元康元年（公元二九一年）三月入京，当权仅四个月。至此，"八王之乱"的第一王结束。世子，长子、王位的合法继承人。㊹ 须：等候。㊺ 自表得报：亲自给皇帝上表有了答复。㊻ 瓘为司空：武帝太康三年（公元二八二年），卫瓘为司空，永熙元年（公元二九〇年）免。㊼ 荣晦：姓荣名晦。㊽ 斥遣之：斥责并将他逐出司空府。㊾ 说玮：劝说司马玮。㊿ 贾、郭：指贾谧、郭彰。⑳ 会天明：正好这时天亮。㉑ 诛二公：指杀了司马亮与卫瓘。㉒ 专杀之罪：擅自杀戮（司马亮与卫瓘）的罪过。㉓ 不知所出：指众人皆不知如何是好。㉔ 驺虞幡：一种绣着"驺虞"的长条旗帜。"驺虞"是古代传说中的一种义兽，长得像白虎，身上有黑纹，性情仁慈，不吃有生命的东西，不践踏青草，很讲信义。旗帜上绣这种兽，是用来化解及阻止战争。㉕ 麾众：向着众人挥动。㉖ 乙丑：六月十三。㉗ 青纸诏：一种用青纸写的皇帝的诏书。㉘ 托体先帝：指他是先帝司马炎的亲生儿子。㉙ 受枉乃如此：竟然蒙受这样的冤枉。司马玮自元康元年（公元二九一年）三月诛杀杨骏，至此当权共四个月。"八王之乱"的第二王至此结束。㉚ 陇西王泰：司马泰。司马懿之弟的儿子。㉛ 严兵：调集军队。㉜ 祭酒：指陇西王府的属官。晋公府有东阁祭酒、西阁祭酒二官，以管文化、礼仪方面。㉝ 公为宰相：司马泰当时任司空，与太尉、司徒同为宰相。㉞ 参审定问：了解核实情况。问，通"闻"。消息。㉟ 国臣：朝廷的高级官员。㊱ 先公：指卫瓘。㊲ 名谥：此指谥号。㊳ 未显：没有。㊴ 蔑然无言：竟没有人为此说话。㊵ 春秋之失：《春秋》大义不能得到贯彻。《公羊传》曰："《春秋》，君弑，贼不讨，以为无臣子也。"意思是君主被杀，臣属不惩办逆贼，不配当臣下，儿子不报杀父之仇，不配当儿子。㊶ 其咎安在：责任应该由谁来负。咎，罪过、责任。㊷ 太保主簿：卫瓘的属官。㊸ 黄幡：直挂的黄色旗子。㊹ 挝登闻鼓：擂动皇宫门前向里通报消息的大鼓。古代臣民遇有紧急事件，可以到宫门击鼓上闻，故称"登闻鼓"。挝，敲。㊺ 奉送章绶：向传旨者交出印章绶带。㊻ 单车从命：单身上车随传旨者而行。㊼ 如矫诏之文唯免公官：如果假诏书上所写的只是免掉卫公之官。㊽ 故给使荣晦：从前在卫公帐下服务的荣晦。给使，供趋遣，指其曾为帐下督。㊾ 验尽情伪：彻底查明事情的真伪。㊿ 加以明刑：给予公开的惩处。㉛ 贾模：贾后的堂兄。㉜ 庶姓：不是司马氏家族的人。㉝ 无逼上之嫌：不会对皇帝（实际指对贾后一党）构成威胁。㉞ 委以朝政：委派他主持朝政。㉟ 王戎：字濬仲，好清谈，为"竹林七贤"之一。与贾氏联姻，又曾优容赵王司马伦党羽孙秀，故屡经政变，竟能保全。苟媚取容，时人鄙之。传见《晋书》卷四十三。㊱ 弥缝遗阙：弥补朝廷的缺失。㊲ 江州：辖境相当今江西、福建两省。州治豫章，

即今江西南昌，后迁寻阳（今江西九江）。㊽八月辛未：八月二十。㊾九月甲午：九月十四。⑩秦献王柬：司马柬，司马炎之子，献字是谥号。⑪辛丑：九月二十一。⑫梁王肜：司马肜，司马懿之子，被封为梁王，都城在今河南商丘城西南。

【校记】

［9］手：据章钰校，甲十一行本、乙十一行本皆作“士”。［10］诬：原无此字。据章钰校，甲十一行本、乙十一行本、孔天胤本皆有此字，今据补。［11］皇：原无此字。

---

【原文】

**二年（壬子，公元二九二年）**

春，二月己酉[463]，故杨太后卒[464]于金墉城。是时[465]，太后尚有侍御[466]十余人，贾后悉夺之[467]，绝膳[468]八日而卒。贾后恐太后有灵，或诉冤于先帝，乃覆而殡之[469]，仍施诸厌劾符书、药物[470]等。

秋，八月壬子[471]，赦天下。

**三年（癸丑，公元二九三年）**

夏，六月，弘农[472]雨雹，深三尺[473]。

鲜卑宇文莫槐为其下所杀，弟普拨立。

拓拔绰[474]卒，弟[16]子弗立。

**四年（甲寅，公元二九四年）**

春，正月丁酉[475]，安昌元公石鉴薨。

夏，五月，匈奴郝散[476]反，攻上党[477]，杀长吏。

秋，八月，郝散帅众降，冯翊都尉[478]杀之。

是岁，大饥。

司隶校尉傅咸卒。咸性刚简[479]，风格峻整[480]。初为司隶校尉，上言：“货赂[481]流行，所宜深绝[482]。”时朝政宽弛，权豪放恣[483]，咸奏免河南尹澹[484]等官，京师肃然[485]。

慕容廆徙居大棘城[486]。

拓拔弗卒，叔父禄官立。

据章钰校，甲十一行本、乙十一行本、孔天胤本皆有此字，今据补。下文“皇太后非得罪于先帝”，原亦无“皇”字，系据甲十一行本等增补。[12] 为：原作“曰”。据章钰校，甲十一行本、乙十一行本、孔天胤本皆作“为”，今从改。[13] 奏：据章钰校，甲十一行本、乙十一行本、孔天胤本此字下皆有“请”字。[14] 厚：原无此字。据章钰校，甲十一行本、乙十一行本、孔天胤本皆有此字，张敦仁《通鉴刊本识误》同，今据补。[15] 为：据章钰校，甲十一行本、乙十一行本、孔天胤本皆无此字。

**【语译】**

**二年（壬子，公元二九二年）**

春季，二月初一日己酉，前太后杨芷在金墉城去世。当杨太后被遣送到金墉城幽禁的时候，身边还有十多个仆人婢女侍奉，贾皇后把他们全部弄走了，杨太后在断食八天后死去。贾皇后担心杨太后死后如果有灵，就会向先帝司马炎诉说冤情，于是就把杨太后面部朝下装入棺材，又将各种镇压鬼魂的符咒、药物等一并装入棺材埋葬。

秋季，八月初七日壬子，大赦天下。

**三年（癸丑，公元二九三年）**

夏季，六月，弘农郡遭受了雹灾，冰雹厚达三尺。

鲜卑部落的首领宇文莫槐被自己的部下杀死，他的弟弟宇文普拨继位。

鲜卑族的头领拓跋绰去世，弟弟的儿子拓跋弗继位。

**四年（甲寅，公元二九四年）**

春季，正月初一日丁酉，安昌公石鉴去世，谥号为“元”。

夏季，五月，匈奴部落首领郝散反晋，他率领部众攻取上党郡，杀死了那里的长吏。

秋季，八月，郝散率众投降，被冯翊郡都尉处死。

这一年，全国闹饥荒。

担任司隶校尉的傅咸去世。傅咸性情刚正朴直，风格严肃庄重。最初担任司隶校尉的时候，就上疏说：“贿赂之风盛行，应当严格杜绝。”当时朝政宽大、法律松弛，那些权贵豪强生活放纵，任意横行，傅咸上奏免去河南尹司马澹等人的官职，因此京师安宁而权贵也遵守法纪，京师面貌焕然一新。

慕容廆率领部众迁移到大棘城居住。

拓跋弗去世，他的叔父拓跋禄官继任。

**五年（乙卯，公元二九五年）**

夏，六月，东海[487]雨雹，深五寸。

荆、扬、兖、豫、青、徐六州大水。

冬，十月，武库火，焚累代之宝[488]及二百万人器械。

十二月丙戌[489]，新作[490]武库，大调[491]兵器。

拓拔禄官分其国为三部[492]：一居上谷[493]之北，濡源之西[494]，自统之。一居代郡参合陂之北[495]，使兄沙漠汗之子猗㐌[496]统之；一居定襄[497]之盛乐[498]故城，使猗㐌弟猗卢[499]统之。猗卢善用兵，西击匈奴、乌桓诸部，皆破之。代人卫操与从子雄[500]及同郡箕澹往依拓跋氏，说猗㐌、猗卢招纳晋人。猗㐌悦之，任以国事，晋人附者稍众[501]。

**六年（丙辰，公元二九六年）**

春，正月，赦天下。

下邳献王晃[502]薨，以中书监张华为司空。太尉陇西王泰[503]行尚书令[504]，徙封高密王[505]。

夏，郝散弟度元[506]与冯翊、北地[507]马兰羌、卢水胡[508]俱反，杀北地太守张损，败冯翊太守欧阳建。

征西大将军赵王伦[509]信用嬖人[510]琅邪[511]孙秀[512]，与雍州刺史[513]济南解系[514]争军事[515]，更相表奏[516]，欧阳建亦表伦罪恶。朝廷以伦挠乱关右[517]，征伦为车骑将军[518]，以梁王肜为征西大将军、都督雍、凉二州诸军事。系与其弟御史中丞结，皆表请诛秀以谢氐、羌[519]，张华以告梁王肜，使诛之，肜许诺。秀友人辛冉为之说肜曰："氐、羌自反，非秀之罪。"秀由是得免。伦至洛阳，用秀计，深交贾、郭[520]，贾后大爱信之。伦因求录尚书事，又求尚书令，张华、裴頠固执[521]以为不可，伦、秀由是怨之。

秋，八月，解系为郝度元所败，秦、雍氐、羌[522]悉反，立氐帅齐万年[523]为帝，围泾阳[524]。御史中丞周处[525]弹劾不避权戚，梁王肜尝违

**五年（乙卯，公元二九五年）**

夏季，六月，东海郡下了冰雹，厚度有五寸。

荆州、扬州、兖州、豫州、青州、徐州六州发生洪水。

冬季，十月，朝廷武库失火，烧毁了历代积存下来的宝物和够二百万人作战用的器械。

十二月初一日丙戌，朝廷重新建造的武库落成，从全国各地向京城运送武器，存入武库中。

拓跋禄官把他的部众按照地域分为三部分：一部分居住在上谷郡之北，濡水源头的西部，由拓跋禄官亲自统领。一部分居住在代郡参合陂以北，让兄长沙漠汗的儿子拓跋猗㐌统领。一部分居住在定襄郡的盛乐旧城，让拓跋猗㐌的弟弟拓跋猗卢统领。拓跋猗卢很善于用兵打仗，他向西进攻匈奴、乌桓等部落，匈奴、乌桓等都被他打败。代郡人卫操与侄子卫雄以及同郡人箕澹前往投靠拓跋氏，他们劝说拓跋猗㐌、拓跋猗卢招纳晋朝人。拓跋猗㐌非常喜欢他们，就把部落中的大事委托他们管理，晋朝归附拓跋氏的人果然逐渐多了起来。

**六年（丙辰，公元二九六年）**

春季，正月，大赦天下。

下邳王司马晃去世，谥号为“献”。任命中书监张华为司空。担任太尉的陇西王司马泰兼任尚书令，改封司马泰为高密王。

夏季，郝散的弟弟郝度元与居住在冯翊郡、北地郡马兰山中的羌人部落以及卢水胡人部落同时叛乱，他们杀死了北地郡太守张损，打败了冯翊郡太守欧阳建。

征西大将军赵王司马伦非常信任、重用自己所宠幸的琅邪人孙秀，他与担任雍州刺史的济南人解系为了争夺当地的军事指挥权，因而互相上表控告对方，冯翊郡太守欧阳建也上表控告司马伦的罪行。朝廷认为司马伦破坏了函谷关以西地区的宁静秩序，便征调司马伦回京师担任车骑将军，任命梁王司马肜为征西大将军，统领雍州、凉州各种军事。雍州刺史解系与他的弟弟担任御史中丞的解结都上表请求诛杀孙秀以安抚氐人、羌人，张华把这个情况告诉了梁王司马肜，让他杀掉孙秀，梁王司马肜答应了下来。孙秀的朋友辛冉为孙秀向梁王司马肜求情说：“是氐人、羌人自己要造反，并不是孙秀的罪过。”孙秀因此幸免一死。赵王司马伦到达洛阳后，便采纳孙秀的计谋，倾心结交贾谧、郭彰，贾皇后因此非常喜欢、宠信司马伦。司马伦趁机请求担任录尚书事，又请求担任尚书令，张华、裴𬱟坚持认为不可以，司马伦、孙秀因此而怨恨张华、裴𬱟。

秋季，八月，雍州刺史解系被郝度元打败，秦州、雍州各地的氐人、羌人于是全部背叛晋朝，他们拥立氐人首领齐万年为皇帝，率军围困泾阳。担任御史中丞的周处无论是对豪门权贵还是皇亲国戚，只要他们违法乱纪，就毫不留情地向朝廷揭

法，处按劾[526]之。冬，十一月[17]，诏以处为建威将军，与振威将军卢播俱隶[527]安西将军夏侯骏，以讨齐万年。中书令陈准言于朝曰："骏及梁王皆贵戚[528]，非将帅之才，进不求名[529]，退不畏罪[530]。周处吴人[531]，忠直勇果，有仇无援[532]。宜诏积弩将军孟观[533]以精兵万人为处前锋，必能殄寇。不然，梁王当使处先驱，以不救而陷之[534][18]，其败必也。"朝廷不从。齐万年闻处来，曰："周府君[535]尝为新平[536]太守，有文武才，若专断[537]而来，不可当也。或受制于人[538]，此成禽耳[539]。"

关中饥、疫。

初，略阳清水氐[540]杨驹[541]始居仇池[542]。仇池方百顷，其旁平地二十余里，四面斗绝而高，为羊肠蟠道[543]三十六回[544]而上。至其孙千万[545]附魏，封为百顷王[546]。千万孙飞龙浸强盛[547]，徙居略阳。飞龙以其甥令狐茂搜[548]为子。茂搜避齐万年之乱，十二月，自略阳帅部落四千家还保仇池，自号辅国将军、右贤王。关中人士避乱者多依之，茂搜迎接抚纳，欲去者，卫护资送[549]之。

是岁，以扬烈将军巴西[550]赵廞为益州刺史，发[551]梁、益[552]兵粮助雍州讨氐、羌。

**七年（丁巳，公元二九七年）**

春，正月，齐万年屯梁山[553]，有众七万，梁王肜、夏侯骏使周处以五千兵击之。处曰："军无后继，必败，不徒亡身，为国取耻。"肜、骏不听，逼遣之。癸丑[554]，处与卢播、解系攻万年于六陌[555]。处军士未食，肜促令速进，自旦战至暮，斩获甚众，弦绝矢尽，救兵不至。左右劝处退，处按剑曰："是吾效节致命[556]之日也！"遂力战而死。朝廷虽以尤肜[557]，而亦不能罪也。

秋，七月，雍、秦二州大旱，疾疫，米斛万钱[558]。

发举报。梁王司马肜曾经违法，周处调查清楚后便对他进行弹劾。冬季，十一月，晋惠帝司马衷下诏任命周处为建威将军，让他与振威将军卢播都受安西将军夏侯骏管辖，以便讨伐齐万年。担任中书令的陈准在朝中说："安西将军夏侯骏和梁王司马肜虽然都是贵戚，却不是将帅之才，打了胜仗，名望也不会再增高，失败了也不必担心受到惩处。周处原是东吴的臣民，他为人忠诚率直、勇猛果敢，在朝廷中只有仇家而没有任何靠山。应该下诏让积弩将军孟观率领一万精兵作为周处的前锋，必然能够荡平贼寇。不然的话，梁王司马肜必定让周处做先锋，又不给他提供援助，把他置于失败的境地，他失败是一定的。"朝廷没有采纳中书令陈准的意见。齐万年听说周处率军前来攻打，就说："周处曾经担任过新平郡太守，此人文武全才，如果由他独当一面，我们将无法抵挡。如果周处是受别人的指挥，就会被俘虏。"

关中闹饥荒，瘟疫流行。

当初，略阳郡清水县的氐族部落首领杨驹定居于仇池。仇池是一个高耸的方圆百顷大小的台地，在它旁边有二十多里的平地，四面的山峰陡峭高耸，有一条羊肠小道经过三十六道盘旋到达它的顶部。到他孙子杨千万统治时期归附了魏国，魏国封杨千万为百顷王。到杨千万的孙子杨飞龙统治时期，势力逐渐强盛起来，于是便迁居到略阳郡。杨飞龙把自己的外甥令狐茂搜过继为子嗣。杨茂搜为了躲避齐万年之乱，便于十二月，率领自己的部落总计四千家从略阳郡返回仇池居住，自己号称辅国将军、右贤王。关中人为了躲避战乱，有很多人都投奔到他那里，杨茂搜对前来投靠的人全都进行安抚和接纳，对想要离开的人，不仅派人护送而且还赠送路费财物。

这一年，任命扬烈将军巴西郡人赵廞为益州刺史，征调梁州、益州的兵力、粮食援助雍州讨伐叛乱的氐人、羌人。

**七年（丁巳，公元二九七年）**

春季，正月，齐万年把他的军队屯扎在梁山县，他的部众有七万人，梁王司马肜、安西将军夏侯骏派周处率领五千名士兵去攻打氐人、羌人。周处说："如果没有后续部队增援前方，前方的作战部队必定会遭到失败，这不仅仅是牺牲了自己，关键是使国家蒙受耻辱。"司马肜、夏侯骏不听劝告，逼迫周处出兵作战。五月初四日癸丑，周处与卢播、解系率领五千军队到六陌攻打齐万年。当时周处的士兵还没来得及吃饭，司马肜就催促周处急速进兵，周处率军与齐万年的军队从早晨一直战斗到傍晚，虽然斩杀俘获了齐万年部下很多人，但周处自己的军队却已经是弓弦拉断、弓矢用尽，又没有救兵前来增援。周处左右的人都劝他撤退，周处手按宝剑说："今天就是我为国献出生命、表现节操的日子！"于是周处奋勇作战而死。朝廷虽然因此责怪司马肜，对他的罪责却没有给予任何处罚。

秋季，七月，雍州、秦州大旱，疾病流行，每斛粮食的价钱涨到一万铜钱。

丁丑[559]，京陵元公王浑[560]薨。

九月，以尚书右仆射王戎为司徒，太子太师何劭为尚书左仆射。戎为三公，与时浮沈[561]，无所匡救，委事僚寀[562]，轻出游放[563]。性复贪吝，园田[564]遍天下，每自执牙筹[565]，昼夜会计[566]，常若不足[567]。家有好李，卖之恐人得种[568]，常钻其核[569]。凡所赏拔，专事虚名[570]。阮咸之子瞻尝见戎，戎问曰：“圣人贵名教[571]，老、庄明自然[572]，其旨同异?”瞻曰：“将无同[573]?”戎咨嗟良久，遂辟之[574]，时人谓之“三语掾[575]”。

是时，王衍为尚书令，南阳乐广[576]为河南尹，皆善清谈，宅心事外[577]，名重当世，朝野之人，争慕效之。衍与弟澄好题品人物[578]，举世以为仪准[579]。衍神情明秀，少时，山涛见之，嗟叹良久，曰：“何物老妪[580]，生宁馨儿[581]？然误天下苍生[582]者，未必非此人也！”乐广性冲约[583]清远[19]，与物无竞。每谈论[584]，以约言析理[585]，厌人之心[586]，而其所不知，默如[587]也。凡论人，必先称其所长，则所短不言自见。王澄及阮咸、咸从子脩、泰山胡毋辅之[588]、陈国[589]谢鲲、城阳王尼[590]、新蔡[591]毕卓皆以任放为达[592]，至于醉狂裸体，不以为非。胡毋辅之尝酣饮，其子谦之窥而厉声[593]呼其父字曰：“彦国年老[594]，不得为尔[595]！”辅之欢笑，呼入共饮。毕卓尝为吏部郎[596]，比舍郎[597]酿熟[598]，卓因醉，夜至瓮间[599]盗饮之，为掌酒者所缚，明旦视之，乃毕吏部也。乐广闻而笑之曰：“名教内自有乐地，何必乃尔[600]！”

初，何晏等祖述老、庄[601]，立论以为：“天地万物，皆以无为本[602]。无也者，开物成务，[603]无往而不存者也。阴阳恃以化生，[604]贤者恃以成德[605]。故无之为用，无爵而贵矣。”王衍之徒皆爱重之，由是朝廷士大

二十一日丁丑，京陵公王浑去世，谥号为“元”。

九月，任命尚书右仆射王戎为司徒，太子太师何劭为尚书左仆射。王戎身为三公，却随波逐流，对什么事情都不拿主意，对朝廷的失误毫无纠正、挽救，他把政事都推给下属去办理，而自己却随便地远出游逛。他又生性贪婪吝啬，全国到处都有他的林园田产，他自己经常拿着象牙筹码，白天黑夜地算计不停，总觉得钱少不够用。王戎家里有好品种的李子树，卖李子的时候害怕自己家的良种被他人得到去种植，于是便把李子核钻坏了再卖，即使被别人种植下去也不能发芽。凡是他所赏识、提拔的人，都是根据虚名而不考察实际。阮咸的儿子阮瞻曾经去拜访王戎，王戎问他说：“圣人重视儒家所提倡的名分和人伦规范，老子、庄子则讲究顺其自然，他们的宗旨有什么相同和不同的地方呢？”阮瞻回答说：“大概差不多吧？”王戎叹息了很久，于是就聘用了阮瞻，当时的人们说阮瞻就是凭借“将无同”这三个字当上了王戎的僚属。

当时，王衍担任尚书令，南阳人乐广担任河南尹，他们两人都善于清谈，把所有的心思都用在俗事之外，而在当时他们却都很有名望，朝廷内外的人，都非常羡慕他们，争相仿效他们的行为。王衍与弟弟王澄专好评论社会名人的特点并把他们划分成等级，全国于是便把他们所作的评定看作是最高的准则。王衍生得一表人才，眉清目秀，年少的时候，山涛见了他就赞叹了很久，说：“他的母亲该是什么样的一个女人，竟然生出了这么一个出众的儿子？然而给全国的黎民百姓造成灾难的人，未必不是他啊！”乐广性情淡泊寡欲，高洁幽远，与世无争。每次清谈，总能用最简短的话阐明一种道理，使人听了感到满意，而对于自己所不知道的事情，他就沉默不语。在评论别人的时候，一定是先称赞他的长处，而短处也就不言自明了。王澄和阮咸、阮咸的侄子阮脩、泰山人胡毋辅之、陈国人谢鲲、城阳人王尼、新蔡人毕卓都把为所欲为看作是通达的表现，甚至对于醉酒裸体，都不认为是什么过错。胡毋辅之曾经纵情饮酒，他的儿子胡毋谦之在窗外窥见了他的这个样子，就大声喊着他的字说：“彦国！你的年龄已经老了，不能再这么喝了！”胡毋辅之对此反而感到很高兴，就大笑着招呼他的儿子进屋一块儿饮酒。毕卓曾经担任过吏部郎的职务，他的邻居、另一位郎官酿制的新酒刚熟，毕卓趁着酒醉，就在夜间到邻居家里放置酒瓮的地方偷酒喝，被看酒的人抓住捆绑起来，天亮了一看，原来是吏部郎毕卓。乐广听说后笑着说：“名教之中自有乐趣，何必这种样子呢！”

当初，何晏等人尊崇并阐发老子、庄子的思想学说，他们的理论是：“天地万物，皆以‘无’为根本。‘无’，是产生一切的根本，没有一个地方不存在着‘无’。阴阳二气就是从‘无’而来，圣贤靠着‘无’而成就德行。所以说‘无’的作用，是使没有爵位的人显贵发达起来。”王衍之流对这种理论都非常喜爱和推崇，于是朝廷士大夫都把专门讲一些浮夸、怪诞的话作为美谈，而把本职工作抛到一边不干。

夫皆以浮诞[606]为美，弛废职业[607]。裴頠著《崇有论》[608]以释其蔽[609]，曰：“夫利欲可损[610]，而未可绝有也，事务可节[611]，而未可全无也。盖有饰为高谈之具[612]者，深列有形之累[613]，盛陈空无之美。形器之累[614]有征[615]，空无之义难检[616]；辩巧之文[617]可悦，似象之言[618]足惑。众听眩焉[619]，溺其成说[620]。虽颇有异此心者[621]，辞不获济[622]，屈于所习[623]，因谓虚无之理诚不可盖[624]。一唱百和，往而不反[625]，遂薄综世之务[626]，贱功利[20]之用[627]，高浮游之业[628]，卑经实之贤[629]。人情所徇[630]，名利从之[631]。于是文者[632]衍其辞[633]，讷者[634]赞其旨。立言借于虚无[635]，谓之玄妙；处官不亲所职[636]，谓之雅远[637]；奉身[638]散其廉操[639]，谓之旷达。故砥砺之风[640]，弥以陵迟[641]。放者因斯[642]，或悖吉凶之礼[643]，忽容止之表[644]，渎长幼之序[645]，混贵贱之级，甚者至于裸裎亵慢[646]，无所不至，士行又亏[647]矣。”

“夫万物之有形者，虽生于无，然生以有为已分[648]，则无是有之所遗[649]者也。故养既化之有[650]，非无用之所能全也；治既有之众[651]，非无为之所能修[652]也。心非事也，而制事必由于心，然不可谓心为无也。匠非器[653]也，而制器[654]必须于匠[655]，然不可谓匠非有也。是以欲收重渊之鳞[656]，非偃息[657]之所能获也，陨高墉之禽[658]，非静拱之所能捷[659]也。由此而观，济有者皆有也[660]，虚无奚益[661]于已有之群生哉！”然习俗已成，頠论亦不能救[662]也。

拓跋猗㐌度漠北巡[663]，因西略诸国[664]，积五岁，降附者三十余国。

**八年（戊午，公元二九八年）**

春，三月壬戌[665]，赦天下。

秋，九月，荆、豫、徐、扬、冀五州大水。

初，张鲁[666]在汉中[667]，賨人[668]李氏自巴西宕渠[669]往依之。魏武帝克

裴𬱟针对这种现象写了一篇《崇有论》来驳斥这种侈谈“无”的弊端，他指出：“权力和欲望可以克制、减少，而不可能杜绝，事务可以减少、节省，而不能全部没有。有人编出一种貌似高深的理论，大讲现实存在的人物、事物都是糟粕，都是不好的，连篇累牍地陈述‘无’的美好。有形之物的缺点虽然一目了然，但空无之论的优点却难以得到检验、定其是非。盛谈‘无’的文章虽然能使人赏心悦目，但似是而非的言论却足以迷惑人心。很多人都被他们迷惑，被他们的一套套说法淹没。即使也有一些不同意他们学说的人，由于自己的言辞不能说清楚道理，便屈服于崇尚虚无的习俗，认为虚无的理论是无法掩盖、不能超越的。因而导致了一唱百和，社会风气每况愈下，不可扭转，于是便瞧不起认真处理国家大事的人，看不起那些利国利民的实际功业，人们把从事浮夸、空谈的活动看成清高脱俗，而瞧不起那些尽职实干的人。社会风气的趋向如此，谁顺从了这样的社会风气，谁就名利双收。于是善于文章辞令的人便跟着推衍阐发这方面的学说，而口才笨拙、不善于表达的人也表示赞同他们的宗旨。不论是说话还是写作文章，只要是以虚无的宗旨作为依托，就被称为玄妙；做官的不干自己应该干的工作，就被称为清高、闲远；持身抛弃一切礼义廉耻，就被称为旷达。所以磨炼、提高自己人格道德的风气，愈来愈衰落。那些思想行为狂放的人凭借着这种社会风气，完全违背该哀的不哀、该乐的不乐的礼节，忽视仪表、不修边幅、不拘形迹，破坏了长幼之间应有的礼节，混淆了尊卑的等级差别，甚至于赤身裸体、伤风败俗，无所不为，士人的操行无人讲究。”

“有形体的天下万物，虽然是由‘无’滋生出来的，然而天下万物一旦产生，就以客观所有的形态与原来的‘无’有了根本的区别，过去的‘无’是现实的‘有’所抛弃的东西。养育已经生出的这些人，采用无所作为的方式是无法保全的；治理已经存在着的这些人，也不是空讲‘无’所能够办得到的。心不是事务，而办事必须用心，因而不能说心是‘无’。工匠并不是器物，而制造器物必须靠工匠来完成，因而不能说工匠不是‘有’。所以想要捕捞藏在深水里的鱼，躺在床上不动的人就无法做到，想把高墙上的鸟射下来，不是一个拱手静立的人所能办到的。由此看来，救济、养育那些客观存在的人类，必须靠人来做那些切实存在的工作，虚无对于已有的众生来说有什么益处呢！”然而崇尚虚无的风气已经形成，裴𬱟的崇有理论也不能阻止、挽回。

拓跋猗㐌越过大沙漠到漠北一带巡视，并趁机向西攻取各少数民族部落，经过五年的时间，投降、归附于拓跋猗㐌的有三十多个小部落。

**八年（戊午，公元二九八年）**

春季，三月十九日壬戌，大赦天下。

秋季，九月，荆州、豫州、徐州、扬州、冀州五个州发生了洪水。

当初，张鲁在汉中的时候，賨人首领李氏从巴西郡的宕渠县前往依附他。魏武

汉中[670]，李氏将[671]五百余家归之，拜为将军，迁于略阳北土[672]，号曰巴氐。其孙特、庠、流[673]皆有材武[674]，善骑射，性任侠[675]，州党[676]多附之。及齐万年反，关中荐饥[677]，略阳、天水等[21]六郡民流移就谷[678]入汉川[679]者数万家，道路有疾病穷乏者，特兄弟常营护振救[680]之，由是得众心。流民至汉中，上书求寄食巴、蜀，朝议不许，遣侍御史[681]李苾持节[682]慰劳，且监察之，不令入剑阁[683]。苾至汉中，受流民赂，表言："流民十万余口，非汉中一郡所能振赡[684]。蜀有仓储[685]，人复丰稔[686]，宜令就食。"朝廷从之。由是散在梁、益[687]，不可禁止。李特至剑阁，太息曰："刘禅[688]有如此地，面缚于人[689]，岂非庸才邪！"闻者异之[690]。

张华、陈准以赵王、梁王[691]相继在关中[692]，皆雍容骄贵[693]，师老无功[694]，乃荐孟观沈毅有文武才用，使讨齐万年。观身当矢石，大战十数，皆破之。

---

【段旨】

以上为第四段，写晋惠帝元康二年（公元二九二年）至元康八年共七年间的大事。主要写了北部沿边地区的鲜卑人拓跋禄官、拓跋猗㐌、拓跋猗卢等部势力强大，灭北方民族三十余部，中原人亦多附之；写了秦、雍地区的氐族首领齐万年起兵反晋，司马肜迫害名将周处，致周处兵败身死；写了略阳一带的氐族首领杨茂搜为避齐万年之乱，率部移居仇池，逐渐形成割据；写了略阳一带的氐族首领李特、李庠、李流兄弟，趁齐万年之乱，招募流民，于巴、蜀、汉中一带逐渐形成气候，为日后盘踞巴蜀做了伏笔；而相反在晋朝则是王戎、王衍、乐广等一群显官贵族大肆倡导老、庄，崇尚清谈，而将为官任职、兢兢业业、勤心尽力于为国为民的人视为鄙俗，虽有裴𬱟著《崇有论》，亦无法阻止社会风气的颓败局面，为西晋王朝的崩溃做了铺垫。

帝曹操攻克汉中以后，李氏率领五百多家归顺了曹操，曹操任命李氏为将军，迁移到略阳郡的北部地区居住，号称巴氏。他的孙子李特、李庠、李流都有才能且勇力过人，又善于骑马射箭，性格豪爽仗义，其家族与乡里的人大都依附他们。等到齐万年造反的时候，关中连年闹饥荒，略阳、天水等六郡的人们漂泊流动到有粮食的地方找食物吃，进入汉水流域的就有几万家，逃荒的路上有人生了疾病或者特别穷困的，李特兄弟常常保护、救济他们，因此李特兄弟深受流民的拥戴。流民来到汉中，上书朝廷请求寄居在巴、蜀谋生，朝廷讨论后不予批准，却派遣侍御史李苾手持旌节前去安抚灾民，实际上是派来监视他们，不让他们通过剑阁进入巴、蜀境内。李苾来到汉中，他接受流民的贿赂，于是上表说："流民十万多人，仅凭汉中一郡无法赈济养活他们。蜀中有国家储藏的粮食，巴、蜀的百姓生活也很富裕，应该让他们去巴、蜀谋生。"朝廷听从了李苾的建议。于是灾民分散到梁州、益州等地居住，而无法加以禁止。李特来到剑阁，看了那里的地形后感慨地说："蜀汉后主刘禅占有这样的地理优势，却把自己绑缚起来向邓艾投降，难道他不是庸才吗?!"听到此话的人都对他说出这种话感到奇怪。

张华、陈准认为赵王司马伦、梁王司马肜相继为征西将军而驻兵于关中，他们都很悠闲自得、傲慢尊贵，军队被搞得疲惫不堪，却无任何功效，于是便向朝廷举荐孟观，说他沉着刚毅，是文武全才，派他去讨伐齐万年，必定能够成功。孟观亲自冒着矢石，经过十多次大战，终于彻底打败齐万年。

---

【注释】

㊸二月己酉：二月初一。㊹卒：去世。因皇太后杨芷已被废为庶人，故称"卒"。杨芷只活了三十四岁。㊺是时：当时，指杨芷被迁到金墉城幽禁的时候。㊻侍御：侍奉她的婢仆。㊼悉夺之：全部把他们弄走。㊽绝膳：绝食；挨饿。㊾覆而殡之：把她脸朝下入棺。㊿厌劾符书、药物：镇压鬼魂的符咒、药物。劾，告说其恶。471八月壬子：八月初七。472弘农：晋郡名，郡治在今河南灵宝北。473深三尺：冰雹厚达三尺。474拓拔绰："拔"字通常作"跋"。拓跋绰是鲜卑族的头领，其部众居住在今河北、山西、陕西的北部以及与之临近的内蒙古一带地区。475正月丁酉：正月初一。476郝散：人名，匈奴部落的头领。477上党：晋郡名，郡治即今山西长治。478冯翊都尉：冯翊郡的武官。冯翊郡的郡治临晋，即今陕西大荔。479刚简：刚正朴直。480峻整：严肃庄重。481货赂：贿赂。482深绝：严格杜绝。483放恣：放纵；任意横行。484河南尹澹：京都洛阳的行政长官司马澹，字思弘，琅邪王司马伷之子，娶贾皇后的表妹郭氏为妻。传见《晋书》卷三十八。485肃然：安宁而遵纪守法的样子。486大棘城：也称棘城，旧址在今辽宁义县西南。

〖按〗慕容廆是鲜卑部落的头领，原居于徒河县（今辽宁锦州）之青山。㊽东海：晋郡名，郡治郯县，在今山东郯城北。㊾焚累代之宝：如汉高祖的斩蛇剑、王莽的人头、孔子的木屐等文物都被焚毁。㊿十二月丙戌：十二月初一。490新作：重新建造。491调：调集；从全国各地向京城运送。492分其国为三部：将其部众所占据的今河北、山西、陕西北部和与之临近的内蒙古一带地区分成三个部分。493上谷：晋郡名，晋治沮阳，在今河北怀来东南。494濡源之西：濡水源头的西部，约当今之内蒙古的太仆寺旗一带，濡水东流经承德、辽西、迁安，至乐亭入海。495代郡参合陂之北：约当今之内蒙古乌兰察布一带地区。当时代郡的郡治在今河北蔚县东北。当时的参合陂在今内蒙古凉城东岱海的东南角。496猗㐌：拓跋猗㐌，拓跋沙漠汗之子。沙漠汗前曾在晋为人质，事见本书《晋纪二》。497定襄：晋郡名，郡治善无，在今山西右玉城南。498盛乐：古城名，也称石卢城，在今内蒙古和林格尔北。499猗卢：北魏政权的早期奠基者之一，后被谥为"穆皇帝"。500从子雄：卫雄，卫操之侄。从子，兄弟之子，即"侄"。501稍众：日渐加多。稍，渐。502下邳献王晃：司马晃，司马孚之子，晋帝司马衷的叔祖。献字是谥号，下邳王的都城下邳，在今江苏邳州南。503陇西王泰：司马泰，司马馗之子，司马馗是司马懿之弟。陇西王的都城襄武，即今甘肃陇西。504行尚书令：代理尚书令的职务。行，代理、试用。505高密王：都城高密，在今山东高密西南。506郝散弟度元：郝度元，匈奴部落头领，其为晋冯翊都尉所杀事见上年。507北地：晋郡名，郡治即今陕西铜川市耀州区。508马兰羌、卢水胡：居住在北地郡马兰山中的羌族部落，与居住在安定郡（郡治临泾）内的卢水胡人部落。509赵王伦：司马伦，司马懿之子。510嬖人：受宠幸的男人。511琅邪：晋郡名，郡治在今山东临沂北。512孙秀：司马伦的佞臣，玩弄权术。513雍州刺史：雍州的行政长官。雍州的州治长安，在今陕西西安西北部。514济南解系：济南人解系。515争军事：因为他们都驻兵长安城，争夺当地军事的指挥权。516更相表奏：互相上表说对方的坏话。517挠乱关右：破坏了函谷关以西地区的宁静秩序。关右，函谷关以西。518征伦为车骑将军：任命为车骑将军，从职务上说是提升，目的是将他调出关中地区。519以谢氐、羌：解系认为关中的氐、羌叛乱是由孙秀激起，故请斩之以安抚氐人、羌人。520贾、郭：贾谧、郭彰。521固执：坚持。522秦、雍氐、羌：秦州、雍州境内的氐族人与羌族人。秦州的州治冀县，在今甘肃甘谷东南。523氐帅齐万年：氐族的头领姓齐名万年。524泾阳：古邑名，在今甘肃平凉西北。525御史中丞周处：周处字子隐，东吴鄱阳太守周鲂之子，青年时有"除三害"的故事，已见于本书《晋纪二》。晋灭吴后，为散骑常侍、御史中丞。传见《晋书》卷五十八。御史中丞是御史大夫的僚属，主管纠弹满朝大臣。526按劾：调查、弹劾。527隶：隶属；受……管辖。528皆贵戚：都是皇帝的姻亲眷属。司马肜是晋惠帝的叔祖；司马师的夫人姓夏侯，故称夏侯骏为"贵戚"。529进不求名：打了胜仗，名望也不会再增高。530退不畏罪：打了败仗也不担心受到惩处。退，指打败仗。531吴人：原是东吴臣民。532有仇无援：只有冤家，没有靠山。533孟观：字叔时，当时任积弩将军。传见《晋书》卷六十。㉞以不救而陷之：不给他提供援助，把他置于失败的境地。㉟周府君："府君"是对太守的敬称，这里是敬称周处。㊱新平：晋郡名，郡治漆县，今陕西彬州。㊲专断：独当一面。㊳或受制于人：如果是在别人的统率下。㊴此成禽耳：这就如同是现成的俘虏一个。㊵略阳清水氐：略阳郡清水县的氐族人。略阳郡的郡治临渭，在今甘肃天水东北，清水县的县治在今甘肃清水西北。㊶杨驹：清水氐人的头领。㊷仇池：山名，以山上有仇池而得名。又因山上有平地百顷，又称百顷山。在今甘肃成县的西汉水北岸，山形如覆壶，四面陡绝，山上可以引泉灌田、煮土成盐，为氐族杨氏累世居地。㊸羊肠蟠道：弯弯曲曲的羊肠小道。蟠，曲。㊹三十六回：三十六个旋回。㊺千万：杨千万。㊻封为百顷王：被曹魏封为百顷王。㊼浸强盛：越来越强盛。浸，渐渐。以上杨氏发家史见《魏书》卷一百一。㊽令狐茂搜：姓令狐，名茂搜。㊾资送：赠送路费财物。㊿巴西：晋郡名，郡治即今四川阆中。551发：征调。552梁、益：梁州、益州。梁州的州治即今陕西汉中，益州州治即今四川成都。553梁山：晋县名，也称好畤，即今陕西乾县。554癸丑：五月初四。555六陌：古地名，在今陕西乾县东。556效节致命：献出生命，表现操节。557尤肜：责怪司马肜。558斛万钱：每斛粮食的价钱是一万铜钱。一斛等于十斗。559丁丑：七月二十一。560京陵元公王浑：王浑的封号是京陵公，元字是谥。561与时浮沈：随波逐流，对万事不表态，不拿意见。562委事僚寀：把政事推给下属官员办理。寀，下属。563轻出游放：随便地远出游逛。564园田：林园田产。565牙筹：象牙筹码。古代在珠算创始之前，人们常用的一种计算工具。566昼夜会计：黑夜白天地算个不停。567常若不足：只觉得钱少，只怕不够用。568恐人得种：害怕自家的良种被他人拿去种植。569常钻其核：钻坏李子核，使其不能种植发芽。570专事虚名：只根据虚名表彰或任用人。571贵名教：看重名教；重视儒家所提倡的名分和人伦规范。572明自然：讲究顺其自然。573将无同：莫非是相同的吗？意即大概是差不多吧。574辟之：聘任了他；聘之为司徒掾。575三语掾：就凭着三个字当上了王戎的僚属。576乐广：字彦辅，善清谈，累官至侍中、河南尹。传见《晋书》卷四十三。577宅心事外：把所有的精力都用在"俗事"之外。清谈者认为，职务分内的工作都是"俗事"。578题品人物：评论社会名人的特点与等级。579举世以为仪准：全国都把他们所做的评定，看作是最高的准则。580何物老妪：他的母亲该是什么样的一个女人。何物，什么样的。581生宁馨儿：生了这么一个出众的儿子。宁馨，这样的。582误天下苍生：给全国的黎民百姓造成灾难。583冲约：淡泊寡欲。584谈论：清谈、谈玄。585以约言析理：用简短的话阐述一种道理。约，简。586厌人之心：使人听了感到满意。厌，通"餍"。满足。587默如：默然，意即凡是自己不懂的就不说。588泰山胡毋辅之：复姓胡毋，名辅之。泰山是晋郡名，郡治奉高，在今山东泰安东。589陈国：都城即今河南周口市淮阳区。590城阳王尼：城阳是晋郡名，郡治即今山东莒县。王尼，字孝孙。591新蔡：晋县名，即今河南新蔡。592以任放为达：把为所欲为看作是通达。任为，随意而为。593厉声：大声；高声。594彦国年老：彦国，你的年龄已经大了。“彦国”是胡毋辅之的字，儿子直呼父亲的字，在古代是大逆不道的表现。⑤⑨⑤不得为尔：不能做这样的事情；不能再这么喝了。⑤⑨⑥吏部郎：相当于后代的吏部尚书。⑤⑨⑦比舍郎：郎官邻居。比舍，邻居。⑤⑨⑧酿熟：酿制的新酒刚熟。⑤⑨⑨瓮间：放置酒缸的房间。⑥⓪⓪何必乃尔：何必这种样子，指诸人的放任。⑥⓪①祖述老、庄：尊崇并阐发老子、庄子的思想学说。⑥⓪②以无为本：以“虚无”为根本。《道德经》的第一章就说：“无，名天地之始；有，名万物之母。”⑥⓪③无也者二句：《老子》第四十章有所谓：“天下万物生于有，有生于无。”意即万事万物皆自“无”而有，“无”是产生一切的根本。⑥⓪④阴阳恃以化生：阴、阳二气就是从“无”而来。⑥⓪⑤恃以成德：靠着“无”而成就德行。《道德经》第二章又说：“圣人处无为之事，行不言之教，万物作焉而不为始，生而不有，为而不恃，功成而弗居。”⑥⓪⑥浮诞：专门讲一些浮夸、怪诞的话。⑥⓪⑦弛废职业：抛开职内的事情不干。⑥⓪⑧《崇有论》：思想史上著名的文章之一。⑥⓪⑨释其蔽：驳斥这种侈谈“虚无”的弊端。⑥①⓪可损：指应该克制、减少。⑥①①可节：可以减少；可以节省。⑥①②饰为高谈之具：故意编出一套貌似高深的“理论”。⑥①③深列有形之累：大讲现实存在的人物、事物都是糟粕，都是不好的。有形，指形体、实物。⑥①④形器之累：有形之物的缺点。⑥①⑤有征：指一目了然。⑥①⑥难检：难以得到检验，无法定其是非。⑥①⑦辩巧之文：指盛谈“虚无”的文章。⑥①⑧似象之言：似是而非的言论。⑥①⑨众听眩焉：很多人都会被他们迷惑。眩，迷惑。⑥②⓪溺其成说：被他们的一套套说法淹没。⑥②①虽颇有异此心者：即使也有一些不同意他们学说的人。⑥②②辞不获济：言辞不能说清道理。济，完成、说清。⑥②③屈于所习：屈服于崇尚“虚无”的习俗。⑥②④诚不可盖：真是不能掩盖，不能超过。⑥②⑤往而不反：指社会风气日下，不可扭转。⑥②⑥薄综世之务：瞧不起认真处理国家大事的人。薄，鄙视。综，管理。⑥②⑦贱功利之用：看不起那些利国利民的实际功业。⑥②⑧高浮游之业：把从事浮夸、空谈的活动看成清高脱俗。⑥②⑨卑经实之贤：瞧不起尽职实干的人。经实，从事实际工作。⑥③⓪人情所徇：社会风气的趋向。徇，趋、追求。⑥③①名利从之：谁跟着这么干，谁就有名有利。⑥③②文者：善于文章辞令的人。⑥③③衍其辞：跟着推衍阐发这方面的学说。⑥③④讷者：口才笨拙，不善于表达的人。⑥③⑤立言借于虚无：说话写文章，只要是以“虚无”的宗旨做依托。借，依托。⑥③⑥不亲所职：不干自己应干的工作。⑥③⑦雅远：清高、闲远。⑥③⑧奉身：持身。⑥③⑨散其廉操：指抛弃一切礼义廉耻。⑥④⓪砥砺之风：磨炼、提高自己人格道德的风气。⑥④①弥以陵迟：愈来愈衰落。⑥④②放者因斯：那些思想行为狂放的人凭借着这种社会风气。⑥④③悖吉凶之礼：指该哀不哀、该乐不乐等。⑥④④忽容止之表：指不修边幅，不拘形迹。容止，仪容、仪表。⑥④⑤渎长幼之序：破坏了长幼之间的应有礼节。渎，污、破坏。⑥④⑥裸裎亵慢：赤身裸体，伤风败俗。⑥④⑦士行又亏：士人的操行无人讲究。亏，缺、不讲究。⑥④⑧生以有为已分：天下万物一旦产生，就以客观所有的形态与原来的“无”有了区别。⑥④⑨无是有之所遗：过去“无”是现实的“有”所抛弃的东西。⑥⑤⓪养既化之有：养育已经生出的这些人。⑥⑤①治既有之众：治理已经存在的这些人。652 非无为之所能修：不是空讲“无为”所能办得到的。653 匠非器：工匠并不是器物。654 制器：制作器物。655 必须于匠：必须由工匠来完成。656 欲收重渊之鳞：想得到藏在深水里的鱼。657 偃息：躺在床上不动的人。658 陨高墉之禽：想把高墙上的鸟射下来。陨，落、射下。659 非静拱之所能捷：不是一个拱手静立的人所能办到的。捷，完成、获得。660 济有者皆有也：救济、养育那些客观存在的人类，必须靠人做切实存在的工作。661 奚益：有什么益处。662 不能救：不能阻止；不能挽回。663 度漠北巡：越过大沙漠，向北到今蒙古国南部一带地区巡视。664 西略诸国：向西攻打今内蒙古西部一带的少数民族部落。665 三月壬戌：三月十九。666 张鲁：字公祺，其祖父张陵创“五斗米道”，汉末刘璋占据四川时，张鲁占据汉中，“以鬼道教民”，后为曹操所灭。传见《三国志》卷八。667 汉中：汉郡名，郡治南郑，即今陕西汉中。三国初期先为曹操所占，不久又为刘备所得。668 賨人：湖南、四川等地的一种少数民族。669 巴西宕渠：巴西郡的宕渠县。巴西是晋郡名，宕渠县在今四川渠县北。670 魏武帝克汉中：事在汉献帝建安二十年（公元二一五年），见本书卷第六十八。魏武帝即曹操。671 将：率领。672 略阳北土：略阳郡的北部地区。略阳郡的郡治临渭，在今甘肃天水东北。673 特、庠、流：李特、李庠、李流。李特字玄林，后创立成国政权。传见《晋书》卷一百二十。李庠、李流都是名将，先助其兄，后佐其侄。传见《晋书》卷一百二十。674 有材武：有才能且有勇力。675 性任侠：性情豪爽侠义。676 州党：指本家族与本乡里的人。州、党都是古代的居民单位名称。677 荐饥：连年饥荒。荐，接连。678 流移就谷：漂泊流动到有粮食的地区找食物吃。679 汉川：指以汉中地区为代表的汉水流域。680 营护振救：保护救济。681 侍御史：御史大夫的属官，负责监察纠弹。682 持节：手执旌节，意即以皇帝的名义。节是皇帝派出使者所持的信物。683 不令入剑阁：不让他们进入巴、蜀境内。剑阁在今四川剑阁北，是当时陕西、甘肃一带进入巴、蜀的交通要道。684 振赡：赈济、养活。685 仓储：指国家的粮仓。686 人复丰稔：巴蜀的百姓也生活富裕。687 梁、益：二州名，梁州大体相当于今之陕西西南部与重庆市一带地区，州治即今汉中，益州大体相当于今四川和与之临近的贵州一带地区，州治即今四川成都。688 刘禅：蜀国的后主，刘备之子，公元二二三至二六三年在位。689 缚于人：指蜀国为魏将邓艾所灭，刘禅自缚向邓艾投降。690 异之：奇怪他能说出这种话。691 赵王、梁王：指司马伦与司马肜。692 相继在关中：曾相继为征西将军，驻兵于关中地区。693 雍容骄贵：悠闲自得，傲慢尊贵。694 师老无功：都搞得军队疲惫，无任何功效。

## 【校记】

［16］弟：原无此字。据章钰校，甲十一行本、乙十一行本、孔天胤本皆有此字，张瑛《通鉴校勘记》同，今据补。〖按〗《魏书》卷一《序纪》、《北史》卷一《魏本纪》载，拓跋弗是北魏文皇帝沙漠汗之少子，为北魏平皇帝拓跋绰之侄。甲十一行本有“弟”字，

是。[17]十一月：原作“十月”。据章钰校，甲十一行本、乙十一行本、孔天胤本皆作“十一月”，张敦仁《通鉴刊本识误》、张瑛《通鉴校勘记》同，今据改。〖按〗依《晋书》卷四《惠帝纪》，此所述事在十一月丙子，甲十一行本作“十一月”与《晋书》相符。[18]以不救而陷之：据章钰校，甲十一行本、乙十一行本、孔天胤本此句皆作“而不救以陷之”，与上句连读。张敦仁《通鉴刊本识误》、张瑛《通鉴校勘记》同。[19]清远：原无此二字。据章钰校，甲十一行本、乙十一行本、孔天胤本皆有此二字，张敦仁《通鉴刊本识误》同，今据补。[20]利：严衍《通鉴补》改作“烈”。[21]等：原无此字。据章钰校，甲十一行本、乙十一行本、孔天胤本皆有此字，今据补。

**【研析】**

本卷共写了晋武帝太康十年（公元二八九年）到晋惠帝元康八年（公元二九八年）共十年间的全国大事，其中可议论的主要问题有如下几点。

第一，晋惠帝这个弱智儿终于还是被拥上皇帝宝座，于是一个白痴高高在上，下面一群城狐社鼠肆意横行，弄得一个刚刚统一全国的西晋王朝，立刻陷入刀兵不休、政变迭起的局面，短短十几年间就被人颠覆了。造成这种恶果的罪魁祸首是谁？是晋武帝司马炎。司马炎自己就不是一个好人，是他用阴谋诡计篡取了其弟司马攸的位置，并将司马攸迫害致死；而他本人从上台开始就是一个酒色荒淫之徒，建国后的第一代帝王就像他这种样子的，大概也就是隋炀帝了。他的太子司马衷是个弱智，他不是不知道，但就是不想果断更换一个更好一些的。在这里头，贾充与其女贾南风所起的作用是关键性的。司马昭、司马炎两代，诛杀别的任何将相大臣都从来不拖泥带水，唯独一碰上贾氏，就总是网开一面，格外施恩。这些在作品中都已经写到了。唐太宗在《晋书·武帝纪》的篇后评论说：“知子者贤父，知臣者贤君；子不肖则家亡，臣不忠则国乱。国乱不可以安也，家亡不可以全也，是以君子防其始，圣人闲其端。”司马炎显然不是圣人，也很难说是君子。唐太宗又说：“元海当除而不除，卒令扰乱区夏；惠帝可废而不废，终使倾覆洪基。夫全一人者德之轻，拯天下者德之重，弃一子者忍之小，安社稷者孝之大。”说得多明白！但亦尚有可议。元海，即刘渊，后来灭掉西晋的匈奴人。早年曾在晋朝当过人质，齐王司马攸曾对司马炎说：“陛下不除刘元海，臣恐并州不得久宁！”魏晋时人喜欢玩这种“先见之明”式的小把戏，《世说新语》中记了不少，究竟是真有其事，还是“事后诸葛亮”式的编造，都难以考察。即使当时真是有人说过这种话，司马炎就该凭着这种腔调杀人吗？按照当时的实际人品与表现，唐太宗应该说司马炎：“贾南风当杀而未杀，司马衷该废而未废。”

第二，秦、雍地区的氐族首领齐万年起兵反晋，朝廷派周处、卢播为将，受梁王司马肜与安西将军夏侯骏统领以讨之。中书令陈准言于朝曰:“骏及梁王皆贵戚，非将帅之才，进不求名，退不畏罪。周处吴人，忠直勇果，有仇无援。宜诏积弩将军孟观以精兵万人为处前锋，必能殄寇。不然，梁王当使处先驱，以不救而陷之，其败必也。”朝廷不从。齐万年听说周处是受司马肜、夏侯骏统领前来，高兴地说:“周府君尝为新平太守，有文武才，若专断而来，不可当也。或受制于人，此成禽耳。”果然，司马肜官报私仇，逼着周处打头阵，让周处的部队饿着肚子出征，又整整打了一天，弦绝矢尽，而援兵不至，直到周处战死，周处的部队全军覆没。周处青年时代的著名故事是“除三害”，即杀掉南山虎、长桥蛟，并痛改了自己此前的不良行径。但就是这样一个由硬汉子成长起来的忠直猛将，竟断送在两个腐朽的纨绔贵族之手，这样的世道、这样的统治者，比起刘元海、石世龙来，不知要坏多少倍!这样的政权难道不该立即灭亡?祖逖、刘琨居然还在为它浴血奋战，真是亏负了好男儿的一腔热血!

第三，关于王戎、王衍、乐广等人的好老庄、善清谈。企慕老、庄，发言玄远，这是魏末正始(公元二四〇至二四九年)时期，许多官僚文人由于害怕白色恐怖，为躲避政治迫害而采取的一种姿态。在那时是出于不得已。等到晋朝的王戎、王衍等人出现，这些人无一例外都是高占国家各种权位的特号腐朽贵族，他们饱食终日，无所用心，他们享受着一切富贵荣华，但丝毫不关心国家的兴亡与黎民百姓的苦乐。他们以空谈老、庄为“高雅”，以居官尽职为“鄙俗”。在他们的带动、影响下，整个晋朝的上流社会变成了一个腐化、堕落、乌烟瘴气的混沌世界。后来西晋被灭，王衍被北方民族的首领石勒活捉，石勒让人推倒一面墙壁把他砸死了。王衍临死时说:“吾曹虽不如古人，向若不祖尚浮虚，勠力以匡天下，犹可不至今日。”这是玄学派的头子临死前对玄学所做的最深刻、最有力量的批判。

# 卷第八十三　晋纪五

起屠维协洽（己未，公元二九九年），尽上章涒滩（庚申，公元三〇〇年），凡二年。

【题解】

本卷写惠帝元康九年（公元二九九年）至永康元年（公元三〇〇年）共两年间的全国大事。主要写了孟观为将平定关中氐族之乱，俘获其首领齐万年，太子洗马江统趁机上《徙戎论》，建议朝廷将居住在国境以内的少数民族统统迁出境外，朝廷不从；写了皇后贾南风暴虐淫乱，裴頠图谋废黜之，张华不从；写了中护军赵俊、左卫率刘卞劝太子司马遹与张华合谋废后，太子、张华皆不从；写了贾后诬陷太子，唆使惠帝将太子软禁于许昌宫；写了禁兵统领司马雅、许超、士猗等劝赵王司马伦废贾后，救太子，孙秀则唆使司马伦借贾后之手先杀了太子，而后起兵杀了贾后、贾谧，与张华、裴頠、解系、解结等人；写了司马伦独揽朝权，图谋篡位，为装门面而引用了李重、荀组、王堪、陆机一批人；写了中护军淮南王司马允起兵讨司马伦，结果反为司马伦所灭，受牵连而死者数千人；写了益州刺史赵廞勾结流寓巴西之秦州氐帅李特等阴图割据巴蜀，击杀了新任刺史耿滕与西夷校尉陈总，赵廞自立为大都督、益州刺史，控制了成都一带地区。

【原文】

**孝惠皇帝上之下**

**元康九年（己未，公元二九九年）**

春，正月，孟观大破氐众于中亭①，获齐万年②。

太子洗马陈留江统③以为戎、狄乱华，宜早绝其原④，乃作《徙戎论》以警朝廷，曰：

“夫夷、蛮、戎、狄⑤，地在要荒⑥，禹平九土⑦，而西戎即叙⑧。其性气贪婪，凶悍不仁。四夷之中，戎、狄为甚⑨，弱则畏服，强则侵叛。当其强也，以汉之[1]高祖困于白登，⑩孝文军于霸上。⑪及其

【语译】

孝惠皇帝上之下

**元康九年（己未，公元二九九年）**

春季，正月，孟观在中亭把氐人打得大败，俘虏了氐人头领齐万年。

担任太子洗马的陈留人江统认为戎、狄少数民族扰乱中华，应该及早断绝他们作乱的根源，把他们从内地迁移出去，于是便写了一篇《徙戎论》来提醒朝廷，他在《徙戎论》中说：

“东夷、南蛮、西戎、北狄等各少数民族，他们原来的居住地都在距离中原很远的地方，大禹治水，平定了全国的水患之后，将中国划分为九州，而西方的少数民族都服从了朝廷的安排。这些少数民族习性贪婪、凶悍，不讲仁义。在周边的这些少数民族当中，就数西方与北方的少数民族最凶狠、最不守规矩，在势力微弱的时候就因为畏惧朝廷而表现得很顺从，一旦势力强大起来就侵扰中原、反叛朝廷。当他们强大的时候，就连汉高祖刘邦也被围困在白登，汉文帝为防备匈奴的侵扰也得在京郊霸上一带屯驻重兵。在他们势力衰弱的时候，像汉元帝、汉成帝那样微弱的

弱也，以元、成之微⑫而单于入朝。此其已然之效⑬也。是以有道之君牧夷、狄⑭也，惟⑮以待之有备，御之有常，虽稽颡执贽⑯，而边城不弛固守⑰，强暴为寇，而兵甲不加远征⑱，期⑲令境内获安，疆埸不侵⑳而已。

“及至周室失统㉑，诸侯专征㉒，封疆不固，而[2]利害异心㉓。戎、狄乘间㉔，得入中国㉕，或招诱安抚以为己用㉖。自是四夷交侵，与中国错居㉗。及秦始皇并天下，兵威旁达㉘，攘胡㉙走越㉚，当是时，中国无复四夷㉛也。

“汉建武㉜中，马援领陇西太守㉝，讨叛羌，徙其余种于关中，居冯翊㉞、河东㉟空地。数岁之后，族类蕃息㊱，既恃其肥强㊲，且苦汉人侵之，永初之元㊳，群羌叛乱，覆没将守㊴，屠破城邑，邓骘㊵败北，侵及河内㊶。十年之中，夷、夏俱敝㊷，任尚、马贤㊸，仅乃克之㊹。自此之后，余烬不尽，小有际会㊺，辄复侵叛，中世之寇㊻，惟此为大。魏兴之初㊼，与蜀分隔，疆埸之戎㊽，一彼一此㊾。武帝㊿徙武都氐51于秦川52，欲以弱寇强国53，捍御54蜀虏。此盖权宜之计，非万世之利也。今者当之55，已受其敝矣。

“夫关中土沃物丰，帝王所居56，未闻戎、狄宜在此土也。非我族类，其心必异。而因其衰敝，迁之畿服57，士庶玩习58，侮其轻弱，使其怨恨之气毒于骨髓。至于蕃育众盛59，则坐生其心60。以贪悍之性，挟愤怒之情，候隙乘便，辄为横逆。而居封域之内61，无障塞之隔，

君主临朝的时候，匈奴单于也要入朝纳贡。这是曾经发生过的实有例证。所以圣明的君主驾驭、管理少数民族，只有经常保持戒备的状态，经常防范着他们，哪怕是在他们磕头臣服、进献贡品的时候，也丝毫不能放松对边防的戒备，在他们以强暴的方式入侵边境的时候，边塞守军只要能够击退他们，就不再穷追猛打，只求边境以内获得平安、本朝的边境不受侵害就可以了。

“等到周朝失去纲纪，不能号令天下，而由诸侯擅自征伐的时候，各个诸侯国的边界都很不固定，而各诸侯因为利害关系不同而心怀异志。西部和北部的少数民族便利用诸侯相争无暇顾及边疆的空隙，趁机入侵中原地区，而中原地区的诸侯有的竟然以利益来诱惑西方和北方的少数民族，使他们为自己所用。从此以后四方的少数民族轮番侵入中原地区，与中原的汉民混杂而居。等到秦始皇统一天下之后，秦朝以强大的兵力四面出兵讨伐，向北驱逐了胡人，向南打败了越人，那个时候，中原地区的内部再也没有少数民族了。

“东汉光武帝统治时期，马援受命担任陇西太守，他率领军队讨伐叛变的羌人，平定了羌人的叛乱之后，就将战败后侥幸活下来的羌人迁移到关中一带，让他们居住在冯翊郡、河东郡的无人地区。数年以后，这两个地区的羌人大量繁衍，人口增多，他们仗恃着自己身躯高大壮健，又不堪忍受汉人的侵害和欺侮，于是便在东汉安帝的永初初年再次叛乱，他们打败当地的守军，杀害守军将领和郡守，城邑一个接一个被他们攻破、占领，邓骘率军讨伐叛乱又遭受失败，叛乱的羌军一直攻打到河内郡。十年的混战，使羌族与汉族都耗尽力量，任尚、马贤也只是勉勉强强平定了羌乱，使国家暂时得到平静。但从此以后，羌人的残余势力依然存在，只要稍微有一点机会，他们就会再次侵扰、叛乱，东汉中期的敌人，唯此最为严重。曹魏统治中原地区的前期，与蜀国划疆而治，边境上的少数民族，一部分属于曹魏，一部分属于蜀汉。魏武帝曹操把居住在武都郡内的氐族人迁移到秦川一带居住，想以此来削弱蜀汉，强大自己的国力，利用羌人来抵御蜀军的侵扰。这些都是权宜之计，并不能长久地给子孙后代带来利益。如今到了该承受恶果的时期，那些做法已经产生了危害。

“关中地区土地肥沃、物产丰富，是几朝帝王居住的地方，从来没有听说过戎、狄等少数民族适宜在那里居住。戎、狄不属于我们民族，必然不会和我们一条心。我们是在他们势力衰微、败落之时，强迫他们迁移到国都的四郊居住的，不论是国家官员还是平民百姓已经习以为常、掉以轻心，认为他们势力弱小因而看不起、随意欺凌他们，使他们对汉人的怨恨之气深入骨髓。一旦他们繁衍到人口众多、势力强盛的时候，长久积压在心底的愤恨就要升上心头。以他们那种贪婪、强悍的本性，再加上愤怒的情绪，一旦有机可乘，就会立即发动叛乱。而他们又居住在国境之内，没有关隘要塞的阻隔，突然袭击毫无防范和准备的人们，抢收散布在田野里的庄稼，

掩[62]不备之人，收散野之积[63]，故能为祸滋蔓[64]，暴害不测[65]，此必然之势，已验之事也。当今之宜，宜及兵威方盛[66]，众事未罢，徙冯翊、北地[67]、新平、安定[68]界内诸羌，著[69]先零、罕幵、析支[70]之地，徙扶风[71]、始平[72]、京兆[73]之氐，出还[74]陇右[75]，著阴平[76]、武都[77]之界。廪[78]其道路之粮，令足自致[79]，各附本种，反其旧土，使属国[80]、抚夷[81]就安集之[82]。戎、晋不杂[83]，并得其所，纵有猾夏[84]之心，风尘之警[85]，则绝远中国[86]，隔阂山河，虽有[3]寇暴，所害不广矣。

"难者曰[87]：'氐寇新平，关中饥疫，百姓愁苦，咸望宁息[88]。而欲使疲悴之众[89]，徙自猜之寇[90]，恐势尽力屈，绪业不卒[91]，前害未及弭[92]，而后变复横出矣。'答曰：'子以今者群氐为尚挟余资[93]，悔恶反善[94]，怀我德惠[95]而来柔附[96]乎？将势穷道尽[97]，智力俱困，惧我兵诛以至于此乎？'曰：'无有余力，势穷道尽故也。'然则我能制其短长之命[98]，而令其进退由己[99]矣。夫乐其业者不易事[100]，安其居者无迁志[101]。方其自疑危惧[102]，畏怖促遽[103]，故可制以兵威，使之左右无违也。迨[104]其死亡流散，离逖未鸠[105]，与关中之人，户皆为仇[106]，故可遐迁远处，令其心不怀土[107]也。夫圣贤之谋事也，为之于未有[108]，治之于未乱，道不著而平[109]，德不显而成。其次则能转祸为福，因败为功[110]，值困必济[111]，遇否能通[112]。今子遭敝事之终[113]而不图更制之始[114]，爱[115]易辙之勤[116]而遵覆车之轨[117]，何哉？且关中之人百余万口，率其少多[118]，戎、狄居半，处之与迁[119]，必须口实[120]。若有穷乏[121]，糁粒不继[122]者，故当倾关中之谷[123]，以全其生生之计[124]，必无挤于沟壑，而不为侵掠之害[125]也。今我迁之，传食而至[126]，附其种族[127]，自使相赡[128]，而秦地之人得其半

所以他们发动叛乱能够连延广远，造成意想不到的危害，这是必然的形势，是已经得到验证的事实。当今之计，应该趁着孟观刚刚消灭氐人首领齐万年，军队还没有班师的机会，把冯翊郡、北地郡、新平郡、安定郡境内的那些羌人一律迁走，安置到先零、罕开、析支等羌人原先的居住地，把扶风郡、始平郡、京兆郡境内的氐人迁出境内，让他们回到原来所居住的陇山以西地区，安置在阴平郡、武都郡两郡的交界处。朝廷发给他们迁移路上所需要的粮食，让他们靠着这些粮食到达目的地，回到各自民族当中，回归他们的故土，让属国都尉、抚夷护军亲自到那些地区组织安排。让戎族人与晋国人不再混杂在一起，并使他们各得其所，纵然他们还有扰乱中原之心，挑起了叛乱，但因为距离中原路程悬远，中间有山河阻隔，即使有侵略暴乱，所造成的危害也不会那么大了。

"持有不同意见的人会反驳说：'氐族贼寇最近才被平定，关中正闹饥荒和传染病，百姓生活困苦不堪，都希望得到安宁休息。现在又想役使辛苦疲惫的关中一带汉族人，去驱赶那些心存猜疑的少数民族迁移，恐怕是势穷力屈，不能完成这样的任务，上次的矛盾还没有解决，而后患又要跟着爆发了。'回答说：'你认为今天的那些氐族部落还具有剩余的反抗能力，他们会对过去的作恶行为感到悔恨，想要回到正道上来，因为感激朝廷的恩德而前来认输归降呢？还是由于他们大势已去，走投无路，智尽力穷，畏惧我军的诛杀迫不得已而归顺我们呢？'答案应该是：'是因为他们再也没有力量，在大势已去、已经走投无路的情况下才被迫归附我们的。'如此的话，目前他们的死活都掌握在我们手里，他们迁与不迁都取决于我们。热爱自己职业的人就不愿意改变自己乐于经营的事业，安于自己居住地方的人就没有迁居的打算。当他们疑心有危险而害怕时，畏惧恐怖会促使人仓促行动，就可以用兵威制服，让他们不敢违抗命令。趁着他们刚被打败，死的死、亡的亡，尚未集结起来，而关中人民家家户户都是他们仇敌的时候，正是把他们迁移到遥远地方的好时机，使他们不再留恋现今居住的地方。圣贤筹划事情，要在事情尚未发生之前就做好，在变乱没有发生之前就做好防范，没见花多大力气事情就解决了，行动毫不张扬而已经获得成功。其次则是能够转祸为福，想办法把坏事变为好事，陷于困境而能够解脱，遭遇险阻而能够安然度过。如今齐万年作乱刚刚得以平息，不趁机改换一种好办法，却吝惜把车子改到另一条道上的辛劳而仍然沿着翻过车的旧路向前走，这是为什么呢？况且关中有一百多万人口，估算一下汉人与羌、戎等少数民族的人口比例，戎人、狄人就占据了一半，不论是让他们留下来还是把他们迁出去，都得需要相当数量的粮食。如果遇上灾荒，粮食匮乏，有人已经没有一粒米可以下锅的时候，本来就应当拿出关中所有仓库储存的粮食，用来救济那些饥民的生命，有些得不到救济的，他们绝不会眼巴巴地等着活活饿死，一定会到处侵略抢夺。如今我们让他们迁移，让沿途官府供应路上需要的粮食，使他们能够平安到达目的地，回到他们的民族当中，使他们自己

谷[129]，此为济行者以廪粮[130]，遗居者以积仓[131]，宽[132]关中之逼[133]，去[134]盗贼之原[135]，除旦夕之损[136]，建终年之益。若惮[137]暂举之小劳，而忘永逸之弘策[138]，惜日月之烦苦[139]，而遗累世之寇敌[140]，非所谓能创业垂统[141]，谋及子孙[142]者也。

"并州之胡[143]，本实匈奴桀恶之寇[144]也。建安中[145]，使右贤王去卑诱质呼厨泉[146]，听其部落散居六郡[147]。咸熙[148]之际，以一部太强，分为三率[149]。泰始之初，又增为四。[150]于是[151]刘猛[152]内叛，连结外虏[153]；近者郝散之变[154]，发于谷远[155]。今五部之众，户至数万，人口之盛，过于西戎[156]。其天性骁勇，弓马便利，倍于氐、羌。若有不虞风尘之虑[157]，则并州之域可为寒心[158]。

"正始[159]中，毌丘俭[4]讨句骊[160]，徙其余种于荥阳[161]。始徙之时，户落百数，子孙孳息[162]，今以千计，数世之后，必至殷炽[163]。今百姓失职[164]，犹或亡叛，犬马肥充[165]，则有噬啮[166]，况于夷、狄，能不为变？但顾其微弱[167]，势力不逮[168]耳。

"夫为邦者[169]，忧不在寡[170]而在不安[171]，以四海之广，士民之富，岂须夷虏在内[172]然后取足[173]哉！此等[174]皆可申谕发遣[175]，还其本域，慰彼羁旅怀土之思，释我华夏纤介之忧[176]，'惠此中国，以绥四方'[177]，德施永世，于计为长也。"

朝廷不能用。

散骑常侍贾谧侍讲东宫[178]，对太子倨傲，成都王颖见而叱之。谧怒，言于贾后，出[179]颖为平北将军，镇邺[180]。征梁王肜[181]为大将军、录尚书事。以河间王颙为镇西将军，镇关中。初，武帝[182]作石函之制[183]，非至亲[184]不得镇关中。颙轻财爱士，朝廷以为贤，故用之。

养活自己，而关中地区的汉族人得到比平常多一倍的粮食，这就是由官府另拿出粮食来供应搬迁的少数民族，而留下关中仓库的积谷给当地的汉人食用，这样既缓解了关中地区救济饥民的压力，又铲除了盗贼产生的根源，豁出暂时的花销，却得到了整年的益处。如果舍不得暂时的辛劳，而忘掉一劳永逸的长远规划，吝惜暂时的辛劳，而给后世子孙留下强大的敌人，就说不上是能够开创大业，流传万世，为后世子孙做长远打算的人了。

“并州一带的匈奴人，原本是很凶恶的敌人。汉末建安时期，朝廷指使匈奴右贤王栾提去卑诱骗呼厨泉单于进京并将其扣留，却听任呼厨泉所统的六部匈奴散居在并州的六个郡里。曹魏末年的咸熙年间，因为一个郡里的匈奴人集中为一部，势力太强，为了削弱他们的势力，就将其分为三部，分别由三个人统领。晋武帝泰始初年，又把一个郡里的匈奴人由三部变为四部。当时南匈奴右贤王刘猛在塞内作乱，并勾结塞外的少数民族进攻并州，最近又有南匈奴的头领郝散在谷远发动叛乱。如今匈奴五部的人口众多，已经达到几万户，比刚被孟观打败的氐人还要强大。他们天生骁勇善战，弓马娴熟，超过氐人、羌人一倍。如果有预想不到的叛乱发生，那么并州一带的情况必将让人感到可怕。

“魏朝末年齐王曹芳执政时期，毌丘俭率军讨伐高句丽，把战败后的高句丽人迁徙到荥阳居住。开始迁徙的时候，只有一百多户，后来人口繁衍子孙增加，如今已有上千户，几世之后，必定人口大盛。如果百姓失去土地，不能以耕种为生，还有人逃亡叛乱，犬马膘肥强壮之后，就要开始互相啃咬，更何况是夷、氐之人，能不叛乱吗？他们现在之所以没有造反，只是因为势力微弱，能力达不到罢了。

“治理国家的人，所担忧的不在于国家的贫穷而是国家不安定，凭借中原富有四海之广，士民富庶，难道非得要把少数民族留在国境之内而后才能征收到足够的东西吗?！对这些少数民族都应该讲明道理，打发他们上路，使他们返回到原来居住的区域，以抚慰他们旅居异地怀念故土的情思，给我们中原地区减少一点忧虑，正如《诗经》所说‘既施惠给中原，又安定了四方的蛮夷’，恩德永远流传于后世，这才是长久之计。”

朝廷没有采纳他的建议。

担任散骑常侍的贾谧在太子宫为太子讲课，但他对太子傲慢无礼，成都王司马颖看见后就斥责了他。贾谧恼羞成怒，便告诉了贾皇后，于是贾皇后便把司马颖放了外任，任命他为平北将军，率兵镇守邺城。而后征调梁王司马肜为大将军、录尚书事。又任命河间王司马颙为镇西将军，镇守关中。当初，晋武帝司马炎制定了一个制度，藏在皇家太庙的石匣中，制度中规定：非跟皇帝血缘关系亲近的人不得去镇守关中。司马颙对待财物毫不吝惜，出手大方，又喜欢结交那些有才能的人士，朝廷于是认为他贤明有才干，就派他去镇守关中。

夏，六月戊戌[185][5]，高密文献王泰[186]薨。

贾后淫虐[187]日甚，私[188]于太医令[189]程据等。又以簏箱载[190]道上年少入宫，复恐其漏泄，往往杀之。贾模[191]恐祸及己，甚忧之。裴頠与模及张华议废后，更立谢淑妃[192]。模、华皆曰：“主上[193]自无废黜之意，而吾等专行之，傥[194]上心不以为然，将若之何？且诸王方强，朋党各异[195]，恐一旦祸起，身死国危，无益社稷。”頠曰：“诚如公言。然宫中[196]逞其昏虐，乱可立待也。”华曰：“卿二人于中宫[6]皆亲戚[197]，言或见信[198]，宜数为陈[199]祸福之戒，庶无大悖[200]，则天下尚未至于乱，吾曹得以优游卒岁[201]而已。”頠旦夕说其从母广城君[202]，令戒谕贾后以亲厚太子，贾模亦数为后言祸福。后不能用，反以模为毁己[203]而疏之。模不得志，忧愤而卒。

---

【段旨】

以上为第一段，写惠帝元康九年（公元二九九年）上半年的全国大事。主要写了孟观为将平定关中氐族之乱，俘获首领齐万年，太子洗马江统趁机上《徙戎论》，建议朝廷将居住在国境以内的少数民族统统迁出境外，朝廷不从；写了皇后贾南风暴虐淫乱，裴頠图谋废黜之，贾模、张华不从，为贾皇后谋杀太子张本。

【注释】

①中亭：地名，在今陕西武功西。②齐万年：秦雍地区的氐族头领，惠帝元康六年被拥立为帝，曾破杀晋将周处，今被晋将孟观破获。③太子洗马陈留江统：太子洗马是太子属官，掌管太子的学习，出入充当侍从。陈留，晋郡名，郡治小黄，在今河南开封东。江统，字应元，初为山阴令，现任太子洗马，著《徙戎论》，主张徙羌、氐出关中，反映了当时民族关系的紧张。传见《晋书》卷五十六。④绝其原：断绝他们作乱的根源，指把戎、狄从内地迁出。原，通“源”。⑤夷、蛮、戎、狄：据《周礼》，东方少数民族称“夷”，南方少数民族称“蛮”，西方少数民族称“戎”，北方少数民族称“狄”，但后人也时常混用。⑥地在要荒：他们原来的居地都在离中原很远的地方。要荒，指要服、荒服，古代有所谓五服，即由京城由近向远划成五圈，第一圈内称甸服，第二圈内称侯

夏季，六月初三日戊戌，高密王司马泰去世，谥号“文献”。

贾皇后的淫乱暴虐程度一天天加深，她与太医令程据等人通奸。又命人抢劫路上的美少年装入竹筐送入宫中供她淫乱，又恐怕这些少年将消息泄露出去，所以往往不放他们出宫，在宫中就把他们杀死。贾模担心将来灾祸会牵连到自己，所以非常担忧。裴頠与贾模和张华商议废黜贾后，改立谢淑妃为皇后。贾模与张华都说：“陛下没有废黜贾后的意思，而我等擅作主张，倘若陛下到时不同意我们的意见，那该怎么办呢？而且诸侯王的势力都很强大，他们立场不同，各有各的党羽，恐怕一旦祸起，不仅我们自己生命不保还会危及社稷，对国家没有什么好处。”裴頠说：“确实像你们所说的那样。然而后宫之中贾后逞其昏庸暴虐，为所欲为，祸乱很快就会发生。”张华说：“你们二人都与贾后是亲戚，你们说的话，她也许能够听从，你们应该多给她讲讲福祸的利害关系，使她能引以为戒，也许就不那么肆意妄为了，那么天下还不至于大乱，我等还能够悠闲自在地凑合着度过这一辈子。”于是裴頠便一天到晚地劝说他的姨母广城君、贾皇后的母亲郭槐，让她告诫、嘱咐贾皇后要亲近、厚待太子，贾模也多次为贾皇后讲述祸福无门的历史教训。贾后不但不听，反而认为贾模在诋毁自己而疏远了贾模。贾模不得志，忧郁愤懑而死。

---

服，第三圈内称绥服，第四圈内称要服，第五圈内称荒服。⑦禹平九土：大禹治水，平定了全国的水患后，将中国划分为九州。九土，即九州。⑧西戎即叙：西方少数民族都服从了朝廷的安排。即叙，就序、遵守秩序。⑨戎、狄为甚：在周边的少数民族当中，数西方与北方的少数民族最凶狠、最不守规矩。⑩以汉之高祖困于白登：像刘邦那样的雄主竟也被他们包围在白登。刘邦讨匈奴被困于白登事，见《史记》与本书卷第十一高祖七年（公元前二〇〇年）。白登，在今山西大同东北。⑪孝文军于霸上：连汉文帝那样的英明君主，为防备匈奴也得在京郊霸上一带屯驻重兵。汉文帝为防匈奴在京城郊区的棘门、细柳、霸上驻军事，见本书卷第十五文帝后六年（公元前一五八年）。霸上，亦作“灞上”，在今陕西西安东，接蓝田界，即白鹿原。⑫元、成之微：像汉元帝、汉成帝那样微弱的君主临朝。汉元帝刘奭在位的时间为公元前四八至前三三年，汉成帝刘骜在位的时间为公元前三二至前七年。匈奴在西汉后期降汉入朝事在元帝竟宁元年（公元前三三年），成帝河平四年（公元前二五年），见本书卷第二十九、卷第三十。⑬已然之效：过去事实的证明。⑭牧夷、狄：驾驭、管理少数民族。⑮惟：只有；必须。⑯稽颡执贽：指向中原王朝屈服投降。稽颡，最虔敬的叩拜礼，磕头并四肢扑地。执贽，进献礼品。贽，礼物。⑰不弛固守：不放松对边防的戒备。汉元帝时，匈奴单于请求汉王朝取消边塞守备，大臣侯应反对。事见本书卷第二十九竟宁元年（公元前三三年）。⑱兵甲不加

远征：指只把进犯的少数民族击退，不再穷追。如西周宣王讨伐北方猃狁时，只把他们驱逐到太原，兵至边境，即行班师。⑲期：只求；只希望。⑳疆埸不侵：本王朝的边境不受侵害。㉑周室失统：失去纲纪，不能号令天下。指从西周的厉王、幽王开始。㉒专征：擅自征伐。㉓利害异心：各诸侯因利害不同而心怀异志。㉔乘间：趁机，利用诸侯相争无暇顾及边疆的空隙。间，缝隙。㉕得入中国：趁机入侵中原地区的国家，如戎人伐鲁、狄人灭卫之类，均见于《左传》与《史记》的鲁、卫世家。㉖招诱安抚以为己用：如申侯、缯侯招西戎以灭西周，杀周幽王；王子朝、王子带招狄族以攻其主；晋国迁陆浑之戎于伊川，与之联合破秦于崤等。㉗错居：穿插而居；混合居住。㉘兵威旁达：四面出兵讨伐。旁，普、四面。㉙攘胡：驱逐胡人。秦将蒙恬收复河套地区，并渡河向北征讨事见《史记·蒙恬列传》。㉚走越：向南打败越人。秦朝吞并六国后，曾派兵征服了今广东、广西一带，并在其地设郡。㉛中国无复四夷：在中原地区的内部再也没有少数民族了。指春秋、战国以来的少数民族或者回到了原来生息的边远地区，或已与中原地区的民族相融合。㉜建武：东汉光武帝年号（公元二五至五七年）。㉝马援领陇西太守：马援是东汉初期的名将，封伏波将军。任陇西太守时，曾率军击破先零羌。后在进击武陵“五溪蛮”时，病死军中。传见《后汉书》卷二十四。陇西是汉郡名，郡治狄道，即今甘肃之临洮。㉞冯翊：汉郡名，郡治临晋，即今陕西大荔。㉟河东：汉郡名，郡治安邑，在今山西夏县西北。㊱族类蕃息：指该两郡的羌族人口大量繁衍增多。㊲肥强：身躯高大壮健。㊳永初之元：永初初年。“永初”是东汉安帝的年号（公元一〇七至一一三年）。㊴覆没将守：指打败、杀害了当地的守军将领及郡太守。㊵邓骘：邓禹之子，东汉中期有名的外戚。传见《后汉书》卷十六。邓骘伐羌失败事，见本书卷第四十九永初二年（公元一〇八年）。㊶侵及河内：叛乱的羌军一直攻打到今河南境内的黄河以北地区。河内是汉郡名，郡治怀县，在今河南武陟西南。㊷夷、夏俱敝：指羌族与汉族都耗尽了力量。㊸任尚、马贤：都是东汉后期的著名将领。任尚与马贤破羌事见本书卷第五十元初四年（公元一一七年）。㊹仅乃克之：勉勉强强地平定了羌乱。仅，只、勉强。㊺小有际会：只要有一点机会。㊻中世之寇：东汉中期的敌人。㊼魏兴之初：曹魏统治中原地区的前期。㊽疆埸之戎：边境上的少数民族。㊾一彼一此：指分属两国，一部分属曹魏，一部分属蜀汉。㊿武帝：指曹操，被追谥为魏武帝。51武都氐：居住在武都郡内的氐族人。当时的武都郡属于蜀国，郡治下辨，在今甘肃成县西北。52秦川：古地区名，泛指今陕西、甘肃秦岭以北平原地带。当时属曹魏。曹操伐蜀，把武都氐族迁到秦川事见本书卷第六十八建安二十三年（公元二一八年）。53弱寇强国：使敌寇（指蜀国）削弱，使本国加强。54捍御：抵抗。55今者当之：如今碰上了该承受恶果的时期。当，碰上。56帝王所居：几朝帝王居住的地方。如周朝都于丰（今陕西西安西南沣河以西）、镐（故址在今陕西西安），秦朝建都咸阳（在今陕西咸阳东北二十里），汉建都长安（今陕西西安西北）等。57畿服：指国都的四郊。58玩习：习以为常；掉以轻心。59蕃育众盛：

发展得人口多，力量大。⑥⓪坐生其心：其久压心底的愤恨就要升上心头。⑥①封域之内：国境之内。⑥②掩：突然袭击。⑥③散野之积：散布在田野间的庄稼。⑥④为祸滋蔓：指发动叛乱，连延广远。⑥⑤暴害不测：造成意想不到的危害。⑥⑥及兵威方盛：趁着孟观刚刚消灭了齐万年。⑥⑦北地：晋郡名，郡治即今陕西铜川市耀州区。⑥⑧新平、安定：晋之二郡名，新平的郡治即今陕西彬州，安定的郡治临泾，在今甘肃镇原东南。⑥⑨著：安置。⑦⓪先零、罕幵、析支：皆为当时的羌族部落名，居住在今青海西宁以西。⑦①扶风：晋郡名，郡治池阳，在今陕西泾阳西北。⑦②始平：晋郡名，郡治槐里，在今陕西兴平东南。⑦③京兆：晋郡名，郡治长安，在今陕西西安西北。⑦④出还：返回，搬回境外原来所住的地方。⑦⑤陇右：泛指陇山以西，相当于今甘肃东部、宁夏南部一带地区。⑦⑥阴平：晋郡名，郡治在今甘肃文县西北。⑦⑦武都：晋郡名，郡治下辨，在今甘肃成县西北。阴平、武都皆为白马氐族居住之地。⑦⑧廪：当作“禀”，发给、提供。⑦⑨令足自致：让他们可以一直吃到目的地。⑧⓪属国：指属国都尉，管理该地区少数民族事务的军事长官。⑧①抚夷：指抚夷护军，驻兵该地区的军事长官。⑧②就安集之：亲自到那些地区加以组织安排。安集，安置、稳定。⑧③戎、晋不杂：让戎族人与晋国人不再混杂居住在一起。⑧④猾夏：扰乱中原。⑧⑤风尘之警：指掀起叛乱。⑧⑥绝远中国：离中原路程悬远。⑧⑦难者曰：持不同意见的人会反驳说。这里是作者的自问自答。⑧⑧咸望宁息：都希望得到安宁休息。咸，皆、全。⑧⑨疲悴之众：指辛苦疲惫的关中一带的汉族人。⑨⓪徙自猜之寇：去驱赶那些心存猜疑的少数民族之人搬迁。⑨①绪业不卒：不能完成这样的任务。绪业，事业。卒，完成。⑨②前害未及弭：上次的矛盾还没有解决。弭，息停、完结。⑨③尚挟余资：还具有剩余的反抗能力。⑨④悔恶反善：后悔过去的作恶，想要回到正道上来。⑨⑤怀我德惠：感激朝廷的恩德。⑨⑥来柔附：前来认输归降。⑨⑦将势穷道尽：还是由于他们的大势已去，走投无路。⑨⑧制其短长之命：掌握着他们生命的长短。意即他们的死活都掌握在我们手里。⑨⑨进退由己：指他们迁与不迁都由我们决定。⑩⓪不易事：不愿改变自己所乐于经营的事业。⑩①无迁志：没有迁居的打算。⑩②方其自疑危惧：当他们疑心有危险而害怕时。方，当。⑩③畏怖促遽：畏惧恐怖会促使人仓促行动。⑩④迨：趁着。⑩⑤离逖未鸠：四处逃散，尚未集结。鸠，集。⑩⑥户皆为仇：家家户户都是他们的仇敌。⑩⑦不怀土：不留恋他们现今居住的地方。怀，恋。⑩⑧为之于未有：要在事情尚未发生之前就做好，即所谓未雨绸缪。⑩⑨道不著而平：没见花多大力气事情就解决了。⑪⓪因败为功：想办法把坏事变为好事。⑪①值困必济：陷于困境能够解脱。⑪②遇否能通：遇到险阻而能安然度过。“否”原是《易经》中的一个卦名，后人常用以代指倒霉、受罪。⑪③敝事之终：指齐万年作乱刚刚得以平息。⑪④更制之始：趁机改换一种好办法。⑪⑤爱：吝惜；怕麻烦。⑪⑥易辙之勤：把车子改到另一条道上的辛劳。易辙，改道。⑪⑦遵覆车之轨：还沿着翻过车的旧路向前走。⑪⑧率其少多：估算一下汉人与羌、戎的人口比例。率，大略、估算。⑪⑨处之与迁：把他们安置下来，或是把他们迁出。⑫⓪必须口实：都得用相当数量的粮食。口实，口粮。⑫若有穷乏：如果哪里有人挨饿。穷乏，指灾荒缺粮。⑫糁粒不继：没有下顿下锅的粮食。糁粒，指煮粥的碴儿或米。⑫倾关中之谷：拿出关中所有仓库储存的粮食。⑫以全其生生之计：来救济那些饥民的生命。⑫必无挤于沟壑二句：有些得不到救济的，他们绝不会眼巴巴地活活饿死，一定会到处抢夺。⑫传食而至：让沿途官府供应粮食使他们到达。传，驿站，这里指沿途官府。⑫附其种族：回归到他们原来的民族之中。⑫自使相赡：使他们自己养活自己。⑫秦地之人得其半谷：让关中地区的汉族人得到多一倍的粮食。秦地，指今陕西以及甘肃东部一带地区，这一带是秦国未吞并六国以前的发祥、发展之地。半谷，多一倍的粮食。因为少数民族约占秦地人口的一半，如把他们迁走后，秦地的汉人从官府领到的救济自然就多了。⑬济行者以廪粮：由官府另拿出粮食来供应搬迁的少数民族。济，供应。廪粮，官粮。⑬遗居者以积仓：留下关中仓库的积谷给当地的汉人食用。居者，剩下的汉人。⑬宽：缓解。⑬关中之逼：关中地区救济饥民的压力。⑬去：铲除。⑬盗贼之原：盗贼产生的根源，指少数民族作乱。⑬除旦夕之损：豁出暂时的花销。损，破费。⑬惮：不愿；舍不得。⑬永逸之弘策：一劳永逸的长远规划。⑬惜日月之烦苦：吝惜短暂的辛劳。⑭遗累世之寇敌：给后世子子孙孙留下强大的敌人。累世，一连几代。⑭创业垂统：开创大业，流传万世。⑭谋及子孙：为后世子孙做打算。⑭并州之胡：并州地区的匈奴人，即本书卷第八十二所讲的以刘渊为头领的五部匈奴。并州的州治晋阳，在今山西太原西南。⑭本实匈奴桀恶之寇：原本是一支很凶恶的敌人，指西汉初期长期侵掠汉朝。⑭建安中：指汉魏之交。建安是汉献帝的年号（公元一九六至二二〇年）。⑭使右贤王去卑诱质呼厨泉：让去卑诱骗单于呼厨泉进京，将其扣留。呼厨泉是刘渊的祖父，当时的匈奴单于。据《后汉书·南匈奴传》及本书卷第六十二建安二年（公元一九七年），当时曹操将呼厨泉留在洛阳当人质，而让右贤王去卑代管南匈奴事。⑭听其部落散居六郡：让呼厨泉所统的六部匈奴散居在并州的六个郡里。此六郡即平阳（治所在今山西临汾西南）、西河（治所即今山西吕梁市离石区）、太原（治所在晋阳，今山西太原西南）、新兴（治所九原，今山西忻州）、上党（治所在壶关，今山西长治北）、乐平（治所沾县，今山西昔阳西南）。⑭咸熙：魏末帝曹奂的年号（公元二六四至二六五年）。⑭分为三率：因一个郡里的匈奴人集中为一部，势力太大，故将其分为三部，分别由三人统领。⑮泰始之初二句：泰始是晋武帝司马炎的年号（公元二六五至二七四年）。又增为四，又把一郡里的三部变为四部。⑮于是：当时。⑮刘猛：刘猛当时是南匈奴的右贤王。⑮连结外虏：刘猛起兵勾结塞外少数民族进攻并州，被刺史刘钦与监军何桢破杀事见本书卷第七十九泰始七年（公元二七一年）、泰始八年（公元二七二年）。⑮郝散之变：郝散是南匈奴的头领之一，其发动叛乱进攻上党以及被杀事，见本书卷第八十二元康四年（公元二九四年）。⑮谷远：也叫孤远，即今山西沁源。⑮过于西戎：比刚被孟观打败的氐人还要强大。⑮不虞风尘之虑：意想不到的叛乱发生。不虞，没想到。风尘，指战争、变乱。⑮可为寒心：感到可怕。⑮正始：魏末齐王曹芳的年号（公元二四〇至二四八年）。⑯毌丘俭讨句骊：毌丘俭是魏国将领。事迹详见《三国志》本传。句骊，即高句丽，国都即今吉林集安。毌丘俭讨灭高句丽事，见本书卷第七十五正始七年（公元二四六年）。⑯荥阳：魏县名，县治在今河南荥阳东北。⑯孳息：繁衍增加。⑯殷炽：大盛。⑯失职：失业，指百姓失去土地，不能以耕种为生。⑯肥充：膘肥强壮。⑯噬啮：相互啃咬。⑯但顾其微弱：语略不顺，意思是他们现在之所以不造反，只是由于还处于微弱状态。⑯不逮：达不到。⑯为邦者：治理国家的人。⑰寡：东西少；穷困。⑰而在不安：怕的是不安定。《论语·季氏》："丘闻有国有家者，不患寡而患不均；不患贫而患不安。"⑰在内：留在国内。⑰取足：征收到足够的东西。⑰此等：这些少数民族。⑰申谕发遣：讲明道理，打发他们上路。⑰释我华夏纤介之忧：给我们中原地区减少一点担心、忧虑。纤介，以喻其小。⑰惠此中国二句：语出《诗经·民劳》。意思是既施惠给中原，又安定了四方蛮夷。⑰侍讲东宫：在太子宫为太子讲课。⑰出：放外任。⑱镇邺：率兵驻扎邺城。邺城是北方军事重镇，在今河北临漳西南。⑱征梁王肜：调梁王司马肜进京。司马肜是司马懿之子，此时正镇守关中。⑱武帝：晋武帝司马炎。⑱石函之制：制定了一个制度，藏在皇家太庙的石匣中。⑱至亲：跟皇帝血缘关系最亲近的人。司马颙是司马孚的孙子，与皇帝血缘已不太近。⑱戊戌：六月初三日。⑱高密文献王泰：司马泰，司马懿之侄，高密王是封号，文献是谥。传见《晋书》卷三十七。⑱淫虐：淫乱暴虐。⑱私：与……私通。⑱太医令：为帝后治病的医官头领。⑲以簏箱载：用竹筐装人运往后宫。簏，一种用竹子编成的圆篓，方为筐，圆为簏。⑲贾模：贾皇后的堂兄，正在操纵朝权。⑲谢淑妃：名谢玖，太子司马遹的生母。⑲主上：指惠帝司马衷。⑲倘：倘若。⑲朋党各异：各有各的党羽。⑲宫中：指贾皇后。⑲于中宫皆亲戚：贾模是贾皇后的堂兄，裴颜是贾南风的表兄。中宫，指皇后，即贾南风。⑲言或见信：如果你们给她提意见，也许她能听从。⑲数为陈：多给她讲讲。⑳庶无大悖：也许她就不那么肆意妄行了。庶，希望、或许。⑳优游卒岁：悠闲自在地凑合着度过这一辈子。⑳广城君：贾充之妻郭槐，裴颜的姨母，贾皇后的母亲。⑳毁己：诋毁自己。

【校记】

［1］之：原无此字。据章钰校，甲十一行本、乙十一行本、孔天胤本皆有此字，今据补。［2］而：原无此字。据章钰校，甲十一行本、乙十一行本、孔天胤本皆有此字，张敦仁《通鉴刊本识误》同，今据补。［3］有：据章钰校，乙十一行本作"为"，张敦仁《通鉴刊本识误》同。［4］毌丘俭：原误作"母丘俭"。毌丘，复姓。本为古地名，春秋时为卫、齐之地，人们取以为氏。［5］戊戌：原无此二字。据章钰校，甲十一行本、乙十一行本、孔天胤本皆有此二字，今据补。［6］中宫：据章钰校，甲十一行本、乙十一行本皆作"宫中"。

【原文】

秋，八月，以裴頠为尚书仆射。頠虽贾后亲属，然雅望素隆[204]，四海惟恐其不居权位。寻诏頠专任门下事[205]，頠上表固辞，以“贾模适亡[206]，复以臣代之[207]，崇外戚之望[208]，彰偏私之举[209]，为圣朝累[210]”。不听。或谓頠曰：“君可以言，当尽言于中宫[211]，言而不从，当远引而去[212]。傥二者不立，虽有十表，难以免[213]矣。”頠慨然久之，竟不能从。

帝为人戆骏[214]，尝在华林园[215]闻虾蟆[216]，谓左右曰：“此鸣者，为官乎？为私乎？[217]”时天下荒馑，百姓饿死。帝闻之，曰：“何不食肉糜[218][7]？”由是权在群下，政出多门[219]，势位之家，更相荐托[220]，有如互市[221]。贾、郭[222]恣横，货赂公行[223]。南阳鲁褒[224]作《钱神论》以讥之曰：“钱之为体，有乾坤之象[225]，亲之如兄，字曰‘孔方’。无德而尊，无势而热，[226]排金门[227]，入紫闼[228]，危可使安，死可使活，贵可使贱，生可使杀。是故忿争[229]非钱不胜，幽滞[230]非钱不拔，怨仇[231]非钱不解，令闻[232]非钱不发[233]。洛中朱衣[234]，当涂之士[235]，爱我家兄，皆无已已[236]。执我之手，抱我终始。[237]凡今之人，惟钱而已。”

又，朝臣务以苛察相高[238]，每有疑议，群下各立私意，刑法不壹[239]，狱讼繁滋[240]。裴頠上表曰：“先王刑赏相称[241]，轻重无二[242]，故下听有常[243]，群吏安业。去元康四年大风，庙阙屋瓦[244]有数枚倾落，免太常荀寓[245]。事轻责重[246]，有违常典。五年二月有大风[247]，兰台主者[248]惩惧前事[249]，求索阿栋之间[250]，得瓦小邪[251]十五处，遂禁止太常[252]，复兴刑狱。今年八月，陵上荆[253]一枝围七寸二分者被斫[254]，司徒、太常奔

【语译】

秋季，八月，任命裴頠为尚书仆射。裴頠虽然是贾后的亲属，然而声望素来很高，全国之人唯恐他不居于高位掌握政权。不久，晋惠帝司马衷下诏任命裴頠独自一人专管门下事，裴頠上表坚决辞让，他认为"贾模刚逝世不久，现在又让我代替他的职务，如此的话虽然提高了皇后娘家人的声望，却显得朝廷总是偏向自己的亲戚，而给朝廷造成污点"。惠帝没有接受裴頠的意见。有人对裴頠说："你有话可以尽管说，但应该好好地劝劝贾皇后，如果你说了她不听从，你就应当辞去官职，远离朝廷。倘若这两方面都不能做到，你就是上十次奏章，也难逃一死了。"裴頠慨叹了很久，最终仍然没能听从劝告。

晋惠帝愚鲁痴呆，曾经在华林园听到虾蟆的叫声，就问左右的侍从说："这些叫唤的东西，是为了公事而叫，还是为了私事而叫?"当时全国正在闹灾荒，很多百姓因为没有粮食吃而被饿死。晋惠帝听说以后，就问："他们没有粮食吃，为什么不吃肉粥呢?"所以当时的朝廷大权实际上都掌握在朝臣们的手里，政令出自众多掌权者之手，往往互相冲突，有权有势的人，更是相互推荐、互相依托，就跟集市上相互做买卖一样。贾谧、郭彰骄横恣肆，公开地接受贿赂。南阳人鲁褒写了一篇《钱神论》来讽刺这种现象，他说："钱的模样，有阴阳两面，周边有天之圆，中孔有地之方，人们把它看得像兄长一样亲，所以称它为'孔方兄'。它能使品行不端的人尊贵起来，能让没有权势的人变得有权势，它可以推开帝王的宫殿之门，进入皇宫之中，危险的它可以使之安定，死亡的它可以让其复活，尊贵的它可以使之卑贱，应该活命的它可以使之丧命。所以诉讼之事非有钱不能胜诉，被埋没的人才非有钱不能得到提拔，冤家仇敌非有钱不能化解，好名声不花钱就得不到传播。洛阳城里的达官贵人，大权在握的权臣，都把钱当作家兄一样热爱，索求钱财全都没有止境。他们把钱拿在手里，把钱抱在怀中始终不肯放松。当今之人，只认得钱而已。"

还有，朝中众臣全都以使用严刑峻法办事为能事，越严厉越好，每当遇有疑难问题，大臣们就都按照自己的主意去办，刑法因而无法统一，诉讼案件越来越多。裴頠上表说："先王的奖赏与惩罚都能符合其功与过的实际情况，该轻该重没有第二条标准，所以下面办事的人有常规可以遵循，官吏们都各安其职。过去元康四年刮大风，宗庙正门顶上有几片瓦被大风刮落了，因此罢了太常荀寓的官职。事情很轻而处罚得过于严重，有违于正常的法典。元康五年二月又刮大风，御史台的主事人因为上次太常荀寓被惩处而对这回的事不得不格外认真，他亲自登上屋顶，仔细巡查，终于在屋顶的隐曲之处，发现有十五处瓦稍微有点歪斜，因此又将太常囚禁、停职，再次兴起刑狱。今年八月，在皇家陵园里发现有一棵树干粗七寸二分的荆树被人砍了，于是司徒、太常四处奔走请罪、求饶，虽然知道这件事情很小，但对被

走道路[255]，虽知事小，而按劾难测[256]，搔扰驱驰[257]，各竞免负[258]。于今太常禁止未解[259]。夫刑书之文[260]有限，而舛违之故[261]无方[262]，故有临时议处[263]之制，诚不能皆得循常也。至于此等[264]，皆为过当[265]，恐奸吏因缘[266]，得为浅深[267]也。”既而曲议[268]犹不止，三公尚书[269]刘颂[270]复上疏曰：“自近世以来，法渐多门，令甚不一。吏不知所守[271]，下不知所避[272]，奸伪者因以售其情[273]，居上者难以检其下[274]，事同议异[275]，狱犴[276]不平。夫君臣之分，各有所司。法欲必奉[277]，故令主者守文[278]；理有穷塞[279]，故使大臣释滞[280]；事有时宜[281]，故人主权断[282]。主者守文，若释之[283]执犯跸之平[284]也；大臣释滞，若公孙弘断郭解之狱[285]也；人主权断，若汉祖戮丁公之为[286]也。天下万事，自非此类[287]，不得出意妄议[288]，皆以律令从事。然后法信于下[289]，人听不惑[290]，吏不容奸，可以言政矣！”乃下诏：“郎、令史[291]复出法驳案[292]者，随事以闻[293]。”然亦不能革也。

颂迁吏部尚书，建九班之制[294]，欲令百官居职希迁[295]，考课能否[296]，明其赏罚。贾、郭用权，仕者欲速[297]，事竟不行。

裴𬱟荐平阳韦忠[298]于张华，华辟[299]之，忠辞疾[300]不起。人问其故，忠曰：“张茂先[301]华而不实，裴逸民[302]欲而无厌[303]，弃典礼而附贼后[304]，此岂大丈夫之所为哉！逸民每有心托我[305]，我常恐其溺于深渊而余波及我[306]，况可褰裳而就之[307]哉！”

关内侯敦煌索靖[308]知天下将乱，指洛阳宫门铜驼[309]叹曰：“会见汝在荆棘中[310]耳！”

冬，十一月甲子朔[311]，日有食之。

初，广城君郭槐以贾后无子，常劝后使慈爱太子。贾谧骄纵，数无礼于太子，广城君恒切责之[312]。广城君欲以韩寿女[313]为太子妃，太

定成什么罪心中没有数，由于害怕惊慌而四处奔走，都争抢着想要摆脱自己的罪名。直到现在太常还被囚禁着没有放出来。法律条文有限，而违反法律条文的原因却没有一定之规，所以遇到特殊情况，临时由有关官员对发生的事情讨论处置，确实不能都遵守常规解决问题。至于上述由于自然灾害而使主事者受到惩处的事情，都属于处罚失当、过于严厉，这样做恐怕会导致奸诈的官吏利用临时议处的机会，故意从轻或从重地惩办人。”过后，曲解法律条文、随意给人定罪的现象仍然没有停止，三公尚书刘颂又上疏说：“自近世以来，法令逐渐出于多门，很不统一。官吏们不知道应该根据、坚持哪一条，下边的百姓也不知道应该防备什么，躲开什么，不法官吏趁机施展他们的狡猾手段，居于上位的官员难于检查、约束他们的下级官员，所犯的过错一样，被定的罪名却往往不同，司法因而很不公平。君臣的名分不同，所负的职责不同。国家定出法律，是想让人们必须遵照执行，所以主管司法的人必须严格执行法律条文；道理有时候说得通，有时候说不通，所以朝廷才让大臣们解释疑难问题；有些事情需要临时制宜，所以帝王可以当机立断。主管的官吏遵守法律条文，就要像汉文帝时期的大臣张释之对冒犯皇帝戒严令的人处以罚金那样公平；大臣解释疑难问题，就要像汉武帝的宰相公孙弘审判郭解的案子那样果断；君主权衡决断，就要像汉高祖刘邦杀戮丁公后所解释的那样。天下的各种事务，除了像刘邦这样出以己心的特例而外，都不能再提出什么讨论，都应该按照法律办事。只有这样，法律才能不折不扣地得到贯彻执行，人们对法律不再抱有怀疑态度，官吏也不包容奸诈之人，到那时才可以谈论怎样治理国家！”晋惠帝于是下诏说：“尚书郎及尚书、兰台令史再对司法部门判定的案件提出异议，要立即向朝廷报告。”然而仅靠皇帝的一道诏令是不能完全革除弊端的。

刘颂升任吏部尚书之后，主持建立了九级官阶考核制度，想让百官知道恪尽职守就有希望得到升迁的机会，考核办事能力行还是不行，明确赏罚标准。然而贾谧、郭彰执掌大权，当官的人都想迅速升迁，所以这个制度最终也没有得到实施。

裴頠把平阳人韦忠推荐给张华，张华征聘他，想授予他官职，而韦忠却推说有病拒绝出来做官。有人问韦忠为什么要这样做，韦忠说：“张华华而不实，裴頠贪得无厌，他们不顾纲常礼法而依附于贼人贾皇后，这哪里是大丈夫的所作所为呢！裴頠每每有心推举我，我常担心他淹死在深渊里而溅我一身水，又怎么可以提起裤腿去靠近他呢！”

担任关内侯的敦煌人索靖预料天下将要大乱，他指着洛阳宫门前的铜骆驼叹息着说：“我很快就要看到你被埋没在荆棘丛中了！”

冬季，十一月初一日甲子，发生日食。

当初，广城君郭槐因为贾皇后自己没有生儿子，就经常劝说贾皇后，让她对太子司马遹慈爱一些。贾谧骄傲蛮横，多次对太子司马遹无礼，广城君郭槐经常严厉地斥责他。广城君郭槐希望让韩寿的女儿为太子妃，太子也愿意聘娶韩寿的女儿为

子亦欲婚韩氏以自固。寿妻贾午[314]及后皆不听，而为太子聘王衍少女。太子闻衍长女美，而后为贾谧聘之，心不能平，颇以为言[315]。及广城君病，临终，执后手，令尽心于太子，言甚切至[316]。又曰："赵粲[317]、贾午，必乱汝家事，我死后，勿复听入[318]。深记吾言！"后不从，更与粲、午谋害太子。

太子[319]幼有令名[320]，及长，不好学，惟与左右嬉戏，贾后复使黄门辈诱之为奢靡威虐。由是名誉浸减[321]，骄慢益彰，或废朝侍[322]而纵游逸。于宫中为市[323]，使人屠酤[324]，手揣斤两[325]，轻重不差。其母[326]，本屠家女也，故太子好之。东宫月俸钱[327]五十万，太子常探取[328]二月，用之犹不足。又令西园卖葵菜[329]、蓝子[330]、鸡、麦等物而收其利。又好阴阳小数[331]，多所拘忌[332]。洗马江统上书陈五事："一曰虽有微苦[333]，宜力疾朝侍[334]。二曰宜勤见保傅[335]，咨询善道。三曰画室之功[336]，可宜[8]减省，后园刻镂杂作，一皆罢遣。四曰西园卖葵、蓝之属，亏败国体，贬损令闻。五曰缮墙正瓦[337]，不必拘挛小忌。"太子皆不从。中舍人[338]杜锡[339]恐太子不得安其位[340]，每尽忠谏，劝太子修德业，保令名，言辞恳切。太子患之，置针著[341]锡常所坐毡中，刺之流血。锡，预之子也。

太子性刚，知贾谧恃中宫骄贵，不能假借[342]之。谧时为侍中，至东宫[343]，或舍之[344]，于后庭游戏。詹事[345]裴权谏曰："谧，后所亲昵，一旦交构[346]，则事危矣！"不从。谧谮太子于后曰："太子多畜[347]私财以结小人者，为贾氏故[348]也。若宫车晏驾[349]，彼居大位，依杨氏故事[350]，诛臣等，废后于金墉[351]，如反手耳。不如早图之，更立慈顺者，可以自安。"后纳其言。乃宣扬太子之短，布于远近。又诈为有娠[352]，内藁物、

妃以稳固自己的地位。韩寿的妻子贾午和贾后都不同意，却为太子聘娶了王衍的小女儿为妃。太子听说王衍的长女长得美貌，而贾后却把王衍的长女聘给了贾谧，太子因此而心怀不平，很有些不满的话。等到广城君郭槐病重，在临死的时候，她拉着贾后的手，谆谆嘱咐贾后对太子要尽心尽力地爱护，言辞恳切至极。又说："赵粲、贾午，必定会扰乱你的家务事，我死之后，你务必不要再让她们进宫。你要牢牢记住我说的话！"贾后不听劝告，反而与赵粲、贾午一起变本加厉地谋害太子司马遹。

太子司马遹在年幼的时候就有很好的名声，长大之后，却不爱好学习，只与身边的奴婢嬉戏玩耍，贾后又唆使黄门这类人故意引诱太子挥霍钱财、作威作福、虐待下属。于是太子的名誉越来越不好，傲慢无礼等坏名声也逐渐张扬出去，有时他竟然连清晨应该向父母请安的礼节也不遵守，而专门纵情于游戏逸乐。他在太子宫中举办了一个集市，让人切肉、卖酒，他自己用手掂量分量，能够一点不差。他的亲生母亲谢玖本来出身于屠户家庭，所以太子喜好摆弄这些东西。东宫每月的月例银有五十万两，太子经常预支第二个月的月例银，仍然感到钱不够用。太子又让人在西园里向民间出售葵菜、蓝菜籽、鸡、面等物品而坐收其利。太子又喜好阴阳家那套算命、占卜等迷信的小把戏，因而迷信忌讳甚多。担任太子洗马的江统上疏陈述五件事情以劝谏太子："一、尽管殿下有点小病，也要强打精神去给父母请早安。二、应该多多地会见太保、太傅等辅导大臣，多听他们的教诲，多向他们咨询为善之道。三、装修墙壁的活动，现在应该减少以便节省开支，后园里的刻镂杂作一概停止，工匠一律遣散。四、在西园里卖葵菜、蓝菜籽之类的事情，有损朝廷体面，贬低了自己的身份，有损太子的美好声誉。五、宫里的一些日常土木活儿，不必拘泥于琐细的忌讳。"太子根本听不进去。担任太子中舍人的杜锡担心太子被废掉，也经常诚恳地劝谏太子要加强道德修养，学习治理国家的本领，保住自己美好的名声等，言辞非常恳切。太子不仅不听，反而嫉恨他，他让人把针放置在杜锡经常坐的坐毡中，将杜锡的屁股刺破流血。杜锡，是杜预的儿子。

太子司马遹性情刚烈，知道贾谧依仗贾后撑腰而骄纵不法又地位尊贵，因此对贾谧一点也不肯宽容。贾谧当时担任侍中，每当他到东宫的时候，太子有时故意置之不理，躲在后庭游戏。担任太子詹事的裴权规劝太子说："贾谧是皇后最亲信的人，一旦编造罪名诬陷你，你的地位就危险了！"太子还是不听劝告。贾谧在贾后面前诋毁太子说："太子将大量积蓄私人财产用来结交小人，是因为他忌恨贾氏家族。假设皇上去世，他做了皇帝，依照我们对付杨氏家族的故事诛杀臣等，把您也废黜掉关进金墉城中，恐怕将易如反掌。不如早点把他除掉，重新立一个慈善顺从的人为太子，可以确保我们平安无事。"贾后采纳了贾谧的建议。于是大肆宣扬太子的短处，使远近的人都知道。又假称自己已经怀孕，让人把生孩子用的禾草、产具弄进宫中，

产具[353]，取妹夫韩寿子慰祖[354]养之，欲以代太子。

于时朝野咸知贾后有害太子之意，中护军[355]赵俊请太子废后，太子不听。左卫率[356]东平刘卞[357]以贾后之谋问张华，华曰："不闻。"卞曰："卞自须昌小吏，受公成拔[358]以至今日。士感知己，是以尽言，而公更有疑于卞邪？"华曰："假令有此，君欲如何？"卞曰："东宫俊乂如林[359]，四率[360]精兵万人，公居阿衡之任[361]，若得公命，皇太子因朝入录尚书事[362]，废贾后于金墉城，两黄门力耳[363]。"华曰："今天子当阳[364]，太子，人子也，吾又不受阿衡之命[365]，忽相与行[366]，此是无君父，而以不孝示天下也。虽能有成，犹不免罪[9]。况权戚满朝，威柄不一[367]，成可必乎？"贾后常使亲党微服听察于外，颇闻卞言，乃迁卞为雍州刺史。卞知言泄，饮药而死。

十二月，太子长子虨病，太子为虨求王爵，不许。虨疾笃，太子为之祷祀求福。贾后闻之，乃诈称帝不豫[368]，召太子入朝。既至，后不见，置于别室，遣婢陈舞[369]以帝命赐太子酒三升，使尽饮之。太子辞以不能饮三升，舞逼之曰："不孝邪？天[370]赐汝酒而不饮，酒中有恶物[371]邪？"太子不得已，强饮至尽，遂大醉。后使黄门侍郎潘岳作书草[372]，令小婢承福[373]以纸笔及草[374]，因太子醉，称诏使书之[375]。文曰："陛下宜自了[376]，不自了，吾当入了之[377]。中宫又宜速自了[378]，不自了，吾当手了之[379]。并与谢妃共要[380]，刻期两发[381]，勿疑犹豫，以致后患。茹毛饮血[382]于三辰[383]之下，皇天许当扫除患害，立道文[384]为王，蒋氏[385]为内主[386]。愿成，当以三牲[387]祠北君[388]。"太子醉迷不觉，遂依而写之，其字半不成[389]，后补成之以呈帝。

壬戌[390]，帝幸式乾殿，召公卿入，使黄门令董猛以太子书及青纸诏[391]示之曰："遹书如此，今赐死。"遍示诸公王[392]，莫有言者。张华曰：

暗中却把妹夫韩寿与妹妹贾午所生的儿子韩慰祖秘密带进宫中抚养，宣称是自己生的儿子，准备用他代替太子。

当时朝野上下都知道贾后有谋害太子的企图，担任中护军的赵俊请求太子废黜贾后，太子不听。担任太子左卫率的东平人刘卞就贾后准备谋害太子的事情询问张华，张华说："我没有听说过。"刘卞说："我刘卞原本是一个须昌小吏，得您的成全、提拔才有今天。因为感激知遇之恩，所以才对您无话不说，难道您对我还有什么怀疑吗?"张华说："假设有这样的事情，你准备怎么办呢?"刘卞说："东宫人才济济，左、右、前、后四卫率所率领的精兵就有一万人，您身居宰相之位，如果得到您的命令，皇太子趁机入朝总揽起国家的一切大权，废掉贾后，将她禁闭在金墉城，只需要两个太监的力量就足够了。"张华说："如今天子当朝执政，太子是天子的儿子，我又并未像商汤王临死的时候那样接受辅佐下任皇帝的遗诏，忽然跟着你们干这样的事情，这是目无君王父母，而向天下显示我的不忠不孝。即使成功了，还是免不了罪过。何况满朝之中都是手握实权的皇亲贵戚，他们每个人都有大小不同的威望和权力，这样做一定能够成功吗?"贾后经常派遣亲信党羽微服到宫外查访，刘卞的话也多少探听到了一些，于是贬刘卞为雍州刺史。刘卞知道自己所说的话已经泄露出去，就喝毒药自杀了。

十二月，太子司马遹的长子司马虨生病，太子向皇帝请求封司马虨一个王爵，晋惠帝没有答应。司马虨病重，太子为司马虨祈祷求福。贾后听说后，就诈称皇帝身体不舒服，召太子入宫。太子进宫后，贾后不接见，派人将太子安置到别的宫室中，然后打发一个叫陈舞的奴婢以皇帝的名义赏赐太子三升酒，命令太子当场全部喝下去。太子推辞说没有饮三升酒的酒量，陈舞就逼迫太子说："你要不孝顺吗？天子赏酒你不喝，难道你认为酒中有毒吗?"太子不得已，勉强将三升酒喝光，于是酩酊大醉。贾后立即派黄门侍郎潘岳拟就一份草稿，然后命令一个名叫承福的小奴婢拿着纸笔和草稿，趁着太子酒醉，假称奉了皇帝之命让太子照抄一遍。拟就的草稿写的是："陛下您如能自裁那就最好了，如果您不自己了断，我将进去杀了您。皇后尤其应该快点自杀，不自己了断，我将亲手杀死她。我已经与谢淑妃约定好，到时间两边同时举事，不要再怀疑犹豫，以招致后患。我对着日、月、星辰饮血发誓，上天允许我扫除祸害，然后立司马虨为王，立司马虨的母亲蒋氏为皇后。我的愿望一旦实现，一定用三牲祭礼祭祀北帝。"太子因为酒醉，神志不清，就按照草稿抄写了一遍，字迹非常潦草，其中有一半都不成字形，贾后将其修补后呈送给晋惠帝司马衷。

十二月三十日壬戌，晋惠帝亲临式乾殿，召见公卿大臣，他让黄门令董猛拿着太子抄写的那份信笺和皇帝写在青纸上的诏书展示给大家看说："司马遹所写的内容如此，今赐死。"然后拿给在朝的所有王公大臣一一传看，没有人敢说话。张华说：

"此国之大祸。自古以来，常因废黜正嫡以致丧乱。且国家有天下日浅，愿陛下详之[393]！"裴頠以为宜先检校传书者[394]，又请比校[395]太子手书，不然，恐有诈妄。贾后乃出太子启事十余纸[396]。众人比视[397]，亦无敢言非者。贾后使董猛矫以长广公主辞[398]白帝曰："事宜速决，而群臣各不同，其不从诏者，宜以军法从事。"议至日西，不决。后见华等意坚[399]，惧事变，乃表免太子为庶人，诏许之。于是使尚书和郁等持节诣东宫，废太子为庶人。太子改服[400]出，再[10]拜受诏，步出承华门[401]，乘粗犊车[402]，东武公澹[403]以兵仗送太子及妃王氏[404]、三子虨、臧、尚同幽于金墉城。王衍自表离婚，许之，妃恸哭而归。杀太子母谢淑媛及虨母保林蒋俊[405]。

---

【段旨】

以上为第二段，写晋惠帝元康九年（公元二九九年）下半年的全国大事。主要写了惠帝其人的种种痴呆可笑，与国家政出多门，法令不一，裴頠建议予以规范，但无济于事；写了韦忠、索靖诸人皆看到晋政衰危，国家将乱，发出了种种预言；写了太子司马遹长大后不学好，江统陈五事以规劝，太子不从，又故意得罪贾后的亲信贾谧；写了中护军赵俊、左卫率刘卞劝太子与张华合谋废后，太子、张华皆不从；写了贾后令人灌醉太子，诱其抄写谋反性的祭神祷文，唆使惠帝将其处死，由于张华等人坚持反对，故司马遹暂被囚入金墉城。

【注释】

㉔雅望素隆：名望素来很高。㉕专任门下事：按晋制，侍中与给事黄门侍郎同管门下事，现由侍中裴頠一人专管。㉖适亡：刚逝世不久。㉗代之：代替贾模的职务。㉘崇外戚之望：提高了外戚的声望。崇，抬高。㉙彰偏私之举：更显得总是偏向自己的亲属。彰，显。㉚为圣朝累：给朝廷造成污点。累，弊病、瑕疵。㉛当尽言于中宫：应该好好地劝劝贾皇后。㉜远引而去：指辞去官职，远离朝廷。㉝难以免：难逃一死。㉞戆骙：愚鲁痴呆。㉟华林园：御花园之一。㊱闻虾蟆：听见虾蟆的叫声。㊲为官乎二句：是为公事叫，还是为私事叫？㊳肉糜：肉粥。㊴政出多门：政令出自众多掌权者之手，相互冲突。㊵更相荐托：相互推荐，相互倚托。㊶互市：相互做买卖。㊷贾、郭：指贾谧、郭彰。㊸货赂公行：公开地接受贿赂。㊹鲁褒：字道元。终身不仕。传

"这是国家的大灾祸。自古以来，经常因为废黜嫡子而导致国家动荡不安。况且，我朝建国时间较短，希望陛下再仔细参详！"裴颜认为应当首先审讯得到这篇文字的人，又请求核对太子的笔迹，不然的话，恐怕有欺诈行为。贾后就拿出太子所写的十几张启事。大臣们一个一个地挨着看，也没有人敢说不是太子的笔迹。贾后让董猛假传晋武帝司马炎的长广公主对惠帝说的话："应该对此事迅速做出裁决，如果群臣意见不统一，有不服从诏命的，就要按照军法处置。"一直商议到日头偏西，还是决定不下来。贾后看到张华等人坚持主张不宜废掉太子，惧怕事情发生变化，就上表请求废黜太子，将太子贬为平民，晋惠帝表示同意。于是让尚书和郁等人手持皇帝符节前往东宫，宣布皇帝诏命，废太子为平民。太子改穿平民的衣服出宫，两次叩拜后接受了诏书，步行走出太子宫的承华门，坐上粗糙、简陋的牛车，东武公司马澹率领军队押送太子司马遹以及太子妃王氏和太子的三个儿子司马虨、司马臧、司马尚一同前往金墉城，囚禁起来。王衍上表请求允许自己的女儿与太子离婚，惠帝批准，太子妃王氏放声痛哭被迫辞别司马遹回到自己的娘家。朝廷下令杀死了太子的生母谢淑媛和司马虨的母亲保林蒋俊。

---

见《晋书》卷九十四。㉕乾坤之象：铜钱的周边有天之圆，中孔有地之方。㉖无德而尊二句：能使无德者尊贵起来，能让无势者变为有权势。㉗排金门：推开帝王的宫殿之门。㉘入紫闼：进入皇宫之中。㉙忿争：官司诉讼。㉚幽滞：困厄、埋没。㉛怨仇：怨家仇敌。㉜令闻：好名声。㉝非钱不发：不花钱就不能远扬。发，传播、远扬。㉞洛中朱衣：洛阳城里的达官贵人。朱衣，指官服。㉟当涂之士：大权在握的人。当涂，犹言"当道"。㊱皆无已已：全都没有止境。已已，到头儿、穷尽。㊲执我之手二句：两"我"字皆指钱。㊳以苛察相高：靠使用严刑峻法，越严厉越好。㊴不壹：不统一；不按法律办事。㊵狱讼繁滋：诉讼案件越来越多。㊶刑赏相称：惩罚与奖赏都能符合其功与过的实际。㊷轻重无二：该轻该重没有第二条标准。㊸下听有常：下面办事的人有常规可遵循。㊹庙阙屋瓦：宗庙正门上面的瓦。㊺免太常荀寓：罢了太常荀寓的官。太常是九卿之一，主管守库存祭祀。㊻责重：处罚得过于严重。㊼有大风：又刮大风。有，意思同"又"。㊽兰台主者：御史台的主事人，如令史之类，执掌保管图书档案，监察百官，审核疑案。㊾惩惧前事：由上次太常被罚而对这回的事不得不认真。㊿求索阿栋之间：寻查屋顶的隐曲之处。(251)小邪：稍稍有点歪斜。(252)禁止太常：又将太常囚禁、停职。(253)陵上荆：皇家陵园里的一棵荆树。荆，楚地之木。(254)围七寸二分者被斫：有一棵树干粗达七寸二分的树被人砍了。围，指树干的粗度。(255)奔走道路：指到处奔走请罪、求饶。(256)按劾难测：将被定成什么罪心中没有数。(257)搔扰驱驰：害怕恐慌得四处奔

走。㉘各竞免负：都抢着摆脱自己的罪名。㉙于今太常禁止未解：到今天太常仍被囚禁，没有放出来。㉚刑书之文：指法律条文。㉛外违之故：违犯法律条文的原因。㉜无方：没有一定之规。㉝临时议处：临时由有关官员依事讨论处置。㉞此等：指上述因自然变化而使主者受惩事。㉟过当：过分。㊱因缘：指利用"临时议处"的机会。㊲得为浅深：故意从轻或从重地惩办人。㊳曲议：曲解法律条文，随意给人定罪。㊴三公尚书：掌审理刑狱。㊵刘颂：字子雅。曾为尚书三公郎，后任廷尉，执法公平。多次上书请复肉刑及划一刑法。传见《晋书》卷四十六。㊶不知所守：不知该根据、坚持哪一条。㊷不知所避：不知该防备什么，躲开什么。㊸售其情：指施展他的狡猾手段。㊹检其下：检查、约束他的下级。㊺事同议异：犯的过错一样，被定的罪名不同。㊻狱犴：官司诉讼，这里指被给予的刑罚。㊼法欲必奉：国家定出法律，是想让人们遵照执行。㊽主者守文：主管司法者必须严格执行法律条文。㊾理有穷塞：道理有时说得通，有时说不通。㊿释滞：解释疑难问题。㉛事有时宜：有些事情需要因时制宜。㉜故人主权断：所以帝王可以当机立断。㉝释之：张释之，西汉时的直臣。事见《史记·张释之冯唐列传》。㉞执犯跸之平：坚持对冒犯了皇帝戒严令的人处以罚金。张释之判违犯文帝戒严令的人以罚金事，见本书卷第十四汉文帝前三年（公元前一七七年）。㉟公孙弘断郭解之狱：公孙弘是汉武帝的宰相，有人替游侠郭解杀了人，郭解本不知情，但公孙弘说："解虽不知，胜于其知之。"遂给郭解定为灭族。事见《史记·游侠列传》与本书卷第十八元朔二年（公元前一二七年）。㊱汉祖戮丁公之为：丁公是项羽的部将，追击刘邦时曾接受刘邦的讨饶将其放走。刘邦胜利后丁公前来向刘邦讨赏时，刘邦竟以丁公"不忠于其主"之名，将丁公杀掉了。事见《史记·季布栾布列传》，也见于本书卷第十一高祖五年（公元前二〇二年）。㊲自非此类：除了像刘邦这样出以己心的特例之外。㊳不得出意妄议：都不能再提出什么讨论。㊴法信于下：法律不折不扣地得到执行。㊵人听不惑：人们对法令不再怀疑。㊶郎、令史：指尚书郎及尚书、兰台令史。㊷复出法驳案：再对司法部门判定的案件提出异议，要求重新讨论。驳案，驳回司法部门判定的案件。㊸随事以闻：立即向朝廷报告。㊹九班之制：九级官阶考核制度。㊺希迁：希望提升。㊻考课能否：考核办事能力行还是不行。㊼欲速：想迅速升迁。㊽平阳韦忠：韦忠字子节，平阳（今山西临汾西南）人。事迹见《晋书》卷八十九。㊾辟：聘任。㊿辞疾：推说有病拒绝接受。㉛张茂先：张华，字茂先。㉜裴逸民：裴颜，字逸民。㉝欲而无厌：贪得无厌。厌，满足。㉞弃典礼而附贼后：不顾纲常而依附贾南风。㉟托我：推举我。托，推举、信任。㊱余波及我：溅我一身水，意即受其连累。㊲褰裳而就之：蹚着水去接近他。《诗经·褰裳》："子惠思我，褰裳涉溱。"褰裳，提起自己的裤腿，指涉水。㊳索靖：字幼安，当时有名的文人、书法家，以有先见之明著称。传见《晋书》卷六十。㊴铜驼：原是汉代旧物，魏明帝曹叡把铜驼、铜人等从长安运来洛阳事，见本书卷第七十三景初元年（公元二三七年）。㊵会见汝在荆棘中：我很快就会看到你在一片荒榛荆棘之中。意指天下很快就将大乱，洛阳宫殿不久将是一片废墟。㉛ 十一月甲子朔：十一月初一是甲子日。㉜ 恒切责之：经常严厉地斥责他。㉝ 韩寿女：贾谧的妹妹。贾谧原是韩寿的儿子，给贾充做了后代，故改姓贾。㉞ 贾午：贾充之女，贾谧的母亲，贾南风的妹妹。㉟ 颇以为言：很有些不满的话。㊱ 切至：恳切之极。㊲ 赵粲：晋武帝司马炎的妃子，投靠于贾南风。㊳ 勿复听入：不要让她们再进宫。㊴ 太子：司马遹，谢淑妃所生。㊵ 幼有令名：令名，好名声。事见本书卷第八十二太康十年（公元二八九年）。㉑ 浸减：越来越不行。㉒ 废朝侍：连每日清晨向父母请安的礼节也不遵行。㉓ 于宫中为市：指太子宫中举办一个市场。㉔ 使人屠酤：让人切肉、卖酒。㉕ 手揣斤两：自己用手掂量商品的分量。㉖ 其母：司马遹的生母谢玖，即谢淑妃。㉗ 东宫月俸钱：太子宫每个月的月例。㉘ 探取：预支。㉙ 葵菜：一名冬葵，嫩叶可食用，茎、叶皆入药。㉚ 蓝子：蓝菜籽，菜叶可做蓝色染料。㉛ 阴阳小数：阴阳家的迷信把戏，指算命、占卜等巫术。㉜ 多所拘忌：各种迷信忌讳甚多。㉝ 虽有微苦：尽管有点小病。㉞ 力疾朝侍：要强打精神去请早安。力疾，尽量支持。㉟ 勤见保傅：多多地会见太保、太傅等辅导大臣，意即多听教诲。㊱ 画室之功：指装修墙壁的活动，与下文“刻镂杂作”同属“奢靡”之举。㊲ 缮墙正瓦：指宫里的一些日常土木活儿。㊳ 中舍人：太子中舍人。以舍人才学美者担任，与中庶子共掌文翰，位在中庶子下，洗马上。㊴ 杜锡：字世嘏，晋武帝时的名将杜预之子。传见《晋书》卷三十四。㊵ 不得安其位：担心太子被废掉。㊶ 著：放；放在。㊷ 假借：宽容。㊸ 至东宫：到太子住的这边来。㊹ 或舍之：太子有时故意置之不理。舍，不理睬。㊺ 詹事：亦称太子詹事，辅导太子，总领太子宫的官属、庶务。㊻ 交构：编造罪名，进谗陷害。㊼ 畜：通“蓄”。积累。㊽ 为贾氏故：是因为他忌恨贾氏家族。㊾ 宫车晏驾：婉指皇帝死。晏驾，晚出、不能按时出来。㊿ 依杨氏故事：照贾氏政变后对付杨氏家族的手段，事见本书卷第八十二元康元年（公元二九一年）。㉛ 废后于金墉：也把您废到金墉城里去。㉜ 有娠：怀孕。㉝ 内藁物、产具：把生孩子用的禾草、产具弄进宫中。古代产妇要睡在禾稿上。㉞ 韩寿子慰祖：韩寿与贾午所生的儿子，名叫慰祖。㉟ 中护军：官名，与中领军同掌禁军。㊱ 左卫率：太子左卫率，领兵宿卫东宫。㊲ 东平刘卞：刘卞字叔龙，东平须昌（今山东东平）人，累官至散骑侍郎，后入为左卫率。传见《晋书》卷三十六。㊳ 成拔：成全、提拔。㊴ 俊乂如林：极言人才之多，如江流、潘滔、王敦等皆在东宫。㊵ 四率：指左、右、前、后四卫率。㊶ 阿衡之任：宰相的权位。因殷相伊尹（字阿衡）曾任宰相，故后世称宰相为“阿衡”。㊷ 入录尚书事：总揽起国家的一切大权。㊸ 两黄门力耳：只需要两个太监就够了。㊹ 当阳：当朝执政。㊺ 不受阿衡之命：言司马炎死时，并未像商汤死时那样把下任皇帝托给自己。㊻ 忽相与行：忽然参加，跟着你们干这样的事。㊼ 威柄不一：各人都有大小不同的威望和权柄。㊽ 不豫：不愉快，隐指患病。㊾ 遣婢陈舞：打发一个名叫陈舞的奴婢。㊿ 天：指皇帝父亲。臣子以君父为天，所以君父之赐为“天赐”。㉛ 恶物：隐称毒药。㉜ 作书草：起草一份文稿。㊲③小婢承福：贾后的小婢名叫承福。㊲④以纸笔及草：拿着纸、笔与草稿。㊲⑤称诏使书之：假说皇上让把这个抄一遍。㊲⑥陛下宜自了：陛下您如能自裁那就最好了。自了，自己了断，即自杀。㊲⑦吾当入了之：我将进去杀了您。㊲⑧中宫又宜速自了：皇后尤其应该快点自杀。㊲⑨吾当手了之：我将亲手杀死她。㊳⓪共要：共同约定。㊳①刻期两发：定好时间两边同时起事。㊳②茹毛饮血：指饮血发誓。㊳③三辰：指日、月、星三光。㊳④道文：司马彪的乳名。㊳⑤蒋氏：名蒋俊，司马遹的妃子，司马彪的生母。㊳⑥内主：皇后。㊳⑦三牲：指牛、羊、猪。㊳⑧北君：北帝。㊳⑨其字半不成：有一半不成字形。㊴⓪壬戌：十二月三十。㊴①青纸诏：用青纸写的诏书。㊴②诸公王：司马氏宗室与异姓群臣中的诸公、诸王。㊴③详之：仔细参详。㊴④检校传书者：审讯得到这篇文字的人。㊴⑤比校：比较、核对。㊴⑥十余纸：十几张。㊴⑦比视：一个一个地挨着看。㊴⑧矫以长广公主辞：假传司马炎的长女长广公主的话。长广公主嫁与甄德为妻。㊴⑨意坚：坚持主张不宜废太子。㊵⓪改

【原文】

## 永康元年（庚申，公元三〇〇年）

春，正月癸亥朔[406]，赦天下，改元。

西戎校尉司马阎缵[407]舆棺诣阙上书[408]，以为："汉戾太子[409]称兵拒命[410]，言者犹曰罪当笞[411]耳。今遹受罪[412]之日，不敢失道[413]，犹为轻于戾太子。宜重选师傅，先加严诲。若不悛改[414]，弃[415]之未晚也。"书奏，不省。缵，圃之孙也。

贾后使黄门自首，欲与太子为逆。诏以黄门首辞[416]班示公卿[417]，遣东武公澹以千兵防卫太子，幽于许昌宫[418]，令持书御史[419]刘振持节守之[420]，诏宫臣[421]不得辞送。洗马江统、潘滔，舍人[422]王敦、杜蕤、鲁瑶等冒禁[423]至伊水[424]，拜辞涕泣。司隶校尉满奋[425]收缚统等送狱。其系河南狱[426]者，乐广悉解遣之[427]，系洛阳县狱者，犹未释。都官从事[428]孙琰说贾谧曰："所以废徙太子，以其为恶故耳。今宫臣冒罪拜辞，而加以重辟[429]，流闻四方，乃更彰太子之德也，不如释之。"谧乃语洛阳令曹

服：更换了平民衣服。㉑承华门：太子宫门。㉒粗犊车：粗陋的牛车。㉓东武公澹：司马澹，司马懿之孙，司马衷的堂叔。㉔妃王氏：下文的王衍之女。㉕保林蒋俊：太子的妃嫔蒋俊，保林是蒋俊的品级位号名。

## 【校记】

［7］麋：原作“麋”。据章钰校，甲十一行本、乙十一行本、孔天胤本皆作“麋”，今从改。［8］宜：据章钰校，甲十一行本、乙十一行本、孔天胤本皆作“且”。［9］虽能有成，犹不免罪：原无此八字。据章钰校，甲十一行本、乙十一行本、孔天胤本皆有此八字，张敦仁《通鉴刊本识误》、张瑛《通鉴校勘记》同，今据补。［10］再：原无此字。据章钰校，甲十一行本、乙十一行本、孔天胤本皆有此字，张敦仁《通鉴刊本识误》同，今据补。

---

## 【语译】

### 永康元年（庚申，公元三〇〇年）

春季，正月初一日癸亥，大赦天下，改年号为“永康”。

担任西戎校尉司马官的阎缵抬着棺材前往皇宫门口上书，他认为：“汉朝戾太子刘据因不服奸党所传武帝的命令而举兵反抗，当时的大臣车千秋尚且说戾太子的罪过只应当受到鞭笞而已。如今司马遹被诬陷接受惩罚的时候，不敢有非礼的行动，这和戾太子刘据的罪行比起来要轻微得多。朝廷应当重新为太子选择师傅，首先对太子严加教诲。如果太子不知悔改，再废黜太子也为时不晚。”奏书呈上之后，没有任何回复。阎缵，是阎圃的孙子。

贾后让黄门自首，说自己曾经想与太子一起谋反。晋惠帝下诏将黄门自首的言辞发给朝臣传阅，又派东武公司马澹率领一千名士兵防卫太子逃跑，又把太子司马遹囚禁到许昌的宫殿里，命令治书侍御史刘振手持朝廷的旌节监管着太子，又下诏太子宫中的百官群臣不得向太子告辞，不准为太子送行。太子洗马江统、潘滔，太子舍人王敦、杜蕤、鲁瑶等人不顾朝廷的禁令一直将太子送到伊水，然后叩拜辞别，分手时痛哭流涕。司隶校尉满奋将江统等人拘捕起来送往监狱羁押。那些关押在河南郡监狱中的，被当时任河南尹的乐广通通放走了，送往洛阳县监狱的，仍然没被释放。担任都官从事的孙琰对贾谧说：“之所以要废掉太子，并把他流放到许昌，是因为他作恶多端。如今太子宫中的大臣不惜冒死罪向太子拜别送行，朝廷因此对他们加重处罚，消息传布到四面八方，反而更显得太子的道德高尚，不如把他们全部释放了吧。”贾谧于是通知洛阳县令曹摅，让他把关押的人全部释放。乐广也没有因

摅使释之。广亦不坐[430]。敦，览之孙。[431]摅，肇之孙也。[432]太子至许[433]，遗王妃书[434]，自陈诬枉。妃父衍不敢以闻[435]。

丙子[436]，皇孙虨卒[437]。

三月，尉氏雨血[438]，妖星[439]见南方，太白昼见[440]，中台星拆[441]。张华少子韪劝华逊位[442]，华不从，曰："天道幽远[443]，不如静以待之。"

太子既废，众情愤怒。右卫督[444]司马雅、常从督[445]许超皆尝给事东宫[446]，与殿中中郎[447]士猗等谋废贾后，复太子。以[448]张华、裴頠安常保位[449]，难与行权[450]，右军将军赵王伦[451]执兵柄，性贪冒[452]，可假以济事[453]，乃说孙秀[454]曰："中宫凶妒无道，与贾谧等共诬废太子。今国无嫡嗣[455]，社稷将危，大臣将起大事。而公[456]名奉事中宫[457]，与贾、郭亲善，太子之废，皆云豫知[458]，一朝事起，祸必相及，何不先谋之乎?"秀许诺，言于伦，伦纳焉，遂告通事令史[459]张林及省事[460]张衡等，使为内应。

事将起，孙秀言于伦曰："太子聪明刚猛，若还东宫，必不受制于人。明公素党于贾后，道路皆知之。今虽建大功于太子，太子谓公特逼于百姓之望[461]，翻覆[462]以免罪[463]耳。虽含忍宿忿[464]，必不能深德明公[465]，若有瑕衅[466]，犹不免诛。不若迁延缓期[467]，贾后必害太子，然后废贾后，为太子报仇，非[11]徒免祸而已，乃更可以得志[468]。"伦然之。

秀因使人行反间，言殿中人[469]欲废皇后，迎[12]太子。贾后数遣宫婢微服于民间听察，闻之甚惧，伦、秀因劝谧等早除太子，以绝众望。癸未[470]，贾后使太医令程据和毒药[471]，矫诏使黄门孙虑至许昌毒太子。太子自废黜[472]，恐被毒，常自煮食于前。虑以告刘振，振乃徙太子于小坊[473]中，绝其食，宫人犹窃于墙上过食与之。虑逼太子以药，太

为私自释放太子官臣而受到惩处。王敦，是王览的孙子。曹摅，是曹肇的孙子。太子到达许昌后，在写给王妃的书信中，陈述自己被诬陷的冤屈。王妃的父亲王衍不敢把太子的书信呈报给惠帝司马衷观看。

正月十四日丙子，皇孙司马彪病逝。

三月，尉氏县降下色红如血的雨，彗星出现在南方天际，太白星在白天出现，三台星座的中星位置出现差异。张华的小儿子张韪劝说张华辞去丞相之职，张华不听劝告，说："天象的变化高深莫测，不如静观事态的发展变化再做打算。"

太子被废之后，群情激愤。担任右卫督的司马雅、担任常从督的许超都曾经在太子东宫任职，于是他们便与担任殿中中郎的士猗等人密谋废掉贾后，恢复太子的地位。他们认为张华、裴頠循规蹈矩，保官保命，很难和他们一道采取非常的行动，担任右将军的赵王司马伦手中握有兵权，此人生性贪婪，只要看见利益就会不顾一切地去冒险，可以借助他的力量除掉贾皇后，于是便劝说司马伦的亲信僚属孙秀，说："贾后凶残妒忌，昏庸无道，与贾谧等人共同诬陷、废黜太子。如今皇帝没有嫡亲的合法继承人，国家将要面临着覆亡的危险，大臣们都将有大的行动。而司马伦有侍奉贾皇后的名声，又与贾谧、郭彰亲密友善，太子的被废，众人都认为他参与了其事，一旦有什么变动，恐怕灾祸必然要落到司马伦的头上，为什么不先采取行动呢?"孙秀应承下来，就去劝说司马伦，司马伦采纳了孙秀的建议，于是司马伦告诉了中书令史张林以及省事张衡等人，让他们作为内应。

事变将要发生，孙秀提醒司马伦说："太子聪明而生性刚烈、勇猛，如果让他回到东宫，他必然不会受制于人。你平素一向依附于贾后，就连路上的行人都知道。如今即使为太子复位立了大功，太子也会认为你是被大多数人的愿望推动，才反戈一击，帮助太子以求得免去自己的罪责。虽然太子暂且会容忍过去对你的愤恨，肯定不会从心眼里感激你，如果再让他抓住其他方面的一些把柄，你还是难免被诛杀。不如借故推迟行事，拖延时间，贾后必然加害太子，到那时你再废掉贾后，为太子报仇，如此的话就不仅是免除灾祸而已，更可以实现你执掌朝政的夙愿。"司马伦非常赞同孙秀的意见。

孙秀趁机派人去行使反间计，说殿中人要废掉贾皇后，迎接太子复位。贾后屡次派宫中奴婢到民间微服访察，听到这个消息后心里非常恐惧，司马伦、孙秀趁机劝说贾谧等人早日除掉太子，以断绝众人的希望。三月二十二日癸未，贾后派太医令程据配制好毒药，假传皇帝诏命派黄门孙虑到许昌去毒死太子。太子自从被废黜之后，就常常担心有人要毒害自己，所以经常亲自煮饭吃。孙虑把要毒死太子的命令告诉了负责监管太子的治书侍御史刘振，刘振于是把太子转移到官外的一个小房里居住，断绝了太子的饮食来源，而许昌官里的人仍然偷偷地从墙上把食物递过来给太子吃。孙虑逼太子吃药，太子不肯吃，孙虑就用捣药杵把太子司马遹活活地打

子不肯服，虑以药杵椎杀之[474]。有司请以庶人礼葬，贾后表请以广陵王礼葬之[475]。

夏，四月辛卯朔，日有食之。

赵王伦、孙秀将讨贾后，告右卫佽飞督[476]闾和，和从之，期以癸巳[477]丙夜一筹[478]，以鼓声为应。癸巳[479]，秀使司马雅告张华曰："赵王欲与公共匡社稷[480]，为天下除害，使雅以告。"华拒之。雅怒曰："刃将加[13]颈，犹为是言邪[481]？"不顾而出[482]。

及期[483]，伦矫诏敕三部司马[484]曰："中宫与贾谧等杀吾太子，今使车骑[485]入废中宫。汝等皆当从命，事毕，赐爵关中侯，不从者诛三族。"众皆从之。又矫诏开门，夜入，陈兵道南[486]。遣翊军校尉齐王冏[487]将百人排阁[488]而入，华林令[489]骆休为内应，迎帝幸东堂。以诏召贾谧于殿前，将诛之。谧走入西钟下，呼曰："阿后[490]救我！"就斩之[491]。贾后见齐王冏，惊曰："卿何为来？"冏曰："有诏收[492]后。"后曰："诏当从我出，何诏也[493]！"后至上阁[494]，遥呼帝曰："陛下有妇，使人废之，亦行自废[495]矣。"是时，梁王肜[496]亦预其谋[497]。后问冏曰："起事者谁？"冏曰："梁、赵[498]。"后曰："系狗当系颈[499]，反系其尾，何得不然！"遂废后为庶人，幽之于建始殿。收赵粲、贾午等付暴室[500]考竟[501]。诏尚书收捕贾氏亲党，召中书监、侍中、黄门侍郎、八座[502]皆夜入殿。尚书始疑诏有诈，郎师景[503]露版[504]奏请手诏[505]，伦等斩之以徇[506]。

伦阴与秀谋篡位，欲先除朝望[507]，且报宿怨[508]，乃执[509]张华、裴𬱟、解系、解结等于殿前。华谓张林曰："卿欲害忠臣邪？"林称诏诘之[510]曰："卿为宰相，太子之废，不能死节，何也？"华曰："式乾之议[511]，臣谏事[512]具存，可覆按[513]也。"林曰："谏而不从，何不去位[514]？"华无以对。遂皆斩之，仍夷三族。解结女适裴氏[515]，明日当嫁而祸起，裴氏欲认活之[516]，女曰："家既如[14]此，我何以活为？"亦坐死。朝廷

死了。有关部门的官员请求以平民的礼仪埋葬太子，贾后却上表请求以广陵王的礼仪将太子司马遹埋葬。

夏季，四月初一日辛卯，发生日食。

赵王司马伦、孙秀准备讨伐贾后，他先通知了担任右卫佽飞督的闾和，闾和表示听从调遣，于是约定于四月初三日癸巳三更天的第一声鼓响，内应就开始行动。到了初三日癸巳这一天，孙秀让司马雅转告张华说："赵王司马伦想与您共同匡扶社稷，为天下除去祸害，因此让我转告您。"张华表示拒绝参加。司马雅愤怒地说："刀都架在脖子上了，还坚持说这种不同意的话吗？"说完就头也不回地出门走了。

到了约定的那个时辰，司马伦假传圣旨命令三支军队的司马官说："贾后与贾谧等人杀死了太子，如今命令车骑将军司马伦入宫废掉贾后。你等都要服从命令，事情成功之后，赏赐你们关中侯的爵位，如果不听从命令，就诛灭你们的三族。"大家都表示听从命令。又假传圣旨打开了宫门，趁黑夜进入宫中，把军队布防在皇宫内的御道南侧。派担任翊军校尉的齐王司马冏率领一百人撞开内宫门进入内宫，担任华林园令的骆休作为内应，将晋惠帝司马衷迎到东堂。以皇帝的名义召贾谧来到殿前，准备在那里杀死他。贾谧得知消息后逃到西边的大钟底下，大声呼喊："阿后快来救我！"话音刚落，武士已经追上前去将贾谧杀死在西钟之下。贾后看见齐王司马冏进入后宫，吃惊地问："你为什么来到这里？"司马冏回答说："有皇帝的诏书命令逮捕你。"贾后说："诏书应该由我签发，你哪里来的诏书？"贾后逃到楼上，远远地向晋惠帝喊话说："陛下的皇后，你让人废掉她，你自己也快要被人废了。"当时，梁王司马肜也参与了杀害太子的阴谋。贾后问司马冏说："带头起事的是谁？"司马冏回答说："梁王司马肜、赵王司马伦。"贾后说："拴狗要拴住狗的脖子，反而拴了狗的尾巴，怎么能不这样呢！"于是将贾后废为平民，囚禁在建始殿。又派人去逮捕了赵粲、贾午等人，送到宫中的染织房拷问。下诏命令尚书逮捕贾氏的亲信党羽，召集中书监、侍中、黄门侍郎、尚书省的八位高级官员连夜入宫。尚书开始的时候怀疑诏书有诈，担任尚书郎的师景用不封口的奏章递上去请查验是否真有皇帝的手诏，司马伦等人立即将师景杀死示众。

赵王司马伦与孙秀密谋篡夺帝位，准备先除掉朝中那些有威望的大臣，且又报复旧日的仇怨，于是在殿前逮捕了张华、裴頠、解系、解结等人。张华质问张林说："你想杀害忠臣吗？"张林以皇帝的名义诘责他说："你身为宰相，太子被废，你不能为节义而死，为什么呢？"张华辩解说："在式乾殿上群臣讨论废黜太子的问题时，我劝阻的奏章都还保存着，可以找出来佐证。"张林进一步逼问说："劝阻而不听从，为什么你不辞去丞相之职？"张华无言以对。于是几位大臣当即被杀戮，仍旧被灭了三族。解结的女儿嫁给裴家做媳妇，明天就要出嫁而今天灾祸发生，裴家想通过认这位儿媳救她一命，解结的女儿却说："全家既然都要被杀，我活着还有什么意义呢？"

由是议革旧制，女不从死[517]。甲午[518]，伦坐端门[519]，遣尚书和郁[520]持节送贾庶人于金墉，诛刘振、董猛、孙虑、程据等。司徒王戎及内外官坐张、裴亲党[521]黜免者甚众。阎缵抚张华尸恸哭，曰："早语君逊位而不肯，今果不免，命也！"

于是赵王伦称诏赦天下，自为使持节、都督中外诸军事、相国、侍中，一依宣、文辅魏故事[522]。置府兵[523]万人，以其世子[524]散骑常侍荂[525]领冗从仆射[526]，子馥为前将军，封济阳王[527]，虔为黄门郎[528]，封汝阴王[529]，诩为散骑侍郎，封霸城侯。孙秀等皆封大郡[530]，并据兵权。文武官封侯者数千人，百官总己[531]以听于伦。伦素庸愚，复受制于孙秀。秀为中书令，威权振朝廷，天下皆事秀[532]而无求于伦。

诏追复故太子遹位号[533]，使尚书和郁帅东宫官属[534]迎太子丧于许昌。追封遹子虨为南阳王，封虨弟臧为临淮王，尚为襄阳王。

有司奏："尚书令王衍备位大臣[535]，太子被诬，志在苟免[536]，请禁锢终身[537]。"从之。

相国伦欲收人望[538]，选用海内名德之士，以前平阳太守李重[539]、荥阳太守荀组[540]为左、右长史[541]，东平王堪[542]、沛国刘谟为左、右司马，尚书郎阳平束皙[543]为记室[544]，淮南王文学[545]荀崧、殿中郎[546]陆机为参军。组，勖之子。崧，彧[547]之玄孙也。李重知伦有异志，辞疾不就。伦逼之不已，忧愤成疾，扶曳受拜[548]，数日而卒。

丁酉[549]，以梁王肜为太宰，左光禄大夫何劭为司徒，右光禄大夫刘寔为司空。

太子遹之废也，将立淮南王允为太弟[550]，议者不合。会赵王伦废贾后，乃以允为骠骑将军、开府仪同三司[551]，领中护军[552]。

己亥[553]，相国伦矫诏遣尚书刘弘赍金屑酒赐贾后死[554]于金墉城。

五月己巳[555]，诏立临淮王臧[556][15]为皇太孙，还妃王氏[557]以母之[558]。

于是也一同被杀。朝廷由于这件事商议改革旧有的制度，父兄犯罪，未嫁女子不再跟着父兄一起被杀。四月初四日甲午，司马伦亲自坐镇端门，派遣尚书和郁手持符节押送贾南风前往金墉城，将刘振、董猛、孙虑、程据等人全部处死。朝内朝外受张华、裴頠以及他们的亲戚、朋友牵连而被罢黜免职的人非常多，司徒王戎就在其中。阎缵抚摸着张华的尸体痛哭流涕，说道："早就劝你辞职而你硬是不肯，如今果然不能避免一死，这是你命中注定的啊！"

于是，赵王司马伦宣称奉皇帝诏命，大赦天下，自封为使持节、都督中外诸军事、相国、侍中，一切都仿照当年宣帝司马懿、文帝司马昭"辅佐"曹魏皇帝那种样子。安置一万军队作为相国府的直属军队，任命自己的长子、担任散骑常侍的司马荂为代理冗从仆射，其他的几个儿子，司马馥为前将军，封为济阳王，司马虔为黄门郎，封为汝阴王，司马诩为散骑侍郎，封为霸城侯。把大郡封给孙秀等亲信作为采邑，并让他们握有兵权。文武官员被封为侯爵的有几千人，百官都约束自己，小心翼翼地听命于司马伦。而司马伦一向昏庸愚鲁，因而受制于孙秀。孙秀担任中书令，威风和权势震动了朝廷，天下人都听命于孙秀而无求于司马伦。

晋惠帝下诏恢复已故太子司马遹的太子爵位与封号，派尚书和郁率领东宫太子的旧有官员僚属到许昌迎接太子的灵柩。追封司马遹的儿子司马虨为南阳王，封司马虨的弟弟司马臧为临淮王，封司马尚为襄阳王。

有关部门奏请说："尚书令王衍身居大臣之位，太子被诬陷，他一心只顾个人苟且偷生，应该一辈子不许他再出来做官。"司马衷批准。

担任相国的司马伦想要博得人们的赞许，便大量提拔那些在国内富有名望又有才德的人士出来做官，任命前平阳郡太守李重、荥阳郡太守荀组分别担任左长史和右长史，任命东平人王堪、沛国人刘谟分别担任左司马和右司马，任命正在担任尚书郎的阳平郡人束皙为记室，任命在淮南王司马允手下担任文学的荀崧、担任殿中郎的陆机为参军。荀组，是荀勖的儿子。荀崧，是荀彧的玄孙。李重知道司马伦有篡位的野心，便称说自己有病不肯接受任命。司马伦不停地催逼他，李重因为忧郁愤懑，竟然真的患了重病，被人搀扶着勉强接受了任命，没几天就死去了。

四月初七日丁酉，任命梁王司马肜为太宰，任命左光禄大夫何劭为司徒，右光禄大夫刘寔为司空。

在太子司马遹被废黜的时候，朝廷曾经准备册立淮南王司马允为太弟，作为皇位继承人，因为官员的意见不统一才没有册封。碰巧遇上赵王司马伦废掉贾后，于是任命司马允为骠骑将军、开府仪同三司，兼任中护军之职。

四月初九日己亥，相国司马伦假传惠帝司马衷的旨意派遣担任尚书的刘弘带着掺有黄金碎末的酒到金墉城中赐给贾后，贾后喝下后死在金墉城。

五月初九日己巳，晋惠帝下诏封司马遹的儿子临淮王司马臧为皇太孙，让被迫

太子官属即转为太孙官属，相国伦行太孙太傅[559]。

己卯[560]，谥故太子曰愍怀。六月壬寅[561]，葬于显平陵。

清河康王遐[562]薨。

中护军淮南王允性沈毅，宿卫将士皆畏服之。允知相国伦及孙秀有异志，阴养死士[563]，谋讨之。伦、秀深惮之。秋，八月，转允为太尉，外示优崇，实夺其兵权[564]。允称疾不拜[565]，秀遣御史刘机逼允，收其官属以下[566]，劾以拒诏，大逆不敬。允视诏，乃秀手书也。大怒，收御史，将斩之。御史走免，斩其令史[567]二人。厉色谓左右曰："赵王欲破[568]我家！"遂帅国兵[569]及帐下[570]七百人直出，大呼曰："赵王反，我将讨之，从我者左袒[571]。"于是归之者甚众。允将赴宫，尚书左丞王舆闭掖门[572]，允不得入，遂围相府[573]。允所将兵皆精锐，伦与战屡败，死者千余人。太子左率[574]陈徽勒东宫兵鼓噪于内以应允[575]。允结陈[576]于承华门前，弓弩齐发，射伦，飞矢雨下。主书司马眭秘[577]以身蔽伦，箭中其背而死。伦官属皆隐树而立，每树辄中数百箭，自辰至未[578]。中书令陈淮，徽之兄也，欲应允，言于帝曰："宜遣白虎幡以解斗[579]。"乃使司马督护伏胤[580]将骑四百持幡从宫中出。侍中汝阴王虔在门下省[581]，阴与胤誓[582]曰："富贵当与卿共之。"胤乃怀空版[583]出，诈言有诏助淮南王。允不之觉[584]，开阵内之，下车受诏，胤因杀之，并杀允子秦王郁、汉王迪，坐允夷灭[585]者数千人。曲赦洛阳[586]。

初，孙秀尝为小吏，事黄门郎潘岳，岳屡挞[587]之。卫尉石崇之甥欧阳建素与相国伦有隙[588]。崇有爱妾曰绿珠，孙秀使求之，崇不与。及淮南王允败，秀因称石崇、潘岳、欧阳建奉允[589]为乱，收之[590]。崇叹

与太子司马遹离婚的王衍之女回宫抚育皇太孙。原来太子的官属就转为皇太孙的官属，相国司马伦兼任太孙太傅。

五月十九日己卯，为已故太子司马遹加谥号为“愍怀”。六月十三日壬寅，将太子司马遹安葬在显平陵。

清河王司马遐去世，谥号为“康”。

担任中护军的淮南王司马允性格沉稳刚毅，守卫宫廷的将士都很惧怕他，也真心敬服他。司马允知道相国司马伦和孙秀怀有篡位的野心，就暗中训练了一批敢死队，密谋讨伐司马伦。司马伦、孙秀也非常忌惮他。秋季，八月，改任司马允为太尉，表面上是表示对司马允的优待尊崇，实际上是解除了司马允手中的兵权。司马允称病不肯接受任命，孙秀就派担任御史的刘机去逼迫司马允接受任命，并将司马允手下的属官全部拘捕，同时弹劾司马允抗拒诏命，犯了大逆不敬之罪。司马允看过诏书，发现竟然是孙秀的手笔。于是大怒，就将御史刘机抓了起来，准备把他杀掉。刘机寻机逃跑才算逃过一死，司马允就将司马伦的两个兰台令史杀死了。司马允极其严肃地对左右的人说：“赵王司马伦要毁灭我的全家!”于是立即率领从淮南国带来的亲兵和中护军帐下的七百名士兵冲出大门，大声呼叫说：“赵王谋反，我要去讨伐他，愿意跟随我的就脱去左衣袖袒露出你们的左臂。”于是追随他的人很多。司马允准备进入宫中，担任尚书左丞的王舆关闭了皇宫端门左右的旁门，司马允无法进入宫中，便率人包围了司马伦的相国府。司马允率领的都是精锐之士，司马伦屡次出战屡次失败，死了上千人。担任太子左卫率的陈徽组织东宫的士兵在宫内呐喊助威声援司马允。司马允在承华门前摆开阵势，弓弩齐发射向司马伦，箭如雨下。担任主书司马的眭秘用自己的身体掩护司马伦，背上多处中箭而死。司马伦的官属都站在大树后面隐藏起来以躲避司马允一方射过来的箭，每棵树上都被射中几百支箭，从辰时一直战斗到未时。担任中书令的陈准，是陈徽的哥哥，他准备响应司马允，就对惠帝说：“应该派人拿着白虎幡前去解除他们的争斗。”于是派遣担任司马督护的伏胤率领四百骑兵手持白虎幡从宫中出来。司马伦的儿子、现任侍中的汝阴王司马虔当时正在门下省值班，他私下里向伏胤发誓说：“荣华富贵，我当与你共同分享。”伏胤于是怀揣一道没有任何字迹的诏书出宫，谎称皇帝有诏书让他协助淮南王司马允作战。司马允毫无察觉，就打开营门请进伏胤，并下车跪拜接受诏命，伏胤趁机杀死了司马允，司马允的儿子秦王司马郁、汉王司马迪也同时被杀害，受司马允牵连而被诛杀、灭族的有几千人。在这种特殊情况下，特下诏对洛阳城内的罪犯一律赦免。

当初，孙秀曾经在黄门侍郎潘岳手下担任过小官吏，潘岳屡次鞭打他。卫尉石崇的外甥欧阳建一向与相国司马伦有仇。石崇有一个爱妾名叫绿珠，孙秀派人来向石崇索要绿珠，石崇不给。等到淮南王司马允失败被杀后，孙秀趁机诬陷石崇、潘岳、欧阳建拥戴司马允作乱，于是他们被拘捕。石崇叹息了一声说：“那些奴才只

曰:"奴辈利吾财⑤⁹¹尔[16]!"收者曰:"知财为祸,何不早散之!"崇不能答。初,潘岳母常诮责⁵⁹²岳曰:"汝当知足,而干没不已⁵⁹³乎?"及败,岳谢母曰:"负⁵⁹⁴阿母!"遂与崇、建皆族诛,籍没崇家⁵⁹⁵。相国伦收淮南王母弟吴王晏,欲杀之。光禄大夫傅祗争之于朝堂,众皆谏止,伦乃贬晏为宾徒县王⁵⁹⁶。

齐王冏以功迁游击将军⁵⁹⁷,冏意不满,有恨色。孙秀觉之,且惮其在内⁵⁹⁸,乃出为平东将军,镇许昌。

以光禄大夫陈准为太尉,录尚书事。未几,薨。

孙秀议加相国伦九锡⁵⁹⁹,百官莫敢异议。吏部尚书刘颂曰:"昔汉之锡魏⁶⁰⁰,魏之锡晋⁶⁰¹,皆一时之用⁶⁰²,非可通行⁶⁰³。周勃、霍光⁶⁰⁴,其功至大,皆不闻有九锡之命也。"张林积忿不已,以颂为张华之党,将杀之。孙秀曰:"杀张、裴已伤时望⁶⁰⁵,不可复杀颂。"林乃止。以颂为光禄大夫。遂下诏加伦九锡,复加其子荂抚军将军⁶⁰⁶,虔中军将军⁶⁰⁷,诩为侍中。又加孙秀侍中、辅国将军、相国司马,右率⁶⁰⁸如故,张林等并居显要。增相府兵为二万人,与宿卫同⁶⁰⁹,并所隐匿之兵⁶¹⁰,数逾三万。

九月,改司徒为丞相,以梁王肜为之,肜固辞不受。

伦及诸子皆顽鄙无识,秀狡黠贪淫,所与共事者,皆邪佞之士,惟竞荣利⁶¹¹,无深谋远略[17],志趣乖异⁶¹²,互相憎嫉。秀子会为射声校尉⁶¹³,形貌短陋,如奴仆之下⁶¹⁴者,秀使尚帝女河东公主。

冬,十一月甲子⁶¹⁵,立皇后羊氏⁶¹⁶,赦天下。后,尚书郎泰山羊玄之⁶¹⁷之女也。外祖平南将军乐安孙旂⁶¹⁸,与孙秀善,故秀立之。拜玄之光禄大夫、特进⁶¹⁹、散骑常侍,封兴晋侯。

诏征益州刺史赵廞为大长秋⁶²⁰,以成都内史⁶²¹中山耿滕⁶²²为益州刺

是贪图我的财产罢了！”逮捕他的人说：“你既然知道财产是祸根，为什么不早点散掉它呢！”石崇哑口无言。当初，潘岳的母亲经常讽刺斥责潘岳，对他说：“你应当知道满足，为什么总是沉溺于追求财货而没有止境呢？”等到潘岳被捕，潘岳向他的母亲谢罪说：“我辜负了母亲的教诲，对不起母亲！”于是与石崇、欧阳建等人一道被诛杀、灭族。石崇家的产业被全部收归朝廷。相国司马伦逮捕了淮南王司马允的同母弟弟吴王司马晏，并准备杀死他。担任光禄大夫的傅祗在朝堂上据理力争，大臣们也都极力规劝，司马伦这才打消杀死司马晏的念头，只是把司马晏贬黜为宾徒县王。

齐王司马冏因功被任命为游击将军，司马冏对此很不满意，面露愤恨之色。孙秀察有所觉，对他留在京师手握兵权本来就感到不安，于是改任司马冏为平东将军，派他去镇守许昌。

任命光禄大夫陈准为太尉、录尚书事。没过多久，陈准就去世了。

孙秀建议惠帝赐予司马伦九锡之礼，满朝文武百官没有人敢提出异议。吏部尚书刘颂说：“过去汉献帝给魏武帝曹操加九锡，曹魏又先后给晋宣王司马懿、晋景王司马师、晋文王司马昭加九锡，都是临时的特殊措施，不可把它当作正常情况下的惯例。周勃、霍光，他们的功劳最大，却从来没有听说皇帝赏赐他们九锡的诏命。”张林对刘颂的新仇旧恨一齐涌上心头，就指控刘颂是张华的党羽，要杀掉刘颂。孙秀说：“杀掉张华、裴頠已经遭到社会名流的反对，现在不能再杀掉刘颂了。”张林这才罢手。任命刘颂为光禄大夫。晋惠帝于是下诏给司马伦加九锡之礼，又提升司马伦的儿子司马荂为抚军将军，司马虔为中军将军，司马诩为侍中。又给孙秀加上侍中、辅国将军、相国司马的头衔，原来的太子右卫率职务依然不变，张林等人都官居要职。把守卫司马伦相府的军队增加到二万人，与皇帝的警卫人员数量相同，再加上司马伦不肯公开的隐秘部队，军队数量实际上超过了三万人。

九月，改司徒为丞相，任命梁王司马肜为丞相，司马肜坚决推辞不肯接受任命。

司马伦和他的几个儿子都是那种顽劣卑鄙、没有见识的人，而孙秀则狡诈多端、贪财淫乱，与他共事的那些人也都是些奸佞小人，只知道追求地位与金钱，而没有深谋远虑，每个人的志向趣味又不相同，因而互相憎恨嫉妒。孙秀的儿子孙会担任射声校尉，他的身材矮小，形貌丑陋不堪，就像奴仆中的下等人，孙秀让他娶了晋帝的女儿河东公主为妻。

冬季，十一月初七日甲子，立羊献容为皇后，大赦天下。羊皇后，是担任尚书郎的泰山人羊玄之的女儿。她的外祖父是平南将军乐安人孙旂，孙旂与孙秀的关系亲密友善，所以孙秀立羊献容为皇后。任命羊玄之为光禄大夫、特进、散骑常侍，封兴晋侯。

晋惠帝下诏征调益州刺史赵廞回京师洛阳担任大长秋，任命成都王的内史中山

史。廞，贾后之姻亲也，闻征[623]甚惧[624]，且以晋室衰乱，阴有据蜀[625]之志，乃倾仓廪，赈流民，以收众心。以李特兄弟材武，其党类皆巴西[626]人，与廞同郡，厚遇之，以为爪牙。特等凭恃廞势，专聚众为盗，蜀人患之。滕数密表[627]："流民刚剽[628]，蜀人懦弱[629]，主不能制客，必为乱阶[630]，宜使还本居[631]。若留之险地[632]，恐秦、雍之祸更移于梁、益矣。"廞闻而恶之。

州被诏书[633]，遣文武千余人迎滕。是时，成都治少城，益州治太城，[634]廞犹在太城，未去。滕欲入州[635]，功曹陈恂谏曰："今州、郡构怨[636]日深，入城必有大祸，不如留少城以观其变，檄诸县[637]合村保[638]以备秦氏[639]，陈西夷行至[640]，且当待之。不然，退保犍为[641]，西渡江源[642]，以防非常。"滕不从。是日，帅众入州[643]。廞遣兵逆[644]之，战于西门。滕败死，郡吏[645]皆窜走，惟陈恂面缚诣廞[646]，请滕死[647][18]，廞义而许之。

廞又遣兵逆西夷校尉陈总。总至江阳[648]，闻廞有异志，主簿蜀郡赵模曰："今州郡不协，必生大变，当速行赴之。府是兵要[649]，助顺讨逆，谁敢动者？"总更缘道停留[650]，比至南安鱼涪津[651]，已遇廞军。模白总："散财募士以拒战，若克州军[652]，则州可得；不克，顺流而退，必无害也。"总曰："赵益州忿耿侯[653]，故杀之，与吾无嫌[654]，何为如此？"模曰："今州起事，必当杀君以立威，虽不战，无益也[655]。"言至垂涕，总不听，众遂自溃。总逃草中，模著总服格战。廞兵杀模，见其非是，更搜求得总，杀之。

廞自称大都督、大将军、益州牧，署置僚属[656]，改易守令[657]，王官[658]被召，无敢不往。李庠[659]帅妹婿李含，天水任回、上官晶，扶

郡人耿滕为益州刺史。赵廞是贾后的姻亲，他听到要征调自己回京的消息后非常恐惧，而且认为晋朝势力衰落、政局混乱，心中已有据蜀称王、独霸一方的志向，于是就将仓库中的粮食全部拿出来赈济流亡的灾民以收买人心。赵廞认为流民李特兄弟有才能又有勇力，他们手下的一伙人又都是巴西郡人，与赵廞是同郡，于是赵廞特别厚待李特兄弟，把他们视作自己的爪牙。李特等人依仗赵廞的权势，专门聚众为盗，蜀人认为他们是最大的祸患。耿滕多次秘密向朝廷报告说："流民强横、剽悍，蜀人怯懦、软弱，主人不能控制客人，必然要成为叛乱的根源，应当让流民回到他们原来的居住地略阳去。如果仍旧让他们留在地形险峻、易守难攻的巴蜀一带，恐怕秦州、雍州的灾祸就要转移到梁州、益州了。"赵廞听到后非常憎恨耿滕。

益州衙门接到耿滕将来继任刺史的诏书后，就派文武官员上千人前往迎接。当时，成都内史的府衙在少城，益州刺史的府衙在太城，赵廞当时还占据着太城没有离开。耿滕想进入太城接任刺史，担任功曹的陈恂劝阻他说："如今益州刺史赵廞与成都内史之间结怨日益加深，进入太城必有大祸，不如暂且留在少城坐观其变，传令给成都国所属各县，合小村为大村，并小堡为大堡，严密组织起来护卫自己的村落，防备李特等从秦州迁移来的氐族人的抢掠，西夷校尉陈总很快就会到达成都，不如暂且等待他到来之后再做打算。不然的话，我们就撤回犍为郡据守，向西渡过江源，以防不测的事情发生。"耿滕不听劝告。当天，率领众人进入太城。赵廞派兵迎击，战于太城西门。耿滕战败被杀，耿滕的僚属全都四处逃窜，只有陈恂反绑双手来到赵廞面前，请求收葬耿滕的尸体，赵廞赞许陈恂的义气便答应了他的请求。

赵廞又派遣军队迎击西夷校尉陈总。陈总率领军队到达江阳县时，听到了赵廞行将叛变的消息，担任主簿的蜀郡人赵模向他献计说："如今州、郡官员之间不和睦，必然会有大的变乱发生，应当迅速赶到那里。您在这一带掌管军事要职，您协助朝廷官员讨伐叛逆，他们谁敢乱动？"陈总却沿路走走停停，当到达南安县的鱼涪津渡口时，已经与赵廞的军队相遇。赵模向陈总建议说："赶紧散发钱财，招募兵勇以抗拒赵廞，如果能够打败赵廞的益州军队，就可以占领益州，如果打不败他们，就顺流而退，一定不会有什么损失。"陈总说："赵廞怨恨耿滕，所以杀死耿滕，赵廞与我却是无仇无怨，为什么要杀害我呢？"赵模说："如今益州叛乱，必定要杀死你以树立他的威严，即使不与他们作战，也不能饶你不死。"言辞恳切，以至于痛哭流涕，陈总就是不听劝告，众人于是自行溃散了。陈总躲藏到荒草丛中，赵模换上陈总的官服挺身而出与赵廞格斗拼杀。赵廞的士兵杀死赵模后，才发现他不是陈总，于是就到处搜寻，终于在杂草丛中将陈总搜出，并将他杀死。

赵廞自称大都督、大将军、益州牧，自行委派属下的各种官员，撤换了原有的郡守、县令，朝廷所任命的各级官员如果被赵廞召见，没有人敢不去。李特的弟弟李庠率领妹婿李含，天水郡人任回、上官晶，扶风郡人李攀，始平郡人费他，氐族风李攀，始平费他⑥⑩，氐苻成、隗伯⑥⑪等四千骑归廞。廞以庠为威寇将军，封阳泉亭侯，委以心膂⑥⑫，使招合六郡⑥⑬壮勇至万余人，以断北道⑥⑭。

---

【段旨】

以上为第三段，写晋惠帝永康元年（公元三〇〇年）一年中的大事。主要写了贾皇后继续陷害太子司马遹，将太子软禁于许昌宫；写了禁兵统领司马雅、许超、士猗等劝赵王司马伦废贾后，救太子；孙秀则唆使司马伦借贾后之手先杀了太子，而后起兵杀了贾谧、贾后与张华、裴頠、解系、解结等人；写了司马伦独揽朝权，图谋篡位，为装门面而引用李重、荀组、王堪、陆机一批人；写了中护军淮南王司马允起兵讨司马伦，结果反为司马伦所灭，受牵连而死者数千人；写了益州刺史赵廞勾结流寓巴西之秦州氐帅李特等阴图割据巴蜀，击杀新任刺史耿滕与西夷校尉陈总，赵廞自立为大都督、益州刺史，控制了成都一带。

【注释】

㊵⑥正月癸亥朔：正月初一是癸亥日。㊵⑦西戎校尉司马阎缵：西戎校尉的司马官名叫阎缵。阎缵字续伯，其祖父阎圃是张鲁的智囊，曾劝张鲁降魏。传见《晋书》卷四十八。㊵⑧舆棺诣阙上书：抬着棺木前往皇宫上书，以示不怕死。㊵⑨汉戾太子：汉武帝的太子刘据，卫子夫所生，戾字是其死后的谥。㊶⓪称兵拒命：因不服奸党所传武帝的命令而举兵反抗。当时奸人江充向汉武帝进谗言，奉命搜查太子宫，刘据举兵反抗，最后兵败被杀事，见本书卷第二十二征和二年（公元前九一年）。㊶①言者犹曰罪当笞：言者指车千秋。戾太子事件发生后，车千秋上书为太子申冤，说太子的这种行为如同"子弄父兵，罪当笞"。㊶②受罪：被诬陷。指贾后造作反辞，强加在太子头上。㊶③不敢失道：自己仍不反抗，听从皇帝处置。㊶④悛改：悔改。㊶⑤弃：放弃，这里指杀。㊶⑥首辞：自首（实即诬陷）所说的话。㊶⑦班示公卿：发给朝臣们传阅。㊶⑧许昌宫：许昌（今河南许昌东）的宫殿，昔日汉献帝所居。㊶⑨持书御史："治书侍御史"，官名，主管监察文武官吏，审理疑难案件。㊷⓪持节守之：手执朝廷的旌节监管着太子。守，看守。㊷①宫臣：太子宫的百官群臣。㊷②舍人：官名，即太子舍人，太子手下的属官。㊷③冒禁：不顾朝廷的禁令。㊷④伊水：河水名，在京都洛阳之南。㊷⑤司隶校尉满奋：满奋字武秋，曾任尚书令，现为司隶校尉之职。司隶校尉是京城所在地区的行政长官，相当于地方上的刺史。㊷⑥河南狱：河南郡的郡治洛阳城里的监狱。㊷⑦乐广悉解遣之：当时任河南尹的乐广把他们通通放走了。㊷⑧都官从事：司隶校尉的属官，掌监察百官。㊷⑨重辟：严法。㊸⓪广亦不坐：

人苻成、隗伯等四千骑兵归顺了赵廞。赵廞任命李庠为威寇将军，封他为阳泉亭侯，把李庠当作自己的骨干、心腹，并派他到秦川所属的天水、略阳等六郡招募精壮的勇士，李庠果然招集到了一万多人，赵廞将他们布防在巴蜀北部，阻断了从关中进入巴蜀的北来之道。

---

乐广私自放人也没有受到惩处。坐，牵连受罪。㉛ 敦二句：王敦是王览的孙子。王览是曹魏时代的显贵王祥的异母弟。㉜ 摅二句：曹摅是曹肇的孙子。曹肇是魏国的宗室大臣曹休之子，曾任屯骑校尉。传见《三国志》卷九。㉝ 许：汉献帝的旧时京城许昌。㉞ 遗王妃书：给他已经离婚的妻子，即王衍的女儿写信。㉟ 不敢以闻：不敢把信呈报给皇帝看。当时王衍任司徒，即丞相之职。㊱ 丙子：正月十四。㊲ 皇孙彪卒：不言有何疾病，意即为贾后所杀。㊳ 尉氏雨血：尉氏县降下色红如血的雨。尉氏是晋县名，即今河南尉氏。㊴ 妖星：通常所说的贼星，即彗星。㊵ 太白昼见：太白星在白天出现。太白星即今所谓金星。㊶ 中台星拆：三台星座的中星位置出现差异。拆，位置出现变异，不像正常状况下的挨着。〖按〗古人迷信天人感应，认为这样的一连串自然变化，预示着将有重大的社会灾难降临。故将天变写于史书。古人认为彗星出现，意味着战火起、国君丧，金星昼见，跟太阳争明，意味有女主当权，中台星移动不齐，意味着君臣乖戾。㊷ 逊位：退位；辞去丞相之职。㊸ 天道幽远：天象的变化异常，人们是很难弄明白的。幽远，高深莫测。㊹ 右卫督：掌管皇城禁卫军的右部长官。㊺ 常从督：帝王的禁卫武官。㊻ 给事东宫：在东宫任职。给事，服务、任职。㊼ 殿中中郎：统率宫殿卫队的长官，位在殿中将军之下，多由皇帝亲信充任。㊽ 以：认为；因为。㊾ 安常保位：循规蹈矩，保官保命。㊿ 难与行权：很难和他们一道采取非常的行动。〖按〗前文已写左卫率刘卞为此牺牲了性命。(451) 赵王伦：司马伦，司马懿之子，司马衷的堂叔祖，此时任右将军。传见《晋书》卷五十九。(452) 贪冒：见利不顾一切，敢于冒险。(453) 可假以济事：可以借着他的力量除掉贾皇后。假，借助。济，成事。(454) 孙秀：司马伦的亲信僚属。(455) 嫡嗣：嫡亲的合法继位人。(456) 公：敬称司马伦。(457) 名奉事中宫：有侍奉贾皇后的名声，隐指其与贾后关系不清。(458) 皆云豫知：都说你参与了其事。豫知，参与、过问。(459) 通事令史：中书令史，中书省的办事人员。(460) 省事：官名。省，了解、过问的意思。(461) 逼于百姓之望：被大多数人们的愿望推动。逼，推动、驱使。(462) 翻覆：今之所谓“倒戈”“反戈一击”。(463) 以免罪：以求得免罪。(464) 含忍宿忿：暂且容忍过去对你的愤恨。(465) 必不能深德明公：肯定不可能从心底里感激您。(466) 若有瑕衅：如果再让他们抓住一些别的把柄。瑕衅，漏洞、把柄。(467) 迁延缓期：推迟行事，拖延时间。(468) 得志：掌握大权，甚至篡位。(469) 殿中人：指右卫督司马雅、常从督许超、殿中中郎士猗等。(470) 癸未：三月二十二。(471) 和毒药：配制

毒药。㊼②自废黜：自被废黜以来。㊼③小坊：指宫外的小房子。㊼④以药杵椎杀之：用捣药的杵将太子打死。〖按〗司马遹被害时，年二十三岁。㊼⑤以广陵王礼葬之：司马遹在未当太子前，曾封为广陵王。㊼⑥右卫佽飞督：右卫将军的部属。时有佽飞、虎贲二督。佽飞是古代善于射箭的勇士，汉武帝以来，作为卫士部队的称号。㊼⑦癸巳：四月初三。㊼⑧丙夜一筹：三更天的第一声鼓响。在时钟未发明之前，人们把一夜分为"五更"。二十一点至二十三点为"一更"，二十三点至一点为"二更"，一点至三点为"三更"，三点至五点为"四更"，五点开始称"五更"，直到天亮。宫廷用滴漏或击鼓报更，初更一声，二更二声……五更五声。丙夜，即三更。一筹，三更的第一声鼓响。㊼⑨癸巳：到了四月初三这一天。㊽⓪共匡社稷：共同帮着朝廷解决问题，指处理贾南风。匡，正、扶助。㊽①犹为是言邪：还坚持说这种不同意的话吗？㊽②不顾而出：头也不回地出门走了。不顾，生气离去的样子。㊽③及期：到了约定的那个时辰。㊽④敕三部司马：命令三支军队的司马官。三部，即卫尉和卫将军所辖的前驱、由基、强弩三部。㊽⑤车骑：车骑将军，指赵王司马伦。当时赵王司马伦以车骑将军的职衔领右军将军。㊽⑥道南：皇宫内的御道之南。㊽⑦翊军校尉齐王冏：齐王司马冏是司马攸之子，司马衷的堂兄弟。传见《晋书》卷五十九。翊军校尉是禁军的统领。㊽⑧排阁：推开内宫之门。排，推开、撞开。㊽⑨华林令：华林园令，管理华林园的长官，上属大鸿胪。㊾⓪阿后：指贾后，贾谧的姨妈。㊾①就斩之：追到西钟下将贾谧杀死。㊾②收：捉拿；逮捕。㊾③何诏也：你说的是什么诏。㊾④上阁：楼上。㊾⑤亦行自废：你自己也快要被人废了。㊾⑥梁王肜：司马懿之子，司马伦的亲兄弟。㊾⑦亦预其谋：也参加了废黜贾后。㊾⑧梁、赵：梁、赵二王。㊾⑨系狗当系颈：贾后后悔没有先杀梁王司马肜、赵王司马伦，而用全副精力去对付司马遹了。㊿⓪暴室：宫中的染织室，妃嫔有犯罪者亦系于此处。㊿①考竟：拷问罪行。㊿②八座：尚书省的八位高级官员，即尚书令、尚书仆射及其下属的六曹尚书。㊿③郎师景：尚书郎名，姓师名景。㊿④露版：不封口的奏章。㊿⑤奏请手诏：请求见到皇帝的手诏。㊿⑥斩之以徇：杀死师景，并以之示众。目的是禁止人们再追问废贾后是不是皇帝的意思。㊿⑦朝望：朝廷上有名望的官员。㊿⑧宿怨：旧仇。㊿⑨执：拘捕。孙秀、司马伦与张华、裴頠、解系结怨事，见本书卷第八十二元康六年（公元二九六年）。当时孙秀造成关中之乱，解结（解系之弟）曾提出孙秀之罪当诛。㊿⑩称诏诘之：以皇帝的名义质问他。㊿⑪式乾之议：在式乾殿上群臣讨论贾后诬陷太子的问题时。㊿⑫谏事：劝阻的奏章。㊿⑬按：查找。㊿⑭去位：辞去丞相之职。㊿⑮适裴氏：嫁给裴家做媳妇。㊿⑯欲认活之：想通过认这位儿媳的办法救她活下来。认，指认亲。㊿⑰女不从死：指父兄犯罪，未嫁女子不跟着父兄一起被杀。㊿⑱甲午：四月初四。㊿⑲端门：皇宫的正南门。㊿⑳和郁：晋初名臣和峤之弟。事迹见《晋书》卷四十五。㊿㉑张、裴亲党：张华、裴頠的亲戚、朋友。㊿㉒宣、文辅魏故事：像当初司马懿、司马昭"辅佐"曹魏皇帝那种样子。㊿㉓府兵：相国府的直属军队。㊿㉔世子：司马伦的合法继承人。㊿㉕散骑常侍荂：司马荂，现任散骑常侍之职。散骑常侍是皇帝的侍从人员，自魏至晋，散骑常侍、散骑侍郎与侍中、黄门侍郎共同参与尚书奏事，都是重要官职。㉖领冗从仆射：代理冗从仆射。领，兼任。冗从仆射是皇帝的侍卫长官。㉗济阳王：封地济阳郡，郡治在今河南兰考东北。㉘黄门郎：皇帝的侍从人员，以其能出入宫廷而得名。㉙汝阴王：封地汝阴郡，郡治即今安徽阜阳。㉚封大郡：指封给大郡作采邑。㉛总己：约束自己，小心地听命于人。㉜事秀：听命于孙秀。㉝位号：爵位与封号。㉞东宫官属：太子宫旧有官员僚属。㉟备位大臣：身居大臣之位。备位，充数、空占着官位。㊱志在苟免：一心只顾个人的苟且偷生。指王衍断绝与司马遹的姻亲关系，又不转奏司马遹陈述冤屈的书信等。㊲禁锢终身：一辈子不让他再做官。㊳欲收人望：想要博得人们的赞许。㊴李重：字茂曾，曾任尚书郎、中书郎等职，为官清正。传见《晋书》卷四十六。㊵荀组：字大章，曾任太子中庶子等职。传见《晋书》卷三十九。㊶长史：丞相、将军属下的诸史之长，甚有权位。㊷东平王楙：东平国的王楙。东平国的首府须昌，在今山东东平西北。㊸阳平束皙：阳平郡人，姓束名皙。束皙字广微，当时的著名学者。传见《晋书》卷五十一。阳平是晋郡名，郡治元城，在今河北大名东。㊹记室：丞相、将军属下的文秘官员。㊺淮南王文学：淮南王司马允（司马炎之子）的文学。文学是官名，或称“文学掾”“文学史”，执掌教育。㊻殿中郎：尚书省“殿中曹”的长官，掌拟诏书，多用文学之士。㊼彧：荀彧，曹操的重要谋士，因不满曹操篡权，被曹操杀死。传见《三国志》卷十。㊽扶曳受拜：被人搀扶着接受了任命。㊾丁酉：四月初七。㊿为太弟：使其为日后帝位的继承人。551开府仪同三司：开设办事衙门，一切礼仪规格与丞相等职相同。三司，司徒、司马、司空。552领中护军：兼任中护军之职。中护军是统领宫廷警卫部队的长官。553己亥：四月初九。554赍金屑酒赐贾后死：金屑酒，掺有黄金碎末的酒。〖按〗贾南风死时年四十四岁。555五月己巳：五月初九。556临淮王臧：前被杀太子司马遹之子。557还妃王氏：让被迫宣告与太子遹离婚的王衍之女再回来。558以母之：以做太孙的母亲。559行太孙太傅：兼任太孙太傅之职，实即为了加强对未来皇帝的控制。560己卯：五月十九。561六月壬寅：六月十三。562清河康王遐：司马遐，司马炎之子，司马衷之弟。清河王是封号，康字是谥。563阴养死士：暗中训练了一支敢死队。564实夺其兵权：免去了他的中护军之职。565不拜：不接受任命。566收其官属以下：将司马允手下的属官全部拘捕。567令史：兰台令史，御史的属下。568破：毁灭。569国兵：从淮南国带来的亲兵。570帐下：指中护军帐下的士卒。571左袒：袒露开左臂的衣袖。一来用以区别拥护者，二来是学习当年周勃进入北军，号令北军归附自己的姿态。572掖门：皇宫端门左右的旁门。573相府：司马伦的府第。当时司马伦把东宫当相国府。574太子左率：太子左卫率，领兵宿卫东宫。575应允：响应司马允。576结陈：列阵；摆开阵式。577主书司马眭秘：相国府的属官姓眭名秘。578自辰至未：从辰时打到未时。辰时相当于今上午七至九时，未时相当于今下午一至三时。579宜遣白虎幡以解斗：“白虎幡”是帝王用以催战的信号。解斗应使用“驺虞幡”。陈准是想利用司马衷的痴呆骗得白虎幡去指挥司马允的军队，使司马伦的军队误认为司马允出兵攻打司马伦是奉皇帝之命。⑱司马督护伏胤：殿前禁兵的武官姓伏名胤。⑲门下省：侍中的办事机构，因在宫内，故称“门下”。⑳阴与胤誓：司马虔拉拢伏胤，令其出去改助赵王司马伦。583怀空版：怀揣一道没有写字的诏书。版，写诏书使用的绢帛或木板。584允不之觉：司马允没有发觉伏胤的奸诈。585坐允夷灭：受司马允的牵连被灭族。586曲赦洛阳：对洛阳城内的犯罪者一律赦免，目的在于争取洛阳人的拥护。曲赦，不当赦而赦。587挞：用鞭或用棍棒打。孙秀在潘岳手下当小吏时，狡黠而自以为是，潘岳厌恶他的为人，屡次鞭打他。588有隙：有仇。欧阳建弹劾司马伦事，见本书卷第八十二元康六年（公元二九六年）。589奉允：拥戴司马允。590收之：逮捕了石崇、潘岳、欧阳建。据《晋书·石崇传》，当时石崇正在楼上宴饮，逮捕他的武士抵达大门时，石崇对绿珠说：“我为你犯下了大罪。”绿珠哭泣说：“我当死在你之前。”于是跳楼自杀。据《太平广记》，白州（今广西博白）双角山下，有绿珠井。从前梁家女儿绿珠，美貌盖世，石崇出使交州，用珍珠三斛买绿珠而归。591利吾财：就是贪图我的钱财。592诮责：讽刺斥责。593干没不已：沉溺于追求财货而没有止境。594负：辜负；对不起。595籍没崇家：将石崇家的产业全部没收归公。596贬晏为宾徒县王：当时亲王的领土通常为一个郡，现在贬为一个县。当时的宾徒县属昌黎郡，在今辽宁锦州北四十余里处。597游击将军：统率禁军的将领。当时以领军将军、护军将军、左右卫将军、骁骑将军、游击将军所领的军队为“六军”。598在内：在朝廷之内。599加相国伦九锡：给司马伦以九锡之礼，指剑履上殿、赞拜不名、纳陛以登等九项特殊礼遇。600汉之锡魏：指汉献帝给曹操加九锡。601魏之锡晋：指曹魏先后给司马懿、司马师、司马昭加九锡。602一时之用：临时的特殊措施，即篡位的前奏。603非可通行：不能当作正常的惯例。604周勃、霍光：都是西汉权臣。周勃是刘邦的开国元勋，又平定吕氏之乱，拥立了汉文帝。事见《史记·绛侯周勃世家》。霍光是汉武帝的托命大臣，又曾废昌邑王，另立汉宣帝。事见《汉书·霍光传》。605伤时望：遭到社会名流的反对。606抚军将军：位在四征将军之上，且参与朝政。607中军将军：统二卫、前、后、左、右、骁骑等宿卫七营禁军，主管京师及宫廷警卫。608右率：太子右卫率，领兵宿卫东宫。609与宿卫同：与皇帝的警卫数量相同。610隐匿之兵：没有公开的武装部队。611荣利：名声与实利；职位与金钱。612志趣乖异：各人的志向趣味互不相同。613射声校尉：禁军长官，负责戍卫京师。614奴仆之下：奴仆中的下等。615十一月甲子：十一月初七。616羊氏：名献容。617羊玄之：泰山郡（郡治即今山东泰安）人，无事迹可言。传见《晋书》卷九十三。618孙旂：字伯旗，乐安（今山东高青）人，曾任卫尉、兖州刺史。传见《晋书》卷六十。619光禄大夫、特进：光禄大夫是光禄勋的属官，是皇帝的参谋顾问人员。特进是一种荣誉职务，给予退休的高级官僚，礼秩如三公，无具体职务。620大长秋：官名，管理皇后宫中的事务。621成都内史：成都王的内史。诸侯国的内史掌管该国的行政，地位在国相之下。622中山耿滕：中山郡人耿滕。中山郡的郡治即今河北定州。㉓闻征：接到调其回京的命令。㉔甚惧：怕因自己是贾后的亲戚而被杀。㉕据蜀：据蜀称王，独霸一方。㉖巴西：晋郡名，郡治即今四川阆中。〖按〗李特部众由巴西到汉中，再由汉中到略阳，后又从略阳折回祖居地巴西。事见本书卷第八十二元康八年（公元二九八年）。㉗密表：向朝廷秘密报告。㉘刚剽：强硬、剽悍。㉙懦弱：怯懦、软弱。㉚必为乱阶：必然要成为西蜀地区叛乱的根源。阶，基础、条件。㉛使还本居：让他们回到原来居住的略阳（今甘肃天水、静宁一带）。㉜险地：指当时的巴蜀地区，因其地险阻，容易据以作乱。㉝州被诏书：益州衙门接到耿滕将来继任刺史的命令。被，接到。㉞成都治少城二句：少城即小城，太城即大城。二城都是战国时秦国张仪所筑。二城相连，都在成都城中。东是太城，西是少城。成都内史的府衙在少城，益州刺史的府衙在太城。㉟入州：指进入太城接任刺史。㊱州、郡构怨：益州刺史赵廞与成都内史耿滕之间结怨。诸侯国相当郡级，故称成都曰郡。㊲檄诸县：传令给成都国所属各县。㊳合村保：合小村为大村，并小堡为大堡。保，此处通"堡"。㊴秦氐：李特等刚从秦州（甘肃）一带迁来的氐族人。㊵陈西夷行至：西夷校尉陈总很快就要到达。西夷校尉是负责管理西夷事务的武官，驻兵汶山（今四川茂县北）。行，即将。㊶犍为：晋郡名，郡治武阳（今四川眉山市彭山区东）。㊷江源：晋县名，在今四川成都西南六十余里。㊸入州：进入成都太城。㊹逆：迎；迎击。㊺郡吏：指耿滕在成都国内的僚属。㊻面缚诣廞：自缚双手，往见赵廞。面缚，双手缚于背后，身前只见其面。㊼请滕死：请求收葬耿滕的尸体。死，通"尸"。㊽江阳：晋县名，县治即今四川泸州。㊾府是兵要：您在这一带掌管军事重任。府，校尉府，敬称西夷校尉陈总。㊿缘道停留：沿路走走停停。(651)南安鱼涪津：南安县（今四川乐山）的鱼涪津渡口。鱼涪津，又名青衣江渡口。(652)州军：指赵廞所带的军队。(653)耿侯：敬称耿滕。(654)无嫌：没有仇怨。嫌，嫌隙、仇怨。(655)无益也：不能让你免死。(656)署置僚属：委派"大都督""大将军""益州牧"属下的各种官员。署，任命。(657)改易守令：撤换原有的郡守、县令。(658)王官：朝廷任命的各地方官员。(659)李庠：李特之弟。(660)始平费他：始平郡（郡治槐里，今陕西兴平东南）人，姓费名他。(661)氐苻成、隗伯：氐族人苻成、隗伯。(662)委以心膂：把他当作骨干、心腹。(663)六郡：指秦川所属的天水、略阳等六郡。(664)以断北道：堵住从关中入蜀的北来之道。

## 【校记】

［11］非：据章钰校，甲十一行本、乙十一行本、孔天胤本皆作"岂"。［12］迎：原作"立"。据章钰校，甲十一行本、乙十一行本、孔天胤本皆作"迎"，张敦仁《通鉴刊本识误》同，今从改。［13］加：原作"在"。据章钰校，甲十一行本、乙十一行本、孔天胤本皆作"加"，张敦仁《通鉴刊本识误》同，今从改。［14］如：据章钰校，甲十一行本、乙十一行本、孔天胤本皆作"若"。［15］临淮王臧：原误作"临海王臧"。据章钰

校，甲十一行本、乙十一行本、孔天胤本皆作“临淮王臧”，今据校正。〖按〗司马臧于永康元年四月封临淮王，事见《晋书》卷五十三本传。[16] 尔：据章钰校，乙十一行本作“耳”。[17] 深谋远略：原作“远谋深略”。据章钰校，甲十一行本、乙十一行本、孔天胤本皆作“深谋远略”，今从改。[18] 死：据章钰校，甲十一行本、乙十一行本、孔天胤本皆作“丧”。

## 【研析】

本卷写了惠帝元康九年（公元二九九年）、永康元年（公元三〇〇年）共两年间的全国大事，其中可议论的主要有以下几点。

第一，万恶的贾皇后之死。贾皇后这个既妒又丑的小女子之所以能被立为太子妃，完全是由于前一位杨皇后百般为之保驾。贾氏女在为太子妃之后，“尝以妒手杀数人，又以戟掷孕妾，子随刃堕”。司马炎曾生气要废掉她的太子妃号，而后一位杨皇后又百般为之说情，说什么“妒者妇人常情，长自当差”。这两位杨氏太后为什么如此热心地为贾氏女说情呢？没有别的，就是为了讨好大权奸贾充，希望能与贾充结为亲密之党。没想到贾氏女是一只喂不熟、养不驯的豺狼。在她当了皇后之后，她杀死了后一位杨太后的生母，又活活将杨太后饿死。王志坚《读史商语》对此写道：“杨氏二后，一劝立贾后，一劝无废贾后，已而弑杨后、灭其族者，即贾后也。可以为徇私误国者之戒！”掌权者用权不出以公心，而处处为自己的私利做打算，结果搬起石头砸自己的脚，真是活该！

第二，张华之死。贾氏女当皇后之后，灭了杨氏一门，杀了她的婆母杨太后，又杀了太子司马遹，对于这样一个罪恶昭彰的女人，前后有数名大臣找身为丞相的张华商议，想要发动政变废掉贾氏，而张华死活不干。结果被赵王司马伦趁机而起，司马伦杀了贾后、贾谧一党，同时也连带着杀了张华、裴頠、解系、解结等人。王志坚《读史商语》对此说：“贾后以妇废姑，使之称妾，已绝膳而杀之，惠帝若不闻，此岂复有人理哉？使司马氏诸王或其大臣唱义而起，废帝杀后，谋于众而置君焉，然后尽去其疵政，此亦宇内一快也，乃竟无一人焉议及此者。使如许罪人不以‘弑逆’诛，而以杀太子诛，不诛于正法讨罪之人，而诛于党逆后、谋杀太子之赵王伦，使人不能无恨！”王夫之《读通鉴论》说：“张华谋略之士，可与立功，而未可与守正，非能秉大节者也……华之决策平吴，何其明也！执政于淫昏之廷，而‘庶务粗举，民犹安之’，何其审也！拒刘卞之说，不欲为陈蕃之为，以冀免于祸，抑不可不谓‘工于全身’。然而身卒殒、国卒危者，何也？智有余而义不足也。贾模，贾氏之党也，知贾氏之亡晋，而以忧死，华且从容晏处，托翰墨记问以自娱，固自信其智足以游羿彀中而恃之以无惧，故晋之亡，非贾谧能亡之，华亡之也。刘卞进扶立太子之说，非不知人而妄投，亦舍华而更无可言者。华无能为矣，然后志士灰心而狂夫乘衅，栋折榱崩，则瓦解而室倾，岂更有望哉？且华之居势非陈蕃比也。蕃依窦武以图社稷，武不得宦官之腹心为之内应，华则贾模、裴頠以贾氏姻族为内援以相辅，其成也可八九得。然而不能者，华于贾氏废姑杀其母之日委顺其闲，则气不可复振。盖华者离义为智，而不知不义者之未有能智者也。是以君子于其死也不闵之。”说得好。裴頠等人，其情可闵，其死可悲。至于张华，比李斯强不了多少，他的死也是活该！

# 卷第八十四　晋纪六

起重光作噩（辛酉，公元三〇一年），尽玄黓阉茂（壬戌，公元三〇二年），凡二年。

【题解】

本卷写了晋惠帝永宁元年（公元三〇一年）至太安元年（公元三〇二年）共两年间的全国大事。主要写了赵王司马伦在孙秀、司马威等人协助下，逼晋惠帝让位，司马伦组建朝廷，大封党羽，排挤齐王司马冏、成都王司马颖、河间王司马颙；写了司马冏、司马颖、司马颙起兵讨伐司马伦，司马颖大破司马伦军，朝内王舆、司马漼等发动政变，逼司马伦退位，迎司马衷复辟；写了司马冏把持朝权，对帝无礼，对下傲慢，而司马颖则听卢志之谋，韬晦退让，于是深得众心；写了东莱王司马蕤与王舆谋废司马冏，被司马冏杀死；写了司马颙联合长沙王司

【原文】

**孝惠皇帝中之上**

**永宁元年**[①]**（辛酉，公元三〇一年）**

春，正月，以散骑常侍安定张轨[②]为凉州[③]刺史。轨以时方多难，阴有保据河西[④]之志，故求为凉州。时州境盗贼纵横，鲜卑为寇。轨至，以宋配、汜瑗为谋主[⑤]，悉讨破之，威著西土[⑥]。

相国伦与孙秀使牙门[⑦]赵奉诈传宣帝神语[⑧]云："伦宜早入西宫[⑨]。"散骑常侍义阳王威[⑩]，望之孙也，素谄事[⑪]伦。伦以威兼侍中，使威逼夺帝玺绶，作禅诏[⑫]，又使尚书令满奋持节奉玺绶[⑬]禅位于伦。左卫将军王舆、前军将军司马雅等帅甲士入殿，晓谕三部司马[⑭]，示以威赏，无敢违者。张林等屯守诸门[⑮]。乙丑[⑯]，伦备法驾[⑰]入宫，即帝

马乂、范阳王司马虓、成都王司马颖等起兵讨伐司马冏，司马冏兵败被杀；写了司马乂在朝掌权，一切都听命于远在邺城的司马颖；写了凉州刺史张轨在河西地区经营地盘，图谋自立；写了益州刺史赵廞据益州叛乱，被氐族头领李特率流民破杀；写了益州新任刺史罗尚与广汉太守辛冉逼迫流民北迁，李特借流民不满之机发兵起事，攻占广汉郡、梓潼郡，并进兵围攻成都，击败益州刺史罗尚；写了东北地区的鲜卑族慕容廆部大破宇文部，逐渐成了气候等。

---

【语译】

**孝惠皇帝中之上**

**永宁元年（辛酉，公元三〇一年）**

春季，正月，任命散骑常侍安定郡人张轨为凉州刺史。张轨认为当时国家多灾多难，暗中产生要盘踞河西一带称王的野心，所以他主动向朝廷请求担任凉州刺史。当时凉州境内盗贼猖獗，横行不法，鲜卑部落又不断侵扰凉州。张轨到达凉州任所之后，任用宋配、汜瑗为智囊，采纳他们的建议，彻底消灭凉州境内的所有盗贼，打败鲜卑部落，所以张轨的声威震动了西部疆土。

担任相国的司马伦与孙秀让牙门官赵奉谎称梦见宣帝司马懿显灵说："司马伦应该尽早入宫称帝。"担任散骑常侍的义阳王司马威，是司马望的孙子，他一向谄媚、巴结司马伦。司马伦任命司马威兼任侍中，让司马威去逼迫皇帝司马衷交出玺绶，撰写让位给司马伦的诏书，又指使担任尚书令的满奋手持符节、捧着皇帝的玺绶以皇帝司马衷的名义将皇位禅让给赵王司马伦。担任左卫将军的王舆、担任前军将军的司马雅等人则率领全副武装的士兵进入宫殿，向三部司马宣布新任皇帝司马伦的命令，告诉他们顺从者赏、违逆者罚，所以没有人敢于违抗命令。张林等人率领军队屯守在宫城各门。正月初九日乙丑，司马伦乘坐着皇帝使用的最庄严的车驾进入

位，赦天下，改元建始。帝自华林西门⑱出居金墉城，伦使张衡将兵守之。

丙寅⑲，尊帝为太上皇⑳，改金墉曰永昌宫，废皇太孙㉑为濮阳王。立世子荂㉒为皇太子，封子馥为京兆王，虔为广平王，诩为霸城王，皆侍中将兵㉓。以梁王肜为宰衡㉔，何劭㉕为太宰，孙秀为侍中、中书监、票骑将军、仪同三司，义阳王威为中书令，张林为卫将军，其余党与皆为卿、将㉖，超阶越次㉗，不可胜纪，下至奴卒，亦加爵位。每朝会，貂、蝉盈座㉘，时人为之谚曰："貂不足，狗尾续。"㉙是岁，天下所举贤良、秀才、孝廉皆不试㉚，郡国计吏㉛及太学生年十六以上者[1]皆署吏㉜，守令㉝赦日在职者皆封侯，郡纲纪㉞并为孝廉㉟，县纲纪㊱并为廉吏㊲。府库之储，不足以供赐与。应侯者㊳多，铸印不给㊴，或以白板封之㊵。

初，平南将军孙旂㊶之子弼，弟子髦、辅、琰皆附会孙秀，与之合族㊷，旬月间致位通显㊸。及伦称帝，四子皆为将军，封郡侯㊹，以旂为车骑将军、开府㊺。旂以弼等受伦官爵过差㊻，必为家祸，遣幼子回㊼责之。弼等不从，旂不能制，恸哭而已。

癸酉㊽，杀濮阳哀王臧㊾。

孙秀专执朝政，伦所出诏令，秀辄改更与夺㊿，自书青纸为诏，或朝行夕改，百官转易(51)如流。张林素与秀不相能(52)，且怨不得开府，潜与太子荂笺，言"秀专权不合众心，而功臣皆小人，挠乱朝廷，可悉诛之"。荂以书白伦(53)，伦以示秀。秀劝伦收林，杀之，夷其三族。秀以齐王冏、成都王颖、河间王颙，各拥强兵，据方面(54)，恶之，乃尽用其亲党为三王参佐(55)，加冏镇东大将军、颖征北大将军，皆开府

皇宫，即位，大赦天下，改年号为建始。将下台的皇帝司马衷从华林园西门出宫送往金墉城软禁起来，司马伦派张衡率兵看守金墉城。

正月初十日丙寅，司马伦尊皇帝司马衷为太上皇，将金墉城改名为永昌宫，将皇太孙司马臧废黜，另封司马臧为濮阳王。司马伦封自己的长子司马荂为皇太子，封自己的儿子司马馥为京兆王，司马虔为广平王，司马诩为霸城王，几个人都担任侍中，负责统率军队。任命梁王司马肜为宰衡，何劭为太宰，孙秀为侍中、中书监、骠骑将军、开府仪同三司，义阳王司马威为中书令，张林为卫将军，其余的党羽，不是被封为列卿，就是被封为诸中郎将，破格提拔的人不可胜数，就连最卑微的奴仆、士卒，也都赏给了爵位。每当朝会的时候，满座的人都佩戴貂、蝉，所以当时的人们就编造一句谚语说："貂不足，狗尾续。"这一年，全国各地所推举的贤良、秀才、孝廉，全都没有经过考试就被照准，各郡、国向朝廷举荐的跟随计吏一同进京的人士和国学中凡是年满十六岁的学子全被录用为朝廷的正式官吏，郡守、县令凡是在大赦的那天在职的都被封为侯爵，各郡的吏曹都被授予孝廉的资格，县中的主簿、录事吏等则被授予廉吏的资格。国家府库中多年储备的钱物，竟然不够司马伦用来赏赐。由于被封为侯爵的人数太多，连印信都来不及铸造，有的干脆就赏赐给一块白色木板作为爵位的凭证。

当初，平南将军孙旂的儿子孙弼，侄子孙髦、孙辅、孙琰都依附于孙秀，与孙秀续上家谱，结为一族，所以他们四个人在旬月之间就都获得了显赫的官位。等到司马伦称帝后，这四个人又都被任命为将军，被封为郡侯，又任命孙旂为车骑将军、开府仪同三司。孙旂认为孙弼等人接受司马伦的封赏、爵位超过了正常的制度规定，必然会给家族带来灾祸，于是就派自己的小儿子孙回去责备他的四个哥哥。孙弼等人根本听不进去，孙旂也不能制止，只有痛哭而已。

正月十七日癸酉，司马伦将皇太孙、濮阳王司马臧杀死，谥号为"哀"。

孙秀专擅朝政，司马伦所发出的诏书、命令，孙秀都要按照自己的意愿改动其中的字句或改变其中的赏罚、升降等，再重新书写在一张青纸上作为诏书发布出去，有时早晨才发布执行的诏令到晚上就又改变了，百官的职位变动就像流水一样不断。张林与孙秀一向不和，而且怨恨孙秀不给他开建府署、辟置僚属的权力，于是便暗中写信给太子司马荂，他在信中说"孙秀专擅朝政，不符合众人的心意，而那些功臣都是些小人，他们扰乱朝廷的秩序，应该把他们全部除掉"。司马荂把张林的书信送交司马伦，司马伦又把信拿给孙秀看。孙秀于是劝说司马伦逮捕张林，不仅杀死张林，还诛杀他的三族。孙秀认为齐王司马冏、成都王司马颖、河间王司马颙，全都拥有强大的兵力，各自占据一方，掌握着一方的大权，因而心里非常忌恨他们，于是孙秀就利用职权把三王的高级僚属全部换上自己的亲信或党羽，又晋升司马冏为镇东大将军、司马颖为征北大将军，都享有开府仪同三司的待遇，想以此来表示

仪同三司，以宠安之。

李庠骁勇得众心，赵廞浸忌之⑯而未言。长史蜀郡杜淑、张粲说廞曰："将军起兵始尔⑰，而遽遣⑱李庠握强兵于外。非我族类，其心必异，此倒戈授人⑲也，宜早图之。"会庠劝廞称尊号，淑、粲因白廞以庠大逆不道，引斩之，并其子侄十余人。时李特、李流皆将兵在外，廞遣人慰抚之曰："庠非所宜言⑳，罪应死，兄弟罪不相及㉑。"复以特、流为督将㉒。特、流怨廞，引兵归绵竹㉓。

廞牙门将涪陵许弇㉔求为巴东监军，杜淑、张粲固执不许。弇怒，手杀淑、粲于廞阁下，淑、粲左右复杀弇。三人，皆廞之腹心也，廞由是遂衰。

廞遣长史犍为费远㉕、蜀郡太守李苾㉖、督护常俊督万余人断北道，屯绵竹之石亭㉗。李特密收兵得七千余人，夜袭远等军，烧之，死者十八九㉘，遂进攻成都。费远、李苾及军祭酒㉙[2]张微夜斩关㉚走，文武尽散。廞独与妻子[3]乘小船走，至广都㉛，为从者所杀。特入成都，纵兵大掠，遣使诣洛阳，陈廞罪状。

初，梁州刺史罗尚闻赵廞反，表㉜"廞素[4]非雄才，蜀人不附，败亡可计日而待"。诏拜尚平西将军、益州刺史，督牙门将王敦㉝、蜀郡太守徐俭、广汉太守辛冉等七千余人入蜀。特等闻尚来，甚惧，使其弟骧于道奉迎，并献珍玩。尚悦，以骧为骑督㉞。特、流复以牛酒劳尚于绵竹，王敦、辛冉说尚曰："特等专为盗贼，宜因会㉟斩之。不然，必为后患。"尚不从。冉与特有旧，谓特曰："故人相逢，不吉当凶矣。"特深自猜惧。

三月，尚至成都。汶山㊱羌反，尚遣王敦讨之，为羌所杀。

齐王冏谋讨赵王伦，未发，会离狐王盛㊲、颍川㊳王处穆[5]聚众

对他们的宠信，借以安定他们。

李庠骁勇善战，深受部众的爱戴，赵廞越来越忌恨李庠，但嘴上还没有说什么。担任长史的蜀郡人杜淑、张粲劝说赵廞说："将军您刚开始起兵，就马上委派李庠率领军队在外地驻扎是很不妥当的。他与我们不是同种族的人，和我们必然不是一条心，这就如同把戈柄倒过来交给别人拿着，是很危险的，应该想办法早日把李庠除掉。"碰巧李庠前来劝说赵廞早日称帝，杜淑、张粲趁机劝说赵廞，让赵廞以李庠犯大逆不道的罪名，把李庠拉出去斩首，连同他的儿子、侄子一同被处死的有十多个人。当时李特、李流都率兵在外，赵廞派人去慰问、安抚他们说："李庠说了不该说的话，按罪应当处死，兄弟之间的罪过是不相牵连的。"又任命李特、李流为统兵的将领。李特、李流因为怨恨赵廞杀死了自己的兄长，于是便率领自己属下的军队返回绵竹。

赵廞的牙门将涪陵郡人许弇请求担任巴东监军，杜淑、张粲坚决不同意。许弇于是大怒，就在赵廞的衙府内杀死了杜淑、张粲，杜淑、张粲的亲信又把许弇杀死。杜淑、张粲、许弇这三个人都是赵廞的心腹，赵廞的势力由此逐渐衰落下来。

赵廞派遣在自己手下担任长史的犍为郡人费远、担任蜀郡太守的李苾、担任督护的常俊率领一万多人前往巴蜀的北部地区去截断北方人进入蜀地的道路，军队就驻扎在绵竹的石亭渡口。已经返回绵竹的李特秘密地招募到七千多人，趁黑夜袭击费远等人的营寨，他们放火烧营，费远等人的军队损失了十之八九，李特趁势进攻成都。费远、李苾以及军祭酒张微，连夜砍开城门逃走，赵廞的文武官员一时之间全部逃散。只剩下赵廞独自与妻子、儿子乘坐小船逃走，到达广都的时候，被自己的随从杀死。李特进入成都，纵兵大肆抢掠，又派使者前往洛阳，向司马伦陈述赵廞的罪状。

当初，梁州刺史罗尚听说赵廞反叛的消息后，就立即上表给朝廷说"赵廞向来没有雄才大略，蜀人不会依附他，用不了多久时间他自己就会灭亡"。司马伦下诏任命罗尚为平西将军、益州刺史，统领牙门将王敦、蜀郡太守徐俭、广汉郡太守辛冉等七千多人一起入蜀。李特等人听说罗尚等人率军前来，感到非常恐惧，就派自己的弟弟李骧前往途中迎候，并向罗尚献上珍玩宝物。罗尚很高兴，立即任命李骧为骑督。李特、李流又在绵竹用牛、酒犒劳罗尚，王敦、辛冉都劝说罗尚，说："李特等人专门为贼为盗，应该趁着接见他们的机会，把他们除掉。不然的话，必为后患无穷。"罗尚不听他们的劝告。辛冉与李特原本是老朋友，于是就提醒李特说："故人相遇，不是吉就是凶。"李特因此而心怀疑虑、惶恐不安。

三月，罗尚到达成都。汶山县的羌人造反，罗尚派遣王敦率军前去讨伐，王敦被羌人杀死。

齐王司马冏密谋讨伐赵王司马伦，但还没有采取行动，正巧离狐县人王盛、颍

于浊泽[79]，百姓从之，日以万数。伦以其将管袭为齐王军司[80]，讨盛、穆，斩之。冏因收袭杀之，与豫州刺史何勖、龙骧将军董艾等起兵，遣使告成都王颖、河间王颙、常山王乂[81]及南中郎将[82]新野公歆[83]，移檄征、镇[84]、州、郡、县、国，称“逆臣孙秀，迷误赵王，当共诛讨。有不从命者，诛及三族”。

使者至邺，成都王颖召邺令卢志[85]谋之。志曰：“赵王篡逆，人神共愤，殿下收英俊以从人望，杖大顺[86]以讨之，百姓必不召自至，攘臂争进[87]，蔑不克[88]矣。”颖从之。以志为谘议参军[89]，仍补左长史[90]。志，毓[91]之孙也。颖以兖州刺史王彦、冀州刺史李毅、督护赵骧、石超等为前锋，远近响应。至朝歌[92]，众二十余万。超，苞[93]之孙也。

常山王乂在其国[94]，与太原内史[95]刘暾各帅众为颖后继。

新野公歆得冏檄，未知所从。嬖人[96]王绥曰：“赵亲[97]而强，齐疏[98]而弱，公宜从赵。”参军孙询[99]大言[100]于众曰：“赵王凶逆，天下当共诛之，何亲疏强弱之有！”歆乃从冏。

前安西参军[101]夏侯奭在始平[102]，合众数千人以应冏，遣使邀河间王颙。颙用长史陇西[6]李含谋，遣振武将军河间张方讨擒奭及其党，腰斩之。冏檄至，颙执冏使送于伦，遣张方将兵助伦。方至华阴[103]，颙闻二王[104]兵盛，复召方还，更附二王[105]。

冏檄至扬州[106]，州人皆欲应冏。刺史郗隆[107]，虑[108]之玄孙也，以兄

川郡人王处穆在浊泽一带招兵买马，百姓前去投靠他们的络绎不绝，每天大约都有一万人。司马伦任命自己的属将管袭去为齐王司马冏担任军司，前去讨伐王盛、处穆，结果大获全胜，杀死了王盛、处穆。齐王司马冏趁机逮捕了管袭，并把管袭杀死，又联合担任豫州刺史的何勖、担任龙骧将军的董艾等人共同起兵，同时派遣使者去联络成都王司马颖、河间王司马颙、常山王司马乂以及担任南中郎将的新野公司马歆，又向四征将军、四镇将军以及州、郡、县、国发布檄文，宣称"逆臣孙秀，迷惑误导赵王司马伦篡夺帝位，天下人应当共同讨伐他，将他诛灭。有敢不听从命令的，一律诛灭三族"。

齐王司马冏的使者到达邺城，成都王司马颖随即召集邺城县令卢志就此事进行商议。卢志说："赵王司马伦篡逆，全国之人和天上的神仙都感到愤怒，殿下应该召集起天下那些英雄豪杰，顺从人民的愿望去讨伐叛逆，这样做顺天地、顺人心，百姓必然不等召唤就会自然聚集到殿下这里来，他们一定会奋勇向前，战无不胜。"司马颖听从了卢志的建议。于是任命卢志为谘议参军，又让他担任左长史之职。卢志，是卢毓的孙子。成都王司马颖任命兖州刺史王彦、冀州刺史李毅、督护赵骧、石超等人为前部先锋，不论远近，凡是听到成都王司马颖起兵消息的人无不立即响应。当司马颖的军队到达朝歌县的时候，军队已经壮大到二十多万人。石超，是石苞的孙子。

常山王司马乂当时正在自己的封国常山，他听到成都王司马颖跟随齐王司马冏起兵的消息后，就与太原国的内史刘暾分别率领军队，在司马颖军队之后向京城洛阳进发。

新野公司马歆收到齐王司马冏讨伐赵王司马伦的檄文后，不知如何是好。他的男宠王绥说："赵王司马伦和你的血缘关系最亲而他的势力也最强大，齐王司马冏与你的血缘关系相对较远而且势力弱小，你应当追随赵王司马伦。"担任参军的孙询立即在大庭广众之中大声地驳斥他说："赵王司马伦是叛逆的元凶，天下人应当联合起来共同诛灭他，管他什么关系亲疏、势力强弱呢！"于是司马歆决心响应司马冏的号召起兵讨逆。

齐王司马冏以前担任安西将军时的参军夏侯奭当时正在始平郡，他立即召集数千人准备响应齐王司马冏，并派人邀请河间王司马颙同时起兵。河间王司马颙采用长史陇西人李含的计谋，派遣担任振武将军的河间人张方率军去讨伐夏侯奭，张方擒获夏侯奭及其党羽，并将他们全部腰斩。齐王司马冏所派遣的投送檄文的使者来到河间王司马颙这里，司马颙立即将使者捆绑起来，并将其转交给赵王司马伦，又派张方率领军队前去支援赵王司马伦作战。张方率军到达华阴县时，河间王司马颙听说齐王司马冏与成都王司马颖兵势强盛，于是便见风转舵，他立即召回张方，转而归附齐王司马冏和成都王司马颖。

齐王司马冏的檄文送达扬州，扬州人都主张响应齐王司马冏的号召起兵讨伐赵

子鉴及诸子悉在洛阳，疑未决，悉召僚吏谋之。主簿淮南赵诱、前秀才⑩虞潭皆曰："赵王篡逆，海内所疾。今义兵四起，其败必矣。为明使君⑪计，莫若自将精兵，径赴许昌⑪，上策也，遣将将兵会之⑫，中策也，量遣小军⑬，随形助胜，下策也。"隆退，密与别驾顾彦谋之，彦曰："诱等下策，乃上计也。"治中留宝⑭、主簿张褒、西曹留承⑮闻之，请见，曰："不审⑯明使君今当何施⑰？"隆曰："我俱受二帝⑱恩，无所偏助，欲守州而已。"承曰："天下者[7]，世祖⑲之天下也。太上⑳承代已久㉑，今上取之㉒，不平㉓。齐王顺时举事㉔，成败可见㉕。使君不早发兵应之，狐疑迁延，变难将生，此州岂可保也？"隆不应。潭，翻㉖之孙也。隆停檄六日不下㉗，将士愤怨[8]。参军王邃镇石头㉘，将士争往归之。隆遣从事于牛渚㉙禁之，不能止。将士遂奉邃攻隆，隆父子及顾彦皆死，传首于冏㉚。

安南将军、监沔北㉛诸军事孟观㉜，以为紫宫帝座无他变㉝，伦必不败，乃为之固守。

伦、秀闻三王㉞兵起，大惧，诈为冏表㉟曰："不知何贼㊱猝见攻围㊲，臣懦弱不能自固㊳，乞中军见救㊴，庶得归死㊵。"以其表宣示内外㊶，遣上军将军孙辅、折冲将军李严帅兵七千自延寿关㊷出，征虏将军张泓、左军将军蔡璜、前军将军闾和帅兵九千自崿阪关㊸出，镇军将军司马雅、扬威将军莫原帅兵八千自成皋关㊹出以拒冏㊺。遣孙秀子会督将军士猗、许超帅宿卫兵三万以拒颖㊻。召东平王楙㊼为卫将军，都督诸军。又遣京兆王馥㊽、广平王虔㊾帅兵八千为三军㊿继援。伦、

王司马伦。而当时担任扬州刺史的郗隆，是郗虑的玄孙，他因为自己哥哥的儿子郗鉴和自己的几个儿子都在洛阳，因此犹豫不决，他把自己的僚佐全部召集起来一起商议此事。担任主簿的淮南人赵诱以及曾以秀才资格被当地政府向朝廷推荐过的虞潭等人都说："赵王司马伦篡逆，海内人人痛恨。如今讨伐赵王司马伦的义军蜂拥而起，司马伦失败是必然的。我们为您的前途考虑，不如您亲自率领精兵，直接奔赴许昌去见齐王司马冏，这是上策，派遣其他将领率领军队前去与齐王司马冏会师，这是中策，酌量派出一支小部队响应齐王司马冏的号召，然后根据形势的发展变化，谁胜利就出兵帮助谁，这是下策。"郗隆回去之后，秘密与担任别驾的顾彦商议，顾彦说："赵诱等人所说的下策，实际上是上策。"在郗隆属下担任治中的留宝、担任主簿的张褒、担任西曹的留承听说此事后，都请求郗隆接见，他们对郗隆说："不知道您现在有什么打算？"郗隆说："我深受宣帝司马懿和武帝司马炎的厚恩，我不偏不倚，只想守住扬州罢了。"留承说："天下，乃是世祖司马昭开创的。太上皇司马衷继位已经很久，如今司马伦取而代之，天下人都不拥护他。齐王司马冏顺应时代潮流举兵讨伐叛逆，谁成功谁失败是显而易见的。您不早日发兵响应，却在这里犹豫不决，迁延时日，恐怕变乱、灾难很快就要发生，扬州又怎能保全呢？"郗隆没有答应。虞潭，是虞翻的孙子。郗隆把齐王司马冏的檄文扣押了六天，不肯向下级僚属传达，将士们都非常愤怒。担任参军的王邃正在镇守石头城，郗隆手下的将士们都争相前往石头城投靠王邃。郗隆派遣手下的从事官率人在牛渚渡口进行拦截，却无法阻止。于是将士们便遵奉王邃为主帅，进攻郗隆，郗隆父子和顾彦都被杀死，王邃等将郗隆的人头砍下来送给司马冏。

担任安南将军、负责监管沔北诸军事的孟观，通过观看星象，发现紫微垣中代表帝位的星座没有什么变化，因而认定司马伦一定不会失败，于是决心为司马伦固守城池。

司马伦、孙秀听说齐王司马冏、成都王司马颖、河间王司马颙三位亲王起兵，感到非常恐惧，就伪造了一份齐王司马冏向皇帝求救的表章，说："不知道从哪里来的一股敌兵突然将我部包围，我由于生性懦弱无法保护自己，请求朝廷派禁军前来救助我们，以使我能够活着回到朝廷。"司马伦把这个伪造的表章转发给朝廷内外的官员观看，企图离间三位亲王的关系，然后派上军将军孙辅、折冲将军李严率领七千军队从延寿关出发，派遣征虏将军张泓、左军将军蔡璜、前军将军闾和率领九千军队从崿阪关出发，派遣镇军将军司马雅、扬威将军莫原率领八千军队从成皋关出发，共同抵挡屯聚在许昌一带的司马冏军队的进攻。又派遣孙秀的儿子孙会统领将军士猗、许超，率领守卫京师的三万精兵负责抵御司马颖的进攻。召回东平王司马楙，任命他为卫将军，负责指挥各路人马。又派遣京兆王司马馥、广平王司马虔率领八千人马作为三支部队的接应增援。司马伦、孙秀日夜祈祷，企图靠符箓、

秀日夜祷祈、厌胜[151]以求福，使巫觋[152]选战日。又使人于嵩山[153]著羽衣[154]，诈称仙人王乔[155]，作书述伦祚长久[156]，欲以惑众。

闰月丙戌朔[157]，日有食之。自正月至于是月[158]，五星互经天[159]，纵横无常。

张泓等进据阳翟[160]，与齐王冏战，屡破之。冏军颍阴[161]，夏，四月，泓乘胜逼之，冏遣兵逆战。诸军[162]不动，而孙辅、徐建军夜乱，径归洛[163]自首曰："齐王兵盛，不可当，泓等已没[164]矣！"赵王伦大恐，秘之，而召其子虔及许超还[165]。会泓破冏露布[166]至，伦乃复遣之。泓等悉帅诸军济颍[167]，攻冏营。冏出兵击其别将[168]孙髦、司马谭等，破之，泓等乃退。孙秀诈称已破冏营，擒得冏，令百官皆贺。

成都王颖前锋至黄桥[169]，为孙会、士猗、许超所败，杀伤万余人，士众震骇。颖欲退保朝歌，卢志、王彦曰："今我军失利，敌新得志，有轻我之心。我若退缩，士气沮衄[170]，不可复用。且战何能无胜负，不若更选精兵，星行倍道[171]，出敌不意，此用兵之奇也。"颖从之。伦赏黄桥之功，士猗、许超与孙会皆持节。由是各不相从，军政不一，且恃胜轻颖[172]而不设备。颖帅诸军击之，大战于溴水[173]，会等大败，弃军南走，颖乘胜长驱济河[174]。

自冏等起兵，百官将士皆欲诛伦、秀。秀惧，不敢出中书省。及闻河北军败，忧懑不知所为。孙会、许超、士猗等至，与秀谋，或欲收余卒出战，或欲焚宫室，诛不附己者，挟伦[175]南就孙旂、孟观[176]，或欲乘船东走入海，计未决。辛酉[177]，左卫将军王舆与尚书广陵公漼[178]帅营兵七百余人自南掖门[179]入宫，三部司马[180]为应于内，攻孙秀、许超、

诅咒等迷信手段给自己带来福运，击败三位王爷的军队，又让巫婆神汉选择作战的日期。又派人登上嵩山，身穿飞鸟羽毛制作的衣服，诈称是仙人王乔，写书说赵王司马伦做皇帝的福分是长久的，想以此来蛊惑人心。

闰三月初一日丙戌，发生日食。从正月一直到闰三月，金、木、水、火、土五星在天空交叉穿行，有时纵向有时横向，完全失去了正常的排列秩序。

征虏将军张泓等人率军占据阳翟县，在与齐王司马冏交战的过程中，屡次将司马冏打败。齐王司马冏将军队驻扎在颍阴县，夏季，四月，张泓乘胜逼近司马冏，司马冏派军队迎战张泓。而司马伦所派遣的其他各路大军全都按兵不动，上军将军孙辅、徐建所率领的军队夜里突然发生变乱，于是二人便率领军队径自返回京城洛阳，向司马伦自首说："齐王兵力强盛，锐不可当，张泓等人已经全军覆没了！"赵王司马伦听后非常恐惧，就一面将此消息封锁起来不让任何人知道，一面召防守黄河以北的司马虔和许超回京师自卫。碰巧此时张泓将打败齐王司马冏的告捷奏章送到京城，司马伦便将司马虔、许超再次派往前线作战。张泓等人率领军队全部渡过颍水，攻打司马冏的营寨。司马冏派遣军队打败配合张泓主力行动的侧翼将领孙髦、司马谭等人，张泓等这才向后撤退。孙秀在朝廷之上谎称前方将士已攻破司马冏的军营，俘虏了齐王司马冏，让文武百官都来向司马伦祝贺。

成都王司马颖的前锋部队到达黄桥，被孙会、士猗、许超的军队打败，损失了一万多人，全军上下都因此感到非常震惊和恐惧。司马颖想把军队撤回朝歌县防守，卢志、王彦都劝阻司马颖说："如今我军作战失利，敌军刚刚打了胜仗，他们必定会产生轻敌的思想。如果我军退缩，士气就会低落、沮丧，就无法再把他们拉上战场作战。况且作战哪能没有胜负，不如重新挑选精兵，昼夜兼程，出敌不意地向对方发起攻击，这是出奇制胜的策略。"司马颖听从了他们的建议。赵王司马伦奖赏黄桥作战的有功将士，于是士猗、许超、孙会都获得手持皇帝旌节的奖赏。由于三人都持有皇帝的旌节，相互之间已不再有统属关系，因而造成军政命令的不统一，而且他们依仗着刚刚打了胜仗，便不把手下败将司马颖的军队放在眼里，因而也就没有戒备。司马颖趁此机会率领诸军对孙会等突然发动袭击，双方在溴水岸边展开激战，孙会等人大败，他们抛弃军队向南逃走，齐王司马颖乘胜长驱直入，渡过了黄河。

自从齐王司马冏等人起兵以来，朝中的文武百官以及将士们都想要诛杀司马伦、孙秀。孙秀非常恐惧，不敢走出中书省一步。当听到黄河以北大军溃败的消息时，更是忧虑愤懑，不知道该如何是好。孙会、许超、士猗等人逃回京城洛阳，与孙秀商议对策，有人主张召集溃散的士兵重新出战，有人主张焚毁宫室，诛杀那些不肯归附自己的大臣，然后挟持赵王司马伦南下投奔孙旂、孟观，有人主张乘船向东逃入大海，议论纷纷，拿不定主意。四月初七日辛酉，担任左卫将军的王舆与担任尚书的广陵公司马漼率领所属的七百多名营兵从皇宫的南侧门进入皇宫，三部司马在

士猗于中书省，皆斩之，遂杀孙奇、孙弼及前将军谢惔等。漼，伷之子也。王舆屯云龙门，召八坐[180]皆入殿中，使伦为诏曰："吾为孙秀所误，以怒三王。今已诛秀，其迎太上皇复位，吾归老于农亩。"传诏[182]以驺虞幡[183]敕将士解兵[184]。黄门将伦[185]自华林东门[186]出，及太子荂皆还汶阳里第[187]，遣甲士数千迎帝于金墉城，百姓咸称万岁。帝自端门[188]入，升殿，群臣顿首谢罪。诏送伦、荂等赴金墉城。广平王虔自河北还，至九曲[189]，闻变，弃军，将数十人归里第[190]。

癸亥[191]，赦天下，改元[192]，大酺[193]五日。分遣使者慰劳三王。梁王肜等表："赵王伦父子凶逆，宜伏诛。"丁卯[194]，遣尚书袁敞持节赐伦死[195]，收其子荂、馥、虔、诩，皆诛之。凡百官为伦所用者皆斥免[196]，台、省、府、卫[197]仅有存者[198]。是日[199]，成都王颖至。己巳[200]，河间王颙至。颖使赵骧、石超助齐王冏讨张泓等于阳翟，泓等皆降。自兵兴六十余日，战斗死者近十万人。斩张衡、闾和、孙髦于东市[201]，蔡璜自杀。五月，诛义阳王威[202]。襄阳太守宗岱承冏檄[203]斩孙旂，永饶冶令空桐机[204]斩孟观，皆传首洛阳，夷三族。

立襄阳王尚[205]为皇太孙。

六月乙卯[206]，齐王冏帅众入洛阳，顿军通章署[207]，甲士数十万，威震京都。

戊辰[208]，赦天下。

复封宾徒王晏[209]为吴王。

甲戌[210]，诏以齐王冏为大司马，加九锡，备物典策[211]，如宣、景、

宫内率禁卫军响应，向孙秀、许超、士猗等人所在的中书省发起进攻，将孙秀、许超、士猗全部杀死，随后又杀死了孙奇、孙弼以及前将军谢惔等人。司马漼，是司马伷的儿子。左卫将军王舆率领军队屯驻在云龙门，他召集八坐进殿，迫使司马伦写下诏书说："我被孙秀误导，因而触怒了三位亲王。如今已经诛杀了孙秀，迎接太上皇复位，我将回归乡里，耕田种地以度余年。"王舆拿到司马伦的退位诏书后，立即派遣人手拿驺虞幡到前线去传达命令，让他们停止战斗，解除对立状态。黄门官架着司马伦从华林园东门出宫，太子司马荂等也都同时回到司马伦在洛阳城中汶阳里的府第。王舆又派数千名全副武装的士兵到金墉城迎接太上皇司马衷回宫，百姓都高呼万岁。司马衷从端门进入皇宫，登上金銮殿，群臣全都向司马衷磕头请罪。司马衷下诏把司马伦、司马荂等人押送金墉城监禁。司马伦的儿子、广平王司马虔从河北返回京城，当到达九曲的时候，听到朝中发生变故，就抛下军队，只带几十个亲信回到洛阳城汶阳里的府第。

四月初九日癸亥，晋惠帝司马衷大赦天下，改元永宁，特别准许天下人聚会畅饮五天，以示同庆。司马衷派使者分头去慰问齐王司马冏、成都王司马颖、河间王司马颙三位亲王。梁王司马肜等人上表说："赵王司马伦父子凶恶叛逆，应该把他们杀掉。"十三日丁卯，司马衷派遣担任尚书的袁敞手持皇帝符节到金墉城赐司马伦自裁，并将司马伦的儿子司马荂、司马馥、司马虔、司马诩全部监押起来，随后全部杀死。百官当中凡是被司马伦任用的一律罢免、驱逐出朝廷，台、省、府、卫等部门的官员大多数都被撤换了，留下来的是极少数。当天，成都王司马颖到达京师洛阳。十五日己巳，河间王司马颙到达京师。成都王司马颖派遣赵骧、石超前往阳翟县协助齐王司马冏讨伐张泓等，张泓等人全部投降。从齐王司马冏起兵那天开始，仅仅六十多天的时间，因战斗而死亡的将士就接近十万人。在洛阳城里的东市将张衡、闾和、孙髦等人斩首示众，左军将军蔡璜自杀。五月，诛杀了义阳王司马威。担任襄阳太守的宗岱按照齐王司马冏所发檄文的要求杀死了孙旂，担任永饶冶令的空桐机杀死了孟观，他们分别把孙旂、孟观的人头割下来送到京师洛阳，孙旂、孟观被灭掉三族。

晋惠帝司马衷立襄阳王司马尚为皇太孙。

六月初二日乙卯，齐王司马冏率领军队进入洛阳城，他将镇军将军的指挥部设在通章署，手下全副武装的军队有几十万，他的声威权势震动了整个京城。

十五日戊辰，大赦天下。

司马衷再次封宾徒县王司马晏为吴王。

六月二十一日甲戌，司马衷下诏任命齐王司马冏为大司马，加授九锡，朝廷所赏赐的一切器物和各种诏令全都根据典册的记载，比照当初宣帝司马懿、景帝司马师、文帝司马昭、武帝司马炎辅佐魏国皇帝时，魏国皇帝所给予的封赏规格。司马

文、武辅魏故事，[212] 成都王颖为大将军，都督中外诸军事，假黄钺，录尚书事，加九锡[213]，入朝不趋[214]，剑履上殿[215]，河间王颙为侍中、太尉，加三赐[216]之礼，常山王乂为抚军大将军，领左军[217]，进广陵公漼爵为王，领尚书，加侍中，进新野公歆[218]爵为王，都督荆州诸军事，加镇南大将军。齐、成都、河间三府[219]各置掾属[220]四十人，武号森列[221]，文官备员[222]而已，识者知兵之未戢[223]也。己卯[224]，以梁王肜为太宰，领司徒[225]。

光禄大夫刘蕃女为赵世子荂妻，故蕃及二子散骑侍郎舆、冠军将军琨皆为赵王伦所委任。大司马冏以琨父子有才望[226]，特宥之[227]，以舆为中书郎[228]，琨为尚书左丞[229]。又以前司徒王戎为尚书令，刘暾为御史中丞，王衍为河南尹。

新野王歆将之镇[230]，与冏同乘谒陵[231]，因说冏曰："成都王至亲[232]，同建大勋，今宜留之与辅政。若不能尔[233]，当夺其兵权。"常山王乂与成都王颖俱拜陵，乂谓颖曰："天下者，先帝[234]之业，王宜维正[235]之。"闻其言者莫不忧惧[236]。卢志[237]谓颖曰："齐王众号百万，与张泓等相持不能决，大王径前济河[238]，功无与贰[239]。然[9]今齐王欲与大王共辅朝政，志闻两雄不俱立，宜因太妃[240]微疾，求还定省[241]，委重齐王[242]，以收四海之心，此计之上也。"颖从之。帝见颖于东堂，慰劳之。颖拜谢曰："此大司马冏之勋，臣无豫[243]焉。"因表称冏功德，宜委以万机，自陈母疾，请归藩。即辞出，不复还营[244]，便谒太庙，出自东阳城门[245]，遂归邺。遣信[246]与冏别，冏大惊，驰出送颖，至七里涧[247]，及之。颖住车言别，流涕滂沱，惟以太妃疾苦为忧，不及时事[248]。由是士民之誉皆归颖。

冏辟新兴刘殷[249]为军谘祭酒，洛阳令曹摅[250]为记室督[251]，尚书郎江统、阳平太守河内苟晞[252]参军事，吴国张翰[253]为东曹掾[254]，孙惠为户曹掾[255]，前廷尉正顾荣[256]及顺阳王豹[257]为主簿。惠，贲[258]之曾孙；

衷封成都王司马颖为大将军、都督全国诸军事、假黄钺、录尚书事，加九锡，入朝朝见皇帝时不用小步快走，还允许他穿着鞋子、佩带宝剑上殿；任命河间王司马颙为侍中、太尉，加赏弓矢、铁钺、圭瓒三种器物；任命常山王司马乂为抚军大将军，兼领左将军统辖的部队；晋封广陵公司马漼为广陵王，兼任尚书之职，加封侍中；晋封新野公司马歆为新野王、都督荆州诸军事，加封镇南大将军。齐王府、成都王府、河间王府三府的办事机构各设置僚属四十人，他们的僚属大多带有武官名号，文官则是有职无权、充数而已，有远见卓识的人都知道战乱还没有停止。二十六日己卯，司马衷任命梁王司马肜为太宰，兼领司徒之职。

光禄大夫刘蕃的女儿是赵王司马伦长子司马荂的妻子，所以刘蕃和他的两个儿子散骑侍郎刘舆、冠军将军刘琨都被司马伦委以重任。担任大司马的司马冏认为刘琨父子很有才干和声望，所以就特别赦免他们，并任命刘舆为中书侍郎，任命刘琨为尚书左丞。又任命前任司徒王戎为尚书令，刘暾为御史中丞，王衍为河南尹。

新野王司马歆准备前往镇南大将军的军事驻地赴任，临行前与司马冏同乘坐一辆车去拜谒先帝的陵墓，他趁机劝说司马冏说："成都王司马颖是皇帝的亲弟弟，他与我们在推翻司马伦、使皇帝复位这件事情上都立了大功，如今应当把他留下来共同辅助朝政。如果你不能这样做，就应当剥夺他的军权。"常山王司马乂与成都王司马颖也一起前往拜谒先帝的皇陵，司马乂对司马颖说："晋朝的天下，是先帝开创的基业，现在应该由你主持朝政。"凡是听到他们说话的人无不为国家的安危感到忧虑和恐惧。卢志对成都王司马颖说："齐王司马冏的军队号称百万，他与张泓等人相持不下、无法战胜张泓，大王您却勇往直前、径直渡过了黄河，您的功劳之大，天下无人能比。然而如今齐王司马冏准备与您共同辅佐朝政，我听说两雄不能并立，您应该借口太妃身体欠佳，请求返回原镇地邺城去侍候母亲，把治理朝政的重任让给齐王司马冏，以此来收买天下民心，这是计策中的最上策。"司马颖听从了卢志的建议。晋惠帝司马衷在东堂接见了成都王司马颖，对他表示慰劳。司马颖磕头表示感谢说："这是大司马司马冏的功勋，我没有什么功劳。"并趁机上表称颂司马冏的功德，建议由司马冏全权辅佐朝政，同时陈述自己的母亲有病在身，请求允许自己回到封国去。司马颖出宫之后，没有再回大将军府，而是拜谒完太庙，便从洛阳城东阳城门出城，返回了邺城。他派了一个使者代表自己与司马冏道别，司马冏大吃一惊，立即骑上快马出城送别司马颖，一直追到七里涧才追上司马颖。司马颖停下车来与司马冏告别，他泪流满面，嘴里说的只是担忧太妃的疾病，而没有谈及任何时政。于是无论是官员还是普通百姓都对司马颖称颂备至。

大司马司马冏征聘新兴郡人刘殷为军谘祭酒，征聘洛阳令曹摅为掌管文书表报的记室督，尚书郎江统、阳平郡太守河内郡人荀晞为参军事，吴国人张翰为东曹掾，孙惠为户曹掾，前任廷尉正顾荣与顺阳县人王豹为主簿。孙惠，是孙贲的曾孙；

荣，雍㉙之孙也。殷幼孤贫，养曾祖母以孝闻。人以谷帛遗之，殷受而不谢，直云㉚："待后贵当相酬㉛耳。"及长，博通经史，性倜傥㉜有大志，俭而不陋㉝，清而不介㉞，望之颓然㉟而不可侵也。冏以何勖为中领军，董艾典枢机㊱。又封其将佐有功者葛旟、路秀、卫毅、刘真、韩泰皆为县公，委以心膂㊲，号曰"五公"㊳。

成都王颖至邺，诏遣使者就申前命㊴。颖受大将军，让九锡殊礼。表论㊵兴义功臣㊶，皆封公侯。又表称："大司马前在阳翟，与贼㊷相持既久，百姓困敝，乞运河北邸阁米㊸十五万斛㊹，以赈阳翟饥民。"造棺八千余枚，以成都国秩㊺为衣服，敛祭黄桥战士，旌显其家㊻，加常战亡二等㊼，又命温县㊽瘗赵王伦战士㊾万四千余人，皆卢志之谋也。颖貌[10]美而神昏，不知书。然气性敦厚，委事于志，故得成其美㊿焉。诏复遣使谕颖入辅(281)，并使受九锡。颖嬖人孟玖不欲还洛，又程太妃爱恋邺都，故颖终辞不拜(282)。

初，大司马冏疑中书郎陆机为赵王伦撰禅诏(283)，收，欲杀之。大将军颖为之辩理，得免死，因表为平原内史(284)，以其弟云为清河内史(285)。机友人顾荣及广陵戴渊以中国(286)多难，劝机还吴(287)。机以受颖全济(288)之恩，且谓颖有时望，可与立功，遂留不去。

---

**【段旨】**

以上为第一段，写晋惠帝永宁元年（公元三〇一年）上半年的大事。写了凉州刺史张轨在河西地区经营地盘，图谋自立；写了益州刺史赵廞据益州叛乱，氐族头领李特破成都，归附新任刺史罗尚；写了赵王司马伦在孙秀、司马威等人协顾荣，是顾雍的孙子。刘殷年幼时就父母双亡、家境贫寒，他尽心供养自己的曾祖母，以孝顺闻名当时。有人赠送给他谷米布帛，他接受馈赠后并不表示感谢，只是说："等我以后富贵了再报答你吧。"等到刘殷长大之后，精通经学史学，生性卓然不群、心怀大志，俭朴而不寒酸，清高而不孤僻，远远望去是一副非常恭顺的样子，实际上却威严而不可侵犯。司马冏任命何勖为中领军，让董艾掌管机要文书。又封自己将佐中的有功人员葛旟、路秀、卫毅、刘真、韩泰等都为县公，委以心腹重任，号称"五公"。

成都王司马颖回到邺城之后，惠帝司马衷派使者到邺城向司马颖重新宣布以前的任命。司马颖接受了大将军的职务，辞让了九锡的特殊礼遇。他上书论列自己的部下在讨伐司马伦、孙秀这一义举中的有功人员，这些人都被封为公侯。司马颖又上表说："大司马司马冏以前在阳翟县与贼将张泓长久对抗，使那里的百姓陷入生活贫困、精神疲弊之中，请将黄河以北属于自己管辖区域内官方仓库里的粮食调运十五万斛，用来赈济阳翟县的饥民。"又制造了一千多口棺材，根据死亡将士生前在成都封国内的级别为他们缝制衣服，收殓、祭祀那些在黄桥战役中死难的将士，表彰这些战死者的家庭，抚恤的规格比其他战役中死亡的高两个等级，又命令温县官府负责掩埋那些为赵王司马伦而战死的一万四千多名将士的尸体，这些都是卢志的主意。司马颖相貌英俊而智谋不足，不喜好读书，然而气质优雅、性情敦厚，他将各种事务都委托卢志办理，所以才成就了成都王司马颖的美名。惠帝司马衷又派使者劝说司马颖到朝廷辅佐皇帝执政，并让他接受九锡的赏赐。司马颖的男宠孟玖不愿意回洛阳，再加上司马颖的母亲程太妃也留恋邺都，所以司马颖始终推辞，不肯接受任命。

当初，大司马司马冏怀疑是担任中书郎的陆机为赵王司马伦撰写禅让诏书，于是将陆机逮捕起来，准备杀掉他。大将军司马颖为陆机申辩，陆机才免于一死，司马颖趁机上表请求任命陆机为平原国内史，任命陆机的弟弟陆云为清河国内史。陆机的朋友顾荣以及广陵人戴渊认为中原地区灾祸接连不断，都劝说陆机回到故乡吴郡去。陆机觉得自己深受司马颖的救命之恩，又觉得司马颖在当时很有声望，可以辅佐他建立功业，于是便决心留在中原而没有回到故乡去。

---

助下，逼晋惠帝退位，司马伦组建朝廷、大封党羽，排挤齐王司马冏、成都王司马颖、河间王司马颙；写了司马冏、司马颖、司马颙起兵讨伐司马伦，司马颖大破司马伦军，朝内王舆、司马漼等发动政变，逼司马伦退位，迎司马衷复辟；写了司马冏把持朝权，司马颖听卢志之谋，深自韬晦、退让，于是深得众望等。

【注释】

①永宁元年：此时本是惠帝永康二年。至正月乙丑（初九），赵王司马伦篡位，改元建始。至四月，司马衷恢复帝位，始改元永宁。②安定张轨：张轨，字士彦，家世孝廉，任凉州刺史时扩建姑臧（今甘肃武威）城，立学校，定币制，招徕中原流人。其子孙割据凉州七十余年，曾孙张祚称帝，追谥他为武王。传见《晋书》卷八十六。安定是晋郡名，郡治临泾，在今甘肃镇原东南。③凉州：州治即今甘肃武威。④保据河西：盘踞河西一带地区称王。保据，依靠、盘踞。河西，指今甘肃、青海两省的黄河以西，即河西走廊与湟水流域地区。⑤谋主：犹言智囊，唯其计谋是听。⑥威著西土：犹言威震西方。著，响亮、显赫。⑦牙门：侍应于帐下的亲信属官。⑧宣帝神语：司马懿显灵说话。司马懿被司马炎追谥为晋宣帝。⑨宜早入西宫：应该尽早入皇宫称帝。当时司马伦以东宫为相国府，故称皇宫为"西宫"。⑩义阳王威：司马威，司马望之孙，司马懿之弟司马孚的曾孙。⑪谄事：谄媚；奉承。⑫作禅诏：写让位给赵王司马伦的诏书。⑬奉玺绶：捧着皇帝的玺绶。⑭三部司马：皇宫三区禁卫营的卫士长官。⑮诸门：宫城各门。⑯乙丑：正月初九。⑰法驾：皇帝使用的最庄严的车驾。⑱华林西门：华林园的西门。⑲丙寅：正月初十。⑳尊帝为太上皇：赵王司马伦尊惠帝司马衷为太上皇。〖按〗论辈分，赵王司马伦是惠帝司马衷的爷爷。㉑皇太孙：故太子司马遹之子，名臧。皇太孙在此之前已被立为惠帝未来的接班人。㉒世子荂：赵王司马伦的太子司马荂。世子，对其父有继承权的儿子。㉓皆侍中将兵：都任侍中之职，并统率军队。㉔宰衡：犹今之所谓"首相"。㉕何劭：何曾之子，字敬祖，晋武帝时为散骑常侍、侍中尚书。传见《晋书》卷三十三。㉖卿、将：列卿及诸中郎将，都是朝廷的重要文武官员。㉗超阶越次：破格提拔。㉘貂、蝉盈座：满座的人都佩带貂、蝉。貂尾与金蝉是当时皇帝的侍从官员帽子上的装饰物。《后汉书·舆服志下》："侍中，中常侍加黄金珰，附蝉为文，貂尾为饰。"㉙貂不足二句：一指用貂尾之多，同时也是讽刺许多人"滥竽充数"。成语"狗尾续貂"即由此而来。㉚皆不试：都没有经过考试，就被照准了。旧制，各州郡所保荐的"贤良""秀才""孝廉"，进京后都是要通过策试，合格者才能录用。㉛郡国计吏：上计吏，郡县派赴京师呈递计簿的吏员。这里指随计吏进京的各地方政府给朝廷推荐的人才。㉜皆署吏：全部录用为正式官吏。㉝守令：郡守、县令。㉞郡纲纪：郡守的佐吏之长，一般指"吏曹"。㉟并为孝廉：都授予"孝廉"的资格。㊱县纲纪：指"主簿""录事吏"等大吏。㊲廉吏：也是当时选拔人才的一个科目。㊳应侯者：被封侯的人。㊴铸印不给：来不及铸造官印。㊵以白板封之：用一块白色木板做凭证。㊶孙旂：字伯旗，晋初的正直名臣。传见《晋书》卷六十。㊷合族：续上家谱，结为一族。㊸致位通显：获得了显赫的官位。㊹郡侯：被封侯者，其领地一般都是一个县，此时则破格都赏为一个郡。㊺开府："开府仪同三司"，享受三公一级的排场。㊻过差：过分；超过正常规

定。㊼幼子回：幼子名回。㊽癸酉：正月十七日。㊾濮阳哀王臧：原来的皇太孙司马臧。濮阳王是其被废以后的封号，哀字是谥。㊿改更与夺：随便改动其中的字句或改变其中的赏罚、升降等。51转易：职位的变动。52不相能：不和睦；互不服气。53白伦：告知司马伦。54据方面：占据一方，掌其一方之大权。时司马冏镇守许昌，司马颖镇守邺城，司马颙镇守长安，皆为方面大员。55参佐：高级僚属，如长吏、司马等职。56浸忌之：愈来愈忌恨他。57始尔：刚开始。58遽遣：立刻就委派。59倒戈授人：把武器柄递给别人，以比喻极易被人杀死。60非所宜言：说了不该说的话。61兄弟罪不相及：兄弟之间有人犯罪，彼此是不受牵连的。62督将：统兵的将领。63绵竹：晋县名，在今四川绵阳西南约七十里处。64涪陵许弇：涪陵人姓许名弇。涪陵是晋郡名，郡治在今重庆市彭水县东南。65长史犍为费远：犍为郡人，姓费名远，身为赵廞的长史之职。长史是丞相、大将手下的诸史之长。犍为郡的郡治武阳，即今四川眉山市彭山区。66李苾：曾为侍御史、犍为太守。事见《晋书》卷一百二十。67石亭：亦称石亭渡，在今四川什邡东二十里的雒江（雒江亦名石亭江）上，为绵竹、德阳二县往来通道。68十八九：十分之八九。69军祭酒：当是军谘祭酒，官名，将军府的主要僚属之一。原称军师祭酒，因避司马师之讳，改称军谘祭酒。70斩关：砍开城门。71广都：在今四川成都西南约五六十里处。72表：上表向朝廷报告。73牙门将王敦：牙门将，大将帐前的武官名。〖按〗此与后来成为东晋权臣的王敦不是同一个人。74骑督：骑兵中的小头领。75因会：趁着接见会面的机会。76汶山：晋县名，县治汶江，在今四川茂县北。77离狐王盛：离狐县人姓王名盛。离狐县后改南华县，在今河南濮阳东南。78颍川：郡名，郡治在今河南许昌东。79浊泽：在今河南长葛西北。80军司：类似"监军"之职。81常山王乂：司马乂，司马炎之子，此时率兵镇守常山（今河北正定南）。82南中郎将：东、西、南、北四中郎将之一，有的领刺史之职。83新野公歆：司马歆，司马懿之孙、司马骏之子，赵王司马伦之侄。84移檄征、镇：向四征将军、四镇将军……发出通告。檄，檄文。为讨伐某人或为宣布某事而发出的通告。四征即征南、征北、征东、征西四将军，四镇即镇南、镇北、镇东、镇西四将军。85邺令卢志：邺县（在今河北临漳西南）的县令卢志。卢志字子道，成都王司马颖的谋主。传见《晋书》卷四十四。86大顺：顺天地，顺人心。87攘臂争进：奋勇向前。攘臂，振臂奋起的样子。88蔑不克：战无不胜。蔑，无。89谘议参军：官名，晋诸王公府皆置之，为参谋顾问人员。90仍补左长史：又令其任左长史之职。仍，意思同"乃"。补，增任。91毓：卢毓，东汉名臣卢植之子，曹魏时曾任司空。92朝歌：晋县名，县治即今河南淇县。93苞：石苞，字仲容，晋朝的佐命元勋。曾事司马昭、司马炎。传见《晋书》卷三十三。94在其国：在他的封国常山，都城即今河北正定。95太原内史：太原国的内史。内史是诸侯国掌管民政的官员。96嬖人：男宠。97赵亲：与赵王司马伦的血缘关系近。新野公司马歆的父亲司马骏与司马伦都是司马懿的儿子。司马伦是司马歆的亲叔父。98齐疏：与齐王司马冏的血缘关系疏远。齐王司马冏是司马歆的堂侄。⑲参军孙询：参军，官名，掌参谋军务。孙询,《晋书》作孙洵。当作孙洵，参见《晋书》卷三十八及本书卷第八十五。⑳大言：高声严厉地说。㉑前安西参军：齐王司马冏任安西将军时的参军。㉒始平：晋郡名，郡治槐里，在今陕西兴平东南。㉓华阴：晋县名，县治在今陕西华阴东。㉔二王：齐王司马冏与成都王司马颖。㉕更附二王：又改变了立场，归从了司马冏与司马颖。㉖扬州：当时州治寿春，即今安徽寿县。㉗郗隆：字弘始，赵王司马伦任以为扬州刺史。传见《晋书》卷六十七。㉘虑：郗虑，汉献帝时为御史大夫。㉙前秀才：曾以“秀才”的资格被当地政府向朝廷推荐过的人才。㉚明使君：敬称郗隆。使君是古代对刺史、太守的敬称。㉛径赴许昌：直奔许昌。当时齐王司马冏正驻兵许昌。㉜会之：与司马冏的军队会师。㉝量遣小军：酌量派出一支小部队。㉞治中留宝：州刺史的高级僚属姓留名宝。治中，刺史的高级佐吏。主选举，由刺史自聘，职权甚重。㉟西曹留承：州刺史的西曹姓留名承。西曹，刺史的属吏。㊱不审：不知道；不清楚。㊲何施：怎样决定。㊳二帝：宣帝司马懿和武帝司马炎。其意谓今矛盾双方一是宣帝之子，一是武帝之子，都不好得罪。㊴世祖：文帝司马昭。庙号世祖。司马昭平诸葛诞，灭蜀汉，奠定了晋朝基业。㊵太上：太上皇司马衷。㊶承代已久：已继位十二年。㊷今上取之：司马伦忽然将帝位夺过来。㊸不平：天下人都不拥护。㊹顺时举事：顺应时代潮流举兵讨伐。㊺成败可见：成功还是失败，显而易见。指齐王司马冏举事必成，赵王司马伦必败。㊻翻：虞翻，字仲翔，吴国初期的名臣。传见《三国志》卷五十七。㊼停檄六日不下：把司马冏的通告扣住，不下发给僚属。㊽镇石头：镇守石头城，在今江苏南京西北的八字山。㊾牛渚：今安徽当涂之采石矶，由寿春去建业，须在此渡长江。㊿传首于冏：砍下郗隆的人头，将其送给司马冏。⑬沔北：汉水以北，沔水是汉水的上游。⑬孟观：字叔时，当时的名将，曾破杀齐万年，此时驻兵宛城（今河南南阳)。传见《晋书》卷六十。⑬紫宫帝座无他变：天空上的紫微垣没有什么变化。古人认为天空的紫微垣象征着人世间帝位的动静。⑬三王：指齐王司马冏、成都王司马颖、河间王司马颙。⑬诈为冏表：伪造了一份司马冏向皇帝求救的表章。⑬何贼：哪里来的一股敌兵。⑬猝见攻围：突然将我部包围。⑬不能自固：无法保护自己。⑬乞中军见救：请求朝廷派禁军救助我。中军，京城的驻军。⑭庶得归死：以求能让我活着回到朝廷。⑭以其表宣示内外：将这道假造的表章发给朝里朝外的人们看，借以离间三王之间的关系。⑭延寿关：在今河南洛阳市偃师区东南。⑭崿阪关：在今河南登封南部。⑭成皋关：在当时的成皋县，今河南荥阳西北，亦称虎牢关。⑭以拒冏：以抵抗司马冏屯聚在许昌一带的军队。⑭以拒颖：当时司马颖驻兵邺城（今河北临漳西南)。⑭东平王楙：司马楙，司马懿的侄孙，赵王司马伦的堂侄。⑭京兆王馥：司马馥，赵王司马伦之子。⑭广平王虔：司马虔，赵王司马伦之子。⑮三军：分别派出抗击齐王司马冏的三支军队。⑮厌胜：想用符箓、诅咒等迷信手段破坏三王的军队。⑮巫觋：女巫曰巫，男巫曰觋。⑮嵩山：中岳，在今河南登封北。⑭ 著羽衣：身穿飞鸟羽毛编织的衣服。⑮ 王乔：或叫王子乔、王子晋，据刘向《列仙传》说是周灵王的儿子，因喜欢吹笙，被仙人浮丘公接上嵩山。⑯ 述伦祚长久：说赵王司马伦做皇帝的福分是长久的。⑰ 闰月丙戌朔：闰三月初一是丙戌日。⑱ 是月：此月，即闰三月。⑲ 五星互经天：金、木、水、火、土五星在天空交叉穿行。⑯ 阳翟：晋县名，县治即今河南禹州。⑯ 颍阴：晋县名，县治即今河南许昌，颍阴在阳翟东南，在当时的许昌西。⑯ 诸军：指司马伦派出的诸路士兵。⑯ 径归洛：径自返回京城洛阳。⑯ 没：指全军覆没。⑯ 还：指召回防守河北的军队回京自卫。⑯ 露布：不缄封的报捷奏章。⑯ 济颍：渡过颍水。颍水发源于河南登封西境之颍谷，东南流，过阳翟县（禹州）城北。⑯ 别将：侧翼的将领，指配合张泓主力行动的将领。⑯ 黄桥：在今河南淇县西南。⑰ 沮衄：灰心丧气。⑰ 星行倍道：犹言"昼夜兼程"。⑰ 轻颖：轻视被击败的司马颖的军队。⑰ 溴水：源出河南济源西，东南流，经孟县北，东入黄河。⑰ 济河：渡过黄河。⑰ 挟伦：挟持着赵王司马伦。⑰ 南就孙旂、孟观：孙旂当时镇守湖北襄阳，孟观镇守河南南阳。⑰ 辛酉：四月初七。⑰ 广陵公漼：司马懿之孙，司马伷之子，被封为广陵公，广陵是封地名。⑰ 南掖门：皇宫的南侧门。⑱ 三部司马：前驱、由基、强弩三部，上属于左、右卫率将军，是朝廷的禁军。⑱ 八坐：六曹尚书并其长官尚书令、尚书仆射。⑱ 传诏：官名，这里指传达命令的人。⑱ 驺虞幡：一种画有驺虞的幡，据说驺虞是一种仁兽，不吃活物，不践野草，故晋时帝王以此幡作为制止战斗的号令。⑱ 解兵：停止战斗；解除对立状态。⑱ 将伦：带着赵王司马伦。将，扶、架着。⑱ 华林东门：华林园的东门。⑱ 汶阳里第：司马伦在洛阳城汶阳里中的府第。⑱ 端门：皇宫的正门。⑱ 九曲：在今河南巩义西南。⑲ 归里第：回到洛阳城中汶阳里的府第。⑲ 癸亥：四月初九。⑲ 改元：改元永宁，此前是司马伦的"建始元年"。⑲ 大酺：让百姓们聚会畅饮，以示同庆。古代有禁酒之令，遇有重大喜庆，朝廷始下令有此活动。⑲ 丁卯：四月十三。⑲ 赐伦死：至此，"八王之乱"的第三王结束。司马伦自永康元年（公元三〇〇年）四月诛贾南风，自称皇帝，到永宁元年（公元三〇一年）四月服毒自杀，当权一年，称帝三个月。⑲ 斥免：罢官、驱逐。⑲ 台、省、府、卫：台指尚书台、御史台、谒者署，省指门下省、中书省、秘书省，府指三公、八公的办事衙门，卫指左、右卫将军及六军的统领。⑲ 仅有存者：大多数都被撤换，留下来的极少。⑲ 是日：这一天，四月十三。⑳ 己巳：四月十五。⑳ 东市：洛阳城里东市场。⑳ 义阳王威：司马威，司马孚之曾孙，司马衷的堂兄弟，在司马伦篡位时，往夺司马衷的玉玺，并逼司马衷撰写禅位诏书。⑳ 承冏檄：按照齐王冏所发檄文的要求。⑳ 永饶冶令空桐机：一个管理永饶冶炼场的官员，姓空桐，名机。永饶冶在今河南南阳城南。⑳ 襄阳王尚：司马尚，前太子司马遹之子。⑳ 乙卯：六月初二。⑳ 顿军通章署：将其镇军将军的指挥部设于通章署。顿军，驻兵，这里实指被其军部占据。通章署原是朝廷接待全国各地上书的机关，齐王冏将其军部设于此地，以见其骄横。⑳ 戊辰：六月十五。⑳ 宾徒王晏：司马晏，司马炎之子，原封吴王，后被赵王司马伦贬为宾徒县王，见本书永康元年。⑩甲戌：六月二十一。⑪备物典策：指朝廷所赐的一切器物和各种诏令。⑫如宣、景、文、武辅魏故事：就和当年司马懿、司马师、司马昭、司马炎辅佐魏国皇帝，魏国皇帝所给予的封赏规格相同。⑬九锡：古代帝王赐给有功大臣的九种特殊待遇。⑭入朝不趋：趋指小步快走，这是古代臣子在君父面前所用的一种走路姿势。不啻是帝王赐予大臣的特殊待遇。⑮剑履上殿：古代大臣上殿不能穿靴子、不能佩刀剑。穿着鞋子、佩带宝剑入殿，是帝王给予大臣的特殊待遇。以上两项都在九锡的范围之内。⑯三赐：赏赐给弓矢、铁钺、圭瓒三种器物。据《礼记·王制》，赏赐弓矢，然后有权出征；赏赐铁钺，然后有权诛杀；赏赐圭瓒，然后可以得到祭祀的酒。⑰领左军：兼领左将军统辖的部队。⑱新野公歆：司马懿之孙，扶风王司马骏之子。⑲三府：三位亲王的王府办事机构。⑳掾属：僚属；办事官员。㉑武号森列：诸王的僚属多带有武官名号。森列，极言其多、其显赫。〖按〗自东汉以来，公府都置有掾属，但不带武号。㉒文官备员：文官都是充数而已，有职无权。㉓兵之未戢：仗还要接着打。戢，收敛、停止。㉔己卯：六月二十六。㉕领司徒：兼领司徒之职。司徒是三公之一，意即宰相。㉖有才望：有才干、有声望。㉗特宥之：特别宽饶了他们。宥，原谅、宽免。㉘中书郎：中书侍郎，中书省的高级官员。㉙尚书左丞：掌监察百官，管理中央机构及文书章奏，与右丞同掌省内庶务。㉚将之镇：将往赴镇南大将军的军事驻地。㉛同乘谒陵：同乘一辆车往拜先帝墓陵。㉜成都王至亲：成都王司马颖是皇帝司马衷的亲弟弟。㉝不能尔：不能如此，指留京辅政。㉞先帝：指他们的父亲晋武帝司马炎。司马乂与司马颖为同父异母兄弟。㉟维正：维持、扶正，这里指主持朝政。㊱忧惧：预感到司马冏与司马乂、司马颖必将兵戎相见。㊲卢志：字子道，西晋名臣。传见《晋书》卷四十四。㊳径前济河：一直向前，渡过黄河。㊴功无与贰：功劳之大再无别人能比。贰，相当、相比。㊵太妃：司马颖的母亲程才人，被封为成都王太妃。㊶求还定省：请求返回原镇地邺城（今河北临漳西南）去侍候母亲。定省，昏定晨省，指儿女每天早晚给父母请安。㊷委重齐王：把治理朝政的重任让给齐王司马冏。㊸无豫：没有参与；没有份儿。㊹不复还营：不再回他的大将军军府。㊺东阳城门：洛阳城东面的北起第二门。㊻遣信：派使者。㊼七里涧：在洛阳城东二十里，涧上建有石桥。㊽不及时事：不谈及时政。㊾新兴刘殷：新兴郡人刘殷。刘殷字长盛，以孝行闻名。事见《晋书·孝友传》。新兴郡的郡治九原，即今山西忻州。㊿曹摅：字颜远，当时有名的清官。事见《晋书·良吏传》。(251)记室督：汉以来三公府及大将军府皆有记室令史，掌文书表报。现又设武将，即前所谓“武号森列”者也。(252)河内苟晞：河内郡人，姓苟名晞。(253)张翰：字季鹰，当时有名的文士。事见《晋书·文士传》。(254)东曹掾：王公府属吏，职掌二千石长吏的选任迁除。(255)户曹掾：三公府及都督府均置，主管户籍田赋。(256)廷尉正顾荣：廷尉正是廷尉（主管全国司法）的属官。顾荣字彦先，后为东晋元勋。传见《晋书》卷六十八。㉕顺阳王豹：顺阳县人姓王名豹。顺阳县的县治在今河南淅川东南。㉖贲：孙贲，吴主孙权的堂兄。㉗雍：顾雍，曾为东吴宰相。㉘直云：只是说。㉙相酬：相报；偿还。㉚倜傥：不拘小节、卓然不群的样子。㉛俭而不陋：俭朴而不寒酸。㉜清而不介：清高而不孤僻。介，孤独、不合群的样子。㉝颓然：恭顺的样子。㉞典枢机：主管机要。㉟委以心膂：委以心腹重任。心膂，心腹及左膀右臂。㊱"五公"：葛旟被封为"牟平公"，路秀被封为"小黄公"，卫毅被封为"阴平公"，刘真被封为"安乡公"，韩泰被封为"封丘公"。㊲就申前命：到邺城再次宣布上次的任命。㊳表论：上书论列。㊴兴义功臣：自己部下在讨司马伦、孙秀义举中的功臣。如卢志、和演、董洪、王彦、赵骧等。㊵贼：张泓等人。㊶河北邸阁米：黄河以北，自己管辖区的官方仓库里的粮食。邸阁，官家仓库。㊷斛：一斛等于十斗。㊸以成都国秩：按自己成都封国内的等级制度。㊹旌显其家：表彰这些战死者的家庭。㊺加常战亡二等：抚恤的规格比其他战役中死亡的高两级。㊻温县：县治在今河南温县城西。㊼瘗赵王伦战士：掩埋为赵王司马伦战死的士兵。㊽成其美：成就了成都王司马颖的美名。㊾谕颖入辅：劝说成都王司马颖到朝廷辅佐皇帝执政。㊿不拜：不接受任命。(283)禅诏：司马衷被迫让位给司马伦的"禅让"诏书。此事乃义阳王司马威所为。(284)平原内史：平原国的内史。平原国的都城在今山东平原西南。内史在诸侯国里掌管民政。(285)清河内史：清河国的内史。清河国的都城在今河北清河东南。(286)中国：中原，指黄河流域地区。(287)还吴：回到陆氏的故乡吴郡（今江苏苏州）一带去。(288)全济：保全；救命。

## 【校记】

［1］者：原无此字。据章钰校，甲十一行本、乙十一行本、孔天胤本皆有此字，张敦仁《通鉴刊本识误》同，今据补。［2］军祭酒：张敦仁《通鉴刊本识误》认为"军"下脱"谘"字，当是。本卷下文有"刘殷为军谘祭酒"，未脱"谘"字。［3］子：原无此字。据章钰校，甲十一行本、乙十一行本、孔天胤本皆有此字，张敦仁《通鉴刊本识误》同，今据补。［4］素：原无此字。据章钰校，甲十一行本、乙十一行本、孔天胤本皆有此字，今据补。［5］王处穆：原无"王"字。据章钰校，孔天胤本有"王"字，张敦仁《通鉴刊本识误》同，今据补。〖按〗《晋书》卷五十九《齐王冏传》作"王处穆"。［6］陇西：原无此二字。据章钰校，甲十一行本、乙十一行本、孔天胤本皆有此二字，今据补。［7］者：原无此字。据章钰校，甲十一行本、乙十一行本、孔天胤本皆有此字，今据补。［8］怨：据章钰校，甲十一行本、乙十一行本、孔天胤本皆作"怒"，张敦仁《通鉴刊本识误》同。［9］然：原无此字。据章钰校，甲十一行本、乙十一行本、孔天胤本皆有此字，张敦仁《通鉴刊本识误》同，今据补。［10］貌：据章钰校，甲十一行本、乙十一行本、孔天胤本皆作"形"。

【原文】

秋，七月，复封常山王乂为长沙王，㉘迁开府㉙、骠骑将军。

东莱王蕤㉑凶暴使酒㉒，数陵侮大司马冏，又从冏求开府不得而怨之，密表冏专权，与左卫将军王舆谋废冏。事觉，八月，诏废蕤为庶人，诛舆三族，徙蕤于上庸㉓，上庸内史陈锺承冏旨㉔潜杀之。

赦天下。

东武公澹㉕坐不孝㉖徙辽东㉗。九月，征其弟东安王繇复旧爵㉘，拜尚书左仆射。繇举东平王楙㉙为平东将军[11]、都督徐州诸军事，镇下邳㉚。

初，朝廷符下秦、雍州㉛，使召还流民入蜀者，又遣御史冯该、张昌督之。李特兄辅㉜自略阳至蜀，言中国方乱㉝，不足复还㉞。特然之，累遣㉟天水阎式诣罗尚求权停㊱。至秋，又纳赂㊲于尚及冯该，尚、该许之。朝廷论讨赵廞功，拜特宣威将军，弟流奋武将军，皆封侯。玺书㊳下益州，条列六郡流民与特同讨廞者，将加封赏。广汉㊴太守辛冉欲以灭廞为己功，寝朝命㊵，不以实上㊶，众咸怨之。

罗尚遣从事㊷督遣流民㊸，限七月上道。时流民布在梁、益，为人佣力㊹，闻州郡逼遣，人人愁怨，不知所为；且水潦㊺方盛，年谷未登㊻，无以为行资。特复遣阎式诣尚求停至冬㊼，辛冉及犍为太守李苾以为不可。尚举别驾蜀都[12]杜弢秀才㊽，式为弢说逼移利害㊾，弢亦欲宽流民一年。尚用冉、苾之谋，不从。弢乃致秀才板㊿，出还家。冉性贪暴，欲杀流民首领，取其资货㉑，乃与苾白尚，言“流民前因㉒赵

**【语译】**

秋季，七月，晋惠帝司马衷再次封常山王司马乂为长沙王，升迁他为开府仪同三司、骠骑将军。

东莱王司马蕤生性凶狠残暴，好酗酒滋事，曾经多次欺凌、侮辱大司马司马冏，又向司马冏请求开府仪同三司，遭到司马冏的拒绝后更是满怀怨恨，就秘密上表指控司马冏专权，并与左卫将军王舆密谋废掉司马冏。司马蕤的阴谋被发觉之后，八月，惠帝下诏废司马蕤为平民，诛灭王舆的三族，把司马蕤流放到上庸郡，担任上庸郡内史的陈锺秉承司马冏的旨意秘密地将司马蕤杀死了。

惠帝下诏大赦天下。

东武公司马澹被指控犯了不孝之罪被流放到辽东郡。九月，惠帝司马衷征调司马澹的弟弟司马繇进京，恢复了他东安王的爵位，还任命他为尚书左仆射。司马繇又举荐东平王司马楙为平东将军、都督徐州诸军事，镇守下邳。

当初，朝廷给秦州、雍州的刺史府下命令，让他们把流亡到蜀地的流民召回本州，又派遣御史冯该、张昌前去蜀地督促那里的流民返回故乡。李特的哥哥李辅从略阳来到蜀郡，向李特述说中原即将大乱，此时没有必要返回秦州、雍州去。李特同意他哥哥李辅的见解，于是便多次派遣天水人阎式到益州刺史罗尚那里请求暂且不要催促流民返回秦州、雍州去。到了秋季，李特又向罗尚、冯该行贿，罗尚、冯该于是答应了李特的请求。朝廷评议奖赏讨伐赵廞的有功人员，于是任命李特为宣威将军，任命李特的弟弟李流为奋武将军，两人都被封为侯爵。盖有皇帝玉玺的诏书下达到益州府，要求益州府官员详细开列出与李特一起讨伐赵廞的秦州六郡流民中的有功人员，朝廷将对这些有功人员进行封赏。广汉郡太守辛冉想把讨伐赵廞的功劳全部归为己有，就将朝廷封赏流民的诏书扣押，既不向下传达，也不据实向朝廷报告，流民都怨恨辛冉。

益州刺史罗尚派遣从事官去督促、驱赶那些流民返回秦州、雍州，并规定出限期，让他们七月必须踏上返回故乡之路。当时的流民分散在梁州、益州各地，给人打工谋生，听说州、郡官员逼迫他们回归故乡，因此人人愁苦、怨恨，不知如何是好；而且雨水成灾，田里的庄稼没有收成，流民筹措不到返回家乡的路费。李特又派阎式到益州刺史罗尚那里请求允许他们推迟到冬季再回归故乡，广汉郡太守辛冉和犍为郡太守李苾都认为规定他们回乡的期限不能变更。罗尚向朝廷举荐他的僚属蜀都杜弢为秀才，杜弢即将进京，阎式向杜弢分析逼迫流民搬迁的严重危害，杜弢也认为应该宽限流民一年的时间。而罗尚却听从辛冉、李苾的意见，不同意流民返乡延期。杜弢于是便将秀才的举荐证书交还给罗尚，走出官府回家去了。辛冉性情贪婪残暴，他想杀害流民首领，夺取他们手中的贵重物资，于是就与李苾一起禀告

廞之乱，多所剽掠，宜因移设关[323]以夺取之”。尚移书令[13]梓潼[324]太守张演，于诸要施关，搜索宝货。

特数为流民请留，流民皆感而恃[325]之，多相帅归特。特乃结大营于绵竹以处流民，移辛冉[326]求自宽[327]。冉大怒，遣人分榜通衢[328]，购募[329]特兄弟，许以重赏。特见之，悉取以归，与弟骧改其购，云：“能送六郡之[14]豪[330]李、任、阎、赵、杨[15]、上官及氐、叟侯王[331]一首，赏百匹。”于是流民大惧，归特者愈众，旬月间过二万人。流亦聚众数千人。

特又遣阎式诣罗尚求申期[332]。式见营栅冲要[333]，谋掩流民[334]，叹曰：“民心方危，今而速之[335]，乱将作矣！”又知辛冉、李苾意不可回，乃辞尚还绵竹。尚谓式曰：“子且以吾意告诸流民，今听宽矣[336]。”式曰：“明公惑于奸说，恐无宽理。弱而不可轻者民也，今趣之不以理[337]，众怒难犯，恐为祸不浅。”尚曰：“然。吾不欺子，子其行矣！”式至绵竹，言于特曰：“尚虽云尔[338]，然未可信也。何者？尚威刑不立[339]，冉等各拥强兵，一旦为变，亦非尚所能制，深宜为备。”特从之。冬，十月，特分为二营，特居北营，流居东营，缮甲厉兵[340]，戒严以待之。

冉、苾相与谋曰：“罗侯[341]贪而无断，日复一日，令流民得展奸计。李特兄弟并有雄才，吾属将为所虏矣。宜为决计[342]，罗侯不足复问[343]也。”乃遣广汉都尉[344]曾元、牙门[345]张显、刘并等潜帅步骑三万袭特营。罗尚闻之，亦遣督护田佐[346]助元。元等至，特安卧不动，待其众半入，发伏[347]击之，死者甚众。杀田佐、曾元、张显，传首以示尚、

罗尚说“流民先前趁着赵廞叛乱之机，抢劫了不少金银财宝，现在应该趁着流民搬迁的机会设立关卡，将这些财宝从他们手中夺回来”。罗尚便写信给梓潼郡太守张演，令张演在各处要塞设立关卡，准备搜刮、索要流民的财物。

李特为了流民的利益多次向官府请求让流民暂时留下，因此流民都很感激李特，把李特作为依靠，很多人都从四面八方你跟着我、我跟着你地前来投奔李特。李特于是就在绵竹建造起大营房用来安置流民，同时致书给辛冉，请求他宽限流民搬迁的日期。辛冉接到李特的书信后大怒，立即派人在大街张贴告示，悬重赏缉捕李特兄弟。李特看到告示后，就把告示全部揭下来带回住处，与弟弟李骧一起更改了告示的内容，说：“能够把从秦州、雍州六郡流亡到蜀地的李、任、阎、赵、杨、上官各姓的难民头领以及原居住在雍州的氐族与叟族头领的人头砍下、送到官府，一个人头奖赏布匹一百匹。”于是流民都非常恐惧，投奔李特的人就更多了，十天半月的时间就超过二万人。李流也聚集起了好几千人。

李特再次派阎式到益州刺史罗尚那里请求宽延期限。阎式沿途看见官府在各险要地段都扎营立栅，派兵把守，计划着对流民发动袭击，不由感叹地说：“民心本来不稳，如今更是在加速他们的造反进程，大乱就要爆发了！”阎式又从罗尚那里得知辛冉、李苾坚持己见，无法使他们改变主意，于是便辞别罗尚返回绵竹。临走时，罗尚对阎式说：“你暂且把我的意见告诉各处流民，就说我已经准备按照他们的请求延缓期限了。”阎式说：“您听信奸邪的蛊惑，恐怕没有放宽期限的道理吧。虽然弱小却不可轻视的是民众，如今不讲道理地逼迫他们迁移，众怒难犯，恐怕造成的灾患将不小吧。”罗尚说：“你说得对。我不欺骗你，你只管回去对他们说吧！”阎式到达绵竹，对李特说：“罗尚虽然承诺放宽迁移的期限，然而他的话不可信。为什么呢？罗尚说话没有人听，辛冉和李苾等人都拥有强大的军队，一旦发生变化，也不是罗尚所能够控制得了的，我们必须做好应对的准备。”李特听从了阎式的建议。冬季，十月，李特将流民分为两个营，李特居住在北营，李流居住在东营，他们组织流民修缮铠甲、磨砺刀枪，严加戒备，等待时局变化。

广汉太守辛冉、犍为太守李苾互相商议说；“罗尚贪得无厌又没有决断，日复一日，让流民得以施展他们的奸计。李特兄弟全都有雄才大略，我们这些人恐怕都将成为他们的俘虏了。我们应当自己迅速做出决定，罗尚不值得我们再去向他请示。”于是派遣担任广汉郡都尉的曾元、牙门将张显、刘并等人悄悄地率领三万步兵、骑兵去偷袭李特的大营。罗尚听到消息，也派遣督护田佐率领军队去帮助曾元作战。曾元等到达李特大营时，李特安然地躺在床上一动也不动，等到曾元所率领的军队有一半左右进入大营时，李特预先埋伏在四周的士兵突然对官军发起攻击，曾元的军队由于猝不及防，死伤惨重。李特杀死了田佐、曾元、张显，并把他们的人头割下来送给益州刺史罗尚、广汉太守辛冉观看。罗尚对将佐们说：“这股土匪的势力已

冉。尚谓将佐曰:“此虏成去[348]矣，而广汉[349]不用吾言以张贼势[350]，今若之何?”

于是六郡流民李含等[16]共推特行镇北大将军[351]，承制封拜[352]，以其弟流行镇东大将军，号东督护，以相镇统[353]。又以兄辅为骠骑将军，弟骧为骁骑将军，进兵攻冉于广汉。尚遣李苾、费远帅众救冉，畏特不敢进。冉出战屡败，溃围奔德阳[354]。特入据广汉，以李超为太守，进兵攻尚于成都。尚以书谕阎式，式复书曰:“辛冉倾巧[355]，曾元小竖[356]，李叔平[357]非将帅之才。式前为节下[358]及杜景文[359]论留徙之宜[360]。人怀桑梓[361]，孰不愿之[362]？但往日初至[363]，随谷庸赁[364]，一室五分。复值秋潦[365]，乞须冬熟[366]，而终不见听。绳之太过[367]，穷鹿抵虎[368]，流民不肯延颈受刀，以致为变。即听式言[369]，宽使治严[370]，不过去九月[371]尽集[372]，十月进道，令达乡里，何有如此也?”

特以兄辅，弟骧，子始、荡、雄及李含，含子国、离，任回，李攀、攀弟恭，上官晶，任臧，杨褒，上官惇等为将帅，阎式、李远等为僚佐。罗尚素贪残，为百姓患。特与蜀民约法三章，施舍赈贷，礼贤拔滞[373]，军政肃然，蜀民大悦。尚频为特所败，乃阻长围[374]，缘郫水[375]作营，连延七百里[376]，与特相拒，求救于梁州[377]及南夷校尉[378]。

十二月，颍昌康公何劭[379]薨。

封大司马冏子冰为乐安王，英为济阳王，超为淮南王。

经形成了，而广汉郡太守辛冉不听我的话，轻易用兵，反而使土匪的声势越发增大，如今该怎么对付他们呢?”

秦、雍二州六郡的流民李含等人共同推举李特暂时代行镇北大将军之职，李特以晋朝皇帝的名义，封官拜爵，任命弟弟李流暂时代理镇东大将军之职，号称东督护，彼此呼应统兵抚民。又任命兄长李辅为骠骑将军，弟弟李骧为骁骑将军，率领军队前往广汉郡攻打辛冉。益州刺史罗尚派遣犍为太守李苾、费远率领军队去援救辛冉，李苾、费远畏惧李特的势力，不敢率军前进。辛冉与李特交战屡战屡败，于是便突破重围逃往德阳县。李特趁势占据了广汉郡，任命李超为广汉郡太守，率领军队奔赴成都去攻打益州太守罗尚。罗尚赶紧写信给阎式，阎式回信说：“辛冉狡诈刁滑，曾元是个卑鄙小人，李苾也不是将帅之才。我先前曾经对你和杜弢分析过让流民暂时留下和强迫他们立即迁移的利害得失，你不肯听从我的建议。每个人都有思念故乡之情，谁不想回到故乡呢？然而流民刚到蜀地的时候，为了得到一点救命的粮食，到处为人打工，一个家庭往往四分五裂。现在又逢秋季，阴雨连绵，流民只是请求等到秋后收得了粮食再搬迁，却始终得不到你们的允许。你们把人逼得太急了，鹿被逼得无处可逃时，也敢于向老虎撞去，流民是因为不甘心伸着脖子等着被人砍掉脑袋，所以才起兵作乱。当初如果能听从我的话，放宽期限，让他们好好地收拾行装，最晚不过到九月，他们就可以全部完成返乡的准备，让他们于十月踏上返乡的道路，怎么会出现现在这种局面呢?”

李特任命哥哥李辅，弟弟李骧，儿子李始、李荡、李雄以及李含，李含的儿子李国、李离，任回，李攀，李攀的弟弟李恭，上官晶，任臧，杨褒，上官惇等人为将帅，阎式、李远等人为僚佐。罗尚一向贪婪残暴，早已成为益州人的祸害。李特与蜀民约法三章，发放物资，赈济灾民，尊敬贤人，提拔被埋没与受压抑的人才，使蜀地的军政面貌焕然一新，蜀地的百姓非常高兴。罗尚频繁地被李特打败，于是就在成都周围修筑起高大的长墙作为屏障，又沿着郫水安营扎寨，自都安到犍为郡，连绵七百里，一面与李特对抗，一面派人向梁州和南夷校尉求救。

十二月，颍昌公何劭去世，谥号为“康”。

晋惠帝封司马冏的儿子司马冰为乐安王，司马英为济阳王，司马超为淮南王。

---

**【段旨】**

以上为第二段，写晋惠帝永宁元年（公元三〇一年）下半年的大事。主要写了东莱王司马蕤与王舆谋废齐王司马冏，被司马冏杀死；写了益州刺史罗尚与广汉太守辛冉等逼迫流民北迁，氐族首领李特等借流民不满之机发兵起事，攻占广汉郡，并进兵围攻成都，益州形势紧急。

【注释】

㉘⑨ 复封常山王乂为长沙王：司马乂原封为长沙王，其兄楚王玮被贾后杀死时，司马乂被贬为常山王，今又复封为长沙王。㉙⓪ 迁开府：升迁为开府仪同三司。㉙① 东莱王蕤：司马蕤，司马冏之兄。㉙② 使酒：酗酒滋事。㉙③ 上庸：晋郡名，郡治即今湖北竹山。㉙④ 承冏旨：按着齐王冏的意旨。㉙⑤ 东武公澹：司马懿之孙，司马淮之兄。㉙⑥ 坐不孝：被指控犯了不孝罪。㉙⑦ 辽东：晋郡名，郡治襄平，即今辽宁辽阳。㉙⑧ 复旧爵：恢复东安王的原来爵位。司马繇以参与诛灭杨骏功被封为东安王，后来被汝南王司马亮废去王爵，迁于带方郡，事见本书卷第八十二元康元年（公元二九一年）。㉙⑨ 东平王楙：司马孚之孙，先后依附杨氏、贾氏、赵王司马伦，因素与司马繇相勾结，故得不杀。㉚⓪ 下邳：诸侯国名，都城在今江苏睢宁西北。㉚① 符下秦、雍州：给秦州、雍州的刺史府下命令。符，命令。㉚② 李特兄辅：李特之兄李辅。㉚③ 中国方乱：中原地区即将大乱。㉚④ 不足复还：没有必要再回到秦、雍二州去。㉚⑤ 累遣：多次派遣。㉚⑥ 求权停：请求暂时不要办。㉚⑦ 纳赂：行贿。㉚⑧ 玺书：盖有皇帝玉玺的诏书。㉚⑨ 广汉：晋郡名，郡治在今四川广汉北。㉛⓪ 寝朝命：将朝廷封赏流民的命令扣住，不向下传达。㉛① 不以实上：不据实向朝廷报告。㉛② 从事：从事史，刺史的属官名。㉛③ 督遣流民：督促、驱赶这些流民。㉛④ 为人佣力：给人打工。㉛⑤ 水潦：雨水成灾。㉛⑥ 未登：没有收成。㉛⑦ 求停至冬：请求延期到冬天。㉛⑧ 尚举别驾蜀都杜弢秀才：罗尚向朝廷举荐他的僚属杜弢为秀才。别驾是刺史属下的大吏，出行时单独乘一辆车，故称“别驾”。秀才是当时推荐人才的科目名。㉛⑨ 说逼移利害：向他分析逼迫流民搬迁的严重危害。利害，偏义复词，这里指危害。㉜⓪ 致秀才板：交回了秀才的举荐证书。致，交出、送回。㉜① 资货：指金银财宝等贵重物资。㉜② 因：趁着。㉜③ 因移设关：趁他们搬迁之际设立关卡。㉜④ 梓潼：晋郡名，郡治即今四川梓潼。㉜⑤ 恃：依靠；倚赖。㉜⑥ 移辛冉：给辛冉发出公文。移是文体名，性质同“檄”。此处用为动词，犹言“致书”。㉜⑦ 求自宽：请求加以宽限。㉜⑧ 分榜通衢：在大街张贴告示。㉜⑨ 购募：悬赏缉捕。㉝⓪ 六郡之豪：从秦、雍六郡流亡到四川来的难民头领，即下述李、任、阎、赵、上官诸大姓。㉝① 氐、叟侯王：指原居在雍州的氐族与叟族头领。㉝② 求申期：请求宽延期限。㉝③ 营栅冲要：在各险要地段都扎营立栅，派兵把守。㉝④ 谋掩流民：计划着对流民发动袭击。掩，乘其不意而攻之。㉝⑤ 速之：加快他们的造反进程。㉝⑥ 今听宽矣：我就要按你们的要求延缓期限了。㉝⑦ 趣之不以理：不讲道理地逼迫人家。趣，通“促”。逼迫。㉝⑧ 虽云尔：虽然是这么说。㉝⑨ 威刑不立：说话没人听，没办法管住下面的人。㉞⓪ 缮甲厉兵：修造铠甲、磨砺刀枪。㉞① 罗侯：敬称罗尚。㉞② 宜为决计：我们自己应迅速做出决定。㉞③ 不足复问：没必要再请示他。㉞④ 广汉都尉：广汉郡的军事长官。㉞⑤ 牙门：

此指广汉都尉属下的各个头领。㊻督护田佐：督护官姓田名佐。督护是将军帐下的属官。㊼发伏：使伏兵突然而起。㊽此虏成去：这股土匪的势力已经形成。〖按〗“去”字不可解，待考。㊾广汉：此指称广汉太守辛冉。㊿以张贼势：使土匪的声势越发增大。351行镇北大将军：暂时代行镇北大将军之职。〖按〗此时李特等尚以晋臣自居。352承制封拜：以晋朝皇帝的名义封拜官爵。353以相镇统：彼此呼应统兵抚民。354溃围奔德阳：突破重围逃到德阳。德阳县的县治在今四川遂宁东南。355倾巧：狡诈刁猾。356小竖：小人。357李叔平：李苾，字叔平。358节下：敬称罗尚。晋人称方面专征的将帅为“节下”。359杜景文：杜弢，字景文。360论留徙之宜：前文所谓“说逼移利害”。361人怀桑梓：每个人都有思念故乡之情。桑与梓为宅院常种的树木，人们遂以“桑梓”代指故乡。362孰不愿之：谁不想回到故乡去呢。363往日初至：当初刚到蜀郡的时候。364随谷庸赁：为了口粮，到处为人打工。365秋潦：秋雨。366乞须冬熟：乞求等到秋后收得粮食。须，等待。367绳之太过：把人逼得太急。绳，约束、限制。368穷鹿抵虎：鹿被赶得无处可逃时，也能够向老虎撞去。抵，冲撞。369即听式言：当初如果能听我的话。370宽使治严：放宽期限，让他们好好地收拾行装。治严，治装、收拾行装。371不过去九月：最晚不过到九月。去，到达、过完。372尽集：全部完成准备。373礼贤拔滞：尊重贤人，提拔被埋没与受压抑的人才。374阻长围：在成都周围构筑长墙以为屏障。阻，凭借。375缘郫水：沿着郫水。郫水亦名郫江，岷江的支流，从四川灌县歧出东流，经郫县流进成都。376连延七百里：自都安（今四川都江堰）到犍为郡（今四川眉山市彭山区）共七百里。377梁州：州治即今陕西汉中，辖境为今陕西之西南部与四川东北部与重庆市一带地区。378南夷校尉：武官名，统兵镇守南中郡，校尉府设在今云南祥云，当时李毅任南夷校尉。379颍昌康公何劭：何劭是何曾之子，颍昌公是其封号，康字是谥。

## 【校记】

［11］平东将军：原无此四字。据章钰校，甲十一行本、乙十一行本、孔天胤本皆有此四字，张敦仁《通鉴刊本识误》、张瑛《通鉴校勘记》同，今据补。［12］蜀都：原无此二字。据章钰校，甲十一行本、乙十一行本、孔天胤本皆有此二字，张敦仁《通鉴刊本识误》同，今据补。［13］令：原无此字。据章钰校，甲十一行本、乙十一行本、孔天胤本皆有此字，张敦仁《通鉴刊本识误》同，今据补。［14］之：原作“酋”。据章钰校，甲十一行本、乙十一行本、孔天胤本皆作“之”，今据改。［15］杨：原无此字。据章钰校，甲十一行本、乙十一行本、孔天胤本皆有此字，张敦仁《通鉴刊本识误》同，今据补。［16］李含等：原无此三字。据章钰校，甲十一行本、乙十一行本、孔天胤本皆有此三字，张敦仁《通鉴刊本识误》、张瑛《通鉴校勘记》同，今据补。

【原文】

**太安元年**[380]**（壬戌，公元三〇二年）**

春，三月，冲太孙尚[381]薨。

夏，五月乙酉[382][17]，梁孝王肜薨。

以右光禄大夫刘寔为太傅，寻以老病罢。

河间王颙遣督护衙博[383]讨李特，军于梓潼[384]。朝廷复以张微为广汉太守，军于德阳，罗尚遣督护张龟军于繁城[385]。特使其子镇军将军荡等袭博，而自将击龟，破之。荡败博兵于阳沔[386]，梓潼太守张演委城走，巴西丞[387]毛植以郡降。荡进攻博于葭萌[388]，博走，其众尽降。河间王颙更以许雄为梁州刺史。特自称大将军、益州牧，都督梁、益二州诸军事。

大司马冏欲久专大政，以帝子孙俱尽[389]，大将军颖有次立之势[390]，清河王覃，遐[391]之子也，方八岁，乃上表请立之[392]。癸卯[393]，立覃为皇太子，以冏为太子太师，东海王越为司空，领中书监。

秋，八月，李特攻张微，微击破之，遂进攻特营。李荡引兵救之，山道险狭[394]，荡力战而前，遂破微兵。特欲还涪[395]，荡及司马王幸谏曰："微军已败，智勇俱竭，宜乘锐气遂禽之。"特复进攻微，杀之，生禽微子存，以微丧还之[396]。

特以其将骞硕守德阳。李骧军毗桥[397]，罗尚遣军击之，屡为骧所败。骧遂进攻成都，烧其门。李流军成都之北。尚遣精勇万人攻骧，骧与流合击，大破之，还者什一二[398]。许雄数遣军攻特，不胜，特势益盛。

建宁[399]大姓李睿、毛诜逐太守许俊[18]，朱提[400]大姓李猛逐太守雍约[401]以应特，众各数万。南夷校尉李毅讨破之，斩诜。李猛奉笺[402]降，

**【语译】**

**太安元年（壬戌，公元三〇二年）**

春季，三月，皇太孙司马尚去世，谥号为“冲”。

夏季，五月初七日乙酉，梁王司马肜去世，谥号为“孝”。

任命右光禄大夫刘寔为太傅，没过多久又因为刘寔年老多病而免去了他的太傅职务。

河间王司马颙派遣担任督护的衙博率领军队去讨伐李特，衙博把军队驻扎在梓潼郡。朝廷又任命张微为广汉郡太守，率军驻扎在德阳，益州太守罗尚派遣督护张龟率领军队驻扎在繁城。李特派遣自己的儿子镇军将军李荡等人率军去袭击衙博，李特亲自率领大军前往繁城攻打张龟，把张龟打得大败。李荡在阳沔打败了衙博，梓潼郡太守张演弃城逃走，担任巴西郡郡丞的毛植代表全郡向李特投降。李荡又在葭萌县进攻衙博，衙博失败后只身逃走，他所率领的军队全部投降了李荡。河间王司马颙又任命许雄为梁州刺史。李特自称大将军、益州牧，统领梁州、益州二州各方面军务。

担任大司马的司马冏想要长久地专擅朝政，他认为晋惠帝司马衷的子孙已经死光了，依照继承顺序，大将军司马颖很有可能成为皇位继承人，那样的话他就无法专擅朝政，而清河王司马覃是司马遐的儿子，年方八岁，于是司马冏上表请求把清河王司马覃过继给惠帝司马衷，立他为皇太子。五月二十五日癸卯，惠帝司马衷立司马覃为皇太子，任命司马冏为太子太师，任命东海王司马越为司空，兼任中书监。

秋季，八月，李特率军攻打张微，张微打败了李特，并趁势进攻李特的大营。李荡率领军队前去救援李特，山路险峻狭窄，李荡不顾生死，奋勇向前冲杀，终于打败了张微的军队。李特想要撤回涪县，李荡和担任司马的王幸都劝阻他说：“张微的军队已经被我们打败，他们此时的智谋和勇气都已经枯竭了，我们应当凭借着取胜的锐气将张微一举擒获。”于是李特再次对张微发起进攻，杀死张微，活捉张微的儿子张存，把张微的尸体交还给张存。

李特任命自己手下的将领骞硕守卫德阳。李骧率领军队驻扎在毗桥，益州刺史罗尚派军队攻打李骧，屡次被李骧打败。李骧于是进攻成都，放火烧毁了成都的城门。李流的军队驻扎在成都的北面。罗尚派遣一万精兵进攻李骧，李骧与李流联合夹击，把罗尚的精兵打得大败，生还的仅有十分之一二。梁州刺史许雄多次派军进攻李特，却始终不能取胜，李特的势力更加强大了。

建宁郡的大族首领李睿、毛诜驱逐了建宁郡太守许俊，朱提郡的大族首领李猛驱逐了朱提郡太守雍约，以此来响应李特，他们每人都有部众几万人。南夷校尉李毅率军讨伐李睿、毛诜、李猛，将他们打败，并杀死了毛诜。李猛给南夷校尉李毅

而辞意不逊，毅诱而杀之。冬，十一月丙戌[403]，复置宁州[404]，以毅为刺史。

齐武闵王冏既得志，颇骄奢擅权，大起府第，坏公私庐舍以百数，制[405]与西宫[406]等，中外失望。侍中嵇绍[407]上疏曰："存不忘亡，易之善戒[408]也。臣愿陛下无忘金墉[409]，大司马[410]无忘颍上[411]，大将军[412]无忘黄桥[413]，则祸乱之萌无由而兆[414]矣。"又与冏书，以为："唐、虞茅茨[415]，夏禹卑宫[416]，今大兴第舍及为三王立宅[417]，岂今日之所[19]急邪？"冏逊辞谢之，然不能从。

冏耽[418]于宴乐，不入朝见[419]，坐拜百官[420]，符敕三台[421]，选用[20]不均，嬖宠[422]用事。殿中御史桓豹奏事[423]不先经冏府，即加考竟[424]。南阳处士[425]郑方上书谏冏曰："今大王安不虑危，宴乐过度，一失也。宗室骨肉，当无纤介[426]，今则不然，二失也。蛮夷不静[427]，大王谓功业已隆，不以为念，三失也。兵革之后，百姓穷困，不闻赈救，四失也。大王与义兵盟约[428]，事定之后，赏不逾时[429]，而今犹有有[21]功未论者[430]，五失也。"冏谢曰："非子，孤不闻过。"

孙惠上书曰："天下有五难[431]、四不可，而明公皆居之。冒犯锋刃[432]，一难也。聚致英豪，二难也。与将士均劳苦[433]，三难也。以弱胜强，四难也。兴复皇业，五难也。大名不可久荷[434]，大功不可久任，大权不可久执，大威不可久居。大王行其难而不以为难，处其不可而谓之可[435]，惠窃[22]所不安也。明公宜思功成身退[436]之道，崇亲推近[437]，委重长沙、成都二王[438]，长揖[439]归藩，则太伯[440]、子臧[441]不专美于

上书请求投降，而措辞傲慢无礼，李毅引诱李猛出来，将李猛杀死。冬季，十一月十一日丙戌，朝廷再次设置宁州郡，任命李毅为宁州刺史。

齐王司马冏主持朝政的愿望实现以后，便很有些骄傲自满起来。他生活奢侈，大权独揽，又大兴土木建造私人府第，因此将朝廷以及私人的房屋拆毁了上百间，建造的府第规模与皇帝的西宫一样宏大，朝廷内外因此都对司马冏感到很失望。担任侍中的嵇绍上疏给惠帝司马衷说："活着的人不要忘掉死去的人，这是《易经》对我们的良好警告。我希望陛下不要忘记自己被司马伦囚禁在金墉城时的耻辱，大司马不要忘记在颍水边的阳翟与司马伦的部将张泓苦战的情景，大将军不要忘记在黄桥被赵王司马伦的部将孙会、士猗、许超打败的情景，那么祸乱的萌芽就不可能再发生了。"嵇绍又写信给齐王司马冏，他认为："唐尧、虞舜用茅草苫盖房屋，夏禹居住在低矮的房子里，如今你大兴土木为自己修建府第，以及为刚被封王的三个儿子建造豪宅，这难道是朝廷所应着急的吗？"司马冏婉言表示感谢，然而实际行动却依然如故。

齐王司马冏沉湎于欢宴淫乐之中，也不入朝拜见皇帝司马衷，只是坐在齐王府内接受文武百官的叩拜，给各高级官署发号施令，选拔、提升官吏很不公平，他的弄臣、亲信操纵着权柄。殿中御史桓豹向惠帝司马衷奏报事情事先没有经过司马冏的同意，于是立即遭到拷问追究。南阳隐士郑方上书规劝司马冏说："如今大王居安不知道思危，而欢宴逸乐又超过了限度，这是第一个失策。宗室骨肉之间，应当团结一致，没有丝毫的芥蒂，如今却不是这样，这是第二个失策。蛮夷为非作歹，国内的政治局面并不平静，而大王却认为已经建立了丰功伟绩，不再把蛮夷造反的事情放在心上，这是第三个失策。战乱过后，百姓生活贫穷困苦，却没有听说您采取任何措施给予赈济、拯救，这是第四个失策。大王曾经与讨伐司马伦的其他军队订立盟约，许诺讨伐成功之后，立即进行奖赏，时至今日，却仍然有立了功而没有得到奖赏的人，这是第五个失策。"司马冏感谢他说："要不是你的提醒，我还不知道自己的过错呢。"

孙惠给司马冏上书说："天下有五个难得、四个不可，而您却全部占有了。起兵讨伐司马伦时，亲临前线，冲锋陷阵，不顾生死，这是第一个难得之处。聚集起天下的英雄豪杰，这是第二个难得之处。与将士同甘共苦，这是第三个难得之处。以弱小战胜强大，这是第四个难得之处。使已经逊位的君主再次登上皇帝的宝座，这是第五个难得之处。盛名之下不可以久居，伟大的功业不可能永远享有，朝政大权不可能长期执掌，强大的权威不可能永远属于自己。大王将五个难以做到的事情全都做到了却不认为它难，而面对四个不可以却认为可以长此无事，私下里我很为您感到不安。您应该考虑功成身退的道理，尊崇皇帝最近的亲属，把职位推让给他们，把治理国家的大权移交给长沙王司马乂、成都王司马颖，然后辞去职务，回到自己

前[442]矣。今乃忘高亢之可危[443]，贪权势以受疑[444]，虽遨游高台之上，逍遥重墉[445]之内，愚窃谓危亡之忧，过于在颍、翟[446]之时也。”冏不能用，惠辞疾去。冏谓曹摅曰：“或劝吾委权还国，何如？”摅曰：“物禁太盛[447]。大王诚能居高虑危，褰裳[448]去之，斯善之善者也。”冏不听。

张翰、顾荣皆虑及祸，翰因秋风起，思菰菜[449]、莼羹[450]、鲈鱼鲙[451]，叹曰：“人生贵适志[452]耳，富贵何为！”即引去[453]。荣故[454]酣饮，不省府事[455]。长史葛旟以其废职[456]，白冏徙荣为中书侍郎。颍川处士庾衮闻冏期年不朝[457]，叹曰：“晋室卑[458]矣，祸乱将兴！”帅妻子逃于林虑山[459]中。

王豹致笺于冏曰：“伏思[460]元康[461]以来，宰相在位，未有一人获终[462]者，乃事势使然，非皆为不善也。今公克平祸乱，安国定家，乃复寻覆车之轨[463]，欲冀长存，不亦难乎？今河间[464]树根于关右[465]，成都[466]盘桓于旧魏[467]，新野[468]大封于江、汉[469]。三王各[23]以方刚强盛之年，并典戎马，处要害之地。而明公以难赏之功[470]，挟震主之威，独据京都，专执大权，进则亢龙有悔[471]，退则据于蒺藜[472]，冀此求安[473]，未见其福也。”因请悉遣王侯之国[474]，依周、召之法[475]，以成都王为北州伯[476]，治邺[477]，冏自为南州伯，治宛[478]，分河为界[479]，各统王侯，以夹辅天子。冏优令答之[480]。长沙王乂见豹笺，谓冏曰：“小子离间骨肉，何不铜驼下[481]打杀！”冏乃奏豹谗内间外[482]，坐生猜嫌[483]，不忠不义，鞭杀之。豹将死，曰：“县[484]吾头大司马门[485]，见兵之攻齐也！”

冏以河间王颙本附赵王伦，心常恨之。梁州刺史安定皇甫商与颙

的封国，如此一来，您就将与古代的吴太伯、曹子臧谦虚让国的行为相比美。如今您竟然忘掉了权位太高的风险，贪恋权力和威势而被疑为有篡位之心，虽然您现在能够遨游于高台之上，逍遥于层层高墙的王府之中，我私下里却认为您现在所面临的危险程度，超过了您在颍川、阳翟指挥作战的时候。”司马冏不肯听从孙惠的规劝，孙惠于是借口有病辞职而去。司马冏对曹摅说：“有人劝我放弃权力回到封国，你认为这个意见怎么样？”曹摅回答说：“事物发展到极点就要向不好的方面转化。大王您如果确实能够身居高位而考虑到危险，辞去职位，提起裤脚拔腿就走，那就是再好不过的事情了。”司马冏还是不听劝告。

张翰、顾荣都担心大祸会牵连到自己身上。当时秋风乍起，张翰便思念起自己家乡菰菜、莼菜羹、鲈鱼片的美味，便长叹一声说：“人生贵在合乎自己的心愿，富贵有什么用！”立即辞去成都王府东曹掾的职务回家乡去了。顾荣故意酗酒，每天都处在沉醉当中，不关心、不过问成都王府中的政事。在成都王府担任长史的葛旟认为顾荣荒废职守，不负责任，就报告给司马冏，贬顾荣为中书侍郎。颍川隐士庾衮听说司马冏有一年之久不朝拜皇帝，就叹息着说：“晋朝的王室衰微，皇帝没有权威，灾祸就要爆发了！”于是携带妻子逃到林虑山中隐居起来。

王豹写信给司马冏说：“我细细想来，自从元康以来，担任宰相职务的没有一个人获得善终，这是当时的形势造成的，并非他们的行为都不好。如今您能够平定内乱，安定了国家，却仍在翻过车的路上向前走，在这种情况下却希望保持长久，不也是很困难吗？如今河间王司马颙在关右建有自己的根基，成都王司马颖盘踞在当年曹魏的根据地邺城一带，新野王司马歆拥有长江、汉水之间的大片疆土。三王各在血气方刚、身强体壮的年龄，都手握重兵，身处有险可守的战略要地。而您目前却处在功劳过大已经无法再被封赏，权威足以使皇帝感到震恐的境遇中，您独自占据京师，专擅朝政大权，进一步，即使是神龙，久居巅峰也会后悔，退一步，则困在布满针刺的蒺藜之中，您希望凭借权势求得平安，我看不出其中的福分。”王豹建议司马冏请求皇帝打发那些受封的各王、各公、各侯都辞去朝权，回到自己的封地去，依照当年周公、召公辅佐周成王分陕而治的办法，封成都王司马颖为北方诸侯的霸主，以邺城为大本营，司马冏自己担任南方诸侯的霸主，以宛县为大本营，两人以黄河为分界，各自统帅所属亲王和公、侯，共同辅佐皇帝。司马冏婉言予以答复。长沙王司马乂看到王豹写给司马冏的信笺，就对司马冏说：“这小子胆敢离间我们兄弟之间的骨肉之情，为何不在皇宫正门前的铜驼下把他打死呢！”于是司马冏上奏惠帝说王豹讨好朝内的二王，离间朝外的诸位兄弟，无缘无故地造成诸王之间的互相猜疑，属于不忠不义，应该用鞭子将他打死。王豹在临死的时候说：“把我的人头悬挂到大司马府的门前，让我看着外面的军队攻入齐王司马冏的府第吧！”

齐王司马冏因为河间王司马颙原本依附于赵王司马伦，心里常常记恨他。担任

长史李含[486]不平[487]，含被征为翊军校尉[488]，时商参冏军事，夏侯奭兄亦在冏府。含心不自安[489]，又与冏右司马赵骧有隙，遂单马奔颙，诈称受密诏[490]使颙诛冏，因说颙曰："成都王至亲[491]，有大功，推让还藩，甚得众心。齐王越亲[492]而专政，朝廷侧目[493]。今檄长沙王[494]使讨齐，齐王必诛长沙，吾因以为齐罪而讨之，必可禽也。去齐立成都，除逼建亲[495]，以安社稷，大勋也。"颙从之。是时，武帝族弟范阳王虓[496]都督豫州诸军事。颙上表陈冏罪状，且言："勒兵[497]十万，欲与成都王颖、新野王歆、范阳王虓共会洛阳，请长沙王乂废冏还第[498]，以颖代冏辅政。"颙遂举兵，以李含为都督，帅张方[499]等趋洛阳。复遣使邀颖，颖将应之，卢志谏，不听。

十二月丁卯[500]，颙表至，冏大惧，会百官议之，曰："孤首唱义兵[501]，臣子之节，信著神明[502]。今二王[503]信谗作难，将若之何？"尚书令王戎曰："公勋业诚大[504]，然赏不及劳[505]，故人怀贰心。今二王兵盛，不可当也。若以王就第[506]，委权崇让[507]，庶可求安。"冏从事中郎葛旟怒曰："三台纳言[508]，不恤王事[509]。赏报稽缓[510]，责不在府[511]。谗言逆乱，当共诛讨，奈何虚承伪书[512]，遽令公就第乎！汉、魏以来，王侯就第，宁有得保妻子者邪？议者可斩！"百官震悚[513]失色，戎伪药发堕厕[514]，得免。

李含屯阴盘[515]，张方帅兵二万军新安[516]，檄长沙王乂使讨冏。冏遣董艾袭乂，乂将左右百余人驰入宫，闭诸门，奉天子[517]攻大司马府。董艾陈兵宫西，纵火烧千秋神武门[518]。冏使人执驺虞幡唱[519]云："长沙王

梁州刺史的安定人皇甫商与司马颙的长史李含不和睦，李含被征调为翊军校尉，当时皇甫商正在担任司马冏的军事参议官，夏侯奭的兄长也在司马冏的大司马府任职。李含心内感到很不安，李含又与司马冏的右司马赵骧有仇怨，于是李含就单枪匹马投奔了司马颙，诈称接受了皇帝的秘密诏书，让司马颙诛杀司马冏，李含趁机对司马颙说："成都王司马颖是皇帝司马衷的至亲骨肉，立有大功，却推让给别人，自己回到封地，他深得天下民心。齐王司马冏越过皇上的亲弟弟司马颖而专擅朝政，朝中大臣都用恐惧愤怒的眼光看他。如果给长沙王司马乂下令，让司马乂去讨伐齐王司马冏，齐王司马冏必然诛杀长沙王司马乂，我们就以此作为齐王司马冏的罪状发兵讨伐他，一定能够擒获司马冏。然后剥夺齐王司马冏的权力，拥立成都王司马颖辅政，除去对皇位有威胁的人而任用皇帝至亲的人辅政，使国家得到安定，这是您的大功一件。"司马颙听从了李含的劝说。当时，晋武帝司马炎的族弟范阳王司马虓负责统领豫州各种军事。司马颙上表陈述司马冏的种种罪状，而且说："我正统领十万大军，准备与成都王司马颖、新野王司马歆、范阳王司马虓共同会师洛阳，请陛下派长沙王司马乂去罢夺司马冏的职权，让他回家，然后让成都王司马颖代替齐王司马冏辅佐朝政。"司马颙随即发兵，任命李含为都督，率领镇武将军张方等人奔赴洛阳。又派遣使者邀请成都王司马颖，司马颖准备响应司马颙的号召，卢志劝司马颖不要发兵，司马颖这次没有听从卢志的劝告。

十二月二十二日丁卯，司马颙的奏章送达朝廷，齐王司马冏看后非常恐惧，立即召集文武百官商议对策，司马冏说："我首先发难讨伐司马伦，我这个做臣子的节操、信义为神明所共见。如今河间王司马颙与成都王司马颖听信谗言发难，应该怎么对付他们呢？"担任尚书令的王戎说："您的功劳业绩确实很大，然而有些有功劳的人至今尚未得到封赏，所以才有人心怀二心。如今河间王和成都王两位亲王的兵力强盛，无法阻挡。如果您能辞去朝廷的职务，以王爵的身份返回府第，把大权交出去，以表明自己的礼让，或许还能够保住自己的平安。"担任司马冏从事中郎的葛旟大怒说："三台大臣及各位言官，不关心、考虑国家大事，奖赏功臣的事情一再拖延，责任不在齐王府。奸人进献谗言，犯上作乱，我们就应当共同讨伐诛灭他们，为什么仅凭一份伪造的诏书，就要大司马放弃权力，辞职回家呢？自从汉、魏以来，凡是王侯回到私第的，又有哪个能保全自己的妻、子呢？应当把说这种话的人斩首！"文武官员听了这话都感到十分震惊和惶恐，大惊失色，王戎假装寒石散的药性发作掉进了茅坑里，才幸免一死。

李含率军驻扎在阴盘县，张方率领两万士兵屯扎在新安郡，用檄文命令长沙王司马乂讨伐齐王司马冏。司马冏派遣董艾去袭击司马乂，司马乂率领身边的一百多人驰马跑入宫中，然后关闭了所有宫门，打着惠帝司马衷的旗号攻打司马冏的大司马府。董艾把军队布防在皇宫西面，纵火焚烧皇宫的千秋神武门。齐王司马冏派人

乂[24]矫诏[520]。”乂又称：“大司马谋反。”是夕，城内大战，飞矢雨集，火光属天[521]。帝幸上东门[522]，矢集御前，群臣死者相枕[523]。连战三日，冏众大败。大司马长史[524]赵渊杀何勖[525]，因执冏以降。冏至殿前，帝恻然[526]，欲活之。乂叱左右趣牵出[527]，斩于阊阖门[528]外，徇首六军[529]，同党皆夷三族，死者二千余人。囚冏子超、冰、英于金墉城，废冏弟北海王寔。赦天下，改元[530]。李含等闻冏死，引兵还长安。

长沙王乂虽在朝廷，事无巨细，皆就邺谘大将军颖。颖以孙惠为参军，陆云为右司马。

是岁，陈留王[531]薨，谥曰魏元皇帝。

鲜卑宇文单于莫圭[532]部众强盛，遣其弟屈云攻慕容廆[533]，廆击其别帅素怒延，破之。素怒延耻之，复发兵十万，围廆于棘城[534]。廆众皆惧，廆曰：“素怒延兵虽多而无法制，已在吾算中矣。诸君但为力战，无所忧也。”遂出击，大破之，追奔百里，俘斩万计。辽东孟晖先没于宇文部[535]，帅其众数千家降于廆，廆以为建威将军。廆以其臣慕舆句[536]勤恪廉靖[537]，使掌府库。句心计默识[538]，不按簿书[539]，始终无漏。以慕舆河明敏精审[540]，使典狱讼[541]，覆讯清允[542]。

---

**【段旨】**

以上为第三段，写晋惠帝太安元年（公元三〇二年）一年间的大事。主要写了氐族首领李特攻杀广汉太守、击败梓潼太守，进攻成都，击败益州刺史罗尚，势力越来越大；写了齐王司马冏骄奢专权，对帝无礼，对下傲慢，郑方、孙惠劝之，皆不听；王豹上书，竟被打死；写了河间王司马颙联合长沙王司马乂、范阳王司马虓、成都王司马颖等起兵讨伐司马冏，双方战于洛阳城内，司马冏兵败被杀；写了司马乂在朝掌权，而又一切都听命于远在邺城的司马颖；写了东北地区的鲜卑族慕容廆部大破宇文部，逐渐成了气候等。

拿着驺虞幡大声呼喊：“长沙王司马乂假传圣旨。”司马乂也大喊：“大司马齐王司马冏谋反。”这一夜，双方在洛阳城内展开大战，飞箭如雨，火光连天。晋惠帝登上皇城东门，箭矢就落在他的面前，群臣中箭而死的一个压着一个。连续大战了三天，齐王司马冏大败。在大司马府中担任长史的赵渊杀死何勖，并趁势生擒齐王司马冏，然后请求投降。司马冏被带到殿前，晋惠帝很怜悯他，就想饶他一命。长沙王司马乂喝令左右赶快把他拉出去，司马冏在阊阖门外被杀，人头被传送到各军示众，司马冏的同党都被诛灭三族，受牵连被杀死的有两千多人。司马冏的儿子司马超、司马冰、司马英都被囚禁在金墉城，弟弟北海王司马寔也被削去爵位。大赦天下，改年号为太安。李含听说司马冏已死，就率领军队返回长安。

长沙王司马乂虽然身在朝廷，然而事无巨细，都要到邺城向大将军司马颖请示汇报。司马颖任命孙惠为参军，陆云为右司马。

这一年，陈留王曹奂去世，谥号为魏元皇帝。

鲜卑族宇文部落首领莫圭的势力最强盛，他派他的弟弟宇文屈云率人去攻打鲜卑另一部落首领慕容廆，慕容廆避开宇文屈云，攻打莫圭的另一统帅素怒延，把素怒延打败。素怒延认为这是莫大的耻辱，于是又调集十万大军，把慕容廆团团围困在棘城。慕容廆的部众都很害怕，慕容廆说：“素怒延的军队数量虽然很多，然而纪律涣散，不听节制，已经在我的掌握之中了。你们只管努力作战，不要有什么担忧。”慕容廆随即命令军队出击，大败素怒延，追杀了上百里，这一战俘虏、斩杀素怒延的将士总计约有上万人。辽东人孟晖早先受宇文部落统辖，现在他趁机率领部众数千家投降了慕容廆，慕容廆任命孟晖为建威将军。慕容廆觉得自己的臣属慕舆句一向勤劳谨慎、清廉稳重，于是就派他掌管府库财务。慕舆句擅长心算，长于记忆，不用翻看账簿，账目却始终没有什么遗漏。慕容廆认为慕舆河思维敏捷，考虑问题细密精确，就任命慕舆河主管审理各种犯罪与诉讼案件，于是复查的案件得到了公平、公正的处理。

---

**【注释】**

㊳⓪太安元年：此时实为永宁二年，本年内齐王冏专权不臣，至十二月齐王冏被诛，晋惠帝始改称“太安元年”。㊳①冲太孙尚：皇太孙司马尚。前太子司马遹之子，谥“冲”。㊳②乙酉：五月初七。㊳③督护衙博：督护官姓衙名博。㊳④梓潼：晋郡名，郡治即今四川梓潼。㊳⑤繁城：繁县，故城在今四川成都市新都区东北。㊳⑥阳沔：古邑名，在今四川梓潼西北。㊳⑦巴西丞：巴西郡的郡丞，巴西郡治在今四川阆中，郡丞是太守的副职。㊳⑧葭萌：晋县名，县治在今四川广元市昭化区东南五十里。㊳⑨帝子孙俱尽：惠帝

司马衷的太子司马遹与遹子司马彰、司马臧，前为贾后所杀，近遹子司马尚又死，惠帝遂绝子孙。㊿颖有次立之势：司马颖是司马炎的第十六子，晋惠帝无子孙，司马炎其他的儿子都比司马颖年纪小，故依次当为惠帝之继承人。391遐：司马遐，司马炎之子，司马衷之弟，已死于惠帝元康元年。392请立之：请立为惠帝的继承人，即所谓"过继"给司马衷为后。393癸卯：五月二十五。394险狭：险峻狭窄。395还涪：退回涪县。当时的涪县在今四川绵阳东北，涪江的东岸。396以微丧还之：把张微的尸体还给了他的儿子。397军毗桥：驻扎在毗桥。毗桥在今四川成都市新都区南十里。398什一二：十分之一二。399建宁：晋郡名，郡治味县，即今云南曲靖。400朱提：晋郡名，郡治即今云南昭通。401太守雍约：朱提郡的太守姓雍名约。402奉笺：给南夷校尉李毅上书。403十一月丙戌：十一月十一。404复置宁州：前撤销宁州事，见本书卷第八十一太康五年（公元二八四年）。405制：格局；规模。406西宫：当时的皇宫，当时皇帝住西宫，太子住东宫。407嵇绍：字延祖，魏时名士嵇康之子。事见《晋书·忠义传》。408善戒：良好的警告。《易·大传》："子曰：'危者，有其安者也；亡者，保其存者也；乱者，有其治者也。君子安而不忘危，存而不忘亡，然后身安而国家可保也。'"409无忘金墉：不要忘记自己被司马伦囚禁在金墉城里的屈辱。410大司马：敬称齐王司马冏。411无忘颍上：不要忘记与司马伦的部将在颍水边的阳翟（今河南禹州）苦战的情景。412大将军：敬称成都王司马颖。413无忘黄桥：不要忘记在黄桥（在今河南淇县西南）被赵王司马伦的部将打败的情景。414无由而兆：不可能发生。兆，征兆，隐指灾祸的发生。415茅茨：用茅草苫盖房屋。关于尧、舜的"茅茨不剪"事，见《史记·五帝本纪》。416卑宫：低矮的房子。有关大禹卑宫事，见《史记·夏本纪》。417为三王立宅：指司马冏为三个刚封亲王的儿子兴建邸舍。418耽：沉溺；沉迷。419不入朝见：不入朝拜见皇帝。420坐拜百官：坐在齐王府内，接受文武百官的叩拜。421符敕三台：给各高级官府发号施令。符敕，发命令指挥。三台指尚书台、御史台、谒者台。422嬖宠：弄臣；亲信。423奏事：向皇帝奏事。424考竟：考问追究。晋置殿中御史四人，其职责是伺察非法，司马冏居然"考竟"殿中御史，是目无君主。425处士：隐居的贤者。426当无纤介：不应存在任何矛盾。纤介是细小的意思，这里隐指矛盾。427蛮夷不静：李特等占据梁州，益州、宁州也有叛乱。428与义兵盟约：与共同起事讨伐司马伦的其他部队约定好。429赏不逾时：立刻实行奖励。古兵法有云："赏不逾时，欲民速得为善之利也。"430犹有有功未论者：还有立了功至今没有获得奖赏的人。431五难：五个难得。432冒犯锋刃：起兵讨司马伦时，亲临前线。433均劳苦：所谓同甘共苦。434大名不可久荷：俗所谓盛名之下难以久居。久荷，长期享有。435谓之可：以为可以长此无事。436功成身退：《老子》"功成，名遂，身退，天之道"。437崇亲推近：尊崇皇帝最近的亲属，把职位推让给他们。438委重长沙、成都二王：把大权交给司马乂与司马颖。司马乂与司马颖都是武帝司马炎之子，与惠帝是亲兄弟。439长揖：辞去职务。440太伯：周文王的大伯父，吴太伯让天下于其三弟季历的事，见《史记·吴太伯世家》。㊶ 子臧：春秋时，曹宣公的庶子，名欣时，字子臧。负刍杀太子自立，诸侯拘捕之，欲立子臧，子臧不受，遂逃奔宋。事见《左传》成公十五年。太伯、子臧都被古人说成是能以国让人的典范。㊷ 不专美于前：你今天的行为可以与之相比美。㊸ 忘高亢之可危：忘了权位太高的风险。《周易 · 乾卦》有所谓"亢龙有悔"之语。㊹ 受疑：被疑为有篡位之心。㊺ 重墉：大墙，指王府的高墙。㊻ 颍、翟：颍川、阳翟（今河南禹州），前嵇绍之所谓"颍上"。㊼ 物禁太盛：事物发展到极点就要变化，即"乐极生悲""盛极则衰"的意思。㊽ 褰裳：提起裤脚，准备涉水的样子，这里指断然离去。㊾ 菰菜：俗称茭白，果狭圆柱形，名"菰米"，可煮食。㊿ 莼羹：莼菜羹。莼，是一种多年水生草本植物，叶嫩时可食用。451 鲈鱼鲙：可生吃的鲈鱼片。鲈鱼是一种味道鲜美的鱼，体长侧扁，银灰色，背部有小黑斑。鲙，细切的鱼肉，这里特指可生吃的鱼片。452 适志：合乎自己的心愿。453 引去：抽身退去。〖按〗张翰时任成都王司马颖的东曹掾。454 故：故意。455 不省府事：不关心、不过问成都王府的事务。〖按〗当时顾荣任司马颖的主簿。456 废职：荒废职守，不负责任。457 期年不朝：一整年的时间不上朝。458 晋室卑：晋朝的王室衰微，皇帝没有权威。459 林虑山：本名隆虑山，因避东汉殇帝刘隆讳而改名，在今河南林州西。460 伏思：谦辞，意即"我想""我看"。461 元康：晋惠帝司马衷的年号（公元二九一至二九九年）。462 未有一人获终：没有一个人在职位上获得善终，指杨骏、司马亮、张华、裴頠等都死于非命。463 复寻覆车之轨：仍在翻过车的路上向前走。寻，沿着。轨，道路。464 河间：河间王司马颙。465 树根于关右：在关右（潼关以西）建有自己的根基。466 成都：成都王司马颖。467 盘桓于旧魏：盘踞在邺城（今河北临漳西南）一带。当年曹魏未篡权时，曾以邺城为根据地。468 新野：新野王司马歆。新野国的都城即今河南新野。司马歆是司马懿之孙，扶风王司马骏之子。469 大封于江、汉：拥有汉水流域的大片疆土，指今河南西南部与湖北北部一带地区。470 难赏之功：过大而难以再赏的功劳。471 亢龙有悔：《易经 · 乾卦》："亢龙有悔，盈不可久也。"意思是即令是神龙，久居巅峰也会后悔。472 据于蒺藜：处于荆棘之中。《易经 · 困卦》："困于石，据于蒺藜，入于其宫，不见其妻，凶。"473 冀此求安：据有如此的权势，还想求得平安。474 悉遣王侯之国：打发受封的各王、各公、各侯，都辞去朝权，回到各自的封地上去。475 依周、召之法：依照当年周公、召公辅佐成王，分陕而治的前例。476 北州伯：北方诸侯的霸主。伯，方伯，一方诸侯之长。477 治邺：以邺城为大本营。478 治宛：以宛县为大本营，宛县即今河南南阳。479 分河为界：以黄河为分界。480 优令答之：意同皇帝的"优诏"，即用一种礼貌、客气的语言做回复，但并不准备采纳、实行。481 铜驼下：在皇宫的正门前。当时洛阳宫的南门前有铜驼一对，长、高各一丈，是当年曹魏由长安移来的汉宫旧物。482 谗内间外：讨好朝内的二王，离间朝外的众家兄弟。483 坐生猜嫌：无缘无故地造成诸王之间的相互猜疑。484 县：通"悬"。昔伍子胥为吴王夫差所杀，临死时说："县吾目于关东门，见越之入吴也。"王豹仿伍子胥语。485 大司马门：大司马府的门前。时齐王冏任大司马之职。㊻李含：字世容，少贫困，有文武才。传见《晋书》卷六十。㊼不平：不和睦；有怨隙。㊽翊军校尉：武官名号，大驾出行时，与北军五校尉并行护驾。㊾心不自安：司马颙依附司马伦及杀害夏侯奭事，见前文永宁元年。㊿受密诏：接受了皇帝司马衷的秘密诏令。(491)至亲：皇帝的亲弟弟。(492)越亲：越过皇上的亲弟弟司马颖。(493)侧目：用恐惧愤怒的眼光看着他。(494)檄长沙王：给长沙王司马乂下令。檄，发文告。(495)除逼建亲：除去对皇位有威胁的人而以至亲辅政。(496)虓：司马虓，司马懿之弟东武成侯司马馗的孙子。(497)勒兵：统兵。(498)废冏还第：罢夺司马冏的职权，让他回家。(499)张方：时任振武将军。(500)十二月丁卯：十二月二十二。(501)首唱义兵：首先发难讨伐司马伦。(502)信著神明：信义为神明所见。(503)二王：指河间王司马颙与成都王司马颖。(504)勋业诚大：功劳业绩固然大。(505)赏不及劳：有些有功劳的人至今尚未得到封赏。(506)以王就第：辞去朝廷职务，以王爵的身份返回府第。(507)委权崇让：把大权交出去，以表明自己的礼让。(508)三台纳言：尚书台、御史台、谒者台以及各位言官。(509)不恤王事：不关心、不考虑国家大事。(510)赏报稽缓：奖赏功臣的事情拖延、迟缓。赏报，封赏、酬谢。(511)责不在府：责任不在齐王府。(512)虚承伪书：凭空根据一份伪造的诏书。(513)震悚：震骇惶恐。(514)伪药发堕厕：假装寒石散的药性发作掉到了茅坑里。(515)阴盘：晋县名，县治在今陕西西安市临潼区东十三里。(516)新安：晋郡名，郡治在今河南渑池东。(517)奉天子：打着皇帝的旗号。奉，簇拥，实即“挟持”。(518)千秋神武门：洛阳皇宫的西门。(519)唱：大声呼喊。(520)长沙王乂矫诏：长沙王假传圣旨。(521)属天：连天；照亮天空。(522)上东门：皇城的上东门。(523)相枕：相枕藉。(524)大司马长史：大司马府的最高僚属。长史，官名，为诸史之长。(525)何勖：原与司马冏同起兵讨伐赵王司马伦，司马冏当政时何勖为中领军。(526)恻然：内心怜悯的样子。(527)趣牵出：赶紧拉出去。趣，通“促”。赶快。(528)阊阖门：皇宫的正门。〖按〗“八王之乱”的第四王结束。司马冏于永宁元年（公元三〇一年）三月起事，到本年（公元三〇二年）十二月被杀，当权一年零十个月。(529)徇首六军：将司马冏的人头徇示各军。(530)改元：此前为永宁二年，从此改为太安元年。(531)陈留王：曹奂，晋受魏禅之后，封魏帝曹奂为陈留王。(532)鲜卑宇文单于莫圭：鲜卑族宇文部落的首领，名叫莫圭。(533)慕容廆：鲜卑族另一个部落的首领，姓慕容名廆。是慕容儁、慕容垂的祖父，当时活动在今辽宁西部及邻近的内蒙古东南部地区。(534)棘城：在今辽宁义县西。(535)先没于宇文部：先被宇文部落统辖、裹挟。没，沦陷、陷入。(536)慕舆句：人名，姓慕舆，名句。(537)勤恪廉靖：勤劳谨慎、清廉稳重。(538)心计默识：长于心算，长于记忆。(539)不按簿书：不用翻看账簿。(540)明敏精审：思维敏捷，考虑细密精确。(541)典狱讼：主管审理各种犯罪与诉讼案件。(542)覆讯清允：复查案件公平、公正。

## 【校记】

［17］乙酉：原作“己酉”。据章钰校，甲十一行本、乙十一行本、孔天胤本皆作“乙酉”，今据改。［18］许俊：据章钰校，甲十一行本、乙十一行本、孔天胤本皆作“杜俊”，张瑛《通鉴校勘记》同。［19］所：原无此字。据章钰校，甲十一行本、乙十一行本、孔天胤本皆有此字，今据补。［20］用：据章钰校，甲十一行本、乙十一行本、孔天胤本皆作“举”。［21］有有：“有”字原不重。据章钰校，甲十一行本、乙十一行本“有”字皆重，张敦仁《通鉴刊本识误》同，今从改。［22］窃：原作“切”，乃“窃”之俗字，今改作“窃”。［23］各：原作“方”。据章钰校，甲十一行本、乙十一行本、孔天胤本皆作“各”，今据改。［24］乂：据章钰校，甲十一行本、乙十一行本、孔天胤本皆无此字。

## 【研析】

本卷写了晋惠帝永宁元年（公元三〇一年）至太安元年（公元三〇二年）共两年间的全国大事，其中可议论的有以下数点。

第一，本卷突出地写了司马氏诸王为争权夺利而大动干戈，简直是一群豺狼乱咬，没有一个是出于保国安民之意。贾皇后对上杀了杨太后，对下杀了皇太子，其他罪行不可缕数，赵王司马伦起兵杀掉这样一个元凶大慝，可以说是顺合天心民意的大好事，如果出以公心地清理朝纲、摆平各方的关系，这岂不是有望于国家治平的大好时机？但司马伦所着急的事情是赶紧篡位当皇帝，称被赶下台的司马衷为“太上皇”。别的不说，单说这孙子辈的晋惠帝，成了爷爷辈的司马伦的“太上皇”，这就是古往今来所没有的“奇观”。接着司马冏联合司马颖、司马颙等起兵打败司马伦，夺得权势后，又专权跋扈，傲慢自大，并欲“久专大政”，这就又与包藏更大祸心的司马颖、司马颙等关系紧张起来，很快地被司马颖、司马颙的同党司马乂杀死。胡致堂对此曾惋惜地说：“冏以贤王之子纠率诸侯入讨篡逆，迎帝复位，臣子之义得矣。即当请帝下诏散遣外兵，归重成都，留辅大政，己为之副，选建贤才，更革弊事，辞避荣宠，居以谦降，颖、颙之师何名而起哉？伦、秀甫诛，台、省、府、卫尚尔空缺，战死之士未加收恤，遽受九锡，以宣、景、文、武为比，标示争端，于是卢志献谋，使成都王委权而去，以恶相稔。犹且未悟，方欲久专大政，骄奢荒宴，选举不公，任用嬖幸，忠谋者远，直谏者诛，遂使献王绝国不祀，良由生长富贵，不知义理故也。”（《纲鉴合编》）

第二，过去读《世说新语》，读到“张季鹰辟齐王东曹掾，在洛，见秋风起，因思吴中菰菜羹、鲈鱼脍，曰：‘人生贵得适意尔，何能羁宦数千里以要名爵？’遂命驾便归。俄而齐王败，时人皆谓‘见机’”。当时不太理解，但总觉得张翰一定是有不好明说的原因，绝不会是只因为想起故乡的菰菜鲈鱼就辞官不干了。只有深入地读过《资治通鉴》、读过《晋书》的相关章节时，才能具体感受到一群手无缚鸡之力的文人，与一群豺狼周旋在一起的那种拿着自己的小命做游戏，而于国、于民、于家都丝毫无补的忧惧与厌倦之情。孔子曾说:“危邦不入，乱邦不居。”像是晋朝“八王”之乱这样的时代，真可以说是最典型不过的“乱邦”了，上上下下，方方面面，没有一个好人。类似这样黑暗、混乱的人肉筵席时代，在中国几千年的“相斫书”上也为数不多!

第三，关于氐族李特等人的聚众起义。李特等人原是秦、雍一带的流民，由于秦、雍一带闹灾荒而流入汉中，又进而流入蜀地。晋王朝的各地政府从未对这些流民加以怜恤，为其绸缪生计。等到朝廷也感到这是一个问题时，竟突然下令叫秦、雍地区的官员去“召还”流入汉中、巴蜀的流民，让汉中、巴蜀的官吏“督遣”这些流民返回秦、雍地区。这些流民在汉中、巴蜀刚刚有了一定的生活基础、生存秩序，而各地的官吏又如狼似虎地要来改变它，要逼着这些刚刚获得稳定的灾民回流。这应该是一件多么难办、多么不得人心的事!而益州刺史罗尚、广汉太守辛冉等却“督遣流民，限七月上道”。当时的流民“布在梁、益，为人佣力，闻州郡逼遣，人人愁怨，不知所为;且水潦方盛，年谷未登，无以为行资”。李特出面请求罗尚、辛冉等宽限几个月到冬天，罗尚、辛冉不但不听，还要逮捕李特等流民领袖。真真是官逼民反!于是李特兄弟子侄遂揭竿而起。他们前仆后继，不到几年的工夫，终于打出了一个自己的政权，国号“成”。李特很像是楚汉时代的项梁，而后来更老练、更成熟的李特的儿子李雄竟做了“成国”的皇帝。面对腐朽、黑暗而又豺狼成性的晋朝统治者，李氏小王朝的创建者要比司马氏那一群可爱得多了。李氏政权是从腐烂西晋废墟上组建起来的第一个新王朝，应该为它喝彩。

# 卷第八十五　晋纪七

起昭阳大渊献（癸亥，公元三〇三年），尽阏逢困敦（甲子，公元三〇四年），凡二年。

**【题解】**

本卷写惠帝太安二年（公元三〇三年）、永兴元年（公元三〇四年）共两年间的全国大事，以及揭开“五胡十六国”序幕的“成汉”及“前赵”的建国过程。主要写了晋长沙王司马乂杀了与河间王司马颙相勾结的李含、冯荪、卞粹，司马颙与成都王司马颖分别派张方、陆机率军进讨司马乂；司马乂挟持晋惠帝大破陆机、张方；司马颖率兵进逼洛阳；东海王司马越操纵晋惠帝杀长沙王司马乂并向司马颖、司马颙求和；司马颖自立为皇太弟，专权营私，仍居邺城以遥控京师；司马越纠集势力，挟持惠帝北讨司马颖，被司马颖打得大败，惠帝落入司马颖之手；幽州刺史王浚勾结鲜卑人与亲司马越的势力进攻邺城，司马颖兵败，裹挟惠帝弃邺南入洛阳；时司马颙的部将张方占据洛阳，操纵朝政，裹挟惠帝西迁

**【原文】**

## 孝惠皇帝中之下

### 太安[1]二年（癸亥，公元三〇三年）

春，正月，李特潜渡江①击罗尚，水上军②皆散走。蜀郡太守徐俭以少城③降，特入据之，惟取马以供军，余无侵掠，赦其境内，改元建初④。罗尚保太城⑤，遣使求和于特。蜀民相聚为坞⑥者，皆送款⑦于特，特遣使就抚之，以军中粮少，乃分六郡流民于诸坞就食。李流言于特曰：“诸坞新附，人心未固，宜质其大姓子弟⑧，聚兵自守，以备不虞⑨。”又与特司马上官惇⑩书曰：“纳降如受[2]敌⑪，不可易⑫也。”前将军雄⑬亦以为言。特怒曰：“大事已定，但当安民，何为

长安，司马颖的一切权力被解夺，司马越与司马颙成了最高势力的把持者；写了蛮人张昌在江夏郡发动民变，奉刘尼为天子，攻杀了镇南将军新野王司马歆，势力纵横数郡；张昌的党羽石冰更横行于扬、江、徐、豫等州，最后被荆州刺史刘弘派出的陶侃与江东地区的地方官员及一些辞职居家的人士如陈敏、顾秘、贺循、葛洪等起兵讨平；此外还写了氐族头领李特围攻成都，被刺史罗尚杀死，其子李雄崭露头角，攻杀汶山太守，夺得成都，建立国家，自称成都王；写了匈奴首领刘宣率众拥立刘渊为大单于，称王建国，其身边又有刘聪、刘曜辅佐，匈奴的气势大振等。

---

**【语译】**

**孝惠皇帝中之下**

**太安二年（癸亥，公元三〇三年）**

春季，正月，李特率领军队偷偷地渡过郫江攻打益州刺史罗尚，罗尚驻扎在郫江南岸的防守部队全部溃散、逃走。蜀郡太守徐俭献出郡府所在地少城向李特投降，李特占领少城之后，只征收马匹武装自己的部队，其他的东西一律不要，又赦免了成都境内的罪犯，改年号为“建初”。罗尚据守益州府治所太城，派使者向李特请求讲和。那些聚居在一起，在周围构筑起围墙寨门用以自保的蜀地原有居民，也都纷纷向李特送上表示愿意归附、投降的书信，李特派使者到各个村寨里去安抚他们，由于自己军中缺少粮食，于是就把秦、雍六郡的流民分散到各个村寨里以求得到食物活命。李流对李特说：“那些村寨都是刚刚归顺我们，人心还不稳固，应当让那里的大家族把子弟送到我们这里来做人质，我们自己要组织起力量进行防守，以备不测事件的发生。”李流又写信给李特的司马上官惇说：“接受敌人的投降，就应像对敌人开战一样提高警惕，不可掉以轻心。”前将军李雄也向李特表达了同样的意见。李特非常生气地说：“大事已定，应该做的只是安抚百姓，为什么要平白无故地事先怀

更逆加疑忌⑭，使之离叛乎！”

朝廷遣荆州⑮刺史宗岱、建平⑯太守孙阜帅水军三万以救罗尚。岱以阜为前锋，进逼德阳⑰，特遣李荡及蜀郡太守李璜就德阳太守⑱任臧共拒之。岱、阜军势甚盛，诸坞皆有贰志⑲。益州兵曹从事⑳蜀郡任睿言于罗尚[3]曰：“李特散众就食，骄怠无备，此天亡之时也。宜密约诸坞，刻期同发㉑，内外击之，破之必矣。”尚使睿夜缒出城㉒，宣旨㉓于诸坞，期以二月十日同击特。睿因㉔诣㉕特诈降，特问城中虚实。睿曰：“粮储将尽，但余货帛㉖耳。”睿求出省家㉗，特许之，遂还报尚。二月，尚遣兵掩袭㉘特营，诸坞皆应之，特兵大败，斩特及李辅、李远，皆焚尸，传首洛阳，流民大惧。李流[4]、李荡、李雄收余众还保赤祖㉙。流㉚自称大将军、大都督、益州牧，保东营，荡、雄保北营。孙阜破德阳，获蹇硕㉛，任臧退屯涪陵㉜。

三月，罗尚遣督护何冲、常深等[5]攻李流，涪陵民药绅㉝等[6]亦起兵攻流。流与李骧拒深，使李荡、李雄拒绅[7]，何冲乘虚攻北营。氐苻成、隗伯在营中，叛应之。荡母罗氏擐甲㉞拒战，伯手刃伤其目，罗氏气益壮。营垂破[8]，会流等破深、绅，引兵还，与冲等[9]战，大破之。成、伯率其党突出诣尚。流等乘胜进抵成都，尚复闭城自守。荡驰马逐北㉟，中矛而死。

朝廷遣侍中燕国[10]刘沈假节㊱统罗尚、许雄等军㊲，讨李流。行至长安，河间王颙留沈为军师，遣席薳代之。

李流以李特、李荡继死，宗岱、孙阜将至，甚惧。李含劝流降，流从之。李骧、李雄迭谏㊳，不纳。夏，五月，流遣其子世及含子胡为质于阜军。胡兄离为梓潼太守，闻之，自郡驰还㊴，欲谏不及。退，与雄谋袭阜军。雄曰：“为今计，当如是㊵，而二翁不从㊶，奈何？”离曰：

疑人家，迫使他们离开我们、背叛我们呢!”

朝廷派遣荆州刺史宗岱、建平郡太守孙阜率领三万水军前去救援罗尚。宗岱任命孙阜为前锋，率军进逼德阳县，李特派遣李荡和蜀郡太守李璜前往德阳协助太守任臧共同抵御孙阜的军队。宗岱、孙阜的军队非常强盛，本已向李特送款的各个村寨又都转过来想投靠朝廷派来的宗岱、孙阜等人。担任益州兵曹从事的蜀郡人任睿对益州刺史罗尚说:“李特把流民分散到各个村寨去就食，而且又骄傲懈怠，没有戒备之心，这是上天赐给我们消灭他的好机会。我们应当秘密联络各个村寨的人，与他们约定好日期同时动手，到时内外夹击，一定能打败李特。”罗尚利用黑夜做掩护派人用绳索把任睿从城墙上送出城外，任睿到各个村寨传达罗尚的决定，并与各村寨约定于二月十日同时攻击李特。任睿于是到李特那里诈降，李特向他询问太城中的情况。任睿说:“城中储备的粮食就要吃完了，现在只剩下钱币和布帛。”任睿向李特请求回去探望家人，李特答应了他的请求，任睿于是返回太城向罗尚做了汇报。二月，罗尚派遣军队偷袭李特的军营，各村寨也一起响应，李特的军队大败，罗尚军队杀死李特、李辅、李远，焚烧了他们的尸体，还把他们的人头送到洛阳，流民因此非常恐惧。李流、李荡、李雄召集起溃散的军队回军据守赤祖。李流自称大将军、大都督、益州牧，负责守卫东营，李荡、李雄负责保护北营。孙阜率军攻破了德阳县城，俘获了李特的部将蹇硕，德阳太守任臧率军撤退到涪陵。

三月，罗尚派遣督护何冲、常深等人率军攻打李流，涪陵百姓药绅等人也起兵攻击李流。李流与李骧抵御常深，派李荡、李雄抵御药绅，何冲乘虚攻打北营。氐人苻成、隗伯当时都在北营，他们趁机叛变李氏响应何冲。李荡的母亲罗氏身披铠甲进行抵抗，隗伯亲手用刀刺伤了罗氏的眼睛，而罗氏却越战越勇。军营即将被攻破，碰巧此时李流等人打败了常深、药绅，率军回到北营，立即与何冲等进行交战，大败何冲。苻成、隗伯率领他们的党羽冲出北营前往罗尚那里投降。李流等人乘胜进攻，抵达成都城下，罗尚再次关闭城门自守。李荡策马奔驰，在追逐败逃的敌人时，不幸被矛刺中身亡。

朝廷派遣侍中燕国刘沈秉持朝廷所赐的旌节去统一调度罗尚、许雄等各路军队讨伐李流。刘沈经过长安时，河间王司马颙留下刘沈为自己担任军师，另派席薳代替刘沈去成都指挥各军作战。

李流因为李特、李荡相继战死，宗岱、孙阜率军即将到达，心里非常恐惧。李含便劝说李流向朝廷投降，李流听从李含的劝告准备投降。李骧、李雄轮番劝谏，李流都不肯听从。夏季，五月，李流派他的儿子李世和李含的儿子李胡到孙阜的军营去做人质。李胡的哥哥李离为梓潼郡太守，听到消息后，立即从梓潼郡飞马回到李流那里，准备劝阻李流，然而已经来不及了。李离退出李流的营帐后，便与李雄商议袭击孙阜的军队。李雄说:“为今之计，理应如此，别无出路，然而李流、李含

“当劫之㊷耳。”雄大喜，乃共说流民曰：“吾属前已残暴蜀民，今一旦束手㊸，便为鱼肉，惟有同心袭阜以取富贵耳。”众皆从之。雄遂与离袭击阜军，大破之。会宗岱卒于垫江㊹，荆州军遂退。流甚惭，由是奇雄才，军事悉以任之。

新野庄王歆㊺为政严急，失蛮夷心。义阳蛮张昌㊻聚党数千人，欲为乱。荆州以壬午诏书㊼发武勇赴益州讨李流，号“壬午兵”。民惮远征，皆不欲行。诏书督遣严急㊽，所经之界停留五日者，二千石㊾免官。由是郡县官长皆亲出驱逐㊿，展转不远[51]，辄复屯聚为群盗。时江夏[52]大稔[53]，民就食者[54]数千口。张昌因之诳惑[55]百姓，更姓名曰李辰，募众于安陆石岩山[56]，诸流民及避戍役[57]者多往[11]从之。太守弓钦遣兵讨之，不胜。昌遂攻郡[58]，钦兵败，与部将朱伺奔武昌[59]。歆遣骑督靳满[60]讨之，满复败走。

昌遂据江夏，造妖言云：“当有圣人出为民主[61]。”得山都[62]县吏丘沈，更其姓名曰刘尼，诈云汉后[63]，奉以为天子，曰：“此圣人也。”昌自为相国，诈作凤皇、玉玺之瑞[64]，建元神凤[65]，郊祀[66]、服色[67]，悉依汉故事[68]。有不应募[69]者，族诛之，士民莫敢不从。又流言云[12]：“江、淮已南[70]皆反，官军大起[71]，当悉诛之。”互相扇动，人情惶惧，江、沔间[72]所在起兵[73]以应昌，旬月间众至三万，皆著绛帽[74]，以马尾作髯[75]。诏遣监军华宏[76]讨之，败于障山[77]。

歆上言：“妖贼犬羊[78]万计，绛头毛面，挑刀走戟[79]，其锋[80]不可当，请台[81]敕诸军[82]三道救助。”朝廷以屯骑校尉刘乔为豫州[83]刺史，

两位老人家不同意，你说该怎么办呢？”李离说：“只有用武力胁迫他们听从了。”李雄非常高兴，于是两人就一起去鼓动流民说：“我们这些人以前曾经用残酷的手段摧残过蜀地的居民，一旦缴械投降，便会成为被他们任意宰割的鱼肉，现在只有同心协力袭击孙阜取得富贵，才是唯一的出路。”流民都同意他们的意见。于是李雄和李离率领这些流民去袭击孙阜的军队，把孙阜的军队打得大败。恰巧此时荆州刺史宗岱在垫江县去世，荆州的军队随即撤退。李流感到非常惭愧，也因此看出李雄的雄才大略，于是就把所有军事重任全部交给李雄。

新野王司马歆处理政务严苛急迫，因而失去了少数民族的支持。义阳国的蛮族人张昌因此聚集党徒数千人，准备谋反作乱。荆州官员按照朝廷正月初八日壬午颁发的诏令征调青壮年赶往益州去讨伐李流，因此把这些人称为“壬午兵”。由于人们畏惧长途远征，所以都不愿意去。而诏书又催促火速进兵，“壬午兵”如果在所经过的郡县界内停留五天，所在郡县二千石俸禄的官吏就要被免去官职。所以，所经过的郡县，官员们都亲自出城驱赶赴蜀的士兵快走，没有走出多远，这些人就被逼无奈屯聚在一起成为盗贼。当时江夏郡的庄稼获得了大丰收，外地到江夏郡找食物吃的流民有数千人。张昌便趁机哄骗、迷惑这些流民百姓，自己也改换姓名为李辰，他在安陆县的石岩山招募民众，大批的流民和逃避“壬午兵”兵役的人都前往归附了他。江夏郡太守弓钦派兵前去讨伐，却不能取胜。张昌随后攻打江夏郡城，弓钦作战失败，就与部将朱伺一起投奔武昌郡。新野王司马歆派遣骑兵长官靳满率领骑兵去讨伐张昌，靳满又被张昌打败逃走。

张昌随即占领了江夏郡，他制造妖言说：“应当有圣人出来成为百姓的新主子。”张昌物色到山都县的县吏丘沈，他让丘沈改名换姓叫作刘尼，又让刘尼诈称是汉朝皇室的后裔，尊刘尼为天子，他指着刘尼对众人说：“这就是圣人。”张昌自封为相国，他编造说附近某地来了“凤凰”，自己得到了“玉玺”等，说这是该出帝王的征兆，以骗取百姓的信任，并称该年为“神凤元年”，又在郊外举行祭祀天地的大典，典礼仪式和刘尼所乘坐的车马以及朝会时冠冕的颜色，全部依照汉王朝的旧规定。有不应征参加张昌、刘尼军队的，就被诛灭全族，所以没有人敢不听从他们。张昌又散布流言说：“长江、淮河以南地区的人民全部造反了，朝廷已经派出大量军队，准备把他们全部剿灭。”由于互相煽动，人心惶恐不安，于是长江、沔水一带到处起兵响应张昌，不到十天半月的时间张昌就聚集了三万人，他们头上都戴着深红色的帽子，下巴上戴着用马尾做的假胡须。朝廷下诏派监军华宏率领军队去讨伐张昌，华宏在障山被张昌打败。

新野王司马歆给朝廷上书说：“张昌率领的叛民就像犬羊一样，成千上万，他们头上戴着深红色的头巾，满脸毛发，挥舞着刀枪剑戟，其来势锐不可当，请朝廷命令征讨军队，兵分三路前来救助我们。”朝廷任命担任屯骑校尉的刘乔为豫州刺史，

宁朔将军沛国刘弘为荆州刺史。又诏河间王颙[84]遣雍州刺史刘沈将州兵万人，并征西府[85]五千人，出蓝田关[86]以讨昌。颙不奉诏，沈自领州兵至蓝田[87]，颙又逼夺其众。于是[88]刘乔屯汝南[89]，刘弘及前将军赵骧、平南将军羊伊屯宛[90]。昌遣其将黄林帅二万人向豫州，刘乔击却之。

初，歆与齐王冏善[91]。冏败，歆惧，自结于大将军颖。及张昌作乱，歆表请讨之[92]。时长沙王乂已与颖有隙，疑歆与颖连谋[93]，不听[94]歆出兵，昌众日盛。从事中郎[95]孙洵谓歆曰："公为岳牧[96]，受阃外之托[97]，拜表辄行[98]，有何不可？而使奸凶滋蔓，[99]祸衅不测，[100]岂藩翰王室[101]、镇静方夏[102]之义乎？"歆将出兵，王绥[103]曰："昌等小贼，偏裨[104]自足制之，何必违诏命，亲矢石[105]也？"昌至樊城[106]，歆乃出拒之，众溃，为昌所杀。诏以刘弘代歆为镇南将军，都督荆州诸军事。六月，弘以南蛮长史庐江[13]陶侃[107]为大都护[108]，参军蒯恒为义军督护[109]，牙门将皮初为都战帅，进据襄阳[110]。张昌并军围宛，败赵骧军，杀羊伊。刘弘退屯梁[111]，昌进攻襄阳，不克。

李雄攻杀汶山[112]太守陈图，遂取郫城[113]。

---

【段旨】

以上为第一段，写惠帝太安二年（公元三〇三年）上半年的大事。主要写了李特围攻成都，形势一片大好之际，疏忽无备，被罗尚掩袭杀死，李荡战死，李雄初露头角，代替其父李流掌权，攻杀了汶山太守，夺得成都西侧的要地郫城；写了蛮人张昌在江夏郡募众起事，奉刘尼为天子，进攻樊城，破杀了镇南将军新野王司马歆，势力纵横已广达数郡。

【注释】

①渡江：渡郫江。郫江自西北流来，由成都城北南折入岷江。②水上军：驻扎郫水南岸的防守部队。③少城：蜀郡郡府所在地，在成都的西部。④改元建初：此时李特虽尚未称王，实际已自成一统。⑤太城：益州州府所在地，在成都之东部。⑥相聚为坞：集中住在一起，周围构筑堡垒。坞，堡垒，也叫庳城。⑦送款：送上表示归附、投

宁朔将军沛国人刘弘为荆州刺史。又下诏命令河间王司马颙派遣雍州刺史刘沈率领雍州兵一万，和征西将军司马颙府中的兵力五千，从蓝田关出发去讨伐张昌。司马颙不服从诏命，刘沈只得率领一万雍州兵前往蓝田县，司马颙又逼迫刘沈，强行夺走了刘沈的一万军队。当时刘乔的军队驻扎在汝南郡，刘弘和前将军赵骧、平南将军羊伊的军队屯扎在宛县。张昌派遣手下将领黄林率领二万人向豫州进发，刘乔率军把黄林打退。

当初，新野王司马歆与齐王司马冏关系密切。司马冏失败被杀后，司马歆便心怀恐惧，主动和大将军司马颖亲近。等到张昌叛乱的时候，司马歆上表请求讨伐张昌。当时长沙王司马乂已经与成都王司马颖有了矛盾，司马乂怀疑司马歆与司马颖联合策划阴谋，便不让司马歆出兵，以致张昌的势力日甚一日。担任从事中郎的孙洵对司马歆说："您身为独当一面的大员，接受皇帝的委托，拥有临事制宜、先斩后奏的权力，上表之后就立即行动，有什么不可以呢？如果让张昌的势力发展起来，造成难以预料的恶果，这难道是捍卫皇室、为国家做屏障以保障四海稳定安宁的本意吗？"司马歆准备亲自带领军队出征，王绥劝阻司马歆说："张昌只不过是个小毛贼，派一个属下偏将就足以制服他，何必要违抗诏命，亲自去冒乱箭飞石的危险呢？"等张昌到达樊城的时候，司马歆才出城迎战，所率军队一触即溃，司马歆被张昌杀死。惠帝下诏任命刘弘接替司马歆为镇南将军，统领荆州各种军事。六月，镇南将军刘弘任命担任南蛮校尉长史的庐江陶侃为大都护，任命担任参军的蒯恒为义军督护，任命担任牙门将的皮初为都战帅，进入襄阳郡据守。张昌集结了属下所有的军队围攻宛县，打败赵骧的军队，杀死了羊伊。荆州刺史刘弘率军退守梁县，张昌进攻襄阳郡城，但没能攻克。

李雄率军攻打汶山郡，杀死汶山郡太守陈图，随后夺取成都西侧的战略要地郫城。

---

降的书信。⑧质其大姓子弟：让他们那里的势家强族的子弟出来做人质。⑨不虞：不测。⑩特司马上官惇：李特的僚属，姓上官名惇。司马是将军的僚属，在军中主管司法。⑪纳降如受敌：接受投降的敌人应像对敌人开战一样提高警惕。⑫不可易：不可掉以轻心。易，轻视。⑬前将军雄：李雄。⑭逆加疑忌：平白无故地事先怀疑人家。逆，预、事先。⑮荆州：州治江陵，即今湖北荆州。⑯建平：晋郡名，郡治即今重庆市巫山县。⑰德阳：晋县名，故城在今四川遂宁东南。⑱德阳太守：德阳原是广汉郡中的一个县，李特将德阳一带升为郡，令其部下任臧为太守。⑲诸坞皆有贰志：本已向李特送款的各坞百姓又都转过来想投靠朝廷派来的宗岱、孙阜等。贰志，两边观望。⑳兵曹从事：官名，刺史的僚属。㉑刻期同发：约定日期同时动手。㉒夜縋出城：夜间用绳索将人从城上系下。㉓宣旨：传达罗尚的意思。㉔因：于是；随后。㉕诣：到；到……处。㉖但余货帛：就剩下没处花的钱啦。货帛，钱币、布帛。㉗省家：探看家人。㉘掩袭：偷袭；

突然发起攻击。㉙赤祖：地名，在今四川绵竹东南。㉚流：李流，李特的四弟。㉛获骞硕：俘获了李特的部将骞硕。㉜涪陵：涪县，在今四川绵阳东北。㉝药绅：人名，姓药名绅。㉞擐甲：身披铠甲。㉟逐北：追击败逃之敌。北，通“背”。㊱假节：秉持朝廷所赐的旌节。当时为提高使者的权威，授予旌节时有“使持节”“持节”“假节”三等。“假节”是其中的权威最低者。㊲统罗尚、许雄等军：当时，罗尚率益州军，许雄率梁州军，总归刘沈节制之。㊳迭谏：轮递着劝阻。㊴驰还：飞马回到李流处。㊵当如是：理应如此，指袭击孙阜军。㊶二翁不从：两位老人家不同意。二翁指李流、李含，李流是李雄之叔，李含是李雄的姑父。㊷劫之：用武力强迫。㊸束手：指缴械投降。㊹垫江：晋县名，县治即今重庆市合川区。㊺新野庄王歆：司马歆，司马懿之孙，司马骏之子，当时驻兵于今河南新野。庄字是死后之谥。㊻义阳蛮张昌：义阳国的蛮族人张昌，少为平氏县吏。传见《晋书》卷一百。义阳国的都城即今河南新野。㊼壬午诏书：正月初八（壬午日）所颁发的命令，内容是让荆州刺史发兵救援成都。㊽督遣严急：催促火速进兵。㊾二千石：指郡太守一级的官员。㊿亲出驱逐：亲自出城驱赶着赴蜀的士兵快走。(51)展转不远：没有走出多远。展转，通“辗转”。一处接一处被驱赶的样子。(52)江夏：晋郡名，郡治安陆，即今湖北云梦。(53)大稔：获得了大丰收。(54)民就食者：外地来江夏郡找食物吃的流民。(55)诳惑：哄骗、迷惑。(56)安陆石岩山：安陆县的石岩山，在当时的安陆县北，今湖北安陆南。(57)避戍役：逃避往征蜀地李流的兵役。(58)攻郡：攻打江夏郡城，即安陆县。(59)武昌：晋郡名，郡治即今湖北鄂州市鄂城区。(60)骑督靳满：骑兵长官姓靳名满。(61)出为民主：出来成为百姓的新主子。(62)山都：晋县名，县治在今湖北襄阳西北。(63)汉后：汉朝皇室的后裔。(64)诈作凤皇、玉玺之瑞：编说附近某地来了“凤凰”，自己得了“玉玺”云云，说这是该出帝王的征兆。凤皇，即“凤凰”。(65)建元神凤：称今年为“神凤元年”。(66)郊祀：帝王在城外祭祀天地的大典。(67)服色：御用车马以及朝会冠冕的颜色等。(68)悉依汉故事：都依照汉王朝的旧规定。(69)不应募：不应征参加张昌、刘尼的军队。(70)已南：以南。已，通“以”。(71)官军大起：朝廷的军队大量派出。(72)江、沔间：长江、沔水一带。沔水，即今汉水。自陕西东南部流来，经湖北襄樊向东南流，于武汉入长江。(73)所在起兵：到处都起兵。所在，到处。(74)皆著绛帽：都戴着深红色的帽子。(75)作髯：做成假胡须，这里指戴着假胡须。(76)监军华宏：此华宏应是荆州刺史的监军。(77)败于障山：华宏被张昌打败于障山。障山在今湖北安陆东四十里。(78)妖贼犬羊：言张昌率领的叛民如同犬羊。(79)挑刀走戟：舞刀弄戟。(80)锋：来头儿；锐气。(81)请台：请求朝廷。台，台省，代指朝廷。(82)敕诸军：命令征讨军队。(83)豫州：州治陈县，今河南周口市淮阳区。(84)河间王颙：司马颙，当时正镇守长安。(85)征西府：征西将军府，时司马颙为征西将军。(86)蓝田关：峣关。故址在今陕西蓝田东南，自古为关中地区通往南阳一带的交通要隘。(87)蓝田：晋县名，县治在今陕西蓝田西南。(88)于是：此时；当时。(89)汝南：晋郡名，郡治在今河南平舆北。(90)宛：晋县名，县治即今河南南阳。(91)歆与齐王同善：事见本书卷第八十四永宁元年（公元三〇一年）。⑨表请讨之：上表请求讨伐张昌。⑬连谋：联合策划阴谋。⑭不听：不让；不允许。⑮从事中郎：官名，将军府中的军事参谋。⑯岳牧：古代有“四岳”“十二牧”，各自分掌一个地区的封国，后来用以代指专断一方的方面大员。⑰受阃外之托：有带兵在外的临事制宜、先斩后奏之权。阃外，城门之外。《史记·张释之冯唐列传》有云：“上古王者之遣将也，跪而推毂曰：‘阃以内者，寡人制之；阃以外者，将军制之。’”⑱拜表辄行：上表以后就立即行动，不等批准。⑲而使奸凶滋蔓：如果让张昌的势力发展起来。而，如果。滋蔓，发展、蔓延。⑩祸衅不测：造成难以预料的恶果。⑩藩翰王室：保卫皇家，为国家做屏障、做骨干。⑩镇静方夏：保障四海的稳定安宁。方夏，四方与中夏，即整个国家。⑩王绥：字彭祖，开国元勋王沈之子，西晋的乱臣贼子。传见《晋书》卷三十九。⑩偏裨：偏将；小将。⑩亲矢石：亲自冒着乱箭飞石向前进攻。⑩樊城：今湖北襄阳的汉水以北部分。⑩南蛮长史庐江陶侃：南蛮长史是南蛮校尉（掌荆州少数民族事务）的长史。陶侃字士行，东晋庐江寻阳（今江西九江）人，早孤贫，初为县吏，此时为南蛮校尉的高级僚属。传见《晋书》卷六十六。⑩大都护：州中诸将的统领。⑩义军督护：为当地民兵的统领官。⑩襄阳：晋郡名，郡治即今湖北襄阳汉水以南的襄州区。⑪梁：晋县名，县治在今河南汝州西。⑫汶山：晋郡名，郡治在今四川茂县北。⑬郫城：今四川成都市郫都区，在成都西北。

## 【校记】

［1］太安：原作“大安”。据章钰校，甲十一行本、乙十一行本皆作“太安”，熊罗宿《胡刻资治通鉴校字记》同，今据改。［2］受：据章钰校，甲十一行本、乙十一行本皆作“待”，张敦仁《通鉴刊本识误》同。［3］罗尚：原无“罗”字。据章钰校，甲十一行本、乙十一行本皆有“罗”字，今据补。［4］李流：原无此二字。据章钰校，甲十一行本、乙十一行本皆有此二字，张敦仁《通鉴刊本识误》、张瑛《通鉴校勘记》同，今据补。［5］等：原无此字。据章钰校，甲十一行本、乙十一行本皆有此字，今据补。［6］等：原无此字。据章钰校，甲十一行本、乙十一行本、孔天胤本皆有此字，今据补。［7］流与李骧拒深，使李荡、李雄拒绅：原作“流与李骧拒绅”，脱“深使李荡李雄拒”七字。据章钰校，甲十一行本、乙十一行本皆未脱，张敦仁《通鉴刊本识误》、张瑛《通鉴校勘记》同，今据补。［8］营垂破：原无此三字。据章钰校，甲十一行本、乙十一行本皆有此三字，张敦仁《通鉴刊本识误》、张瑛《通鉴校勘记》同，今据补。［9］等：原无此字。据章钰校，甲十一行本、乙十一行本皆有此字，今据补。［10］燕国：原无此二字。据章钰校，甲十一行本、乙十一行本皆有此二字，张敦仁《通鉴刊本识误》、张瑛《通鉴校勘记》同，今据补。［11］往：原无此字。据章钰校，甲十一行本、乙十一行本皆有此字，今据补。［12］云：原无此字。据章钰校，甲十一行本、乙十一行本皆有此字，今据补。［13］庐江：原无此二字。据章钰校，甲十一行本、乙十一行本皆有此二字，今据补。

【原文】

秋，七月，李流徙屯郫。蜀民皆保险结坞⑭，或南入宁州⑮，或东下荆州，城邑皆空，野无烟火⑯。流虏掠无所得，士众饥乏。唯涪陵⑰千余家，依青城山处士⑱范长生⑲。平西参军⑳涪陵徐轝说罗尚，求为汶山太守，邀结长生，与共讨流。尚不许，轝怒，出降于流，流以轝为安西将军。轝说长生，使资给㉑流军粮，长生从之。流军由是复振。

初，李含㉒以长沙王乂微弱，必为齐王冏所杀，因欲以为冏罪而讨之，遂废帝，立大将军颖，以河间王颙为宰相，己得用事㉓。既而冏为乂所杀㉔，颖、颙犹守藩㉕，不如所谋。㉖颖恃功骄奢，百度㉗弛废，甚于冏时。犹嫌乂在内㉘，不得逞其欲，㉙欲去之。时皇甫商复为乂参军，商兄重为秦州刺史。含说颙曰："商为乂所任，重终不为人用㉚，宜早除之㉛。可表迁重为内职㉜，因其过长安执之㉝。"重知之，露檄上尚书㉞，发陇上兵㉟以讨含。乂以兵方少息，遣使诏重罢兵，征含㊱为河南尹㊲。含就征㊳，而重不奉诏㊴，颙遣金城㊵太守游楷、陇西㊶太守韩稚等合四郡兵攻之。颙密使含与侍中冯荪、中书令卞粹谋杀乂。皇甫商以告乂，收含、荪、粹，杀之。骠骑从事㊷琅邪诸葛玫、前司徒长史㊸武邑牵秀㊹皆出奔邺。

张昌党石冰寇扬州㊺，败刺史陈徽，诸郡尽没。又攻破江州㊻，别将陈贞等[14]攻武陵㊼、零陵㊽、豫章㊾、武昌㊿、长沙(151)，皆陷之。临淮(152)人封云起兵寇徐州以应冰。于是荆、江、徐、扬、豫[15]五州之境，多为昌所据。昌更置牧、守(153)，皆桀盗(154)小人，专以劫掠为务。

【语译】

秋季，七月，李流把大本营迁移到郫县。蜀地原住民全都据守险要，构筑起村落堡垒以自守，有人向南逃亡到宁州，有人向东逃亡进入荆州，蜀地的城邑都成了空城，原野上见不到炊烟，晚上看不到灯火。李流抢掠不到东西，军队饥饿乏粮。只有涪县还有一千多户人家，依附于青城山中的隐士范长生。担任平西参军的涪陵人徐轝劝说益州刺史罗尚，请求罗尚派自己去担任汶山郡太守，邀请、联络范长生共同讨伐李流。罗尚没有同意，徐轝大怒，出来后就投降了李流，李流任命徐轝为安西将军。徐轝劝说范长生，让他供应李流军粮，范长生听从了徐轝的意见。李流的军队由于得到范长生资助的粮食，于是军威重新振作起来。

当初，李含认为长沙王司马乂势力弱小，必然会被齐王司马冏杀害，想以此作为齐王司马冏的罪名而讨伐司马冏，然后废掉晋惠帝司马衷，立大将军司马颖为皇帝，任用河间王司马颙为宰相，自己就可以趁机掌握朝廷大权。结果反而是齐王司马冏为长沙王司马乂所杀，司马颖、司马颙还都在自己的封地上，或在外地为都督、刺史，不像李含原来所谋划的那样。司马颖仗恃讨伐司马冏有功而骄傲自满起来，生活上也越来越奢侈，朝廷各种政务荒废的程度，超过了司马冏当政的时期。而李含还要嫌弃司马乂在朝内掌权，使自己的欲望不能得逞，就想要除掉司马乂。当时皇甫商又成为司马乂的参军，皇甫商的哥哥皇甫重担任秦州刺史。李含于是劝说司马颙说："皇甫商是司马乂所重用的人，皇甫重最终不会为你所用，应当早日把他除掉。可以上表请求把皇甫重调回朝廷之内任职，趁皇甫重进京路过长安的时候将他逮捕。"皇甫重得知消息后，给尚书省发出了一封不封口的檄文，一面调动自己管辖之内秦州六郡的军队准备讨伐李含。司马乂因为战争刚刚停止，军队才得到休息，于是就派遣使者到皇甫重那里命令他罢兵，同时调动李含的职务，任命李含为河南尹。李含服从了调动，而皇甫重却拒不服从诏命，司马颙于是派遣金城郡太守游楷、陇西郡太守韩稚等会合四郡的兵力攻打皇甫重。司马颙秘密指使李含与担任侍中的冯荪、担任中书令的卞粹谋划杀害司马乂。皇甫商把司马颙的阴谋告诉了司马乂，司马乂逮捕了李含、冯荪、卞粹，把他们全部处死。在骠骑将军司马乂手下担任从事中郎的琅邪人诸葛玫、前任司徒王戎的长史武邑人牵秀全都逃离朝廷，投奔了在邺城的成都王司马颖。

张昌的党羽石冰率众攻打扬州，打败扬州刺史陈徽，扬州各郡全部陷落。随后又攻陷了江州。张昌的其他将领陈贞等又率众进攻武陵郡、零陵郡、豫章郡、武昌郡、长沙郡，将五郡全部攻占。临淮郡人封云也起兵攻打徐州城以响应石冰。于是荆州、江州、徐州、扬州、豫州五州境内，大部分郡县都被张昌占领。张昌重新任命各州、各郡的刺史、太守等，所委任的都是一些江洋大盗或小毛贼，他们专门以劫掠为能事。

刘弘遣陶侃等攻昌于竟陵[155]，刘乔遣其将李杨等向江夏[156]。侃等屡与昌战，大破之，前后斩首数万级。昌逃于下儁山[157]，其众悉降。

初，陶侃少孤贫，为郡督邮[158]。长沙太守万嗣过庐江，见而异之，命其子结友而去。后察孝廉[159]，至洛阳，豫章国郎中令[160]杨晫荐之于顾荣[161]，侃由是知名。既克张昌，刘弘谓侃曰："吾昔为羊公[162]参军，谓吾后当居身处[163]。今观卿，必继老夫[164]矣。"

弘之退屯于梁也，征南将军范阳王虓[165]遣前长水校尉[166]张奕领荆州[167]。弘至，奕不受代[168]，举兵拒弘。弘讨奕，斩之。时荆部守宰[169]多缺，弘请补选，诏许之。弘叙功铨德[170]，随才授任[171]，人皆服其公当。弘表皮初补襄阳太守。朝廷以初虽有功而望浅[172]，更以弘婿前东平太守夏侯陟为襄阳太守。弘下教[173]曰："夫治一国者，宜以一国为心[174]。必若姻亲[16]然后可用，则荆州十郡，安得十女婿然后为政哉！"乃表："陟姻亲，旧制不得相监[175]。皮初之勋，宜见酬报[176]。"诏听之。弘于是劝课[177]农桑，宽刑省赋，公私给足[178]，百姓爱悦。

河间王颙闻李含等死，即起兵讨长沙王乂。大将军颖上表请讨张昌，许之，闻昌已平，因欲与颙共攻乂。卢志谏曰："公前有大功而委权辞宠[179]，时望[180]美矣。今宜[17]顿军关外[181]，文服入朝[182]，此霸主之事[183]也。"参军魏郡邵续曰："人之有兄弟，如左右手。明公欲当[184]天下之敌而先去其一手[185]，可乎？"颖皆不从。八月，颙、颖共表"乂论功不平，与右仆射羊玄之[186]、左将军皇甫商专擅朝政，杀害忠良[187]，请诛玄之、商，遣乂还国"。诏曰："颙敢举大兵，内向京辇[188]，吾当亲率六军以诛奸逆。其以乂为太尉、都督中外诸军事以御[189]之。"

刘弘派遣陶侃等人前去攻打盘踞在竟陵郡的张昌，刘乔派他的部将李杨等率兵进攻江夏郡。经过多次交锋，陶侃终于将张昌打得大败，前后共斩张昌部众数万首级。张昌逃入下儁山，他的部众全部投降。

当初，陶侃在年纪很小的时候就成了孤儿，又家境贫寒，曾经担任庐江郡的督邮。长沙郡太守万嗣路过庐江郡时见到陶侃，认为他异于常人，就让他的儿子和陶侃结为朋友而后离去。后来陶侃以“孝廉”的资格被举荐到朝廷，来到洛阳，担任豫章国郎中令的杨晫把陶侃推荐给顾荣，陶侃从此知名度越来越高。陶侃打败张昌之后，刘弘对陶侃说：“我过去是羊祜的参军，羊祜曾经说我以后会接任他的职务。如今我看你，也必定会接替我的职务。”

在荆州刺史刘弘退兵后驻守梁县的时候，征南将军范阳王司马虓任命前任长水校尉张奕为代理荆州刺史。刘弘返回荆州时，张奕不肯交出荆州刺史的职权，并发兵抗拒刘弘。刘弘讨伐张奕，将张奕杀死。当时荆州境内的各郡、县长官的位置大多数还都空缺着，刘弘上表请求补选郡、县长官，晋惠帝下诏同意。刘弘根据讨伐张昌时战功的大小、品德的高低，依照每个人的实际才能给予委任，人们都佩服刘弘处事公平、任用恰当。刘弘上表请求朝廷任命皮初补襄阳郡太守之缺。朝廷认为皮初虽然有功劳而资历、声望不够，就改任刘弘的女婿、前任东平郡太守夏侯陟为襄阳郡太守。刘弘对他的下属下达谕令说：“治理一个国家的人，应该考虑全国的利益。如果必须是姻亲然后才可以任用，那么，荆州有十个郡，我哪里去找十个女婿去担任太守呢？”于是上表说：“夏侯陟是我的姻亲，按照旧有的规定我们不能成为上下级关系。皮初的功劳，应该获得酬报。”惠帝采纳了他的意见。刘弘在荆州对耕种、养蚕的人给予勉励，按时督促，放宽刑罚，减轻赋税，官府和百姓于是逐渐富足起来，百姓都从心眼里爱戴他、拥护他。

河间王司马颙听到李含等人已经被长沙王司马乂杀死的消息后，立即起兵讨伐司马乂。大将军司马颖上表请求讨伐张昌，已经得到朝廷的批准，后来听说张昌已经被陶侃平定，于是就想趁机与司马颙联合起来共同攻打司马乂。卢志劝谏说：“您以前曾经建立了很大的功劳并主动交出权力，谢绝了皇帝对您的恩宠，当时您的名声威望天下皆知。现在您应该把军队驻扎在洛阳城的城关之外，身穿文官服饰进朝拜见皇帝，这是古代霸主辅佐天子、号令诸侯一样的事业呀。”担任参军的魏郡人邵续说：“人有兄弟，就如同有了左右手。您想对付天下的敌人却先去掉自己的一只手，这可以吗？”司马颖对他们的劝告都不听从。八月，司马颙、司马颖共同上表说：“司马乂论功行赏不公平，他与担任右仆射的羊玄之、担任左将军的皇甫商专擅朝政，杀害忠良，请求除掉羊玄之、皇甫商，遣送司马乂回到他的封国去。”惠帝下诏说：“司马颙竟敢率领大军，指向京师，我要亲自率领六军去诛杀这个奸佞逆贼。朕任命司马乂为太尉，统领朝廷内外诸军事，抵御司马颙。”

颙以张方为都督，将精兵七万，自函谷[190]东趋洛阳。颖引兵屯朝歌[191]，以平原内史[192]陆机为前将军、前锋都督，督北中郎将[193]王粹、冠军将军牵秀、中护军石超等军二十余万，南向洛阳。机以羁旅[194]事颖，一旦顿居诸将之右[195]，王粹等心皆不服。白沙督[196]孙惠与机亲厚，劝机让都督于粹。机曰："彼将谓吾首鼠两端[197]，适所以速祸[198]也。"遂行。颖列军自朝歌至河桥[199]，鼓声闻数百里。

乙丑[200]，帝如十三里桥[201]。太尉乂使皇甫商将万余人拒张方于宜阳[202]。己巳[203]，帝还军宣武场[204]。庚午[205]，舍于石楼[206]。九月丁丑[207]，屯于河桥。壬午[208][18]，张方袭皇甫商，败之。甲申[209]，帝军于芒山[210]。丁亥[211]，帝幸偃师[212]。辛卯[213]，舍于豆田[214]。大将军颖进屯河南[215]，阻清水为垒[216]。癸巳[217]，羊玄之忧惧而卒，帝旋军城东[218]。丙申[219]，幸缑氏[220]，击牵秀，走之。大赦。张方入京城，大掠，死者万计。

李流疾笃[221]，谓诸将曰："骁骑[222]仁明，固足以济大事[223]。然前军[224]英武，殆[225]天所相[226]，可共受事[227]于前军。"流卒，众推李雄为大都督、大将军、益州牧，治郫城。雄使武都朴泰[228]绐罗尚[229]，使袭郫城，云己为内应。尚使隗伯将兵攻郫，泰约举火为应，李骧伏兵于道，泰出长梯于外[230]。隗伯兵见火起，争缘梯上，骧纵兵击，大破之。追奔，夜至城下[231]，诈称万岁，曰："已得郫城矣！"入少城，尚乃觉之，退保太城。隗伯创甚[232]，雄生获之，赦不杀[233]。李骧攻犍为[234]，断尚运道[235]，获太守龚恢，杀之。

石超进逼缑氏。冬，十月壬寅[236]，帝还宫。丁未[237]，败牵秀于东阳门[238]外。大将军颖遣将军马咸助陆机。戊申[239]，太尉乂奉帝[240]与机战于建春门[241]。乂司马王瑚使数千骑系戟于马[242]，以突咸陈。咸军乱，执而斩之。机军大败，赴七里涧[243]，死者如积，水为之不流。斩其大将

司马颙任命张方为都督，率领七万精兵，从函谷关出发向东直奔洛阳。司马颖率领军队驻扎在朝歌，他任命平原国内史陆机为前将军、前锋都督，统率北中郎将王粹、冠军将军牵秀、中护军石超等总计二十余万大军，向南逼近洛阳。陆机以东吴降将的身份依附于司马颖，一下子就位居诸将之上，王粹等人因此而心中不服。担任白沙督的孙惠与陆机关系亲密，他劝说陆机把都督的职位让给王粹。陆机说："如此的话，他们将会认为我瞻前顾后、在敌我之间脚踩两条船，这反而会加速灾祸的降临。"于是陆机率领军队出发了。司马颖把军队布防在朝歌到黄河富平津大桥一线，战鼓之声不绝，声闻数百余里。

八月二十四日乙丑，晋惠帝前往洛阳城西的十三里桥。太尉司马乂派遣皇甫商率领一万多军队到宜阳县迎战司马颙的军事统帅张方。二十八日己巳，惠帝率军回到洛阳城北的宣武场。二十九日庚午，住宿在宣武场附近的石楼。九月初六日丁丑，屯扎在河桥。十一日壬午，张方率军袭击皇甫商，将皇甫商打败。十三日甲申，惠帝驻军在洛阳城北的芒山。十六日丁亥，晋惠帝驾临洛阳城东北的偃师县。二十日辛卯，住宿在洛阳城东的豆田。大将军司马颖率军屯扎在黄河南岸，挨着济水扎下营盘。二十二日癸巳，羊玄之因为过度忧虑恐惧而死，惠帝率军回到洛阳城东。二十五日丙申，惠帝到达缑氏县，发兵攻打牵秀，牵秀被打败逃走。宣布大赦天下。张方率军进入京城洛阳，大肆抢掠，洛阳城内死的人数以万计。

益州流民首领李流病危，他对属下诸将说："骁骑将军李骧仁义聪明，固然能够成就大事业。然而前将军李雄英明勇武，大概是上天所助，你们应该共同听命于前将军李雄。"李流去世后，众人推举李雄为大都督、大将军、益州牧，治所设在郫城。李雄派武都郡人朴泰去欺骗益州刺史罗尚，引诱罗尚前来袭击郫城，说自己会为罗尚做内应。罗尚于是派遣隗伯率兵攻打郫城，朴泰和罗尚约好以城内举火为号作为内应，李骧把军队埋伏在隗伯进城的道路两旁，朴泰从城上给城外放下长梯。隗伯的军队看到城内火起，都争相缘梯而上，李骧纵兵出击，把隗伯打得大败。李骧率军连夜追赶隗伯，一直追到成都城下，李骧让军士们齐声欢呼万岁，向城内喊话说："快开城门，已经攻下郫城了！"李骧的军队进入少城后，罗尚才发觉自己上了当，慌忙退保太城。隗伯身受重伤，被李雄活捉，李雄赦他不死。李骧率军攻打犍为郡，截断罗尚运送物资的通路，擒获了犍为郡太守龚恢，将龚恢斩首。

司马颙的中护军石超率军进逼缑氏县。冬季，十月初二日壬寅，晋惠帝回到洛阳皇宫。初七日丁未，朝廷的军队在洛阳城的东阳门外打败了司马颙的冠军将军牵秀。大将军司马颖派遣将军马咸协助陆机作战。初八日戊申，太尉司马乂陪同惠帝到建春门与陆机作战。在司马乂手下担任司马的王瑚让几千骑兵在马的两肋上捆上长戟，然后冲击马咸的军阵。马咸军立即大乱，马咸被活捉并立即被杀死。陆机率领的军队也随之大败，士兵跳入城东七里涧以躲避追杀，被淹死的不计其数，涧水

贾崇等十六人，石超遁去。

初，宦人孟玖有宠于大将军颖，玖欲用其父为邯郸令㉔，左长史卢志等皆不敢违。右司马陆云固执不许，曰："此县，公府掾资，㉕岂有黄门父居之邪！"玖深怨之。玖弟超，领万人为小督，未战，纵兵大掠，陆机录其主者㉖。超将铁骑百余人直入机麾下㉗，夺之，顾谓机曰㉘："貉奴㉙，能作督不㉚？"机司马吴郡孙拯㉛劝机杀之，机不能用。超宣言于众曰："陆机将反。"又还书与玖㉜，言机持两端㉝，故军不速决。及战，超不受机节度，轻兵独进，败没㉞。玖疑机杀之，谮之于颖曰："机有二心于长沙㉟。"牵秀素谄事玖，将军王阐、郝昌、帐下督阳平公师藩㊱皆玖所引用，相与共证之。颖大怒，使秀将兵收机。参军事王彰谏曰："今日之举，强弱异势，庸人犹知必克㊲，况机之明达乎！但机吴人，殿下用之太过㊳，北土旧将㊴皆疾之耳。"颖不从。机闻秀至，释戎服，著白帢㊵，与秀相见。为笺辞颖㊶，既而叹曰："华亭鹤唳，可复闻乎？"㊷秀遂杀之。颖又收机弟清河内史云、平东祭酒耽㊸及孙拯，皆下狱。

记室江统、陈留蔡克、颍川枣嵩等上疏，以为："陆机浅谋致败，杀之可也。至于反逆，则众共知其不然。宜先检校㊹机反状，若有征验，诛云等未晚也。"统等恳请不已，颖迟回㊺者三日。蔡克入，至颖前，叩头流血曰："云为孟玖所怨，远近莫不闻。今果见杀，窃为明公惜之。"僚属随克入者数十人，流涕固请，颖恻然㊻有宥云之[19]色㊼。孟玖扶颖入，催令杀云、耽，夷机三族。狱吏考掠㊽孙拯数百，两踝骨见㊾，终言机冤。吏知拯义烈，谓拯曰："二陆之枉，谁不知之？君可不爱身乎㊿？"拯仰天叹曰："陆君兄弟，世之奇士，吾蒙知爱(271)。今既不能救其死，忍复从而诬之乎！"玖等知拯不可屈，乃令狱吏诈为拯

为之不流。司马颖手下大将贾崇等十六人全部被斩杀，只有石超逃走了。

当初，宦官孟玖深受大将军司马颖的宠爱，孟玖想让他的父亲担任邯郸县令，左长史卢志等人都不敢违抗。右司马陆云坚决不同意，说："凡在这个县当县令的，都是为下一步到三公府当大吏做准备，怎么能让宦官的父亲到那里去担任县令呢！"孟玖因此非常怨恨陆云。孟玖的弟弟孟超，是一个率领一万人的小督，还没有作战，就纵兵大肆抢掠，陆机逮捕了肇事的主犯。孟超便率领一百多名铁骑径直冲入陆机的指挥所，抢夺被捕的肇事者，并回头望着陆机说："狗獾奴，我看你这都督还当得成当不成？"在陆机手下担任司马的吴郡人孙拯劝说陆机杀了孟超，陆机没有采纳孙拯的意见。孟超向众人宣称说："陆机要造反。"又给成都王司马颖身边的孟玖写信，说陆机脚踩两条船，所以不能速战速决。等到作战的时候，孟超又不接受陆机的调度指挥，轻兵独进，战败而死。孟玖怀疑是陆机杀死了孟超，就在司马颖面前进谗言说："陆机和长沙王司马乂有勾结，对您有二心。"冠军将军牵秀一向谄媚讨好孟玖，将军王阐、郝昌以及担任帐下督的阳平郡人公师藩都是因孟玖举荐而被任用的，于是共同作证诬陷陆机。司马颖于是雷霆大发，立即派牵秀率兵去逮捕陆机。担任参军事的王彰劝阻说："今日作战，两方军事力量强弱悬殊，连最平庸的人都知道我们一定能够取胜，何况是聪明贤达的陆机呢！但陆机原本是吴国人，殿下又过于重用他，北方将领因此而嫉恨他罢了。"司马颖没有听从王彰的劝告。陆机听说牵秀率军前来，便脱下军服，戴上文士的礼帽，出帐与牵秀相见。他写了一封信向司马颖告辞，不久又叹息着说："故乡华亭台白鹤的叫声，我还能再听到吗？"牵秀随即将陆机杀死。司马颖又逮捕了陆机的弟弟清河国内史陆云、平东将军的祭酒陆耽以及孙拯，把他们全都关进了监狱。

担任记室的江统、陈留人蔡克和颍川人枣嵩等都上疏给司马颖，他们认为："陆机因为没有深谋远虑而失败，以此为罪名杀掉他是可以的。至于说陆机反叛，那么所有的人都知道他绝无此事。如果怀疑陆机反叛，也应当先搜集核实陆机反叛的证据，如果有真凭实据，再诛杀陆云等也为时不晚。"江统等人一而再、再而三地向司马颖恳请，司马颖迟疑反复了三天还没有拿定主意。蔡克来到司马颖面前，磕头流血说："孟玖怨恨陆云，不论远近无人不知。现在如果一定要杀死陆云，我心里真为您感到惋惜。"司马颖的僚属跟随蔡克进谏的有几十个，他们都痛哭流涕，坚持请求司马颖赦免陆云等人，司马颖对陆云也很同情怜悯，于是脸上流露出准备宽恕陆云的表情。孟玖赶紧把司马颖扶入王宫，他催逼着司马颖赶快杀掉陆云、陆耽，诛灭陆机的三族。狱吏上百次地拷打孙拯，把孙拯打得血肉模糊，两脚的踝骨都露了出来，而孙拯始终坚持说陆机冤枉。狱吏知道孙拯讲义气、性情刚烈，他对孙拯说："陆机、陆云的冤枉，谁不知道呢？你怎么能够这么不爱护自己的身体呢？"孙拯仰天长叹说："陆氏兄弟是世上的奇才，我蒙受他们的赏识与厚爱。如今我既然不能把他们从死亡线上拯救出来，又怎么忍心再落井下石诬陷他们呢！"孟玖等人知道孙拯

辞㉗²。颖既杀机，意常悔之，及见拯辞，大喜，谓玖等曰："非卿之忠，不能穷此奸㉗³。"遂夷拯三族。拯门人费慈、宰意二人诣狱明拯冤，拯譬遣之㉗⁴曰："吾义不负二陆，死自吾分㉗⁵，卿何为尔邪㉗⁶？"曰："君既不负二陆，仆又安可负君？"固言拯冤，玖又杀之。

太尉乂奉帝攻张方，方兵望见乘舆㉗⁷，皆退走，方遂大败，死者五千余人。方退屯十三里桥，众惧，欲夜遁。方曰："胜负兵家之常，善用兵者能因败为成㉗⁸。今我更前作垒㉗⁹，出其不意，此奇策也。"乃夜潜进[20]逼洛城㉘⁰七里，筑垒数重，外引廪谷㉘¹以足军食。乂既战胜，以为方不足忧。闻方垒成，十一月，引兵攻之，不利。朝议以为乂、颖兄弟，可辞说而释㉘²。乃使中书令王衍等往说颖，令与乂分陕而居㉘³。颖不从。乂因致书于颖，为陈利害，欲与之和解。颖复书："请斩皇甫商等首，则引兵还邺。"乂不可。

颖进兵逼京师，张方决千金竭㉘⁴，水碓皆涸㉘⁵，乃发王公奴婢手舂给兵㉘⁶。一品已下不从征㉘⁷者，男子十三以上皆从役。又发奴助兵㉘⁸。公私穷踧㉘⁹，米石万钱。诏命所行㉙⁰，一城㉙¹而已。骠骑主簿㉙²范阳祖逖㉙³言于乂曰："刘沈㉙⁴忠义果毅，雍州兵力足制河间㉙⁵，宜启上为诏与沈，使发兵袭颙。颙窘急，必召张方以自救，此良策也。"乂从之。沈奉诏驰檄四境㉙⁶，诸郡多起兵应之。沈合七郡之众，凡万余人，趣长安㉙⁷。

乂又使皇甫商间行㉙⁸，赍㉙⁹帝手诏，命游楷㉚⁰等罢兵，敕皇甫重进军讨颙。商间[21]行至新平㉚¹，遇其从甥㉚²。从甥素憎商，以告颙，颙捕商，杀之。

不可屈服，就命令狱吏伪造了一份孙拯的供词。司马颖杀死陆机之后，心里也常常感到后悔，等到见了孙拯的假供词，又高兴起来，他对孟玖说："如果不是你对我忠心耿耿，就不可能追查清楚这个奸贼的真相。"于是诛灭了孙拯的三族。开始的时候，孙拯的门人费慈、宰意二人到狱中为孙拯鸣冤，孙拯劝导、打发他们回去，说："我已拿定主意，绝不辜负陆氏兄弟对我的知遇与厚爱，为他们而死是我的本分，你们为什么要这样呢？"费慈、宰意说："您既然不愿辜负陆氏兄弟，我们又怎么可以辜负您呢？"坚持为孙拯喊冤叫屈，孟玖因此把他们两人也杀死了。

太尉司马乂挟持惠帝进攻司马颙手下的军事统帅张方，张方的士兵望见惠帝司马衷的车驾，全都向后撤退，张方的军队于是大败，损失了五千多人。张方撤退到洛阳城西的十三里桥驻扎下来，士兵们心怀恐惧，准备连夜逃跑。张方说："胜败乃兵家常事，善于用兵的人能够转败为胜。如今我们虽然打了败仗，反而要再向前推进，修筑工事，出其不意，这就是奇计。"于是就在夜幕的掩护下悄悄地向前逼近洛阳城，在离洛阳城七里远的地方修筑了好几道防御工事，又从城外的仓库中运来足够的粮食，以满足军队的需要。司马乂取得胜利后，就认为张方已经不值得担忧。后来听说张方在离城很近的地方修好了工事，便于十一月率军攻打张方，结果作战失利。朝中大臣经过商议，认为司马乂、司马颖是骨肉兄弟，可以通过言语调停，解开他们之间的仇怨。于是就派遣担任中书令的王衍等人去劝说司马颖，让司马颖与司马乂将天下一分为二，各自统领一半。司马颖不同意。司马乂趁机托他们带信给司马颖，为司马颖陈述利害关系，希望与司马颖和解。司马颖回信说："请你杀掉皇甫商等人，我就率兵返回邺城。"司马乂又不肯答应。

司马颖率军逼近京师洛阳，张方决开千金堨水坝，由于洛阳城内河水干涸，舂米用的水碓都停止了转动，于是朝廷就动员王公大臣的奴婢用手捣米以供给军队食用。一品以下且平时可以不服兵役的官员，以及十三岁以上的男子，都必须担负作战任务。又征调各家的奴仆去补充兵员。此时洛阳城内朝廷和百姓都穷困到了极点，一石米要上万铜钱。惠帝诏书所能指挥的，只有一个洛阳城而已。在骠骑将军司马乂手下担任主簿的范阳人祖逖对司马乂说："雍州刺史刘沈为人忠诚义气、处事果断刚毅，雍州的兵力足可以制服河间王司马颙，应该请求皇上下诏给刘沈，命令刘沈发兵袭击司马颙。一旦司马颙感到形势窘迫危急，必然召回张方以自救，这才是解除洛阳之围的好计策。"司马乂听从了祖逖的建议。刘沈接到朝廷的诏书后，立即飞马向雍州各郡传达檄文，很多郡都起兵响应刘沈。刘沈会集了七个郡的兵力，总共有一万多人，向司马颙所在的长安进发。

司马乂又让皇甫商悄悄化装抄小路而行，携带着惠帝的亲笔诏书，到游楷那里命令他们停止攻打皇甫重，命令皇甫重进军讨伐司马颙。皇甫商从小路到达新平郡，遇到了他的堂外甥。他的堂外甥一向憎恶皇甫商，就将皇甫商到来的消息报告了司马颙，司马颙派人逮捕皇甫商，把皇甫商杀死。

十二月，议郎周玘[303]、前南平内史[304]长沙王矩[305]起兵江东[306]，以讨石冰，推前吴兴[307]太守吴郡顾秘都督扬州九郡[308]诸军事，传檄州郡，杀冰所署将吏。于是前侍御史贺循[309]起兵于会稽[310]，庐江内史广陵华谭[311]及丹阳葛洪[312]、甘卓[313]皆起兵以应秘。玘，处之子。循，卲之子。卓，宁之曾孙也。

冰遣其将羌毒[314]帅兵数万拒玘，玘击斩之，冰自临淮[315]退[22]趋寿春[316]。征东将军刘准[317]闻冰至，惶惧不知所为。广陵度支[318]庐江陈敏统众[319]在寿春，谓准曰："此等[320]本不乐远戍[321]，逼迫成贼，乌合之众，其势易离，敏请督帅[23]运兵[322]为公破之。"准乃益敏兵[323]，使击之。

闰月[324]，李雄急攻罗尚。尚军无食，留牙门张罗守城，夜，由牛鞞水[325]东走，罗开门降。雄入成都，军士饥甚，乃帅众就谷于郪[326]，掘野芋而食之。许雄坐讨贼不进，征即罪[327]。

安北将军、都督幽州诸军事王浚[328]，以天下方乱，欲结援夷狄，乃以一女妻鲜卑段务勿尘[329]，一女妻素怒延[330]；又表[331]以辽西郡[332]封务勿尘为辽西公。浚，沈[333]之子也。

毛诜之死[334]也，李睿[335]奔五苓夷帅于陵丞[336]，于陵丞诣李毅为睿请命，毅许之。睿至，毅杀之。于陵丞怒，帅诸夷反攻毅。

尚书令乐广女为成都王妃，或谮诸太尉乂[337]。乂问广，广神色不动，徐曰[338]："广岂以五男易一女[339]哉？"乂犹疑之。

十二月，担任议郎的周玘、前任南平郡内史长沙人王矩在长江东南起兵，讨伐张昌手下的大将石冰，他们推举前任吴兴郡太守吴郡人顾秘担任扬州九郡诸军事的统帅，顾秘把讨伐石冰的檄文传达到各个州郡，号召人们共同诛杀石冰任命的将军和官吏。于是前任侍御史贺循在会稽郡起兵，庐江内史广陵人华谭以及丹阳人葛洪、甘卓都起兵响应顾秘的号召。周玘，是周处的儿子。贺循，是贺邵的儿子。甘卓，是甘宁的曾孙。

石冰派遣他的将领羌毒率领数万军队迎战周玘，被周玘击杀，石冰亲率大军由临淮国后撤奔赴寿春。驻守寿春的征东将军刘准听到石冰率军前来攻打的消息后，惊慌失措，不知道该如何应付。担任广陵郡度支的庐江人陈敏正好率领一支负责运输物资的军队停留在寿春，陈敏对刘准说："石冰手下的这些人本来是因为不愿意被抓去当兵、远赴巴蜀作战，被逼无奈而成为盗贼，他们是一群乌合之众，很容易作鸟兽散，请允许我督率手下这些运输物资的士兵为你击败石冰。"刘准于是给陈敏增派了一些士兵，让陈敏去迎战石冰。

闰十二月，李雄加紧攻打困守在太城的益州刺史罗尚。罗尚由于军中没有食物，就留下牙门将张罗负责守卫太城，其他人趁黑夜沿着牛鞞水向东撤走，张罗等罗尚退走就立即打开太城城门向李雄投降了。李雄进入成都，由于军队非常饥饿，就率领军队退出成都城前往郪县找食物吃，他们靠挖掘野芋来充饥。梁州刺史许雄被指控奉命入蜀讨贼却停滞不前，被调回洛阳治罪。

安北将军、都督幽州诸军事的王浚，认为中原已经陷入战乱，就想结交夷狄作为自己的外援，于是把自己的一个女儿嫁给鲜卑段务勿尘为妻，把另一个女儿嫁给素怒延，又向朝廷上表请求将辽西郡封给段务勿尘，封段务勿尘为辽西公。王浚，是王沈的儿子。

建宁郡的大族毛诜曾因驱逐其太守以响应李特而被南夷校尉李毅杀死，一同起兵的建宁郡大族李睿于是投奔了五苓夷酋长于陵丞，于陵丞亲自到宁州刺史李毅那里为李睿求情，李毅答应了于陵丞的请求。李睿到了李毅那里，李毅却违背诺言把李睿杀死了。于陵丞听说后非常恼怒，就率领各少数民族反叛朝廷，率众攻打李毅。

尚书令乐广的女儿是成都王司马颖的王妃，于是就有人在太尉司马乂面前说乐广的坏话。司马乂以此问乐广，乐广神情自若，慢条斯理地说："我难道要用五个儿子的性命去换取一个女儿的性命吗？"虽然如此，司马乂仍然怀疑乐广。

【段旨】

以上为第二段，写晋惠帝太安二年（公元三〇三年）下半年的大事。主要写了长沙王司马乂杀死与河间王司马颙相勾结的李含、冯荪、卞粹，司马颙遂与成都王司马颖联合，分别派张方、陆机率军进讨司马乂；司马乂挟持晋惠帝大破陆机，接着陆机被司马颖身边的小人谮杀；司马乂又挟持晋惠帝大破张方后，司马颖率兵进逼洛阳，雍州刺史刘沈亦率兵援救洛阳，形势异常紧张；写了张昌的党羽石冰攻破扬州数郡，又攻破江州数郡，徐州又有人起事以应，于是荆、江、徐、扬、豫五州之境多为张昌的势力所占据；写了荆州刺史刘弘派陶侃讨伐张昌，荆州获得平定；写了顾秘、贺循、葛洪等人起兵讨石冰；写了氐帅李流病死，部众推李雄为帅，李雄连续大破益州刺史罗尚，并夺得成都等。

【注释】

⑭保险结坞：据守险要，构筑村落堡垒。⑮宁州：州治味县，即今云南曲靖，辖境约当今云南大部和与之邻近的贵州、广西一带。⑯野无烟火：原野上见不到炊烟、灯火。⑰涪陵：此指涪县，在今四川绵阳东北。⑱青城山处士：青城山中的隐士。青城山在今四川都江堰境内，是道教圣地。⑲范长生：一名延元，又名九重，为天师道的首领。⑳平西参军：罗尚的僚属，时罗尚任平西将军。㉑资给：供应。㉒李含：字世容，时为司马颙的长史。传见《晋书》卷六十。与李流军中的“李含”不是一个人。㉓用事：掌权。㉔同为乂所杀：事见本书卷第八十四太安元年（公元三〇二年）。㉕犹守藩：还都在自己的封地上，或在外地为都督、刺史。㉖不如所谋：不像原来谋划的那样。这句话的主语是“李含”。㉗百度：指朝廷的各种政务。㉘在内：在朝内。㉙不得逞其欲：这句话的主语仍是“李含”。㉚不为人用：指不为司马颙所用。㉛宜早除之：皇甫商跟李含之间不和睦。事见本书卷第八十四太安元年（公元三〇二年）。㉜表迁重为内职：上表请求把皇甫重调到朝廷。㉝因其过长安执之：趁他路过长安的时候将其逮捕。执，拘捕。㉞露檄上尚书：给尚书省发出了一封不封口的檄文。露檄，犹如今之所谓“公开信”。㉟陇上兵：皇甫重统辖的秦州六郡之兵。陇上，指今陇山以西的甘肃东部一带地区。㊱征含：调动李含的职务。㊲河南尹：首都洛阳所在郡的行政长官。㊳就征：服从调动。㊴不奉诏：不服从诏令。㊵金城：晋郡名，郡治榆中，在今甘肃兰州东。㊶陇西：晋郡名，郡治襄武，在今甘肃陇西南。当时秦州刺史镇冀城，故城在今甘肃甘谷东。㊷骠骑从事：骠骑将军的从事中郎。当时司马乂任骠骑将军。㊸前司徒长史：前任司徒王戎的长史。㊹武邑牵秀：牵秀字成叔，当时的反复之徒。传见《晋书》卷六十。武邑，即今河北武邑。㊺扬州：州治建邺，即今江苏南京。㊻江州：州治豫章，即今江西南昌。㊼武陵：晋郡名，郡治临沅，在今湖南常德西。㊽零陵：晋郡名，郡治泉陵，

即今湖南永州市零陵区。⑭豫章：晋郡名，郡治即今江西南昌。⑮武昌：晋郡名，郡治即今湖北鄂州市鄂城区。⑮长沙：晋郡名，郡治临湘，即今湖南长沙。⑮临淮：晋郡名，郡治即今江苏盱眙。⑮更置牧、守：重新任命各州、各郡的行政长官，指刺史、太守等。⑮桀盗：大盗。⑮竟陵：晋郡名，郡治石城，在今湖北钟祥北。⑮江夏：晋郡名，郡治安陆，即今湖北云梦。当时刘乔任豫州刺史，李杨率兵由豫州（州治今河南周口市淮阳区）向安陆。⑮下儁山：在今湖南沅陵境。⑮郡督邮：庐江郡的督邮。庐江郡的郡治舒城，在今安徽庐江西南。督邮，太守的僚属，代表郡守督察诸县，宣达教令，检查囚徒。⑮察孝廉：以"孝廉"的资格被举荐到朝廷。察，选送、保荐。⑯豫章国郎中令：豫章国的郎中令。豫章国是惠帝司马衷之弟司马炽的封国。郎中令是守卫宫廷的长官。司马炽即未来的晋怀帝。⑯顾荣：曾为齐王司马冏的属官，陆机的友人，后为东晋名臣。传见《晋书》卷六十八。⑯羊公：羊祜，晋初元勋，灭吴有大功。传见《晋书》卷三十四。⑯当居身处：会担任我现在的职务。身，羊祜自称。⑯必继老夫：一定会接替我现在的职务。刘弘当时为镇南将军、都督荆州诸军事。⑯范阳王虓：司马虓，司马炎的族弟。⑯长水校尉：武官名，上属领军将军，秩比二千石。⑯领荆州：代理荆州刺史。⑯不受代：不交出荆州刺史的职权。⑯荆部守宰：荆州管区内的各郡、县长官。⑰叙功铨德：按功劳大小、品德高低。叙、铨，都是比较、衡量的意思。⑰随才授任：依照才能委任官职。⑰望浅：资历、声望不够。⑰下教：下令。教是一种文体名，指王公大官给下属下达的谕令。⑰以一国为心：应考虑全国的利益。⑰旧制不得相监：按老规定不能成为上下级关系。⑰宜见酬报：应该获得酬报。见，被。⑰劝课：勉励督促。⑰公私给足：官府和百姓都富足起来。⑰委权辞宠：交出权力，谢绝恩宠。事见本书卷第八十四永宁元年（公元三〇一年）。⑱时望：当时的名声威望。⑱顿军关外：把军队驻扎在洛阳的城关之外。⑱文服入朝：身穿文官服饰进朝拜见皇帝。⑱霸主之事：古代齐桓公、晋文公一样的事业，指辅佐天子、号令诸侯。⑱当：对付；应付。⑱先去其一手：司马颖欲除司马乂。司马颖跟司马乂都是司马炎的儿子，而司马颙不过是疏远的族兄。⑱羊玄之：晋惠帝羊皇后之父。传见《晋书》卷九十三。⑱杀害忠良：杀掉李含等人。⑱内向京辇：向着京城、朝廷。辇，皇帝的车驾。⑱御：抵抗。⑲函谷：此指函谷旧关，在今河南灵宝东北。⑲朝歌：今河南淇县。⑲平原内史：平原国的内史。平原国的都城在今山东平原南。内史在诸侯国掌民政。⑲北中郎将：地位高于一般将领，多派出镇邺。⑲羁旅：原指漂泊做客，此处指陆机是从东吴归降过来的人，没有任何根基。⑲居诸将之右：居众将领之上。⑲白沙督：防守白沙的武官。白沙是地名，在河北临漳东南。⑲首鼠两端：形容瞻前顾后，意即在敌我之间脚踩两条船。⑲适所以速祸：更加促使大祸临头。速祸，加速灾祸的降临。⑲河桥：黄河上的富平津大桥，在今河南孟州西南，洛阳市孟津区东北。⑳乙丑：八月二十四。⑳如十三里桥：到达十三里桥。十三里桥在洛阳城西，离城十三里，因以为名。⑳宜阳：晋县名，故城在今河南宜阳西。203 己巳：八月二十八。204 宣武场：在洛阳城北。205 庚午：八月二十九。206 舍于石楼：住宿在石楼。石楼在宣武场附近。207 九月丁丑：九月初六。208 壬午：九月十一。209 甲申：九月十三。210 军于芒山：驻军在洛阳城北的芒山。211 丁亥：九月十六。212 偃师：县名，县治在今河南洛阳市偃师区西北，地处洛阳城之东北。213 辛卯：九月二十。214 豆田：地名，在洛阳城东。215 河南：黄河之南。216 阻清水为垒：依傍济水扎下营盘。清水，即济水，相传发源于河南济源，在荥阳城北穿过黄河东流入山东。217 癸巳：九月二十二。218 旋军城东：率军回到洛阳城东。219 丙申：九月二十五。220 幸缑氏：到达缑氏县。幸，敬称帝王驾临。缑氏县城在今河南洛阳市偃师区东南。221 疾笃：病危。222 骁骑：指李骧，李流之弟，时为骁骑将军。223 济大事：成就大事业。224 前军：指李雄，李特的儿子，时为前将军。225 殆：大概；几乎。226 天所相：天之所助。227 受事：犹言"听命"。228 武都朴泰：武都郡人，姓朴名泰。武都郡的郡治下辨，在今甘肃成县西北。229 绐罗尚：欺骗罗尚。230 出长梯于外：从城上给城外放下长梯。231 夜至城下：连夜追到成都城下。232 创甚：受伤很重。233 赦不杀：赦他不死。隗伯原本也是流民的首领，前不久叛归罗尚。234 犍为：晋郡名，郡治武阳，在今四川眉山市彭山区东，成都南。235 运道：运输物资的通路。236 十月壬寅：十月初二。237 丁未：十月初七。238 东阳门：洛阳城的中东门。239 戊申：十月初八。240 奉帝：挟持着晋惠帝。奉，拥戴，实乃劫持。241 建春门：洛阳城的上东门。242 系戟于马：在战马的两肋绑上长戟。243 七里涧：在洛阳城东。244 邯郸令：邯郸县（即今河北邯郸）的县令。245 此县二句：在这个县当县令的，都是为下一步到三公府当大吏做准备。246 录其主者：逮捕了其中的肇事主犯。247 麾下：指大将的指挥所。248 顾谓机曰：回头望着陆机说。249 貉奴：骂人语。貉，亦称"狗獾"，外形如狐，较短。250 能作督不：看你还能不能当得成这都督？不，通"否"。251 孙拯：字显世，仕吴为黄门侍郎，入晋为涿县令。附传见《晋书》卷五十四。252 还书与玖：给成都王司马颖身边的孟玖写回信。253 持两端：脚踩两条船。254 败没：战败死于敌军。255 有二心于长沙：与长沙王司马乂相勾结。256 阳平公师藩：阳平郡（郡治元城，今河北大名东）人，姓公师名藩。257 必克：一定能打败长沙王司马乂。258 用之太过：过于重用。259 北土旧将：旧日晋朝的将领，"北土"是与"吴"相对而言。260 著白帢：戴上文士的礼帽。261 为笺辞颖：写了一封信向司马颖告辞。262 华亭鹤唳二句：华亭在今上海市松江区西，这里代指陆机的故乡。这两句话是模仿李斯当年临死前所说的"吾欲与若复牵黄犬俱出上蔡东门逐狡兔，岂可得乎？"感慨是因为贪图名利而送命。263 平东祭酒耽：平东将军的祭酒陆耽，陆机的二弟。平东祭酒是平东将军的僚属。264 检校：检查核对。265 迟回：迟疑反复。266 恻然：怜悯的样子。267 有宥云之色：脸上露出想宽恕陆云的意思。268 考掠：拷打。269 两踝骨见：两脚的踝骨都露了出来。270 君可不爱身乎：你怎么能够这么不爱护自己呢。可，怎能。271 吾蒙知爱：我蒙受他们的赏识与厚爱。272 诈为拯辞：伪造了孙拯的口供。273 穷此奸：追查清楚这个奸贼的真相。穷，彻底查清。274 譬遣之：劝导、打发他回去。㉗死自吾分：死是我的本分。㉗卿何为尔邪：你们为什么要这样。㉗乘舆：皇帝的车驾，这里指晋惠帝。㉗因败为成：转败为胜。㉗更前作垒：再向前推进，修筑工事。㉘潜进逼洛城：偷偷地向前逼近洛阳城。㉘外引廪谷：从城外运来仓库中的粮食。㉘可辞说而释：可以通过言语调停，解开怨仇。㉘分陕而居：西周初，曾把全国以陕县为界分为东西两部，让周公与召公各统一部。这里是引周、召旧例，想使司马颖、司马乂也分天下为二，各统一半。㉘千金堨：当时的水坝名，在洛阳城西。㉘水碓皆涸：由于河水枯干，舂米用的水碓都停止转动。涸，枯竭。㉘手舂给兵：用手捣米供给军队。㉘不从征：平时享有特权，可以不服兵役的人。㉘发奴助兵：征调奴仆补充兵源。㉘公私穷踧：朝廷与百姓都穷困到了极点。踧，通"蹙"，穷困。㉙诏命所行：皇帝诏书所能指挥的。㉙一城：指洛阳城。㉙骠骑主簿：骠骑将军司马乂的主簿。主簿是掌管文书案卷的文官。㉙范阳祖逖：祖逖字士稚，范阳道县（今河北涞水）人，出身幽、冀望族，青年时与刘琨同为司州主簿，中夜闻鸡起舞，并有才名。传见《晋书》卷六十二。㉙刘沈：时为雍州刺史，驻兵安定，今甘肃镇原东南。㉙河间：指河间王司马颙，当时也驻兵长安。㉙驰檄四境：飞马向雍州各郡传达檄文。㉙趣长安：向长安围去。趣，通"趋"，向。㉙间行：化装抄小路而行。㉙赍：携带。㉚游楷：时为金城郡（郡治即今甘肃兰州）内史，受司马颙指挥。㉚新平：晋郡名，郡治漆县，即今陕西彬州。㉚从甥：堂外甥。㉚周玘：名臣周处之子。传见《晋书》卷五十八。㉚南平内史：南平郡的内史，南平郡的郡治在今湖北公安西北。㉚长沙王矩：长沙人，姓王名矩。㉚起兵江东：在今长江东南的江苏、安徽南部一带地区起兵。㉚吴兴：晋郡名，郡治即今浙江湖州。㉚扬州九郡：指丹阳、宣城、毗陵、吴、吴兴、会稽、东阳、新安、临海九郡。㉚贺循：会稽山阴人，贺邵之子，曾为赵王司马伦属吏，辞病归家，后为东晋名臣。传见《晋书》卷六十八。㉛会稽：晋郡名，郡治即今浙江绍兴。㉛广陵华谭：华谭字令思，东吴地区的才学之士，曾任淮陵太守、庐江内史。传见《晋书》卷五十二。广陵即今江苏扬州。㉛丹阳葛洪：丹阳是晋郡名，郡治即今江苏南京。葛洪字稚川，丹阳句容人，当时著名的道士。著有《抱朴子》等。曾因参加讨石冰被任伏波将军。传见《晋书》卷七十二。㉛甘卓：字季思，丹阳人，吴将甘宁之孙。曾以参加讨石冰被封侯。传见《晋书》卷七十。㉛羌毒：人名，姓羌名毒。㉛临淮：诸侯国国名，都城在今江苏盱眙东北。㉛趋寿春：奔赴寿春（即今安徽寿县）。㉛征东将军刘准：当时驻兵寿春。㉛广陵度支：广陵郡的度支。度支，官名，主管财政收支、漕运、仓廪、库藏等事。㉛统众：统率人马。㉜此等：指石冰的部众。㉜不乐远戍：不愿意被抓去当兵，入巴蜀。㉜运兵：度支手下主管运输的士兵。㉜益敏兵：给陈敏增派了一些人。㉜闰月：闰十二月。㉜牛鞞水：今之沱江，经成都城东南流经简阳、内江，至泸州入长江。㉜就谷于郪：前往郪县找食物吃。郪县，在今四川三台西南，成都东。㉜征即罪：调回洛阳治罪。当时许雄任梁州刺史，奉命入蜀协助讨伐李氏所率之流民。㉜王浚：王沈之子，字彭祖，晋末的乱臣。传见《晋书》卷三十九。㉙段务勿尘：姓段名务勿尘，《魏书》作“务目尘”，当时活动于今辽宁辽西一带。㉚素怒延：匈奴族宇文部落的头领。㉛表：上书朝廷。㉜辽西郡：郡治阳乐，在今辽宁义县西。㉝沈：王沈，魏末司马氏的党羽，曾出卖魏帝曹髦，致曹髦被杀。事见本书卷第七十七景元元年（公元二六〇年）。㉞毛诜之死：毛诜，建宁郡的大族，曾逐其太守以应李特，为南夷校尉李毅所杀。事见本书卷第八十四太安元年（公元三〇二年）。㉟李睿：建宁郡的大族，曾与毛诜一道逐其太守。㊱五苓夷帅于陵丞：宁州的少数民族部落头领，姓于名陵丞。㊲或谮诸太尉乂：有人在司马乂前说乐广的坏话。㊳徐曰：慢条斯理地说。㊴岂以五男易一女：意思是说如果自己为救女儿而私通司马颖，则身边的五个儿子将被司马乂杀死，自己是不会干这种赔本买卖的。

【原文】

**永兴元年[340]（甲子，公元三〇四年）**

春，正月丙午[341]，乐广以忧卒。

长沙厉王乂[342]屡与大将军颖战，破之，前后斩获六七万人。而乂未尝亏奉上之礼[343]，城中粮食日窘[344]，而士卒无离心。张方以为洛阳未可克，欲还长安。而东海王越[345]虑事不济[346]，癸亥[347]，潜与殿中诸将夜收乂[348]送别省[349]。甲子[350]，越启帝，下诏免乂官，置金墉城。大赦，改元[351]。城既开，殿中将士见外兵[352]不盛，悔之，更谋劫出乂以拒颖。越惧，欲杀乂以绝众心。黄门侍郎潘滔曰：“不可，将自有静之者[353]。”乃遣人密告张方。丙寅[354]，方取乂于金墉城，至营，炙而杀之[355]，方军士亦为之流涕。

公卿皆诣邺谢罪[356]。大将军颖入京师，复还镇于邺。诏以颖为丞相，加东海王越守尚书令[357]。颖遣奋武将军石超等率兵五万屯十二城

【校记】

［14］等：原无此字。据章钰校，甲十一行本、乙十一行本皆有此字，张敦仁《通鉴刊本识误》同，今据补。［15］徐、扬、豫：据章钰校，甲十一行本、乙十一行本、孔天胤本皆作“扬、豫、徐”。［16］姻亲：原作“亲姻”。据章钰校，甲十一行本、乙十一行本二字皆互乙，今据改。［17］宜：原作“若”。据章钰校，甲十一行本、乙十一行本皆作“宜”，今据改。［18］壬午：原作“壬子”。严衍《通鉴补》改作“壬午”，当是，今据改。［19］之：原无此字。据章钰校，甲十一行本、乙十一行本皆有此字，今据补。［20］进：原无此字。据章钰校，甲十一行本、乙十一行本皆有此字，今据补。［21］间：据章钰校，甲十一行本、乙十一行本皆无此字。［22］退：原无此字。据章钰校，甲十一行本、乙十一行本、孔天胤本皆有此字，张瑛《通鉴校勘记》同，今据补。［23］帅：原无此字。据章钰校，甲十一行本、乙十一行本、孔天胤本皆有此字，张敦仁《通鉴刊本识误》同，今据补。

【语译】

**永兴元年（甲子，公元三〇四年）**

春季，正月初八日丙午，尚书令乐广因为忧虑过度而去世。

长沙厉王司马乂屡次与大将军司马颖作战，终于打败司马颖，前后总计斩杀、俘获了司马颖六七万人。司马乂在对待惠帝司马衷的礼数上没有丝毫欠缺，洛阳城中的粮食一天比一天紧缺，而士卒没有一点叛离之心。张方认为无法攻下洛阳城，就想率领军队退回长安。东海王司马越担心朝廷不能战胜张方，便在正月二十五日癸亥这天，暗中与守卫皇宫的将领趁黑夜逮捕了司马乂，将司马乂送往其他官署羁押起来。二十六日甲子，司马越启奏惠帝司马衷，惠帝下诏免去司马乂的一切职务，并把司马乂送入金墉城监押起来。大赦天下，改年号为“永兴”。等到洛阳城门打开之后，宫中将士看见城外司马颖攻城的军队并不是很强大，有些后悔，就想改变主意劫出司马乂继续抵抗司马颖。司马越听说后害怕了，就想杀掉司马乂以断绝将士们的念头。担任黄门侍郎的潘滔劝阻司马越说：“你不能这样做，自然会有人出来解决这一问题。”于是就派人悄悄地告诉了张方。二十八日丙寅，张方从金墉城带走司马乂，回到自己的军营后，就先用火烧烤司马乂，然后把司马乂杀死，就连张方的将士都为司马乂的惨死流下了眼泪。

王公大臣都到邺城向司马颖请罪。大将军司马颖进入洛阳城，不久又返回邺城。惠帝下诏任命司马颖为丞相，东海王司马越代理尚书令。司马颖派遣奋武将军石超

门[358]，殿中宿所忌者[359]，颖皆杀之。悉代去宿卫兵[360]。表卢志为中书监，留邺，参署[361]丞相府事。

河间王颙顿军于郑[362]，为东军[363]声援。闻刘沈兵起，还镇渭城[364]，遣督护虞夔逆战[365]于好畤[366]。夔兵败，颙惧，退入长安，急召张方。方掠洛中官私奴婢万余人而西。军中乏食，杀人杂牛马肉食之。

刘沈渡渭[367]而军[368]，与颙战，颙屡败。沈使安定太守衙博[369][24]、功曹[370]皇甫澹以精甲五千袭长安，入其门[371]，力战至颙帐下。沈兵来迟，冯翊[372]太守张辅[373]见其无继，引兵横击之[374]，杀博及澹，沈[25]兵遂败，收余卒而退。张方遣其将敦伟[375]夜击之。沈军惊溃，沈与麾下南走[376]，追获之。沈谓颙曰:“知己之惠[377]轻，君臣之义重，沈不可以违天子之诏，量强弱以苟全[378]。投袂[379]之日，期之必死[380]，葅醢[381]之戮，其甘如荠[382]。”颙怒，鞭之而后腰斩。新平太守江夏张光数为沈画计[383]，颙执而诘之。光曰:“刘雍州不用鄙计[384]，故令大王得有今日。”颙壮之[385]，引与欢宴，表为右卫司马[386]。

罗尚逃至江阳[387]，遣使表状[388]。诏尚权统[389]巴东[390]、巴郡[391]、涪陵[392]，以供军赋[393]。尚遣别驾李兴诣镇南将军刘弘求粮，弘纲纪[394]以运道阻远[395]，且荆州自空乏[396]，欲以零陵[397]米五千斛[398]与尚。弘曰:“天下一家，彼此无异，吾今给之，则无西顾之忧[399]矣。”遂以三万斛给之，尚赖以自存。李兴愿留为弘参军，弘夺其手版[400]而遣之[401]。又遣治中[402]何松领兵屯巴东为尚后继[403]。于时流民在荆州者十余万户，羁旅[404]贫乏，多为盗贼。弘大给[405]其田及种粮，擢其贤才，随资叙用[406]，流民遂安。

二月[26]乙酉[407]，丞相颖表废皇后羊氏[408]，幽于金墉城，废皇太子

等人率领五万军队分别把守洛阳的十二个城门，把过去他所忌恨的殿中禁军将领全都杀死了。又把守宫廷的禁军都换上了自己的人。司马颖上表推荐卢志担任中书监，但仍留守邺城，参与管理丞相府的事务。

河间王司马颙把军队驻扎在郑县，目的是声援前往东方作战的张方部。当听说刘沈起兵，就一面率领军队退回渭城防守，一面派遣担任督护的虞夔到好畤县去迎战刘沈。虞夔被刘沈打败，司马颙非常恐惧，赶紧退入长安，立即派人召唤张方回长安。张方纵兵掠夺了洛阳城中官府和私家的奴婢总计一万多人，向西部的长安撤退。张方因为军中缺乏食物，就将人杀死，然后把人肉和牛、马肉掺合在一起食用。

刘沈率军渡过渭水后列好阵势，与司马颙交战，司马颙屡次失败。刘沈派安定郡太守卫博、担任功曹的皇甫澹率领五千名全副武装的精锐士兵袭击长安城，攻破长安城门，经过奋力拼杀，一直杀到司马颙的帐下。由于刘沈的主力部队没有及时赶来接应，冯翊郡太守张辅看到卫博、皇甫澹后边没有援军，就率领军队从侧翼拦腰截杀，杀死了卫博和皇甫澹，刘沈于是失败，他招集起残兵败将退出了长安城。张方派遣手下部将敦伟率军连夜追击。刘沈的军队犹如惊弓之鸟，立即溃散，刘沈率领部分人马向南逃跑，被追兵追上俘虏了。刘沈对司马颙说："比较起来，您对我的知遇之恩为轻，君臣大义为重，我不能违抗天子的诏令，明知道朝廷方面的力量不够就抛弃大义以求生。我甩袖而起之日，就已经下定了必死的决心，即使您把我剁成肉酱，我也觉得像吃荠菜一样甘甜。"司马颙大怒，就用鞭子狠狠地抽打刘沈，然后才把刘沈腰斩。新平郡太守江夏人张光屡次为刘沈出谋划策，司马颙逮捕了张光并责备他。张光说："雍州刺史刘沈不采纳我的计策，所以才使得大王能有今日。"司马颙很佩服张光的气概，就赦免了张光并拉他与自己一起饮酒，还上表推荐张光担任右卫将军的司马。

益州刺史罗尚逃到江阳郡后，立即派遣使者向朝廷报告情况。惠帝下诏令罗尚暂时管理巴东郡、巴郡、涪陵郡，负责供给军需。罗尚派遣担任别驾的李兴到镇南将军刘弘那里请求支援一些粮食，刘弘的僚属认为运粮的道路崎岖难走而且路途遥远，加上荆州的粮食也不富裕，就想从零陵郡调拨五千石米给罗尚。刘弘说："天下原本是一家，彼此没有什么两样，我今天把粮食调拨给他，就不用再担忧西部的战火延烧到荆州了。"于是刘弘便调拨三万石粮食给罗尚，罗尚依靠这批粮食才得以保存下来。李兴希望留下来为刘弘担任参军，刘弘夺下李兴的手版，打发李兴返回江阳郡。刘弘又派遣担任治中的何松率领军队驻扎在巴东，作为罗尚的声援部队。当时，滞留在荆州的流民有十多万户，由于客居异乡、生活贫穷、物资匮乏，大多数人都成了盗贼。刘弘充分供应田地和粮种让他们耕种，提拔当中那些有能力的人，按照他们的资格经历加以任用，流民于是逐渐安定下来。

二月十七日乙酉，丞相司马颖上表废黜皇后羊献容，把羊皇后幽禁在金墉城，

覃[409]为清河王。

陈敏与石冰战数十合，冰众十倍于敏，敏击之，所向皆捷，遂与周玘合攻冰于建康。三月，冰北走，投封云[410]。云司马张统斩冰及云以降，扬、徐二州平。周玘、贺循皆散众还家，不言功赏[411]。朝廷以陈敏为广陵相[412]。

河间王颙表请立丞相颖为太弟[413]。戊申[414]，诏以颖为皇太弟，都督中外诸军事，丞相如故。大赦。乘舆服御[415]皆迁于邺，制度一如[416]魏武帝故事[417]。以颙为太宰、大都督、雍州牧，前太傅刘寔[418]为太尉。寔以老固让不拜。

太弟颖僭侈[419]日甚，嬖幸用事[420]，大失众望，司空东海王越与右卫将军陈眕及长沙王[27]故将[421]上官巳等谋讨之。

秋，七月丙申朔[422]，陈眕勒兵入云龙门[423]，以诏召三公百僚入[28]殿中，戒严讨颖。石超奔邺。戊戌[424]，大赦，复皇后羊氏及太子覃。己亥[425]，越奉帝北征[426]，以越为大都督。征前侍中嵇绍[427]诣行在[428]。侍中秦准谓绍曰："今往，安危难测，卿有佳马[429]乎？"绍正色曰："臣子扈卫乘舆[430]，死生以之[431]，佳马何为！"

越檄召四方兵，赴者云集，比[432]至安阳[433]，众十余万，邺中震恐。颖会群僚问计，东安王繇[434]曰："天子亲征，宜释甲[435]缟素[436]，出迎请罪。"颖不从，遣石超帅众五万拒战。折冲将军乔智明劝颖奉迎乘舆[437]，颖怒曰："卿名晓事[438]，投身事孤。今主上为群小所逼，卿奈何欲使孤束手就刑邪！"

陈眕二弟匡、规自邺赴行在[439]，云邺中皆已离散，由是不甚设备。己未[440]，石超军奄至[441]，乘舆[442]败绩于荡阴[443]，帝伤颊[444]，中三矢，百官侍御皆散。嵇绍朝服[445]，下马登辇[446]，以身卫帝，兵人引绍于辕中

废皇太子司马覃为清河王。

陈敏率领手下那支运送物资的队伍与石冰大战数十个回合，当时石冰的军队数量是陈敏的十倍，陈敏攻击石冰，所向披靡，又与周玘领导的义军会合，共同攻打被石冰占领的建康城。三月，石冰失败后向北逃走，去投靠封云。封云司马张统杀死了石冰与封云向陈敏投降，扬州、徐州全部平定。周玘、贺循把他们的部下全部遣散，自己也返回老家，他们在人前从不提及自己的功劳，也不向朝廷要求奖赏。朝廷任命陈敏为广陵国相。

河间王司马颙上表请求惠帝立丞相司马颖为继承皇位的皇太弟。三月十一日戊申，惠帝下诏封司马颖为皇太弟、都督中外诸军事，丞相的职位依然不变。大赦天下。皇帝所专用的车驾、服饰以及各种生活用品全都搬迁到邺城，一切依照汉朝末年曹操、曹丕称魏王时建国于邺的做法。任命司马颙为太宰、大都督、雍州牧，任命前任太傅刘寔为太尉。刘寔自称年老多病，坚决辞让，不肯接受任命。

皇太弟司马颖超越礼制，骄横奢侈一日胜过一日，他的宠幸者掌握着朝政大权，完全违背了众人的愿望，司空东海王司马越、右卫将军陈眕和长沙王司马乂的老部下上官巳等人密谋讨伐司马颖。

秋季，七月初一日丙申，陈眕率兵进入云龙门，用诏书召集三公和文武百官进入殿中，宣布戒严，讨伐司马颖。石超逃出京城，直奔邺城向司马颖报信。初三日戊戌，大赦天下，恢复羊献容的皇后地位和司马覃的太子地位。初四日己亥，司马越簇拥着惠帝向北讨伐司马颖，被任命为大都督。征调前任侍中嵇绍到惠帝的临时住所仍然担任侍中。现任侍中的秦准对嵇绍说："如今前去讨伐司马颖，安危难以预料，你有没有好马？"嵇绍严肃地对他说："臣子负责护卫皇帝的车驾，就应当全力以赴，生死与共，要好马干什么呢！"

东海王司马越发布檄文，号召四方起兵勤王，响应号召的人像浓云涌起一般汇集起来，等到惠帝到达安阳县的时候，已经聚集起了十多万人，邺城的司马颖为此深感震惊和恐惧。司马颖召集他的僚属征求应对的计策，东安王司马繇说："天子亲自前来征讨，就应当脱下铠甲，解除武装，身穿素服，出去迎接皇帝，向皇帝请罪。"司马颖不同意这样做，他派遣石超率领五万士兵前去迎战。折冲将军乔智明也劝说司马颖前去迎接皇帝的车驾，司马颖大怒，说："你号称明白事理，投身侍奉于我。如今皇帝被众多奸佞小臣逼迫前来征讨，为什么你竟然要我束手就擒，去遭受刑戮呢！"

陈眕的两个弟弟陈匡、陈规从邺城来到皇帝司马衷的临时住所，述说邺城中的人都已经四处逃散，司马越因此而放松了戒备。七月二十四日己未，石超率军突然到来，向朝廷的军队发起攻击，惠帝等人在荡阴被打得大败，惠帝不仅脸颊受伤，身上还中了三箭，身边的文武百官和侍奉人员全都逃散了。只有侍中嵇绍身穿朝服，下马登上皇帝所坐的车辇，用自己的身体护卫着惠帝，司马颖的士兵把嵇绍从惠帝

斫[447]之。帝曰:“忠臣也,勿杀!”对曰:“奉太弟令,惟不犯陛下一人耳。”遂杀绍,血溅帝衣。帝堕于草中,亡六玺[448]。石超奉帝幸其营[449],帝馁甚[450],超进水,左右奉秋桃[451]。颖遣卢志迎帝,庚申[452],入邺。大赦,改元曰建武[453]。左右欲浣帝衣[454],帝曰:“嵇侍中血,勿浣也。”

陈眕、上官巳等奉太子覃守洛阳。司空越奔下邳[455],徐州都督东平王楙[456]不纳[457],越径还东海[458]。太弟颖以越兄弟[459]宗室之望[460],下令招之[461],越不应命。前奋威将军孙惠上书劝越邀[29]结藩方[462],同奖王室[463]。越以惠为记室参军,与参谋议[464]。北军中候苟晞[465]奔范阳王虓[466],虓承制[467]以晞行兖州刺史[468]。

初,三王[469]之起兵讨赵王伦也,王浚拥众[470]挟两端[471],禁所部士民[472]不得赴三王召募。太弟颖欲讨之而未能,浚心亦欲图颖[473]。颖以右司马和演[474]为幽州刺史,密使杀浚。演与乌桓单于审登[475]谋与浚游蓟城[476]南清泉,因而图之。会[477]天暴雨,兵器沾湿,不果[478]而还。审登以为浚得天助,乃以演谋告浚。浚与审登密严兵[479],约并州刺史东嬴公腾[480]共围演,杀之,自领幽州营兵[481]。腾,越之弟也。太弟颖称诏征浚[482],浚与鲜卑段务勿尘[483]、乌桓羯朱[484]及东嬴公腾同起兵讨颖,颖遣北中郎将王斌及石超击之。

太弟颖怨东安王繇前议[485],八月戊辰[486],收繇杀之。初,繇兄琅邪恭王觐[487]薨,子睿嗣[488]。睿沈敏有度量,为左将军,与东海参军王导[489]善。导,敦之从父弟也,识量清远[490],以朝廷多故,每劝睿之国[491]。及繇死,睿从帝在邺,恐及祸,将逃归。颖先敕诸[30]关津[492],无得出贵人[493]。睿至河阳[494],为津吏所止[495]。从者宋典自后来,以鞭拂睿[496]而笑

的车上拉下来，就在车辕中用乱刀砍起来。惠帝大声说：“他是忠臣，不要杀死他！”士兵回答说：“奉皇太弟的命令，只不许侵犯陛下一人。”于是砍死了嵇绍，嵇绍的鲜血溅了惠帝一身。惠帝从乘舆坠落到荒草丛中，丢失了皇帝的六颗御玺，石超将惠帝带到自己的营中，此时惠帝饥饿得很，石超送上水，左右的人递上秋桃。司马颖派遣卢志前来迎接惠帝，二十五日庚申，惠帝进入邺城。大赦天下，改年号为“建武”。左右侍奉的人想把惠帝的脏衣服洗一洗，惠帝说：“那是侍中嵇绍的鲜血，不要洗。”

陈昣、上官巳等人保护太子司马覃守卫洛阳城。司空司马越逃到下邳郡，徐州都督东平王司马楙不准许司马越进入徐州城，司马越便径直返回自己的封地都城。皇太弟司马颖认为司马越兄弟在皇族中很有声望，于是下令召司马越进京，司马越不服从命令。前任奋威将军孙惠上书劝司马越联合其他藩王，共同辅佐皇帝司马衷。司马越任命孙惠为记室参军，参与重大决策讨论。担任北军中候的苟晞投奔了范阳王司马虓，司马虓假托皇帝的名义任命苟晞代理兖州刺史。

当初，成都王司马颖、齐王司马冏、河间王司马颙起兵讨伐赵王司马伦的时候，安北将军王浚手握重兵，两头观望，他下令禁止管辖区域内的官员与百姓响应三王的号召前去应征入伍。太弟司马颖想要讨伐王浚却未能付诸实施，王浚心里也早就图谋铲除司马颖。司马颖任命担任右司马的和演为幽州刺史，暗中指使他杀掉王浚。和演与乌桓单于审登密谋，约王浚一同游览蓟城南边的清泉，趁机杀死王浚。恰好天降暴雨，兵器全被雨水打湿，杀掉王浚的预谋无法实现，只得无功而返。乌桓单于审登却认为王浚是得到了上天神灵的佑护，于是就把和演的阴谋告诉了王浚。王浚与乌桓单于审登结盟，暗中布置军队，约请并州刺史东嬴公司马腾共同围剿和演，杀死和演之后，王浚便将幽州刺史和演所统辖的军队掌握在自己手中。司马腾，是司马越的弟弟。太弟司马颖假称皇帝的诏命征召王浚入京，王浚与鲜卑人的首领段务勿尘、乌桓的头领羯朱以及东嬴公司马腾共同起兵讨伐司马颖，司马颖派遣北中郎将王斌以及石超共同迎击王浚等。

太弟司马颖对东安王司马繇先前建议自己放下武器、身穿素服迎接皇帝司马衷深感怨恨，便于八月初三日戊辰这一天逮捕司马繇，杀死了他。当初，司马繇的哥哥琅邪恭王司马觐去世，由他的儿子司马睿继承了琅邪王的王位。司马睿为人深沉敏锐，很有气度，担任左将军，与东海王司马越的参军王导亲密友善。王导，是王敦的堂弟，有气度，有远见，因为朝廷不断发生变故，就经常劝说司马睿返回自己的琅邪封国。司马繇被杀时，司马睿正跟随惠帝留在邺城，他担心灾祸会降临到自己头上，就想逃回自己的封国。司马颖已经预先下令给各处关卡和渡口，不准放走任何贵族人士。司马睿逃到河阳县，被渡口的检查官员拦住。跟随司马睿的宋典从后边赶过来，他一边用马鞭轻轻敲打着司马睿一边笑着说：“你这看房子的奴仆，官

曰："舍长⑰，官禁贵人，汝亦被拘邪？"吏乃听过。至洛阳，迎太妃夏侯氏⑱俱归国。

丞相从事中郎王澄发孟玖奸利⑲事，劝太弟颖诛之，颖从之。

上官巳在洛阳，残暴纵横⑳。守河南尹周馥，浚㉑之从父弟也，与司隶满奋等谋诛之。事泄，奋等死，馥走得免。司空越之讨太弟颖也，太宰颙遣右将军、冯翊太守张方将兵二万救之，闻帝已入邺，因命方镇洛阳。巳与别将㉒苗愿拒之，大败而还。太子覃夜袭巳、愿，巳、愿出走，方入洛阳。覃于广阳门㉓迎方而拜，方下车扶止之，复废覃及羊后。

初，太弟颖表匈奴左贤王刘渊为冠军将军，监五部军事㉔，使将兵在邺。渊子聪骁勇绝人，博涉经史，善属文㉕，弯弓三百斤。弱冠㉖游京师，名士莫不与交。颖以聪为积弩将军。

渊从祖右贤王宣㉗谓其族人曰："自汉亡以来，我单于徒有虚号㉘，无复尺土，自余王侯㉙，降同编户㉚。今吾众虽衰，犹不减二万，奈何敛首[31]就役㉛，奄过百年㉜！左贤王㉝英武超世，天苟㉞不欲兴匈奴，必不虚生此人㉟也。今司马氏骨肉相残，四海鼎沸，复呼韩邪之业㊱，此其时矣。"乃相与谋，推渊为大单于，使其党呼延攸诣邺告之㊲。

渊白颖，请归会葬㊳，颖弗许。渊令攸先归，告宣等使招集五部及杂胡㊴，声言助颖，实欲叛之。及王浚、东嬴公腾起兵，渊说颖曰："今二镇㊵跋扈，众十余万，恐非宿卫㊶及近郡士众所能御也。请为殿下还说五部以赴国难㊷。"颖曰："五部之众，果可发否㊸？就能发之㊹，鲜卑、乌桓㊺，未易当也。吾欲奉乘舆还洛阳㊻，以避其锋㊼，徐传檄天下，以逆顺制之㊽，君意何如？"渊曰："殿下武皇帝㊾之子，有

家禁止贵人通行，你怎么也成了贵人而被拘留了?”渡口检查官听了，就放他们过去了。司马睿到达洛阳，接了自己的母亲夏侯氏一同回到自己的封国琅邪。

担任司马颖丞相从事中郎的王澄揭发了孟玖作奸犯科、谋取私利的事实，劝说太弟司马颖诛杀孟玖，司马颖听从了王澄的建议杀死了孟玖。

上官巳在洛阳，残酷暴虐，横行霸道。代理洛阳太守的河南尹周馥，是周浚的堂弟，他与担任司隶校尉的满奋等人密谋诛杀上官巳。密谋泄露，满奋等人反而被上官巳杀死，周馥闻讯逃走才免于一死。司空司马越讨伐司马颖的时候，太宰司马颙派遣右将军、冯翊郡太守张方率领二万军队救援司马颖，听说惠帝已经被司马颖接入邺城，就趁机命令张方镇守洛阳。上官巳与另外一支部队的将领苗愿拒绝张方进入洛阳城，张方被打得大败而回。太子司马覃趁黑夜率人袭击上官巳、苗愿，上官巳、苗愿仓皇出逃，张方得以进入洛阳。太子司马覃在广阳门迎接张方并向张方行跪拜礼，张方赶紧下车扶起太子司马覃，阻止他行如此大礼。张方再次废黜了太子司马覃与皇后羊献容。

当初，太弟司马颖上表奏请任命匈奴左贤王刘渊为冠军将军，负责监管五部匈奴的军队，让刘渊率领军队在邺城驻防。刘渊的儿子刘聪骁勇善战，超过常人，而且博览群书，精通经史，又擅长写作文章，能拉开三百斤的硬弓。他二十岁那年到京师洛阳游览，当时的知名人士全都与他结交。司马颖任命刘聪为积弩将军。

刘渊的堂祖父右贤王刘宣对他的族人说:“自从汉朝灭亡以来，我们徒有一个单于的虚名，却没有一尺封土，其他匈奴王侯全被降为平民，编入户籍，已经没有高下之分。如今我们的势力虽然衰弱，但还不少于两万人，为什么要俯首帖耳、心甘情愿地去给别人当奴隶，匆匆地度过一辈子呢！左贤王刘渊英武绝伦，无人能比，假如上天根本不想让匈奴兴旺发达，一定不会白白地降生这么好的一个人才。如今司马氏骨肉相残，四海鼎沸，恢复呼韩邪单于当年的勋业，现在正是好时机。”于是就与其他人商议，共同推举刘渊为大单于，然后派他的亲信呼延攸到邺城去报告刘渊。

左贤王刘渊向司马颖告假，请求回去参加族人的葬礼，司马颖不同意。刘渊让呼延攸先回去，让他转告从祖右贤王刘宣等人先召集起匈奴五部的人马和其他少数民族，宣称是为了援助司马颖，实际是为了叛变做准备。等到王浚、东嬴公司马腾起兵的时候，刘渊趁机对司马颖说:“如今幽州的王浚、并州的司马腾飞扬跋扈，拥有十多万军队，恐怕不是朝廷禁军和附近郡国的军队所能抵御得了的。请允许我回去为殿下去说服匈奴五部的人马前来援救国家的危难。”司马颖说:“匈奴五部的人马，是不是真能服从征调？即使能够调动，也难以对付与鲜卑、乌桓勾结起来的幽、并二州的兵马。我准备带着皇帝回洛阳去，暂且避开他们的锋芒，再慢慢通告天下，号召全国的正义力量讨伐叛逆，你看怎么样?”刘渊说:“殿下是武皇帝司马炎的儿

大勋于王室，威恩远著[530]，四海之内，孰不愿为殿下尽死力者？何难发之有？王浚竖子[531]，东嬴疏属[532]，岂能与殿下争衡[533]邪！殿下一发邺宫[534]，示弱于人，洛阳不可得而[32]至。虽至洛阳，威权不复在殿下也。愿殿下抚勉士众[535]，靖以镇之[536]。渊请为殿下以二部[537]摧东嬴，三部枭王浚[538]，二竖之首，可指日而悬也。”颖悦，拜渊为北单于、参丞相军事。

渊至左国城[539]，刘宣等上大单于之号[540]，二旬之间，有众五万，都于离石[541]，以聪为鹿蠡王[542]。遣左於陆王宏[543]帅精骑五千，会[544]颖将王粹拒东嬴公腾。粹已为腾所败，宏无及[545]而归。

王浚、东嬴公腾合兵击王斌[546]，大破之。浚以主簿祁弘为前锋，败石超于平棘[547]，乘胜进军。候骑[548]至邺，邺中大震，百僚奔走，士卒分散。卢志劝颖奉帝还洛阳。时甲士尚有万五千人，志夜部分[549]。至晓将发，而程太妃[550]恋邺不欲去，颖狐疑未决。俄而[551]众溃，颖遂将帐下数十骑与志奉帝御犊车[552]南奔洛阳。仓猝上下无赍[553]，中黄门[554]被囊中赍私钱三千，诏贷之[555]，于道中买饭，夜则御中黄门布被[556]，食以瓦盆[557]。至温[558]，将谒陵[559]，帝丧履[560]，纳[561]从者之履，下拜流涕。及济河[562]，张方自洛阳遣其子罴帅骑三千，以所乘车[563]奉迎帝。至芒山[564]下，方自帅万余骑迎帝。方将拜谒，帝下车自止之。帝还宫，奔散者稍还[565]，百官粗备[566]。辛巳[567]，大赦。

王浚入邺，士众暴掠，死者甚众。使乌桓羯朱追太弟颖，至朝歌，不及。浚还蓟，以鲜卑多掠人妇女，命敢有挟藏者斩，于是沈于易水[568]者八千人。

东嬴公腾乞师于拓拔猗㐌[569]以击刘渊，猗㐌与弟猗卢合兵击渊于西河[570]，破之，与腾盟于汾东[571]而还。

子，对皇室有很大的功劳，声威和恩德远近闻名，四海之内，谁不愿意为殿下拼死效力呢？匈奴五部的兵力，有什么难于调动呢？王浚是个无知的奴才，东嬴公司马腾则是疏远的皇亲，他们怎能与殿下争高低呢！殿下一旦离开邺城，就等于向人示弱，恐怕回不到洛阳。即便能够回到洛阳，大权也不会再掌握在您的手中了。希望殿下抚慰勉励您的部众，稳妥地镇守好邺城。我将为殿下用匈奴两个部落的兵力去摧毁东嬴公司马腾，用匈奴三个部落的兵力把王浚的人头悬挂在高竿之上，两个贼子的人头指日就可以悬挂起来。”司马颖听了非常高兴，立即封刘渊为北单于、参丞相军事。

刘渊抵达左国城，右贤王刘宣等人让刘渊正式即位为大单于，二十天的时间内，刘渊就召集了五万人马，把离石城作为都城，任命儿子刘聪为鹿蠡王。派左于陆王刘宏率领五千精锐骑兵，会同司马颖的将领王粹去抵抗东嬴公司马腾。此时王粹已经被司马腾打败，刘宏来不及赶到王粹那里，只得率军返回。

王浚、东嬴公司马腾合兵一处攻打司马颖的北中郎将王斌，把王斌打得大败。王浚任命主簿祁弘为前部先锋，祁弘在平棘县打败了石超，然后乘胜前进。王浚的侦察骑兵到达邺城，邺城内的人们惊恐万状，百官僚属全都逃走，士兵也四散逃走。卢志劝说司马颖赶快带着皇帝返回京都洛阳。当时司马颖的带甲士兵还有一万五千人，卢志连夜部署。天明时准备启程，而司马颖的母亲程太妃却留恋邺城不愿意离开，司马颖因此犹豫不决。不久部众溃散，司马颖只得率领帐下的几十个骑兵与卢志侍奉晋惠帝乘坐着牛车向南逃往洛阳。仓促间所有的人都没有顾得上携带衣食，只有中黄门的被囊中携带着三千私房钱，惠帝下诏把他的三千钱借过来，沿途买些食物吃，夜里惠帝就盖着中黄门的这条布被，饿了就用瓦盆吃饭。惠帝到达温县的时候，想去拜谒皇家陵墓，此时连鞋子都丢失了，只得穿上侍从的鞋子，他在祖先的陵墓前磕头下拜，痛哭流涕。等到渡过黄河，张方从洛阳派遣他的儿子张罴率领三千骑兵，用张方平时乘坐的车子迎接惠帝。到达芒山脚下，张方又亲自率领一万多骑兵前来迎接惠帝。张方正要叩拜皇帝，惠帝赶紧下车亲自阻止他行拜谒之礼。惠帝回到洛阳皇宫，逃散的人也都陆续回来，文武百官大略齐备。八月十六日辛巳，大赦天下。

王浚率领军队进入邺城，部下的士兵大肆抢掠，凶狠残暴，被杀死的人很多。王浚派乌桓头领羯朱率人追杀皇太弟司马颖，一直追到朝歌县，也没有追上。王浚返回蓟城，因为鲜卑人掠夺了很多晋朝妇女，王浚下令，胆敢携藏汉族妇女的一律斩首，鲜卑人不敢违背王浚的命令，遂将掠夺来的八千妇女全部投入易水活活淹死了。

东嬴公司马腾请求拓跋猗㐌派军队援助自己进攻刘渊，拓跋猗㐌与他的弟弟拓跋猗卢联合起来在西河郡进攻刘渊，打败了刘渊之后，与司马腾在汾河东岸结盟，然后班师。

刘渊闻太弟颖去邺[572]，叹曰："不用吾言，逆自奔溃[573]，真奴才也！然吾与之有言矣，不可以不救。"将发兵击鲜卑、乌桓。刘宣等谏曰："晋人奴隶御我[574]，今其骨肉相残，是天弃彼而使我复呼韩邪之业也。鲜卑、乌桓，我之气类[575]，可以为援，奈何击之！"渊曰："善！大丈夫当为汉高、魏武[576]，呼韩邪何足效哉！"宣等稽首曰："非所及也。"

荆州兵擒斩张昌[577]，同党皆夷三族。

李雄以范长生有名德[578]，为蜀人所重[579]，欲迎以为君而臣之[580]，长生不可。诸将固请雄即尊位[581]。冬，十月，雄即成都王位，大赦，改元[33]建兴[582]，除晋法，约法七章[583]。以其叔父骧为太傅，兄始为太保，李离为太尉，李云为司徒，李璜为司空，李国为太宰，阎式为尚书令，杨褒为仆射。尊母罗氏为王太后，追尊父特为成都景王。雄以李国、李离有智谋，凡事必咨[584]而后行，然国、离事雄弥谨[585]。

刘渊迁都左国城[586]，胡、晋归之者愈众。渊谓群臣曰："昔汉有天下久长，恩结于民[587]。吾汉氏之甥[588]，约为兄弟[589]，兄亡弟绍[590]，不亦可乎？"乃建国号曰汉。刘宣等请上尊号[591]，渊曰："今四方未定，且可依高祖称汉王[592]。"于是即汉王位，大赦，改元曰元熙。追尊安乐公禅[593]为孝怀皇帝，作汉三祖[594]五宗[595]神主[596]而祭之。立其妻呼延氏为王后。以右贤王宣为丞相，崔游[597]为御史大夫，左于陆王宏为太尉，范隆为大鸿胪，朱纪为太常，上党崔懿之、后部[598]人陈元达[599]皆为黄门郎，族子曜[600]为建武将军。游固辞不就。

元达少有志操，渊尝招之，元达不答。及渊为汉王，或谓元达曰："君其惧乎[601]？"元达笑曰："吾知其人久矣，彼亦亮吾之心[602]，但恐不过三二日，驿书[603]必至。"其暮，渊果征元达。元达事渊，屡进忠言，退而削草[604]，虽子弟莫得知也。

曜生而眉白，目有赤光，幼聪慧，有胆量，早孤，养于渊。及长，仪观[605]魁伟，性拓落高亮[606]，与众不群，好读书，善属文，铁厚一寸，

刘渊听说皇太弟司马颖已经离开邺城，便叹息着说："太弟司马颖不听我的话，敌人未到，自己就先逃跑了，真是个奴才！然而我曾经对他有过承诺，不能不去救他。"准备发兵攻打鲜卑、乌桓。右贤王刘宣等人劝阻他说："晋人就像对待奴隶一样对待我们，如今他们骨肉相残，这是上天抛弃了他们而让我们恢复呼韩邪单于的伟大功业。鲜卑人、乌桓人，和我们都有血缘关系，可以让他们作为我们的后援，为什么要攻打他们呢！"刘渊说："说得好！大丈夫就应当效法汉高祖刘邦、魏武帝曹操，呼韩邪单于哪里值得我去效仿呢！"刘宣等人磕头说："您的志向我们永远也赶不上。"

荆州军队擒获了变民首领张昌，并把张昌斩首，张昌的党羽全部被诛灭三族。

李雄认为隐士范长生很有名望、道德，深受巴蜀人的尊敬，就想迎接他作为国君而自己做他的臣属，范长生认为不可以。诸将领坚决请求李雄登基称王。冬季，十月，李雄登上成都王位，实行大赦，改元建兴，废除晋朝的法律，约定了七条法令。李雄任命叔父李骧为太傅，哥哥李始为太保，李离为太尉，李云为司徒，李璜为司空，李国为太宰，阎式为尚书令，杨褒为仆射。李雄尊奉自己的母亲罗氏为王太后，追尊自己的父亲李特为成都景王。李雄认为李国、李离足智多谋，所以凡是遇到事情必定先请教他们而后实行，而李国、李离侍奉李雄也越发恭敬。

刘渊将国都从离石县城迁到左国城，胡人、晋朝人归附刘渊的越来越多。刘渊对群臣说："过去汉朝统治天下时间很久，恩德深入民心。我是汉朝皇帝的外甥，匈奴单于与汉朝皇帝是兄弟关系，兄长的国家灭亡了，理应由作为弟弟的匈奴单于来接续，不也可以吗？"于是建国号为汉。刘宣等人请求刘渊称帝，刘渊说："如今四方还没有平定，暂且依照汉高祖刘邦的样子先称'汉王'吧。"于是刘渊即汉王位，实行大赦，建年号为元熙。追尊安乐公刘禅为孝怀皇帝，设置汉朝三祖、五宗的灵牌进行祭祀。立妻子呼延氏为王后。任命右贤王刘宣为丞相，崔游为御史大夫，左于陆王刘宏为太尉，范隆为大鸿胪，朱纪为太常，上党郡人崔懿之、五部匈奴中的北部人陈元达都为黄门郎，远房侄子刘曜为建武将军。崔游坚决推辞不肯接受任命。

黄门郎陈元达少年时就有远大的志向和高尚的节操，刘渊曾经招聘过他，但陈元达没有应聘。等到刘渊做了汉王，有人对陈元达说："你害怕吗？"陈元达笑着说："我了解刘渊已经很久了，他也明白我的心思，只怕两三天之内，驿站必定有书信送来。"当天傍晚，刘渊果然派人送来征聘陈元达的聘书。陈元达辅佐刘渊尽心竭力，屡次进献忠言，然而退朝之后就把草稿销毁，即使是他的子弟也不知道他究竟写了些什么。

建武将军刘曜生下来眉毛就是白的，两目充满红光，自幼就很聪明、有智慧、有胆量，他很早就成了孤儿，是刘渊收养了他。刘曜长大后，仪表堂堂、相貌魁伟，性格磊落豁达，见识高远，出类拔萃，爱好读书，善于写作文章，能用箭射穿一寸

射而洞之[607]。常自比乐毅[608]及萧、曹[609]，时人莫之许[610]也，惟刘聪重之，曰："永明[611]，汉世祖、魏武之流，数公[612]何足道哉！"

帝既还洛阳，张方拥兵专制朝政，太弟颖不得复豫事[613]。豫州都督范阳王虓、徐州都督东平王楙[614]等上言："颖弗克负荷[615]，宜降封一邑[616]，特全其命。太宰[617]宜委以关右之任[618]，自州郡以下，选举授任，一皆仰成[619]。朝之大事，废兴损益，每辄畴咨[620]。张方为国效节，而不达变通[621]，未即西还[622]，宜遣还郡，所加方官，请悉如旧。司徒戎、司空越[623]，并忠国小心，宜干机事[624]，委以朝政。王浚有定社稷之勋[625]，宜特崇重，遂抚幽朔[626]，长为北藩[627]。臣等竭力捍城[628]，藩屏[629]皇家，则陛下垂拱[630]，四海自正矣。"

张方在洛既久[631]，兵士剽掠殆竭，众情喧喧[632]，无复留意[633]，议欲奉帝迁都长安；恐帝及公卿不从，欲须帝出而劫之[634]。乃请帝谒庙[635]，帝不许。十一月乙未[636]，方引兵入殿，以所乘车迎帝，帝驰避后园竹中。军人引帝出，逼使上车，帝垂泣从之。方于马上稽首[637]曰："今寇贼纵横，宿卫[638]单少，愿陛下幸臣垒[639]，臣尽死力以备不虞[640]。"时群臣皆逃匿，唯中书监卢志侍侧，曰："陛下今日之事，当一从右将军[641]。"帝遂幸方垒，令方具车[642]载宫人、宝物。军人因妻略后宫[643]，分争府藏[644]，割流苏武帐[645]为马帴[646]，魏、晋以来蓄积，扫地无遗。方将焚宗庙宫室，以绝人返顾[647]之心。卢志曰："昔[34]董卓无道，焚烧洛阳[648]，怨毒之声，百年犹存，何为袭之[649]？"乃止。

帝停方垒三日，方拥帝及太弟颖、豫章王炽[650]等趋长安。王戎出奔郏[651]。太宰颙帅官属步骑三万迎于霸上[652]，颙前拜谒，帝下车止之。

厚的铁板。他经常把自己比作乐毅和萧何、曹参，但当时没有人赞许他的自比，只有刘聪很看重他，说："刘曜，是汉世祖刘秀、魏武帝曹操一流的人物，乐毅、萧何、曹参这几个人又哪里值得和他相比呢！"

晋惠帝回到洛阳之后，张方手握重兵、专擅朝政，太弟司马颖无法再干预朝政。豫州都督范阳王司马虓、徐州都督东平王司马楙等人上疏说："司马颖没有能力担负起国家的重任，应当废除他的王位，收回他的封土，只留给他一个县作为食邑，只要能够保全他的性命就行了。至于太宰司马颙，应当委任他去全权处理函谷关以西的事务，自州郡以下，一切官员的选拔任命，都由他全权负责。朝廷的重大事情，如应兴应废、应增应减等，都应向他征求意见。张方虽然能为国效忠守节，然而他不能根据实际情况灵活地处理问题，又没有及时回到他的西部任所，应当让他回到冯翊郡太守的岗位上，所有加给张方的官衔，依旧保留不变。司徒王戎、司空司马越二人忠于国事，小心谨慎，应该让他们主管朝廷的机要事务，委托他们主持朝政。安北将军王浚有稳定社稷的功勋，应当特别尊崇重用，让他镇抚幽州、朔方，永远作为国家北方的屏障。我等将会尽心竭力捍卫国家，维护皇家利益，陛下只需垂衣拱手，四海之内自然就国泰民安了。"

冯翊太守张方在洛阳已经很久了，他手下的士兵四处剽掠劫夺，洛阳城里已经是民穷财尽，士兵们便开始喧哗吵闹，不想在洛阳再待下去，张方提议带着惠帝迁都长安，他担心惠帝和公卿大臣不同意，就想借惠帝出宫的机会劫持他。于是张方奏请惠帝去拜谒太庙，惠帝不同意。十一月初一日乙未，张方率领士兵进入宫殿，用自己乘坐的车子接惠帝出宫，惠帝赶紧跑到后园的竹丛中躲避起来。张方的士兵把惠帝从竹丛中拉出来，硬逼着他上车，惠帝痛哭流涕，只得听从他们的安排。张方骑在马上向惠帝低了低头算是行了礼，说："如今贼寇纵横，护卫宫廷的军队势力单薄，人员缺少，希望陛下驾临我的兵营，我将竭尽死力保护陛下，以防止意想不到的事情发生。"当时群臣全都逃避躲藏起来，只有中书监卢志在惠帝身边侍奉，卢志说："陛下，今天的事情，应当一切听从右将军张方的安排。"惠帝只好跟随张方来到军营，让张方准备车辆装载宫人、宝物。士兵趁机奸淫抢夺后宫的妃嫔宫女，互相争抢皇家府库储存的物品，他们用刀割下宫廷床帐、仪仗幡车以及武帐上的穗子充作马鞍垫，魏、晋以来历年的蓄积，被一扫而光。张方准备焚烧宗庙、宫室，以断绝人们对洛阳的留恋之心。卢志劝阻张方说："过去董卓惨无人道，焚烧了洛阳，怨恨诅咒他的声音，一百年后还可以听得到，你怎么能干董卓所干的那种事情呢？"张方这才打消了焚烧宫殿的念头。

惠帝在张方的营垒中停留了三天，张方才挟持着惠帝以及太弟司马颖、豫章王司马炽等赶往长安。司徒王戎逃出洛阳，奔往郏县。太宰司马颙率领所有官属与步兵、骑兵三万人到霸上迎接惠帝，司马颙向前叩拜，惠帝下车阻止了他。惠帝进入

帝入长安，以征西府[653]为宫。唯尚书仆射荀藩、司隶刘暾、河南尹周馥等[35]在洛阳为留台[654]，承制行事[655]，号东、西台[656]。藩，勖[657]之子也。丙午[658]，留台大赦，改元复为永安。辛丑[659]，复皇后羊氏。

罗尚移屯巴郡[660]，遣兵掠蜀中，获李骧[661]妻昝氏及子寿。

十二月丁亥[662]，诏太弟颖以成都王还第，更立豫章王炽为皇太弟。帝兄弟二十五人，时存者惟颖、炽及吴王晏。晏材资[36]庸下，炽冲素好学[663]，故太宰颙立之。诏以司空越为太傅，与颙夹辅帝室，王戎参录[664]朝政。又以光禄大夫王衍为尚书左仆射。高密王略[665]为镇南将军，领司隶校尉[666]，权镇洛阳[667]。东中郎将模[668]为宁北将军，都督冀州诸军事，镇邺。百官各还本职。令州郡蠲除苛政[669]，爱民务本[670]，清通[671]之后，当还东京[672]。大赦，改元[673]。略、模，皆越之弟也。王浚既去邺，越使模镇之。颙以四方乖离[674]，祸难不已，故下此诏和解之，冀获少安[675]。越辞太傅不受。又诏以太宰颙都督中外诸军事，张方为中领军、录尚书事，领京兆太守[676]。

东嬴公腾遣将军聂玄击汉王渊，战于大陵[677]，玄兵大败。

渊遣刘曜寇太原[678]，取泫氏[679]、屯留[680]、长子[681]、中都[682]。又遣冠军将军乔晞寇西河[683]，取介休[684]。介休令贾浑不降，晞杀之。将纳其妻宗氏，宗氏骂晞而哭，晞又杀之。渊闻之，大怒曰："使天道有知，乔晞望有种乎[685]！"追还[686]，降秩[687]四等。收浑尸，葬之。

---

**【段旨】**

以上为第三段，写惠帝永兴元年（公元三〇四年）一年间的大事。主要写了东海王司马越操纵晋惠帝杀长沙王司马乂，并向司马颖、司马颙求和，司马颖自立为皇太弟，专权营私，仍居邺城以遥控京师；写了司马越纠集势力，挟持惠帝北讨司马颖，结果被司马颖打得大败，嵇绍为卫护惠帝而死，惠帝遂落入司马颖之手；写了幽州军阀王浚勾结北方的鲜卑人与司马越的势力进攻邺城，司马颖兵败，裹挟惠长安，就以征西将军司马颙的府衙作为皇宫。只有尚书仆射荀藩、司隶校尉刘暾、河南尹周馥等在洛阳作为朝廷的留守机关，以皇帝的名义处理政务，因此洛阳被称为东台，长安被称为西台。荀藩，是荀勖的儿子。十一月十二日丙午这天，洛阳留守朝廷宣布大赦，又改年号为永安。初七日辛丑，恢复羊献容的皇后地位。

益州刺史罗尚率军移屯巴郡，他派军队到蜀中抢掠，俘获了成都国太傅李骧的妻子昝氏和他的儿子李寿。

十二月二十四日丁亥，惠帝下诏免去司马颖的太弟封号，让他以成都王的身份返回他的府第，改立豫章王司马炽为皇太弟。惠帝司马衷兄弟二十五人，当时活着的只有成都王司马颖、豫章王司马炽和吴王司马晏三个人。司马晏天生愚笨、智力低下，而司马炽恬静、谦虚而好学，所以太宰司马颙立他为皇太弟。惠帝下诏，任命司空司马越为太傅，与太宰司马颙共同辅佐皇室，司徒王戎参与管理朝政。又任命光禄大夫王衍为尚书左仆射。任命高密王司马略为镇南将军，兼任司隶校尉，临时镇守洛阳。任命东中郎将司马模为宁北将军、都督冀州诸军事，镇守邺城。文武百官各自回到岗位。命令州郡废除各种苛暴的政令，要爱护百姓，努力发展农业生产，等到局势稳定、道路畅通以后，再回到东京洛阳。大赦天下，改年号为永兴。司马略、司马模，都是司马越的弟弟。王浚离开邺城之后，司马越派司马模镇守邺城。司马颙因为四方矛盾重重，互不统属，灾祸结束无期，所以下达此项诏书以缓解矛盾，希望能够获得暂时的安定。司马越拒绝接受太傅的职位。惠帝又下诏任命太宰司马颙负责统领中外诸军事，张方为中领军、录尚书事，兼任京兆太守。

东嬴公司马腾派遣将军聂玄领兵攻打汉王刘渊，在大陵县展开激战，聂玄的军队被刘渊打得大败。

汉王刘渊派建武将军刘曜率领军队进攻太原，攻取了泫氏县、屯留县、长子县、中都县。刘渊又派遣冠军将军乔晞侵夺晋国的西河郡，攻占了介休县。介休县县令贾浑不肯投降，乔晞就把贾浑杀死。乔晞想趁机霸占贾浑的妻子宗氏，宗氏一边大骂乔晞一边哭，乔晞又把宗氏杀死。刘渊听到这个消息，非常愤怒，他说:“如果老天有知，乔晞难道还指望自己有后代吗?!”赶紧把乔晞从前线调回来，降了四级，并收殓贾浑的尸体，安葬了他。

---

帝弃邺南入洛阳；时司马颙的部将张方占据洛阳，操纵朝政；张方又裹挟惠帝西迁长安，司马颖的一切权力被解夺，司马越与司马颙成了最高势力的把持者；写了陶侃在江汉一带破杀张昌，陈敏、贺循等人在扬、徐二州大破石冰，席卷大江南北的民变被削平；写了匈奴首领刘宣率众拥立刘渊为大单于，称王建国，又有刘聪、刘曜为辅佐，匈奴的气势大振；又写了李雄在巴蜀即成都王位，正式建国等。

## 【注释】

㉞⁰ 永兴元年：此时实际是太和三年，长沙王司马乂被囚后，改元永安，至惠帝西迁长安后，才改元"永兴"。㉞¹ 正月丙午：正月初八。㉞² 长沙厉王乂："厉"是司马乂死后司马颖给他加的恶谥。㉞³ 未尝亏奉上之礼：在对待晋惠帝的礼数上没有欠缺。㉞⁴ 日窘：越来越少。㉞⁵ 东海王越：司马越，司马馗之孙，司马泰之子，论辈分是惠帝司马衷的堂叔。㉞⁶ 虑事不济：担心朝廷不能获胜。济，成。㉞⁷ 癸亥：正月二十五。㉞⁸ 收乂：将司马乂逮捕起来。㉞⁹ 送别省：送往其他官署羁押。㉟⁰ 甲子：正月二十六。㉟¹ 改元：改元"永安"。此之前称"太安三年"。㉟² 外兵：城外进来的军队，即司马颖的攻城军队。㉟³ 自有静之者：有人会出来解决这一问题。静，定、完成。㉟⁴ 丙寅：正月二十八。㉟⁵ 炙而杀之：先用火烧烤，而后杀掉。〖按〗此"八王之乱"之第五王结束。司马乂自太安元年（公元三〇二年）十二月取代司马冏，到本年（公元三〇四年）正月被杀，当权一年零两个月。㉟⁶ 诣邺谢罪：到邺城（今河北临漳西南）谢罪。时司马颖镇邺。㉟⁷ 守尚书令：代理尚书令之职。㉟⁸ 十二城门：洛阳东城有建春门、东阳门、清明门，西城有广阳门、阊阖门、西明门，南城有开阳门、津阳门、平昌门、宜阳门，北城有大夏门、广莫门，共十二门。㉟⁹ 殿中宿所忌者：司马颖过去所忌恨的殿中禁军将领。㊱⁰ 悉代去宿卫兵：把守卫宫廷的禁军都换上自己的人，把原来的都打发走。㊱¹ 参署：参与管理。卢志为"中书监"，理应进朝，但司马颖仍将其留在邺城，以利于他们共同遥控朝廷。㊱² 郑：晋县名，县治即今陕西渭南市华州区。㊱³ 东军：指河间王司马颙派出的张方的军队。㊱⁴ 渭城：秦朝的都城咸阳，汉朝建国后，改称之渭城。在今陕西咸阳东北二十里。㊱⁵ 逆战：迎战。指迎战刘沈。㊱⁶ 好畤：晋县名，县治在今陕西乾县东。㊱⁷ 渭：指渭水，从西方流来，经长安城北，东流入黄河。㊱⁸ 军：驻扎；列阵。㊱⁹ 安定太守衙博：安定郡的太守，姓衙名博。安定郡的郡治临泾，在今甘肃镇原东。㊲⁰ 功曹：郡太守的僚属，主管郡里的人事工作。㊲¹ 入其门：攻入长安城门。㊲² 冯翊：晋郡名，郡治即今陕西大荔。㊲³ 张辅：司马颙的党羽。㊲⁴ 横击之：从侧面拦腰攻击。㊲⁵ 敦伟：姓敦，名伟。㊲⁶ 南走：向南逃跑。㊲⁷ 知己之惠：指刘沈原被派入蜀讨李流，中经长安被司马颙留作军师，继而又使其任雍州刺史事。㊲⁸ 量强弱以苟全：知道朝廷方面的力量不够就抛弃大义以求生。㊲⁹ 投袂：甩袖而起，指起兵讨司马颙。《左传》宣公十四年，楚国使者为宋人所杀，"楚子闻之，投袂而起"。袂，袖子。㊳⁰ 期之必死：已下定必死的决心。㊳¹ 菹醢：被剁成肉酱。㊳² 其甘如荠：如同吃荠菜一样甘甜。《诗经·谷风》："谁谓荼苦，其甘如荠。"㊳³ 画计：筹划计策；出主意。㊳⁴ 不用鄙计：不采纳我的计谋。㊳⁵ 壮之：佩服他的气概。㊳⁶ 右卫司马：右卫将军的司马。当时司马颙任右卫将军。㊳⁷ 江阳：晋郡名，郡治即今四川泸州。㊳⁸ 遣使表状：派使者向朝廷报告情况。㊳⁹ 权统：暂时管理。㊴⁰ 巴东：晋郡名，郡治鱼复，今重庆市奉节县东。㊴¹ 巴郡：郡治江州，即今重庆市。㊴² 涪陵：晋郡名，郡治在今重庆市彭水县。

以上三郡，本属梁州，今暂归罗尚统管。393 军赋：军需供应。394 纲纪：刺史的主要僚属参佐。395 运道阻远：自湖北江陵到四川东部道路崎岖难行而又遥远。396 自空乏：自己也不富裕。397 零陵：晋郡名，郡治即今湖南永州市零陵区。398 五千斛：五千石，十斗为一石，也称一斛。399 无西顾之忧：罗尚统御的巴东、巴郡、涪陵三郡如果稳定，则四川的战乱就不会再扩展到荆州。400 手版："笏"，古代臣僚拜见君主时手里拿的一种狭长板子，用玉、象牙或竹制成。上面可以记事，同时也是一种身份的象征。401 遣之：打发他回江阳，意即不挖别人的墙脚。402 治中：刺史的高级僚属。403 为尚后继：为罗尚做声援。后继，犹言"后续"。404 羁旅：寄居异乡。405 大给：充分供应。406 随资叙用：按照条件加以任用。资，材智。407 乙酉：二月十七。408 皇后羊氏：名献容，羊玄之之女。传见《晋书》卷三十一。409 皇太子覃：司马炎之孙，司马遐之子，原封清河王，因惠帝子孙死绝，齐王冏遂立覃为太子。事见本书卷第八十四太安元年（公元三〇二年），今又被废。410 封云：徐州境内的另一变民首领。411 不言功赏：不提自己的功劳，不求奖赏，极言其处于乱世，能自薄名利。412 广陵相：广陵国相，广陵国的都城在淮阴，即今江苏淮安。413 太弟：皇太弟，帝位的合法继承人。414 戊申：三月十一。415 乘舆服御：指皇帝使用的车驾以及各种生活用品。416 一如：一切依照。417 魏武帝故事：当年曹操、曹丕称魏王时建国于邺的做法。418 刘寔：字子真，有先见之明，著有《崇让论》。传见《晋书》卷四十一。419 僭侈：超越礼制，骄横奢侈。420 嬖幸用事：宠幸者掌权。嬖幸，弄臣、男宠。421 长沙王故将：长沙王司马乂的老部下。422 七月丙申朔：七月初一是丙申日。423 云龙门：在洛阳皇宫中的门。424 戊戌：七月初三。425 己亥：七月初四。426 奉帝北征：簇拥着皇帝司马衷北讨司马颖。427 嵇绍：嵇康之子，司马乂当国时任侍中，司马乂死，被免职。今讨司马颖，又召其官复原职。428 行在：皇帝出行时暂时住宿的地方。429 卿有佳马：意思是让他随时准备逃跑。430 扈卫乘舆：护卫皇帝。431 死生以之：全力投入，生死不移。432 比：待；等到。433 安阳：晋县名，县治在今河南安阳南，北距邺城四十里。434 东安王繇：司马懿之孙，司马伷之子。435 释甲：脱下铠甲，解除武装。436 缟素：身穿素服，表示请罪。437 奉迎乘舆：前往迎接皇帝。438 卿名晓事：你号称明白事理。439 赴行在：前往皇帝所在的地方，为施行缓兵计。440 己未：七月二十四。441 奄至：突然抵达。442 乘舆：指惠帝司马衷。443 败绩于荡阴：在荡阴被司马颖打得大败。荡阴，即今河南汤阴，在安阳南。444 伤颊：嘴角两侧的面部受伤。445 朝服：言身穿朝服，极言其态度之庄重。446 登辇：登上皇帝所坐的车。447 斫：用刀砍。448 亡六玺：丢失了皇帝的六颗御玺。449 奉帝幸其营：将皇帝带到了他的营中。幸，敬指皇帝驾临某处。450 馁甚：饥饿得很。451 秋桃：桃本是夏令水果，秋桃一般不能进奉皇帝，此时奉秋桃，极言其无以充饥。452 庚申：七月二十五。453 改元曰建武：在此之前称"永安元年"。454 欲浣帝衣：想把皇帝的脏衣服洗一洗。455 奔下邳：逃向下邳郡。郡治在今江苏睢宁西北。456 东平王楙：司马楙，司马孚之孙，司马懿之侄孙，是皇帝司马衷的叔伯辈。457 不纳：不接纳；

不准其进入徐州城。⑱ 径还东海：径直返回自己的封地都城。东海国的都城即今山东郯城。⑲ 越兄弟：指司马越的兄弟司马腾、司马略、司马模，都是司马泰的儿子、司马懿的侄孙。⑳ 宗室之望：在皇族中享有声望。㉑ 招之：指招其进京。㉒ 邀结藩方：联合其他藩王。㉓ 同奖王室：共同辅佐皇帝司马衷。奖，扶助。㉔ 与参谋议：参与司马越的重大决策讨论。㉕ 北军中候苟晞：北军中候是卫戍京城部队的监军。苟晞字道将，有名的贪暴官僚，以巴结权贵著称。传见《晋书》卷六十一。㉖ 奔范阳王虓：当时司马虓任都督豫州诸军事，驻兵许昌。㉗ 承制：假托皇帝的名义。㉘ 行兖州刺史：行，代理。兖州的州治廪丘，在今山东郓城西北。㉙ 三王：指成都王司马颖、齐王司马冏、河间王司马颙。三王起兵讨赵王司马伦事，见本书卷第八十四永宁元年（公元三〇一年）。㉚ 拥众：手握重兵。㉛ 挟两端：两头观望，等谁胜归谁。㉜ 所部士民：所管辖下的官员与百姓。当时王浚任幽州都督。㉝ 图颖：图谋铲除司马颖。㉞ 和演：司马颖的心腹，曾为司马颖出谋划策，起兵讨赵王司马伦。㉟ 乌桓单于审登：乌桓是少数民族名，当时与汉人杂居在今辽宁西部、河北东北部一带地区。其头领名叫审登。㊱ 蓟城：今北京市的西南部。㊲ 会：恰好碰上。㊳ 不果：没有干成。㊴ 密严兵：暗中布置军队。㊵ 东嬴公腾：司马腾，司马泰之子，司马越的亲兄弟。㊶ 幽州营兵：幽州刺史所统辖的军队。㊷ 称诏征浚：假称皇帝的诏命征召王浚回京。㊸ 段务勿尘：鲜卑首领，王浚的女婿。㊹ 乌桓羯朱：乌桓的头领名叫羯朱。㊺ 东安王繇前议：指提议自己身穿素服去向天子请罪。㊻ 八月戊辰：八月初三。㊼ 琅邪恭王觐：司马觐，司马懿之孙，司马伷之子，琅邪王是其封号，恭字是谥。㊽ 子睿嗣：此继位为琅邪王的即日后的东晋元帝司马睿。㊾ 东海参军王导：东海王司马越的参军王导，字茂弘，后来东晋的开国元勋。传见《晋书》卷六十五。㊿ 识量清远：有气度，有远见。491 劝睿之国：劝司马睿返回自己的琅邪封国，在今山东临沂东北。492 先敕诸关津：预先给各关卡、渡口下了命令。493 无得出贵人：不准放走任何贵族人士。494 河阳：晋县名，也是渡口名，在今河南孟州西。495 为津吏所止：被渡口的检查官员拦住。496 拂睿：驱赶司马睿。拂，轻打、驱赶。497 舍长：看房子的奴仆。498 太妃夏侯氏：司马睿的生母。499 发孟玖奸利：揭发了孟玖的作奸犯科、谋取私利。500 纵横：横行霸道。501 浚：周浚，字开林，曾随王浑伐吴有功。传见《晋书》卷六十一。502 别将：别路的将领，以与自己部下的将领相区别。503 广阳门：洛阳西城南头第一个门。504 监五部军事：监管五部匈奴的军队，当时五部匈奴散居在今山西境内。505 善属文：擅长写文章。506 弱冠：指二十岁。《礼记·曲礼》："人生十年曰幼学，二十年曰弱冠。"507 右贤王宣：刘宣，右贤王是匈奴西部地区的最高首领，通常由单于的儿子或兄弟担任。508 单于徒有虚号：只吃俸禄，无丝毫权力，无一点封土。事见本书卷第六十七建安二十一年（公元二一六年）。509 自余王侯：除单于以外的其他匈奴王侯。510 降同编户：降成平民，编入户籍，无高下之分。511 敛首就役：俯首帖耳地去给别人当奴隶。512 奄过百年：匆匆地过完一辈子。513 左贤王：指刘渊。514 苟：假如。515 虚生此人：白白地降生这么好的一个人才。⑯复呼韩邪之业：恢复呼韩邪单于当年的勋业。呼韩邪单于是汉宣帝时的匈奴首领，因当时匈奴内乱，呼韩邪逆率五万人南来投降了汉朝，这里是想重振昔日匈奴雄风。⑰诣邺告之：到邺城禀告刘渊。⑱会葬：参加族人的葬礼。⑲杂胡：其他少数民族。⑳二镇：指王浚所统的幽州与司马腾所统的并州。㉑宿卫：指朝廷禁军。㉒赴国难：让他们来援救国家的危难。㉓果可发否：是不是真能服从征调。㉔就能发之：即使能够调动。㉕鲜卑、乌桓：指与鲜卑、乌桓相互勾结的幽、并二州。㉖奉乘舆还洛阳：带着皇帝到洛阳去。㉗避其锋：避开他们的锋芒。㉘以逆顺制之：调集全国的力量以讨其逆。㉙武皇帝：指司马炎。㉚远著：远播；远近闻名。㉛竖子：无知的奴才。㉜疏属：疏远的皇亲，司马腾是司马懿之弟、司马馗的孙子，与司马衷、司马颖的关系已经很远。㉝争衡：争高低。㉞一发邺宫：一旦离开邺城，指向南方撤退。㉟抚勉士众：抚慰、勉励部众。㊱靖以镇之：稳妥地镇守好邺城。㊲二部：两个匈奴部落的兵力。㊳枭王浚：打败王浚，将王浚的人头悬挂高竿。㊴左国城：故址在今山西吕梁市离石区北。㊵上大单于之号：让刘渊正式即大单于之位。㊶离石：今山西吕梁市离石区。㊷以聪为鹿蠡王：刘聪是刘渊之子，鹿蠡王是匈奴王号名，地位在左、右贤王之下。㊸左於陆王宏："左於陆"是其王号，"宏"是其王之名。㊹会：会同；和……一道。㊺无及：来不及赶到。㊻王斌：时为成都王司马颖的北中郎将。㊼平棘：晋县名，县治在今河北赵县城东。㊽候骑：侦察骑兵。㊾部分：部署分派。㊿程太妃：司马颖的生母。51俄而：很快地；转眼之间。52御犊车：乘坐着牛车。〖按〗皂轮犊车是当时诸公的座车，今让惠帝亦乘此车，以见其混乱无序。53无赍：没有携带衣食。54中黄门：高等侍从宦官。55诏贷之：皇帝把他的这些钱借过来。56御中黄门布被：盖着中黄门的这条布被睡觉。御，用。57食以瓦盆：吃饭用的器皿是瓦制的。58温：晋县名，县治在今河南温县城西南二十里。59谒陵：扫墓。司马氏是温县人，自司马懿以下的诸陵都在洛阳，司马懿的父亲司马防及其以上祖先，全葬在温县。60丧履：丢失了鞋子。61纳：这里指脚上穿着。62济河：渡过黄河。63以所乘车：用张方自己平常乘坐的车子。这是当时所能找到的最高级的车子了。64芒山：也叫"北芒"，在洛阳城北，黄河南岸。65稍还：陆续回来。66粗备：大略齐备。67辛巳：八月十六。68沈于易水：鲜卑人既不敢"挟藏"，遂将所掠的妇女投入易水。易水在今河北易县境内。69拓拔猗㐌：后来北魏政权创始者的祖先，当时活动在今山西与内蒙古交界一带。70西河：晋郡名，郡治即今山西吕梁市离石区。71汾东：汾河东岸。汾河自山西西北部流来，中经太原、临汾等市，西南流至河津县入黄河。72去邺：离开了邺城。73逆自奔溃：敌人未到，先自逃跑。74奴隶御我：像对待奴隶一样地对待我们。御，对待、使用。75气类：同类，意谓鲜卑、乌桓、东胡等民族，与匈奴都有血缘关系，同禀北方的刚强之气而生。76汉高、魏武：汉高祖刘邦，汉王朝的创造者；魏武帝曹操，为魏国奠定基础的人。77擒斩张昌：变民首领张昌去年被刘弘的将领陶侃打败，逃到下儁山（今湖南沅陵境），今乃被陶侃部擒斩。78有名德：

有名望，有道德。579 重：尊敬。580 臣之：当他的臣属。581 即尊位：登基称王。582 改元建兴：宣布独立，史称成汉（前蜀）。至此，“八王之乱”引起的“大分裂时代”正式揭幕。583 约法七章：指废去晋法不用，自己与境内流民约定了七条法令。584 咨：请教。585 弥谨：越发恭谨。586 迁都左国城：指从离石县迁到左国城。左国城仍在离石境内，在县城之北。587 恩结于民：指恩德深入人心，从而人心稳定。588 汉氏之甥：汉朝皇帝曾嫁女于匈奴单于，故刘渊自称“汉氏之甥”。589 约为兄弟：匈奴单于与汉朝皇帝是兄弟关系。590 兄亡弟绍：兄长的国家汉朝灭亡了，理应由作为弟弟的匈奴单于来接续。591 上尊号：指称皇帝。592 依高祖称汉王：依照汉高祖刘邦的样子先称“汉王”。刘邦在灭秦后，被项羽封为汉王。593 安乐公禅：刘备的儿子刘禅。刘禅被司马炎篡位后，降号称安乐公。594 三祖：指刘邦、刘秀、刘备。595 五宗：指刘恒（西汉文帝太宗）、刘彻（西汉武帝世宗）、刘询（西汉宣帝中宗）、刘庄（东汉明帝显宗）、刘炟（东汉章帝肃宗）。596 神主：灵牌。597 崔游：刘渊的老师，字子相。598 后部：指五部匈奴中的北部，住在今山西忻州一带。599 陈元达：字长宏，本姓高，隐居至四十岁，刘渊称王，为黄门郎，屡进忠言。事见《晋书》卷一百三。600 族子曜：刘渊同族的远房侄子刘曜。刘曜的事迹见《晋书》卷一百三。601 君其惧乎：你害怕了吧。602 亮吾之心：明白我的心思。603 驿书：驿站传送的书信，这里指刘渊征聘他出山为官的文书。604 削草：把草稿销毁。605 仪观：仪态、仪表。606 拓落高亮：磊落豁达，见识高远。607 射而洞之：一箭将其射穿。洞，穿透。608 乐毅：战国名将，曾为燕国大破强齐。事见《史记·乐毅列传》。609 萧、曹：萧何、曹参，刘邦的开国元勋，又都相继为汉相国。事见《史记》中的《萧相国世家》《曹相国世家》。610 莫之许：没有人赞许他的“自比”，意即对他不理解、不相信。611 永明：刘曜的字。612 数公：指乐毅、萧何、曹参。613 复豫事：再干预政事。614 东平王楙：司马楙，司马孚之孙，司马颙的堂兄弟。615 弗克负荷：没有能力担负国家重任。《左传》昭公七年：“其父析薪，其子弗克负荷。”616 降封一邑：降掉王位，除去封土，只留给他一个县，意即降之为侯。617 太宰：指司马颙。618 委以关右之任：把函谷关以西的事务交给他负责。619 一皆仰成：都由他全权处理。这段话实际是剥夺司马颙的相权。620 每辄畴咨：有什么事都去向他征求意见。621 不达变通：不能根据实际情况灵活地处理问题。622 未即西还：还没有回到西边。当时张方名义上是冯翊（郡治即今陕西大荔）太守。623 司徒戎、司空越：指王戎、司马越。624 宜干机事：应让他们主管朝廷的机要事务。625 定社稷之勋：稳定社稷的功勋，指举兵讨伐司马颖。626 遂抚幽朔：就让他镇抚幽州、朔方，指今河北、山西的北部地区。627 北藩：国家北方的屏障。628 捍城：捍卫国家。629 藩屏：维护；为……做屏障。630 垂拱：垂衣拱手，清闲无事的样子。631 在洛既久：从八月至今（十月），已达两个月之久。632 众情喧喧：指张方士兵的怨言很多，情绪不定。633 无复留意：不想在洛阳再住下去。634 欲须帝出而劫之：想等一个皇帝出来的机会劫持他。须，等候。635 谒庙：拜见太庙。636 十一月乙未：十一月初一。637 马上稽首：在马上做了个点头行礼的样子。638 宿卫：护卫宫廷的军队。639 幸臣垒：到我的兵营。640 以备不虞：以防止意想不到的事情发生。641 一从右将军：一切都听右将军张方的安排。642 具车：安排车辆。643 妻略后宫：奸淫抢夺后宫的妃嫔宫女。略，抢掠。644 府藏：皇家府库的储存。645 流苏武帐：流苏指宫廷床帐或仪仗幡车上的穗子，用五彩羽毛或丝线制成，武帐是皇帝所用帐幔的一种，因围中陈列兵器，故称“武帐”。646 马韀：马鞍下面的垫子。韀，通“鞯”。647 返顾：回头，指留恋洛阳。648 焚烧洛阳：董卓焚烧洛阳事，见本书卷第五十九初平元年（公元一九〇年）。649 何为袭之：怎么能又接着干董卓所干的事情？650 豫章王炽：司马炽，司马炎之子，惠帝之弟。651 郏：今河南郏县，离洛阳不远。652 霸上：古地名，在今陕西西安东，因地处霸水西高原上得名。653 征西府：征西将军司马颙的府衙。654 留台：朝廷的留守机关。655 承制行事：以皇帝的名义处理事物。656 号东、西台：洛阳为东台，长安为西台。657 勖：荀勖，西晋初期的权臣之一，贾充的死党。传见《晋书》卷三十九。658 丙午：十一月十二日。659 辛丑：十一月初七。660 巴郡：郡治即今重庆市。661 李骧：李雄之叔，时为成国的太傅。662 十二月丁亥：十二月二十四。663 冲素好学：恬静、谦虚而好学。664 参录：参与管理。665 高密王略：司马略，司马泰之子，司马懿的侄孙。666 司隶校尉：都城洛阳地区的行政长官，级别同于刺史。667 权镇洛阳：临时镇守洛阳。668 东中郎将模：司马模，司马泰之子，与司马越、司马略是亲兄弟。669 蠲除苛政：废除苛暴的政令。蠲，废除。670 务本：努力发展农业生产。本，农业，与工商业之称“末”相对而言。671 清通：局势太平，道路畅通。672 东京：指洛阳。673 改元：改元“永兴”。674 乖离：相互矛盾，互不统属。675 少安：稍微安定一点。676 京兆太守：长安地区的行政长官，级别同于郡守。677 大陵：县名，县治在今山西文水东北。678 太原：诸侯国名，都城晋阳，在今山西太原西南。679 泫氏：晋县名，县治即今山西高平。680 屯留：晋县名，县治在今山西长治市屯留区南。681 长子：晋县名，县治在今山西长子西。682 中都：晋县名，县治在今山西平遥西南。683 西河：晋郡名，郡治即今山西吕梁市离石区。684 介休：晋县名，县治在今山西介休东南十五里。685 望有种乎：还能希望自己有后代吗？因为乔晞太暴虐无道了。种，指子孙、后裔。686 追还：从前线将其调回。687 降秩：降级。

## 【校记】

［24］衔博：张敦仁《通鉴刊本识误》作“卫博”。［25］沈：原无此字。据章钰校，甲十一行本、乙十一行本、孔天胤本皆有此字，张敦仁《通鉴刊本识误》、张瑛《通鉴校勘记》同，今据补。［26］二月：原作“三月”。据章钰校，甲十一行本、乙十一行本、孔天胤本皆作“二月”，张敦仁《通鉴刊本识误》同，今据改。〖按〗《晋书》卷四《惠帝纪》作“二月”。［27］王：原无此字。据章钰校，甲十一行本、乙十一行本、孔天胤本皆有此字，张敦仁《通鉴刊本识误》同，今据补。［28］入：原误作“及”。据章钰校，甲十一行

本、乙十一行本、孔天胤本皆作“入”，今据校正。[29] 邀：原作“要”。据章钰校，甲十一行本、乙十一行本、孔天胤本皆作“邀”，今据改。[30] 诸：原无此字。据章钰校，甲十一行本、乙十一行本、孔天胤本皆有此字，今据补。[31] 敛首：据章钰校，甲十一行本、乙十一行本、孔天胤本皆作“手受”。[32] 而：据章钰校，甲十一行本、乙十一行本、孔天胤本皆无此字。[33] 改元：据章钰校，甲十一行本、乙十一行本、孔天胤本此下皆有“曰”字。[34] 昔：原无此字。据章钰校，甲十一行本、乙十一行本、孔天胤本皆有此字，张敦仁《通鉴刊本识误》同，今据补。[35] 等：原无此字。据章钰校，甲十一行本、乙十一行本、孔天胤本皆有此字，今据补。[36] 资：据章钰校，甲十一行本、乙十一行本、孔天胤本皆作“质”。

## 【研析】

本卷写了晋惠帝太安二年（公元三〇三年）、永兴元年（公元三〇四年）共两年间的全国大事，以及“五胡十六国”中首先成立的“成汉”与“前赵”的建国经过。其中可议论的人物与事件有以下几点。

第一，关于陆机其人。陆机是吴国大臣陆抗之子，火烧连营、大破刘备于猇亭的名将陆逊之孙。陆机与其弟陆云在江东地区的名气很大，不知司马炎是出于真心还是说说笑话，他说平定东吴最大的收获莫过于获得陆氏兄弟。陆机、陆云都是当时著名文学家，陆机的诗歌被锺嵘列为上品，陆机的《文赋》在古代文学批评史上占有重要的地位。但就是这样一个人竟然卷入八王之乱，被司马颖任为后将军、河北大都督，统二十多万人讨伐司马乂，结果被打得大败，接着又被孟玖、石超进谗言，陆氏兄弟遂被司马颖杀害。临死前陆机还说：“华亭鹤唳，可复闻乎？”和秦朝丞相李斯临死前抒发的遗憾差不多。陆机本是个文人，偏偏受命要当什么将军，其不自量力的情景自然比战国时代的赵括还要可笑。另外，既然一脑门子名利思想，不顾一切地向上爬，那就应该死心塌地，别到后来又说什么后悔不该出来做官。王夫之《读通鉴论》说：“士有词翰之美而乐之以自见，遂以累其生平而丧之，陆机其左鉴矣。机之身名两殒，濒死而悔，发为‘华亭鹤唳’之悲，唯其陷身于司马颖不能自拔，而势不容于中止也。其受颖之羁绁而不能自拔，唯受颖辩理得免之恩而不忍负之也。机之为司马伦撰禅诏也，无可贳其死。人免之于𫓧钺之下，肉其白骨，而遽料其败，速去之以避未然之祸，此亦殆无人理矣。故机之死，不死于为颖将兵之日，而死于为伦撰诏之时，其死已晚矣。”王志坚《读史商语》则说：“二陆之先，吴之大臣也。宗国覆败，为之子孙者埋名不仕可也；曾未几何时，而兄弟已在洛矣。视张子房、陶元亮为何如哉？其保庙之智姑不必论。”又说：“《陆机传》称机‘与贾谧亲善，以进趋获讥’；又云‘豫诛谧功，赐爵关中侯’。果尔，机盖反复人耳！”总

之，陆机的人品不足说，其被列为“上品”的诗歌到今天又有几首能流传于人口呢？大略是“虚名”而已。陆机的生与死，都倒霉在这个“虚”字上。

第二，本卷后来在写到成都王司马颖打败挟持惠帝“亲征”的司马越时，“帝伤颊，中三矢，百官侍御皆散”，这时有一位“忠臣”挺身而出，他“下马登辇，以身卫帝”，被司马颖的士兵拉下来，杀死在惠帝车下，鲜血溅在了惠帝的衣服上，这就是当年“竹林七贤”中最负盛名的嵇康的儿子嵇绍。嵇康因为憎恶司马昭垄断朝权、诛除异己而愤世嫉俗，写了著名的《与山巨源绝交书》，最后被司马昭强加罪名杀害。在这个问题上，古往今来的人们都同情嵇康而批判司马昭之流，似乎没有异议。唯独嵇绍竟然为了护持司马昭的孙子而不惜献出生命，不知嵇康怎么会有嵇绍这样一个儿子？王夫之《读通鉴论》对此说：“死而不得其所者谓之刑戮之民，其嵇绍之谓矣。绍之不可死而死，非但逆先人之志节以殉仇贼之子孙也。惠帝北征，岂惠帝之暗能知绍而任之乎？司马越召之耳。冏也，乂也，颖也，颙也，越也，安忍无亲，而为至不仁，一也。偶然而假托以正，奉土木偶人之孱主以逞，君子逆风犹当避其腥焉，绍曰‘臣子扈卫乘舆，死生以之’，妄言耳！乐为司马越之斯役而忘其死也。不知有父者，恶知有君？名之可假，势之可依，奉要领以从之，非刑戮之民而谁邪？秦准谓绍曰‘君有佳马乎’，导之以免于刑戮而不悟，妄人之妄，以自毙而已矣。”即使不讲“父母之仇，不共戴天”那种老话，但是非感总该有一些吧？除了被“三纲五常”弄昏了头的封建主义的孝子贤孙外，还能有谁同情嵇绍的这种死法呢？

第三，本卷写了“李成”政权的始发者李特的创业与其因轻敌而兵败身死。作品写李特刚刚到达蜀地时感慨地说：“刘禅有如此之地而面缚于人，岂非庸才邪？”待至势力壮大，攻入成都的少城后，“惟取马以供军，余无侵掠，赦其境内，改元建初”，很有王者的风范，很像是秦楚之际的项梁。结果由于轻敌而为罗尚所杀，也与项梁当年为章邯所杀的情景大致相似。更令人敬佩的是李特的夫人罗氏，当外遭敌兵袭击、内有叛徒响应的时候，“罗氏擐甲拒战，伯手刃伤其目，罗氏气益壮”，一直坚持到援军到来。他们的活动都为其子李雄的建国称帝奠定了基础。

# 卷第八十六　晋纪八

起旃蒙赤奋若（乙丑，公元三〇五年），尽著雍执徐（戊辰，公元三〇八年），凡四年。

【题解】

本卷写晋惠帝永兴二年（公元三〇五年）至晋怀帝永嘉二年（公元三〇八年）共四年间的西晋与前赵、成汉等国的大事。主要写了晋东海王司马越倡言讨伐张方，迎接惠帝回洛阳，被东方军阀推为盟主；写了河间王司马颙挟持惠帝下令让司马越等离朝就国，越等不从；写了豫州刺史刘乔与成都王司马颖联合大破司马越，司马颖进据洛阳；写了司马颙杀其部将张方，欲与司马越讲和，司马越派部将祁弘攻入长安，将惠帝带回洛阳；写司马颖因失去司马颙的支援而到处流浪，最后被范阳王司马虓捕杀；写了司马越毒死惠帝司马衷，改立太弟司马炽为皇帝；写了司马越以怀帝司马炽的名义调司马颙进京，途中将其杀死；写怀帝即位后多问朝政，司马越不满，自请出镇许昌，其兄弟四人各自占据一方；写了军

【原文】

孝惠皇帝下

永兴二年（乙丑，公元三〇五年）

夏，四月，张方废羊后[①]。

游楷等攻皇甫重[②]，累年不能克[③]，重遣其养子昌求救于外。昌诣司空越，越以太宰颙新与山东[④]连和[⑤]，不肯出兵。昌乃与故殿中人[⑥]杨篇诈称越命，迎羊后于金墉城，入宫，以后令发兵讨张方，奉迎大驾[⑦]。事起仓猝，百官初皆从之。俄[⑧]知其诈，相与[⑨]诛昌。颙请遣御史宣诏喻重令降，重不奉诏。先是，城中不知长沙厉王[⑩]及皇甫商已死[⑪]，重获御史驺人[⑫]，问曰："我弟将兵来，欲至未[⑬]？"驺人曰："已为河间王所害。"重失色[⑭]，立杀驺人[⑮]。于是城中知无外救，

阀陈敏因破石冰之功而割据江东，但因残暴不仁，被其部下顾荣、周玘、甘卓、钱广等与征东将军刘准内外应和破杀，而琅邪王司马睿在王导等人支持下网罗世家大族，逐渐搭起新政权的班底；写了匈奴刘渊派其部将刘聪、石勒、刘灵、王弥等攻魏、赵，攻青、徐、兖、豫等州，乃至攻入许昌，围攻洛阳；而刘渊则迁都蒲子，即皇帝位，国号“汉”，史称“前赵”。成都王司马颖的余部汲桑以及羯人石勒等破杀东燕王司马腾后，亦辗转投奔刘渊；写了成都王李雄即皇帝位，国号“大成”，史称“成汉”，以范长生为“天地太师”，趁汉中流民起事而派兵援救，尽徙汉中民入蜀等。

---

【语译】

孝惠皇帝下

**永兴二年（乙丑，公元三〇五年）**

夏季，四月，张方再一次废黜了羊献容皇后。

金城郡太守游楷等人率军攻打秦州刺史皇甫重，数年不能取胜，皇甫重派遣他的养子皇甫昌到别处求援。皇甫昌来到司空司马越那里，司马越因为太宰司马颙刚与自己和解，所以不肯发兵。皇甫昌就与曾在禁卫军供职的杨篇谎称奉了司马越的命令，前往金墉城迎接羊献容皇后回到皇宫。羊献容皇后回宫后，皇甫昌就以羊献容皇后的名义下令发兵讨伐张方，以迎接惠帝返回洛阳。由于事情来得突然，文武百官开始的时候都听从了皇甫昌的命令。不久，得知是皇甫昌假传羊献容皇后的命令，便互相联合起来杀死了皇甫昌。河间王司马颙请求皇帝派遣御史到皇甫重那里宣布诏命，让皇甫重投降，皇甫重不肯接受诏命。早先，秦州治所冀县城中的人并不知道长沙王司马乂和皇甫商已死，皇甫重抓获了前来宣布诏命的御史的马夫，他问那个马夫说：“我弟弟皇甫商率领救兵前来，现在快到了吗?”马夫回答说：“皇甫商已经被河间王司马颙杀害了。”皇甫重大惊失色，立即杀死了马夫。此时城中已经

共杀重以降。颙以冯翊太守张辅⑯为秦州刺史。

六月甲子⑰，安丰元侯王戎⑱薨于郏⑲。

张辅至秦州，杀天水太守封尚，欲以立威。又召陇西太守韩稚，稚子朴勒兵⑳击辅。辅军败，死。凉州㉑司马杨胤言于张轨㉒曰："韩稚擅杀刺史，明公杖钺一方㉓，不可[1]不讨。"轨从之，遣中督护汜瑗㉔帅众二万讨稚，稚诣轨降。未几㉕，鲜卑若罗拔能㉖寇凉州。轨遣司马宋配击之，斩拔能，俘十余万口，威名大振。

汉王渊攻东嬴公腾㉗，腾复乞师于拓跋猗㐌，卫操㉘劝猗㐌助之。猗㐌帅轻骑数千救腾，斩汉将綦毋豚㉙。诏假㉚猗㐌大单于，加操右将军。甲申㉛，猗㐌卒，子普根代立。

东海中尉㉜刘洽以张方劫迁车驾，劝司空越起兵讨之。秋，七月，越传檄山东征、镇㉝、州、郡云："欲纠帅义旅㉞，奉迎天子，还复旧都㉟。"东平王楙㊱闻之，惧。长史王脩说楙曰："东海，宗室重望㊲。今兴义兵，公宜举徐州以授之，则免于难，且有克让㊳之美矣。"楙从之。越乃以司空领徐州都督，楙自为兖州刺史，诏即遣使者刘虔授之㊴。是时，越兄弟并据方任㊵，于是范阳王虓㊶及王浚㊷等共推越为盟主，越辄㊸选置刺史以下，朝士㊹多赴之。

成都王颖既废㊺，河北人多怜之㊻。颖故将公师藩等自称将军，起兵于赵、魏㊼，众至数万。初，上党武乡㊽羯人石勒㊾有胆力，善骑射。并州㊿大饥，建威将军阎粹说东嬴公腾执诸胡于山东[51]，卖充军实[52]。勒亦被掠，卖为茌平人师懽奴[53]，懽奇其状貌[54]而免之[55]。懽家邻于马牧[56]，勒乃与牧帅汲桑[57]结[58]壮士为群盗。及公师藩起，桑与勒帅数百骑赴之[59]。桑始命勒以石为姓，勒为名。藩攻陷郡县，杀二千

知道外面不可能再有援兵，便一起杀死了皇甫重向河间王司马颙投降。司马颙任命冯翊郡太守张辅为秦州刺史。

六月初四日甲子，安丰元侯王戎在郏县去世。

新被任命为秦州刺史的张辅一到秦州，就杀死了天水郡太守封尚，想以此树立自己的威信。他又召见陇西太守韩稚，韩稚的儿子韩朴调集军队攻打张辅。张辅兵败被杀。担任凉州司马的杨胤对凉州刺史张轨说："陇西太守韩稚擅自杀死秦州刺史张辅，您身为凉州刺史，负责掌管一个地方的军政大权，不能不去讨伐他。"张轨听从杨胤的意见，便派遣担任中督护的汜瑗率领二万军队去讨伐韩稚，韩稚向张轨投降。没过多久，鲜卑部落首领若罗拔能进犯凉州。张轨派遣属下司马宋配率兵迎击，斩杀了若罗拔能，俘获了鲜卑族十多万人，于是威名大振。

汉王刘渊率军攻打东嬴公司马腾，司马腾再次向拓跋猗㐌求救，卫操劝说拓跋猗㐌援助司马腾。拓跋猗㐌便亲自率领几千轻骑兵前去救援司马腾，斩杀了汉将綦毋豚。晋惠帝司马衷下诏授予拓跋猗㐌大单于的称号，加封卫操为右将军。六月二十四日甲申，拓跋猗㐌去世，他的儿子拓跋普根继位。

在东海王司马越手下担任中尉的刘洽因为张方擅自劫持皇帝的车驾迁都长安，便劝说司空司马越起兵讨伐张方。秋季，七月，司马越通令山东各征、镇、州、郡说："我准备亲自率领各方为正义而战的军队，迎接天子的车驾，重新回到京师洛阳。"东平王司马楙听到司马越起兵的消息后，感到非常恐惧。担任司马楙长史的王脩劝说司马楙说："东海王司马越，在皇室中享有很高的威望。如今将举义兵，你就应该把徐州全部交付给他管辖，这样不仅可以免除你的灾难，而且还可以享受到谦让的美名。"司马楙听从了王脩的建议。司马越于是以司空的身份兼任徐州都督，司马楙自己充任兖州刺史，晋惠帝得知消息后立即派刘虔为使者正式任命司马越为徐州都督，司马楙为兖州刺史。当时，司马越兄弟三人全都掌握着一方的军政大权，因此范阳王司马虓和幽州刺史王浚等人共同推举司马越为盟主，司马越从此专擅选拔、安置刺史以下官员的大权，那些没有跟随惠帝前往长安的朝廷官员大多数都投奔了司马越。

成都王司马颖被废之后，河北人都很同情他。司马颖的旧将公师藩等人自称将军，在邯郸、开封一带起兵，他们很快就召集起了几万人。当初，上党郡武乡县的羯族人石勒胆识过人，善于骑马射箭。并州闹饥荒，建威将军阎粹劝说东嬴公司马腾抓捕一些胡人，把他们转卖到太行山以东地区，用卖得的钱购买粮食以补充军粮的不足。石勒当时也被抓捕起来，被卖到山东茌平县师懽家做家奴，师懽看到石勒相貌奇特就解除了他的奴隶身份。师懽的家紧邻着官府的牧马场，石勒与牧马场的头头汲桑一起，纠集一批身强力壮的人做起了强盗。等到公师藩起兵时，汲桑与石勒便率领着手下的几百人马投奔了公师藩。汲桑让石勒以"石"作为姓，"勒"作为

石长吏⑥⑩，转前⑥①攻邺。平昌公模⑥②甚惧。范阳王虓遣其将苟晞救邺，与广平⑥③太守谯国丁绍共击藩，走之。

八月辛丑⑥④，大赦。

司空越以琅邪王睿⑥⑤为平东将军，监徐州诸军事，留守下邳⑥⑥。睿请王导⑥⑦为司马，委以军事。越帅甲士[2]三万，西屯萧县⑥⑧，范阳王虓自许屯于荥阳⑥⑨。越承制以豫州刺史刘乔⑦⑩为冀州刺史，以范阳王虓领豫州刺史。乔以虓非天子命，发兵拒之。虓以刘琨⑦①为司马，越以刘蕃⑦②为淮北护军，刘舆⑦③为颍川太守。乔上尚书⑦④，列舆兄弟罪恶，因引兵攻许，遣其[3]长子祐将兵拒越于萧县之灵壁，越兵不能进。东平王楙在兖州，征求不已⑦⑤，郡县不堪命⑦⑥。范阳王虓遣苟晞还兖州⑦⑦，徙楙都督青州⑦⑧。楙不受命，背山东诸侯⑦⑨，与刘乔合。

太宰颙闻山东兵起，甚惧。以公师藩为成都王颖起兵，壬午⑧⑩，表⑧①颖为镇军大将军、都督河北诸军事，给兵千人。以卢志为魏郡⑧②太守，随颖镇邺，欲以抚安之⑧③。又遣建武将军吕朗屯洛阳。

颙发诏⑧④，令东海王越等各就国，越等不从。会⑧⑤得刘乔上事⑧⑥，冬，十月丙子⑧⑦，下诏称："刘舆迫胁范阳王虓，造构凶逆⑧⑧。其令镇南大将军刘弘⑧⑨、平南将军彭城王释⑨⑩、征东大将军刘准⑨①，各勒所统⑨②，与刘乔并力，以张方为大都督，统精卒十万，与吕朗共会许昌，诛舆兄弟。"释，宣帝弟子穆王权之孙也。丁丑⑨③，颙使成都王颖领将军楼褒[4]等，前车骑将军石超、领北中郎将王阐等据河桥⑨④，为刘乔继援。进乔镇东将军，假节。

刘弘遗乔及司空越书，欲使之解怨释兵，同奖⑨⑤王室，皆不听。弘又上表曰："自顷⑨⑥兵戈纷乱，猜祸锋生⑨⑦，疑隙⑨⑧构于群王⑨⑨，灾难

他的名字。公师藩攻下郡、县，杀掉了俸禄二千石的郡守等官吏，转而向前攻打邺城。担任冀州都督的平昌公司马模感到非常恐惧。范阳王司马虓派遣自己手下的将领苟晞率军去救援邺城，苟晞与广平郡太守谯国人丁绍联合起来共同打败了公师藩，公师藩退走。

八月辛丑日，大赦天下。

司空司马越任命琅邪王司马睿为平东将军，监管徐州各种军事，负责留守下邳。司马睿聘请王导为司马，将军事重任全部委托给他处理。司马越亲自率领三万名全副武装的士兵，向西进驻萧县，范阳王司马虓由许昌移兵到荥阳屯扎。司马越秉承皇帝旨意任命豫州刺史刘乔为冀州刺史，任命范阳王司马虓兼任豫州刺史。刘乔认为司马虓担任的豫州刺史不是天子所任命，就发兵抵制司马虓任豫州刺史。司马虓任命刘琨为司马，司马越任命刘蕃为淮北护军，任命刘舆为颍川郡太守。刘乔给尚书省上书，一条一条地列举了刘舆、刘琨兄弟的罪恶，趁机率兵攻打许昌，他又派自己的长子刘祐率领军队到萧县的灵壁阻击司马越，使司马越的军队无法前进。东平王司马楙在兖州地区没完没了地征收赋税，兖州各郡县的百姓已经到了忍无可忍的地步。范阳王司马虓于是派苟晞回兖州接替东平王司马楙的职务，改派东平王司马楙都督青州各种事务。东平王司马楙不肯接受新的任命，他背叛了崤山以东地区的司马氏诸王，转而与刘乔联合起来。

太宰司马颙听说崤山以东起兵，感到非常恐惧。因为公师藩是为了成都王司马颖而起兵，八月二十三日壬午，司马颙上书推荐司马颖为镇军大将军、都督河北诸军事，并拨给司马颖一千名士兵。任命卢志为魏郡太守，跟随司马颖镇守邺城，想以此抚慰公师藩。又派建武将军吕朗率领军队驻扎在洛阳。

太宰司马颙以东帝的名义颁发诏书，命令东海王司马越等人全都回到自己的封国去，司马越等人拒绝服从命令。此时恰值尚书省收到豫州刺史刘乔上书举报东海王司马越起兵，以及列举刘舆、刘琨兄弟罪恶的奏章，冬季，十月十八日丙子，朝廷下诏宣称："刘舆胁迫范阳王司马虓制造叛乱。命令镇南大将军刘弘、平南将军彭城王司马释、征东大将军刘准，各自率领所辖的军队，与豫州刺史刘乔同心协力前去镇压司马虓叛乱，任命张方为大都督，统率十万精兵，与建武将军吕朗一起到许昌会师，共同诛讨刘舆、刘琨兄弟。"彭城王司马释是宣帝司马懿侄子，穆王司马权的孙子。十九日丁丑，司马颙派遣成都王司马颖率领将军楼褒等人，前车骑将军石超以及兼任北中郎将的王阐等据守洛阳城东北的河桥，作为刘乔的援军。晋升刘乔为镇东将军，假节。

镇南大将军刘弘写信给豫州刺史刘乔和司空司马越，希望他们之间能够化解仇恨，停止争斗，共同辅佐朝廷，但他们双方都不肯听从刘弘的劝告。刘弘又上表给朝廷说："近来战争纷纷不断，形势混乱不堪，由于互相猜忌而兵连祸结，诸王之间

延于宗子[100]。今夕[5]为忠，明旦[6]为逆，翩其反而[101]，互为戎首[102]。载籍以来[103]，骨肉之祸未有如今者也。臣窃悲之！今边陲无备豫之储[104]，中华[105]有杼轴之困[106]。而股肱之臣[107]，不惟国体[108]，职竞寻常[109]，自相楚剥[110]。万一四夷乘虚为变，此亦猛虎交斗自效于卞庄[111]者矣。臣以为宜速发明诏诏越等，令两释猜嫌，各保分局[112]。自今以后，其有不被诏书[113]，擅兴兵马者，天下共伐之。"时太宰颙方拒关东[114]，倚乔为助，不纳其言。

乔乘虚袭许，破之。刘琨将兵救许，不及，遂与兄舆及范阳王虓俱奔河北[115]，琨父母为乔所执。刘弘以张方残暴，知颙必败，乃遣参军刘盘为都[7]护[116]，帅诸军受司空越节度。

时天下大乱，弘专督江、汉[117]，威行南服[118]。谋事有成者，则曰"某人之功"；如有负败[119]，则曰"老子[120]之罪"。每有兴发[121]，手书守相[122]，丁宁款密[123]。所以人皆感悦，争赴之[124]，咸曰："得刘公一纸书，贤于十部从事[125]。"前广汉太守辛冉[126]说弘以从横之事[127]，弘怒，斩之。

有星孛于北斗[128]。

平昌公模遣将军宋胄趣河桥[129]。

十一月，立节将军周权诈被檄[130]，自称平西将军，复立羊后。洛阳令何乔攻权，杀之，复废羊后[131]。太宰颙矫诏[132]，以羊后屡为奸人所立，遣尚书田淑敕留台[133]赐后死。诏书屡[8]至，司隶校尉刘暾等上奏，固执[134]以为："羊庶人门户残破[135]，废放空宫，门禁峻密[136]，无缘得与奸人构乱[137]，众无愚智，皆谓其冤。今杀一枯穷[138]之人，而令天下伤惨，何益于治！"颙怒，遣吕朗收暾。暾奔青州，依高密王略。然羊后亦以是得免。

结下怨仇，这种灾难一直波及皇族的子弟。今夕还是忠臣，明早就成了叛逆，是非没有标准，顷刻之间就会变为仇敌，此起彼伏地挑起战端。自有历史记载以来，骨肉相残所造成的灾祸从来没有像今天这样残酷、剧烈。我内心感到非常悲痛！如今边陲没有用来防范不测的库存粮食，内地织出的布匹供不应求。然而朝廷中的股肱大臣，不考虑国家的大事，却常常为了一点小小的私利而争竞不休，自己人跟自己人相互残酷吞剥。万一国家四周的少数民族趁着国库空虚发生叛乱，这就像两只猛虎相争而自己给卞庄送上门去一样。我认为应该赶紧下诏，命令司马越等人相互之间解除猜忌，各自守卫好辖区。从今以后，如果有人没有接到皇帝的诏书就擅自兴兵，天下的人就共同讨伐他、诛灭他。”当时，太宰司马颙正与函谷关以东的司马越等人进行军事对抗，他想借助豫州刺史刘乔的力量消灭异己，所以不肯采纳刘弘的建议。

刘乔乘虚袭击许昌，打败了司马虓。刘琨率兵赶赴许昌救援，还没有赶到许昌，许昌已经被刘乔攻破，刘琨于是便与哥哥刘舆以及范阳王司马虓一起逃往河北投奔成都王司马颖，刘琨的父母都被刘乔俘获。刘弘因为张方为人残暴，所以知道司马颙必定失败，于是就派担任参军的刘盘担任都护，率领各军接受司马越的调度、指挥。

当时天下大乱，镇南将军刘弘独自负责治理长江、汉水一带，他的威望遍布南方地区。谋划的事情获得成功，刘弘就说“这是某某人的功劳”；如果谋划的事情失败了，他就说“这是我的罪过”。每逢兴师动众、征调赋税的时候，他都要亲自写信给自己治下的郡守和封国宰相，嘱咐得亲切详细。所以人人心怀感动、非常喜悦，都争先恐后地去投奔他，都说：“能够得到刘公的一纸书信，比任刺史手下的十个从事史还强。”前任广汉郡太守辛冉劝说刘弘割据称王，刘弘大怒，当即把辛冉杀死。

北斗星附近出现了光芒四射的彗星。

平昌公司马模派遣将军宋胄率军攻打守卫河桥的石超、王阐等。

十一月，立节将军周权假称听从了司马越的命令，自称为平西将军，恢复羊献容的皇后地位。洛阳令何乔率军攻打周权，杀死了周权，又废掉了羊献容的皇后地位。太宰司马颙假传惠帝的旨意，因为羊献容皇后屡次被奸人拥立，就派遣尚书田淑下令留守洛阳的朝廷赐皇后羊献容自杀。诏书屡次送达洛阳，司隶校尉刘暾等上奏，坚持认为：“皇后羊献容已经被废为平民，她的父亲羊玄之前已因被讨忧惧而死，她被废之后幽禁在空旷的金墉城，周围戒备森严，她根本没有机会与奸人勾结作乱，众人当中无论是愚笨的还是聪明的，都认为羊献容冤枉。如今杀掉一个潦倒穷愁、走投无路的女人，而使天下人感到悲伤凄惨，这对治理国家有什么好处呢！”司马颙听说后勃然大怒，立即派遣建武将军吕朗去逮捕刘暾。刘暾逃奔青州，投靠了高密王司马略。然而羊献容却因此而免去一死。

十二月，吕朗等东屯荥阳，成都王颖进据洛阳。

刘琨说冀州刺史太原温羡⑬⑨，使让位于范阳王虓。虓领冀州，遣琨诣幽州乞师于王浚。浚以突骑资之⑭⓪，击王阐于河上，杀之。琨遂与虓引兵济河，斩石超于荥阳。刘乔自考城⑭①引退。虓遣琨及督护田徽东击东平王楙于廪丘⑭②，楙走还国⑭③。琨、徽引兵东迎越，击刘祐⑭④于谯⑭⑤。祐败死，乔众遂溃，乔奔平氏⑭⑥。司空越进屯阳武⑭⑦，王浚遣其将祁弘帅突骑鲜卑、乌桓⑭⑧为越先驱。

初，陈敏⑭⑨既克石冰⑮⓪，自谓勇略无敌，有割据江东之志。其父怒曰："灭我门者，必此儿也！"遂以忧卒。敏以丧去职。司空越起⑮①敏为右将军、前锋都督。越为刘祐所败，敏请东归收兵⑮②，遂据历阳⑮③叛。吴王常侍⑮④甘卓⑮⑤弃官东归，至历阳，敏为子景娶卓女，使卓假称皇太弟⑮⑥令，拜敏扬州⑮⑦刺史。敏使弟恢及别将钱端等南略江州⑮⑧，弟斌东略诸郡⑮⑨。江州刺史应邈[9]、扬州刺史刘机、丹杨⑯⓪太守王旷皆弃城[10]走。

敏遂据有江东，以顾荣⑯①为右将军，贺循⑯②为丹杨内史，周玘⑯③为安丰⑯④太守，凡江东豪杰名士，咸加收礼，为将军、郡守者四十余人。或有老疾，就加秩命⑯⑤。循诈为狂疾，得免，乃以荣领丹杨内史。玘亦称疾，不之郡⑯⑥。敏疑诸名士终不为己用，欲尽诛之。荣说敏曰："中国丧乱，胡夷内侮⑯⑦，观今日之势，不能复振，百姓将无遗种⑯⑧。江南虽经石冰之乱，人物⑯⑨尚全，荣常忧无孙、刘之主⑰⓪有以存之⑰①。今将军神武不世⑰②，勋效已著⑰③，带甲数万，舳舻山积⑰④。若能委信君子⑰⑤，使各得[11]尽怀⑰⑥，散蒂芥之嫌⑰⑦，塞谗谄之口，则上方数州⑰⑧，

十二月，建武将军吕朗等人率军向东进发，驻扎在荥阳，成都王司马颖进兵占据了洛阳。

刘琨劝说冀州刺史太原人温羡，让他把冀州刺史的位置让给范阳王司马虓。于是司马虓兼任冀州刺史，而后派遣刘琨前往幽州向王浚请求援兵。幽州刺史王浚调拨了一些精锐骑兵协助刘琨作战，攻击守卫河桥的北中郎将王阐，把王阐杀死。刘琨于是与司马虓率军渡过黄河，在荥阳杀死了前车骑将军石超。刘乔慌忙从考城县撤军。司马虓派遣刘琨和担任督护的田徽向东进军，进攻驻扎在廪丘的东平王司马楙，司马楙逃回了他的封国。刘琨、田徽率军向东迎接司马越，在谯县攻打豫州刺史刘乔的儿子刘祐。刘祐战败身亡，刘乔的军队随即溃散，刘乔逃往平氏县。司空司马越率军屯扎在阳武县，王浚派遣他的将领祁弘率领精锐骑兵和鲜卑、乌桓的人马为司马越打前锋。

当初，陈敏打败了石冰之后，便认为自己的智勇谋略盖世无双，就产生了割据江东的念头。他父亲愤怒地说："灭我家门的，必定是这个儿子！"竟因此而忧郁身亡。陈敏因为父亲去世需要守丧而辞去职务。司空司马越在陈敏居丧期间就委任他为右将军、前锋都督。司马越被刘祐打败后，陈敏向司马越请求回到东方收聚兵马，于是趁机占据历阳县叛变。在吴王司马晏王府中担任侍从官的甘卓抛弃官职返回吴地，他经过历阳县的时候，陈敏让自己的儿子陈景聘娶了甘卓的女儿为妻，陈敏让甘卓谎称接受了皇太弟司马炽的命令，任命陈敏为扬州刺史。陈敏让自己的弟弟陈恢和统领另一支军队的将领钱端等人向南攻取江州，另一个弟弟陈斌向东攻取长江以东各郡县。江州刺史应邈、扬州刺史刘机、丹杨郡太守王旷都弃城逃走。

陈敏于是占据了长江以东地区，他任命顾荣为右将军，任命贺循为丹杨郡内史，任命周玘为安丰郡太守，凡是长江以东的豪杰和知名人士，都被陈敏招揽到自己帐下，陈敏对他们优礼相待，被任命为将军、郡守的就有四十多人。有人年老多病，陈敏就派人到他的病床前宣布任命。贺循因为佯装疯癫，才推掉此一授任，陈敏于是任命顾荣兼任丹杨内史。周玘也推说自己有病，没有去安丰郡上任。陈敏怀疑这些知名人士最终都不会为自己所用，就想把他们全部杀掉。顾荣劝说陈敏说："中原地区战乱不止，国家灭亡在即，周边的胡人、夷人向内地发动进攻，纵观今天中原的形势，朝廷恐怕再也没有能力复兴了，中原的百姓恐怕就要被灭绝了。长江以南虽然经过石冰的扰乱破坏，人口与物资还算比较完全，我经常担忧没有像孙权、刘备那样能够割据一方的君主来保全这片土地上的黎民百姓。如今将军您神圣英武、盖世无双，功勋和业绩已为众人所共见，现在已经拥有几万带甲的士兵，战舰高大、数量众多，聚集在一起就像山一样。如果您能够推心置腹地委任一些谋略之士，让他们能够尽情地发表各自的意见，消除他们之间的那些小矛盾和猜忌，堵塞那些奸佞小人进献谗言的利口，那么长江上游的几个州，就可以凭借一纸文告加以平定，

可传檄而定，不然，终不济也⑰⁹。”敏乃止[12]。敏命僚佐推己为都督江东诸军事、大司马、楚公，加九锡，列上尚书⑱⁰，称被中诏⑱¹，自江入沔汉⑱²，奉迎銮驾⑱³。

太宰颙以张光⑱⁴为顺阳⑱⁵太守，帅步骑五千诣荆州讨敏。刘弘遣江夏太守陶侃、武陵⑱⁶太守苗光屯夏口⑱⁷，又遣南平⑱⁸太守汝南应詹督水军以继之。

侃与敏同郡⑱⁹，又同岁举吏⑲⁰。随郡⑲¹内史扈怀言于弘曰："侃居大郡，统强兵，脱⑲²有异志，则荆州无东门⑲³矣。"弘曰："侃之忠能，吾得之已久，必无是也。"侃闻之，遣子洪及兄子臻诣弘以自固⑲⁴。弘引为参军，资而遣之⑲⁵。曰："贤叔征行⑲⁶，君祖母年高，便可归也⑲⁷。匹夫之交，尚不负心，况大丈夫乎！"

敏以陈恢为荆州刺史，寇武昌，弘加侃前锋督护⑲⁸以御之。侃以运船为战舰⑲⁹，或以为不可⑳⁰。侃曰："用官船击官贼，⑳¹何为不可？"侃与恢战，屡破之。又与皮初、张光、苗光共破钱端于长岐⑳²。

南阳太守卫展⑳³说弘曰："张光，太宰腹心⑳⁴，公既与东海⑳⁵，宜斩光以明向背⑳⁶。"弘曰："宰辅得失⑳⁷，岂张光之罪！危人自安⑳⁸，君子弗为也。"乃表光殊勋，乞加迁擢。

是岁，离石大饥，汉王渊徙屯黎亭⑳⁹，就邸阁谷㉑⁰。留太尉宏㉑¹守离石，使大司农卜豫㉑²运粮以给之㉑³。

---

**【段旨】**

以上为第一段，写晋惠帝永兴二年（公元三〇五年）一年间的大事。主要写了晋东海王司马越倡言要讨伐张方，迎接惠帝回洛阳，东方诸军阀推之为盟主；写了河间王司马颙挟持惠帝下令让司马越等各回师就国，司马越等不从；写了豫州刺史刘乔起兵反对司马越，河北地区的成都王司马颖又在司马颙的支持下拥众数万，与豫州刺史刘乔相应和，大破司马越军，司马颖进据洛阳；写了司马颙令否则的话，您无论如何不能获得成功。”陈敏这才作罢。陈敏命令僚佐推举自己为都督江东诸军事、大司马、楚公，加九锡，联名上奏尚书省；又假称自己得到朝廷的命令，要从长江进入沔水，到长安把皇帝司马衷接到江南。

太宰司马颙任命张光为顺阳郡太守，要他率领五千步兵、骑兵前往荆州讨伐陈敏。镇南将军刘弘派遣江夏郡太守陶侃、武陵郡太守苗光屯兵夏口，又派遣南平郡太守汝南人应詹率领水军作为后续部队。

陶侃与陈敏都是庐江郡人，又是在同一年被推举到京师洛阳担任官职的。担任随郡内史的扈怀提醒刘弘说：“陶侃占据着一个大郡，又统领着一支强大的军队，倘若他怀有二心，那么荆州往东的门户就被他堵死了。”刘弘说：“陶侃的忠诚、能力，我很早就已经了解了，他必定不会怀有二心。”陶侃听到这个消息之后，就派自己的儿子陶洪和哥哥的儿子陶臻到刘弘那里做人质，以免除别人对自己的怀疑，使自己的地位得以巩固。刘弘任命陶洪、陶臻为参军，资助路费，打发他们仍旧回到陶侃那里去。刘弘对陶臻他们说：“你的叔叔每天在外打仗，你们的祖母年事已高，你们可以回家去侍奉你们的祖母。平民百姓之间互相交往，尚且懂得不违背良心、忘恩负义，何况是男子汉大丈夫呢！”

陈敏任命自己的弟弟陈恢为荆州刺史，率领军队劫掠武昌，刘弘擢升陶侃为前锋督护抵御陈恢的进攻。陶侃把运输船当作战舰使用，有人认为运输船不可以随便征用。陶侃说：“用国家的运输船攻击国家的贼人，有什么不可以呢？”陶侃与陈恢作战，屡次打败陈恢。又与皮初、张光、苗光联合作战，在长岐打败了钱端。

南阳郡太守卫展劝说刘弘说：“张光是太宰司马颙的心腹，你既然与东海王司马越站在一边，就应当杀掉张光以表明自己拥护东海王的立场。”刘弘说：“司马氏诸王之间的是非曲直，岂是张光的罪过！以危害别人来求得自己的安全，君子是不会那样做的。”刘弘上表陈奏张光的特殊功勋，请求朝廷对张光进行提拔奖赏。

这一年，离石闹饥荒，汉王刘渊迁移到黎亭屯驻，到邸阁的官家仓库找粮食吃。他留下太尉刘宏驻守离石，派担任大司农的卜豫负责将邸阁粮库的粮食运送给他。

---

荆州刺史刘弘配合张方、刘乔等守河桥以抵抗司马越的势力；而荆州刺史刘弘致书刘乔与司马越，劝其双方和解、共奖王室，司马颙不从；写了刘琨助范阳王司马虓取得冀州刺史，乞兵于幽州刺史王浚，王浚勾结少数民族武装大破刘乔；写了军阀陈敏因破石冰之功遂有割据江东之意，欲网罗江东名士为之服务，人多不从；陈敏派兵西取荆州，被刘弘所派的陶侃打败；还写了凉州刺史张轨的势力开始壮大，以及羯人石勒的初露头角等。

【注释】

①张方废羊后：这已是皇后羊献容第三次被废。②游楷等攻皇甫重：游楷时任金城郡（郡治今甘肃兰州）的太守，属司马颙一党。皇甫重时任秦州（州治冀县，即今甘肃天水）刺史，原是长沙王司马乂一党。③累年不能克：游楷等自太安二年（公元三〇三年）攻秦州刺史皇甫重，至今首尾三年。④山东：崤山以东，与当时所谓关东含义相同，此指关东地区的军阀司马越之党。⑤连和：和解，见前一年（公元三〇四年）司马颙所发布的一连串任命司马越等人的诏书。此时晋惠帝正在长安，受司马颙控制。⑥故殿中人：曾在禁卫军供职的人，此时在洛阳，属所谓“东台”。⑦奉迎大驾：奉迎惠帝司马衷回洛阳。⑧俄：后来；不久。⑨相与：彼此联合。⑩长沙厉王：指司马乂，厉字是谥。⑪皇甫商已死：皇甫商是皇甫重之弟。长沙王司马乂被张方杀死，见本书卷第八十五永兴元年（公元三〇四年）；皇甫商被司马颙杀死，见太安二年（公元三〇三年）。⑫获御史驺人：抓到御史的马夫。⑬欲至未：快要到了吗？⑭失色：大惊失色。⑮立杀驺人：立刻诛杀马夫灭口，以免走漏风声。⑯张辅：因其抗击并破杀雍州刺史刘沈，保卫司马颙有功，故司马颙擢以为秦州刺史。⑰甲子：六月初四。⑱安丰元侯王戎：王戎早年与阮籍等共称“竹林七贤”，后成为晋朝的元勋，为人圆滑，居官不任事，自以为清高。被封为安丰侯，元字是谥。⑲郏：今河南郏县。王戎闻晋惠帝被张方挟至长安，奔郏避乱，见本书卷第八十五永兴元年（公元三〇四年）。⑳勒兵：调集军队。㉑凉州：州治姑臧，即今甘肃武威。㉒张轨：字士彦，此时为凉州刺史，后来成为凉州地区的军阀。传见《晋书》卷八十六。㉓杖钺一方：指掌握一个地方的军事大权。钺，是帝王授予大将的大斧，表示有生杀之权。㉔中督护汜瑗：中督护，姓汜名瑗。中督护是将军帐下的中级武官，地位高于一般督护。㉕未几：没过多久。㉖若罗拔能：鲜卑部落的首领，姓若罗，名拔能。㉗东嬴公腾：司马腾，司马越的亲兄弟，时任并州刺史，州治在今山西太原西南。㉘卫操：字德至，为晋使者，数见拓跋力微，后率卫雄及乡人姬澹等投附拓跋猗㐌、拓跋猗卢，为辅相招纳晋人。刘渊、石勒反晋时，他劝拓跋猗㐌仍奉晋室，是最早投附拓跋部的汉族士人。传见《魏书》卷二十三。㉙綦毋豚：姓綦毋，名豚。㉚诏假：下诏授予。假，加、授予。㉛甲申：六月二十四。㉜东海中尉：东海王司马越的中尉，东海国的都城在今山东郯城北，中尉是诸侯国掌管军事的长官。㉝征、镇：指四征将军、四镇将军。㉞纠帅义旅：集合、统领各方为正义而战的军队。㉟还复旧都：重新回到洛阳。㊱东平王楙：司马楙，河间王司马颙之堂弟，时任徐州都督。㊲宗室重望：有崇高威望的皇族人物。㊳克让：能够谦让。㊴遣使者刘虔授之：下面自己做好了交易，司马越再让朝廷派人履行委任手续。㊵并据方任：都握有一方之大权。时司马越都督徐州，弟司马略都督青州，司马模都督冀州。㊶范阳王虓：司马馗之孙，司马懿之侄孙。范阳国的都城即今河北涿州。㊷王浚：时任幽州刺

史。幽州的州治也在涿州。㊸ 辄：每；总是。㊹ 朝士：指没有跟从惠帝前往长安的朝廷官员。㊺ 既废：被剥夺一切权力。事见本书卷第八十五永兴元年（公元三〇四年）。㊻ 多怜之：司马颖镇守邺城初期，在卢志辅佐下，享有盛誉，后虽因骄侈专权，遭到反对，但河北人民厌乱而思旧，所以同情司马颖。㊼ 赵、魏：战国时期国名，后也成为地区名，赵指今河北南部的邯郸一带，魏指今河南东部开封一带。㊽ 上党武乡：上党郡的武乡县。上党郡的郡治在今山西长治市潞城区东北，武乡县的县治在今山西榆社西北。㊾ 羯人石勒：羯族人，姓石名勒。羯族是当时北方的少数民族，与匈奴关系较近，汉末随南匈奴迁居今山西境内。石勒字世龙，幼年被掠卖为耕奴，后投刘渊为将军，后来雄踞河北，自称赵王，史称后赵。传见《晋书》卷一百四。㊿ 并州：晋州名，州治晋阳，在今山西太原西南。(51) 执诸胡于山东：逮捕一些少数民族的人运送到太行山以东地区。执，捕抓。山东，此指太行山之东。(52) 卖充军实：卖了他们以购买军需物资。(53) 卖为茌平人师懽奴：卖到茌平县的师懽家中为奴。茌平县的县治在今山东聊城市茌平区西二十里。师懽，姓师名懽。(54) 奇其状貌：看着他的相貌奇特。(55) 免之：不让他当奴隶了。(56) 马牧：官家的牧马场。(57) 牧帅汲桑：管理牧马场的头目，姓汲名桑。汲桑后成为割据今河北南部、山西东南部一带的武装头领之一。(58) 结：聚集。(59) 赴之：前往投奔。(60) 二千石长吏：郡太守、郡都尉一级的长官。(61) 转前：转战而前。(62) 平昌公模：司马模，司马越的亲兄弟，当时为冀州都督，驻兵信都，即今河北衡水市冀州区。(63) 广平：晋郡名，郡治广平，在今河北鸡泽东南。(64) 八月辛丑：八月庚申朔，没有“辛丑”日，此处记载有误。(65) 琅邪王睿：司马睿，司马懿的曾孙，司马伷之孙，司马觐之子，即日后的晋元帝。(66) 下邳：晋县名，县治在今江苏睢宁西北。(67) 王导：字茂弘，后来的东晋建国元勋。传见《晋书》卷六十五。(68) 萧县：今安徽萧县。(69) 自许屯于荥阳：由许昌移兵屯驻到荥阳。许昌是范阳王虓的大本营所在地，在今河南许昌东，当时的豫州刺史治河南项县，距许昌二百里。当时的荥阳即今河南郑州市惠济区古荥镇。(70) 刘乔：字仲彦，南阳（今属河南南阳）人，先因诛杨骏有功，赐爵关中侯，拜尚书右丞。后出为威远将军、豫州刺史。传见《晋书》卷六十一。(71) 刘琨：字越石，其姐为赵王司马伦的儿媳。司马伦败，刘琨离京师。传见《晋书》卷六十二。(72) 刘蕃：刘琨之父，官至光禄大夫。传见《晋书》卷六十二。(73) 刘舆：字庆孙，刘蕃之子，刘琨之兄，前曾为中书郎。传见《晋书》卷六十二。(74) 上尚书：上书给尚书省。尚书省是综理全国政务的中央行政机构。(75) 征求不已：没完没了地征收赋税。(76) 不堪命：不能忍受；无法活下去。(77) 还兖州：指回到兖州接替司马楙。司马虓用苟晞为兖州刺史，事见本书卷第八十五永兴元年（公元三〇四年）。(78) 青州：州治即今山东淄博。(79) 山东诸侯：崤山之东的司马氏诸王。(80) 壬午：八月二十三。(81) 表：上书推荐。(82) 魏郡：郡治邺县，即司马颖的大本营所在地，在今河北临漳西南。(83) 抚安之：指抚慰公师藩。(84) 颙发诏：司马颙以皇帝司马衷的名义颁发诏书。(85) 会：恰值。(86) 上事：上书举报东海王司马越起兵及列举刘舆、刘琨罪恶的事情。⑧⑦十月丙子：十月十八日。⑧⑧造构凶逆：制造叛乱。⑧⑨刘弘：时都督荆州。⑨⓪彭城王释：司马释，司马越的堂兄弟，时驻兵宛县（今河南南阳）。⑨①刘准：时都督扬州。⑨②各勒所统：各自率领所辖的军队。⑨③丁丑：十月十九。⑨④河桥：洛阳城东北的黄河大桥，在今河南孟州南。⑨⑤同奖：共同辅佐。⑨⑥顷：前不久；近来。⑨⑦猜祸锋生：由于互相猜忌而兵连祸结。锋生，似应作"蜂生"，极言其多。⑨⑧疑隙：相互猜疑，形成矛盾。⑨⑨构于群王：各诸侯王之间结下怨仇。⑩⓪延于宗子：一直波及皇族的子弟之间。⑩①翩其反而：没有是非标准，顷刻之间就会变为仇敌。《诗经·角弓》有所谓"骍骍角弓，翩其反矣"，刘弘这里是引用旧诗句，以形容现实的动乱之多、变化之快。⑩②互为戎首：此起彼伏地挑起战端。⑩③载籍以来：自有历史记载以来。⑩④无备豫之储：没有以防不测的库存粮食。⑩⑤中华：指中原、内地。⑩⑥有杼轴之困：指织出的布匹不够人穿。杼、轴都是旧时织机上的部件。⑩⑦股肱之臣：指朝廷中的骨干大臣。⑩⑧不惟国体：不考虑国家的大事。⑩⑨职竞寻常：为了一点小小的私利而争竞不休。旧时八尺为寻，倍寻为常，此处用以指些小利益。⑪⓪楚剥：残酷吞剥。⑪①自效于卞庄：自己给卞庄送上门去。卞庄是古代的勇士，有一天他同时遇到两只虎，遂挑动它们互相争斗，待至两败俱伤，卞庄趁势将其同时捕获。⑪②各保分局：各自保守好辖地。⑪③不被诏书：没有接到皇帝诏书。被，接受。⑪④方拒关东：正跟关东（函谷关以东）的司马越等人军事相抗。⑪⑤俱奔河北：以投河北地区的成都王司马颖。⑪⑥都护：官名，总领行营诸将。⑪⑦江、汉：指今湖北一带的长江、汉水流域。⑪⑧南服：南方地区。服，服事天子。⑪⑨负败：失败。⑫⓪老子：当时人谦指自己，与今流氓倚势凌人地自称"老子"不同。⑫①兴发：兴师动众，征调赋税。⑫②手书守相：亲自写信给自己治下的郡守和封国宰相。⑫③丁宁款密：嘱咐得亲切详细。⑫④争赴之：争先恐后地投归他。⑫⑤贤于十部从事：比任刺史手下的十个从事史还强。从事史是分别主管州内各郡事务的办事长官。⑫⑥辛冉：原任广汉郡守，因激起李特等流民之变〔事见本书卷第八十四永宁元年（公元三〇一年）〕，失败后逃到刘弘处。⑫⑦说弘以从横之事：隐指劝说刘弘割据称王。⑫⑧有星孛于北斗：有彗星出现在北斗星附近，古人把彗星出现看成将有大乱的征兆。孛，火光四射的样子。⑫⑨趣河桥：进攻河桥。趣，通"趋"。时河间王司马颙委派石超、王阐等守卫河桥。⑬⓪诈被檄：假称是听从司马越的命令。⑬①复废羊后：这是羊皇后第四次被废黜。⑬②矫诏：假传惠帝司马衷的意旨。⑬③留台：留守洛阳的朝廷，当时也称"东台"。⑬④固执：坚持；坚持自己的意见。⑬⑤门户残破：指其父羊玄之前已因被讨忧惧而死。⑬⑥门禁峻密：指戒备森严。⑬⑦构乱：勾结作乱。⑬⑧枯穷：潦倒穷愁，走投无路。⑬⑨温羡：字长卿，曾任豫州刺史。传见《晋书》卷四十四。⑭⓪以突骑资之：调拨给他一些精锐骑兵。资，助、送。⑭①考城：县名，县治在今河南兰考东南。⑭②廪丘：县名，县治在今山东郓城西北，时为兖州的州治所在地。⑭③走还国：逃回到他的封国，今山东东平。⑭④刘祐：刘乔之子。⑭⑤谯：今安徽亳州。⑭⑥平氏：县名，县治在今河南桐柏西。⑭⑦阳武：县名，县治在今河南原阳东南。⑭帅突骑鲜卑、乌桓：率领精锐骑兵与鲜卑、乌桓的人马。⑭陈敏：字令通，初为小吏，以平张昌、石冰之乱，官至广陵相。传见《晋书》卷一百。⑮既克石冰：事见本书卷第八十五永兴元年（公元三〇四年）。⑮起：由居丧中将其拔出、委任。⑮收兵：收聚兵马。⑮历阳：县名，县治即今安徽和县。⑮吴王常侍：吴王府的侍从官。当时的吴王为司马晏，司马炎之子，吴国的都城即今苏州。⑮甘卓：字季思，吴将甘宁的曾孙。先事吴王，以讨石冰功封侯。传见《晋书》卷二十九。⑮皇太弟：司马炽，司马炎之子。⑮扬州：州治在今江苏南京。⑮南略江州：向南攻取江州。江州的州治豫章，即今江西南昌。略，开拓、攻取。⑮东略诸郡：向东攻取历阳以东的长江东侧诸郡县。⑯丹杨：晋郡名，郡治在今江苏南京。⑯顾荣：字彦先，吴郡吴县（今江苏苏州）人，原吴国人，吴亡，与陆机、陆云同赴洛阳，号为“三俊”。“八王之乱”中，历任诸王僚属，纵酒酣醉自保，后见机引退还吴。传见《晋书》卷六十八。⑯贺循：字彦先，会稽山阴（今浙江绍兴）人，世仕吴。初任阳羡、武康令，陆机荐入洛，补太子舍人。“八王之乱”起，引退南归。传见《晋书》卷六十八。⑯周玘：字宣佩，“八王之乱”时，辞官不就。传见《晋书》卷五十八。⑯安丰：晋郡名，郡治安风，在今安徽霍邱西南。⑯就加秩命：派使者到他的病床前去宣布任命。⑯不之郡：不去安丰上任。⑯内侮：向内地发动攻击。⑯将无遗种：将彻底灭亡，不留下一个后代。⑯人物：人口与物资。⑰孙、刘之主：孙权、刘备那种能割据一方的主子。⑰有以存之：使这片地区的黎民百姓得以存活。⑰神武不世：神圣英武、盖世无双。不世，世上无二。⑰勋效已著：功勋业绩（指平石冰）已为众人所共见。⑰舳舻山积：极言战舰之高大且多。⑰委信君子：推心置腹地委任一些谋略之士。⑰使各得尽怀：能充分地让他们发表各自的意见。⑰散蒂芥之嫌：消除各种矛盾、疑虑。蒂芥，通“蒂介”，小鱼刺，这里指小矛盾、小过节。⑰上方数州：指长江上游的几个州，如荆、江、豫、梁、益等州。⑰终不济也：无论如何不能成功。⑱列上尚书：联名上报尚书省。⑱称被中诏：假说是得到了朝廷的命令，即皇后羊献容颁布的诏书。⑱沔汉：汉江，今汉江古称沔水。⑱奉迎銮驾：想迎惠帝到江南。⑱张光：字景武，先任新平太守、右卫司马。传见《晋书》卷五十七。⑱顺阳：县名，县治在今河南淅川东。⑱武陵：郡名，郡治临沅，在今湖南常德西。⑱夏口：今湖北武汉。⑱南平：郡名，郡治在今湖北公安西北。⑱侃与敏同郡：都是庐江郡（郡治在今安徽庐江西南）人。⑲同岁举吏：在同一年被推荐到京师。⑲随郡：郡名，郡治即今湖北随县。⑲脱：倘或。⑲荆州无东门：时陶侃屯驻夏口，在州治荆州（州治即今湖北江陵）的东面，故称夏口有变则“荆州无东门”。⑲诣弘以自固：送自己的子侄到荆州以为人质，以免除别人对自己的怀疑，使自己的地位得以巩固。⑲资而遣之：给他们路费让他们回去。⑲贤叔征行：你的叔叔每天打仗在外。贤叔，对陶臻敬称陶侃。⑲便可归也：你们应该回家侍奉老人。⑲前锋督护：先头部队的指挥官。⑲以运船为战舰：将运输船当作战船使用。⑳或以为不可：因为这些运输船不属陶侃管辖。⑳用官船击官贼：

用国家的运输船来消灭国家的敌人。⑳长岐："长岐戍"，在今湖北武汉市黄陂区西南，靠近沔水。⑳卫展：字道舒，卫瓘之后，历任尚书郎、南阳太守。传见《晋书》卷三十六。⑳太宰腹心：司马颙的心腹。⑳既与东海：既然跟东海王司马越站在一边。⑳以明向背：以表明立场，拥护谁、反对谁。⑳宰辅得失：谓司马氏诸王间的是非曲直。宰辅，国家的执政大臣。⑳危人自安：以危害别人来求得自己的安全。⑳黎亭：在今山西壶关。⑳就邸阁谷：到邸阁的官家粮库找食物吃。⑳太尉宏：刘宏。⑳大司农卜豫：刘渊政权的大司农姓卜名豫。大司农是朝官名，主管农业与全国财政。⑳运粮以给之：运送邸阁粮库之谷以供应刘宏。

【校记】

[1]不可：据章钰校，甲十一行本、乙十一行本、孔天胤本此下皆有"以"字。[2]士：据章钰校，甲十一行本、乙十一行本、孔天胤本皆作"卒"。[3]其：原无此字。据章钰校，甲十一行本、乙十一行本、孔天胤本皆有此字，今据补。[4]楼褒：原

【原文】

光熙元年（丙寅，公元三〇六年）

春，正月戊子朔，日有食之。

初，太弟中庶子[214]兰陵缪播[215]有宠于司空越。播从弟右卫率胤[216]，太宰颙前妃之弟也。越之起兵，遣播、胤诣长安说颙，令奉帝还洛，约与颙分陕为伯[217]。颙素信重播兄弟，即欲从之。张方自以罪重[218]，恐为诛首[219]，谓颙曰："今据形胜之地[220]，国富兵强，奉天子以号令，谁敢不从，奈何拱手受制于人！"颙乃止。及刘乔败，颙惧，欲罢兵，与山东[221]和解。恐张方不从，犹豫未决。

方素与长安富人郅辅亲善[222]，以为帐下督。颙参军河间毕垣尝为方所侮，因说颙曰："张方久屯霸上[223]，闻山东兵盛，盘桓不进，宜防其未萌[224]。其亲信郅辅具知其谋。"缪播、缪胤复说颙："宜急斩方以谢[225]，山东可不劳而定。"颙使人召辅，垣迎说辅曰："张方欲反，人谓

误作“刘褒”。据章钰校，甲十一行本、乙十一行本、孔天胤本皆作“楼褒”，张瑛《通鉴校勘记》同，今据校正。〖按〗下文作“楼褒”，尚不误。《晋书》卷五十九《河间王颙传》载颙遣将据河桥事，书作“楼褒”。[5]夕：原作“日”。据章钰校，甲十一行本、乙十一行本、孔天胤本皆作“夕”，张敦仁《通鉴刊本识误》、张瑛《通鉴校勘记》同，今据改。[6]旦：原作“日”。据章钰校，甲十一行本、乙十一行本、孔天胤本皆作“旦”，张敦仁《通鉴刊本识误》、张瑛《通鉴校勘记》同，今据改。[7]都：据章钰校，孔天胤本作“督”，张敦仁《通鉴刊本识误》同。[8]屡：据章钰校，甲十一行本、乙十一行本、孔天胤本皆作“累”。[9]江州刺史应邈：原无此六字。据章钰校，甲十一行本、乙十一行本、孔天胤本皆有此六字，今据补。[10]城：据章钰校，甲十一行本、乙十一行本、孔天胤本皆作“官”。[11]得：原无此字。据章钰校，甲十一行本、乙十一行本、孔天胤本皆有此字，张敦仁《通鉴刊本识误》同，今据补。[12]敏乃止：原无此三字。据章钰校，甲十一行本、乙十一行本、孔天胤本皆有此三字，张敦仁《通鉴刊本识误》、张瑛《通鉴校勘记》同，今据补。

---

## 【语译】

### 光熙元年（丙寅，公元三〇六年）

春季，正月初一日戊子，发生日食。

当初，为太弟司马炽担任中庶子的兰陵人缪播很受司马越的宠信。缪播的堂弟、担任右卫率的缪胤，是太宰司马颙前妃的弟弟。司马越起兵勤王的时候，派遣缪播、缪胤兄弟俩到长安劝说司马颙，希望司马颙能够将惠帝司马衷送回洛阳，并约定与司马颙对掌朝权，像周朝的周公、召公一样以河南陕县为界，分中原而治。司马颙一向看重、信任缪播兄弟，就想听从司马越的建议。张方深知自己罪恶深重，恐怕自己成为被讨伐、惩治的首犯，就阻止司马颙说：“如今您占据着形势险要的地区，国富兵强，以天子的名义命令诸侯，谁敢不听从您，为什么要拱手受制于人呢！”司马颙于是改变了主意。等到豫州刺史刘乔兵败之后，司马颙感到非常恐惧，就想罢兵，与崤山以东的司马越等人和解。又担心张方不肯听从自己，所以犹豫不定。

张方一向与长安富豪郅辅亲密友善，他任命郅辅担任自己的帐下督。为司马颙担任参军的河间人毕垣曾经受到张方的侮辱，就借机对司马颙说：“张方长期驻扎在霸上，他听说崤山以东司马越等人兵强马壮，就故意逗留，迟迟不肯率军前进，要提防他发动叛变。张方的亲信郅辅最了解他的阴谋。”缪播、缪胤又劝说司马颙：“应该赶紧将张方斩首，以向天下人谢罪，这样不用兴师动众就能够平定山东了。”司马颙于是派人召唤郅辅，毕垣提前去迎接郅辅，他对郅辅说：“张方想要谋反，人们都说你知道

卿知之。王若问卿，何辞以对？”辅惊曰：“实不闻方反，为之奈何？”垣曰：“王若问卿，但言尔尔[226]，不然，必不免祸。”辅入，颙问之曰：“张方反，卿知之乎？”辅曰：“尔。”颙曰：“遣卿取之，可乎？”又曰：“尔。”颙于是使辅送书于方，因杀之。辅既昵于方，持刀而入，守阁者[227]不疑。方火下[228]发函，辅斩其头。还报，颙以辅为安定太守。送方头于司空[13]越以请和，越不许。

宋胄袭河桥，楼褒[229]西走。平昌公模遣前锋督护冯嵩会宋胄逼洛阳。成都王颖西奔长安，至华阴[230]，闻颙已与山东和亲[231]，留不敢进。吕朗屯荥阳，刘琨以张方首示之，遂降。司空越遣祁弘、宋胄、司马纂[232]帅鲜卑西迎车驾，以周馥为司隶校尉、假节，都督诸军，屯渑池[233]。

三月，惤令[234]刘柏根[14]反，众以万数，自称惤公，王弥[235]帅家僮从之。柏根以弥为长史，弥从父弟桑[236]为东中郎将。柏根寇临淄[237]，青州都督高密王略[238]使刘暾将兵拒之。暾兵败，奔洛阳，略走保聊城[239]。王浚遣将讨柏根，斩之，王弥亡入长广山[240]为群盗。

宁州[241]频岁饥疫[242]，死者以十万计。五苓夷[243]强盛，州兵[244]屡败，吏民流入交州[245]者甚众，夷遂围州城[246]。李毅[247]疾病，救援路绝，乃上疏言：“不能式遏寇虐[248]，坐待殄毙[249]。若不垂矜恤[250]，乞降大使[251]，及臣尚存，加臣重辟[252]。若臣已死，陈尸为戮[253]。”朝廷不报[254]。积数年，子钊[255]自洛往省[256]之。未至[257]，毅卒。毅女秀[258]，明达有父风，众推秀领宁州事[259]。秀奖厉战士，婴城固守[260]，城中粮尽，炙鼠拔草而食之。伺夷稍怠，辄出兵掩击[261]，破之。

范长生[262]诣成都[263]。成都王雄门迎，执版[264]，拜为丞相，尊之曰“范贤”[265]。

情况。大王如果问你，你用什么言语回答大王呢？”郅辅一听大惊，说：“我确实没有听说张方要谋反，我该怎么办呢？”毕垣说：“大王如果问你有关张方谋反的事情，你只管‘嗯、嗯’，不要正面回答就可以了，不然的话，你必然躲避不了灾祸。”郅辅来到司马颙跟前，司马颙问他说：“张方准备谋反，你知道吗？”郅辅回答说：“嗯。”司马颙说：“派你去逮捕他，可以吗？”郅辅又回答说：“嗯。”司马颙于是派郅辅送信给张方，命他寻机杀死张方。郅辅一向与张方关系密切，所以当郅辅持刀进入张方住处的时候，负责守卫内门的侍卫对郅辅一点也没有产生怀疑。张方在灯光下展开书信准备观看的时候，郅辅出其不意砍下了张方的人头。郅辅回去向司马颙交差，司马颙任命郅辅为安定郡太守。司马颙把张方的人头送给司空司马越请求和解，司马越不肯答应。

宋胄袭击河桥守军，守卫河桥的楼褒向西撤走。平昌公司马模派前锋督护冯嵩与宋胄会师后一同逼近洛阳。成都王司马颖向西逃往长安，当他到达华阴县的时候，听说司马颙已经与崤山以东的司马越和解、亲善，便停留在华阴县不敢再向长安前进。建武将军吕朗的军队屯扎在荥阳，刘琨把张方的人头拿给吕朗观看，吕朗于是向刘琨投降。司空司马越派遣祁弘、宋胄、司马纂率领鲜卑援军前往长安迎接惠帝回洛阳，任命周馥为司隶校尉、假节，统领诸军，驻扎在渑池县。

三月，惤县县令刘柏根谋反，他手下的部众有上万人，自称为惤公，王弥率领家中的奴仆追随刘柏根。刘柏根任命王弥为长史，任命王弥的堂兄弟王桑为东中郎将。刘柏根率众劫掠临淄，担任青州都督的高密王司马略派刘暾率兵抵御刘柏根。刘暾兵败后逃奔洛阳，司马略逃到聊城县坚守不出。幽州刺史王浚派遣将领讨伐刘柏根，把刘柏根杀死，王弥逃到长广山做了强盗。

宁州连年闹饥荒，瘟疫流行，死了大约有十万人。宁州地区的少数民族五苓夷部落日渐强盛起来，他们到处抢掠，宁州派出讨伐他们的官兵屡遭失败，官吏和百姓有许多人因此逃往交州，五苓夷随即围困了宁州州治所在地滇池城。当时以南夷校尉的身份驻守宁州的李毅身患重病，又没有援军，李毅于是向朝廷上疏说：“我不能平息盗贼以保一方百姓平安，现在正坐以待毙。朝廷如果不可怜我们，立即派援军来救，就请求朝廷派遣一位高级使臣，趁我还有一口气，将我处以极刑。如果使者到来时我已经死去，就将我戮尸示众，以向宁州的百姓谢罪。”朝廷没有给予答复。过了几年，李毅的儿子李钊从洛阳前往滇池城探望父亲。还没有到达滇池城，李毅就去世了。李毅的女儿李秀，明达事理，具有父亲的风范，众人就推举李秀临时代理宁州刺史。李秀奖励战士，据城坚守，滇池城中的粮食用尽了，就烧烤老鼠、挖掘野草充饥。即便如此，李秀一抓住五苓夷贼寇懈怠的机会，就派士兵出城，出其不意地予以反击，终于把贼寇打败，保全了滇池城。

范长生从青城山前往成都，成都王李雄亲自到门口迎接，李雄手执笏板，任命范长生为丞相，尊称范长生为“范大贤”。

夏，四月己巳[266]，司空越引兵屯温[267]。初，太宰颙以为张方死，东方兵必可解。既而东方兵闻方死，争入关[268]。颙悔之，乃斩郅辅，遣弘农[269]太守彭随、北地太守刁默将兵拒祁弘等于湖[270]。五月壬辰[271]，弘等击随、默，大破之，遂西入关。又败颙将马瞻、郭伟于霸水[272]，颙单马逃入太白山[273]。弘等入长安，所部鲜卑大掠，杀二万余人。百官奔散，入山中，拾橡实[274]食之。己亥[275]，弘等奉帝乘牛车东还，以太弟太保[276]梁柳为镇西将军，守关中。六月丙辰朔[277]，帝至洛阳，复羊后。辛未[278]，大赦，改元[279]。

马瞻[280]等入长安，杀梁柳，与始平[281]太守梁迈共迎太宰颙于南山[282]。弘农太守裴廙、秦国[283]内史贾龛、安定[284]太守贾疋等起兵击颙，斩马瞻、梁迈。疋，诩[285]之曾孙也。司空越遣督护麋晃将兵击颙，至郑[286]，颙使平北将军牵秀屯冯翊[287]。颙长史杨腾诈称颙命，使秀罢兵。腾遂杀秀，关中皆服于越，颙保城[288]而已。

成都王雄即皇帝位，大赦，改元曰晏平[289]，国号大成。追尊父特曰景皇帝，庙号始祖，尊王太后[290]曰皇太后。以范长生为天地太师[291]，复其部曲[292]，皆不豫征税[293]。诸将恃恩，互争班位[294]。尚书令阎式上疏，请考[295]汉、晋故事[296]，立百官制度，从之。

秋，七月乙酉朔，日有食之。

八月，以司空越为太傅，录尚书事，范阳王虓为司空，镇邺，平昌公模为镇东大将军，镇许昌，王浚为骠骑大将军，都督东夷、河北诸军事，领幽州刺史。越以吏部郎颍川[15]庾敳[297]为军谘祭酒[298]，前太弟中庶子胡母辅之[299]为从事中郎，黄门侍郎河南[16]郭象[300]为主簿，鸿胪丞[301]阮修为行参军，谢鲲为掾。辅之荐乐安光逸[302]于越，越亦辟[303]之。敳等皆尚虚玄，不以世务婴心[304]，纵酒放诞，敳殖货无厌[305]，象薄行，好招权[306]，越皆以其名重于世，故辟之。

祁弘之入关也，成都王颖自武关[307]奔新野[308]。会新城元公刘

夏季，四月十三日己巳，司空司马越率领军队驻扎在温县。当初，太宰司马颙认为张方被处死，崤山以东司马越等人的勤王军队一定会解散。不久，司马越等人听到张方已死的消息后，反而都争先恐后地一定要进入潼关。司马颙这时才为杀死张方而感到后悔，于是杀死了郅辅，然后派遣弘农郡太守彭随、北地郡太守刁默率领军队到湖县迎战祁弘等人。五月初七日壬辰，祁弘等大败彭随、刁默，随即向西进入潼关。又在霸水岸边打败了司马颙的将领马瞻、郭伟，司马颙单枪匹马逃入太白山。祁弘等率领所部进入长安城，他所率领的鲜卑人在长安大肆抢掠，杀死了二万多人。朝廷官员四散奔逃，有人逃入山中，靠捡拾橡实充饥。十四日己亥，祁弘等侍奉惠帝乘坐着牛车东还洛阳，任命太弟司马炽的太保梁柳为镇西将军，镇守关中。六月初一日丙辰，晋惠帝回到洛阳，恢复了羊献容的皇后地位。十六日辛未，实行大赦，改年号为“光熙”。

马瞻等进入长安，杀死了梁柳，与始平郡太守梁迈共同到太白山迎接太宰司马颙。弘农郡太守裴廙、秦国内史贾龛、安定郡太守贾疋等起兵攻打司马颙，杀死了马瞻、梁迈。贾疋是贾诩的曾孙。司空司马越派遣担任督护的麋晃率领军队进攻司马颙，到达郑县，司马颙派遣平北将军牵秀率军驻扎在冯翊郡的郡治所在地。司马颙的长史杨腾诈称奉了司马颙的命令，让牵秀停止作战。杨腾趁机杀死牵秀，关中于是都归服于司马越，司马颙只能固守长安城而已。

成都王李雄即位称帝，实行大赦，改年号为“晏平”，国号为“大成”。李雄追尊自己的父亲李特为景皇帝，庙号为始祖庙，尊母亲罗氏王太后为皇太后。任命范长生为天地太师，免除范长生部下人众的劳役、赋税，所有的人都在不缴纳赋税的范围之内。李雄属下诸将倚仗李雄的恩宠，互相争夺官职的级别位次。担任尚书令的阎式因此上疏，建议大成皇帝李雄参考汉朝、晋朝有关此类事务的处理方法，建立起百官制度，李雄采纳了阎式的建议。

秋季，七月初一日乙酉，发生日食。

八月，晋惠帝封司马越为太傅，兼管尚书省的事务，封范阳王司马虓为司空，镇守邺城，封平昌公司马模为镇东大将军，镇守许昌，封王浚为骠骑大将军，都督东夷、河北诸军事，兼任幽州刺史。司马越任命吏部郎颍川人庾敳为军谘祭酒，任命前任太弟司马颖的中庶子胡母辅之为从事中郎，黄门侍郎河南人郭象为主簿，鸿胪丞阮修为行参军，谢鲲为掾。胡母辅之向司马越推荐乐安县人光逸，司马越也予以聘用。庾敳等人都崇尚玄虚，一切为官应做的事务都不放在心上，纵情饮酒，行为放荡怪诞，庾敳搜刮财物从来不知道满足，郭象品行轻薄，喜好抓权，又好卖弄权柄以获得钱财，由于这些人在当时的社会上名气都很大，所以司马越全部聘用了他们。

祁弘进入潼关的时候，成都王司马颖从武关逃奔到新野县。正巧赶上新城元公

弘(309)卒，司马郭劢(310)作乱，欲迎颖为主。治中(311)顺阳[17]郭舒奉弘子璠(312)以讨劢，斩之。诏(313)南中郎将刘陶收颖(314)。颖北渡河，奔朝歌，收故将士，得数百人，欲赴公师藩。九月[18]，顿丘(315)太守冯嵩执之，送邺，范阳王虓不忍杀而幽(316)之。公师藩自白马(317)南渡河，兖州(318)刺史苟晞讨斩之。

进东嬴公腾爵为东燕王(319)，平昌公模为南阳王(320)。

冬，十月，范阳王虓薨。长史刘舆(321)以成都王[19]颖素为邺人所附，秘不发丧，伪令人为台使称诏(322)，夜，赐颖死(323)，并杀其二子。颖官属先皆逃散，惟卢志随从，至死不怠(324)，收而殡之。太傅越召志为军谘祭酒。

越将召刘舆(325)，或曰："舆犹腻(326)也，近则污人。"及至，越疏之。舆密视(327)天下兵簿及仓库、牛马、器械、水陆之形，皆默识(328)之。时军国多事，每会议，自长史潘滔以下，莫知所对。舆应机辨画(329)，越倾膝酬接(330)，即以为左长史，军国之务，悉以委之。舆说越遣其弟琨镇并州，以为北面之重(331)。越表琨为并州刺史，以东燕王腾为车骑将军、都督邺城诸军事，镇邺。

十一月己巳(332)，夜，帝食饼中毒(333)。庚午(334)，崩于显阳殿(335)。

羊后自以于太弟炽为嫂，恐不得为太后，将立清河王覃(336)。侍中华混谏曰："太弟在东宫已久(337)，民望素定，今日宁可易乎(338)！"即露版(339)驰召太傅越，召太弟入宫。后已召覃至尚书阁(340)，疑变，托疾而返。癸酉(341)，太弟即皇帝位，大赦，尊皇后曰惠皇后，居弘训宫，追尊母王才人(342)曰皇太后，立妃梁氏为皇后。

怀帝始遵旧制，于东堂(343)听政。每至宴会，辄与群官论众务，考经籍。黄门侍郎傅宣叹曰："今日复见武帝之世(344)矣！"

刘弘去世，在刘弘手下担任司马的郭劢趁机作乱，他想迎接司马颖，奉司马颖为主子。治中顺阳人郭舒推举刘弘的儿子刘璠为主官，讨伐郭劢，将郭劢杀死。郭舒、刘璠命令南中郎将刘陶逮捕成都王司马颖。司马颖向北渡过黄河，投奔朝歌，他召集旧有部将，聚集起几百人，准备投奔公师藩。九月，顿丘郡太守冯嵩逮捕了司马颖，把他送往邺城，镇守邺城的范阳王司马虓不忍心杀害司马颖，就把司马颖幽禁起来。公师藩从白马津向南渡过黄河，兖州刺史苟晞率军讨伐公师藩，把公师藩杀死。

晋惠帝晋封东嬴公司马腾为东燕王，封平昌公司马模为南阳王。

冬季，十月，范阳王司马虓去世。司马虓的长史刘舆因为邺城人一向拥护成都王司马颖，于是就将司马虓的死讯封锁起来，没有对外发布，派人扮作朝廷派来的使臣传达皇帝的命令，夜里，逼迫司马颖自杀，同时被杀的还有司马颖的两个儿子。司马颖的属官早已全都逃散，只有卢志跟随在司马颖左右，直到成都王司马颖死亡，卢志对司马颖的态度从无倦怠之容，他收殓了司马颖的尸体，将其安葬。太傅司马越征召卢志担任军谘祭酒。

司马越准备召用刘舆，有人说："刘舆好像油脂，谁接近他谁就会受到他的污染。"刘舆到了洛阳之后，司马越对他很疏远、冷淡。刘舆偷偷地察看朝廷档案，对全国的兵力名簿以及仓库、牛马、器械、水路、陆路的交通情况等，全都暗记在心。当时全国混战、政务繁杂，每次会议，从长史潘滔以下，没有人知道该怎么应对。而刘舆趁机为之分析事理、出谋划策，讲得头头是道，司马越于是和刘舆促膝长谈，对他的建议虚心接受、采纳，实时任命刘舆为左长史，有关军国大事，全部委托刘舆办理。刘舆劝说司马越派遣他的弟弟刘琨去镇守并州，作为守卫北方的得力捍卫者。司马越上表请求任命刘琨为并州刺史，任命东燕王司马腾为车骑将军、统管邺城诸军务，镇守邺城。

十一月十七日己巳夜里，晋惠帝吃麦饼中毒。十八日庚午，在显阳殿驾崩。

羊皇后认为自己是太弟司马炽的嫂子，恐怕司马炽即位后自己不能成为皇太后，就想立清河王司马覃为皇帝。担任侍中的华混进谏说："太弟司马炽被立为东宫储君已经很久了，天下人早已对他寄予厚望，如今怎么能随便改换呢！"并立即用不封口的文书派快马通知太傅司马越，同时召太弟司马炽入宫。羊皇后已经将司马覃召到尚书阁，司马覃怀疑情况发生了变化，就推说有病立即退出尚书阁返回自己的府邸。十一月二十一日癸酉，太弟司马炽即皇帝位，发布大赦令，尊羊皇后为惠皇后，移居弘训宫，追尊自己的母亲王才人为皇太后，立王妃梁氏为皇后。

怀帝司马炽着手恢复以前的朝廷制度，在太极殿的东堂听取群臣奏报、商讨朝政。每到宴会的时候，就与群官讨论各种政务、考究经书典籍。黄门侍郎傅宣叹息着说："如今又看到当年武帝在位时的局面了！"

十二月壬午朔，日有食之。

太傅越以诏书征河间王颙为司徒，颙乃就征[345]。南阳王模遣其将梁臣邀[346]之于新安[347]，车上扼杀[348]之，并杀其三子。

辛丑[349]，以中书监温羡为左光禄大夫，领司徒，尚书左仆射王衍为司空。

己酉[350]，葬惠帝于太阳陵[351]。

刘琨至上党[352]，东燕王腾即自井陉[353]东下。时并州饥馑，数为胡寇[354]所掠，郡县莫能自保。州将[355]田甄、甄弟兰，任祉，祁济，李恽，薄盛等及吏民万余人，悉随腾就谷冀州[356]，号为"乞活"，所余之户不满二万。寇贼纵横，道路断塞。琨募兵上党，得五百人，转斗而前。至晋阳[357]，府寺[358]焚毁，邑野萧条。琨抚循劳来[359]，流民稍集。

---

【段旨】

以上为第二段，写惠帝光熙元年（公元三〇六年）一年间的大事。主要写了河间王司马颙杀其部将张方，欲与东海王司马越讲和，司马越派部将祁弘等打破司马颙的防守，攻入长安，将惠帝司马衷带回洛阳；写成都王司马颖因失司马颙的支援而到处流落逃窜，被范阳王司马虓捕杀；写了司马越毒死惠帝，改立太弟司马炽为皇帝，得到朝臣拥戴；写了司马越以新皇帝的名义调司马颙进京，途中将其杀死；写了司马越宠任刘舆，任用刘琨为并州刺史；写了胶东地区刘柏根、王弥叛乱，大破高密王司马略，后被北方军阀王浚打败；写了宁州五苓夷乘饥疫大破州兵，围南夷校尉李毅于州城，李毅病死，其女李秀率众守城，打败五苓夷；写了成都王李雄即皇帝位，国号"大成"，以范长生为天地太师等。

【注释】

㉑④太弟中庶子：太弟司马炽的中庶子。中庶子，太子属下的官名，陪侍太子以及主管奏事、谏议等。㉑⑤兰陵缪播：兰陵郡人，姓缪名播。兰陵郡的郡治在今山东枣庄东南。缪播字宣则，曾为祭酒。传见《晋书》卷六十。㉑⑥右卫率胤：右卫率缪胤。右卫率是太子的卫队长官。㉑⑦分陕为伯：与东海王越对掌朝权。像周朝的周公、召公一样以河南陕县为界，分中原而治。㉑⑧自以罪重：张方曾大掠洛阳，并劫持皇帝西迁。㉑⑨为诛首：被讨伐、惩治的首犯。㉒⓪形胜之地：形势险要的地区，指关中地区东有黄河、崤

十二月初一日壬午，发生日食。

太傅司马越用皇帝诏书征调河间王司马颙到洛阳担任司徒，司马颙接受调令前往洛阳。南阳王司马模派遣属下将领梁臣到新安郡拦截司马颙，就在司马颙乘坐的车上将司马颙活活地掐死，同时还杀死了司马颙的三个儿子。

十二月二十日辛丑，任命中书监温羡为左光禄大夫，兼任司徒，尚书左仆射王衍为司空。

二十八日己酉，将惠帝司马衷安葬在太阳陵。

并州刺史刘琨到达上党郡，东燕王司马腾立即从井陉东下。当时并州正闹灾荒，又多次遭受刘渊为首的胡人的抢掠，各郡县没有能力保护自己。并州刺史属下的将领田甄、田甄的弟弟田兰、任祉、祁济、李恽、薄盛等人以及吏民一万多人，都跟随着司马腾到河北地区去找食物吃，这些人被称为“乞活”，并州剩下的居民不足二万户。贼寇猖獗，道路不通。刘琨便到上党郡招募军队，招到了五百人，他们一路辗转作战，向并州进发。刘琨等人到达晋阳的时候，并州官府的衙门已经被大火烧毁，村野萧条。刘琨安抚尚存的居民，号召远方的流散人口回归故里，逃亡的人逐渐返回家乡。

---

山之险。㉑ 山东：指崤山以东司马氏诸王。㉒ 与长安富人郅辅亲善：据《晋书·张方传》，“初，方从山东来，甚微贱，长安富人郅辅厚相供给；方贵，以辅为帐下督，甚昵之。”㉓ 霸上：在当时的长安东南城郊，今陕西西安东。㉔ 未萌：指隐藏未发的叛逆活动。㉕ 以谢：向天下人请罪。谢，请罪。㉖ 尔尔：犹言“嗯、嗯”，唯唯诺诺的样子，并不是明言是非。㉗ 守阁者：守卫内门的侍卫。㉘ 火下：灯下。㉙ 楼褒：河间王司马颖的部将。㉚ 华阴：晋县名，县治在今陕西华阴东。㉛ 和亲：和解、亲善。㉜ 司马纂：司马越的部将，其人来历不详。㉝ 渑池：晋县名，县治在今河南渑池城西。㉞ 惤令：惤县的县令。当时的惤县在今山东龙口西南二十五里。㉟ 王弥：当地的世家子弟，后成为西晋末期的地方军阀之一。传见《晋书》卷一百。㊱ 从父弟桑：堂兄弟王桑。从父，古称叔、伯。㊲ 临淄：今山东淄博市临淄区，当时为青州都督的指挥部所在地。㊳ 高密王略：司马略，司马越的亲兄弟，被封为高密王，都城在今山东高密西南。㊴ 聊城：晋县名，县治在今山东聊城西北十五里。㊵ 长广山：在长广县（今山东莱阳东）境内。长广也是郡名，郡治不其，在今山东青岛市即墨区西南。㊶ 宁州：州治滇池，在今云南昆明市晋宁区东北。㊷ 频岁饥疫：连年闹灾荒，闹流行病。㊸ 五苓夷：宁州地区的少数民族名，于太安二年开始与当地官府作对，见本书卷第八十五。㊹ 州兵：宁州官府的军队，即下文所说的李毅所部。㊺ 交州：晋州名，州治龙编，在今越南河内东北。㊻ 州城：指

宁州的州治滇池。㉔⑦李毅：当时任南夷校尉，驻守宁州。㉔⑧式遏寇虐：平息盗贼。“式遏寇虐”是《诗经·民劳》中的句子。㉔⑨坐待殄毙：坐等着被盗贼灭杀。殄，灭。㉕⑩若不垂矜恤：朝廷如果不可怜我们，指派兵救援。垂，谦辞，敬称对方施恩。矜恤，可怜、救助。㉕①乞降大使：请朝廷派高级使臣。㉕②加臣重辟：代表朝廷处我以极刑。重辟，严刑，指处死。㉕③陈尸为戮：戮尸示众。㉕④不报：没有回音，不置可否。㉕⑤子钊：李毅的儿子李钊。㉕⑥自洛往省：由洛阳到滇池探看父亲。㉕⑦未至：在李钊还没有到达滇池的时候。㉕⑧毅女秀：李毅的女儿名秀，当时随父住在滇池。㉕⑨领宁州事：临时代理宁州刺史。领，代理。㉖⑩婴城固守：据城坚守。婴城，环城。㉖①掩击：袭击，出其不意地予以反击。㉖②范长生：涪陵人，信奉道教，在成都西北的青城山上聚众自守。李特兵败身死，李流处于困境的时候，范长生向李氏提供过援助。李雄主事后，还曾欲拥立范长生为首领，范长生没有答应。㉖③诣成都：由青城山到达成都，当时成都已经成了李雄政权的都城。㉖④执版：指李雄手执笏板，对范长生表示礼节。㉖⑤尊之曰“范贤”：不称名，尊称曰“范大贤”。㉖⑥己巳：四月十三。㉖⑦温：晋县名，县治在今河南温县西南三十里。㉖⑧争入关：一定要进入潼关，在今陕西潼关北。㉖⑨弘农：晋郡名，郡治在今河南灵宝北。㉗⑩湖：晋县名，县治在今河南灵宝西北。㉗①壬辰：五月初七。㉗②霸水：亦作“灞水”，源出陕西蓝田东南，流经长安城东，北入渭水。㉗③太白山：在今陕西眉县南，接洋县界，离长安三百里。㉗④橡实：栎树果实。㉗⑤己亥：五月十四。㉗⑥太弟太保：太弟司马炽的太保，太保是帝王的辅导官，地位崇重，但无实权。㉗⑦六月丙辰朔：六月初一是丙辰日。㉗⑧辛未：六月十六。㉗⑨改元：在此之前称永兴三年，自此改元后称“光熙元年”。㉘⑩马瞻：太宰司马颙的部将。㉘①始平：晋郡名，郡治槐里，在今陕西兴平东南。㉘②南山：太白山，秦岭上的一座山峰名。㉘③秦国：当时的扶风郡，郡治槐里，在今陕西兴平东南。㉘④安定：晋郡名，郡治临泾，在今甘肃泾川北。㉘⑤诩：贾诩，曹操的心腹谋士，曾任太尉，封寿乡侯。传见《三国志》卷十。㉘⑥郑：晋县名，县治即今陕西渭南市华州区。㉘⑦屯冯翊：驻兵于冯翊郡的郡治，即今陕西大荔。㉘⑧保城：指固守长安城。㉘⑨改元曰晏平：李雄的第一个年号称“建初”，第二个年号称“建兴”，至此又改称“晏平”。㉙⑩王太后：李雄原为成都王，故称其母罗氏为“王太后”，并非姓王。㉙①天地太师：因范长生是道教“法师”，故有这种奇特名号。㉙②复其部曲：免除其部下人众的劳役、赋税。复，免除。㉙③不豫征税：不在交纳赋税的范围之内。㉙④班位：官职的级别位次。㉙⑤考：参考。㉙⑥汉、晋故事：汉朝、晋朝有关此类事务的处理方法。故事，先例。㉙⑦庾敳：字上嵩，司马越的亲信，为人放达而不拘礼法，颇为世人所推重。传见《晋书》卷五十。㉙⑧军谘祭酒：将军府的主要僚属。㉙⑨胡母辅之：姓胡母，名辅之。当时有名的放达之士。传见《晋书》卷四十九。㉚⑩郭象：当时著名的学者，曾为《庄子》《尔雅》等书作注释。㉚①鸿胪丞：官名，鸿胪卿的副手，掌管少数民族事务。㉚②乐安光逸：乐安县人姓光名逸，字孟祖，放达不拘礼法，为当时的“八达”之一。传见《晋书》

卷四十九。乐安即今山东博兴。⑶⑶辟：聘用。⑶⑷不以世务婴心：一切为官应做的事务都不放在心上。世务，社会人间的一切事务。婴心，挂心。⑶⑸殖货无厌：搜刮财物，永不满足。⑶⑹招权：俗所谓“招权纳贿”，卖弄权柄，助人为非作歹，以获得钱财。⑶⑺武关：在今陕西商南南。⑶⑻新野：今河南新野。⑶⑼新城元公刘弘：新城公是刘弘封号，元字是谥。当时刘弘任荆州刺史。⑶⑽司马郭劢：刘弘的僚属郭劢，时任刘弘军中的司马官。⑶⑾治中：刺史手下的高级僚属。⑶⑿奉弘子璠：推刘弘的儿子刘璠为主官。⑶⒀诏：这里指命令。主语是郭舒、刘璠。⑶⒁收颖：逮捕成都王司马颖。⑶⒂顿丘：晋郡名，郡治在今河南清丰西南。⑶⒃幽：囚禁。⑶⒄白马：白马津，在今河南滑县东北，为历代军事争夺的要地。⑶⒅兖州：晋州名，州治廪丘，在今山东郓城西北。⑶⒆东燕王：东燕国的都城燕县，在今河南延津东北。⑶⒇南阳王：南阳国的都城即今河南南阳。㉑长史刘舆：范阳王虓的长史刘舆。刘舆是刘琨之兄。㉒伪令人为台使称诏：派人扮作朝廷派来的使臣传达皇帝的命令。台使，朝廷的使者。㉓赐颖死：此“八王之乱”的第六王结束。司马颖自永兴元年（公元三〇四年）正月当丞相，到十月逃到洛阳，当权十个月。后经两年辗转流徙，到此时被杀。㉔至死不怠：直到成都王死，卢志对他的态度从无倦怠之容。㉕将召刘舆：将召刘舆而任用之。㉖腻：油脂。㉗密视：偷看。㉘默识：心里暗记。㉙应机辨画：趁机为之分析事理，出谋划策。㉚倾膝酬接：促膝长谈，虚心接受采纳。㉛北面之重：北方的得力捍卫者。㉜己巳：十一月十七。㉝食饼中毒：吃饼中毒。这自然是司马越所为，只是写史者不欲明写而已。㉞庚午：十一月十八。㉟崩于显阳殿：司马衷死时年四十八岁。㊱清河王覃：司马覃，惠帝之弟司马遐的儿子。㊲太弟在东宫已久：司马炽被立为皇太弟，见本书卷第八十五永兴元年（公元三〇四年），至今已三年。㊳宁可易乎：怎么能随便改换呢。易，改换。㊴露版：不封口的文书，犹今所谓“公开信”“明文宣布”。㊵尚书阁：尚书省所在地。㊶癸酉：十一月二十一。㊷王才人：司马炽的生母，姓王，原来的封号为“才人”，在嫔妃中居第十四级。㊸东堂：太极殿的东屋。㊹武帝之世：当年司马炎为皇帝的局面。㊺就征：接受调令前往洛阳。㊻邀：拦截。㊼新安：晋郡名，郡治在今河南渑池东。㊽扼杀：扼住咽喉使其窒息而死。〖按〗“八王之乱”中的第七王结束。司马颙自永兴元年（公元三〇四年）十月挟持皇帝入长安，到光熙元年（公元三〇六年）四月东方诸侯军迎皇帝东回，当权一年零七个月，又过了八个月被杀。㊾辛丑：十二月二十。㊿己酉：十二月二十八。(351)太阳陵：在今河南洛阳北邙山的南麓。(352)上党：晋郡名，郡治壶关，在今山西长治北。(353)井陉：山道名，也是关塞名。其东口称井陉关，也称土门关，在今河北石家庄市鹿泉区的井陉山上，其西口即娘子关，是当时并州与冀州两州间的交通要道。(354)胡寇：指刘渊为首的少数民族。(355)州将：并州刺史属下的将领。(356)就谷冀州：到河北地区找食物吃。冀州的州治即今河北衡水。(357)晋阳：在今太原西南，是当时并州的州治所在地。(358)府寺：官府的衙门。(359)抚循劳来：安抚尚在的居民，号召远方的流散人口来归。

【校记】

［13］司空：原无此二字。据章钰校，甲十一行本、乙十一行本、孔天胤本皆有此二字，张敦仁《通鉴刊本识误》、张瑛《通鉴校勘记》同，今据补。［14］刘柏根：原作“刘伯根”。据章钰校，甲十一行本、乙十一行本、孔天胤本皆作“刘柏根”，下文同，今据改。［15］颍川：原无此二字。据章钰校，甲十一行本、乙十一行本、孔天胤本皆有此二字，张敦仁《通鉴刊本识误》、张瑛《通鉴校勘记》同，今据补。［16］河南：原无此二

---

【原文】

**孝怀皇帝上**

**永嘉元年（丁卯，公元三〇七年）**

春，正月癸丑[360]，大赦，改元[361]。

吏部郎周穆，太傅越之姑子也，与其妹夫御史中丞诸葛玫说越曰：“主上之为太弟，张方意也。清河王本太子[362]，公宜立之。”越不许。重言之[363]，越怒，斩之。

二月，王弥[364][20]寇青、徐二州，自称征东大将军，攻杀二千石[365]。太傅越以公交车令[366]东莱鞠羡为本郡[367]太守以讨弥，弥击杀之。

陈敏刑政无章[368]，不为英俊所附。子弟凶暴，所在为患[369]。顾荣、周玘等忧之。庐江内史华谭[370]遗[371]荣等书曰：“陈敏盗据吴、会[372]，命危朝露[373]。诸君或剖符名郡[374]，或列为近臣[375]，而更[376]辱身奸人之朝[377]，降节叛逆之党，不亦羞乎！吴武烈父子[378]皆以英杰之才，继承大业。今以陈敏凶狡[379]，七弟顽冗[380]，欲蹑[381]桓王之高踪[382]，蹈[383]大皇之绝轨[384]，远度诸贤[385]，犹当未许[386]也。皇舆东返[387]，俊彦[388]盈朝，将举六师[389]以清建业[390]，诸贤[391]何颜复见中州之士邪！”荣等素有图敏之心[392]，及得

字。据章钰校，甲十一行本、乙十一行本、孔天胤本皆有此二字，张敦仁《通鉴刊本识误》、张瑛《通鉴校勘记》同，今据补。[17]治中顺阳：原无此四字。据章钰校，甲十一行本、乙十一行本、孔天胤本皆有此四字，张敦仁《通鉴刊本识误》、张瑛《通鉴校勘记》同，今据补。[18]九月：原无此二字。据章钰校，甲十一行本、乙十一行本、孔天胤本皆有此二字，张敦仁《通鉴刊本识误》同，今据补。[19]成都王：原无此三字。据章钰校，甲十一行本、乙十一行本、孔天胤本皆有此三字，张敦仁《通鉴刊本识误》、张瑛《通鉴校勘记》同，今据补。

---

**【语译】**

**孝怀皇帝上**

**永嘉元年（丁卯，公元三〇七年）**

春季，正月初二日癸丑，朝廷宣布大赦，改年号为“永嘉”。

担任吏部郎的周穆，是太傅司马越姑姑的儿子，周穆和他妹夫御史中丞诸葛玫劝说司马越说：“当今的皇帝司马炽之所以能成为太弟，完全是张方的主意。清河王司马覃本来就是太子，你应该立司马覃为皇帝。”司马越不答应。周穆、诸葛玫一再进言，司马越大怒，就将他们二人杀死了。

二月，王弥抢掠青州、徐州，自称征东大将军，他们杀死俸禄在二千石的太守、郡尉一级的官吏。太傅司马越任命担任公交车令的东莱人鞠羡为东莱郡太守，让他率兵讨伐王弥，王弥率军攻打鞠羡，又把鞠羡杀死。

占领江东的陈敏，司法行政杂乱无章，英雄豪俊都不愿归附他。陈敏的子弟凶残暴虐，走到哪里就成为哪里的祸害。被陈敏任命为丹阳郡太守的顾荣和安丰郡太守周玘等人对此很感忧虑。担任庐江内史的华谭写信给顾荣等说：“陈敏盘踞在江东的吴郡、会稽郡，其生命力就像早晨的露珠一样，转眼就干，长久不了。你们当中，有人曾经担任过朝廷所任命的某郡的太守，有人曾经是朝廷皇帝的近臣，而现在竟然辱没自己做了贼人陈敏手下的官吏，失去节操成为叛逆的党羽，难道不感到羞耻吗？吴国武烈皇帝孙坚和他的儿子孙策、孙权都是凭借自己英雄豪杰的雄才大略，才得以继承大业、雄踞江东。如今的陈敏仅凭他的凶暴、狡猾，七个弟弟的愚蠢、庸劣，就企图追踪、仿效孙策开国创业的豪迈行为，遵循大帝孙权当年那种别人难以企及的行动，即使他想超过你们诸位，那也是不能令人同意的。惠帝司马衷从长安返回京师洛阳以后，俊杰英才充满朝廷，势必发动朝廷的军队，扫清陈敏所盘踞的江东地区，到那时你们这些俊杰贤才有何面目再见中原人士呢！”顾荣等人其实早有除掉陈敏的想法，等到他们收到华谭的书信，都感到非常惭愧，就秘密派遣使者

书，甚惭，密遣使报征东大将军刘准[393]，使发兵临江[394]，己为内应，剪发为信[395]。准遣扬州刺史刘机等出历阳[396]讨敏。

敏使其弟广武将军昶将兵数万屯乌江[397]，历阳太守宏屯牛渚[398]。敏弟处知顾荣等有贰心，劝敏杀之，敏不从。

昶司马钱广，周玘同郡人也。玘密使广杀昶，因[21]宣言州下[399]已杀敏，敢动者诛三族。广勒兵[400]朱雀桥[401]南，敏遣甘卓讨广，坚甲精兵[402]悉委之。顾荣虑敏疑之[22]，故往就敏。敏曰："卿当四出镇卫[403]，岂得就我[404]邪?"荣乃出，与周玘共说甘卓曰："若江东之事可济，当共成之。然卿观兹事势[405]，当有济理不[406]？敏既常才[407]，政令反覆，计无所定[408]，其子弟各已骄矜，其败必矣。而吾等安然坐受其官禄，事败之日，使江西诸军[409]函首送洛[410]，题曰[411]'逆贼顾荣、甘卓之首'，此万世之辱也。"卓遂诈称疾迎女[412]，断桥，收船南岸，[413]与玘、荣及前松滋侯相丹杨纪瞻[414]共攻敏。

敏自帅万余人讨卓，军人隔水[415]语敏众曰："本所以戮力陈公[416]者，正以顾丹杨、周安丰[417]耳。今皆异[418]矣，汝等何为?"敏众狐疑未决，荣以白羽扇挥[23]之，众皆溃去。敏单骑北走，追获之于江乘[419]，叹曰："诸人误我，以至今日！"谓弟处曰："我负卿[420]，卿不负我！"遂斩敏于建业，夷三族，于是会稽等郡尽杀敏诸弟。

时平东将军周馥代刘准镇寿春。三月己未朔[421]，馥传敏首至京师。诏征顾荣为侍中，纪瞻为尚书郎。太傅越辟周玘为参军，陆玩为掾。玩，机之从弟也。荣等至徐州[422]，闻北方愈乱，疑不进。越与徐州刺史裴盾书曰："若荣等顾望[423]，以军礼发遣[424]。"荣等惧，逃归。盾，楷[425]之兄子，越妃兄也。

西阳夷[426]寇江夏，太守杨珉请督将议之。诸将争献方略，骑督朱伺[427]独不言。珉曰："朱将军何以不言?"伺曰："诸人以舌击贼，伺惟

报告征东大将军刘准，让他率兵向南逼近长江岸边，自己愿意做内应，还剪下自己的一绺头发作为信物。刘准派遣扬州刺史刘机等人由历阳县出兵去讨伐陈敏。

陈敏派他的弟弟广武将军陈昶率领几万军队驻扎在乌江口，历阳郡太守陈宏屯兵牛渚渡口。陈敏的弟弟陈处知道顾荣等已有背叛之心，就劝说陈敏杀掉顾荣等人，陈敏没有听从陈处的劝告。

陈昶的司马钱广，和周玘是同郡人。周玘让钱广秘密杀死陈昶，接着宣称扬州刺史刘机已经杀死了陈敏，谁敢违抗就诛灭他的三族。钱广把军队部署在朱雀桥南，陈敏派遣甘卓讨伐钱广，陈敏把坚固的铠甲和锐利的武器全部拨给了甘卓。顾荣担心陈敏怀疑自己，就故意来到陈敏身边。陈敏对顾荣说："你应当四处走走安定人心，以保卫建业城，怎么到我身边来了？"顾荣这才出来，与周玘一起策反甘卓，他们对甘卓说："如果江东的事情有成功的希望，我们应当共同辅佐陈敏建立功业。然而你看看当前的这种形势，陈敏有成就大业的希望吗？陈敏不过是一般人的才智，政令又反复无常，没有一定的行动计划，他的子弟又都骄傲自负，失败是肯定的。而我们这些人安安稳稳地坐在这里享受他的高官俸禄，等到事情失败之时，让朝廷云集长江西岸的各路人马把我们的人头装在匣子里送到洛阳，匣子上写着'逆贼顾荣、甘卓之首'，这可是千秋万载的耻辱。"甘卓于是便谎称有病，从陈敏那里接回自己的女儿，然后截断朱雀桥，将船只全部停靠在秦淮河南岸，与周玘、顾荣以及曾经担任过松滋侯国宰相的丹杨人纪瞻共同攻击陈敏。

陈敏亲自率领一万多人讨伐甘卓，甘卓的军队隔着秦淮河对陈敏的军队喊话说："你们竭力为陈敏效力，完全是为了丹杨郡太守顾荣、安丰郡太守周玘罢了。现在的形势已经变了，你们还跟着陈敏做什么呢？"陈敏的部众正在犹豫不决，顾荣挥动手中的白羽毛扇子，示意他们逃走，陈敏的部下立即全都散去。陈敏一个人骑着马向北逃走，逃到江乘县渡口被人抓获，陈敏叹息着说："是众人害了我，以致落到今天的下场！"陈敏对他的弟弟陈处说："是我对不起你，不是你辜负了我！"于是在建业将陈敏斩首，灭了陈敏三族，这时会稽等郡也都分头动手杀死了陈敏的诸位兄弟。

当时，平东将军周馥代替刘准镇守寿春。三月己未朔，周馥把陈敏的人头用驿车送到京师洛阳。晋怀帝司马炽下诏征召顾荣为侍中，纪瞻为尚书郎。太傅司马越征聘周玘为参军，陆玩为掾。陆玩，是陆机的堂兄弟。顾荣等人到达徐州，听说北方更加混乱，便犹豫不前。司马越在写给徐州刺史裴盾的书信中说："如果顾荣等人左右观望，停滞不前，就用武装押解他们到京城。"顾荣等人害怕，就逃回了故乡。裴盾，是裴楷的侄子，是司马越王妃的哥哥。

西阳县的少数民族抢掠江夏郡，江夏郡太守杨珉让督将商议对策。将领们都争相献计献策，唯独担任骑督的朱伺一言未发。杨珉问他说："朱将军为什么不说话呢？"朱伺回答说："这些人是用舌头攻击贼寇，我是凭力气攻击贼寇。"杨珉又问他：

以力耳。”琨又问：“将军前后击贼，何以常胜？”伺曰：“两敌共对⑧，惟当忍之。彼不能忍，我能忍，是以胜耳。”琨善之。

诏追复杨太后㉙尊号。丁卯㊵，改葬之，谥曰武悼。

庚午㊶，立清河王覃弟豫章王诠为皇太子㊷。辛未㊸，大赦。

帝亲[24]览大政，留心庶事㊹。太傅越不悦，固求出藩㊺。庚辰㊻，越出镇许昌。

以高密王略㊼为征南大将军，都督荆州诸军事，镇襄阳；南阳王模㊽为征西大将军，都督秦、雍、梁、益四州[25]诸军事，镇长安；东燕王腾㊾为新蔡王，都督司、冀二州诸军事，仍镇邺。

公师藩既死，汲桑逃还苑㊿中，更聚众劫掠郡县，自称大将军，声言为成都王报仇。以石勒为前驱，所向辄克。署㊶勒讨[26]虏将军，遂进攻邺。时邺中府库空竭，而新蔡武哀王腾㊷资用甚饶㊸。腾性吝啬，无所振惠㊹，临急㊺，乃赐将士米各数升，帛各丈尺，以是人不为用。夏，五月，桑大破魏郡太守冯嵩，长驱入邺。腾轻骑出奔，为桑将李丰所杀。桑出成都王颖棺，载之车中，每事启而后行㊻。遂烧邺宫，火旬日不灭㊼，杀士民万余人，大掠而去。济自延津㊽，南击兖州㊾。太傅越大惧，使苟晞㊿及将军王赞等[27]讨之。

秦州流民邓定、訇氏等据成固㊶，寇掠汉中。梁州刺史张殷遣巴西㊷太守张燕讨之。邓定等饥窘㊸，诈降于燕，且赂之，燕为之缓师㊹。定密遣訇氏求救于成。成主雄遣太尉离、司徒云、司空璜将兵二万救定，与燕战，大破之，张殷及汉中太守杜孟治弃城走。积十余日，离等引还，尽徙汉中民于蜀。汉中人句方、白落帅吏民㊺还守南郑㊻。

石勒与苟晞等相持于平原㊼、阳平㊽间数月，大小三十余战，互有胜负。秋，七月己酉朔，太傅越屯官渡㊾，为晞声援。

“将军前前后后多次攻击贼寇，凭借什么而保持常胜不败呢?”朱伺回答说：“两军对垒，只有忍耐。对方不能忍耐，而我能够忍耐，所以我能够战胜他们。”杨珉非常赞赏他的说法。

晋怀帝司马炽下诏追复太后杨芷的尊号。三月十七日丁卯，改葬杨太后，给杨太后的谥号为“武悼”。

三月二十日庚午，立清河王司马覃的弟弟豫章王司马诠为皇太子。二十一日辛未，实行大赦。

晋怀帝亲自处理朝政，留心各种政务。太傅司马越因此很不高兴，就坚决请求离开朝廷到自己的封地上去做都督刺史。三月三十日庚辰，司马越离开京师洛阳去镇守许昌。

晋怀帝任命高密王司马略为征南大将军，统管荆州各种军务，镇守襄阳；任命南阳王司马模为征西大将军，统管秦州、雍州、梁州、益州四州诸军务，镇守长安；任命东燕王司马腾为新蔡王，统管司州、冀州两州诸军事，仍旧镇守邺城。

公师藩死后，汲桑便逃回山东茌平县的牧马场，他重新聚集人马在郡县抢掠，自称大将军，扬言要为成都王司马颖报仇。他任命石勒为前锋，石勒所向披靡，攻无不克。汲桑委任石勒为讨虏将军，随即率军进攻邺城。当时邺城府库空虚、财物枯竭，而新蔡武哀王司马腾家中的财产非常多。司马腾生性吝啬，对部下军民从来不给任何救济，等到汲桑大军压境、情况已经非常紧急时，才赏赐给将士们每人几升米、一丈布，所以手下的将士都不愿意为他效命。夏季，五月，汲桑把魏郡太守冯嵩打得大败，而后长驱直入邺城。司马腾骑马出逃，被汲桑手下的将领李丰杀死。汲桑挖出成都王司马颖的棺木，把棺木装载到车子上，每件事情都先对着司马颖的棺木禀告后，再开始行动。汲桑随后放火焚烧，毁了邺城的官殿，大火一连燃烧了十几天，杀死的官吏和百姓有一万多人，众人大肆抢掠了一番之后才离去。汲桑从延津渡过黄河，向南进攻兖州。太傅司马越非常恐惧，他派遣苟晞和将军王赞等率领军队讨伐汲桑。

秦州流民邓定、訇氏等人盘踞在城固县，他们经常到汉中骚扰、抢掠。梁州刺史张殷派遣巴西郡太守张燕率兵讨伐邓定等人。邓定等人因为饥饿窘迫，就向张燕诈降，又贿赂了张燕，张燕为此放缓进攻邓定。邓定秘密派遣訇氏去向大成国皇帝李雄求取救兵。大成国皇帝李雄派遣太尉李离、司徒李云、司空李璜率领两万军队援救邓定，与张燕大战，把张燕打得大败，梁州刺史张殷和汉中郡太守杜孟治弃城逃走。李离等率军在此停留了十多天后才率军撤回，他们强迫汉中郡的百姓全部迁移到蜀地居住。汉中郡人句方、白落率领残留下来的官吏百姓回到南郑固守。

石勒与苟晞等在平原郡、阳平郡之间相持了数月，大小经过了三十多次战斗，互有胜负。秋季，七月初一日己酉，太傅司马越屯兵官渡，作为苟晞的声援部队。

己未[460]，以琅邪王睿为安东将军、都督扬州、江南诸军事、假节，镇建业。

八月己卯朔，苟晞击汲桑于东武阳[461]，大破之。桑退保清渊[462]。

分荆州、江州八郡为湘州。[463]

九月戊申[464]，琅邪王睿至建业。睿以安东司马王导为谋主，推心亲信，每事咨焉。睿名论素轻[465]，吴人不附，居久之，士大夫莫有至者，导患之。会睿出观禊[466]，导使睿乘肩舆[467]，具威仪[468]，导与诸名胜[469]皆骑从。纪瞻、顾荣等见之惊异，相帅拜于道左。导因说睿曰："顾荣、贺循，此土之望[470]，宜引之[471]以结人心。二子既至，则无不来矣。"睿乃使导躬造循、荣[472]，二人皆应命而至。以循为吴国内史，荣为军司[473]，加散骑常侍，凡军府政事[474]，皆与之谋议。又以纪瞻为军[28]祭酒，卞壸[475]为从事中郎，周玘为仓曹属[476]，琅邪刘超为舍人[477]，张闿及鲁国孔衍为参军。壸，粹[478]之子；闿，昭[479]之曾孙也。王导说睿："谦以接士，俭以足用，以清静为政，抚绥新旧[480]。"故江东归心焉。睿初至，颇以酒废事，导以为言[481]。睿命酌，引觞覆之，于此遂绝。

苟晞追击汲桑，破其八垒，死者万余人。桑与石勒收余众，将奔汉[482]。冀州刺史谯国丁绍[483]邀之于赤桥[484]，又破之。桑奔马牧[485]，勒奔乐平[486]。太傅越还许昌，加苟晞抚军将军、都督青、兖诸军事，丁绍宁北将军、监冀州诸军事，皆假节。

晞屡破强寇，威名甚盛，善治繁剧[487]，用法严峻。其从母依之[488]，晞奉养甚厚。从母子求为将，晞不许，曰："吾不以王法贷人[489]，将无后悔邪[490]？"固求之，晞乃以为督护。后犯法，晞杖节斩之[491]，从母叩头救之，不听。既而素服哭之曰："杀卿者，兖州刺史，哭弟者，苟道将也！"

七月十一日己未，朝廷任命琅邪王司马睿为安东将军，都督扬州、江南诸军事，假节，镇守建业。

八月初一日己卯，苟晞在东武阳县攻击汲桑，将汲桑打得大败。汲桑撤到清渊县固守。

晋国把荆州、江州的衡阳、长沙、湘东、零陵、邵阳、营阳、建昌和桂阳八个郡划分出来，设置为湘州，州治设在长沙。

九月初一日戊申，琅邪王司马睿到达建业。司马睿任用安东司马王导为主要谋士，司马睿对王导推心置腹，非常亲近信任，每件事情都向王导咨询、请教。司马睿的名望、声价一向不高，吴人都不肯归附他，司马睿在建业待了很久，也没有士大夫前来求见、投靠，王导感到非常忧虑。碰巧司马睿要出去观看消除不祥的祭祀，王导就让司马睿乘坐着两人抬的软轿，使用全部的仪仗，王导与中原来的那些知名人士都骑着马跟随在司马睿的软轿之后。纪瞻、顾荣等看见后感到非常惊异，便纷纷在道路左侧参拜司马睿。王导趁机对司马睿说："顾荣、贺循等人，是这个地区最有声望的人物，应当请出他们，以凝聚民心。如果他们两人来了，就不会有人不来了。"司马睿就派王导亲自到贺循、顾荣家中拜访，二人都应命而至。司马睿任命贺循为吴国内史，顾荣为军司，兼任散骑常侍，凡是都督府和扬州刺史府中的一切事务，都与他们商议。又任命纪瞻为军祭酒，任命卞壶为从事中郎，任命周玘为仓曹掾，任命琅邪人刘超为舍人，张闿和鲁国人孔衍为参军。卞壶，是卞粹的儿子；张闿，是张昭的曾孙。王导劝说司马睿说："结交贤士要谦虚恭敬，节俭开支就会使经费充足，政治措施应该采取清静无为，对于江东的本地人和刚从中原渡江过来的人都要进行安抚。"司马睿采纳了王导的建议，所以江东人全都从内心拥护司马睿。司马睿刚到江东的时候，常常因为饮酒而耽误了政务，王导对此提出意见。于是司马睿命人斟满酒，然后端起酒杯把酒泼在地上，从此司马睿不再饮酒。

苟晞率军追击汲桑，连续攻破汲桑的八个营垒，汲桑损失上万人。汲桑与石勒召集起残兵败将，准备投奔汉王刘渊。担任冀州刺史的谯国人丁绍在赤桥截击汲桑，又把汲桑打得大败。汲桑于是逃回原先所在的山东茌平县的养马场，石勒逃奔到乐平县。太傅司马越班师回到许昌后，擢升苟晞为抚军将军，都督青州、兖州诸军事，任命丁绍为宁北将军、监冀州诸军事，全都假节。

苟晞屡次攻破强大的贼寇，威名远扬，他很善于治理繁重复杂的事务，执法严峻。他的姨母前来投靠他，苟晞对姨母非常孝敬。姨母的儿子向他请求担任将领，苟晞不答应，说："我从来不因为私情而枉法，日后你不会感到后悔吗？"姨母的儿子坚决请求苟晞让他担任将军，苟晞就任命他为督护。后来姨母的儿子犯了法，苟晞手握朝廷所赐的符节将他斩首，姨母给苟晞磕头为儿子求情，苟晞不准。苟晞将姨母的儿子杀死后，就换上素服哭祭，他说："杀死你的人是兖州刺史苟晞，哭祭弟弟的人是苟道将啊！"

胡部大[492]张訇督、冯莫突等拥众数千，壁于上党[493]。石勒往从之，因说訇督等曰："刘单于[494]举兵击晋，部大拒而不从，自度终能独立乎？"曰："不能。"勒曰："然则安可不早有所属？今部落[495]皆已受单于赏募[496]，往往聚议，欲叛部大而归单于矣。"訇督等以为然。冬，十月，訇督等随勒单骑归汉，汉王渊署訇督为亲汉王，莫突为都督部大[497]，以勒为辅汉将军、平晋王以统之[498]。

乌桓张伏利度[499]有众二千，壁于乐平[500]。渊屡招，不能致。勒伪获罪于渊，往奔伏利度。伏利度喜，结为兄弟，使勒帅诸胡寇掠，所向无前，诸胡畏服。勒知众心之附己，乃因会[501]执伏利度，谓诸胡曰："今起大事，我与伏利度谁堪为主？"诸胡咸推勒。勒于是释伏利度，帅其众归汉。渊加勒督山东征讨诸军事，以伏利度之众配之。

十一月戊申朔[502]，日有食之。

甲寅[503]，以尚书右仆射和郁[504]为征北将军，镇邺。

乙亥[505]，以王衍为司徒。衍说太傅越曰："朝廷危乱，当赖方伯[506]，宜得文武兼资以任之。"乃以弟澄为荆州都督，族弟敦为青州刺史。语之曰："荆州有江、汉之固[507]，青州有负海之险[508]。卿二人在外而吾居中，足以为三窟矣[509]。"澄至镇[510]，以郭舒为别驾，委以府事。澄日夜纵酒，不亲庶务，虽寇戎交急，不以为怀。舒常切谏，以为宜爱民养兵，保全州境，澄不从。

十二月戊寅[511]，乞活[512]田甄、田兰、薄盛等起兵，为新蔡王腾报仇，斩汲桑于乐陵[513]，弃成都王颖棺于故井中，颖故臣收葬之。

甲午[514]，以前太傅刘寔为太尉。寔以老固辞，不许。庚子[515]，以光禄大夫高光为尚书令。

前北军中候吕雍、度支校尉陈颜等谋立清河王覃为太子，事觉，

匈奴部落头领张訇督、冯莫突等人拥有几千人，驻扎在上党郡。石勒前去投奔了他们，石勒趁机劝说张訇督等人说："刘渊大单于率领军队攻打晋国，首领拒绝听从他的指挥，你们自己考虑考虑，你们最终能够独立吗？"张訇督等都说："不能。"石勒又说："既然如此，你们为什么不及早有所归属呢？如今你们的部下都已经被刘渊大单于花钱收买了，他们往往聚集在一起私下商议，准备背叛你们而归附刘渊大单于了。"张訇督等人认为石勒说得有道理。冬季，十月，张訇督等人跟随石勒单人匹马投奔汉王刘渊，汉王刘渊封张訇督为亲汉王，封冯莫突为都督部大，任命石勒为辅汉将军、平晋王，统领张訇督等各匈奴部落。

乌桓部落首领张伏利度拥有二千人马，驻扎在乐平郡。刘渊屡次征召他，张伏利度都不肯前往。石勒就假装得罪了刘渊，前去投奔张伏利度。张伏利度非常高兴，便与石勒结拜为异姓兄弟，他让石勒率领诸胡人到处攻杀劫掠，所向无敌，诸胡人全都敬畏石勒，愿意听从石勒的调遣。石勒知道诸胡人全都真心拥戴自己，就趁聚会的时候逮捕了张伏利度，石勒对诸胡人说："如今我们要创立大业，我与张伏利度谁更能胜任首领呢？"诸胡人全都拥戴石勒。石勒于是释放了张伏利度，然后率领诸胡人回归汉王刘渊。刘渊擢升石勒为都督山东征讨诸军事，又将张伏利度的旧部划归石勒统领。

十一月戊申朔，发生日食。

初八日甲寅，晋国朝廷任命尚书右仆射和郁为征北将军，镇守邺城。

十一月二十九日乙亥，任命王衍为司徒。王衍劝说太傅司马越说："朝廷遇到危急动乱的时候，就要依靠镇守一方的都督、刺史等地方大员，所以应当选拔那些文武兼备的人来担任都督、刺史。"于是王衍任命自己的弟弟王澄为荆州都督，任命自己的堂弟王敦为青州刺史。王衍对他们说："荆州有长江、汉水作为屏障，青州有背靠大海的险要形势。你们二人在外各自镇守一方，而我在朝廷担任要职，完全可以作为三窟了。"王澄到达荆州都督任所之后，就任命郭舒为别驾，把军府中各种事务全部委托郭舒办理。王澄自己则日夜开怀畅饮，不理政务，即使是贼寇骚扰、形势紧急，他也不放在心上。郭舒经常恳切地进行劝谏，提醒他应当爱护人民，训养军队，保护荆州境内的平安，王澄置之不理。

十二月初二日戊寅，由山西集体逃荒来到冀州找食物吃的东燕王司马腾的乱兵"乞活"田甄、田兰、薄盛等率众起事，声称为新蔡王司马腾报仇，他们在乐陵县杀死了汲桑，把成都王司马颖的棺木抛弃在枯井之中，司马颖的旧臣把司马颖的棺木捞上来重新安葬。

十二月十八日甲午，朝廷任命前太傅刘寔为太尉。刘寔以自己年老为由坚决推辞，朝廷就是不批准。二十四日庚子，任命光禄大夫高光为尚书令。

前任北军中候吕雍、度支校尉陈颜等人密谋立清河王司马覃为太子，事情被发

太傅越矫诏囚覃于金墉城。

初，太傅越与苟晞亲善，引升堂，结为兄弟。司马潘滔说越曰："兖州冲要，魏武以之创业[516]。苟晞有大志，非纯臣也，久令处之，则患生心腹矣。若迁于青州，厚其名号[517]，晞必悦。公自牧兖州[518]，经纬诸夏[519]，藩卫本朝[520]，此所谓为之于未乱[521]者也。"越以为然。癸卯[522]，越自为丞相，领兖州牧，都督兖、豫、司、冀、幽、并诸军事。以晞为征东大将军、开府仪同三司，加侍中、假节、都督青州诸军事，领青州刺史，封东平郡公。越、晞由是有隙。

晞至青州，以严刻[523]立威，日行斩戮，州人谓之"屠伯"。顿丘[524]太守魏植为流民所逼[525]，众五六万，大掠兖州。晞出屯无盐[526]以讨之。以弟纯领青州，刑杀更甚于晞。晞讨植，破之。

初，阳平[527]刘灵少贫贱，力制奔牛[528]，走及奔马[529]。时人虽异之，莫能举[530]也。灵抚膺叹曰："天乎！何当乱也[531]？"及公师藩起，灵自称将军，寇掠赵、魏[532]。会王弥为苟纯所败，灵亦为王赞所败，遂俱遣使降汉。汉拜弥镇东大将军，青、徐二州牧，都督缘海诸军事，封东莱公，以灵为平北将军。

李钊[533]至宁州[534]，州人奉钊领州事。治中[535]毛孟诣京师，求刺史[536]，屡[29]上奏，不见省[537]。孟曰："君亡亲丧[538]，幽闭穷城[539]，万里诉哀[540]，精诚无感，生不如死！"欲自刎。朝廷怜之，以魏兴[541]太守王逊为宁州刺史，仍诏交州[542]出兵救李钊。交州刺史吾彦[543]遣其子咨将兵救之。

慕容廆[544]自称鲜卑大单于。

拓跋禄官[545]卒，弟猗卢[546]总摄三部[547]，与廆通好。

觉，太傅司马越假传圣旨把司马覃囚禁到金墉城。

当初，太傅司马越与兖州刺史苟晞亲密友善，互相拜见对方的母亲，结为异姓兄弟。在司马越手下担任司马的潘滔对司马越说："兖州地处要冲，魏武帝曹操凭借兖州创立了大业。苟晞一向胸怀大志，不是忠贞不二的大臣，如果让他长期占据那里，恐怕会成为心腹大患。不如把他调到青州任职，提高他的名位，苟晞必定很高兴。您自己担任兖州刺史，规划治理全国，像屏障一样捍卫朝廷，这就是所说的防患于未然。"司马越认为他说得对。十二月二十七日癸卯，司马越自任丞相，兼领兖州牧，都督兖州、豫州、司州、冀州、幽州、并州诸军事。任命苟晞为征东大将军、开府仪同三司，加封侍中、假节、都督青州诸军事，兼任青州刺史，还封苟晞为东平郡公。司马越、苟晞之间因为此事而产生了隔阂。

苟晞到达青州，以严酷苛刻树立威严，每天都要行刑杀人，青州人都称他是"屠伯"。顿丘郡太守魏植被流民胁迫，聚集部众五六万人，到兖州大肆劫掠。苟晞率军屯扎在无盐县以讨伐魏植。苟晞任命自己的弟弟苟纯兼任青州刺史，苟纯更加残暴，刑戮超过苟晞。苟晞讨伐魏植，将魏植打败。

当初，阳平郡人刘灵年少的时候家境贫寒，地位卑贱，然而力大无比，能够制服奔跑的牛，奔跑的速度能够追上狂奔的马。当时的人虽然认为他很不一般，但是没有人举荐他。刘灵抚摸着胸膛叹息着说："老天爷啊！什么时候能有个天下大乱呢?"等到公师藩起兵的时候，刘灵便自为将军，聚众劫掠战国时期赵国、魏国一带地区。恰遇王弥被苟纯打败，刘灵自己也被王赞打败，于是王弥、刘灵二人便都派使者投降了汉王刘渊。汉王刘渊任命王弥为镇东大将军，青、徐二州牧，统领沿海地区各种军事，并封王弥为东莱公，任命刘灵为平北将军。

宁州刺史李毅的儿子李钊来到宁州，宁州人就拥戴李钊暂时代理宁州刺史的职务。担任治中从事史的毛孟前往京师洛阳，请求朝廷迅速任命宁州刺史，虽然他屡次上奏，却不被朝廷接见。毛孟说："刺史李毅已经病死，我的父母也被饿死，我们被围困在一座穷途末路的孤城之中，不远万里从滇池跑到洛阳向朝廷诉说苦衷，然而我的精诚却感动不了朝廷，我活着还不如死了！"毛孟就想自杀。朝廷怜悯他，派魏兴郡太守王逊为宁州刺史，晋怀帝于是下诏让交州刺史吾彦出兵前去救援李钊。交州刺史吾彦派遣自己的儿子吾咨率领军队前往宁州救援李钊。

慕容廆自称鲜卑大单于。

鲜卑族索头部落的头领拓跋禄官去世，他的弟弟拓跋猗卢成为鲜卑索头部落三个支派的总管，与鲜卑大单于慕容廆互通友好。

【段旨】

以上为第三段，写怀帝永嘉元年（公元三〇七年）一年间的大事。主要写了怀帝即位后多问朝政，东海王司马越不满，自请出镇许昌，其兄弟四人各自占据一方；写了司马越任王衍为司徒，王衍任其二弟王澄、王敦皆为都督、刺史，以为其个人的进退营就"三窟"；写了割据江东的军阀陈敏残暴不仁，被其部下顾荣、周玘、甘卓、钱广等与征东将军刘准内外应和破杀，而后琅邪王司马睿在王导等人支持下网罗世家大族，逐渐搭起新政权的班底；写了成都王司马颖的余部汲桑以羯人石勒为前锋，破杀东燕王司马腾，大掠邺城，后来被兖州刺史苟晞击破，石勒遂辗转改投刘渊；其后又有独自起兵失败的王弥、刘灵等人皆往投之，刘渊的势力越来越壮大；写了东北方的慕容廆自称"鲜卑大单于"，另一个鲜卑头领拓跋猗卢也"总摄三部"，势力渐渐兴起，以及成都李雄趁汉中流民起事而派兵援救，大破州郡兵，遂尽徙汉中民入蜀等。

【注释】

㊱⓪正月癸丑：正月初二。㊱①改元：在此之前称惠帝光熙元年，自此开始改称怀帝永嘉元年。㊱②本太子：清河王司马覃早由齐王冏立为太子，后几经废黜。㊱③重言之：周穆、诸葛玫一再进言。㊱④王弥：王弥前被幽州军阀王浚打败，逃入长广山中。㊱⑤二千石：指州郡的太守、郡尉一级的官吏。㊱⑥公交车令：皇宫公交车门的守卫官员。㊱⑦本郡：东莱郡，郡治即今山东莱州。㊱⑧刑政无章：司法、行政杂乱无章。㊱⑨所在为患：人到哪里，就成为哪里的灾难。㊲⓪华谭：字令思，广陵（今江苏扬州）人。祖、父仕吴，入晋后，华谭先后曾为鄄城令、尚书郎、郏令，迁庐江内史。传见《晋书》卷五十二。㊲①遗：给；致。㊲②吴、会：吴郡、会稽郡，代指江东地区。㊲③命危朝露：像早晨的露珠一样，转眼就干，极言陈敏的政权长不了。㊲④剖符名郡：指曾为朝廷的某郡太守。㊲⑤列为近臣：顾荣曾任朝廷侍中、散骑常侍；周玘曾任议郎。㊲⑥更：竟然。㊲⑦辱身奸人之朝：指在陈敏手下为吏。㊲⑧吴武烈父子：指孙坚及其子孙策、孙权。孙坚后被谥为武烈皇帝。㊲⑨凶狡：凶暴狡猾。㊳⓪顽冗：愚蠢；庸劣。㊳①蹑：追踪；仿效。㊳②桓王之高踪：孙策当年的豪迈行为。孙策死后被追谥为长沙桓王。踪，足迹，指开国创业。㊳③蹈：践；遵循。㊳④大皇之绝轨：孙权当年那种别人难以企及的行动。孙权即位后称吴大帝。绝轨，无法企及的轨迹。㊳⑤远度诸贤：即使他想超过你们诸位。㊳⑥犹当未许：那也是不能令人同意的。㊳⑦皇舆东返：指惠帝司马衷自长安返回洛阳。㊳⑧俊彦：俊杰英才。㊳⑨举六师：发动朝廷的军队。㊴⓪清建业：扫清陈敏所盘踞的江东地区。㊴①诸贤：以称顾荣、周玘等。㊴②图敏之心：除掉陈敏的想法。㊴③征东大将军刘准：当时率朝廷的军队驻扎寿春，即今安徽寿县。㊴④临江：南进到江边。㊴⑤剪发为信：剪下一绺头

发作为信物。㊱出历阳：由历阳出兵。历阳是晋县名，县治即今安徽和县。㊲屯乌江：驻兵在乌江口。乌江是长江上的渡口名，也称乌江浦，在今安徽和县东北四十里。㊳牛渚：在今安徽当涂西北的长江边，北部凸入长江中，名采石矶，自古为大江南北重要渡口。㊴州下：扬州刺史的州城建业，今江苏南京。㊵勒兵：部署军队。㊶朱雀桥：建业城南秦淮河上的浮桥。㊷坚甲精兵：坚固的铠甲和锐利的兵器，这里指精兵强将。㊸四出镇卫：到四处走走安定人心，以保卫建业。㊹就我：到我身边来。㊺观兹事势：看看当前的这种形势。㊻有济理不：有成就大业的希望吗？㊼常才：庸才；一般人的资质。㊽计无所定：没有个一定的行动计划。㊾江西诸军：云集长江西岸的朝廷的各路人马。㊿函首送洛：把我们的人头装到匣子里送到洛阳。⑪题曰：盒子上写着。⑫诈称疾迎女：假说自己患病，将其女儿接回家中。甘卓女儿嫁与陈敏之子事，见惠帝永兴二年。⑬断桥二句：截断朱雀桥，把船只都拉到秦淮河的南岸。⑭前松滋侯相丹杨纪瞻：曾经担任松滋（今湖北松滋）侯国宰相的丹杨人，姓纪名瞻。纪瞻字子思，丹杨秣陵（今江苏南京）人。传见《晋书》卷六十八。⑮军人隔水：钱广、甘卓一方的军人隔着秦淮河。⑯戮力陈公：为陈敏效力。⑰顾丹杨、周安丰：顾荣、周玘，因陈敏任顾荣为丹杨太守，任周玘为安丰太守。⑱今皆异：现在的形势都已经变了。⑲江乘：晋县名，县治在今江苏句容北，为长江下游的重要渡口，当南北交通要冲。⑳我负卿：我对不起你。指当初没听陈处之劝杀顾荣等。㉑三月己未朔：三月初九是己未日。此句记事似有误。㉒徐州：今江苏徐州，当时为徐州的州治所在地。㉓顾望：观望，指犹豫不前。㉔以军礼发遣：意思就是把他们武装押送前来。㉕楷：裴楷，字叔则，晋初名臣。裴颜的堂叔。传见《晋书》卷三十五。㉖西阳夷：西阳县的少数民族。西阳县的县治在今湖北黄冈东。㉗朱伺：字仲文，勇武善水战，后为东晋名臣。传见《晋书》卷八十一。㉘两敌共对：两军对垒。㉙杨太后：皇后杨芷，杨骏之女，司马炎死后，被贾充之女、惠帝贾皇后逼死。见本书卷第八十二元康元年（公元二九一年）。㉚丁卯：三月十七。㉛庚午：三月二十。㉜豫章王诠为皇太子：豫章王司马诠是司马瑕之子，晋惠帝与晋怀帝的亲侄子。因怀帝司马炽自己无子，故过继司马诠为皇太子。㉝辛未：三月二十一。㉞庶事：各种政务。㉟出藩：离开朝廷到自己的封地上去做都督刺史。㊱庚辰：三月三十。㊲高密王略：司马略，东海王司马越的亲兄弟。㊳南阳王模：司马模，也是东海王司马越的亲兄弟。㊴东燕王腾：司马腾，也是东海王司马越的亲兄弟。㊵苑：牧马场，这里指山东茌平的牧马场。汲桑在此地起兵后投奔公师藩，藩死，逃回原地。㊶署：委任。㊷新蔡武哀王腾：司马腾，新蔡王是其封号，武哀是谥。㊸资用甚饶：家里的资财非常多。㊹无所振惠：对部下军民不给予任何救济。振，通“赈”。㊺临急：指汲桑的大军逼近邺城。㊻启而后行：向棺木禀告后，再开始行动。㊼火旬日不灭：一连烧了十几天。〖按〗袁绍于汉献帝初平二年（公元一九一年）据守邺城，开始兴建宫殿，后曹操又加以扩充。前后历一百一十七年，至此全部化为灰烬。㊽济自延津：从延津渡过黄河。延津，是黄河渡口名，旧址在今河南卫辉东南，滑县西南。㊹究州：州治廪丘，在今山东郓城西北。㊺苟晞：字道将，先为齐王司马冏、长沙王司马乂的部将，后又跟从司马越。传见《晋书》卷六十一。㊻成固：晋县名，县治在今陕西城固西北十八里。㊼巴西：晋郡名，郡治即今四川阆中。㊽饥窘：饥饿窘迫。㊾缓师：对之放缓进攻。㊿帅吏民：率领残留下来的官吏百姓。⑯南郑：今陕西汉中，当时梁州的州治、汉中郡的郡治都在这里。⑰平原：晋郡名，郡治在今山东平原西。⑱阳平：晋郡名，郡治元城，在今河北大名东。⑲官渡：地名，在今河南中牟东北，临古卞水。⑳己未：七月十一。㉑东武阳：晋县名，县治在今山东阳谷西北。㉒清渊：晋县名，县治在今山东临清西南四十里。㉓分荆州、江州八郡为湘州：分出荆州的衡阳、长沙、湘东、零陵、邵阳、营阳、建昌及江州的桂阳共八郡，建立湘州，州治即今湖南长沙。㉔戊申：九月初一。㉕名论素轻：名望、声价一向不高。㉖禊：古人消除不祥的一种祭祀名，常于春秋二季在水滨举行。㉗肩舆：软轿；滑竿。㉘具威仪：使用全部的仪仗。㉙诸名胜：江东地区的各位社会名流。㉚此土之望：是这个地区享有声望的人物。㉛引之：请出他们。㉜躬造循、荣：亲自到贺循、顾荣家里邀请。㉝军司：将军属下的司马官。㉞军府政事：都督府和扬州刺史府的一切事务。㉟卞壸：字望之，东晋名臣。传见《晋书》卷七十。㊱仓曹属：犹言"仓曹掾"，司马睿手下主管粮秣物资的官员。㊲舍人：侍从官员，以备参谋顾问之用。㊳粹：卞粹，河间王司马颙的党羽，企图谋杀司马乂，被司马乂杀死，见本书卷第八十五太安元年（公元三〇二年）。㊴昭：张昭，字子布，东吴孙权的开国元勋。传见《三国志》卷五十二。㊵抚绥新旧：好好地安抚这些江东地区的本地人和刚从中原渡江过来的人。绥，安、安抚。㊶导以为言：王导对此提出意见。㊷将奔汉：正要去投奔刘渊。㊸丁绍：字叔伦，谯国（今安徽亳州）人，曾为广平太守、徐州刺史、荆州刺史、冀州刺史。传见《晋书》卷九十。㊹邀之于赤桥：邀，截击。赤桥，在今山东聊城西北。㊺马牧：原先他所在的山东茌平的养马场。㊻乐平：晋县名，县治即今山西昔阳。㊼繁剧：繁重复杂的事务。一般指难以治理的政区。㊽其从母依之：他的姨母前往他的官府投靠。㊾不以王法贷人：你若在我手下为吏，日后犯了罪我是不会宽饶的。贷，饶恕、宽免。㊿将无后悔邪：日后你不会后悔吗？㊿杖节斩之：手握朝廷所赐之"节"，将其姨母之子处死。杖节，表示这是按王命行事。㊿胡部大：匈奴部落的头领。匈奴人称其部落头领叫"部大"。㊿壁于上党：驻扎在上党郡。上党郡治在今山西长治市潞城区东北。㊿刘单于：指刘渊。㊿部落：部下；部属。㊿赏募：被花钱收买。㊿都督部大：一个地区的各"部大"的首领。㊿以统之：指统率张訇督等人的各个部落。㊿张伏利度：乌桓部落的首领，姓张，名伏利度。㊿乐平：晋郡名，郡治沾县，在今山西昔阳西南。㊿因会：趁聚会的时刻。㊿戊申朔：十一月丁未朔，非戊申。此处恐记载有误。㊿甲寅：十一月初八。㊿和郁：晋初名臣和峤之弟，以精干著称。附传见《晋书》卷四十五。㊿乙亥：十一月二十九。㊿方伯：一方的诸侯之长，当时指都督、刺史等方面大员。⑤⓪⑦江、汉之固：长江、汉水为荆州的屏障。⑤⓪⑧负海之险：有背靠大海的险要形势。⑤⓪⑨足以为三窟矣：《战国策·齐策》，冯谖谓孟尝君曰，“狡兔有三窟，仅得免其死耳。”此言其王氏家族的势力日后不会再有危险了。⑤①⓪至镇：到达荆州都督的军府，在今湖北襄阳。⑤①①十二月戊寅：十二月初二。⑤①②乞活：由山西集体逃荒到冀州找食物吃的东燕王司马腾的乱兵。田甄、田兰等都是并州的州将。⑤①③乐陵：晋县名，县治在今山东乐陵东南三十里。⑤①④甲午：十二月十八。⑤①⑤庚子：十二月二十四。⑤①⑥魏武以之创业：曹操以兖州作为根据地创业的事，见本书卷第六十、第六十一。⑤①⑦厚其名号：提高他的名位。⑤①⑧自牧兖州：自己任兖州刺史。牧，这里用如动词，管理、担任。⑤①⑨经纬诸夏：治理全国。⑤②⓪藩卫本朝：捍卫朝廷。⑤②①为之于未乱：通常所谓“防患未然”“未雨绸缪”。⑤②②癸卯：十二月二十七。⑤②③严刻：严酷苛刻。⑤②④顿丘：晋郡名，郡治在今河南清丰西。⑤②⑤为流民所逼：言太守魏植被逼与流民一道抄掠兖州。⑤②⑥无盐：晋县名，县治在今山东东平东二十里。⑤②⑦阳平：晋郡名，郡治元城，在今河北大名东北。⑤②⑧力制奔牛：有制服奔牛之力。⑤②⑨走及奔马：其奔跑的速度能追上奔马。及，追上。⑤③⓪莫能举：不能被当地政府举荐为官吏。⑤③①何当乱也：什么时候能有个天下大乱呢。⑤③②赵魏：指战国时赵国所辖的今河北南部及魏国所辖的今河南东部一带地区。⑤③③李钊：前宁州刺史李毅之子。⑤③④宁州：州治滇池，今云南昆明市晋宁区东北。⑤③⑤治中：治中从事史的省称，州刺史的重要僚佐。⑤③⑥求刺史：求朝廷迅速任命刺史，因宁州正被夷人攻打，形势极度危急。⑤③⑦不见省：不被朝廷接见。省，接见、过问。⑤③⑧君亡亲丧：长官李毅病死，自己的父母饿死。⑤③⑨幽闭穷城：指宁州至今被夷人围困。穷城，穷途末路的孤城。⑤④⓪万里诉哀：言自己从滇池跑到洛阳向朝廷求告。⑤④①魏兴：晋郡名，郡治兴晋，在今陕西白河北，当时属荆州。⑤④②仍诏交州：于是给交州刺史下令。仍，意思同“乃”，于是、随即。交州的州治龙编，在今越南河内东北。⑤④③吾彦：人名，姓吾名彦。⑤④④慕容廆：鲜卑族的头领，慕容儁与慕容垂的祖父，当时活动在今辽宁西部、内蒙古东南部一带地区。传见《晋书》卷一百八。⑤④⑤拓跋禄官：鲜卑族索头部落的首领，后被谥为昭帝。⑤④⑥猗㐌：拓跋猗㐌，后被谥为穆帝。传见《魏书》卷一。⑤④⑦总摄三部：成为鲜卑索头部落三个支派的总管。〖按〗拓跋禄官此前曾分其所属为三部，事见本书卷第八十二元康五年（公元二九五年）。

【校记】

［20］王弥：据张敦仁《通鉴刊本识误》，此二字上当有“东莱”二字。［21］因：原无此字。据章钰校，甲十一行本、乙十一行本、孔天胤本皆有此字，今据补。［22］疑之：二字原互乙。据章钰校，甲十一行本、乙十一行本、孔天胤本皆作“疑之”，张瑛《通鉴校勘记》同，今据改。［23］挥：据章钰校，甲十一行本、乙十一行本、孔天胤本皆作“麾”。〖按〗二字通。［24］亲：原作“观”。据章钰校，甲十一行本、乙十一行

本皆作“亲”，张敦仁《通鉴刊本识误》同，今据改。[25]四州：原无此二字。据章钰校，甲十一行本、乙十一行本、孔天胤本皆有此二字，张敦仁《通鉴刊本识误》同，今据补。[26]讨：据章钰校，甲十一行本、乙十一行本、孔天胤本皆作“扫”，张敦仁《通鉴刊本识误》同。[27]等：原无此字。据章钰校，甲十一行本、乙十一行本、孔天胤本皆有此字，张敦仁《通鉴刊本识误》同，今据补。[28]军：据张敦仁《通鉴刊本识误》，此字下当有“谘”字。[29]屡：据章钰校，甲十一行本、乙十一行本皆作“累”。

---

**【原文】**

**二年（戊辰，公元三〇八年）**

春，正月丙午朔，日有食之。

丁未[548]，大赦。

汉王渊遣抚军将军聪等十将南据太行[549]，辅汉将军石勒等十将东下赵、魏。

二月辛卯[550]，太傅越杀清河王覃[551]。

庚子[552]，石勒寇常山[553]，王浚击破之。

凉州刺史张轨病风[554]，口不能言，使其子茂摄州事[555]。陇西内史[556]晋昌张越[557]，凉州大族，欲逐轨而代之，与其兄酒泉太守镇及西平[558]太守曹祛谋遣使诣长安告南阳王模，称轨废疾[559]，请以秦州[560]刺史贾龛代之。龛将受之，其兄让龛[561]曰：“张凉州[562]一时名士，威著西州，汝何德以代之？”龛乃止。镇、祛上疏，更请刺史，未报[563]，遂移檄[564]废轨，以军司杜耽摄州事，使耽表越为刺史[565]。

轨下教[566]，欲避位，归老宜阳[567]。长史王融、参军孟畅蹋折镇檄[568]，排阁[569]入言曰：“晋室多故，明公抚宁西夏[570]，张镇兄弟敢肆凶逆，当鸣鼓诛之！”遂出，戒严[571]。会轨长子寔自京师还，乃以寔为中督护，将兵讨镇。遣镇甥太府主簿[572]令狐亚先往说镇，为陈利害。镇流涕曰：

【语译】

**二年（戊辰，公元三〇八年）**

春季，正月初一日丙午，发生日食。

初二日丁未，大赦。

汉王刘渊派遣抚军将军刘聪等十将率领军队向南占领太行山各要塞，派遣辅汉将军石勒等十将率领军队向东攻取战国时期的赵国、魏国一带地区。

二月十六日辛卯，太傅司马越杀死了清河王司马覃。

二十五日庚子，石勒率兵劫掠常山郡，王浚率领军队打败了石勒。

凉州刺史张轨中风瘫痪，口不能言语，他让自己的儿子张茂代理主持凉州刺史的政务。担任陇西国内史的晋昌郡人张越，是凉州的大族，他想驱逐张轨自己取而代之，就与自己的哥哥酒泉郡太守张镇和西平郡太守曹祛密谋之后派遣使者到长安向南阳王司马模报告，说张轨已经中风瘫痪，请求司马模任命秦州刺史贾龛接替张轨担任凉州刺史。贾龛准备接受司马模的任命，贾龛的哥哥责备他说："张轨是凉州当代的知名人士，声威震慑凉州，你有何德何能取而代之呢？"贾龛于是没有去凉州赴任。张镇、曹祛只得向朝廷上疏，请求朝廷再委派凉州刺史，朝廷没有回复，张镇、曹祛于是向所属各郡县发布通告，擅自罢免了张轨凉州刺史的职务，用担任军司的杜耽暂时代理凉州刺史的职务，让杜耽上书推荐张越为凉州刺史。

张轨给所属诸郡发布谕令，想要辞职回宜阳县老家养老。张轨的长史王融、参军孟畅看了张镇、曹祛发布的通告后非常愤怒，就把写有张镇通告的木板摔在地上用脚踏得粉碎，他们推开房门闯进张轨的卧室，对张轨说："晋国正处在多事之秋，您保障了西部的安宁，张镇兄弟竟敢如此放肆逞凶，犯上作乱，我们就应当擂动战鼓群起讨伐他们！"他们退出张轨的卧室，便召集军队集合。碰巧张轨的长子张寔从京师洛阳回到凉州，王融等就拥戴张寔为中督护，率领军队讨伐张镇。张寔派张镇的外甥、担任太府主簿的令狐亚先去劝说张镇，为张镇分析利害关系。张镇泪流满

“人误我[573]！”乃诣寔归罪。寔南击曹祛，走之。

朝廷得镇、祛疏，以侍中袁瑜为凉州刺史。治中杨澹驰诣长安，割耳盘上[574]，诉轨之被诬。南阳王模表请停瑜[575]，武威太守张琠亦上表留轨。诏依模所表，且命诛曹祛。轨于是命寔帅步骑三万讨祛，斩之。张越奔邺，凉州乃定。

三月，太傅越自许昌徙镇鄄城[576]。

王弥收集亡散，兵复大振，分遣诸将攻掠青、徐、兖、豫四州，所过攻陷郡县，多杀守令，有众数万。苟晞与之连战，不能克。夏，四月丁亥[577]，弥入许昌。

太傅越遣司马王斌帅甲士五千人入卫京师，张轨亦遣督护北宫纯[578]将兵卫京师。五月，弥入自轘辕[579]，败官军于伊北[580]，京师大震，宫城门昼闭。壬戌[581]，弥至洛阳，屯于津阳门[582]。诏以王衍都督征讨诸军事。甲子[583]，衍与王斌等出战[30]。北宫纯募勇士百余人突陈，弥兵大败。乙丑[584]，弥烧建春门[585]而东。衍遣左卫将军王秉追之，战于七里涧[586]，又败之。

弥走渡河[587]，与王桑自轵关[588]如平阳[589]。汉王渊遣侍中兼御史大夫郊迎[590]，令曰:“孤亲行将军之馆[591]，拂席洗爵[592]，敬待将军。”及至，拜司隶校尉，加侍中、特进。以桑为散骑侍郎。

北宫纯等与汉刘聪战于河东[593]，败之。

诏封张轨西平郡公，轨辞不受。时[594]州郡之使，莫有至者，轨独遣使贡献[595]，岁时不绝[596]。

秋，七月甲辰[597]，汉王渊寇平阳，太守宋抽弃郡走，河东太守路述战死。渊徙都蒲子[598]。上郡[599]鲜卑陆逐延、氐酋单征并降于汉。

面地说："他们哄骗了我，我上了他们的当！"张镇于是亲自到张寔那里请罪。张寔率军向南攻打曹祛，将曹祛赶走。

朝廷接到张镇、曹祛再次请求为凉州派遣刺史的奏疏后，便任命担任侍中的袁瑜为凉州刺史。担任治中的杨澹飞马赶往长安，他为了向司马模表示自己的忠实恳切，就把耳朵割下来放在盘子里送给司马模，向司马模诉说张轨被诬陷的情况。南阳王司马模于是上表请求朝廷撤销对袁瑜的任命，武威太守张琠也上表请求让张轨继续留任。晋怀帝司马炽就按照司马模所上奏章的内容下了一道诏书，而且下令诛杀曹祛。张轨接到朝廷的诏书后就命令张寔率领三万步兵、骑兵讨伐曹祛，把曹祛杀死。张越逃奔邺城，凉州于是平定下来。

三月，太傅司马越将大本营从许昌迁移到鄄城县。

王弥召集起逃亡溃散的残兵败将，兵威又振作起来，派遣将领分别进攻、劫掠青州、徐州、兖州、豫州，所到之处，攻陷郡县，杀死郡守县令，部众很快发展到几万人。苟晞与他们一连几次交战，都不能取胜。夏季，四月十三日丁亥，王弥攻入许昌。

太傅司马越派遣手下司马王斌率领五千名全副武装的士兵赶往洛阳保卫京师，凉州刺史张轨也派遣担任督护的北宫纯率军前来保卫京师。五月，王弥的军队经轘辕关攻到洛阳城下，在伊水以北打败了朝廷的军队，京师洛阳为之震动，就连京城内的皇宫大白天也是宫门紧闭。十九日壬戌，王弥到达洛阳，他把军队屯扎在洛阳城的津阳门。晋怀帝赶紧下诏，任命王衍统领征讨诸军事。二十一日甲子，王衍与王斌等出战。北宫纯招募了一百多名勇士，冲入王弥的军阵，王弥的军队大败。二十二日乙丑，王弥烧毁了洛阳城的建春门后向东逃窜。王衍派遣左卫将军王秉追击王弥，在洛阳城东的七里涧双方展开大战，再一次把王弥打败。

王弥向北渡过黄河逃走，与王桑一起从轵关前往平阳郡。汉王刘渊派遣侍中兼御史大夫在京都黎亭的郊外等候迎接，刘渊让他代表自己对王弥说："我已经亲自去了您要下榻的馆舍，为您打扫了座席、洗涮了杯盘，恭敬地等待将军的到来。"王弥来到之后，汉王刘渊任命王弥为司隶校尉，加封侍中、朝会时位置仅次于三公的特进。任命王桑为散骑侍郎。

北宫纯等人率领军队与汉刘聪的军队在河东郡展开大战，把汉刘聪的军队打败。

晋怀帝下诏封张轨为西平郡公，张轨辞让，不肯接受封号。在京都洛阳最危急的这几年时间里，没有一个州郡派遣使者到京师洛阳来进贡，只有张轨照常派遣使者给朝廷进献礼品，按年、按季，从不间断。

秋季，七月初二日甲辰，汉王刘渊攻掠平阳郡，平阳郡太守宋抽弃郡逃跑，河东郡太守路述在作战中阵亡。汉王刘渊把都城由离石迁往蒲子县。上郡的鲜卑人首领陆逐延、氐人首领单征都投降了汉王刘渊。

八月丁亥[600]，太傅越自鄄城徙屯濮阳[601]。未几[602]，又徙屯荥阳[603]。

九月，汉王弥、石勒寇邺，和郁弃城走[604]。诏豫州刺史裴宪屯白马[605]以拒弥，车骑将军王堪屯东燕[606]以拒勒，平北将军曹武屯大阳[607]以备蒲子。宪，楷之子也。

冬，十月甲戌[608]，汉王渊即皇帝位，大赦，改元永凤[609]。十一月，以其子和为大将军，聪为车骑大将军，族子曜为龙骧大将军。

壬寅[610]，并州刺史刘琨使上党太守刘惇帅鲜卑攻壶关[611]，汉镇东将军綦毋达[612]战败亡归。

丙午[613]，汉都督中外诸军事、大司马[31]、领丞相、右贤王宣[614]卒。

石勒、刘灵帅众三万寇魏郡[615]、汲郡[616]、顿丘，百姓望风降附者五十余垒[617]，皆假[618]垒主将军、都尉印绶，简[619]其强壮五万为军士，老弱安堵如故[620]。己酉[621]，勒执魏郡太守王粹于三台[622]，杀之。

十二月辛未朔，大赦。

乙亥[623]，汉主渊以大将军和为大司马，封梁王；尚书令欢乐[624]为大司徒，封陈留王；后父御史大夫呼延翼为大司空，封雁门郡公。宗室以亲疏悉封郡县王，异姓以功伐[625]悉封郡县公侯。

成尚书令杨褒卒。褒好直言，成主雄初得蜀，用度不足，诸将有以献金银得官者。褒谏曰："陛下设官爵，当网罗天下英豪，何有以官买金[626]邪？"雄谢之。雄尝醉，推中书令杖太官令[627]。褒进曰："天子穆穆[628]，诸侯皇皇[629]，安有天子而为酗[630]也！"雄惭而止。

成平寇将军李凤屯晋寿[631]，屡寇汉中，汉中民东走荆沔[632]。诏以张光为梁州刺史。荆州寇盗不禁，诏起[633]刘璠为顺阳内史[634]，江、汉间翕然归之[635]。

八月十五日丁亥，太傅司马越把他的办公地点从鄄城迁到濮阳国。不久，又迁往荥阳县。

九月，汉国的王弥、石勒率军攻掠邺城，负责镇守邺城的征北将军和郁弃城逃走。晋怀帝下诏，命令豫州刺史裴宪率领军队驻扎在白马县抵御王弥的进攻，车骑将军王堪率军屯扎在东燕县抵御石勒的进攻，平北将军曹武率军屯驻在大阳县，防范汉国京师蒲子方向派出的军队。裴宪，是裴楷的儿子。

冬季，十月初三日甲戌，汉王刘渊即皇帝位，实行大赦，改年号为永凤。十一月，刘渊任命他的儿子刘和为大将军，刘聪为车骑大将军，侄子刘曜为龙骧大将军。

十一月初一日壬寅，并州刺史刘琨派遣上党郡太守刘惇率领鲜卑人攻打壶关，汉国镇东将军綦毋达战败后逃回京师蒲子。

十一月初五日丙午，汉国都督中外诸军事、大司马、领丞相、右贤王刘宣去世。

石勒、刘灵率领三万军队劫掠魏郡、汲郡、顿丘郡，百姓望风而降，归附的堡寨就有五十多座，石勒、刘灵对归降的堡寨负责人全部授予将军、都尉的印绶，并从他们当中挑选出五万名强壮的男子补充兵员，而老弱之人仍然像往常一样安居，不受骚扰。十一月初八日己酉，石勒在邺城的三台抓获了魏郡太守王粹，把王粹杀死。

十二月初一日辛未，晋国大赦。

十二月初五日乙亥，汉主刘渊任命大将军刘和为大司马，并封刘和为梁王；任命尚书令刘欢乐为大司徒，封刘欢乐为陈留王；任命皇后的父亲、御史大夫呼延翼为大司空，并封呼延翼为雁门郡公。对宗室成员按照关系亲疏全部封为郡王或县王，异姓人员则按照他们的功勋分别封为郡公、县公、侯爵。

大成国的尚书令杨褒去世。杨褒喜好直言，大成主李雄最初得到蜀地时，由于费用不足，众将领中就有人向国家贡献金银而得到官职。杨褒进谏说："陛下设置官爵，应当网罗天下那些英雄豪杰，为什么要用官职来换取金钱呢？"李雄向他道歉认错。李雄曾经喝得酩酊大醉，他强迫中书令用杖击打太官令。杨褒进谏说："天子应当雍容平易，诸侯才能崇敬守礼，岂有身为天子而酒后逞凶的呢！"李雄感到非常惭愧，立即制止中书令击打太官令。

大成国的平寇将军李凤率军屯驻在晋寿县，他屡次侵扰汉中郡，汉中郡的百姓被迫向东逃亡到荆州北部的沔水流域。晋怀帝下诏，任命张光为梁州刺史。荆州盗贼横行，屡禁不止，晋怀帝下诏起用刘璠出来担任顺阳国的内史，长江、汉水之间的百姓听说刘璠担任顺阳国的内史，全都服服帖帖地前来归附他。

【段旨】

以上为第四段，写怀帝永嘉二年（公元三〇八年）一年间的大事。主要写了匈奴刘渊派其部将刘聪、石勒、刘灵等东攻魏、赵，大破晋兵；写了王弥收合亡散，兵复大振，分攻青、徐、兖、豫等州，乃至攻入许昌，又围攻洛阳，后被张轨派出的勤王军打败；写了刘渊进攻平阳、河东诸郡，迁都蒲子，即皇帝位，周边少数民族多归之；写了凉州刺史张轨中风，其属下张越、张镇、曹祛等欲逐张轨而代之，结果被张轨与其子张寔讨平；写了成都的李雄不断入侵汉中，以及荆州境内的寇盗不禁，朝廷诏起刘弘之子刘璠为顺阳内史，"江、汉间翕然归之"等。

【注释】

⑤④⑧丁未：正月初二。⑤④⑨南据太行：向南占据太行山的各个要塞。太行山蜿蜒在今山西、河北与河南的交界处。这里指山西东南部的壶关、晋城一带。⑤⑤⓪二月辛卯：二月十六。⑤⑤①杀清河王覃：司马覃是司马遐之子，惠帝司马衷的亲侄子。因惠帝的子孙早已被人杀光，故过继司马覃为皇太子。在以往的几年里，司马覃被几立几废，今被杀时年仅十四岁。⑤⑤②庚子：二月二十五。⑤⑤③常山：晋郡名，郡治真定，在今河北正定南。⑤⑤④病风：中风瘫痪。⑤⑤⑤摄州事：代理主持凉州刺史的政务。⑤⑤⑥陇西内史：陇西国的内史。陇西是诸侯国名，都城在今甘肃陇西东南。内史在诸侯国主管民政。⑤⑤⑦晋昌张越：晋昌郡人张越。晋昌郡的郡治在今甘肃瓜州东南。⑤⑤⑧西平：晋郡名，郡治即今青海西宁。⑤⑤⑨废疾：瘫痪。也指不能再治好的病。⑤⑥⓪秦州：州治即今甘肃天水。⑤⑥①让龛：责备贾龛。⑤⑥②张凉州：敬称张轨。⑤⑥③未报：朝廷没有回音。⑤⑥④移檄：向所属各郡县发布通告。⑤⑥⑤表越为刺史：上书推荐张越为刺史。⑤⑥⑥下教：给所属诸郡发布命令。教，文体的一种，指王公大臣以及方面大吏给僚属们所下的谕令。⑤⑥⑦归老宜阳：辞职回归自己的老家宜阳县。当时的宜阳县治在今河南宜阳西五十里。⑤⑥⑧蹋折镇檄：踏碎了张镇所发的通告。因当时的文告都是写在板子上，故看了生气的人就将板子摔在地上用脚踹。⑤⑥⑨排阁：推开房门。阁，内室的门。⑤⑦⓪抚宁西夏：保障西部中国的安宁。西夏，指今河西一带地区。⑤⑦①戒严：召集军队集合。⑤⑦②太府主簿：张轨都督府的大吏，诸文秘人员之长。太府，指都督府，刺史府则称少府。⑤⑦③人误我：他们哄骗了我，我上了他们的当。⑤⑦④割耳盘上：以此表示自己的忠实恳切。⑤⑦⑤停瑜：撤销对袁瑜的任命。⑤⑦⑥鄄城：晋县名，县治在今山东鄄城北之旧城。⑤⑦⑦四月丁亥：四月十三。⑤⑦⑧北宫纯：姓北宫，名纯。⑤⑦⑨入自轘辕：经轘辕关攻到洛阳城下。轘辕关在今河南洛阳市偃师区东南的轘辕山上。⑤⑧⓪伊北：伊水之北。伊水发源于河南卢氏南之闷顿岭，东北流经嵩县、伊川，在洛阳东南汇入洛水。⑤⑧①壬戌：五月十九。⑤⑧②津阳门：洛阳城南面东头第二门。⑤⑧③甲子：五月二十

一。584 乙丑：五月二十二。585 建春门：洛阳东城北头的第一门。586 七里涧：在洛阳城东七里处。587 渡河：北渡黄河。588 轵关：在今河南济源西北，是豫北平原进入山西高原的要冲，为“太行八陉”的第一陉。589 如平阳：到达平阳郡。如，往、到达。平阳郡的郡治在今山西临汾西南。590 郊迎：在京城的郊外等候迎接。刘渊当时的京城是黎亭，即今山西壶关。591 亲行将军之馆：亲自去看了你将要下榻的馆舍。行，检查、视察。592 拂席洗爵：给你打扫了座席，洗涮了杯盘。593 河东：晋郡名，郡治安邑，在今山西夏县西北。594 时：指京都洛阳危急的这几年的时间里。595 贡献：给朝廷进贡礼品。596 岁时不绝：指按年、按季，从不间断。597 七月甲辰：七月初二。598 蒲子：晋县名，县治即今山西隰县。599 上郡：郡治肤施，在今陕西榆林东南。600 八月丁亥：八月十五。601 濮阳：封国名，都城在今河南濮阳西南。602 未几：不久。603 荥阳：晋县名，县治即今河南郑州市惠济区古荥镇。604 和郁弃城走：时和郁为征北将军，镇守邺城。605 白马：晋县名，县治在今河南滑县东。606 东燕：晋县名，县治在今河南延津东北三十五里。607 大阳：晋县名，县治在今山西平陆西南，河南三门峡的北面。608 十月甲戌：十月初三。609 改元永凤：在此以前是刘渊的“元熙五年”。610 壬寅：十一月初一。611 壶关：当时上党郡的郡治所在地，在今山西长治北。612 綦毋达：姓綦毋，名达。613 丙午：十一月初五。614 右贤王宣：刘宣，刘渊之叔。615 魏郡：郡治邺县，在今河北临漳西南。616 汲郡：郡治在今河南卫辉西。617 五十余垒：五十多处防御工事。垒，百姓自己所筑的村垒。618 假：授予。619 简：挑选。620 安堵如故：像往常一样安居，不受骚扰。621 己酉：十一月初八。622 三台：位于邺城西北。中央铜雀台，高十丈，称中台；南方金雀台，高八丈，称南台；北方冰开台，也高八丈，称北台。曹操建于汉献帝建安十五年（公元二一〇年）。623 乙亥：十二月初五。624 尚书令欢乐：刘欢乐，刘渊之子。625 功伐：功勋。626 以官买金：用官职换取金钱。627 太官令：为帝王主管膳食的官吏。628 穆穆：雍容平易的样子。629 皇皇：崇敬守礼的样子。630 酗：耍酒疯；酒后逞凶。631 晋寿：县名，县治葭萌，在今四川广元市昭化区东南五十里。632 荆沔：荆州北部的沔水流域，即今湖北的汉水流域。633 诏起：朝廷下令让其停止服丧，出来为吏。634 顺阳内史：顺阳国的内史。顺阳在今河南内乡西南。635 江、汉间翕然归之：刘璠是前荆州刺史刘弘的儿子，荆州的百姓由于怀念刘弘，所以都来归附刘璠。翕然，服帖的样子。

## 【校记】

［30］甲子，衍与王斌等出战：原无此九字。据章钰校，甲十一行本、乙十一行本、孔天胤本皆有此九字，张敦仁《通鉴刊本识误》、张瑛《通鉴校勘记》同，今据补。［31］大司马：原无此三字。据章钰校，甲十一行本、乙十一行本、孔天胤本皆有此三字，张瑛《通鉴校勘记》同，今据补。

**【研析】**

本卷写了晋惠帝永兴二年（公元三〇五年）到晋怀帝永嘉二年（公元三〇八年）共四年间的西晋与前赵、成汉等国的大事，其中可议论的有以下几点。

第一，惠帝光熙元年（公元三〇六年），“十一月己巳，夜，帝食饼中毒。庚午，崩于显阳殿。”这件事情自然是东海王司马越干的，但史未明言，当时也没有任何一位朝臣对此提出过追查凶手的话。对于这种现象，清代王夫之《读通鉴论》发表见解说，这是因为天下人都希望晋惠帝死，并说：“惠帝死而乱犹甚、国犹亡；惠帝不死，则琅邪虽欲存一线于江东也不可得。”他分析司马越当时所处的形势说：“贵戚之卿有易位之责，而越不能；养昏汶之主以速及于亡，而抑不可。顾怀帝之尚有可为，而非惠帝之死弗能立也。决出于倒行之一计，而扳怀帝以立，已无私焉，故天下且如释重负而想望图存之机。故一时人心翕然胥为隐晦，以免越官官之辟；后世亦存为疑案，而不推行鸩之人。夫人苟处不得已之势而志非逆者，则天讨不加，而清议不相摘发……为天下任恶，天下所矜而容之者也。”这倒也真是一件很有意思的历史公案。

第二，本卷写了荆州刺史刘弘之死，并写了刘弘死后荆州地区不安宁，直到朝廷起用了刘弘的儿子刘璠为这个地区的行政官员，这个地区的人们才“翕然归之”。刘弘在西晋的地方官员中向上接着羊祜，向下连着陶侃，在他们这个关系链上产生了荆湘地区一连串的历史佳话。王夫之《读通鉴论》满怀感情地评价刘弘说：“晋保江东以存中国之统，刘弘之力也。弘任陶侃、诛张昌、平陈敏，而江东复为完土。侃长以其才，弘大以其量，唯弘能用侃，侃固在弘帡幪之中也。夫弘又岂徒以其量胜哉？弘无往不持以正者也。司马越之讨颙，颙假诏使弘攻越，弘不为颙攻越，亦不为越攻颙，而但移书以责其罢兵，正也，颙逆而越亦不顺也。恶张方之凶悖，不得已择于二者之间而受越节度，亦正也；受越节度，终不北向以犯阙诛颙，亦正也；张光者，颙之私人，讨陈敏有功，不以颙故而抑之，亦正也；天下方乱而一之以正，行乎其所当行，止乎其所当止，不为慷慨任事之容，不操偏倚委重之心，千载而下如见其岳立海涵之气象焉。使晋能举国而任之，虽乱而可以不亡。惜乎其不能独任，而弘亦早世以终也。微弘，则周玘、顾荣、贺循无所惮而保其贞；微弘，则陶侃无所托以尽其才；微弘，则琅邪南迁，王导亦无资以立国。晋不能用弘，而弘能用晋。呜呼，当危乱之世，镇之以静，虑之以密，守之以大正，而后可以为社稷之臣。”遗憾的是深受人民拥戴的刘璠后来竟被别有用心的山简诋毁，被调到他处，结果“南夏遂乱”。《晋书》的作者说：“父老追思弘，虽《甘棠》之咏召伯，无以过也。”

第三，本卷写了奇女子李秀的动人事迹。宁州（今云南一带）地区连年饥荒，少数民族的五苓夷趁势进攻宁州，围南夷校尉李毅于州城。李毅年老多病，向朝廷请救，朝廷没有回音。后来李毅病死，宁州形势更加危急的时刻，吏民拥戴李毅的女儿李秀权理州事。李秀“明达有父风”，她“奖厉战士，婴城固守，城中粮尽，炙鼠拔草而食之”。她“伺夷稍怠，辄出兵掩击，破之”。就这样，一直坚持了好几年，直到她的哥哥李钊到达宁州，李秀这才交了班。说书唱戏，人们常提到晋朝的荀灌，而从来没有提到过李秀，故而这里特别予以表彰。

第四，司马越把持政权后，起用一批老官僚，又重新起用了王衍。王衍其人早在本书卷第八十二《晋纪四》里介绍过，这是个身居高位，却从来不理政事的家伙，最大的嗜好就是清谈《老子》《庄子》。如今又被司马越请上台，王衍首先做的是把他的亲弟弟王澄任为荆州都督，把他的堂弟王敦任为青州刺史，而后得意地说:“荆州有江、汉之固，青州有负海之险。卿二人在外而吾居中，足以为三窟矣。”看这些人身居高位，都是想的什么？图的什么？简直是一群行尸走肉！相比之下，看北方正在崛起的刘渊、石勒、慕容廆等，一个个英姿勃发，那才是真老虎呢！未来的天下没法不是他们的。

# 卷第八十七　晋纪九

起屠维大荒落（己巳，公元三〇九年），尽重光协洽（辛未，公元三一一年），凡三年。

【题解】

本卷写晋怀帝永嘉三年（公元三〇九年）到永嘉五年共三年间的西晋、前赵与成汉等国的大事。主要写了司马越入掌朝权，因诛除异己而众叛亲离，又因与苟晞争权夺利，互动刀兵，因遭失败而忧愤致死；写了汉将石勒引兵追击司马越的丧车，破杀晋兵十余万，王衍、司马范、司马济、司马澹等一大批王公贵臣，通通都被杀死，并对司马越剖棺焚尸，以及晋朝军阀苟晞性行骄暴，被石勒击败擒杀事；写了汉主刘渊病死，太子刘和为去威胁而谋诛刘聪、刘盛、刘义等，结果被刘聪击杀；刘聪取得帝位后派刘粲、刘曜、王弥、石勒等分攻晋朝的河北、

【原文】

孝怀皇帝中

永嘉三年（己巳，公元三〇九年）

春，正月辛丑朔[①]，荧惑犯紫微[②]。汉太史令[③]宣于脩之[④]言于汉主渊曰："不出三年，必克洛阳。蒲子崎岖[⑤]，难以久安。平阳[⑥]气象方昌[⑦]，请徙都之。"渊从之。大赦，改元河瑞[⑧]。

三月戊申[⑨]，高密孝王略[⑩]薨。以尚书左仆射山简[⑪]为征南将军，都督荆、湘、交、广四州诸军事，镇襄阳。简，涛之子也，嗜酒，不恤[⑫]政事。表顺阳内史刘璠得众心，恐百姓劫璠为主[⑬]。诏征璠为越骑校尉[⑭]。南州[⑮]由是遂乱，父老莫不追思刘弘。

丁巳[⑯]，太傅越自荥阳入京师。中书监[⑰]王敦谓所亲曰："太傅

河南，又派呼延晏、刘曜、王弥、石勒等进攻洛阳，俘获晋怀帝；以及晋将索綝、阎鼎、贾疋等迎秦王司马邺到长安，为司马邺称帝做准备。写了汉将王弥与石勒闹矛盾，阴谋除掉石勒，结果被石勒袭杀；写了石勒之侄石虎的残暴善战，为后文做伏笔；写了司马睿在江南网罗才俊，并将势力向江北发展；洛阳溃散后周颉等逃投司马睿，东晋小王朝的班底日渐齐备；此外还写了李雄的“成国”与邻近州郡彼此攻杀，互有胜负；拓跋猗卢部落南移并州之北部地区、鲜卑慕容廆讨平素喜连、木丸津部落，势力都逐渐壮大等。

---

【语译】

孝怀皇帝中

**永嘉三年（己巳，公元三〇九年）**

春季，正月初一日辛丑，荧惑星运行到了紫微垣的位置。汉国太史令宣于脩之对汉主刘渊说：“不出三年的时间，我们必然能够攻克晋国的京师洛阳。我们现在的都城蒲子地势崎岖不平，难以长治久安。而平阳却呈现出昌盛的气象，请陛下将都城迁往平阳吧。”刘渊听从宣于脩之的建议将都城从蒲子迁移到了平阳。在汉国内实行大赦，改年号为“河瑞”。

三月初九日戊申，晋国高密王司马略去世。朝廷任命担任尚书左仆射的山简为征南将军，都督荆州、湘州、交州、广州四州诸军事，镇守襄阳。山简，是山涛的儿子，嗜酒如命，而对军政大事漠不关心。山简上表给朝廷说，顺阳国内史刘璠深得民心，恐怕那里的百姓会强迫刘璠为荆州的一州之主。晋怀帝司马炽因此下诏征调刘璠回京师担任越骑校尉。南方的荆州、交州、广州各州随后又陷入混乱，父老乡亲无不追思、怀念刘弘。

三月十八日丁巳，太傅司马越从荥阳进入京师洛阳。担任中书监的王敦对自己

专执威权，而选用表请[18]，尚书犹以旧制裁之[19]，今日之来，必有所诛[20]。”

帝之为太弟也，与中庶子缪播[21]亲善。及即位，以播为中书监，缪胤[22]为太仆卿，委以心膂[23]。帝舅散骑常侍王延、尚书何绥、太史令高堂冲，并参机密。越疑朝臣贰于己[24]，刘舆、潘滔劝越悉诛播等。越乃诬播等欲为乱。乙丑[25]，遣平东将军王秉帅甲士三千入宫，执播等十余人于帝侧，付廷尉杀之。帝叹息流涕而已。

绥，曾[26]之孙也。初，何曾侍武帝宴[27]，退，谓诸子曰："主上开创大业，吾每宴见，未尝闻经国远图[28]，惟说平生常事[29]，非贻厥孙谋[30]之道也。及身而已[31]，后嗣其殆乎[32]！汝辈犹可以免[33]。"指诸孙曰："此属[34]必及于难。"及绥死，兄嵩哭之曰："我祖其殆圣乎[35]！"曾日食万钱，犹云无下箸处[36]。子劭，日食二万。绥及弟机、羡，汰侈[37]尤甚。与人书疏，词礼简傲[38]。河内王尼[39]见绥书，谓人曰："伯蔚[40]居乱世而矜豪乃尔，其能免乎？"人曰："伯蔚闻卿言，必相危害。"尼曰："伯蔚比闻我言[41]，自已死矣！"及永嘉[42]之末，何氏无遗种[43]。

臣光曰："何曾讥[44][1]武帝偷惰[45]，取过目前[46]，不为远虑，知天下将乱，子孙必与其忧[47]，何其明也！然身为僭侈，使子孙承流[48]，卒[49]以骄奢亡族，其明安在哉！且身为宰相，知其君之过，不以告[50]而私语于家，非忠臣也。"

太傅越以王敦[51]为扬州[52]刺史。

刘寔连年请老[53]，朝廷不许。尚书左丞刘坦上言："古之养老[54]，以

的亲信说："太傅司马越大权在握，独断专行，他想任用什么人就采用上表奏请的方式，而尚书省还用老规定予以否定、驳回，如今司马越入朝，一定会杀几个存心和他作对的人。"

晋怀帝为太弟的时候，与担任中庶子的缪播关系亲密友好。等到他即位做了皇帝之后，就任用缪播为中书监，任用缪播的堂弟缪胤为太仆卿，把心腹大事都交给他们去办理。怀帝的舅父散骑常侍王延、尚书何绥、太史令高堂冲，同时参与商定朝廷的机密大事。司马越怀疑朝廷大臣对自己不是一心一意，而是脚踩两条船，刘舆、潘滔就借机劝说司马越把缪播等人全部杀掉。司马越于是诬陷缪播等人想要谋反。三月二十六日乙丑，司马越派遣平东将军王秉率领三千名全副武装的士兵闯入皇宫，在晋怀帝的身边将缪播等十多位大臣抓捕起来，交给廷尉全部处死。晋怀帝无可奈何，只有叹息流泪而已。

何绥是何曾的孙子。当初，何曾曾经参加晋武帝司马炎的宴会，何曾回到家中对自己的儿子们说："皇上虽然开创了国家大业，然而我每次参加宴会、接受召见的时候，从来没有听到皇上谈论治理国家的长远打算，只听他说些过去的生活小事，这不是为子孙后辈做长远打算的做法。看来也就是能维持他这一代罢了，他的接班人恐怕就很危险了！你们这些儿子辈的还可以平平安安不致被杀。"他又指着孙子辈的人说："他们这些人一定会遭受劫难。"等到何绥遇害时，何绥的哥哥何嵩在哭祭何绥的时候说："我的祖父差不多是个圣人啊！"何曾当年每天的伙食费价值万钱，可他还说没有什么东西值得他拿筷子去夹。何曾的儿子何劭，每天的伙食费需要两万钱。何绥和他的弟弟何机、何羡，奢侈浪费更加厉害。何绥写信给别人，言辞傲慢，不讲礼节。河内郡人王尼看过何绥的书信后对别人说："伯蔚身居乱世，却如此恃强傲物，岂能免除灾祸呢？"有人提醒王尼说："伯蔚听到你说这样的话，必定会伤害你。"王尼说："等到伯蔚听到我说这些话的时候，恐怕他的死期已经到了！"到了永嘉末年，何家竟然没有一个后代留在世上。

司马光说："何曾批评晋武帝司马炎偷安懒惰，只顾眼前得过且过，而不为子孙后代作长远打算，因此预知天下将要发生动乱，自己的子孙必定会跟着他一块倒霉，这是何等的先见之明啊！然而他自己却奢侈无度，使儿孙们也学着他的样子骄奢淫逸，最终以骄奢淫逸导致家族灭亡，他的先见之明又表现在哪里呢！况且他身为宰相，知道皇帝的过错却不把自己的这些看法对皇帝讲，反而私下里告诉自己的家人，可见他不是忠臣。"

太傅司马越任命王敦为扬州刺史。

刘寔连年请求告老还乡，朝廷都不批准。担任尚书左丞的刘坦上疏给朝廷说：

不事[55]为优，不以吏之[56]为重，谓宜听寔所守[57]。”丁卯[58]，诏寔以侯就第，以王衍为太尉。

太傅越解兖州牧[59]，领司徒。越以顷来兴事[60]多由殿省[61]，乃奏宿卫有侯爵者[62]皆罢之。时殿中武官并封侯，由是出者略尽，皆泣涕而去。更使右卫将军何伦、左卫将军王秉领东海国兵[63]数百人宿卫。

左积弩将军朱诞奔汉，具陈[64]洛阳孤弱，劝汉主渊攻之。渊以诞为前锋都督，以灭晋大将军刘景为大都督，将兵攻黎阳[65]，克之。又败王堪于延津[66]，沈[67]男女三万余人于河。渊闻之，怒曰：“景何面复见朕！且天道岂能容之！吾所欲除者，司马氏耳，细民何罪[68]！”黜景为平虏将军。

夏，大旱，江、汉、河、洛皆竭[69]，可涉[70]。

汉安东大将军石勒寇钜鹿、常山[71]，众至十余万，集衣冠人物[72]，别为君子营[73]。以赵郡张宾[74]为谋主[75]，刁膺为股肱[76]，夔安、孔苌、支雄、桃豹、逯明为爪牙[77]，并州诸胡、羯多从之。

初，张宾好读书，阔达有大志，常自比张子房[78]。及石勒徇山东[79]，宾谓所亲曰：“吾历观诸将，无如此胡将军[80]者，可与共成大业。”乃提剑诣军门，大呼请见，勒亦未之奇也。宾数以策干勒[81]，已而[82]皆如所言。勒由是奇之，署为军功曹[83]，动静咨之[84]。

汉主渊以王弥为侍中，都督青、徐、兖、豫、荆、扬六州诸军事、征东大将军、青州牧，与楚王聪[85]共攻壶关[86]，以石勒为前锋都督。刘琨[87]遣护军黄肃、韩述救之。聪败述于西涧[88]，勒败肃于封田[89]，皆杀之。

太傅越遣淮南内史王旷、将军施融、曹超将兵拒聪等。旷济河[90]，

“古代奉养老人，以不让老人操心任职为最好，以不让老人居官任职为尊重，朝廷应当顺从刘寔自己的意愿，允许他退休养老。”三月二十八日丁卯，晋怀帝下诏，准许刘寔以侯爵的身份回到自己的府第养老，任命王衍为太尉。

太傅司马越辞去兖州刺史的职务，以太傅的身份兼任司徒。司马越认为近来发生的一些政变，大多是皇帝身边的人打着皇帝的旗号发动起来的，于是奏请晋怀帝之后，就将禁卫军中有侯爵身份的人全部罢免。当时皇宫中的武官全都封了侯，因此禁卫军军官几乎全部被逐出宫廷，这些人哭哭啼啼地离开了皇宫。司马越改派右卫将军何伦、左卫将军王秉率领着司马越封国东海国中的几百名士兵负责宫廷警卫。

晋国的左积弩将军朱诞投奔了汉国，他向汉主刘渊详细述说了洛阳孤立和衰弱的情况，劝说汉主刘渊进攻洛阳。于是刘渊任命朱诞为前锋都督，任命灭晋大将军刘景为大都督，率领军队进攻黎阳县，攻占了黎阳。又在黄河延津渡口打败了晋国的守将王堪，把俘获的男女老幼总计三万多人全部扔进黄河里淹死。刘渊听说此事后，非常恼怒地说：“刘景还有什么脸面再来见我呢！而且他这样做天理岂能容他！我想要消灭的，是司马氏家族罢了，平民百姓有什么罪过呢！”于是贬黜刘景为平虏将军。

夏季，全国大旱，长江、汉水、黄河、洛河全都枯干少水，人们蹚着水就能过河。

汉安东大将军石勒率军劫掠巨鹿、常山国，部众达到十多万人，他把那些有身份、有地位的人集中起来，单独编为一支君子营，享受较好的待遇。任用赵郡人张宾为主要谋士，以刁膺为自己的心腹骨干，夔安、孔苌、支雄、桃豹、逯明为供驱使的得力武将，并州的胡人、羯人大多都投靠了石勒。

当初，张宾爱好读书，行为豁达，心怀大志，他经常把自己比作刘邦的谋臣张良。当石勒带兵经营太行山以东时，张宾对自己最亲近的人说：“我仔细地观察了许多将领，没有人能够比得上这位胡人将军，我们可以跟随他共同成就伟大的事业。”于是，就手提宝剑径直前往石勒的军门，大声呼喊着请求石勒接见他，石勒也不认为张宾有何奇特之处。张宾多次求见石勒，向石勒献计献策，而事情的发展果然都像张宾所预料的那样。石勒从此才感到张宾确实不是寻常之人，于是就签署命令，任命张宾为军中主管记功行赏的军功曹，自己的一举一动都征求张宾的意见。

汉主刘渊任命王弥为侍中，都督青、徐、兖、豫、荆、扬六州诸军事、征东大将军、青州牧，与楚王刘聪一起合力攻打晋国的壶关，任命石勒为前锋都督。晋国并州刺史刘琨派遣护军黄肃、韩述率军前去救援壶关。刘聪在西涧打败了韩述，石勒在封田打败了黄肃，韩述、黄肃全都被杀。

太傅司马越派遣淮南国内史王旷、将军施融、曹超率领军队抵御刘聪等人的进犯。王旷渡过黄河，抵达黄河北岸，就想长驱直入，将军施融劝阻王旷说：“刘聪他

欲长驱而前，融曰："彼乘险间出[91]，我虽有数万之众，犹是一军独受敌也。且当阻水为固[92]，以量[93]形势，然后图之。"旷怒曰："君欲沮众[94]邪?"融退曰："彼[95]善用兵，旷暗于事势[96]，吾属[97]今必死矣!"旷等逾[2]太行[98]与聪遇，战于长平[99]之间。旷兵大败，融、超皆死。聪遂破屯留、长子[100]，凡斩获万九千级[101]。上党[102]太守庞淳以壶关降汉。刘琨以都尉张倚领上党太守，据襄垣[103]。

初，匈奴刘猛[104]死，右贤王去卑之子诰升爰[105]代领其众。诰升爰卒，子虎立，居新兴[106]，号铁弗氏[107]，与白部鲜卑[108]皆附于汉。刘琨自将[109]击虎，刘聪遣兵袭晋阳，不克。

五月，汉主渊封子裕为齐王，隆为鲁王。

秋，八月，汉主渊命楚王聪等进攻洛阳。诏平北将军曹武等拒之，皆为聪所败。聪长驱至宜阳[110]，自恃骤胜[111]，怠不设备。九月，弘农[112]太守垣延诈降，夜袭聪军，聪大败而还。

王浚[113]遣祁弘与鲜卑段务勿尘[114]击石勒于飞龙山[115]，大破之。勒退屯黎阳[116]。

冬，十月，汉主渊复遣楚王聪、王弥、始安王曜[117]、汝阴王景[118]帅精骑五万寇洛阳，大司空雁门刚穆公呼延翼[119]帅步卒继之。丙辰[120]，聪等至宜阳。朝廷以汉兵新败，不意其复至，大惧。辛酉[121]，聪屯西明门[122]。北宫纯[123]等夜帅勇士千余人出攻汉壁[124]，斩其征虏将军呼延颢。壬戌[125]，聪南屯洛水[126]。乙丑[127]，呼延翼为其下所杀。其众自大阳[128]溃归。渊敕聪等还师，聪表称晋兵微弱，不可以翼、颢死故还师，固请留攻洛阳，渊许之。太傅越婴城自守。戊寅[129]，聪亲祈嵩山[130]，留平晋将军安阳哀王厉[131]、冠军将军呼延朗督摄留军[132]。太傅参军[133]孙询说越乘虚出击朗，斩之，厉赴水[134]死。王弥谓聪曰："今军既失利，洛阳守备犹固，运车在陕[135]，粮食不支数日。殿下不如与龙骧[136]还平阳，裹

们凭借着险要的地势不时出击，我们虽然有几万士兵，只是一支军队，独自受敌。我们应当与汉军隔着黄河，把黄河作为一道屏障，然后观察好形势，再想办法消灭他们。”王旷大怒说：“你想要动摇军心吗?”施融退出营帐说：“刘聪善于用兵，而王旷看不清敌军的形势，我们这些人今天是必死无疑了!”王旷等人在翻越太行山时与刘聪的军队相遇，双方在长平展开大战。王旷被打得大败，施融、曹超全都战死。刘聪随后又攻破屯留县、长子县，总计斩杀、俘获了晋军一万九千人。上党郡太守庞淳献出壶关向汉军投降。并州刺史刘琨任命都尉张倚暂时代理上党郡太守，据守襄垣。

当初，南匈奴单于刘猛死后，右贤王刘去卑的儿子诰升爰代管刘猛的部下。诰升爰死后，儿子刘虎继位，居住在新兴郡，号称铁弗氏，与鲜卑族的白部落都依附汉主刘渊。晋国的并州刺史刘琨亲自率领军队袭击刘虎，刘聪派军袭击晋阳，都没有取胜。

五月，汉主刘渊封自己的儿子刘裕为齐王，封刘隆为鲁王。

秋季，八月，汉主刘渊命令楚王刘聪等进攻洛阳。晋怀帝下诏命令平北将军曹武等人率军抵抗，曹武等都被刘聪打败。刘聪率军长驱直入逼近宜阳县，他仗恃自己屡屡取胜，就懈怠起来，毫不设防。九月，晋国弘农郡太守垣延向刘聪诈降，趁黑夜袭击刘聪的军队，刘聪大败而回。

晋国王浚派遣祁弘与鲜卑首领段务勿尘一起到飞龙山攻打石勒，把石勒打得大败。石勒率军撤退到黎阳驻扎。

冬季，十月，汉主刘渊再次派楚王刘聪、司隶校尉王弥、始安王刘曜、汝阴王刘景率领五万精锐骑兵侵犯洛阳，大司空雁门刚穆公呼延翼率领步兵紧随其后。二十一日丙辰，刘聪等到达宜阳县。晋国朝廷认为汉兵刚刚吃了败仗，没有料到他们会再次大举前来进犯，因此都非常恐惧。二十六日辛酉，刘聪把军队屯扎在洛阳城西面的西明门。晋将北宫纯等人利用夜色做掩护率领一千多名勇士出城偷袭刘聪的营垒，斩杀了他们的征虏将军呼延颢。二十七日壬戌，刘聪把军队移屯到洛阳城南的洛水岸边。乙丑日这一天，汉国大司空呼延翼被自己的部下杀死。呼延翼所率领的步兵从大阳县一路溃逃而回。刘渊下诏，命令刘聪等人撤军，刘聪上表述说晋兵势力微弱，不能因为呼延翼、呼延颢一死就撤军回国，坚决请求留下来继续攻打洛阳城，刘渊最后同意了刘聪的意见。太傅司马越亲自率军固守洛阳。戊寅日这天，刘聪亲自前往嵩山进行祈祷，留下平晋将军安阳哀王刘厉、冠军将军呼延朗暂时代替他统领驻扎在洛水边的这支军队。在太傅司马越手下担任参军的孙询劝说司马越趁刘聪不在军中的机会出兵攻打呼延朗，结果大获全胜，杀死了呼延朗，刘厉跳入洛水被河水淹死。王弥对刘聪说：“如今军队已经失利，洛阳的防守仍然很坚固，我们运送粮食的车队还远在陕县，军中的粮食已经支撑不了几天。殿下不如与龙骧将军刘曜暂且返回平阳，等筹集到足

粮[137]发卒，更为后举；下官亦收兵谷[138]，待命于兖、豫[139]，不亦可乎？”聪自以请留，未敢还。宣于脩之言于渊曰：“岁在辛未[140]，乃得洛阳。今晋气犹盛，大军不归，必败。”渊乃召聪等还。

天水人訇琦[141]等杀成太尉李离、尚书令阎式，以梓潼[142]降罗尚[143]。成主雄遣太傅骧、司徒云、司空璜攻之，不克，云、璜战死。

初，谯周[144]有子居巴西[145]，成巴西太守马脱杀之，其子登诣刘弘[146]请兵以复仇。弘表登为梓潼内史，使自募巴、蜀流民，得二千人，西上，至巴郡，从罗尚求益兵[147]，不得。登进攻宕渠[148]，斩马脱，食其肝。会梓潼降，登进据涪城[149]。雄自攻之，为登所败。

十一月甲申[150]，汉楚王聪、始安王曜归于平阳[151]。王弥南出轘辕[152]，流民之在颍川[153]、襄城[154]、汝南[155]、南阳[156]、河南[157]者数万家，素为居民[158]所苦，皆烧城邑，杀二千石[159]、长吏以应弥。

石勒寇信都[160]，杀冀州刺史王斌。王浚自领冀州[161]。诏车骑将军王堪、北中郎将裴宪将兵讨勒。勒引兵还，拒之。魏郡[162]太守刘矩以郡降勒。勒至黎阳，裴宪弃军奔淮南，王堪退保仓垣[163]。

十二月，汉主渊以陈留王欢乐[164]为太傅，楚王聪为大司徒，江都王延年为大司空。遣都护大将军曲阳王贤[165]与征北大将军刘灵、安北将军赵固、平北将军王桑东屯内黄[166]。王弥表左长史曹嶷行安东将军[167]，东徇青州[168]，且迎其家[169]，渊许之。

初，东夷校尉[170]勃海李臻与王浚约共辅晋室，浚内有异志，臻恨之。和演之死[171]也，别驾昌黎王诞[172]亡归李臻，说臻举兵讨浚。臻遣其子成将兵击浚。辽东[173]太守庞本素与臻有隙，乘虚袭杀臻，遣人杀成于无虑[174]。诞亡归慕容廆。诏以勃海封释代臻为东夷校尉。庞本复谋杀之，释子悛劝释伏兵请本[175]，收斩之，悉诛其家。

够的粮食再发兵攻打洛阳，我也回去招兵积粮，到兖州、豫州二州等候朝廷的命令，不是也可以吗?”刘聪因为是自己请求留下来进攻洛阳的，所以不敢撤军。宣于脩之对刘渊说:“按照以前的预测，必须等到辛未年，我们才能得到洛阳。如今晋朝的气数仍然很盛，大军不归，必定要失败。”刘渊这才召刘聪等人撤军回国。

天水人訇琦等人杀死了大成国的太尉李离、尚书令阎式，把梓潼郡献给晋国的罗尚，向罗尚投降。成主李雄派遣太傅李骧、司徒李云、司空李璜率军攻打訇琦，没有取胜，李云、李璜全都战死。

当初，谯周的一个儿子居住在巴西郡，大成国的巴西郡太守马脱将他杀死，他的儿子谯登就跑到荆州刺史刘弘那里请求派兵为他父亲报仇。刘弘上表奏请谯登为梓潼国的内史，让谯登自己去招募巴、蜀的流民，谯登招募到两千人，率领着这两千人西上，到达巴郡后，又向益州刺史罗尚请求为自己增派军队，罗尚没有给他增派军队。谯登只得率领自己招募来的这两千多人进攻宕渠县，杀死大成国的巴西郡太守马脱，生吃了马脱的肝脏，为父亲报了仇。恰值訇琦献出梓潼郡向罗尚投降，谯登便占据了涪城。成主李雄亲自率领军队进攻涪城，却被谯登打败。

十一月二十日甲申，汉国楚王刘聪、始安王刘曜率军回到都城平阳。司隶校尉王弥南下出轘辕关，流亡到颍川郡、襄城郡、汝南郡、南阳国、河南郡的几万家流民，由于一向受土著居民的欺辱，所以他们就烧毁城邑，杀死郡中的太守、长吏响应王弥。

石勒率军进犯冀州州治所在地信都，杀死了冀州刺史王斌。幽州刺史王浚便宣布由自己兼任冀州刺史。晋怀帝下诏命令车骑将军王堪、北中郎将裴宪率军去讨伐石勒。石勒回师迎战王堪、裴宪。魏郡太守刘矩献出魏郡，向石勒投降了。石勒到达黎阳，裴宪抛下军队逃往淮南，王堪退兵据守仓垣县。

十二月，汉主刘渊任命陈留王刘欢乐为太傅，任命楚王刘聪为大司徒，江都王刘延年为大司空。刘渊派都护大将军曲阳王刘贤与征北大将军刘灵、安北将军赵固、平北将军王桑率领军队向东驻扎在内黄县。王弥上表请求汉主刘渊任命左长史曹嶷临时充任安东将军之职，向东开拓新的疆土，夺取青州，顺便接取他的家属，刘渊批准了王弥的请求。

当初，担任东夷校尉的勃海人李臻与幽州刺史王浚相约共同辅佐晋室，而王浚却怀有图谋不轨的野心，所以李臻非常憎恨他。和演被王浚杀死后，在和演手下担任别驾的昌黎人王诞逃亡投奔了李臻，他劝说李臻发兵讨伐王浚。李臻就派自己的儿子李成率领军队袭击王浚。辽东太守庞本一向与李臻有仇怨，便乘虚袭击李臻，把李臻杀死，又派人到无虑县杀死了李成。王诞再次逃亡，投奔了慕容廆。晋怀帝下诏任命勃海郡人封释接替李臻为东夷校尉。庞本又阴谋除掉封释，封释的儿子封悛劝说封释预先设下伏兵，约请庞本相见，于是逮捕了庞本，把庞本杀死，并诛杀了庞本的全家。

【段旨】

以上为第一段，写晋怀帝永嘉三年（公元三〇九年）一年间的大事。主要写了司马越入掌朝权，杀不顺己意者缪播、何绥等人，并加强对殿省机要人员的换班与严加控制；写了汉主刘渊派刘景、石勒、王弥、刘聪等攻晋州郡，晋兵大败；写了刘渊派刘聪、刘曜、王弥等进攻洛阳，被晋军攻破；写了刘渊又分兵进攻河北、河南以及山东半岛，以及李雄的“成国”被天水人訇琦与谯周之孙谯登攻破，损失惨重等。

【注释】

①正月辛丑朔：正月初一是辛丑日。②荧惑犯紫微：火星运行到了紫微垣的位置。荧惑，即火星，由于火星呈红色，荧荧像火，亮度常有变化，而且在天空中运行，看去有时从西向东，有时又似从东向西，情况复杂，令人迷惑，所以我国古代称它为“荧惑”。紫微，也称“紫微垣”，星座名，古代天文学家分天体恒星为三垣，中垣有紫微十五星，亦称“紫宫”。“犯紫微”即运行到了紫微的位置。③汉太史令：刘渊属下的史官。太史令，官名，掌天文、历法、撰史等事。④宣于脩之：宣于似应作“鲜于”。姓鲜于，名脩之。⑤崎岖：地势崎岖不平。⑥平阳：今山西临汾。⑦方昌：正呈昌盛之势。⑧改元河瑞：在此之前刘渊的年号是“永凤元年”。⑨三月戊申：三月初九。⑩高密孝王略：司马略，东海王司马越的亲兄弟。高密王是其封号，“孝”字是其死后的谥。⑪山简：字季伦，晋初官僚山涛的幼子，永嘉初，曾任尚书左仆射，领吏部。传见《晋书》卷四十三。⑫不恤：不关心；不忧虑。⑬劫播为主：劫制强迫刘播为荆州的一州之主。刘播是原荆州刺史刘弘之子。⑭越骑校尉：驻京城部队的八个校尉之一。⑮南州：指荆、交、广诸州。⑯丁巳：三月十八。⑰中书监：负责给皇帝起草政令的长官。⑱选用表请：指司马越上表请求皇帝任用某人。⑲犹以旧制裁之：还按照老规定予以否定、驳回。裁，指不同意、不批准。⑳必有所诛：一定会杀几个存心和他作对的人。㉑缪播：字宜则，以杀张方有功，官至中书令。传见《晋书》卷六十。㉒缪胤：字休祖，缪播的堂弟，曾为魏郡太守、冠军将军、南阳太守等职。传见《晋书》卷六十。㉓委以心膂：把心腹的大事交给他管。膂，脊梁。㉔贰于己：对自己不是一心一意，左右观望，脚踩两条船。㉕乙丑：三月二十六。㉖曾：何曾，司马炎的开国功臣。传见《晋书》卷三十三。㉗侍武帝宴：参加武帝司马炎的宴会。㉘经国远图：治理国家的长远打算。㉙平生常事：过去的生活小事。㉚非贻厥孙谋：不是为后辈儿孙做打算。㉛及身而已：也就是能维持他自身这一代罢了。㉜后嗣其殆乎：他的接班人就很危险啦。殆，危险。㉝汝辈犹可以免：你们这儿子辈的还不致牵连被杀。㉞此属：他们这些孙子辈的。㉟殆圣乎：真差不多是圣人啦。㊱无下箸处：没有什么东西可用筷子夹，意即都不

想吃。㊲汰侈：浪费奢侈。㊳词礼简傲：说话傲慢，不讲礼节。㊴王尼：字孝孙，当时有名的放达之士。传见《晋书》卷四十九。㊵伯蔚：何绥的字。㊶比闻我言：等他听到我的这些话时。比，及、等到。㊷永嘉：晋怀帝年号（公元三〇七至三一二年）。㊸无遗种：没有一个后代留在世上。㊹讥：批评。㊺偷惰：苟且偷安，得过且过，以言其贪图安逸，不思进取的样子。㊻取过目前：只要眼下过得去就行了。㊼必与其忧：必定要跟着他一块倒霉。与，卷入。㊽子孙承流：儿孙们也学着他的样子骄侈淫逸。㊾卒：最终。㊿不以告：不把自己的这些看法对皇帝讲。(51)王敦：字处仲，琅邪临沂（今属山东）人，王衍的堂弟，晋武帝的女婿，后成为东晋初期的大权奸。传见《晋书》卷九十八。(52)扬州：扬州的州治即今江苏南京。(53)请老：请求退休。(54)养老：奉养老人，这里实际是说应该如何对待老人。(55)不事：不让他们太操心任职。(56)吏之：让他们居官任职。(57)宜听寔所守：应当顺从刘寔自己的意见。所守，所提、所坚持。(58)丁卯：三月二十八。(59)解兖州牧：免去其兖州刺史的职务。(60)顷来兴事：近来所发生的一些政变。(61)多由殿省：大多出自皇帝身边的人，囚禁羊皇后，囚禁太子司马覃等，都是皇帝身边的人与外部勾结所为。(62)宿卫有侯爵者：禁卫军的将领有侯爵身份的。(63)东海国兵：来自司马越封国的士兵。〖按〗自此怀帝司马炽遂被司马越牢牢控制。(64)具陈：详细报告。(65)黎阳：晋县名，县治在今河南浚县东北。(66)延津：古黄河渡口名，在今河南卫辉东北。(67)沈：通“沉”。(68)细民何罪：平民百姓有何罪过。(69)竭：枯干少水。(70)可涉：可以蹚水过河，极言其水之浅。(71)钜鹿、常山：晋之二郡国名，钜鹿国的都城廮陶，在今河北宁晋西南，常山郡的郡治真定，在今河北正定西南。(72)集衣冠人物：把部下那些有身份的人（指晋朝投降过去的官僚士大夫们）集中在一起。(73)别为君子营：单独编为一支有身份的军队，享受较好的待遇。(74)张宾：字孟孙，赵郡中丘（今河北内丘）人。传见《晋书》卷一百五。(75)谋主：各项智谋的提供者。(76)股肱：原指大腿、胳膊，这里指骨干、心腹。(77)爪牙：供驱使的得力武将。(78)张子房：刘邦的谋士张良，字子房。事见《史记·留侯世家》。(79)徇山东：带兵经营太行山以东的河北地区。徇，开拓、经营。(80)此胡将军：这位胡人的将军。古代称匈奴人为胡，羯与匈奴有亲缘关系。(81)以策干勒：求见石勒，给石勒出主意。干，求、求见。(82)已而：事后；结果。(83)军功曹：军中主管记功行赏的官。(84)动静咨之：一举一动都征求他的意见。(85)楚王聪：刘聪，刘渊的儿子。(86)壶关：在今山西长治北。(87)刘琨：此时为并州刺史。(88)西涧：在今山西长治西郊。(89)封田：在今山西长治北。(90)济河：指渡过黄河，抵达北岸。(91)乘险间出：凭借险要地势时而出击。间出，不时而出。(92)阻水为固：隔着黄河作为屏障。(93)量：观察；斟酌。(94)沮众：动摇军心。沮，瓦解、破坏。(95)彼：敌人，指刘聪。(96)暗于事势：看不清敌军的形势。暗，愚昧、看不清。(97)吾属：我等；我们这些人。(98)逾太行：在翻越太行山的时候。(99)长平：古地名，在今山西高平。(100)屯留、长子：皆晋县名，屯留县治在今山西长治市屯留区南，长子在今山西长子西南。(101)级：首级；人头。(102)上党：晋郡名，郡治潞县，在今山西长治市潞城区东北。⑩③据襄垣：据襄垣以守。襄垣县治在今山西襄垣北。⑩④刘猛：魏末晋初时为南匈奴单于，后外逃叛乱，被晋将构杀。事见本书卷第七十九泰始八年（公元二七二年）。⑩⑤诰升爰：人名。⑩⑥新兴：晋郡名，郡治九原，即今山西忻州。⑩⑦铁弗氏：北人称父匈奴、母鲜卑所生的子女为“铁弗”。刘虎始有此号，子孙因以为氏。其曾孙勃勃称大夏天王，又改称为“赫连氏”，其余仍称“铁弗氏”。⑩⑧白部鲜卑：鲜卑族的白部落。⑩⑨自将：亲自率军。⑪⓪宜阳：晋县名，县治在今河南宜阳西五十里。⑪①骤胜：屡屡取胜。⑪②弘农：晋郡名，郡治在今河南灵宝东北。⑪③王浚：晋将名，此时任骠骑大将军、幽州刺史。⑪④鲜卑段务勿尘：鲜卑族一个部落的头领，王浚的女婿。⑪⑤飞龙山：在今河北石家庄西南。⑪⑥黎阳：晋县名，县治在今河南浚县东郊。⑪⑦始安王曜：刘曜，刘渊的族子。传见《晋书》卷一百三。⑪⑧汝阴王景：刘景，刘渊的部将，原为右于陆王。⑪⑨雁门刚穆公呼延翼：雁门公是呼延翼的封号，刚穆是其死后的谥。⑫⓪丙辰：十月二十一。⑫①辛酉：十月二十六。⑫②西明门：洛阳西面南头的第二门。⑫③北宫纯：晋将，姓北宫名纯。⑫④汉壁：刘聪的营垒。⑫⑤壬戌：十月二十七。⑫⑥洛水：洛水由西南方流来，流经洛阳城南。⑫⑦乙丑：本月无“乙丑”日，疑记事有误。⑫⑧大阳：晋县名，县治在今山西平陆西南。⑫⑨戊寅：本月亦无“戊寅”日，疑记事有误。⑬⓪祈嵩山：到嵩山祈祷。嵩山在今洛阳南登封北，即“五岳”中的中岳。⑬①安阳哀王厉：刘厉，安阳王是其封号，哀是谥。⑬②督摄留军：监督、统领驻扎在洛水的军队。⑬③太傅参军：太傅司马越的参谋官员。⑬④赴水：投河。⑬⑤运车在陕：运粮的车队还远在陕县。陕县的县治在今河南三门峡西郊。⑬⑥龙骧：指刘曜，时为龙骧将军。⑬⑦裹粮：携带粮食，这里实指筹集粮食。⑬⑧收兵谷：指招兵积粮。⑬⑨待命于兖、豫：到兖、豫二州去等候时机。兖州的州治廪丘，在今山东郓城西北，豫州的州治即今河南周口市淮阳区。⑭⓪辛未：辛未年，当时指后年（公元三一一年）。⑭①訇琦：姓訇名琦。⑭②梓潼：晋郡名，郡治即今四川梓潼。⑭③罗尚：晋将，原为益州刺史。兵败后，东退巴郡，郡治在今重庆市西北。⑭④谯周：蜀汉刘禅的光禄大夫，劝刘禅投降司马氏的就是他。传见《三国志》卷四十二。⑭⑤巴西：晋郡名，郡治即今四川阆中。⑭⑥刘弘：晋王朝的封疆

【原文】

**四年（庚午，公元三一〇年）**

春，正月乙丑朔[176]，大赦。

汉主渊立单征女[177]为皇后，梁王和为皇太子，大赦。封子义为北海王，以长乐王洋[178]为大司马。

大吏，当时任荆州刺史。⑭益兵：增加兵力。⑱宕渠：晋县名，县治在今四川渠县东北。⑲涪城：在今四川绵阳东北，涪江东岸，地当成都东北之要冲。⑳十一月甲申：十一月二十。㉑平阳：刘渊的都城，在今山西临汾西南郊。㉒轘辕：关塞名，在今河南洛阳东南的轘辕山上。㉓颍川：晋郡名，郡治许昌，今河南许昌东。㉔襄城：晋郡名，郡治即今河南襄城。㉕汝南：晋郡名，郡治即今河南息县。㉖南阳：封国名，都城即今河南南阳。㉗河南：晋郡名，郡治即今河南洛阳。㉘居民：指当地的土著居民。㉙二千石：指郡太守一级的官员。㉚信都：今河北衡水市冀州区，当时为冀州的州治所在地。㉛自领冀州：王浚原为幽州刺史，今则凭着势力强大自己宣布兼任冀州刺史。㉜魏郡：郡治邺城，在今河北临漳西南。㉝仓垣：晋县名，在今河南开封东北。㉞陈留王欢乐：刘欢乐，刘渊的族人，被封为陈留王。㉟曲阳王贤：刘贤，刘渊的族人，被封为曲阳王。㊱内黄：晋县名，县治在今河南内黄西北。㊲行安东将军：临时充任安东将军之职。行，代理、临时充任。㊳东徇青州：向东开拓、攻取青州地面。徇，略地、开辟新的疆域。青州的州治临淄，即今山东淄博市临淄区。㊴且迎其家：王弥是东莱国人，地属青州。㊵东夷校尉：武官名，当时驻兵于今辽宁辽阳，任务是监管东北地区少数民族的动向。㊶和演之死：和演受司马颖委任为幽州刺史，欲谋杀王浚，事泄为王浚所杀。事见本书卷第八十五永兴元年（公元三〇四年）。㊷别驾昌黎王诞：和演的僚属。别驾是州刺史的高级僚属，出行时单独乘一辆车。㊸辽东：封国名，其都城与东夷校尉的治所都在今辽宁辽阳。㊹无虑：晋县名，县治在今辽宁北镇东南。㊺伏兵请本：先埋伏好军队，而后邀请庞本前来。

【校记】

［1］讥：原作“议”。据章钰校，甲十一行本、乙十一行本、孔天胤本皆作“讥”，今从改。［2］逾：原作“于”。据章钰校，甲十一行本、乙十一行本、孔天胤本皆作“逾”，张敦仁《通鉴刊本识误》、张瑛《通鉴校勘记》同，今从改。

【语译】

**四年（庚午，公元三一〇年）**

春季，正月初一日乙丑，晋国宣布大赦。

汉主刘渊立氐族人单征的女儿为皇后，立梁王刘和为皇太子，宣布大赦。又封儿子刘乂为北海王，任命长乐王刘洋为大司马。

汉镇东大将军石勒济河，拔白马[179]。王弥以三万众会之，共寇徐、豫、兖州。二月，勒袭鄄城[180]，杀兖州刺史袁孚，遂拔仓垣，杀王堪。复北济河，攻冀州诸郡，民从之者九万余口。

成太尉李国镇巴西[181]，帐下文石[182]杀国，以巴西降罗尚。

太傅越征[183]建威将军吴兴钱璯及扬州刺史王敦。璯谋杀敦以反，敦奔建业，告琅邪王睿。璯遂反，进寇阳羡[184]。睿遣将军郭逸等讨之。周玘纠合乡里，与逸等共讨璯，斩之。玘三定江南[185]，睿以玘为吴兴[186]太守，于其乡里置义兴郡[187]以旌[188]之。

曹嶷自大梁[189]引兵而东，所至皆下，遂克东平[190]，进攻琅邪[191]。

夏，四月，王浚将祁弘败汉冀州刺史刘灵于广宗[192]，杀之。

成主雄谓其将张宝曰："汝能得梓潼，吾以李离之官[193]赏汝。"宝乃先杀人而亡奔梓潼，訇琦等信之，委以心腹。会罗尚遣使至梓潼，琦等出迎[3]之，宝从后闭门，琦等奔巴西。雄以宝为太尉。

幽、并、司、冀、秦、雍六州大蝗，食草木、牛马毛皆尽。

秋，七月，汉楚王聪、始安王曜、石勒及安北大将军赵固[4]围河内太守裴整于怀[194]，诏征虏将军宋抽救怀。勒与平北大将军王桑逆击抽，杀之。河内人执整以降，汉主渊以整为尚书左丞。河内督将郭默收整余众，自为坞主[195]，刘琨[196]以默为河内[197]太守。

罗尚卒于巴郡，诏以长沙太守下邳皮素代之。

庚午[198]，汉主渊寝疾[199]。辛未[200]，以陈留王欢乐为太宰，长乐王洋为太傅，江都王延年为太保，楚王聪为大司马、大单于，并录尚书事[201]。置单于台[202]于平阳西，以齐王裕为大司徒，鲁王隆为尚书令，北海王义为抚军大将军，领司隶校尉，始安王曜为征讨大都督，领单于左辅，

汉国镇东大将军石勒渡过黄河，攻克了白马县。王弥率领三万军队与石勒会合后，共同攻打徐州、豫州、兖州。二月，石勒攻破鄄城，杀死了兖州刺史袁孚，随即又攻下仓垣县，杀死了晋国的车骑将军王堪。又向北渡过黄河，攻打冀州所属的各郡，百姓之中追随石勒的多达九万多人。

成国太尉李国镇守巴西郡，李国的部下文石杀死了李国，献出巴西郡向晋国的益州刺史罗尚投降。

晋国的太傅司马越征调建威将军吴兴郡人钱璯以及扬州刺史王敦入京。钱璯阴谋要杀掉王敦以图叛乱，王敦逃奔建业，将钱璯准备谋反的情况报告给琅邪王司马睿。钱璯随后发兵作乱，他率领军队劫掠阳羡县。司马睿派遣将军郭逸等率军讨伐钱璯。周玘召集乡里民众，与郭逸等共同讨伐钱璯，把钱璯杀死。周玘三次平定江南有功，琅邪王司马睿任命周玘为吴兴郡太守，并将周玘的家乡设置为义兴郡，以表彰周玘的功劳。

汉安东将军曹嶷率领大军从大梁向东进发，所到之处势如破竹，他攻克东平国之后，又进攻琅邪国。

夏季，四月，幽州刺史王浚的部将祁弘在广宗县打败汉国的冀州刺史刘灵，刘灵兵败被杀。

成主李雄对他的将领张宝说："你如果能够攻下梓潼郡，我就把李离所担任的太尉职务赏给你。"张宝于是就先杀了人而后逃往梓潼郡，訇琦等人不仅相信了张宝，还把他作为自己的心腹使用。碰巧益州刺史罗尚所派的使者到达梓潼城，訇琦等人出城迎接，张宝抓住这个机会在后面关闭了梓潼城门，訇琦等人无法入城只得逃奔巴西郡。李雄于是任命张宝为太尉。

幽州、并州、司州、冀州、秦州、雍州发生严重蝗灾，蝗虫不仅吃光了庄稼草木，就连牛马身上的毛都吃光了。

秋季，七月，汉国的楚王刘聪、始安王刘曜、镇东大将军石勒以及安北大将军赵固率军将晋国的河内郡太守裴整团团围困在怀县城内，晋怀帝司马炽下诏，命令征虏将军宋抽率军前往怀县救援裴整。镇东大将军石勒与平北大将军王桑迎战宋抽，把宋抽杀死。河内郡人捉住了裴整向汉国投降，汉主刘渊任命裴整为尚书左丞。担任河内郡督将的郭默召集起裴整的残兵败将，自封为坞主，并州刺史刘琨任命郭默为河内郡太守。

晋国的益州刺史罗尚在巴郡去世，晋怀帝下诏，任命长沙太守下邳人皮素接替罗尚益州刺史的职务。

七月初九日庚午，汉主刘渊卧病不起。初十日辛未，刘渊任命陈留王刘欢乐为太宰，长乐王刘洋为太傅，江都王刘延年为太保，楚王刘聪为大司马、大单于，并全面兼管尚书省的事务。在平阳之西建立大单于的办事机构单于台，任命齐王刘裕为大司徒，鲁王刘隆为尚书令，北海王刘义为抚军大将军，兼任司隶校尉；始安王

廷尉乔智明为冠军大将军，领单于右辅。光禄大夫刘殷为左仆射，王育为右仆射，任颤为吏部尚书，朱纪为中书监，护军马景领左卫将军，永安王安国领右卫将军。安昌王盛、安邑王钦、西阳王璇皆领武卫将军，分典禁兵。初，盛少时，不好读书，唯读《孝经》《论语》，曰："诵此能行[203]，足矣，安用多诵而不行乎！"李熹见之，叹曰："望之如可易[204]，及至[205]，肃如严君[206]，可谓君子矣！"渊以其忠笃[207]，故临终委以要任。丁丑[208]，渊召太宰欢乐等入禁中，受遗诏辅政。己卯[209]，渊卒，太子和[210]即位。

和性猜忌无恩。宗正呼延攸，翼之子也，渊以其无才行，终身不迁官[211]，侍中刘乘素恶楚王聪，卫尉西昌王锐耻不预顾命[212]，乃相与谋，说和曰："先帝不惟[213]轻重之势，使三王[214]总强兵于内，大司马[215]拥十万众屯于近郊[216]，陛下便为寄坐[217]耳。宜早为之计。"和，攸之甥也，深信之。辛巳[218]夜，召安昌王盛、安邑王钦等告之。盛曰："先帝梓宫在殡[219]，四王[220]未有逆节，一旦自相鱼肉，天下谓陛下何[221]？且大业甫尔[222]，陛下勿信谗夫之言以疑兄弟。兄弟尚不可信，他人谁足信哉！"攸、锐怒之曰："今日之议，理无有二，领军[223]是何言乎！"命左右刃之。盛既死，钦惧，曰："惟陛下命。"壬午[224]，锐帅马景攻楚王聪于单于台，攸帅永安王安国攻齐王裕于司徒府，乘帅安邑王钦攻鲁王隆，使尚书田密、武卫将军刘璇攻北海王义。密、璇挟义斩关[225]归于聪，聪命贯甲[226]以待之。锐知聪有备，驰还，与攸、乘共攻隆、裕。攸、乘疑安国、钦有异志，杀之。是日[227]，斩裕。癸未[228]，斩隆。甲申[229]，聪攻西明门[230]，克之。锐等走入南宫，前锋随之。乙酉[231]，杀和于光极西室[232]，收锐、攸、乘，枭首通衢[233]。

群臣请聪即帝位，聪以北海王义单后之子[234]也，以位让之。乂涕

刘曜为征讨大都督，兼任单于左辅；担任廷尉的乔智明为冠军大将军，兼任单于右辅。任命光禄大夫刘殷为左仆射，王育为右仆射，任颉为吏部尚书，朱纪为中书监，护军马景兼任左卫将军，永安王刘安国兼任右卫将军。安昌王刘盛、安邑王刘钦、西阳王刘璇都兼任武卫将军，分别统领禁卫军。当初，安昌王刘盛在少年的时候，不喜欢读书，只读《孝经》《论语》，他说："读了这些书，能够做到其中所言就足够了，哪里用得着读那么多书而不按照去做呢！"李熹见到刘盛，叹息着说："远远地望着他，好像没有什么了不起，但到了他跟前，觉得他俨然一位严肃的君长，他真可以称得上是君子啊！"刘渊因为安昌王刘盛忠厚、诚实，所以在临终的时候把重要的职务委任给他。十六日丁丑，刘渊将太宰刘欢乐等人召进宫中，让他们接受遗诏辅佐朝政。十八日己卯，汉主刘渊去世，太子刘和即位为皇帝。

刘和生性猜忌，待人苛刻少恩。担任宗正的呼延攸，是呼延翼的儿子，刘渊认为呼延攸既缺少才干品行又不佳，所以始终不提升他的官职，侍中刘乘一向憎恶楚王刘聪，卫尉西昌王刘锐以没有被列为顾命大臣而感到羞耻，于是这三个人就一起密谋，然后在刘和面前挑拨说："先帝不认真考虑权势轻重，就让齐王刘裕、鲁王刘隆、北海王刘义三个人在都城之内掌握重兵，让大司马刘聪统率着十万人马驻扎在京城的近郊，陛下等于是借人家的位子坐着。陛下应当早点拿出主意才是。"刘和，是呼延攸的外甥，因此非常听信呼延攸等人。七月二十日辛巳夜间，刘和召见安昌王刘盛、安邑王刘钦等人，并把呼延攸等人的话告诉他们。安昌王刘盛说："先帝的棺椁还停在堂上没有安葬，刘聪、刘裕、刘隆、刘义四王又没有叛逆的真凭实据，一旦自相残杀，天下人对您将会有怎样的评论呢？况且大业刚刚开创出这么个大好局面，希望陛下不要听信那些谗夫挑拨离间的话而怀疑自己的兄弟。兄弟如果都不可信，其他人还有谁值得相信呢！"呼延攸、刘锐大怒，就冲着刘盛说："今天商议的事情，没有第二个道理可讲，你刚才说的是什么话呀！"立即命令左右侍从用刀捅死了刘盛。看到安昌王刘盛被杀，安邑王刘钦非常害怕，赶紧说："我对陛下唯命是从。"二十一日壬午，西昌王刘锐率领马景到平阳西面的单于台攻打楚王刘聪，呼延攸率领永安王刘安国到司徒府围攻齐王刘裕，侍中刘乘率领安邑王刘钦攻打鲁王刘隆，派尚书田密、武卫将军刘璇攻打北海王刘义。田密、刘璇挟持着刘义劈开平阳城门去投奔刘聪，刘聪命令士兵穿上铠甲等待刘锐的进攻。刘锐得知刘聪已有准备，迅速返回，与呼延攸、刘乘合兵一处攻打鲁王刘隆、齐王刘裕。呼延攸、刘乘怀疑刘安国、刘钦心怀异志，就先行把他们杀死。当天，杀死了齐王刘裕。二十二日癸未，又杀死了鲁王刘隆。二十三日甲申，刘聪攻入平阳城的西明门。刘锐等人逃入南宫，刘聪的前锋部队紧追不舍。二十四日乙酉，刘聪在光极殿的西屋杀死了刘和，逮捕了刘锐、呼延攸、刘乘，将他们的人头砍下来挂在十字街头的高竿上示众。

文武大臣请求刘聪即皇帝位，刘聪因为北海王刘义是单太后所生，是皇帝刘渊

泣固请[235]，聪久而许之，曰："义及群公正以祸难尚殷[236]，贪孤年长故耳。此家国之事，孤何敢辞！俟[237]义年长，当以大业归之。"遂即位。大赦，改元光兴[238]。尊单氏曰皇太后，其母张氏曰帝太后。以义为皇太弟[239]，领大单于、大司徒。立其妻呼延氏为皇后。呼延氏，渊后之从父妹[240]也。封其子粲[241]为河内王，易为河间王，翼为彭城王，悝为高平王。仍以粲为抚军大将军，都督中外诸军事。以石勒为并州刺史，封汲郡公。

略阳[242]临渭氐酋蒲洪[243]骁勇多权略，群氐畏服之。汉主聪遣使拜洪平远将军，洪不受，自称护氐校尉、秦州刺史、略阳公。

九月辛未[244]，葬汉主渊于永光陵，谥曰光文皇帝，庙号高祖。

雍州流民多在南阳，诏书遣还乡里。流民以关中荒残，皆不愿归。征南将军山简、南中郎将杜蕤各遣兵送之，促期令发。京兆王如遂潜结壮士，夜袭二军[245]，破之。于是冯翊严嶷、京兆侯脱各聚众攻城镇，杀令长[246]以应之。未几，众至四五万，自号大将军，领司、雍二州牧，称藩于汉[247]。

冬，十月，汉河内王粲、始安王曜及王弥帅众四万寇洛阳。石勒帅骑二万会粲于大阳[248]，败监军裴邈于渑池[249]，遂长驱入洛川[250]。粲出轘辕[251]，掠梁、陈、汝、颍[252]间。勒出成皋关[253]，壬寅[254]，围陈留[255]太守王赞于仓垣[256]，为赞所败，退屯文石津[257]。

刘琨自将讨刘虎[258]及白部[259]，遣使卑辞厚礼说鲜卑拓拔猗卢[260]以请兵。猗卢使其弟弗之子郁律[261]帅骑二万助之，遂破刘虎、白部，屠其营。琨与猗卢结为兄弟，表猗卢为大单于，以代郡[262]封之为代公。时代郡属幽州，王浚不许，遣兵击猗卢，猗卢拒破之。浚由是与琨有隙。

的嫡子，所以就将皇帝的宝座让给北海王刘乂。刘乂痛哭流涕，坚决请求刘聪即皇帝位，刘聪过了好久才答应，刘聪对群臣说："北海王刘乂以及文武群臣因为时局动荡、灾祸不断，考虑我年岁较大才把我推上皇帝宝座。这是关系国家兴亡的大事情，我哪里敢再推辞！等刘乂长大之后，我就把国家大权归还给他。"于是刘聪即皇帝位。宣布大赦，改年号为光兴。尊单氏为皇太后，尊自己的生母张氏为帝太后。封北海王刘乂为皇太弟，兼任大单于、大司徒。立妻子呼延氏为皇后。皇后呼延氏，是刘渊皇后的堂妹。刘聪封自己的儿子刘粲为河内王，刘易为河间王，刘翼为彭城王，刘悝为高平王。仍然以刘粲为抚军大将军，都督中外诸军事。任命石勒为并州刺史，封石勒为汲郡公。

略阳郡郡治所在地临渭的氐族部落首领蒲洪骁勇善战，很有权谋，其他的氐族部落都因为惧怕他而听命于他。汉主刘聪派遣使者任命蒲洪为平远将军，蒲洪拒绝接受刘聪的任命，他自称护氐校尉、秦州刺史、略阳公。

九月十一日辛未，刘聪将汉主刘渊安葬于永光陵，谥为光文皇帝，祭庙称为高祖庙。

雍州的流民大多都滞留在南阳郡，晋怀帝下诏让他们返回故里。而流民认为关中荒凉残破，都不愿意回去。征南将军山简、南中郎将杜蕤分别派遣士兵护送流民回乡，并设定期限催促他们按期出发。京兆人王如于是悄悄地联络壮士，趁黑夜偷袭、打败了山简、杜蕤派来护送流民的军队。于是冯翊人严嶷、京兆人侯脱各自聚集民众攻城略镇，杀掉所在县的县令、县长，以响应王如。没过多久，王如就聚集了四五万人，自称大将军，兼任司州、雍州二州刺史，归附于刘聪，自称是刘聪的诸侯、部属。

冬季，十月，河内王刘粲、始安王刘曜以及王弥率领四万军队进攻洛阳。并州刺史石勒率领二万骑兵在大阳县与河内王刘粲会师，他们在渑池县打败了晋国的监军裴邈，随后长驱直入进入洛川地区。河内王刘粲率军出轘辕关，在梁郡、陈郡、汝南郡、颍川郡一带纵兵抢掠。石勒率军出成皋关，十三日壬寅，石勒企图将陈留郡太守王赞围困于仓垣，结果被王赞打败，石勒将军队撤退到黄河文石津渡口驻扎。

刘琨独自率领军队，讨伐匈奴铁弗氏首领刘虎以及鲜卑族的白部落，派遣使者携带着厚重的礼物，低声下气地请求鲜卑拓跋猗卢派兵帮助作战。拓跋猗卢便派自己的弟弟拓跋弗的儿子拓跋郁律率领二万骑兵协助刘琨作战，于是刘琨打败刘虎和白部落，踏平了他们的营寨。刘琨与拓跋猗卢结拜为异姓兄弟，刘琨向朝廷上表奏请任命拓跋猗卢为大单于，朝廷于是把代郡封给拓跋猗卢，封拓跋猗卢为代公。当时代郡属于幽州管辖，幽州刺史王浚不同意，于是派军队攻打拓跋猗卢，拓跋猗卢出兵抵抗，并把王浚打败。王浚因此与刘琨结下怨仇。

猗卢以封邑去国悬远[263]，民不相接，乃帅部落万余家自云中[264]入雁门[265]，从琨求陉北之地[266]。琨不能制[267]，且欲倚之为援，乃徙楼烦、马邑、阴馆、繁畤、崞[268]五县民于陉南，以其地与猗卢。由是猗卢益盛。

琨遣使言于太傅越，请出兵共讨刘聪、石勒。越忌苟晞及豫州刺史冯嵩[269]，恐为后患[270]，不许。琨乃谢猗卢之兵，遣归国。

刘虎收余众，西渡河，居朔方肆卢川[271]。汉主聪以虎宗室，封楼烦公。

壬子[272]，以刘琨为平北大将军，王浚为司空，进鲜卑段务勿尘为大单于。

京师饥困日甚，太傅越遣使以羽檄[273]征天下兵，使入援京师。帝谓使者曰："为我语诸征、镇[274]，今日尚可救，后则无及矣！"既而卒无至者。征南将军山简遣督护王万将兵入援，军于涅阳[275]，为王如所败。如遂大掠沔汉[276]，进逼襄阳。简婴城自守。荆州刺史王澄自将，欲援京师，至沶口[277]，闻简败，众散而还。朝议多欲迁都以避难，王衍以为不可，卖车牛以安众心。山简为严嶷所逼，自襄阳徙屯夏口。

石勒引兵济河，将趣[278]南阳。王如、侯脱、严嶷等闻之，遣众一万屯襄城[279]以拒勒。勒击之，尽俘其众，进屯宛北[280]。是时侯脱据宛，王如据穰[281]。如素与脱不协[282]，遣使重赂勒，结为兄弟，说勒使攻脱。勒攻宛，克之。严嶷引兵救宛，不及而降[283]。勒斩脱，囚嶷，送于平阳，尽并其众[284]，遂南寇襄阳，攻拔江西垒壁[285]三十余所。还，趣襄城。王如遣弟璃袭勒，勒迎击，灭之，复屯江西。

太傅越既杀王延等[286]，大失众望。又以胡寇益盛，内不自安，乃戎

拓跋猗卢因为封地代郡离自己的根据地太远，而且隔着其他郡县，不便于管理，于是就率领自己部落的一万多家从云中郡进入雁门郡，向刘琨请求把陉岭以北的地盘划归自己所有。刘琨一方面确实无法制止拓跋猗卢这样做，另外也想倚重拓跋猗卢的势力做自己的后援，于是便把楼烦县、马邑县、阴馆县、繁畤县、崞县五个县的居民全部迁移到陉岭以南地区，而把五县的土地划给了拓跋猗卢。因此，拓跋猗卢的势力更加强盛起来。

并州刺史刘琨派遣使者劝说太傅司马越，请求朝廷派遣军队共同讨伐汉主刘聪、石勒。司马越正在疑心荀晞和豫州刺史冯嵩，担心他们乘虚进攻洛阳，所以没有答应刘琨的请求。刘琨于是辞退了拓跋猗卢的援兵，打发拓跋猗卢的援军回国。

匈奴铁弗氏首领刘虎召集起残兵败将，率领着他们向西渡过黄河，在朔方郡的肆卢川定居下来。汉主刘聪因为刘虎是自己的同族，所以封刘虎为楼烦公。

十月二十三日壬子，晋国任命刘琨为平北大将军，王浚为司空，进封鲜卑族首领段务勿尘为大单于。

京师洛阳的人民饥饿困苦的程度一天比一天严重，太傅司马越派遣使者用插着鸟羽以象征情势紧急的文书征调全国各地的军队，让他们增援京师洛阳。晋怀帝对使者们说："你们替我告诉各征、各镇的将军们，就说现在出兵勤王还有救，再晚一些，恐怕就来不及了！"使者派出去之后，却始终没有人前来京师勤王。征南将军山简派遣担任督护的王万率领一支军队入京勤王，驻扎在涅阳县，被王如打败。王如随即在沔水、汉水流域大肆抢掠，大军逼近襄阳城。山简环城自守。荆州刺史王澄亲自率领军队，想要援救京师，当他到达沶口的时候，听到了山简失败的消息，众人立时溃散，王澄只得返回。朝中大臣多数都主张迁都以躲避灾难，只有王衍认为不妥，他卖掉了自己的车、牛以安定民心。山简困守襄阳城，被严嶷逼迫，无奈之下只得抛弃襄阳城转移到夏口屯扎。

汉国的并州刺史石勒率军渡过黄河，准备进取南阳郡。王如、侯脱、严嶷等人听说后，就派遣一万名士兵屯扎在襄城县抗击石勒的进攻。石勒向他们发起猛攻，把部众全部俘虏，随后继续进军，在宛县城北驻扎下来。当时侯脱占据宛县，王如占据穰县。王如一向与侯脱不和睦，王如派使者用重金贿赂石勒，并与石勒结为异姓兄弟，劝说石勒进攻侯脱。石勒攻击侯脱所占据的宛县，宛县很快被攻占。严嶷率领军队赶来救援，还没有到达，宛县就已经被石勒攻克，严嶷没能救成侯脱就向石勒投降了。石勒杀死侯脱，囚禁了严嶷，派人把严嶷押送到京师平阳，把侯脱、严嶷的部众全部收编到自己的部下，于是向南攻略襄阳郡，一连攻克了长江西侧的三十多个军事据点。石勒回军，赶赴襄城。王如派自己的弟弟王璃率军袭击石勒，石勒迎战，消灭王璃，石勒再次回到长江西侧屯扎。

太傅司马越杀死王延等人之后，大失众望。又因为胡人的侵扰越来越猖獗，他

服入见，请讨石勒，且镇集兖、豫[287]。帝曰："今胡虏侵逼郊畿[288]，人无固志，朝廷社稷倚赖于公，岂可远出以孤根本[289]？"对曰："臣出，幸而破贼，则国威可振，犹愈于坐待困穷也。"十一月甲戌[290]，越帅甲士四万向许昌，留妃裴氏、世子毗及龙骧将军李恽、右卫将军何伦守卫京师，防察宫省[291]，以潘滔为河南尹，总留事[292]。越表以行台[293]自随，用太尉衍为军司[294]，朝贤素望[295]，悉为佐吏，名将劲卒，咸入其府[296]。于是宫省无复守卫，荒馑日甚，殿内死人交横，盗贼公行，府寺营署[297]，并掘堑自守。越东屯项[298]，以冯嵩为左司马[299]，自领豫州牧。

竟陵王楙[300]白帝遣兵袭何伦，不克。帝委罪于楙，楙逃窜，得免。

扬州都督周馥以洛阳孤危，上书请迁都寿春[301]。太傅越以馥不先白己而直上书，大怒，召馥及淮南太守裴硕。馥不肯行，令硕帅兵先进[302]。硕诈称受越密旨，袭馥，为馥所败，退保东城[303]。

诏加张轨镇西将军，都督陇右诸军事。光禄大夫傅祗[304]、太常挚虞[305]遗轨书，告以京师饥匮[306]。轨遣参军杜勋献马五百匹，毯布三万匹。

成太傅骧攻谯登于涪城，罗尚子宇及参佐素恶登，不给其粮[307]。益州刺史皮素怒，欲治其罪。十二月，素至巴郡[308]，罗宇等[5]使人夜杀素。建平都尉暴重[309]杀宇，巴郡乱。骧知登食尽援绝，攻涪愈急。士民皆熏鼠食之，饿死甚众，无一人离叛者。骧子寿先在登所[310]，登乃归之。三府[311]官属表巴东监军南阳韩松为益州刺史，治巴东[312]。

初，帝以王弥、石勒侵逼京畿，诏荀晞督帅州郡[313]讨之。会[314]曹

心里感到很不安，于是就身穿军服入宫晋见皇帝司马炽，请求前去讨伐石勒，以稳定兖州、豫州的人心。晋怀帝对他说："如今胡虏进犯，已经逼近洛阳郊区，人们早已没有固守之心，朝廷社稷的安危全都依赖于您，您怎么能在这个时候远离京师，使京师陷入孤立无援的境地呢?"司马越回答说："我离开京师出去作战，如果侥幸打败了贼寇，国威还可以重新振作起来，总比坐以待毙要好得多。"十一月十五日甲戌，司马越率领四万名带甲的士兵向许昌进发，留下王妃裴氏、长子司马毗以及龙骧将军李恽、右卫将军何伦守卫京师洛阳，监视宫廷，以防发生反对自己的政变；又任命潘滔为河南尹，负责司马越不在京城时的一切后方事务。司马越上表奏请允许朝廷的办事机构跟随自己，他任用太尉王衍为军司，凡是朝廷中享有声望的大臣，全都成了他的僚属，有名的将领、精锐的士卒，全都归到他的统领之下。于是皇宫、中书省已经没有部队守卫，饥馑一日比一日严峻，皇宫之内饿死的人横七竖八地躺倒在地上，盗贼公开抢劫，洛阳城内的各部衙门、各处兵营，全都挖掘战壕自守。司马越率领朝廷的四万军队向东来到项县驻扎下来，免去冯嵩豫州刺史的职务，任命冯嵩为军中左司马，司马越自己兼任了豫州刺史。

竟陵王司马楙请求晋怀帝派兵袭击何伦，没有取胜。晋怀帝把罪责推到司马楙身上，司马楙得知消息后立即逃窜，得免一死。

扬州都督周馥因为洛阳形势孤立，危在旦夕，于是上疏奏请朝廷把都城迁往寿春。太傅司马越因为周馥没有事先向自己请示就直接给朝廷上书，大怒，他派人召周馥和淮南郡太守裴硕来见。周馥不肯去见司马越，他让裴硕率领军队先行向洛阳进发。裴硕诈称接到司马越的密旨让他袭击周馥，结果反被周馥打败，裴硕退入东城县据守。

晋怀帝下诏，擢升凉州刺史张轨为镇西将军，都督陇右诸军事。担任光禄大夫的傅祗、担任太常卿的挚虞都写信给张轨，把京师洛阳遭遇饥馑、物资极度匮乏的情况告诉了他。张轨派遣参军杜勋向朝廷贡献了五百匹马、三万匹毛毯和布匹。

成国太傅李骧率军攻打据守涪城的谯登，罗尚的儿子罗宇以及参佐一向憎恶谯登，因此不供应粮食给谯登。益州刺史皮素了解情况后，非常生气，就想治罗宇和参佐的罪。十二月，皮素到达巴郡，罗宇等人派人在夜间暗杀了皮素。建平郡的都尉暴重又杀死了罗宇，巴郡一时陷于混乱之中。李骧了解到谯登已经粮尽援绝，就加紧攻打涪城。涪城之内的士民用烟熏出洞里的老鼠食用，饿死的人非常多，但是没有一个人出城叛逃。李骧的儿子李寿原先曾在谯登那里，谯登把他放归。三府的官员向朝廷上表奏请任命担任巴东监军的南阳郡人韩松为益州刺史，负责治理巴东郡。

当初，晋怀帝因为汉国的王弥、石勒进逼洛阳郊区，形势十分危急，就下诏命令苟晞率领州郡的地方部队前去讨伐王弥、石勒。正好遇上汉将曹嶷已经攻破琅邪

嶷破琅邪[315]，北收齐地，兵势甚盛，苟纯[316]闭城自守[317]。晞还救青州[318]，与嶷连战，破之。

是岁，宁州刺史王逊到官，表李钊[319]为朱提[320]太守。时宁州外逼于成，内有夷寇，城邑丘墟。逊恶衣菜食，招集离散，劳徕[321][6]不倦，数年之间，州境复安。诛豪右[322]不奉法者十余家，以五苓夷昔为乱首[323]，击灭之，内外震服。

汉主聪自以越次[324]而立，忌其嫡兄恭[325]，因恭寝[326]，穴其壁间[327]，刺而杀之。

汉太后单氏[328]卒，汉主聪尊母张氏为皇太后。单氏年少美色，聪烝[329]焉。太弟义[330]屡以为言，单氏惭恚[331]而死。义宠由是渐衰，然以单氏故，尚未之废也。呼延后[332]言于聪曰："父死子继，古今常道。陛下承高祖[333]之业，太弟何为者哉！陛下百年后，粲兄弟必无种[334]矣！"聪曰："然，吾当徐思之。"呼延氏曰："事留变生[335]。太弟见粲兄弟浸长[336]，必有不安之志。万一有小人交构[337]其间，未必不祸发于今日[338]也。"聪心然之。义舅光禄大夫单冲泣谓义曰："疏不间亲[339]。主上有意于河内王[340]矣，殿下何不避之？"义曰："河瑞之末[341]，主上[342]自惟嫡庶之分[343]，以大位让义[344]。义以主上齿长[345]，故相推奉。天下者，高祖之天下，兄终弟及[346]，何为不可？粲兄弟既壮，犹今日也[347]。且子弟之间，亲疏讵几，[348]主上宁可有此意乎[349]？"

【段旨】

以上为第二段，写晋怀帝永嘉四年（公元三一〇年）一年间的大事。主要写了汉主刘渊病死，太子刘和为去威胁而谋诛刘聪、刘盛、刘义等，结果被刘聪杀死，刘聪取得帝位；写了关中地区又因流民问题而发生变乱，王如、严嶷、侯脱等自称将军、州牧，称藩于汉，起兵南攻荆州，荆州官军屡败；写了汉将刘粲、

郡，正在向北攻取齐国，军队的声势十分浩大，苟纯关闭临淄城门以据守。苟晞只得率领军队回救青州，他与曹嶷一连打了几次仗，终于将曹嶷打败。

这一年，宁州刺史王逊到了宁州任所，他向朝廷上表奏请任命李钊为朱提郡太守。当时宁州外部受到成国的威逼，内部又有少数民族叛乱，城邑一片废墟。王逊身穿粗布衣服，以菜蔬当饭，他召集那些离散的居民，安抚那里的百姓，从来不知道疲倦，几年之间，宁州境内就恢复了平静。王逊诛杀了十几家不遵纪守法的豪门大户，又因为五苓夷过去带头叛乱，就发兵消灭了五苓夷，于是宁州境内境外全都受到震慑而顺服了。

汉主刘聪觉得自己是超越弟兄次序而继承皇位，因此对自己的同胞哥哥刘恭非常忌恨，趁刘恭睡觉的时候，把刘恭居室的墙壁凿了一个洞，进去刺杀了刘恭。

汉国的皇太后单氏去世，汉主刘聪就尊奉自己的生母张氏为皇太后。皇太后单氏年轻貌美，刘聪与她通奸。太弟刘乂屡次规劝单太后，单太后因为羞愧、生气而死。刘聪对刘乂的宠爱于是逐渐衰弱，然而因为皇太后单氏，刘乂皇太弟的地位还没有被废掉。刘聪的皇后呼延氏对刘聪说："父亲死了就应该由儿子继承，这是古今不变的道理。陛下继承高祖的大业，那么太弟是做什么的呢？陛下百年之后，刘粲兄弟必然连一个子孙也剩不了！"刘聪说："你说得对，让我慢慢想办法。"呼延皇后又说："事情拖延下去就会发生变乱。太弟刘乂看到刘粲兄弟渐渐长大，心里必定感到不安。万一有奸佞小人从中挑拨、煽动，灾祸未必就不会在今天发生。"刘聪心里认为呼延皇后说得对。刘乂的舅父光禄大夫单冲哭着对刘乂说："关系疏远的人不可能离间血缘关系亲近的人。陛下已经有心立河内王刘粲为太子了，殿下何不让出太弟的位子以求免除灾祸呢？"刘乂说："河瑞末年，是主上认为自己不是嫡子，即位为帝名分不正，非要把皇位让给我。我是看主上年龄比我大，所以把皇位推让给他。天下，是高祖开创的天下，哥哥死了弟弟出来继位，有什么不可以呢？刘粲兄弟即使长大成人之后，还是和今天一样。况且父子、兄弟之间，亲疏关系能够相差多少呢，主上怎么会有这种想法呢？"

---

刘曜、王弥、石勒等分兵进击河南，洛阳孤危；司马越因诛除异己而众叛亲离，见洛阳事无可为，遂拥兵东屯项县；写了拓跋猗卢部落因助刘琨破刘虎而受刘琨赏识，从而南移并州之北部地区，势力越发壮大；蜀地的李雄政权与邻近州郡彼此攻杀，互有胜负等。

【注释】

⑰⑥正月乙丑朔：正月初一是乙丑日。⑰⑦单征女：氐族人单征的女儿。单征原是居住在上郡（郡治在今陕西榆林）的氐族头领，于晋怀帝永嘉二年率部归降刘渊。事见本书卷第八十六。⑰⑧长乐王洋：刘洋，刘渊的族人。⑰⑨白马：晋县名，县治在今河南滑县东。⑱⓪鄄城：晋县名，县治在今山东鄄城北之旧城。⑱①巴西：晋郡名，郡治即今四川阆中。⑱②文石：姓文名石。⑱③征：调；调其入朝。⑱④阳羡：晋县名，县治在今江苏宜兴南。⑱⑤三定江南：周玘于惠帝永兴元年（公元三〇四年）讨石冰，永嘉元年（公元三〇七年）击陈敏，本年（公元三一〇年）诛钱璯，故称之“三定江南”。⑱⑥吴兴：晋郡名，郡治即今浙江湖州。⑱⑦义兴郡：郡治即当时的阳羡。⑱⑧旌：表彰其勋业。⑱⑨大梁：今河南开封。⑲⓪东平：诸侯国名，都城无盐，在今山东东平东。⑲①琅邪：诸侯国名，都城在今山东临沂东北。⑲②广宗：晋县名，县治在今河北威县东。⑲③李离之官：李离在被訇琦杀害前为太尉，此处指太尉一职。⑲④怀：晋县名，县治在今河南武陟西南，当时为河内郡的郡治所在地。⑲⑤坞主：一个防御工事的头领。坞，筑有防御工事的村落。⑲⑥刘琨：字越石，此时任并州刺史。⑲⑦河内：晋郡名，郡治野王，即今河南沁阳。⑲⑧庚午：七月初九。⑲⑨寝疾：卧病不起。⑳⓪辛未：七月初十。⑳①并录尚书事：全都兼理尚书省的事务。⑳②单于台：大单于的办事机构。⑳③能行：能够做到。⑳④望之如可易：远远地望着，像是没有什么了不起。易，轻视。⑳⑤及至：等到了跟前。⑳⑥肃如严君：像是一位严肃的君长。⑳⑦忠笃：忠厚、诚实。指安昌王刘盛。⑳⑧丁丑：七月十六。⑳⑨己卯：七月十八。㉑⓪太子和：刘和，字玄泰，刘渊的嫡子。传见《晋书》卷一百一。㉑①不迁官：不提升官职。㉑②耻不预顾命：以没有被列为顾命大臣而感到羞愧。预，参加、加入。㉑③不惟：不认真考虑。㉑④三王：指齐王刘裕、鲁王刘隆、北海王刘义；一说指安昌王刘盛、安邑王刘钦、西阳王刘璇。㉑⑤大司马：指刘聪，时任大司马。㉑⑥屯于近郊：单于台就在国都平阳（今山西临汾西南）之西，离平阳不远。㉑⑦寄坐：借人家的位子坐着，比喻自己无权，且不能长久。㉑⑧辛巳：七月二十。㉑⑨梓宫在殡：棺材还停在堂上，没有安葬。梓宫，棺材。㉒⓪四王：指刘聪、刘裕、刘隆、刘义。㉒①谓陛下何：对陛下您将会有什么评论。㉒②大业甫尔：刚刚开始有这么个大好局面。甫，始。尔，如此。㉒③领军：刘盛，当时领武卫将军，分典禁兵。㉒④壬午：七月二十一。㉒⑤斩关：指劈开平阳城门。㉒⑥贯甲：穿上铠甲。㉒⑦是日：当天，即七月二十一。㉒⑧癸未：七月二十二。㉒⑨甲申：七月二十三。㉓⓪西明门：京都平阳的城门。刘渊建都平阳，各城门都用洛阳的城门名。㉓①乙酉：七月二十四。㉓②杀和于光极西室：光极西室，光极殿的西室。刘和在位仅七天。㉓③枭首通衢：将他们的人头挂在十字街头的高竿上示众。㉓④单后之子：单皇后所生的儿子，即刘渊的嫡子，而刘聪则是庶子。㉓⑤固请：坚决推辞。㉓⑥祸难尚殷：动荡变乱还处于严重状态。㉓⑦俟：等到。㉓⑧改元光兴：在此之前是刘渊“河瑞二年”。㉓⑨以义

为皇太弟：以刘乂为未来的继承人。㉔⓪从父妹：堂妹。叔父、伯父家的女儿。㉔①其子粲：刘粲，字士元。传见《晋书》卷一百二。㉔②略阳：晋郡名，郡治临渭，在今甘肃天水东北。㉔③氐酋蒲洪：氐族部落的首领。后改称苻氏，苻坚的祖父。传见《晋书》卷一百一十二。㉔④九月辛未：九月十一。㉔⑤二军：山简及杜蕤派来的军队。㉔⑥杀令长：杀所在县的县令、县长。当时人口多的大县称"县令"，小县称"县长"。㉔⑦称藩于汉：归附于刘聪，自称是刘聪的诸侯、部属。㉔⑧大阳：晋县名，县治在今山西平陆西南。㉔⑨渑池：晋县名，县治在今河南洛宁西北。㉕⓪洛川：地区名，指今洛阳以西洛水流域的平原地带。㉕①轘辕：关隘名，在今洛阳东南的轘辕山上。㉕②梁、陈、汝、颍：当时的四个郡国名，梁国的都城睢阳，在今河南商丘城南，陈郡的郡治即今河南周口市淮阳区，汝南郡的郡治即今河南平舆，颍川郡的郡治在今河南许昌东。㉕③成皋关：又称虎牢关，在今河南荥阳西北的汜水镇。㉕④壬寅：十月十三。㉕⑤陈留：晋郡名，郡治小黄，在今河南开封东。㉕⑥仓垣：乡邑名，在今开封东北。㉕⑦文石津：古黄河渡口名，在今河南延津东北。㉕⑧刘虎：匈奴铁弗部落的首领。㉕⑨白部：鲜卑族的部落名，前归附刘渊，故刘琨讨之。㉖⓪拓拔猗卢：北魏拓跋氏的祖先，拓跋猗㐌之子，后被谥为穆帝。㉖①郁律：拓跋弗之子，后被谥为平文帝。㉖②代郡：郡治即今河北蔚县东北之代王城。㉖③封邑去国悬远：封地代郡离自己的根据地太远，而且隔着其他郡县。国，指拓跋猗卢的根据地盛乐，在今内蒙古和林格尔西北的七城子。㉖④云中：晋郡名，郡治在今内蒙古托克托东北。㉖⑤雁门：晋郡名，郡治广武，在今山西代县西十五里。㉖⑥陉北之地：陉岭以北的地盘。陉岭在今山西代县西。㉖⑦不能制：无法制止。㉖⑧楼烦、马邑、阴馆、繁畤、崞：今山西省北部的五个县名，楼烦县治在今山西宁武西北，马邑县治即今山西朔州，阴馆县治在今山西代县西北，繁畤县治在今山西浑源西南，崞县县治在今山西浑源西。㉖⑨越忌苟晞及豫州刺史冯嵩：司马越将苟晞由兖州东调青州，二人产生矛盾事，见本书卷第八十六永嘉元年（公元三〇七年）；与冯嵩不睦事，原因不明。㉗⓪恐为后患：怕他们乘虚袭击洛阳。㉗①朔方肆卢川：朔方郡的肆卢川。朔方郡的辖地约当今山西北部及邻近的河北、内蒙古一带地区。肆卢川指今山西忻州与原平之间的平川，其地有肆卢城，在今山西忻州西北。㉗②壬子：十月二十三。㉗③羽檄：亦称"羽书"，古时征调军队的文书，上插鸟羽以表示紧急，必须速递。㉗④诸征、镇：指征东、征西、征南、征北，与镇东、镇西、镇南、镇北诸将军。㉗⑤涅阳：晋县名，县治在今河南邓州东北，位于涅水（今赵河）之北岸。㉗⑥沔汉：今湖北汉江流域，汉水亦称沔水。㉗⑦泝口：泝水入夷水之口，在今湖北宜城西。㉗⑧趣：趋；进取。㉗⑨襄城：晋郡名，郡治即今河南襄城。㉘⓪宛北：宛县（今河南南阳）城北。㉘①穰：晋县名，县治即今河南邓州。㉘②不协：不和。㉘③不及而降：没能救成侯脱，只好投降石勒。㉘④尽并其众：把侯脱、严嶷的部众全部归并到自己的部下。㉘⑤江西垒壁：长江西侧的军事据点。此所谓"江西"指今湖北武汉以西的湖北南部地区。㉘⑥杀王延等：司马越杀缪播、何绥、王延等殿省官员，事见上年。㉘⑦镇集兖、豫：稳定兖、豫二州的人心。这是司马越想离开洛阳的借口。㉘⁸侵逼郊畿：已经侵犯到了京城郊区。㉘⁹以孤根本：使朝廷所在的京城形势孤立。㉙⁰十一月甲戌：十一月十五。㉙¹防察宫省：监视宫廷，以防反对司马越的政变发生。㉙²总留事：总掌司马越不在京城时的一切后方事务。㉙³行台：中央政权的派出机构，完全行使与朝廷相同的职权。㉙⁴军司：行军司马，军事总监。㉙⁵朝贤素望：朝廷享有声望的诸臣。㉙⁶咸入其府：全都归在他的统领之下。㉙⁷府寺营署：指洛阳城里的各个衙门、各处兵营。㉙⁸项：晋县名，县治即今河南沈丘。㉙⁹以冯嵩为左司马：夺去冯嵩的豫州刺史之职，使之成为自己的部下僚属。左司马，军中的司法官。㉚⁰竟陵王楙：司马楙，当时失职居洛阳，是反对司马越的势力。㉚¹寿春：今安徽寿县，当时为淮南郡的首府，扬州都督驻兵之地。㉚²先进：先行向洛阳出发。㉚³东城：晋县名，县治在今安徽定远东南。㉚⁴傅祗：曹魏名臣傅嘏之子，字子庄，当时很有名望。传见《晋书》卷四十七。㉚⁵挚虞：字仲治，当时有名的文学之士。传见《晋书》卷五十一。㉚⁶饥匮：饥馑；物资短缺。㉚⁷不给其粮：不向他供给粮食。㉚⁸巴郡：郡治江州，即今重庆市。㉚⁹建平都尉暴重：建平郡的都尉，姓暴名重。建平郡的郡治即今重庆市巫山县。㉛⁰骧子寿先在登所：李寿母子先为罗尚所俘，见本书卷第八十五永兴元年（公元三〇四年），今被谯登挟持而来。㉛¹三府：平西将军府、益州刺史府、西戎校尉府，原来都是罗尚的办事衙门。㉛²巴东：晋郡名，郡治在今重庆市奉节县东。㉛³督帅州郡：率领所属州、郡的部队，当时苟晞任青州都督。㉛⁴会：正好这时。㉛⁵琅邪：晋郡名，郡治开阳，在今山东临沂北。㉛⁶苟纯：苟晞之弟，时领青州刺史。㉛⁷闭城自守：指守青州的州治临淄。㉛⁸还救青州：当时苟晞西出兖州讨伐魏植，尚未东回。事见本书卷第八十六永嘉元年（公元三〇七年）。㉛⁹李钊：前宁州刺史李毅之子。㉜⁰朱提：晋郡名，郡治即今云南昭通。㉜¹劳徕：招徕；安抚。㉜²豪右：豪门大户。㉜³五苓夷昔为乱首：五苓夷闹事掀动宁州大乱事，见本书卷第八十五太安二

【原文】

## 五年（辛未，公元三一一年）

春，正月壬申[350]，苟晞为曹嶷所败，弃城奔高平[351]。

石勒谋保据江、汉[352]，参军都尉张宾以为不可。会军中饥疫[353]，死者太半[354]，乃渡沔，寇江夏。癸酉[355]，拔之。

乙亥[356]，成太傅骧拔涪城[357]，获谯登，太保始[358]拔巴西[359]，杀文石。于是成主雄大赦，改元玉衡[360]。谯登至成都，雄欲宥之。登词气不屈，雄杀之。

年（公元三〇三年）。乱首，带头作乱。㉔越次：超越了兄弟的次序。刘聪在庶子中排行第四。㉕嫡兄恭：此处指其同母兄刘恭。刘聪、刘恭都不是刘渊的嫡子。㉖因恭寝：趁刘恭睡觉的时候。㉗穴其壁间：把墙壁凿开一个洞。㉘太后单氏：刘渊的皇后，刘义的生母。㉙烝：指晚辈之男淫长辈之女。㉚太弟义：刘义，单氏所生的儿子。㉛惭恚：羞愧生气。㉜呼延后：刘聪的皇后呼延氏。㉝高祖：指刘渊。㉞无种：指被杀光，不留后代。㉟事留变生：问题留着不解决，到时候就会发生变乱。㊱浸长：渐渐长大。㊲交构：挑拨；煽动。㊳祸发于今日：发生今天留下的祸乱，指义将杀聪。㊴疏不间亲：关系疏远的人不可能离间血缘亲近的人。㊵有意于河内王：指想立河内王刘粲为太子。㊶河瑞之末：指刘渊刚死，刘聪开始即位的时候。河瑞，刘渊的年号（公元三〇九年）。㊷主上：指刘聪。㊸自惟嫡庶之分：自己思量自己不是嫡子，继位为帝的名分不正。㊹以大位让义：把皇帝的位子让给我。㊺义以主上齿长：我是看刘聪的年龄比我大。㊻兄终弟及：兄长死了弟弟出来继位。㊼犹今日也：就和今天一样，意思是他们可以因为年长而继我之位，到日后再传给我的儿子。㊽子弟之间二句：儿子与兄弟的血缘远近能差多少。㊾主上宁可有此意乎：皇上怎么会有这种想法呢？

**【校记】**

［3］迎：原作"送"。严衍《通鉴补》改作"迎"，当是，今据改。［4］赵固：原作"赵国"。严衍《通鉴补》改作"赵固"，当是，今据改。晋时有赵固，而无赵国，固曾为汉主刘聪将。本书下卷载汉主刘聪事言及赵固，"固"字尚不误。［5］等：原无此字。据章钰校，甲十一行本、乙十一行本、孔天胤本皆有此字，张敦仁《通鉴刊本识误》同，今据补。［6］徕：原作"来"。据章钰校，甲十一行本、乙十一行本、孔天胤本皆作"徕"，今从改。

---

**【语译】**

**五年（辛未，公元三一一年）**

春季，正月十四日壬申，苟晞被汉将曹嶷打败后，弃城逃往高平县。

汉国并州刺史石勒图谋占据长江、汉水地区，担任参军都尉的张宾认为不可以。又遇上军中粮食缺乏，瘟疫流行，军人当中饿死、病死一大半，于是石勒率领军队渡过沔水，进犯江夏郡。十五日癸酉，石勒的军队攻占了江夏郡。

正月十七日乙亥，成国太傅李骧攻克涪城县，俘获了谯登，太保李始攻下巴西郡，杀死了叛将文石。于是成主李雄颁布大赦令，改年号为玉衡。谯登被押送到成都，成主李雄想要赦免他。谯登言辞、语气十分强硬，毫不屈服，李雄只得将谯登杀死。

巴、蜀流民布在荆、湘间，数为土民[361]所侵苦。蜀人李骧[362]聚众据乐乡[363]反，南平[364]太守应詹与醴陵令杜弢[365]共击破之。王澄使成都内史[366]王机讨骧，骧请降。澄伪许而袭杀之，以其妻子为赏[367]，沈八千余人于江，流民益怨忿。

蜀人杜畴等复反。湘州[368]参军冯素与蜀人汝班[369]有隙，言于刺史荀眺曰："巴、蜀流民皆欲反。"眺信之，欲尽诛流民。流民大惧，四五万家一时俱反。以杜弢州里重望[370]，共推为主。弢自称梁、益二州牧，领湘州刺史。

裴硕求救于琅邪王睿，睿使扬威将军甘卓等攻周馥于寿春。馥众溃，奔项。豫州都督、新蔡王确[371]执之，馥忧愤而卒。确，腾之子也。

扬州刺史刘陶卒。琅邪王睿复以安东军谘祭酒王敦为扬州刺史，寻加都督征讨诸军事。

庚辰[372]，平原王幹[373]薨。

二月，石勒攻新蔡，杀新蔡庄王确于南顿[374]，进拔许昌，杀平东将军王康。

氐苻成、隗文复叛[375]，自宜都[376]趣巴东[377]，建平都尉暴重讨之。重因杀韩松[378]，自领三府事。

东海孝献王越[379]既与苟晞有隙，河南尹潘滔、尚书刘望等复从而谮之[380]。晞怒，表求滔等首，扬言："司马元超[381]为宰相不平[382]，使天下淆乱[383]，苟道将[384]岂可以不义使之[385]！"乃移檄诸州[386]，自称功伐[387]，陈越罪状。帝亦恶越专权，多违诏命，所留将士何伦等，抄掠公卿，逼辱公主。密赐晞手诏，使讨之。晞数与帝文书往来，越疑之，使游骑[388]于成皋间[389]伺之，果获晞使及诏书。乃下檄罪状晞[390]，以从事中郎杨瑁为兖州刺史，使与徐州刺史裴盾共讨晞。晞遣骑收潘滔[391]，滔夜遁，得免。执尚书刘曾、侍中程延，斩之。越忧愤成疾，以后事付王衍。三月丙子[392]，薨于项[393]，秘不发丧。众共推衍为元帅，

巴、蜀的流民分布在荆州、湘州之间，屡次受到当地居民的掠夺侵扰，苦不堪言。流亡到荆州的蜀人李骧于是聚集众人占据乐乡县造反，晋国南平郡太守应詹与醴陵县令杜弢联合起来打败了李骧。王澄让成都国内史王机讨伐李骧，李骧请求投降。王澄假装接受投降，却突然发动袭击杀死李骧，把李骧的妻子儿女当作奖品赏给有功之人，把俘获的八千多人全部扔到长江里活活淹死，流民因此更添怨恨。

流亡到荆州的蜀人杜畴等人又造反了。担任湘州参军的冯素与蜀人汝班有仇恨，冯素就对湘州刺史荀眺说："巴、蜀的流民都想造反。"荀眺听信了冯素的谗言，就想把巴、蜀的流民全部消灭。巴、蜀流民得知消息后非常恐惧，于是四五万家流民一时之间全都起来造反。因为杜弢在巴、蜀的同乡流民中威望最高，于是就共同推举杜弢为首领。杜弢自称梁州、益州二州牧，兼任湘州刺史。

淮南太守裴硕被周馥打败后，便向琅邪王司马睿求救，司马睿派遣扬威将军甘卓等率军前往寿春攻打周馥。周馥的部众全部溃散，周馥逃奔项县。被豫州都督、新蔡王司马确俘获，周馥忧愤而死。司马确，是司马腾的儿子。

扬州刺史刘陶去世。琅邪王司马睿又任命担任安东军谘祭酒的王敦为扬州刺史，不久，又加封王敦为都督征讨诸军事。

正月二十二日庚辰，平原王司马幹去世。

二月，汉国并州刺史石勒率军进攻新蔡，在南顿县杀死了新蔡庄王司马确，接着又攻下了许昌，杀死了平东将军王康。

氐族人苻成、隗文再次叛变，他们从宜都向巴东方向流窜，建平都尉暴重率军讨伐苻成、隗文。暴重趁机杀死益州刺史韩松，自己兼任平西将军府、益州刺史府、西戎校尉府的三府职务。

东海孝献王司马越与苟晞之间已经产生隔阂，河南尹潘滔、尚书刘望等人又落井下石，在司马越面前说苟晞的坏话。苟晞知道后非常愤怒，就上表索要潘滔等的人头，他放出风声说："司马元超做宰相处事不公正，才导致天下混乱，我苟道将怎么能让这种不仁不义的人来驱使呢！"于是苟晞向各州传布文告，表白自己的功绩，列举司马越的罪状。晋怀帝也厌恶司马越专擅朝政，多次违背自己的旨意，司马越离开京师时留下守卫京师的将领何伦等又横行不法，竟然查抄、抢掠公卿大臣的财物，逼迫羞辱公主。于是怀帝就秘密赐手诏给苟晞，命令苟晞讨伐司马越。苟晞多次与晋怀帝有书信往来，这自然引起司马越怀疑，司马越就派遣骑兵在成皋一带往来巡视侦查，果然抓获苟晞的使者，发现了晋怀帝写给苟晞的诏书。司马越于是发布檄文公布苟晞的种种罪状，他任命担任从事中郎的杨瑁为兖州刺史，让杨瑁与徐州刺史裴盾共同讨伐苟晞。苟晞派遣骑兵去抓捕潘滔，潘滔连夜逃跑，才免于被抓获。苟晞逮捕了尚书刘曾、侍中程延，将他们全部斩杀。司马越由于忧愤过度得了重病，临终前，他将后事托付给了王衍。三月十九日丙子，司马越在项县去世，王衍将司马越逝世的消息封锁起来没有对外发布。众人共同推举王衍为元帅，

衍不敢当，以让襄阳王范，范亦不受。范，玮[394]之子也。于是衍等相与奉越丧还葬东海。何伦、李恽[395]等闻越薨，奉裴妃及世子毗自洛阳东走，城中士民争随之。帝追贬越为县王，以苟晞为大将军、大都督，督青、徐、兖、豫、荆、扬六州诸军事。

益州将吏共杀暴重，表巴郡太守张罗行三府事。罗与隗文等战，死。文等驱掠[396]吏民，西降于成。三府文武共表平西司马蜀郡王异行三府事，领巴郡太守。

初，梁州刺史张光会诸郡守于魏兴[397]，共谋进取。张燕唱言[398]："汉中[399]荒败，迫近大贼[400]，克复之事[401]，当俟英雄。"光以燕受邓定赂，致失汉中[402]，今复沮众[403]，呵出，斩之。治兵进战，累年乃得至汉中，绥抚荒残[404]，百姓悦服。

夏，四月，石勒率轻骑追太傅越之丧[405]，及于苦县宁平城[406]，大败晋兵，纵骑围而射之，将士十余万人相践如山[407]，无一人得免者。执太尉衍、襄阳王范、任城王济[408]、武陵庄王澹[409]、西河王喜[410]、梁怀王禧[411]、齐王超[412]、吏部尚书刘望、廷尉诸葛铨、豫州刺史刘乔、太傅长史庾敳等，坐之幕下[413]，问以晋故[414]。衍具陈祸败之由，云计不在己[415]，且自言少无宦情[416]，不豫世事[417]。因劝勒称尊号[418]，冀以自免。勒曰："君少壮登朝，名盖四海，身居重任，何得言无宦情邪？破坏天下，非君而谁？"命左右扶出。众人畏死，多自陈述。独襄阳王范神色俨然[419]，顾[420]呵之曰："今日之事，何复纷纭[421]？"勒谓孔苌曰："吾行天下多矣，未尝见此辈人[422]，当可存乎？"苌曰："彼皆晋之王公，终不为吾用。"勒曰："虽然，要[423]不可加以锋刃。"夜，使人排墙杀之[424]。济，宣帝弟子景王陵之子。禧，澹之子也。剖越柩，焚其尸，曰："乱天下者，此人也。

王衍不敢承担此项重任，他把元帅的职位推让给襄阳王司马范，司马范也不敢接受。司马范，是司马玮的儿子。当时王衍等人准备护送司马越的灵柩回司马越的封国东海安葬。司马越留守在洛阳的重要将领何伦、李恽等人听到司马越去世的消息后，就保护着裴妃和司马越的长子司马毗离开洛阳向东而走，洛阳城中的官吏和百姓都争相跟随着他们。晋怀帝撤销了司马越的封号，贬司马越为县王，任命苟晞为大将军、大都督，统管青州、徐州、兖州、豫州、荆州、扬州六州诸军事。

益州的将吏共同杀死了建平都尉暴重，上表奏请朝廷任命巴郡太守张罗负责平西将军府、益州刺史府、西戎校尉府三府的政务。张罗与隗文等人作战，阵亡。隗文等劫持着当地的官吏和百姓，向西投降了成国。三府的文武官员共同上表奏请担任平西司马的蜀郡人王异代理三府的事务，兼任巴郡太守。

当初，梁州刺史张光在魏兴郡召集各郡太守开会，共同商议收复汉中郡的办法。张燕带头提出建议说："汉中郡荒凉破败，紧挨李雄所建大成国的国境，深受大成国的逼迫，收复汉中郡的事情，应当等待真正的英雄人物出来再去收复。"张光认为是张燕接受了邓定的贿赂，才导致汉中郡失守，如今张燕又败坏士气，于是呵斥张燕出去，命人将他处死。张光随后整顿军队，开始收复汉中的征战，一连征战好几年才收复了汉中郡，张光安抚深受战乱之苦的百姓，百姓们都很高兴，真心拥戴张光。

夏季，四月，汉国的并州刺史石勒率领轻骑兵追赶晋国太傅司马越的灵车，一直追到苦县的宁平城才追上，他们把晋兵打得大败后，又命令骑兵把溃败的晋军团团围住用箭射杀，晋军的十多万将士互相践踏，尸首堆积如山，无一人能够幸免于难。石勒俘获了晋国太尉王衍、襄阳王司马范、任城王司马济、武陵庄王司马澹、西河王司马喜、梁怀王司马禧、齐王司马超、吏部尚书刘望、廷尉诸葛铨、豫州刺史刘乔、太傅长史庾敳等人，石勒让他们在大营的帐前坐下来，向他们询问晋王朝弄到这般地步的原因。王衍详细地陈述了晋国祸乱衰败的根由，并表明主意不是自己出的，而且说自己从小就没有当官从政的愿望，从不参与、不过问政治。他趁机劝说石勒做皇帝，希望以此求得石勒的宽宥。石勒说："你在年轻的时候就入朝为官，名声传布四海，肩负着朝廷重任，怎么能说没有当官从政的愿望呢？败坏国家的责任，不是你是谁呢？"石勒下令左右跟随的人把王衍拉出去。众人全都怕死，多数人都主动向石勒表白了一番。唯独襄阳王司马范神色严峻凝重，环顾四周大声斥责说："如今到了这种地步，还有什么可乱说的？"石勒对孔苌说："我走遍了天下的许多地方，从来没有见过这类的人，应当留下他们的性命吗？"孔苌说："他们都是晋国的王公大臣，终究不会为我们效劳。"石勒说："虽是如此，无论如何不能用刀杀死他们。"夜间，石勒趁他们不注意时让人推倒墙壁，把他们全都砸死了。任城王司马济，是宣帝司马懿弟弟的儿子景王司马陵的儿子。梁怀王司马禧，是司马澹的儿子。石勒命人砍开司马越的灵柩，焚烧了司马越的尸体，他说："造成天下混乱的，就是这个人。

吾为天下报之[425]，故焚其骨以告天地。”

何伦等至洧仓[426]，遇勒，战败，东海世子毗[427][7]及宗室四十八王皆没于勒。何伦奔下邳[428]，李恽奔广宗[429]。裴妃[430]为人所掠卖[431]，久之，渡江。初，琅邪王睿之镇建业，裴妃意也，故睿德之[432]，厚加存抚，以其子冲继越后[433]。

汉赵固、王桑攻裴盾[434]，杀之。

杜弢攻长沙。五月，荀眺[435]弃城奔广州，弢追擒之。于是弢南破零、桂[436]，东掠武昌[437]，杀二千石、长吏[438]甚众。

以太子太傅傅祗为司徒，尚书令荀藩[439]为司空，加王浚大司马、侍中、大都督，督幽、冀诸军事，南阳王模为太尉、大都督，张轨为车骑大将军，琅邪王睿为镇东大将军，兼督扬、江、湘、交、广五州诸军事。

初，太傅越以南阳王模不能绥抚关中[440]，表征为司空[441]。将军淳于定说模使不就征[442]，模从之，表遣世子保[443]为平西中郎将，镇上邽[444]。秦州刺史裴苞拒之，模使帐下都尉陈安攻苞，苞奔安定[445]，太守贾疋纳之。

荀晞表请迁都仓垣，使从事中郎刘会将船数十艘、宿卫五百人、谷千斛迎帝。帝将从之，公卿犹豫，左右恋资财，遂不果行[446]。既而洛阳饥困，人相食，百官流亡者什八九[447]。帝召公卿议，将行而卫从不备[448]。帝抚手叹曰：“如何曾无车舆[449]？”乃使傅祗出诣河阴[450]，治舟楫[451]。朝士[452]数十人导从，帝步出西掖门[453]，至铜驼街[454]，为盗所掠，不得进而还。度支校尉[455]东郡魏浚率流民数百家保河阴之硖石[456][8]，时劫掠得谷麦[457]，献之，帝以为扬威将军、平阳太守，度支如故。

汉主聪使前军大将军呼延晏将兵二万七千寇洛阳。比及河南[458]，晋兵前后十二败，死者三万余人。始安王曜、王弥、石勒皆引兵会之，

我替天下人报仇雪恨，所以焚烧了他的尸骨来告慰天地。”

何伦等人到达洧仓，遭遇石勒，被石勒打败，东海王司马越的长子司马毗以及皇室的四十八个亲王都被石勒杀死。何伦逃往下邳县，李恽逃往广宗县。东海王司马越的妃子裴氏被人劫持贩卖了，过了很久之后，裴氏才渡过长江投奔了镇守建业的琅邪王司马睿。当初，琅邪王司马睿得以镇守建业就是裴妃出的主意，司马睿非常感激裴妃，所以对裴妃特别优待，加以慰问和安抚，并把自己的儿子司马冲过继给裴氏做司马越的后代。

汉国的将领赵固、王桑率军攻打晋朝镇守彭城的徐州刺史裴盾，将裴盾杀死。

流民首领杜弢率领部众进攻长沙。五月，驻守长沙的湘州刺史荀眺弃城逃往广州，杜弢随后追赶，俘虏了荀眺。于是杜弢向南攻下零陵郡、桂阳郡，向东攻取武昌郡，杀死了很多俸禄在二千石的官吏和郡中上层官员。

晋怀帝任命太傅傅祗为司徒，尚书令荀藩为司空，擢升幽州刺史王浚为大司马、侍中、大都督，统领幽州、冀州诸方面军事，任命南阳王司马模为太尉、大都督，凉州刺史张轨为车骑大将军，琅邪王司马睿为镇东大将军，兼管扬州、江州、湘州、交州、广州五州诸军事。

当初，关中地区饥疫流行，盗贼四起，太傅司马越认为南阳王司马模不能胜任镇抚关中的重任，所以上表请求征召司马模回朝担任司空。将军淳于定劝说司马模不要服从进京担任司空的调动，司马模听从了淳于定的劝告，司马模上表请求任命他的世子司马保为平西中郎将，镇守上邽。秦州刺史裴苞拒绝接纳司马保，于是司马模派遣帐下都尉陈安率军攻打裴苞，裴苞逃往安定郡，安定太守贾疋接纳了裴苞。

荀晞上表请求怀帝司马炽把国都迁往仓垣，他派遣担任从事中郎将的刘会率领几十艘大船、五百名警卫、一千斛粮食前往洛阳迎接晋怀帝。怀帝想听从荀晞迁都的意见，公卿大臣却犹豫不决，左右的侍从人员又贪恋洛阳的家资财产，于是没有成行。不久，洛阳城内凡是可吃的东西全都被吃光了，人们饿到人吃人的地步，文武百官中十有八九都流亡逃走了。晋怀帝召集公卿商议，准备迁都，而皇家卫队已经零落不全。晋怀帝搓着双手感叹地说：“怎么竟然连辆车子也没有了？”于是便派傅祗到河阴县去筹措船只。数十名朝廷官员在前面引导，晋怀帝司马炽步行从西侧门走出皇宫，当来到铜驼街时，又遭遇到强盗的抢劫，因无法前进只好又回到皇宫。担任度支校尉的东郡人魏浚率领几百家流民守护着河阴县的硖石，当时抢劫到一些没有脱皮的麦粒，贡献给晋怀帝，晋怀帝便任命魏浚为扬威将军、平阳郡太守，原来的度支校尉职务仍旧保留不变。

汉主刘聪派遣前军大将军呼延晏率领二万七千人攻打洛阳。在他们进抵黄河南岸的一路上，晋国的军队连续十二次被呼延晏打败，死了三万多人。汉国的始安王

未至[459]，晏留辎重于张方故垒[460]；癸未[461]，先至洛阳；甲申[462]，攻平昌门[463]；丙戌[464]，克之，遂焚东阳门[465]及诸府寺。六月丁亥朔，晏以外继不至，俘掠而去[466]。帝具舟于洛水，将东走，晏尽焚之。庚寅[467]，荀藩及弟光禄大夫组奔镮辕。辛卯[468]，王弥至宣阳门[469]。壬辰[470]，始安王曜至西明门[471]。丁酉[472]，王弥、呼延晏克宣阳门，入南宫，升太极前殿，纵兵大掠，悉收宫人[473]、珍宝。帝出华林园[474]门，欲奔长安，汉兵追执之，幽于端门[475]。曜自西明门入屯武库[476]。戊戌[477]，曜杀太子诠、吴孝王晏、竟陵王楙、右仆射曹馥、尚书闾丘冲、河南尹刘默等，士民死者三万余人。遂发掘诸陵[478]，焚宫庙、官府皆尽。曜纳惠帝羊皇后，迁帝及六玺[479]于平阳。石勒引兵出镮辕，屯许昌。光禄大夫刘蕃、尚书卢志奔并州[480]。

丁未[481]，汉主聪大赦，改元嘉平[482]。以帝为特进左光禄大夫，封平阿公。以侍中庾珉[483]、王儁为光禄大夫。珉，敳之兄也。

初，始安王曜以王弥不待己至，先入洛阳，怨之。弥说曜曰：“洛阳天下之中，山河四塞[484]，城池、宫室不假修营[485]，宜白主上[486]自平阳徙都之。”曜以天下未定，洛阳四面受敌，不可守，不用弥策而焚之。弥骂曰：“屠各子[487]，岂有帝王之意[488]邪！”遂与曜有隙，引兵东屯项关[489]。前司隶校尉刘暾说弥曰：“今九州糜沸[490]，群雄竞逐，将军于汉建不世之功[491]，又与始安王相失[492]，将何以自容！不如东据本州[493]，徐观天下之势，上可以混壹四海[494]，下不失鼎峙之业[495]，策之上者也。”弥心然之。

司徒傅祗建行台[496]于河阴，司空荀藩在阳城[497]，河南尹华荟在成皋[9]，汝阴[498]太守平阳李矩[499]为之立屋[500]，输谷以给之。荟，歆[501]之曾孙也。

刘曜、王弥、石勒都率领军队前来与呼延晏会师，在刘曜、王弥、石勒各军尚未到达洛阳之前，呼延晏把辎重留在当年司马颙的部将张方驻军的营垒中；五月二十七日癸未，呼延晏率先到达洛阳；二十八日甲申，呼延晏开始攻打洛阳城南面的平昌门；三十日丙戌，呼延晏攻入洛阳城，随后放火焚烧了洛阳城东面的东阳门以及城内的各处衙门。六月初一日丁亥，呼延晏因为后续部队没有到达，就俘虏一批士民、抢劫大量财物后离开了洛阳。晋怀帝在洛水备了船只，准备向东撤退，呼延晏把这些船只全部焚毁。初四日庚寅，荀藩和他的弟弟、担任光禄大夫的荀组逃往轘辕关。初五日辛卯，汉国将领王弥率领军队到达洛阳城南的宣阳门。初六日壬辰，始安王刘曜率领军队到达洛阳城西面的西明门。十一日丁酉，王弥、呼延晏攻克了洛阳城南的宣阳门，进入皇帝的南宫，他们登上太极前殿，放纵士兵大肆抢掠，把宫女、珍宝全部据为己有。晋怀帝从华林园门逃出，准备投奔长安，汉兵随后紧追，抓住晋怀帝，把他幽禁在皇宫的端门。刘曜从西明门进入洛阳城，驻扎在皇家的军械库。十二日戊戌，刘曜杀死太子司马诠、吴孝王司马晏、竟陵王司马楙、右仆射曹馥、尚书闾丘冲、河南尹刘默等人，士民死了三万多人。刘曜派人挖掘了晋朝历代皇帝的陵墓，然后一把火把洛阳城内的宫殿、皇家祭庙以及官府全部烧得精光。刘曜霸占了晋惠帝司马衷的皇后羊献容，把晋怀帝和皇帝的六方玉玺全部带到汉国的都城平阳。石勒率领军队通过轘辕关，屯扎在许昌。光禄大夫刘蕃、尚书卢志逃往并州投奔刘琨。

六月二十一日丁未，汉主刘聪宣布大赦，改年号为“嘉平”。他把晋怀帝作为特例赦免，并任命他为左光禄大夫，封平阿公。任命侍中庾珉、王儁为光禄大夫。庾珉，是庾敳的哥哥。

当初，始安王刘曜因为王弥不等自己到达就抢先进入洛阳城，对王弥怀恨在心。王弥对刘曜说：“洛阳处在天下的中心，四面有山河作为屏障，城池、宫殿用不着再修葺营建就可以居住，应当劝说主上把首都从平阳迁到洛阳。”刘曜认为天下还没有完全安定下来，洛阳四面受敌，不利于防守，他不仅没有采纳王弥的建议，反而放火把洛阳的宫殿全部烧毁。王弥大骂刘曜说：“屠各的子孙，哪里有帝王一统大业的志向与胆略呢！”于是与刘曜产生矛盾，王弥便率领军队向东屯扎在项关。前任司隶校尉刘暾劝王弥，说：“如今中原就如同一锅滚沸的稀粥，各路英雄纷纷起兵，互相角逐争夺天下，将军为汉国建立了世上罕见的功勋，又与始安王刘曜彼此失去和气，要安身何处！不如前往东方据守自己的家乡青州，慢慢观察天下形势的变化，伺机而动，从最好的结果来看可以统一天下拥有四海，即使不能如愿以偿，也能割据一方形成与他人鼎立抗衡的事业，这是上策。”王弥心里很赞同刘暾的意见。

晋国司徒傅祗在河阴县建置起临时的朝廷办事机构，司空荀藩屯扎在阳城县，河南尹华荟屯扎在成皋，汝阴郡太守平阳人李矩为他们建造官舍，运送粮食供给他们食用。华荟，是华歆的曾孙。

藩与弟组、族子中护军崧，荟与弟中领军恒建行台于密[502]，传檄四方，推琅邪王睿为盟主。藩承制以崧为襄城太守，矩为荥阳太守，前冠军将军河南褚翜为梁国内史。扬威将军魏浚屯洛北石梁坞，刘琨承制假浚河南尹。浚诣荀藩谘谋军事，藩邀李矩同会，矩夜赴之。矩官属皆曰："浚不可信，不宜夜往。"矩曰："忠臣同心，何所疑乎？"遂往，相与结欢而去。浚族子该聚众据一泉坞[503]，藩以为武威将军。

豫章王端，太子诠之弟也，东奔仓垣，苟晞率群官奉以为皇太子，置行台。端承制以晞领太子太傅、都督中外诸军、录尚书事，自仓垣徙屯蒙城[504]。

抚军将军秦王业，吴孝王[505]之子，荀藩之甥也，年十二，南奔密，藩等奉之，南趣许昌。前豫州刺史天水阎鼎[506]聚西州[507]流民数千人于密，欲还乡里。荀藩以鼎有才而拥众，用鼎为豫州刺史，以中书令李绚、司徒左长史彭城刘畴[508]、镇军长史[509]周𫖮[510]、司马李述等为之参佐。𫖮，浚之子也。

时海内大乱，独江东差安[511]，中国士民避乱者多南渡江。镇东司马王导说琅邪王睿，收其贤俊[512]，与之共事。睿从之，辟掾属[513]百余人，时人谓之"百六掾[514]"。以前颍川太守勃海刁协[515]为军谘祭酒，前东海太守王承[516]、广陵相卞壸[517]为从事中郎，江宁令诸葛恢、历阳参军陈国陈頵[518]为行参军[519]，前太傅掾庾亮[520]为西曹掾[521]。承，浑之弟子。恢，靓之子。亮，衮[10]之弟子也。

江州刺史华轶[522]，歆之曾孙也。自以受朝廷之命而为琅邪王睿所督，多不受其教令。郡县多谏之，轶曰："吾欲见诏书耳。"及睿承荀藩檄，承制署置官司，改易长吏[523]，轶与豫州刺史裴宪[524]皆不从命。睿遣扬州刺史王敦、历阳内史甘卓与扬烈将军庐江周访合兵击轶。轶兵败，奔安成[525]。访追斩之，及其五子。裴宪奔幽州。睿以甘卓为湘州刺史，周访为寻阳太守，又以扬武将军陶侃为武昌太守。

荀藩与自己的弟弟荀组、担任中护军的族侄荀崧，以及华荟和他的弟弟、担任中领军的华恒也在密县建立起晋朝的朝廷办事机构，他们向四方发布檄文，推戴琅邪王司马睿为盟主。荀藩以皇帝的名义任命荀崧为襄城郡太守，任命李矩为荥阳郡太守，任命前冠军将军河南人褚翜为梁国内史。扬威将军魏浚把军队屯扎在洛阳北面的石梁坞，刘琨以皇帝的名义任命魏浚为河南尹。魏浚到荀藩那里咨询谋划军事，荀藩约请李矩与魏浚一同前来相会，李矩想连夜赶往魏浚那里。李矩的僚属都劝阻李矩说："魏浚的为人不可信，不应该在夜间去和他相会。"李矩说："忠臣的心思都是一样的，为什么要怀疑他呢？"于是李矩连夜前往，彼此都很高兴，结交而后离去。魏浚的族侄魏该聚集众人占据着一泉坞，荀藩任命魏该为武威将军。

晋豫章王司马端，是太子司马诠的弟弟，他向东逃到仓垣，大将军苟晞便率领众官员尊奉司马端为皇太子，在仓垣建立起临时小朝廷。司马端以皇帝的名义任命苟晞兼任太子太傅、都督中外诸军事、主管尚书省事务，从仓垣迁往蒙县县城驻扎。

晋抚军将军秦王司马邺，是吴孝王司马晏的儿子、荀藩的外甥，年方十二岁，他向南逃到密县，荀藩等人侍奉着司马邺向南投奔许昌。前任豫州刺史天水郡人阎鼎在密县聚集起甘肃一带的几千名流民，准备返回故乡。荀藩认为阎鼎很有才能而且拥有几千部众，就任用阎鼎为豫州刺史，任命中书令李絙、司徒左长史彭城人刘畴、镇军长史周顗、司马李述等人做阎鼎的僚属辅佐阎鼎。周顗，是周浚的儿子。

当时国家大乱，唯独长江以东地区稍微安定一些，北方中原地区的官吏、百姓为了躲避战乱大多都向南渡过长江来到江东。担任镇东司马的王导劝说琅邪王司马睿，让他招纳贤能才俊，和他们一起治理江东。司马睿听从王导的劝告，聘请了一百多人作为自己的僚属，当时的人称他们为"百六掾"。司马睿任命前任颍川郡太守勃海人刁协为军谘祭酒，任命前任东海郡太守王承、广陵国相卞壶为从事中郎，任命江宁县令诸葛恢、历阳国参军陈国人陈頵为行参军，任命前任太傅掾庾亮为西曹掾。王承，是王浑弟弟的儿子。诸葛恢，是诸葛靓的儿子。庾亮，是庾衮弟弟的儿子。

江州刺史华轶，是华歆的曾孙。他认为自己是接受朝廷的任命担任江州刺史，而今却受琅邪王司马睿的管辖，因此经常不服从司马睿的命令。许多郡县官员都劝谏他，华轶说："我只不过想看见皇帝的诏书罢了。"等到司马睿接到荀藩的檄文，以皇帝的名义设置官署，更换各州郡官员的时候，华轶与豫州刺史裴宪都不服从司马睿的任命。司马睿于是派遣扬州刺史王敦、历阳国内史甘卓与扬烈将军庐江人周访联合起来攻打华轶。华轶兵败后，投奔安成郡，被周访率兵追上杀死，华轶的五个儿子也受牵连而全部被杀。裴宪逃往幽州。司马睿任命甘卓为湘州刺史，周访为寻阳郡太守，又任命扬武将军陶侃为武昌郡太守。

【段旨】

以上为第三段，写晋怀帝永嘉五年（公元三一一年）上半年的大事。主要写了东海王司马越与苟晞争权夺利，互动刀兵，司马越因失败而忧愤以死，临死将国家大权交付于王衍执掌；写了石勒引兵追击司马越的丧车，破杀晋兵十余万，活捉王衍、司马范、司马济、司马澹等一大批王公贵臣，最后都被石勒杀死，并对司马越剖棺焚尸；写了刘聪派呼延晏、刘曜、王弥、石勒等进攻洛阳，俘获晋怀帝；写了司马睿在江南网罗才俊，并将势力发展到荆州一带。此外还有荆湘流民拥立地方官吏杜弢为主，杜弢遂自称梁、益二州牧等。

【注释】

㉟⓪壬申：正月十四日。㉟①高平：县名，县治在今山东微山西北。㉟②保据江、汉：占据长江、汉水地区（今湖北中部）。㉟③饥疫：粮食缺乏，瘟疫流行。㉟④太半：一大半。㉟⑤癸酉：正月十五日。㉟⑥乙亥：正月十七日。㉟⑦涪城：县名，县治在今四川绵阳城东北。㉟⑧太保始：李始，现为太保之职。㉟⑨巴西：郡名，郡治今四川阆中。㊱⓪改元玉衡：在此之前为李雄"晏平六年"。㊱①土民：犹言"土著"，当地的居民。㊱②蜀人李骧：流亡到荆州的蜀人，与成汉太傅李骧不是同一人。㊱③乐乡：晋县名，县治在今湖北松滋东。㊱④南平：晋郡名，郡治江安，在今湖北公安西北。㊱⑤醴陵令杜弢：醴陵，即今湖南醴陵。杜弢，字景文，蜀郡成都人，流亡荆湘间，受南平太守应詹赏识，任以为醴陵令。传见《晋书》卷一百。㊱⑥成都内史：成都国的行政长官。晋惠帝时，益州大乱，割荆州的华容（今湖北监利北）、川陵（今湖北监利东）、监利（今湖北监利北）三县，别立丰都县（县治在今湖北监利东北），置成都郡为成都王司马颖的采邑，称"成都国"。成都王司马颖虽前已死，此时封地尚未废除。㊱⑦以其妻子为赏：把李骧的妻子儿女（当作奴隶）赏给士兵。㊱⑧湘州：晋州名，州治即今湖南长沙。㊱⑨汝班：人名，姓汝名班。㊲⓪州里重望：在巴蜀来的同乡流民中，威望很高。㊲①新蔡王确：司马确，司马腾的儿子，司马越的侄子。被封为新蔡王，都城即今河南新蔡。㊲②庚辰：正月二十二。㊲③平原王幹：司马幹，司马懿之子。㊲④南顿：晋县名，县治在今河南项城西。㊲⑤氐苻成、隗文复叛：氐族人苻成叛李流归降罗尚事，见本书卷第八十五太安二年（公元三〇三年）。㊲⑥宜都：今湖北宜都。㊲⑦趣巴东：向巴东进兵。巴东，即今重庆市奉节县。㊲⑧韩松：时为益州刺史，暂驻巴东。㊲⑨东海孝献王越：司马越，东海王是其封号，"孝献"二字是谥。㊳⓪从而谮之：又附和着说苟晞的坏话。㊳①司马元超：司马越，字元超。㊳②不平：不公平。㊳③淆乱：混乱。㊳④苟道将：苟晞自称。苟晞字道将。㊳⑤以不义使之：让这种不仁不义之人来驱使我。㊳⑥移檄诸州：向各州传布文告。㊳⑦功伐：功绩。㊳⑧游骑：游动巡逻的骑兵。㊳⑨成皋间：成皋（今河南荥阳汜水镇虎牢关）一带，其地处于洛阳与东

方的交通要冲。㊵⓪罪状晞：公布苟晞的罪状。㊶收潘滔：逮捕潘滔。㊷三月丙子：三月十九。㊸薨于项：在项县去世。“八王之乱”的第八王至此结束。司马越自惠帝光熙元年（公元三〇六年）当权，至本年三月，历时四年八个月。㊹玮：司马玮，司马炎之子，被封为楚王，惠帝永平元年（公元二九一年）被贾后杀死。㊺何伦、李恽：司马越留守在洛阳的重要将领。㊻驱掠：驱赶、劫持。㊼魏兴：晋郡名，郡治在今陕西安康西北。㊽唱言：带头提出。㊾汉中：晋郡名，郡治南郑，在今陕西汉中东。㊿大贼：指成国李雄政权。(401)克复之事：指收复南郑与汉中地区。(402)失汉中：事见本书卷第八十六永嘉元年（公元三〇七年）。(403)沮众：败坏士气。(404)绥抚荒残：安抚深受战乱之苦的百姓。(405)太傅越之丧：太傅司马越的灵车。(406)苦县宁平城：当时的苦县县治在今河南鹿邑东。(407)相践如山：互相践踏，尸首堆积如山。(408)任城王济：司马济，司马懿之弟，司马通的孙子。(409)武陵庄王澹：司马澹，司马伷之子，司马懿之孙。(410)西河王喜：司马懿之弟，司马彬的后代。(411)梁怀王禧：梁王司马肜的过继儿子。(412)齐王超：齐王司马冏的儿子。(413)坐之幕下：让他们在大营的帐前坐下来。(414)问以晋故：问他们晋王朝何以弄到这般地步。(415)云计不在己：说主意不是自己出的。(416)少无宦情：从小就没有当官从政的愿望。(417)不豫世事：不参与、不过问国家大事。(418)劝勒称尊号：反过来倒怂恿石勒即位做皇帝。(419)俨然：此处犹言“凛然”，严峻郑重的样子。(420)顾：环顾。(421)何复纷纭：还有什么可乱说的。(422)未尝见此辈人：从来没见过这样的人。指这些人一个个眉目清秀，相貌堂堂。(423)要：犹言无论如何。(424)排墙杀之：推倒墙壁，趁睡觉时把他们都砸死了。(425)为天下报之：为普天下的黎民百姓申冤报仇。(426)洧仓：乡邑名，在当时的许昌（今河南许昌东）城北。(427)东海世子毗：东海王司马越的长子司马毗。(428)下邳：晋县名，县治在今江苏睢宁西北。(429)广宗：晋县名，县治在今河北威县东。(430)裴妃：东海王司马越的妃子。(431)掠卖：劫持贩卖。(432)德之：感激裴妃的好处。(433)以其子冲继越后：把自己的儿子司马冲过继给她做司马越的后代。(434)裴盾：时为晋朝之徐州刺史，镇守彭城。(435)荀眺：时为湘州刺史，驻守长沙。(436)零、桂：零陵与桂阳，皆晋郡名，零陵郡的郡治即今湖南永州市零陵区，桂阳郡的郡治即今湖南郴州。(437)武昌：晋郡名，郡治即今湖北鄂州市鄂城区。(438)二千石、长吏：郡太守与郡中上层主事官员。(439)荀藩：字大坚，荀勖之子。曾为黄门侍郎、尚书令。传见《晋书》卷三十九。(440)不能绥抚关中：当时关中地区饥疫流行，盗贼四起，司马模为秦、冀、梁、益四州都督，驻守长安而不能治。(441)表征为司空：上表请求皇帝召司马模回朝担任司空。(442)不就征：不服朝廷的调动。(443)世子保：司马模的世子司马保。世子，义同太子，王位的继承人。(444)上邽：今甘肃天水，当时为秦州的州治所在地。(445)安定：晋郡名，郡治临泾，在今甘肃镇原东南。(446)不果行：没有成行。(447)什八九：十分之八九。(448)卫从不备：皇家卫队零落不全。(449)曾无车舆：竟然连辆车子也没有。曾，竟然。(450)河阴：晋县名，县治在今河南洛阳市孟津区东。(451)治舟楫：筹措船只。(452)朝士：朝廷官员。(453)西掖门：宫廷前面的西侧门。(454)铜驼街：在洛阳城里的皇宫南面，是当时京都最广阔繁华的大街，因有从长安运来的汉代铜驼而得名。㊺5度支校尉：负责运输、贮藏国家物资的官员。456硖石：古地名，在今河南洛阳市孟津区西，为黄河渡口之一。457谷麦：没有脱皮的麦粒。458比及河南：从向晋王朝发起进攻到抵达洛阳的一路上。河南，黄河以南，亦即洛阳城北。459未至：在刘曜、王弥、石勒诸军尚未到达之前。460张方故垒：司马颙的部将张方当年在洛阳时驻兵的营垒，在洛阳城西七里。张方占据洛阳之事，见本书卷第八十五永兴元年（公元三〇四年）。461癸未：五月二十七。462甲申：五月二十八。463平昌门：洛阳城南城墙从东数第二门。464丙戌：五月三十。465东阳门：洛阳城东面南头第二门。466俘掠而去：俘获了一批士民、抢劫了大量财物离洛阳而去。467庚寅：六月初四。468辛卯：六月初五。469宣阳门：洛阳城南面东头第四门。470壬辰：六月初六。471西明门：洛阳城西面南头第二门。472丁酉：六月十一。473宫人：宫女。474华林园：洛阳皇宫中的园林。475端门：皇宫的正面第一道门。476武库：国家的军械库。477戊戌：六月十二。478诸陵：晋朝历代皇帝的陵墓。479六玺：皇帝的六方玉玺。480奔并州：指投奔刘琨。时刘蕃为并州刺史，刘蕃是刘琨的父亲。481丁未：六月二十一。482改元嘉平：在此之前是刘聪的“光兴二年”。483庾珉：字子琚，庾峻之子。传见《晋书》卷五十。484山河四塞：四面有山河做屏障。485不假修营：用不着再修葺营建就可以居住。486主上：刘聪。487屠各子：犹今所谓纨绔子弟。“屠各”是匈奴族中一个高贵的支派，历代单于都出自屠各一支。488帝王之意：成就帝王一统大业的志向与胆略。489项关：在河南项县（今河南沈丘）境内。490糜沸：如稀粥滚沸。491不世之功：世上罕见的功勋。492相失：彼此失去和气。493本州：指青州。王弥是青州东莱人。494混壹四海：统一天下。495鼎峙之业：与他人鼎立抗衡割据一方的事业。496行台：朝廷的派出机构，临时行使朝廷职权。497阳城：晋县名，县治今河南登封东南的告成镇。498汝阴：晋郡名，郡治即今安徽阜阳。499李矩：字世迴，平阳（今山西临汾）人，初为牙门将，刘渊攻平阳，他率乡人南屯荥阳、新郑，为坞主。传见《晋书》卷六十三。500立屋：建立官舍。501歆：华歆，字子鱼，曹魏的名臣。传见《三国志》卷十三。502密：晋县名，在今河南新密东南。503一泉坞：又名“一合坞”“一全坞”，在

**【原文】**

秋，七月，王浚设坛告类[526]，立皇太子[527]，布告天下，称受中诏[528]承制封拜[529]，备置百官，列署征、镇[530]。以荀藩为太尉，琅邪王睿为大将军。浚自领尚书令，以裴宪及其婿枣嵩为尚书。以田徽为兖州刺史，李恽为青州刺史。

河南宜阳西。504蒙城：蒙县县城，在今河南商丘东北二十二里。505吴孝王：吴王司马晏，司马炎之子，孝字是谥。506阎鼎：字台臣，天水郡（治今甘肃甘谷东）人。传见《晋书》卷六十。507西州：指甘肃一带。508刘畴：字王乔，刘隗之子。传见《晋书》卷六十九。509镇军长史：镇军将军的僚属，时司马越之子司马毗为镇军将军。510周颉：字伯仁，安东将军周浚之子，后为东晋名臣。传见《晋书》卷六十九。511差安：稍稍安定。512收其贤俊：招收贤能才俊。513辟掾属：聘请他们做自己的僚属。514百六掾：一百零六个掾属。515刁协：字玄亮，渤海饶安（今河北盐山西南）人，西晋时曾为颍川太守，后成为元帝心腹。传见《晋书》卷六十九。516王承：字安期，曾为东海王记室参军、东海太守等职。传见《晋书》卷七十五。517卞壸：字望之，济阳冤句（今山东曹县北）人，永嘉中任著作郎、从事中郎。传见《晋书》卷七十。518陈頵：字延思。传见《晋书》卷七十一。519行参军：官职名，晋初制度，朝廷除拜为"参军"，各府自辟为"行参军"。以后朝廷也可除拜行参军。520庾亮：字符规，后为东晋名臣。传见《晋书》卷七十三。521西曹掾：丞相、诸公，或位从公府的僚属，为西曹长官，掌府吏署用。522华轶：字彦夏，历任振威将军、江州刺史。传见《晋书》卷六十一。523改易长吏：更换各州郡官员。524裴宪：字景思，封安定郡公。传见《晋书》卷三十五。525安成：晋郡名，郡治平都，在今江西安福东南。

## 【校记】

［7］毗：原无此字。据章钰校，甲十一行本、乙十一行本皆有此字，今据补。［8］硖石：原作"峡石"。据章钰校，甲十一行本、乙十一行本皆作"硖石"，今据校改。〖按〗《晋书》卷六十三《魏浚传》亦作"硖石"。［9］成皋：原作"城皋"，今据严衍《通鉴补》改作"成皋"。〖按〗《晋书》卷六十三《李矩传》、《通鉴纪事本末》卷十二下皆作"成皋"，且二书他处亦未见有作"城皋"者，可证"成皋"之确。［10］衮：原作"兖"。据章钰校，甲十一行本、乙十一行本皆作"衮"，张敦仁《通鉴刊本识误》同，今从改。

## 【语译】

秋季，七月，幽州刺史王浚设立祭坛祭告天地，册立皇太子，布告天下，自称接受朝廷的诏命以皇帝的名义册封皇太子，设置文武百官，任命一系列的征、镇级大将军。任命荀藩为太尉，琅邪王司马睿为大将军。王浚自己兼任尚书令，任命裴宪以及裴宪的女婿枣嵩为尚书。任命田徽为兖州刺史，李恽为青州刺史。

南阳王模[531]使牙门赵染戍蒲坂[532]，染求冯翊太守[533]不得而怒，帅众降汉。汉主聪以染为平西将军。八月，聪遣染与安西将军刘雅帅骑二万攻模于长安，河内王粲、始安王曜帅大众继之。染败模兵于潼关[534]，长驱至下邽[535]。凉州将北宫纯[536]自长安帅其众降汉。汉兵围长安，模遣淳于定出战而败。模仓库虚竭，士卒离散，遂降于汉。赵染送模于河内王粲。九月，粲杀模。关西[537]饥馑，白骨蔽野，士民存者百无一二。聪以始安王曜为车骑大将军、雍州牧，更封中山王[538]，镇长安。以王弥为大将军，封齐公。

苟晞骄奢苛暴。前辽西太守阎亨，缵[539]之子也，数谏晞，晞杀之。从事中郎明预[540]有疾，自舆[541]入谏。晞怒曰："我杀阎亨，何关人事[542]，而与[11]病骂我[543]？"预曰："明公以礼待预，故预以礼自尽[544]。今明公怒预，其如远近怒明公何[545]？桀为天子，犹以骄暴而亡，况人臣乎！愿明公且置是怒[546]，思预之言。"晞不从。由是众心离怨，加以疾疫、饥馑。石勒攻王赞于阳夏[547]，擒之。遂袭蒙城，执晞及豫章王端[548]，锁晞颈，以为左司马。汉主聪拜勒幽州牧。

王弥与勒外相亲而内相忌，刘暾说弥，使召曹嶷之兵以图勒。弥为书，使暾召嶷，且邀勒共向青州。暾至东阿[549]，勒游骑获之，勒潜杀暾而弥不知。会弥将徐邈、高梁辄引所部兵[550]去，弥兵渐衰。弥闻勒擒苟晞，心恶之，以书贺勒曰："公获苟晞而用之，何其神也！使晞为公左，弥为公右，天下不足定[551]也。"勒谓张宾曰："王公[552]位重而言卑，其图我必矣。"宾因劝勒乘弥小衰[553]，诱而取之。时勒方与乞活[554]陈午相攻于蓬关[555]，弥亦与刘瑞[556]相持甚急。弥请救于勒，勒未之许。张宾曰："公常恐不得王公之便[557]，今天以王公授我矣。陈午小竖[558]，不足忧，王公人杰，当早除之。"勒乃引兵击瑞，斩之。弥大喜，

南阳王司马模派遣牙门将赵染守卫蒲坂县，赵染请求担任冯翊郡太守没能如愿，因此发怒，率领手下的人投降了汉国刘聪。汉主刘聪任命赵染为平西将军。八月，刘聪派遣赵染与安西将军刘雅率领两万骑兵前往长安攻打司马模，河内王刘粲、始安王刘曜率领大军紧随其后。赵染在潼关打败了司马模的军队，而后长驱直入抵达下邽县。凉州将领北宫纯率领他的军队从长安前来投降汉国。汉军围困了长安，司马模派遣淳于定出战又被汉军打败。当时司马模仓库空虚，士兵溃散，于是司马模也投降了汉国。赵染把司马模押送到河内王刘粲那里。九月，刘粲杀死了司马模。函谷关以西地区灾荒严重，饿死的人尸骨遮蔽原野，官吏与百姓存活下来的不足百分之一二。刘聪任命始安王刘曜为车骑大将军、雍州牧，改封河内王刘粲为中山王，负责镇守长安。任命王弥为大将军，封为齐公。

大将军苟晞骄横奢侈，苛刻残暴。前任辽西郡太守阎亨是阎缵的儿子，阎亨屡次规劝苟晞，苟晞就把阎亨杀死了。担任从事中郎的明预当时身患重病，他让人抬着自己去劝谏苟晞。苟晞十分恼怒地说："我杀死阎亨，关别人什么事，你自己有病还让人抬着来骂我?"明预说："您以礼待我，所以我也按礼节来尽自己的心意。如今您恼怒我，可以责怪我，可对那些恼怒您的人又有什么办法呢？夏桀贵为天子，尚且因为骄横残暴而灭亡，何况您只不过是一位臣子呢！希望您暂且平息这种怒气，好好想想我说的话对不对。"苟晞不听劝告。因此，苟晞已经是众叛亲离，再加上瘟疫流行、闹饥荒，石勒前往阳夏县攻打王赞，活捉了王赞。石勒趁势袭击蒙县县城，俘虏了苟晞以及豫章王司马端，石勒用锁链锁住苟晞的脖子，任用苟晞为左司马。汉主刘聪任命石勒为幽州牧。

汉国大将军王弥与幽州牧石勒表面上看似很亲近而心里却互相忌恨，刘暾于是劝说王弥，征调曹嶷的军队消灭石勒。王弥写好书信，派刘暾前去召请曹嶷，同时邀请石勒共同进攻青州。刘暾到达东阿时，被石勒的巡逻骑兵捉住，同时截获了王弥写给曹嶷的书信，石勒秘密杀死了刘暾，而王弥还蒙在鼓里。碰巧王弥手下的将领徐邈、高梁分别带领自己的部队离开了王弥，王弥的势力逐渐衰落。王弥听说石勒俘虏了苟晞，心里虽然憎恶石勒，却写信祝贺石勒说："您俘虏了苟晞而任用他为左司马，这是何等的神奇啊！如果让苟晞做您的左司马，让我做您的右司马，那么平定天下就不在话下了。"石勒对参军都尉张宾说："王弥的地位尊贵而言辞谦卑，他必定是在图谋除掉我。"张宾趁机劝说石勒借着王弥势力比较衰弱的机会，引诱王弥上钩将他消灭。当时石勒正在蓬关，和山西逃荒到太行山以东地区的流民首领陈午作战，王弥也处在与变民首领刘瑞决战的紧急关头。王弥向石勒请求救援，石勒没有答应王弥的请求。张宾对石勒说："您经常担心找不到袭取王弥的机会，如今老天爷把消灭王弥的机会给我们送来了。流民陈午这个小毛贼不值得忧虑，王弥是人中豪杰，应当早日除掉他。"于是石勒率领军队协助王弥攻打刘瑞，把刘瑞杀死。王

谓勒实亲己，不复疑也。冬，十月，勒请弥燕于己吾⑤⑤⑨。弥将往，长史张嵩谏，不听。酒酣，勒手斩弥而并其众。表汉主聪，称弥叛逆。聪大怒，遣使让勒⑤⑥⓪专害公辅⑤⑥①，有无君之心⑤⑥②；然犹加勒镇东大将军，督并、幽二州诸军事，领并州刺史，以慰其心。苟晞、王赞潜谋叛勒，勒杀之，并晞弟纯。

勒引兵掠豫州诸郡，临江而还⑤⑥③，屯于葛陂⑤⑥④。

初，勒之为人所掠卖⑤⑥⑤也，与其母王氏相失⑤⑥⑥。刘琨得之，遣使[12]并其从子虎⑤⑥⑦送于勒，因遗勒书曰："将军用兵如神，所向无敌，所以周流天下⑤⑥⑧而无容足之地，百战百胜而无尺寸之功⑤⑥⑨者，盖得主⑤⑦⓪则为义兵，附逆⑤⑦①则为贼众故也。成败之数⑤⑦②，有似呼吸，吹之则寒⑤⑦③，嘘之则温⑤⑦④。今相授侍中、车骑大将军、领护匈奴中郎将、襄城郡公，将军其受之！"勒报书曰："事功殊途⑤⑦⑤，非腐儒⑤⑦⑥所知。君当逞节本朝⑤⑦⑦，吾自夷⑤⑦⑧难为效⑤⑦⑨。"遗琨名马、珍宝，厚礼其使，谢而绝之⑤⑧⓪。

时虎年十七，残忍无度，为军中患。勒白母曰："此儿凶暴无赖⑤⑧①，使军人杀之⑤⑧②，声名可惜⑤⑧③，不若自除之。"母曰："快牛为犊，多能破车，⑤⑧④汝小忍⑤⑧⑤之！"及长，便弓马⑤⑧⑥，勇冠当时。勒以为征虏将军，每屠城邑，鲜有遗类⑤⑧⑦。然御众⑤⑧⑧严而不烦，莫敢犯者，指授攻讨⑤⑧⑨，所向无前，勒遂宠任之。

勒攻荥阳太守李矩，矩击却之。

初，南阳王模以从事中郎索綝⑤⑨⓪为冯翊太守。綝，靖⑤⑨①之子也。模死，綝与安夷护军金城麹允⑤⑨②、频阳令梁肃俱奔安定。时安定太守贾疋与诸氐、羌皆送任子⑤⑨③于汉，綝等遇之于阴密⑤⑨④，拥还临泾⑤⑨⑤，与疋谋兴复晋室，疋从之。乃共推疋为平西将军，率众五万向长安。

弥感到非常高兴，认为石勒确实和自己很亲近，于是对石勒不再怀疑。冬季，十月，石勒在己吾县设宴邀请王弥。王弥准备前往赴宴，他手下的长史张嵩劝他不要去，王弥不听劝告。酒席宴上，大家正在开怀畅饮时，石勒趁王弥不备亲手斩杀了他，还兼并了他的军队。然后上表奏报汉主刘聪，指控王弥准备叛变。刘聪看了奏章大怒，派遣使者责备石勒自作主张杀害三公一级的辅政大臣，心目中没有君长；然而，刘聪仍然擢升石勒为镇东大将军，都督并州、幽州二州诸军事，兼任并州刺史，用以安抚石勒之心。苟晞、王赞暗中密谋背叛石勒，石勒将他们杀死，就连苟晞的弟弟苟纯也没有放过。

石勒率领军队劫掠豫州各郡县，一直到达长江北岸才撤军，他把军队屯扎在葛陂。

当初，石勒被人掠夺贩卖的时候，与自己的母亲王氏失散。刘琨找到石勒的母亲，他派遣使者把石勒的母亲王氏以及石勒的侄子石虎送归石勒，顺便带书信给石勒说："将军用兵如神，所向无敌，然而您打遍天下，到处游动作战却没有立足之地，百战百胜而没有得到一点封土，其缘由在于若您跟的是一位英明的君主，那么您就是义军，您要是依附了叛逆者，您就是贼寇。成功与失败的关键，就像人的呼吸一样，用力呼出去的气就是寒冷的，轻轻地呵气就感觉呵出的气是温暖的。如今我授予您侍中、车骑大将军、兼任护匈奴中郎将、襄城郡公，请将军您接受我的任命！"石勒回信说："成就伟大功业所走的道路各有不同，这不是迂腐的儒生所能够了解的。您应当坚守节操，效忠您的朝廷，我是少数民族出身，难以为你们效劳。"石勒回赠给刘琨名马、珍珠宝物，厚待刘琨的使者，对刘琨表达歉意之后回绝了刘琨的招揽。

当时石虎十七岁，生性残忍得没有节制，成为军中的祸患。石勒对他的母亲说："这个孩子凶残暴虐，根本靠不住，倘若他惹起众怒，被军人杀死，将会败坏我们家的名声，不如我们自己把他除掉吧。"石勒的母亲说："让一头善于奔跑的牛去拉车，大都没有好的结果，你稍稍忍耐一下吧！"等到石虎长大之后，精于骑马射箭，而且他的勇敢当时没有人能够比得上。石勒任命石虎为征虏将军，每次屠杀城邑，很少有人能够侥幸活下来。然而石虎驾驭部下虽然严格却不烦琐，没有人敢冒犯他，不论石勒交给他什么战斗任务，石虎都能所向披靡，攻无不克，石勒逐渐地宠爱重用起石虎来。

石勒进攻荥阳郡太守李矩，被李矩打退。

当初，南阳王司马模任用担任从事中郎的索綝为冯翊郡太守。索綝，是索靖的儿子。司马模死后，索綝与担任安夷护军的金城人麹允、频阳县令梁肃全都逃往安定郡。当时安定郡太守贾疋与那些氐人部落、羌人部落正在把自己的儿子送往汉主刘聪那里去做人质，索綝等人在阴密县境内与这些充作人质的人相遇，于是就将他们带回临泾县，索綝与贾疋商议复兴晋室之事，贾疋听从了索綝的意见。于是共同

雍州刺史麹特、新平太守竺恢皆不降于汉[596]，闻疋起兵，与扶风太守梁综帅众十万会之。综，肃之兄也。汉河内王粲在新丰[597]，使其将刘雅、赵染攻新平，不克。索綝救新平，大小百战，雅等败退。中山王曜与疋等战于黄丘[598]，曜众大败。疋遂袭汉梁州刺史[599]彭荡仲，杀之。麹特等击破粲于新丰，粲还平阳。于是疋等兵势大振，关西胡[600]、晋[601]翕然[602]响应。

阎鼎欲奉秦王业[603]入关，据长安以号令四方。河阴令傅畅[604]，祗之子也，亦以书劝之，鼎遂行。荀藩[605]、刘畴[606]、周顗[607]、李述[608]等皆山东人，不欲西行，中涂逃散。鼎遣兵追之，不及，杀李絙等。鼎与业自宛趣武关[609]，遇盗于上洛[610]，士卒败散，收其余众，进至蓝田[611]，使人告贾疋，疋遣兵迎之。十二月，入于雍城[612]，使梁综将兵卫之。

周顗奔琅邪王睿，睿以顗为军谘祭酒。前骑都尉谯国桓彝[613]亦避乱过江，见睿微弱[614]，谓顗曰："我以中州多故[615]，来此求全，而单弱[616]如此，将何以济[617]？"既而见王导，共论世事，退，谓顗曰："向见管夷吾[618]，无复忧矣！"

诸名士相与登新亭[619]游宴，周顗中坐[620]叹曰："风景不殊[621]，举目有江河之异[622]！"因相视流涕。王导愀然[623]变色曰："当共戮力王室[624]，克复神州[625]，何至作楚囚对泣[626]邪？"众皆收泪谢之。

陈頵[627]遗王导书曰："中华[628]所以倾弊[629]者，正以取才失所[630]。先白望而后实事[631]，浮竞[632]驱驰，互相贡荐[633]，言重者[634]先显，言轻者后叙[635]，遂相波扇[636]，乃至陵迟[637]。加有庄、老之俗[638]，倾惑朝廷[639]，养望者

推举贾疋为平西将军，率领五万军队向长安进发。雍州刺史麹特、新平郡太守竺恢都没有向汉主刘聪投降，他们听到贾疋起兵的消息，就与扶风郡太守梁综一起率领十万之众前去与贾疋会合。梁综，是梁肃的哥哥。汉国河内王刘粲当时正驻守在新丰县，他派遣手下将领刘雅、赵染进攻新平县，没有攻克。索綝率军前往新平县救援，与刘雅进行了大小一百多次战斗，终于将刘雅等人打败击退。中山王刘曜与贾疋在黄丘作战，贾疋把刘曜打得大败。贾疋随即袭击汉国的梁州刺史彭荡仲，杀死了他。麹特等人在新丰县打败了汉国河内王刘粲，刘粲逃回汉国的都城平阳。于是贾疋等人的声势兵威极大地振作起来，函谷关以西的胡人以及汉人全都哄然而起响应贾疋。

前任豫州刺史阎鼎想要拥护秦王司马邺进入函谷关，占据长安以号令四方。河阴县令傅畅，是傅祗的儿子，也写信劝说阎鼎进入函谷关，阎鼎于是开始行动。司空荀藩、司徒左长史刘畴、镇军长史周顗、司马李述等人都是崤山以东的人，他们不愿意西去长安，便在中途逃散了。阎鼎派军队追赶他们，也没有追上，只杀了李絙等人。阎鼎与秦王司马邺从宛县向武关前进，在上洛县遭遇盗贼，被盗贼打败，士卒四处逃散，阎鼎召集起剩余的人马继续前进，到达蓝田县的时候，阎鼎派人通知贾疋，贾疋派军队前来迎接他们。十二月，阎鼎和秦王司马邺等进入雍县县城，贾疋派梁综率领军队保卫他们。

镇军长史周顗投奔琅邪王司马睿，司马睿任命周顗为军谘祭酒。前骑都尉谯国人桓彝也向南渡过长江来到江东躲避战乱，他看到司马睿人微势弱，就对周顗说："我因为中原地区战乱不断，才来到江东寻找安全的地方，而司马睿的相貌仪表竟然如此单薄虚弱，他靠什么成就大业呢?"不久桓彝又见到王导，他和王导共同谈论起国家的形势，桓彝回来后对周顗说："刚才仿佛见到管仲，我对前途再也没有什么忧虑了!"

从中原来到江东的那些知名人士相约登上新亭游览、举行宴会，周顗在座谈当中，无限感慨地叹息了一声说："南方北方的自然风光并没有太大的差别，但举目一望，昔日是在黄河边，今日却是到了长江边，大半个国家已经沦陷了!"于是互相对看着痛哭流涕。王导神色立时严肃起来，脸色都改变了，他说："我们应当同心协力报效朝廷，恢复中原，何必像一群囚犯那样互相对着哭泣呢?"大家都收起眼泪，向王导谢罪。

陈頵写信给王导说："西晋政权之所以颠覆垮台，是因为选用人才失当。选拔人才只喜欢选用那些徒有虚名的人，而不考查他究竟能做成什么事情，那些夸夸其谈、有名无实的人四处奔走，相互推荐，会说会吹的人首先被重用，有能力而老实巴交的人则被往后排列，并逐渐形成风气而不可挽回，终于导致国家颓败衰微。再加上一群信奉庄子、老子学说的人，败坏了整个朝廷的风气，把专求虚名而不干实事的

为弘雅[640]，政事者[641]为俗人，王职不恤[642]，法物[643]坠丧。夫欲制远，先由近始。今宜改张[644]，明赏信罚[645]，拔卓茂[646]于密县，显朱邑[647]于桐乡，然后大业可举，中兴可冀耳。”导不能从。

刘琨长于招怀[648]而短于抚御[649]，一日之中，虽归者数千，而去者亦相继。琨遣子遵请兵于代公猗卢，又遣族人高阳内史希[650]合众于中山[651]，幽州所统代郡[652]、上谷[653]、广宁[654]之民多归之，众至三万。王浚怒，遣燕相[655]胡矩督诸军，与辽西公段疾陆眷[656]共攻希，杀之，驱略三郡士女[657]而去。疾陆眷[13]，务勿尘之子也。猗卢遣其子六脩将兵助琨戍新兴[658]。琨牙门将邢延以碧石[659]献琨，琨以与六脩。六脩复就延求之，不得，执延妻子。延怒，以所部兵袭六脩。六脩走，延遂以新兴附汉，请兵以攻并州。

初，东夷校尉李臻[14]之死[660]也，辽东附塞鲜卑[661]素喜连、木丸津[662]托为臻报仇，攻陷诸县，杀掠士民，屡败郡兵，连年为寇。东夷校尉封释不能讨，请与连和[663]，连、津不从。民失业，归慕容廆者甚众，廆禀给遣还[664]，愿留者即抚存之。

廆少子鹰扬将军翰[665]言于廆曰：“自古有为之君，莫不尊天子，以从民望，成大业。今连、津外以庞本为名[666]，内实幸灾为乱。封使君[667]已诛本请和[668]，而寇暴不已。中原离乱，州师[669]不振，辽东[670]荒散[671]，莫之救恤[672]。单于[673]不若数其罪[674]而讨之，上则兴复辽东，下则并吞二部[675]，忠义彰于本朝[676]，私利归于我国，此霸王之基也。”廆笑曰：“孺子乃能及此[677]乎！”遂帅众东击连、津。以翰为前锋，破斩之，

人称为有雅量的人，把恪尽职守、尽心尽责的人看作庸俗的人，官员根本不考虑自己分内的工作，国家的纲常制度遭到破坏。要想达到长远目标，就应当先从眼下做起。如今就应当像给乐器调弦一样改变各种制度措施，有功的人一定要奖赏，有罪的人一定要处罚。当年汉光武帝刘秀把卓有政绩的密县县令卓茂提拔起来，汉宣帝刘询把在舒县桐乡担任小小啬夫然而却办事清廉公正的朱邑提拔重用，要像他们一样提拔有真才实学的下级官吏，然后才可以创立大业，晋朝中兴才有希望。”王导没有听从陈颓的建议。

刘琨善于招揽人才、使人归附，却不善于安抚、驾驭那些人才，一天当中有几千人来投奔他，离他而去的人也一个接着一个。刘琨派他的儿子刘遵向代公拓跋猗卢请求援军，又派族人高阳国内史刘希到中山国招集人马，幽州管辖下的代郡、上谷郡、广宁郡的人大多数都前来投靠刘希，刘希一下子就召集了三万多人。幽州刺史王浚知道以后大怒，就派遣燕国相胡矩率领各军，与辽西公段疾陆眷共同攻打刘希，把刘希杀死，强行把代郡、上谷郡、广宁郡三郡中投靠刘希的那些男男女女全部掠去。段疾陆眷，是段务勿尘的儿子。拓跋猗卢派遣自己的儿子拓跋六脩率领军队帮助刘琨戍守新兴郡。刘琨的牙门将邢延把一块碧玉贡献给刘琨，刘琨转手便把碧玉赏给了拓跋六脩。拓跋六脩又向邢延索要碧玉，邢延不给，拓跋六脩就逮捕了邢延的妻儿。邢延大怒，率领自己手下的军队袭击拓跋六脩。拓跋六脩逃走，邢延于是把新兴郡献给汉主刘聪，请求刘聪派兵进攻并州。

当初，东夷校尉李臻被庞本杀死之后，辽东郡归降晋国后沿着晋国边境外侧居住的鲜卑人素喜连、木丸津打着为李臻报仇的旗号，攻城掠县，杀戮官吏百姓，屡次打败辽东郡的官兵，一连数年侵扰不断。担任东夷校尉的封释无力征讨他们，就向素喜连等人请求和解，素喜连、木丸津不同意和解。百姓因此失掉职业无法谋生，便纷纷投奔慕容廆，慕容廆发给路费、粮食，打发他们回乡，愿意继续留下来的慕容廆就安抚他们、安排好他们的生活。

慕容廆的长子鹰扬将军慕容翰对慕容廆说：“自古以来凡是有所作为的君主，没有不尊称天子，以顺应民愿，成就大业的。如今素喜连、木丸津对外宣称庞本杀死了李臻、要为李臻报仇，内心却是幸灾乐祸、趁机叛乱。东夷校尉封释已经诛杀庞本，向素喜连、木丸津请求和解，而素喜连、木丸津仍然不断地侵犯掠夺辽东郡。中原地区战乱不断，封释所统领的平州军队士气不振，导致辽东郡土地荒芜、百姓离散，没有人能够拯救、体恤他们。单于您不如趁此机会一条条列举素喜连、木丸津的罪状而出兵征讨他们，对朝廷来说是收复辽东郡，对我们来说实际上是吞并了素喜连、木丸津两个部落，在晋朝面前博得了忠义的好名声，私利却归我们自己所有，这是建立霸业的基础啊。”慕容廆笑着对慕容翰说：“你小子竟然能想到这一步!”慕容廆于是率领军队向东攻打素喜连、木丸津部落。任命慕容翰为前锋，打败素喜连、

尽并二部之众。得所掠民三千余家，及前归廆者悉以付郡[678]，辽东赖以复存。

封释疾病，属[679]其孙奕于廆。释卒，廆召奕与语，说之，曰："奇士也。"补小都督。释子冀州主簿悛、幽州参军抽来奔丧。廆见之曰："此家抎抎千斤犍[680]也。"以道不通，丧不得还[681]，皆留仕廆。廆以抽为长史，悛为参军。

王浚以妻舅崔毖为东夷校尉。毖，琰[682]之曾孙也。

---

【段旨】

以上为第四段，写晋怀帝永嘉五年（公元三一一年）下半年的大事。主要写了汉主刘聪派降将赵染攻克长安，俘获南阳王司马模而杀之；写了晋朝军阀苟晞性行骄暴，被石勒擒杀；写了汉将王弥与石勒闹矛盾，阴谋除掉石勒，结果被石勒袭杀；写了石勒之侄石虎的残暴善战，为后文做伏笔；写了晋将索綝、阎鼎、贾疋等迎秦王司马邺到长安，为其称帝做准备；写了周顗等中途逃跑，到江南投奔司马睿，东晋小王朝的班底日渐齐备，以及鲜卑慕容廆讨平素喜连、木丸津部落，势力逐渐壮大等。

【注释】

㉖告类：一种祭祀的名称，也叫"类祭"，以事禀告天地或禀告五帝之礼。㉗立皇太子：立谁为皇太子，史书没有记载。㉘中诏：来自朝廷的诏命。㉙承制封拜：以皇帝的名义任命各有关官职。㉚列署征、镇：任命一系列的征、镇级的大将军。当时有四征、四镇。㉛南阳王模：司马模，司马越的亲兄弟，当时正占据着长安。㉜蒲坂：晋县名，县治即今山西永济西。地当黄河弯曲处，有风陵（一作封陵，今称风陵渡）隔河与潼关相对，为河东通往关中的要冲。㉝求冯翊太守：请求任冯翊太守。㉞潼关：在今陕西潼关县北，当陕西、山西、河南三省要冲。㉟下邽：晋县名，县治在今陕西渭南东北。㊱北宫纯：凉州刺史张轨的部将，前奉命入援洛阳，值洛阳破，退入关中。㊲关西：泛指函谷关以西今陕西中部地区。㊳更封中山王：将河内王刘粲改封为中山王。㊴缵：阎缵，字续伯，晋代有名的直臣。传见《晋书》卷四十八。㊵明预：姓明名预。㊶自舆：让人抬着。㊷何关人事：关别人什么事。㊸与病骂我：自己有病还让人抬

木丸津的部队，杀死了素喜连、木丸津，吞并了他们两个部落的民众。慕容廆把被素喜连、木丸津掳掠去的三千多家，以及以前投靠他的人全部送回辽东郡，辽东郡靠了慕容廆才得以恢复。

封释得了重病，他把自己的孙子封奕托付给慕容廆。封释去世后，慕容廆召见封奕，经过一番谈话之后，慕容廆非常喜欢他，说："封奕真是天下奇才。"于是增补封奕一个小都督。封释的儿子担任冀州主簿的封悛、担任幽州参军的封抽都前来奔丧。慕容廆见了他们之后说："这一家人个个都是天上降下来的千斤神牛啊。"因为道路不通，封释的灵柩无法送回故乡安葬，封悛、封抽便都留下来在慕容廆手下担任官职。慕容廆任命封抽为长史，任命封悛为参军。

幽州刺史王浚任命妻舅崔毖为东夷校尉。崔毖，是崔琰的曾孙。

---

着前来骂我。⑤④④以礼自尽：按礼节来尽自己的心意。⑤④⑤其如远近怒明公何：对那些恼怒您的人又有什么办法呢。如何，奈……何。⑤④⑥且置是怒：暂且平息这种怒气。⑤④⑦阳夏：晋县名，县治即今河南太康。⑤④⑧豫章王端：司马遐之子，司马炎之孙。⑤④⑨东阿：晋县名，县治在今山东东阿西南。⑤⑤⓪引所部兵：带领自己的部队。⑤⑤①天下不足定：平定天下不费力、没困难。⑤⑤②王公：敬称王弥。⑤⑤③小衰：正比较衰弱。⑤⑤④乞活：指当时由山西逃荒到太行山以东的流民，其始末见本书卷第八十六光熙元年（公元三〇六年）。⑤⑤⑤蓬关：亦作"蓬陂"，在今河南开封南。⑤⑤⑥刘瑞：另一支变民的首领。⑤⑤⑦不得王公之便：谓找不到袭取王弥的机会。⑤⑤⑧小竖：小奴才；小毛贼。⑤⑤⑨燕于己吾：在己吾县举行宴会招待王弥。燕，通"宴"。己吾县的县治在今河南宁陵西南四十里。⑤⑥⓪让勒：责备石勒。⑤⑥①专害公辅：自作主张地杀害三公一级的辅政大臣。⑤⑥②有无君之心：心目中没有君长。⑤⑥③临江而还：一直打到长江边上才回来。⑤⑥④葛陂：古湖泊或堤坝之名，旧址在今河南新蔡北，周围三十里，久湮。⑤⑥⑤勒之为人所掠卖：石勒早年被掠卖，事见本书卷第八十六永兴二年（公元三〇五年）。⑤⑥⑥相失：失散。⑤⑥⑦并其从子虎：连同他的侄子石虎。⑤⑥⑧周流天下：打遍天下，到处游动作战。⑤⑥⑨无尺寸之功：指没得到一点封土。⑤⑦⓪得主：跟从一位明主。⑤⑦①附逆：依附了叛逆者。⑤⑦②成败之数：成功与失败的关键。数，这里指关键。⑤⑦③吹之则寒：用力呼出去的气是冷的。⑤⑦④嘘之则温：轻轻呵出去的气是温暖的。⑤⑦⑤事功殊途：成就伟大功业所走的道路不同。⑤⑦⑥腐儒：迂腐的儒生。⑤⑦⑦逞节本朝：坚守节操，效忠你们的朝廷。⑤⑦⑧吾自夷：我是一个夷狄之人。⑤⑦⑨难为效：难以为你们效力。⑤⑧⓪谢而绝之：表达道歉之意，回绝了他的招揽。⑤⑧①无赖：靠不住。⑤⑧②使军人杀之：倘使日后惹起众怒，被军中人杀死。⑤⑧③声名可惜：将会败坏我们家的名声。⑤⑧④快牛为犊二句：让一头善于奔跑的牛去拉车，大都没有好的结果，意思是用得不是地方。⑤⑧⑤小忍：稍稍

忍耐。586 便弓马：精于骑马射箭。587 鲜有遗类：很少有人能活下来。588 御众：驾驭部下；统领部众。589 指授攻讨：不论交给他什么战斗任务。590 索綝：字巨秀，曾任新平太守、安西将军等职。传见《晋书》卷六十。591 靖：索靖，字幼安，晋初的大书法家，有先见之明。传见《晋书》卷六十。592 麹允：原为金城（今甘肃兰州）豪族。事附见《晋书·忠义传》。593 任子：送自己的儿子去做人质。594 阴密：晋县名，县治在今甘肃灵台西五十里。595 拥还临泾：把这些人质带回到临泾。临泾，晋县名，县治在今甘肃镇原南，当时为安定郡治所在地。596 皆不降于汉：时麹特与竺恢同守新平（今陕西彬州）。597 新丰：晋县名，县治在今陕西西安市临潼区东北。598 黄丘：在今陕西淳化黄岭山下。599 汉梁州刺史：胡三省以为“梁”字作“凉”。600 胡：指少数民族的人。601 晋：指汉人。602 翕然：服帖的样子。603 秦王业：司马邺。“业”字也作“邺”，司马晏之子，司马炎之孙。604 傅畅：字世道。传见《晋书》卷四十七。605 荀藩：时为司空。606 刘畴：时为司徒左长史。607 周顗：时任镇军长史。608 李述：时任司马。609 武关：在今陕西商洛市商州区东一百八十五里。610 上洛：晋县名，在今陕西商洛市商州区南。611 蓝田：晋县名，县治在今陕西蓝田西三十里。612 雍城：雍县县城，在今陕西宝鸡市凤翔区南。613 桓彝：字茂伦，后为东晋名臣。传见《晋书》卷七十四。614 微弱：人微势弱。615 中州多故：中原地区战乱不断。616 单弱：指司马睿的相貌仪表。617 将何以济：靠什么能成就大业。618 向见管夷吾：刚才我仿佛见到了管仲。管夷吾字仲，春秋时齐桓公的宰相，辅佐齐桓公成就了霸业。619 新亭：在今江苏南京南，地近江滨，依山为城垒，为军事及交通重地。东晋时为朝士游宴之所。620 中坐：座谈当中。621 风景不殊：自然风光和以前没有什么差别。622 江河之异：昔日是在黄河边，今日乃到了长江边，大半个国家已经沦陷了。623 愀然：神色严肃的样子。624 戮力王室：同心合力地报效朝廷。戮力，合力。625 神州：指中原地区。626 楚囚对泣：像一群囚徒相聚涕泣。囚徒之所以必称“楚囚”，乃来源于春秋时楚国锺仪为晋人所囚的故事，见《左传》成公九年。627 陈頵：字延思，官至梁州刺史。传见《晋书》卷七十一。628 中华：中原地区，这里指西晋政权。629 倾弊：颠覆垮台。630 取才失所：选用人才失当。631 先白望而后实事：只喜欢那些徒有虚名的人，而不考查他究竟能做些什么事。最明显的像王衍那种人竟几十年间一直执掌大权。632 浮竞：指夸夸其谈、有名无实的人。633 贡荐：推荐。634 言重者：会说会吹的人。635 后叙：往后排列。636 波扇：鼓动、煽动，意谓遂成了一种不可挽回的风气。637 陵迟：颓败衰微。638 庄、老之俗：一群信奉老庄学说的人。639 倾惑朝廷：败坏了整个朝廷的风气。640 养望者为弘雅：把专求虚名不干实事的人说成是有雅量。养望，追求虚名。641 政事者：指忠于职守、尽职尽责的人。642 王职不恤：根本不考虑自己分内的工作。不恤，不关心、不考虑。643 法物：指国家的纲常制度。644 改张：像给乐器调弦一样改变各种制度措施。645 明赏信罚：有功的一定要赏，有罪的一定要罚。646 卓茂：字子康，西汉末年人，曾任密县（今河南新密东南）县令，爱民如子，教化大行。传见《后汉书》卷二十五。这里代指一切有政绩的地方官。⑥47朱邑：字仲卿，曾任舒县桐乡啬夫，办事清廉公正，被汉宣帝刘询重用，累迁大司农丞。事见《汉书》卷七十六《循吏列传》。这里是用以指有才干的下级属吏。⑥48长于招怀：善于招揽人才，善于使人归附。⑥49短于抚御：不善于安抚、驾驭。⑥50高阳内史希：刘希，现任高阳内史之职。高阳内史是掌管高阳王国（都城即今河北蠡县）民政的长官。⑥51合众于中山：在中山国招集人马。中山国的都城卢奴，即今河北定州。⑥52代郡：郡治即今河北蔚县东北的代王城。⑥53上谷：晋郡名，郡治沮阳，在今河北怀来东南。⑥54广宁：晋郡名，郡治即今河北涿鹿。⑥55燕相：燕国（都城在今北京市的西南角）的最高行政长官。⑥56辽西公段疾陆眷：鲜卑人，姓段，名疾陆眷，也称段眷，务勿尘之子，王浚的外孙，被王浚推举为辽西公。⑥57三郡士女：指代郡、上谷、广宁三郡归附刘希的人。⑥58新兴：郡名，郡治九原，即今山西忻州。⑥59碧石：碧玉。⑥60李臻之死：李臻为庞本所杀事，见本书卷第八十六永嘉三年（公元三〇九年）。⑥61附塞鲜卑：归降而居住在晋朝边境外侧的鲜卑人。⑥62素喜连、木丸津：附塞鲜卑二部落的首领名。⑥63请与连和：请求彼此和解、联合。连和，联合、彼此结合。⑥64禀给遣还：发给他们粮食，让他们回故乡。禀，通“廪”，发给粮食。⑥65鹰扬将军翰：慕容翰，字邕，慕容廆庶出长子，此云“少子”，误。事见《晋书》卷一百九。⑥66以庞本为名：因为辽东太守庞本杀了李臻，故而他们打着为李臻报仇的旗号发动叛乱。⑥67封使君：指封释。“使君”是对郡守的敬称。⑥68已诛本请和：庞本杀死李臻后，朝廷派封释为东夷校尉，庞本又想杀封释，结果为封释所杀。事见本书卷第八十六永嘉三年（公元三〇九年）。⑥69州师：指平州政府的军队，归东夷校尉封释所统。⑥70辽东：晋郡名，郡治襄平，即今辽宁辽阳。⑥71荒散：一片荒凉，百姓逃散。⑥72莫之救恤：没有人拯救、体恤他们。⑥73单于：以称其父慕容廆。⑥74数其罪：列举素喜连、木丸津的罪状。⑥75二部：指素喜连和木丸津两个部落。⑥76彰于本朝：在晋朝朝廷面前博得好名声。⑥77乃能及此：竟能想到这一步。⑥78悉以付郡：全都送交辽东郡。⑥79属：通“嘱”，托付。⑥80抎抎千斤犍：从天上降下来的千斤神牛，以比喻其人品才干之高。抎抎，从高而下的样子。抎，通“陨”。⑥81丧不得还：封释的灵柩没法送回故乡。⑥82琰：崔琰，字季珪，曹操的僚属，曹丕被立为太子颇得其力。传见《三国志》卷十二。

## 【校记】

［11］与：原作“舆”。据章钰校，“舆”字当为误刻，甲十一行本、乙十一行本皆作“与”，今从改。［12］遣使：原无此二字。据章钰校，甲十一行本、乙十一行本、孔天胤本皆有此二字，张敦仁《通鉴刊本识误》同，今据补。［13］疾陆眷：原作“疾六眷”，而上文皆作“疾陆眷”，疑“六”字为“陆”字之讹，今据严衍《通鉴补》改作“疾陆眷”。［14］李臻：张敦仁《通鉴刊本识误》认为上脱“初东夷校尉”五字，当是。

【研析】

本卷写晋怀帝永嘉三年（公元三〇九年）到永嘉五年共三年间的西晋、前赵与成汉等国的大事，头绪纷繁，可议论的事情很多，这里只谈两点。

第一，关于“八王之乱”。本卷写了东海王司马越的死，这是通常所说的“八王之乱”的最后一个。司马越是与苟晞内战失败忧愤而死的，死后被石勒剖棺焚尸，并说：“乱天下者，此人也。吾为天下报之，故焚其骨以告天地。”司马越专权跋扈，作恶多端，被剖棺焚尸，自然是大快人心的。遗憾的是西晋王朝还有一大批死有余辜的人没有被剖棺焚尸，这些人包括贾充、荀勖、贾南风、杨骏、王衍等等。这些祸国殃民的家伙，不仅送掉了司马氏的江山，更可恶的是将华夏与周边各少数民族的劳动人民推入了长达上百年的水深火热之中。而西晋王朝的“八王之乱”就是这种严重灾难的开始，而埋下“八王之乱”这种大祸的造孽者就是晋武帝司马炎。

“八王之乱”的头绪纷繁，很不容易理清楚，更不容易记忆，现将其事扼要撮述如下。所谓“八王”是指汝南王亮、楚王玮、赵王伦、齐王冏、长沙王乂、成都王颖、河间王颙、东海王越，在《晋书》里被集中收在了同一卷。其作乱相杀的顺序是：楚王玮杀了汝南王亮，楚王玮又为贾皇后所杀；赵王伦杀贾皇后，齐王冏攻杀赵王伦；长沙王乂杀齐王冏，成都王颖杀长沙王乂；东海王越打败成都王颖，成都王颖为人所杀；东海王越召河间王颙进京，河间王颙半路为人所杀；东海王越兵败于军阀苟晞，忧愤而死，死后被羯族首领石勒剖棺焚尸。王志坚《读史商语》中有一段评论西晋史事的话，说：“余观晋八王之乱，而叹天所以报贼臣之惨也：玮杀亮，贾后杀玮；伦杀贾后，冏杀伦；乂杀冏，越杀乂；虓杀颖，模杀颙；李丰杀腾，刘粲杀模。其人皆持权拥兵，可以有为于天下；未几就戮，无异羊豕。而嗣其后者，还复蹈其覆辙。惠帝死于鸩，怀、愍死于胡，仅存一琅邪王称帝一隅……然自此迄于亡，亦遂无一帝可人意者。自古奸雄之巧未有如司马氏之甚者也，事猜忌之主，阴盗太阿，剪除异己，而主反以为功，使天下之人阴戴私门以为固。然而其主不觉，彼亦知其子孙之不振一至是乎？噫！此辈心地，阅此可以冰冷矣。”虽然有些因果报应、宿命论的意味，但所述事实大抵实情。晋朝统治者对历史发展做出的贡献很少，而其罪恶是大而且多的。

第二，关于王衍一类人。早在本书卷第八十二的《晋纪四》里就写过王衍等人，那里的记载说：“是时，王衍为尚书令，南阳乐广为河南尹，皆善清谈，宅心事外，名重当世，朝野之人，争慕效之。……衍神情明秀，少时，山涛见之，嗟叹良久，曰：‘何物老妪，生宁馨儿？然误天下苍生者，未必非此人也！’……王澄及阮咸、咸从子脩、泰山胡毋辅之、陈国谢鲲、城阳王尼、新蔡毕卓，皆以任放为达，至于醉狂裸体，不以为非。”等到东海王司马越掌权时，先以王衍为尚书左仆射，接着又任

以为太尉、司徒、尚书令；等到司马越临死前，更以国家的“后事”托付给王衍。但是这个被晋朝执政者看成香饽饽的王衍是怎么对待国家政事的呢？当他被任为司徒后，他先是运用权力将他的亲弟弟王澄任为荆州都督，将他的族弟王敦任为青州刺史。王衍对他们说：“荆州有江、汉之固，青州有负海之险。卿二人在外而吾居中，足以为三窟矣。”王澄上任后，“日夜纵酒，不亲庶务，虽寇戎交急，不以为怀。舒常切谏，以为宜爱民养兵，保全州境，澄不从”。更可憎的是，当王衍被石勒活捉后，石勒问他们怎么会把晋王朝弄成这种样子时，“衍具陈祸败之由，云计不在己，且自言少无宦情，不豫世事。因劝勒称尊号，冀以自免”。真是不知人间有羞耻事！倒是石勒一针见血，痛快淋漓，他说：“君少壮登朝，名盖四海，身居重任，何得言无宦情邪？破坏天下，非君而谁？”这样的人难道不应该碎尸万段？是石勒手下留情，只是推倒墙壁压死了他们。

# 卷第八十八　晋纪十

起玄黓涒滩（壬申，公元三一二年），尽昭阳作噩（癸酉，公元三一三年），凡二年。

**【题解】**

本卷写晋怀帝永嘉六年（公元三一二年）至晋愍帝建兴元年（公元三一三年）共两年间西晋、前赵与成汉等国的大事。主要写了被俘的晋怀帝为汉主刘聪所杀，贾疋、阎鼎、荀藩等拥戴晋愍帝司马邺即位于长安，而当时长安居民不过仅百户的凄凉惨象；写了风雨飘摇的晋王朝中荀藩、刘琨、司马睿三方争权，一个兖州派有三个刺史的荒唐情景；写了晋愍帝命令各路晋兵共同讨伐刘聪，刘琨等出兵后未战而退，司马睿则不睬上命，拒绝出兵；写了司马睿建业政权从建立伊始就承袭了西晋王朝的腐朽堕落，苟且偷安，不思改革；写了并州刺史刘琨生活骄奢、

**【原文】**

**孝怀皇帝下**

**永嘉六年（壬申，公元三一二年）**

春，正月，汉呼延后[①]卒，谥曰武元。

汉镇北将军靳冲、平北将军卜珝寇并州[②]。辛未[③]，围晋阳。

甲戌[④]，汉主聪以司空王育、尚书令任颢女为左、右昭仪[⑤]，中军大将军王彰、中书监范隆、左仆射马景女皆为夫人[⑥]，右仆射朱纪女为贵妃[⑦]，皆金印紫绶[⑧]。聪将纳太保刘殷[⑨]女，太弟义固谏。聪以问太宰延年、太傅景，皆曰："太保自云刘康公[⑩]之后，与陛下殊源[⑪]，纳之何害？"聪悦，拜殷二女英、娥为左右贵嫔，位在昭仪上。又纳殷女孙四人皆为贵人，位次贵妃。于是六刘之宠倾后宫，聪希复出外[⑫]，事皆中黄门奏决[⑬]。

流连声色、宠信小人、杀戮部下，汉将刘粲、刘曜进攻并州，攻下晋阳，杀死刘琨之父母；刘琨引鲜卑拓跋猗卢部落大破汉将刘曜，夺回晋阳；而拓跋猗卢则趁机发展势力，建立南、北二都与新平城，一个北方国家的轮廓跃然出现；写了汉将石勒欲攻江南，被司马睿打败，退回襄国，阴谋自立；写了石勒大破鲜卑段氏，使段氏专心归附；石勒又假意臣服王浚，王浚不识其诈，为王浚被石勒击灭做伏笔；写了陇西地区的羌人首领姚弋仲崭露头角，受夷夏拥护，自称雍州刺史；东北边境的慕容廆发展壮大，为众望所归，都为其日后建立国家奠定了基础。

---

【语译】

**孝怀皇帝下**

**永嘉六年（壬申，公元三一二年）**

春季，正月，汉国呼延皇后去世，谥号“武元”。

汉国镇北将军靳冲、平北将军卜珝率军进犯并州。正月十九日辛未，靳冲、卜珝的军队围困了并州州治所在地晋阳。

正月二十二日甲戌，汉主刘聪封司空王育、尚书令任颢的女儿为左昭仪、右昭仪，中军大将军王彰、中书监范隆、左仆射马景的女儿都被封为夫人，右仆射朱纪的女儿被封为贵妃，全都佩戴着金制的印章、紫色的绶带。刘聪还准备纳太保刘殷的女儿为妃，太弟刘乂坚决劝阻。刘聪就这件事情询问太宰刘延年、太傅刘景，他们二人都说：“太保刘殷说他自己是周朝刘康公的后代，与陛下不是同一个祖宗，纳他的女儿为妃有什么妨害呢？”刘聪听了非常高兴，就封刘殷的两个女儿刘英、刘娥为左贵嫔、右贵嫔，名位排在昭仪的前边。又纳刘殷的四个孙女入宫，她们都被封为贵人，名位仅次于贵妃。于是，刘殷家的六个女孩受到刘聪宠幸的程度压倒了后宫其他众多女性，从此刘聪很少出宫，一切国家大事全部通过宦官的禀告加以裁决。

故新野王歆[14]牙门将胡亢聚众于竟陵[15]，自号楚公，寇掠[16]荆土。以歆南蛮司马新野杜曾[17]为竟陵太守。曾勇冠三军，能被甲[18]游于水中。

二月壬子朔，日有食之。

石勒筑垒于葛陂[19]，课农[20]造舟，将攻建业。琅邪王睿大集江南之众于寿春，以镇东长史[21]纪瞻[22]为扬威将军，都督诸军以讨之。会大雨，三月不止，勒军中饥疫，死者太半。闻晋军将至，集将佐议之。右长史刁膺请先送款[23]于睿，求扫平河朔[24]以自赎，俟其军退，徐更图之。勒愀然长啸[25]。中坚将军夔安请就高[26]避水，勒曰："将军何怯邪？"孔苌等三十余将请各将兵分道夜攻寿春，斩吴将头，据其城，食其粟，要以今年破丹阳[27]，定江南。勒笑曰："是勇将之计也[28]！"各赐铠马[29]一匹。顾谓张宾曰："于君意何如？"宾曰："将军攻陷京师，囚执天子[30]，杀害王公，妻略妃主[31]，擢将军之发，不足以数将军之罪，[32]奈何复相臣奉[33]乎！去年既杀王弥，不当来此。今天降霖雨[34]于数百里中，示将军不应留此也。邺有三台[35]之固，西接平阳[36]，山河四塞，宜北徙据之，以经营河北；河北既定，天下无处将军之右[37]者矣。晋之保寿春，畏将军往攻之耳。彼闻吾去，喜于自全，何暇追袭吾后，为吾不利[38]邪！将军宜使辎重从北道先发，将军引大兵向寿春，辎重既远，大兵徐还，何忧进退无地乎！"勒攘袂鼓髯[39]曰："张君计是也！"责刁膺曰："君既相辅佐，当共成大功，奈何遽劝孤降[40]！此策应斩，然素知君怯，特相宥耳。"于是黜膺为将军，擢宾为右长史，号曰"右侯"。

勒引兵发葛陂，遣石虎帅骑二千向寿春。遇晋运船，虎将士争取之，为纪瞻所败。瞻追奔百里，前及勒军，勒结陈待之。瞻不敢击，退还寿春。

曾经在新野王司马歆手下担任牙门将的胡亢在竟陵郡招集人马，自己称起了楚公，他率人在荆州一带抢劫、掠夺，任命原来在司马歆手下担任南蛮司马的新野人杜曾为竟陵郡太守。杜曾勇冠三军，能身穿铠甲在水中游泳。

二月初一日壬子，发生日食。

汉国镇东大将军石勒在葛陂修筑起堡垒，督促农民耕种土地、打造战船，准备攻打建业。琅邪王司马睿在寿春把江南的民众大规模集结起来，任命担任镇东长史的纪瞻为扬威将军，统领各军讨伐石勒。遇上天降大雨，大雨连续下了三个多月，石勒军中缺乏粮食、疾病流行，死的人超过了一半。又听说晋国派扬威将军纪瞻率军前来讨伐，赶紧召集将佐商议对策。担任右长史的刁膺主张先向司马睿送去礼品和表示归附的书表，并请求扫平河朔地区来为自己赎罪，等到晋国的军队退去之后，慢慢再想办法消灭司马睿，石勒悲愁地吹了一声口哨。担任中坚将军的夔安请求将军队迁移到地势较高的地方躲避洪水，石勒说："将军怎么这么胆怯呢?"孔苌等三十多位将领请求把诸将分成几路，利用黑夜做掩护进攻寿春，斩下吴将的人头，占据他们的城池，吃他们的粮食，总之一定要在今年攻下丹阳郡，平定江南。石勒笑着说："这是勇将的想法!"于是赏赐每人一匹带有护甲的战马。石勒回头对参军都尉张宾说："您的意见如何呢?"张宾说："将军您攻陷晋国的京师洛阳，俘获、囚禁晋国的天子，杀害晋国的王公大臣，奸占晋国的嫔妃、公主，就是拔下将军的头发，也数不清将军对晋国所犯的罪恶，为什么还要给人去做臣属，去侍奉别人呢！去年既然杀了王弥，就不应该再到这里来。如今几百里之内连降大雨，是上天在警示将军不应该滞留在这里。邺城有建筑坚固的三台，西边和都城平阳相连接，四周有山有河作为天然屏障，我们应当往北迁移到邺城，以邺城为根据地，进而攻取河北；河北安定之后，天下就再也没有人能凌驾于将军之上了。晋兵保卫寿春，是害怕将军去攻打他们。他们一旦听说我们往北撤走，高兴自己得到了保全，哪还有工夫在后边追击我们、做对我们不利的事情呢！将军您应当让辎重从北道先行出发，将军您率领大军向寿春进发，做出一副准备攻打寿春的架势，等到辎重走远之后，您再率领大军慢慢撤退，何必担忧没有进退的余地呢!"石勒捋起衣袖、翘起胡须，精神振奋地说："张宾的计划是对的!"石勒责备刁膺说："你既然辅佐我，就应当共同建大功立大业，为什么动不动就劝我向晋国投降呢！按你出的计策应当把你斩首，然而我平素就知道你胆怯，所以特别宽恕你。"于是贬刁膺为将军，提拔张宾为右长史，号称"右侯"。

石勒率领军队从葛陂出发，他派遣石虎率领两千骑兵向寿春方向进发。路上遇到晋军的运粮船，石虎的将士争先恐后地去抢夺粮食，结果被司马睿手下的扬威将军纪瞻打败。纪瞻追赶了一百多里，前边就是石勒的军队，石勒摆开阵势等待纪瞻来攻。纪瞻不敢进攻，退回寿春。

汉主聪封帝[41]为会稽郡公，加仪同三司[42]。聪从容谓帝曰："卿昔为豫章王，朕与王武子[43]造卿[44]，武子称朕于卿[45]，卿言闻其名久矣，赠朕柘弓银研[46]，卿颇记否？"帝曰："臣安敢忘之！但恨尔日[47]不早识龙颜。"聪曰："卿家骨肉何相残如此？"帝曰："大汉[48]将应天受命，故为陛下自相驱除[49]。此殆天意[50]，非人事也。且臣家若能奉武皇帝[51]之业，九族敦睦[52]，陛下何由得之？"聪喜，以小刘贵人[53]妻帝，曰："此名公之孙也，卿善遇之。"

代公猗卢遣兵救晋阳。三月乙未[54]，汉兵败走。卜珝[55]之卒先奔，靳冲擅收珝[56]，斩之。聪大怒，遣使持节斩冲。

聪纳其舅子辅汉将军张寔[57]二女徽光、丽光为贵人[58]，太后张氏[59]之意也。

凉州主簿马鲂说张轨："宜命将出师，翼戴帝室[60]。"轨从之，驰檄关中[61]，共尊辅秦王[62]，且言："今遣前锋督护宋配，帅步骑二万，径趋长安，西中郎将寔[63]帅中军三万，武威太守张琠帅胡骑二万，络绎继发[64]。"

夏，四月丙寅[65]，征南将军山简卒。

汉主聪封其子敷为渤海王，骥为济南王，鸾为燕王，鸿为楚王，劢为齐王，权为秦王，操为魏王，持为赵王。

聪以鱼蟹不供，斩左都水使者[66]襄陵王摅[67]；作温明、徽光二殿未成，斩将作大匠[68]望都公靳陵；观渔[69]于汾水，昏夜[70]不归。中军大将军王彰谏曰："比[71]观陛下所为，臣实痛心疾首。今愚民归汉之志未专[72]，思晋之心犹盛，刘琨咫尺[73]，刺客纵横，帝王轻出[74]，一夫敌[75]耳。愿陛下改往修来[76]，则亿兆[77]幸甚！"聪大怒，命斩之。王夫人[78]叩头乞哀，乃囚之。太后张氏以聪刑罚过差[79]，三日不食，太弟义、单于粲舆榇[80]切谏[81]。聪怒曰："吾岂桀、纣，而汝辈生来哭人[82]！"太宰延年、太保殷等公卿、列侯百余人，皆免冠涕泣曰："陛下功高德厚，旷世少比[83]，往也唐、虞，今则陛下。[84]而顷来[85]以小小

汉主刘聪封晋怀帝司马炽为会稽郡公，让他享受三司一级的礼遇。刘聪不经意地对晋怀帝司马炽说："你过去当豫章王的时候，我与王济一同去拜访，王济在你面前称赞我，你说听到我的名字已经很久了，还赠送我柘木弓银砚台，还记得吗？"司马炽回答说："我怎么敢忘记呢！只恨当时没有早点结识你。"刘聪说："你们司马氏家族骨肉之间为什么如此互相残害呢？"司马炽回答说："大汉将要顺民心应天命，所以上天才使司马氏自相残杀，让他们自己铲除自己，为陛下扫清道路。这是天意，与人事无关。况且我家如果能够保住武皇帝创立的基业，九族之间和睦相处，陛下怎么能够得到天下呢？"刘聪大喜，就把刘殷四个孙女中最小的一位贵人送给司马炽为妻，他对司马炽说："这是有名大臣的孙女，你一定要善待她。"

代公拓跋猗卢派军队救援晋阳。三月十四日乙未，汉军被打败撤走。汉国平北将军卜珝的士兵首先逃跑，汉镇北将军靳冲擅自逮捕了卜珝，并把卜珝杀死。刘聪大怒，立即派使者手持符节前去斩杀了靳冲。

刘聪把他舅舅的儿子辅汉将军张寔的两个女儿张徽光、张丽光纳入宫中封为贵人，这是刘聪的生母张太后的主意。

担任凉州主簿的马鲂对凉州刺史张轨说："您应当派将领率军出征，前去扶助、护卫皇室。"张轨听从了马鲂的建议，他立即发布檄文通报关中各地，号召共同尊奉、辅佐秦王司马邺，他在檄文中宣布说："现在我派前锋督护宋配，率领步兵、骑兵二万，径直奔赴长安，西中郎将张寔率领中军三万，武威太守张琠率领胡人骑兵二万，紧随其后陆续出发。"

夏季，四月十六日丙寅，晋征南将军山简去世。

汉主刘聪封自己的儿子刘敷为渤海王，封刘骥为济南王，封刘鸾为燕王，封刘鸿为楚王，封刘劢为齐王，封刘权为秦王，封刘操为魏王，封刘持为赵王。

汉主刘聪因为鱼蟹供应不足，就将担任左都水使者的襄陵王刘摅处死；因为修建温明殿、徽光殿没能按期完工，就诛杀了将作大匠望都公靳陵；到汾河观赏捕鱼，半夜三更还不回宫。中军大将军王彰劝谏他说："近来观看陛下的所作所为，我实在感到痛心疾首。如今百姓归汉的意志还不坚决，思念晋朝的心思还很强烈，刘琨近在咫尺，刺客随处都有，陛下轻率外出，一个人就能够对付您。希望陛下改变过去的作风，开创新的未来，那将是天下亿万人的福分！"刘聪大怒，立即下令要把王彰斩首。王彰的女儿即刘聪的王夫人为父亲向刘聪磕头求情，刘聪就把王彰囚禁起来。太后张氏认为刘聪对王彰的处罚过重，就绝食了三天，太弟刘义、单于刘粲抱定必死的决心抬着棺材恳切地规劝刘聪。刘聪怒气冲冲地说："我难道是夏桀王、商纣王那样的人吗？而你们这些人竟然在我活着的时候就来哭吊我！"太宰刘延年、太保刘殷等公卿、列侯一百多人，都摘下官帽痛哭流涕地对刘聪说："陛下功高德厚，当今世上没有一个人能够比得上您，古代的贤君是唐尧、虞舜，今天的贤君就是陛下您

不供，亟[86]斩王公[87]；直言忤[1]旨[88]，遽囚大将[89]。此臣等窃所未解，故相与忧之[90]，忘寝与食。”聪慨然曰：“朕昨大醉，非其本心，微[91]公等言之，朕不闻过。”各赐帛百匹，使侍中持节赦彰曰：“先帝[92]赖君如左右手，君著勋再世[93]，朕敢忘之！此段之过[94]，希君荡然[95]。君能尽怀忧国，朕所望也。今进君骠骑将军、定襄郡公，后有不逮[96]，幸数匡之[97]。”

王弥既死[98]，汉安北将军赵固、平北将军王桑恐为石勒所并，欲引兵归平阳，军中乏粮，士卒相食，乃自硖硗津[99]西渡，攻掠河北郡县[2]。刘琨以其[3]兄子演为魏郡太守，镇邺。固[4]、桑恐演邀[100]之，遣长史临深[101]为质于琨。琨以固为雍州[102]刺史，桑为豫州[103]刺史。

贾疋[104]等围长安数月，汉中山王曜连战皆败，驱掠士女八万余口，奔于平阳。秦王业自雍入于长安。五月，汉主聪贬曜为龙骧大将军，行大司马[105]。聪使河内王粲[106]攻傅祗于三渚[107]，右将军刘参攻郭默于怀[108]。会祗病薨，城陷，粲迁祗子孙并其士民二万余户于平阳。

六月，汉主聪欲立贵嫔刘英为皇后。张太后欲立贵人张徽光，聪不得已，许之。英寻卒[109]。

汉大昌文献公刘殷[110]卒。殷为相，不犯颜[111]忤旨，然因事进规[112]，补益甚多。汉主聪每与群臣议政事，殷无所是非[113]。群臣出，殷独留，为聪敷畅条理[114]，商榷事宜[115]，聪未尝不从之。殷常戒子孙曰：“事君当务几谏[116]。凡人尚不可面斥其过，况万乘[117]乎！夫几谏之功[118]，无异犯颜，但不彰君之过[119]，所以为优耳。”官至侍中、太保、录尚书，赐剑履上殿[120]、入朝不趋[121]、乘舆入殿。然殷在公卿间，常恂恂[122]有卑让之色，故能处骄暴之国，保其富贵，不失令名[123]，以寿考自终[124]。

汉主聪以河间王易[125]为车骑将军，彭城王翼[126]为卫将军，并典兵

了。而近来只是因为鱼蟹稍微有些供应不上，宫殿没有按时修好这些很小的过失，您就屡屡地诛杀主管的王公大臣；因为大将王彰直言劝谏违背了陛下的旨意，您又将他囚禁起来。这些都是我们所不能理解的，大家都对此感到忧虑，以至于废寝忘食。”刘聪感慨地说：“昨天喝醉了酒，并不是我的本意要这样做，若不是你们提醒，我还不知道自己的过错在哪里呢。”于是赏赐每人一百匹帛，又派遣侍中手持符节前去赦免了王彰，刘聪对王彰说：“先帝依靠您就像是依靠自己的左右手，您为两代人都建立了功勋，我哪里敢忘掉您的功劳呢！我这一次的过错，希望您不要放在心上。您能尽心尽力地忧国忧民，这是我所希望的。现在晋升您为骠骑将军、定襄郡公，今后如果我再有什么做得不好的地方，还希望您多多地加以匡正和指教。”

王弥被石勒杀死之后，汉国安北将军赵固、平北将军王桑恐怕被石勒吞并，就准备率领军队回到平阳，因为军中粮食缺乏，士兵之间已经开始出现格杀、相食的情况，赵固等便从黄河的硖硗津渡口向西渡过黄河，攻掠河北郡县。并州刺史刘琨任命自己哥哥的儿子刘演为魏郡太守，负责镇守邺城。赵固、王桑担心刘演会率军袭击他们，就派遣担任长史的临深到刘琨那里去做人质。刘琨任命赵固为雍州刺史，任命王桑为豫州刺史。

晋国安定太守贾疋等率军围困长安已经好几个月，汉中山王刘曜屡战屡败，于是放弃守城，驱赶着劫掠来的八万多男女老幼奔往平阳。秦王司马邺从雍城进入长安。五月，汉主刘聪贬刘曜为龙骧大将军，兼任大司马的职务。刘聪派遣河内王刘粲率军前往三渚攻打傅祗，派右将军刘参前往怀县攻打郭默。碰巧此时傅祗病逝，三渚城随即陷落，刘粲把傅祗的子孙以及三渚的百姓总计两万多户全部迁往平阳。

六月，汉主刘聪想立贵嫔刘英为皇后。张太后想立贵人张徽光为皇后，刘聪迫不得已，只得顺从了母亲的意见。贵嫔刘英不久去世。

汉大昌文献公刘殷去世。刘殷身为汉国的宰相，从来不当面给皇帝脸色看、不违背君主的旨意，然而却总能寻找机会对君主进行规劝，对国家补益很多。汉主刘聪每次与大臣议论政事，刘殷从来不明确指出是非对错。等大臣退出之后，刘殷总是单独留下来，为刘聪详尽地分析事情的是非曲直，商量事情应该怎么办，刘聪从来没有不依从的。刘殷经常告诫自己的子孙说：“侍奉君王务必要婉言相劝，一般的人尚且不能当面指斥他的过错，何况是万乘之君呢！婉言劝谏的效果无异于犯颜直谏，但因为不在众人面前暴露君王的过错，所以这种做法是最好的。”刘殷的官职一直做到侍中、太保、主管尚书省事务，汉主赏赐他可以佩带宝剑、穿着鞋子上殿，在朝廷上不用采取小步快走的行路姿势，还可以乘着轿子入宫。然而刘殷在公卿大臣之间，经常表现出谦恭谨慎，甚至有些谦卑的样子，所以虽然身处骄横暴虐的国度，却始终能够保有富贵，不丧失美好的名声，最后能够寿终正寝。

汉主刘聪任命河间王刘易为车骑将军，彭城王刘翼为卫将军，两人都掌管禁卫

宿卫。高平王悝[127]为征南将军，镇离石；济南王骥[128]为征西将军，筑西平城[129]以居之；魏王操为征东将军，镇蒲子[130]。

赵固、王桑自怀求迎于汉，汉主聪遣镇远将军梁伏疵将兵迎之。未至，长史临深、将军牟穆帅众一万叛归刘演[131]。固随疵而西，桑引其众东奔青州，固遣兵追杀之于曲梁[132]，桑将张凤帅其余众归演。聪以固为荆州刺史、领河南太守，镇洛阳。

石勒自葛陂北行，所过皆坚壁清野，虏掠无所获，军中饥甚，士卒相食。至东燕[133]，闻汲郡向冰[134]聚众数千壁枋头[135]。勒将济河，恐冰邀[136]之。张宾曰："闻冰船尽在渎中未上[137]，宜遣轻兵间道袭取[138]，以济大军[139]。大军既济，冰必可擒也。"秋，七月，勒使支雄、孔苌自文石津[140]缚筏潜渡，取其船。勒引兵自棘津[141]济河，击冰，大破之，尽得其资储，军势复振，遂长驱至邺。刘演保三台以自固，临深、牟穆等复帅其众降于勒。

诸将欲攻三台，张宾曰："演虽弱，众犹数千，三台险固，攻之未易猝拔[142]，舍而去之，彼将自溃。方今王彭祖、刘越石[143]，公之大敌也，宜先取之，演不足顾也。且天下饥乱，明公虽拥大兵，游行羁旅[144]，人无定志，非所以保万全、制四方也。不若择便地而据之[145]，广聚粮储，西禀平阳以图幽、并[146]，此霸王之业也。邯郸[147]、襄国[148]，形胜之地[149]，请择一而都之。"勒曰："右侯之计是也。"遂进据襄国。

宾复言于勒曰："今吾居此，彭祖、越石所深忌也。恐城堑未固，资储未广，二寇交至[150]。宜亟收野谷[151]，且遣使至平阳，具陈镇此[152]之意。"勒从之，分命诸将攻冀州，郡县壁垒多降，运其谷以输襄国；且表于汉主聪，聪以勒为都督冀、幽、并、营[153]四州诸军事、冀州牧，进封上党公。

军，负责守卫皇宫。高平王刘悝为征南将军，镇守离石；济南王刘骥为征西将军，他修筑西平城作为驻守之所；魏王刘操为征东将军，镇守蒲子县。

赵固、王桑从怀县请求汉主刘聪派遣军队迎接他们归汉，汉主刘聪派遣镇远将军梁伏疵率领军队前往迎接。梁伏疵还没有到达怀县，长史临深、将军牟穆已经率领一万多人叛变，投奔了晋国的魏郡太守刘演。赵固跟随梁伏疵西归于汉，而王桑则率领他的人马向东奔向了青州，赵固派遣军队追杀王桑，一直追到曲梁，终于把王桑杀死，王桑的部将张凤率领残余人马归顺了魏郡太守刘演。刘聪任命赵固为荆州刺史、兼任河南太守，镇守洛阳。

石勒离开葛陂向北进军，所过之处全都实行坚壁清野，石勒的军队什么东西也掳掠不到，士卒饥饿难忍，竟至人相食的地步。石勒率军来到东燕县，听说汲郡人向冰已经聚集数千人在枋头修筑起堡垒进行防守。石勒率军想要渡过黄河，惧怕向冰会半路袭击自己。右长史张宾对石勒说："听说向冰的船只都还在河中，没有拖到岸上，应当派遣一支轻装部队抄小路偷袭他们，夺取他们的船只，以便运载大军渡河。大军如果渡过黄河，向冰必然被我们擒获。"秋季，七月，石勒派遣支雄、孔苌从文石津渡口捆绑筏子偷偷渡过黄河，夺取了向冰存放在河道中的船只。石勒亲自率军从棘津渡过黄河，攻击向冰，把向冰打得大败，缴获了向冰储备的所有物资，石勒的军威又重新振作起来，于是长驱直入抵达邺城。负责镇守邺城的魏郡太守刘演占据三台固守，而临深、牟穆等人则又率军归降了石勒。

诸将都想攻打三台，右长史张宾劝阻说："刘演的势力虽然微弱，但仍然有几千部众，三台地势险要，建筑坚固，不容易很快将它攻克，如果舍弃离开，他们将会自行溃散。如今幽州刺史王浚、并州刺史刘琨才是您最大的敌人，应当首先消灭他们，刘演不值得担忧。况且如今天下正在闹饥荒，加上战乱不断，您虽然拥有强大的军队，却来回行军于旅途之中，人心不定，这不是万无一失地保全自己以控制四方的长久之计。不如选择一个有利的地区扎下根来，大量屯集粮草，向西禀报汉主刘聪，就说我们要留在这里图谋攻占幽州、并州，这才是霸王的伟业啊。邯郸、襄国，是形势险要的地方，请您选择一处作为都城。"石勒说："右侯的计划很对。"于是进兵攻占了襄国。

张宾又对石勒说："如今我们占据了襄国，这是幽州刺史王浚、并州刺史刘琨最忌惮的。我担心这里的城墙还没有修筑坚固、城壕还没有挖掘很深，物资还没有储备丰富，而王浚、刘琨就已经轮番前来攻打。我们应当赶紧抢收田野里的庄稼，并且派遣使者去平阳，向汉主刘聪详细陈述我们镇守襄国的用意。"石勒听从张宾的建议，命令各将分头攻打冀州，冀州各郡县以及各处的武装大部分都投降了石勒，于是石勒把各郡县的粮食都运送到襄国，而且上表向刘聪报告情况，刘聪任命石勒为都督冀州、幽州、并州、营州四州诸军事、冀州牧，晋封石勒为上党公。

刘琨移檄州郡，期以十月会平阳，击汉。琨素奢豪，喜声色[154]。河南徐润以音律得幸于琨，琨以为晋阳令。润骄恣，干预政事[155]。护军令狐盛数以为言，且劝琨杀之，琨不从。润谮盛于琨，琨收盛，杀之。琨母曰："汝不能驾御豪杰以恢远略[156]，而专除胜己，祸必及我。"

盛子泥奔汉，具言虚实。汉主聪大喜，遣河内王粲、中山王曜将兵寇并州，以令狐泥为乡导。琨闻之，东出，收兵[157]于常山及中山[158]，使其将郝诜、张乔将兵拒粲，且遣使求救于代公猗卢。诜、乔俱败死。粲、曜乘虚袭晋阳，太原太守高乔、并州别驾郝聿以晋阳降汉。八月庚戌[159]，琨还救晋阳，不及，帅左右数十骑奔常山。辛亥[160]，粲、曜入晋阳。壬子[161]，令狐泥杀琨父母。

粲、曜送尚书卢志[162]、侍中许遐、太子右卫率崔玮于平阳。聪复以曜为车骑大将军，以前将军刘丰为并州刺史，镇晋阳。九月，聪以卢志为太弟太师，崔玮为太傅，许遐为太保，高乔、令狐泥皆为武卫将军。

己卯[163]，汉卫尉梁芬奔长安。

辛巳[164]，贾疋等奉秦王业为皇太子，建行台[165]于长安，登坛告类[166]，建宗庙、社稷[167]，大赦。以阎鼎为太子詹事[168]，总摄百揆[169]。加贾疋征西大将军，以秦州刺史、南阳王保[170]为大司马。命司空荀藩督摄远近，光禄大夫荀组[171]领司隶校尉、行豫州刺史，与藩共保开封。

秦州刺史裴苞据险以拒凉州兵[172]，张寔、宋配等击破之，苞奔柔凶坞[173]。

冬，十月，汉主聪封其子恒为代王，逞为吴王，朗为颍川王，皋为零陵王，旭为丹阳王，京为蜀王，坦为九江王，晃为临川王。以王育为太保，王彰为太尉，任觊为司徒，马景为司空，朱纪为尚书令，范隆为左仆射，呼延晏为右仆射。

代公猗卢遣其子六脩及兄子普根、将军卫雄、范班、箕澹帅众数万为前锋，以攻晋阳，猗卢自帅众二十万继之，刘琨收散卒数千为之

晋国并州刺史刘琨向并州各郡发布檄文，限定十月会师于平阳，进攻汉主刘聪。刘琨一向奢侈豪华，喜欢歌儿舞女。河南人徐润就因为擅长音律而得到刘琨的宠爱，刘琨任命徐润为晋阳县令。徐润骄横恣肆，经常干预刘琨的行政事务。担任护军的令狐盛屡次在刘琨面前提起此事，并且劝说刘琨杀掉徐润，刘琨不听令狐盛的劝告。徐润在刘琨面前进献谗言说令狐盛的坏话，刘琨就听从徐润逮捕了令狐盛，把令狐盛杀死。刘琨的母亲责备刘琨说："你不能驾驭英雄豪杰做远大打算，却专门铲除胜过自己的人，灾祸一定会连累到我。"

令狐盛的儿子令狐泥投奔汉主刘聪，他向汉主刘聪详细地报告了刘琨的虚实情况。汉主刘聪听了喜出望外，立即派遣河内王刘粲、中山王刘曜率领军队攻打并州，任命令狐泥为向导。刘琨听到汉军来攻的消息后，就到东边的常山、中山等地招募军队，他派自己的部将郝诜、张乔率领军队抵抗刘粲，同时派遣使者向代公拓跋猗卢请求救兵。郝诜、张乔全都兵败被杀。刘粲、刘曜乘虚袭击晋阳，太原太守高乔、并州别驾郝聿把晋阳城拱手献出，向汉国投降。八月初一日庚戌，刘琨回军来救晋阳，但为时已晚，只得率领数十名亲信骑兵投奔常山。初二日辛亥，刘粲、刘曜进入晋阳城。初三日壬子，令狐泥杀死刘琨的父母为父亲令狐盛报了仇。

汉河内王刘粲、中山王刘曜把俘获的晋国尚书卢志、侍中许遐、太子右卫率崔玮押送到汉国的都城平阳。刘聪再次任命刘曜为车骑大将军，任命前将军刘丰为并州刺史，镇守晋阳。九月，汉主刘聪任命卢志为太弟太师，任命崔玮为太傅，任命许遐为太保，高乔、令狐泥都为武卫将军。

九月初一日己卯，在汉国担任卫尉的梁芬投奔了晋国占领下的长安。

九月初三日辛巳，贾疋等人尊奉秦王司马邺为皇太子，在长安建立起晋朝的临时小朝廷，司马邺登上祭坛祭告天地，修建宗庙、社稷坛，颁布大赦令。任命前豫州刺史阎鼎为负责掌管太子宫各种事务的詹事官，总理临时小朝廷的一切政务。擢升贾疋为征西大将军，任命秦州刺史、南阳王司马保为大司马。命令担任司空的荀藩负责处理远近军务，担任光禄大夫的荀组兼任司隶校尉、代理豫州刺史，与荀藩共同守卫开封。

秦州刺史裴苞凭借险要地势企图阻挡凉州刺史张轨派出援助朝廷的军队东下，张寔、宋配等打败了裴苞，裴苞逃往柔凶坞。

冬季，十月，汉主刘聪封自己的儿子刘恒为代王，刘逞为吴王，刘朗为颍川王，刘皋为零陵王，刘旭为丹阳王，刘京为蜀王，刘坦为九江王，刘晃为临川王。任命王育为太保，王彰为太尉，任颉为司徒，马景为司空，朱纪为尚书令，范隆为左仆射，呼延晏为右仆射。

代公拓跋猗卢派遣自己的儿子拓跋六脩和自己哥哥的儿子拓跋普根、将军卫雄、范班、箕澹率领数万军队为前锋，进攻晋阳，拓跋猗卢亲自率领二十万大军紧随其

乡导。六脩与汉中山王曜战于汾东[174]，曜兵败，坠马，中七创[175]。讨虏将军傅虎以马授曜，曜不受，曰："卿当乘以自免，吾创已重，自分死此[176]。"虎泣曰："虎蒙大王识拔至此，常思效命，今其时矣。且汉室初基，天下可无虎，不可无大王也。"乃扶曜上马，驱令渡汾[177]，自还战死。曜入晋阳，夜，与大将军粲、镇北大将军丰掠晋阳之民，逾蒙山[178]而归。

十一月，猗卢追之，战于蓝谷[179]，汉兵大败，擒刘丰，斩邢延[180]等三千余级，伏尸数百里。猗卢因大猎寿阳山[181]，陈阅皮肉[182]，山为之赤。刘琨自营门步入[183]拜谢，固请进军。猗卢曰："吾不早来，致卿父母见害，诚以相愧。今卿已复州境，吾远来，士马疲弊，且待后举，刘聪未可灭也。"遗琨马、牛、羊各千余匹、车百乘而还，留其将箕澹、段繁等戍晋阳。

琨徙居阳曲[184]，招集亡散。卢谌[185]为刘粲参军，亡归琨。汉人杀其父志及弟谧、诜；赠傅虎幽州刺史。

十二月，汉主聪立皇后张氏，以其父寔为左光禄大夫。

彭仲荡[186]之子天护帅群胡攻贾疋，天护阳不胜[187]而走。疋追之，夜坠涧中，天护执而杀之。汉以天护为凉州[5]刺史。众推[188]始平太守麴允领雍州刺史。阎鼎与京兆太守梁综争权，鼎遂杀综。麴允与抚夷护军索綝、冯翊太守梁肃合兵攻鼎，鼎出奔雍，为氐窦首[189]所杀。

广平游纶、张豺[190]拥众数万，据苑乡[191]，受王浚假署[192]。石勒遣夔安、支雄等七将攻之，破其外垒。浚遣督护王昌帅诸军及辽西公段疾陆眷、疾陆眷弟匹磾、文鸯、从弟末柸[193]部众五万攻勒于襄国。

疾陆眷屯于渚阳[194]，勒遣诸将出战，皆为疾陆眷所败。疾陆眷[6]大造攻具，将攻城，勒众甚惧。勒召将佐谋之曰："今城堑未固，

后，并州刺史刘琨招集起几千名散兵游勇作为向导。拓跋六脩与汉中山王刘曜在汾河以东展开激战，刘曜被打败，坠落马下，身上七处负伤。汉讨虏将军傅虎把自己骑的马让给刘曜，刘曜不接受，说："你应当骑着马逃离此处，我伤势已经很严重，估计会死在这里。"傅虎哭着说："我蒙受大王赏识，被提拔为将军，经常想着为您效命，今天就是我效命的时候。而且汉室刚刚建立，天下可以没有傅虎，却不能没有大王。"于是就把刘曜扶上马，用鞭子驱赶着战马渡过汾河，自己又返身而回继续投入战斗，最后战死。刘曜逃回晋阳，夜里，与大将军刘粲、镇北大将军刘丰劫持着晋阳百姓，越过蒙山准备返回。

十一月，拓跋猗卢率领大军追赶汉军，在蓝谷又与汉军展开激战，再次将汉军打得大败，俘虏汉国镇北将军刘丰，斩杀了邢延等三千多人，几百里之内遍布着阵亡将士的尸体。拓跋猗卢趁机在寿阳山大肆狩猎，把野兽的皮、肉陈列在山顶上，整座寿阳山都被野兽的鲜血染成了红色。晋国并州刺史刘琨从营门步行来到营帐之中拜谢拓跋猗卢，并坚决请求拓跋猗卢继续进军攻打汉军。拓跋猗卢说："我没有早点赶来，以至于你的父母被害，实在感到惭愧。如今你已经收复了并州全境，我远道而来，兵马疲惫，暂且等以后有机会再行动，刘聪不可能一下子消灭。"他赠送给刘琨马、牛、羊各一千多头，战车一百辆后返回，留下他的部将箕澹、段繁等守卫晋阳。

并州刺史刘琨迁往阳曲，招集逃亡流散的居民。卢谌是汉河内王刘粲的参军，逃亡归顺了刘琨。汉主刘聪杀了卢谌的父亲卢志以及弟弟卢谧、卢诜；汉主刘聪追认傅虎为幽州刺史。

十二月，汉主刘聪立贵人张徽光为皇后，任命张皇后的父亲张寔为左光禄大夫。

彭仲荡的儿子彭天护率领各胡人部落进攻晋国征西大将军贾疋，彭天护佯装失败逃走。贾疋率军随后追赶，不幸夜间坠入山涧中，被彭天护捉住杀死。汉主刘聪任命彭天护为凉州刺史。长安西晋小朝廷中的众官员推举担任始平太守的麹允兼任雍州刺史。担任太子詹事的阎鼎与担任京兆太守的梁综争夺权力，阎鼎杀死了梁综。担任始平太守兼任雍州刺史的麹允与担任抚夷护军的索綝、冯翊太守梁肃联合起来攻打阎鼎，阎鼎逃离长安城投奔雍城，被氐族部落酋长窦首杀死。

广平郡的游纶、张豺拥有几万人众，他们占据苑乡，接受晋国幽州刺史王浚以皇帝的名义委任的职务。石勒派遣夔安、支雄等七名将领率军攻打游纶、张豺，攻破了他们的外围堡垒。王浚派遣督护王昌率领各军以及辽西公段疾陆眷、段疾陆眷的弟弟段匹磾、段文鸯、堂弟段末柸，总计五万人马前往襄国攻打石勒。

段疾陆眷把军队屯扎在渚阳，石勒派遣诸将出战迎击，都被段疾陆眷打败。段疾陆眷大量制造攻城的器械，准备攻打襄国城，石勒的部众非常害怕。石勒召集将佐商议说："如今襄国的城墙和护城河都还不是十分坚固，储存的粮食也不多，

粮储不多，彼众我寡，外无救援，吾欲悉众[195]与之决战，何如？”诸将皆曰：“不如坚守以疲敌，待其退而击之。”张宾、孔苌曰：“鲜卑之种，段氏最为勇悍，而末柸尤甚，其锐卒皆在末柸所。今闻疾陆眷刻日[196]攻北城[197]，其大众远来，战斗连日，谓我孤弱，不敢出战，意必懈惰。宜且勿出，示之以怯，凿北城为突门[198]二十余道，俟其来至，列守[199]未定，出其不意，直冲末柸帐，彼必震骇，不暇为计，破之必矣。末柸败，则其余不攻而溃矣。”勒从之，密为突门。既而疾陆眷攻北城，勒登城望之，见其将士或释仗[200]而寝，乃命孔苌督锐卒自突门出击之，城上鼓噪以助其势。苌攻末柸帐，不能克而退。末柸逐之，入其垒门[201]，为勒众所获。疾陆眷等军皆退走。苌乘胜追击，枕尸[202]三十余里，获铠马五千匹。疾陆眷收其余众，还屯渚阳。

勒质末柸，遣使求和于疾陆眷，疾陆眷许之。文鸯谏曰：“今以末柸一人之故，而纵垂亡之虏[203]，得无为王彭祖所怨，招后患乎？”疾陆眷不从，复以铠马金银赂勒，且以末柸三弟为质而请末柸[204]。诸将皆劝勒杀末柸，勒曰：“辽西[205]鲜卑，健国也，与我素无仇雠，为王浚所使耳。今杀一人而结一国之怨，非计也。归之，必深德我，不复为浚用矣。”乃厚以金帛报之。遣石虎[206]与疾陆眷盟于渚阳，结为兄弟。疾陆眷引归，王昌等[7]不能独留，亦引兵还蓟。勒召末柸，与之燕饮，誓为父子[207]，遣还辽西。末柸在涂[208]，日南向而拜者三[209]。由是段氏专心附勒，王浚之势遂衰。

游纶、张豺请降于勒。勒攻信都[210]，杀冀州刺史王象。浚复以邵举行冀州刺史，保信都[211]。

是岁大疫。

王澄[212]少与兄衍名冠海内。刘琨谓澄曰：“卿形虽散朗[213]，而内实动侠[214]。以此处世，难得其死。”及在荆州，悦成都内史[215]王机，谓

敌众我寡，外无救援，我准备把全部军队都投入战场与他们决一死战，你们看怎么样?”诸将都说:“不如坚守城池，等敌人筋疲力尽、准备退却的时候再出兵消灭他们。”右长史张宾、孔苌说:“鲜卑这个种族中，段姓最为勇敢、强悍，而其中的段末柸部最为厉害，他们的精锐都在段末柸那里。如今听说段疾陆眷已经定下日子要在几天之内攻打北城，他们远道而来，连日作战，必定认为我们孤单弱小、不敢出战，戒备一定很松懈。我们应该暂时不出战，向他们表示我们很胆怯，同时在北城墙凿出二十多个可以迅速打开的洞口，作为向敌发起突然攻击的暗门，等到他们前来攻城，列阵防守未稳之时，我们出其不意，直接冲入段末柸的营帐，他一定非常震惊、害怕，来不及商议出计策，就已经被我们打败了。段末柸失败之后，其他的军队就会不攻自溃了。”石勒听从了这个建议，立即派人秘密地在北城墙凿出突击的暗门。不久段疾陆眷进攻北城，石勒登上城墙观望敌情，看见段疾陆眷手下的将士已经有人放下兵器躺在地上休息，石勒于是命令孔苌率领精锐士兵从挖好的暗门冲出城去袭击敌人，城上的人则擂鼓呐喊为他们助威。孔苌率军攻打段末柸的营帐，无法攻入而后撤。段末柸随后追赶，闯入石勒营堡的外门，被石勒的部众俘获。段疾陆眷等军全都退走。孔苌乘胜追击，方圆三十里尸横遍地，缴获佩戴铠甲的战马五千匹。段疾陆眷召集起自己的残兵败将，退回到渚阳屯扎。

石勒把段末柸作为人质，派遣使者向段疾陆眷求和，段疾陆眷答应了石勒求和的请求。文鸯劝谏段疾陆眷说:“如今为了段末柸一个人，而放跑马上就要灭亡的贼寇，恐怕会受到王浚的怨恨，为自己招致无穷的后患吧?”段疾陆眷没有听从文鸯的劝告，又用佩戴着铠甲的战马和金银贿赂石勒，并且把段末柸的三弟送到石勒那里作为人质以求放回段末柸。诸将都劝说石勒杀掉段末柸，石勒说:“辽西鲜卑是一个强大的国家，与我们历来没有冤仇，他们率军攻打我们是因为受王浚的唆使。如果我们杀掉一个段末柸就会结下一国的仇怨，这不是好计策。我们把段末柸送还，他们必然对我们深怀感激，不再为王浚所利用了。”于是就以大量金银布帛作为对段疾陆眷的回赠。派遣石虎前往渚阳与段疾陆眷联盟，双方结为异姓兄弟。于是段疾陆眷率领军队回国，王浚的部将、担任都护的王昌等人没有能力单独留下对抗石勒，于是也率军返回蓟县。石勒召见段末柸，与他一起饮酒欢叙，发誓两家结为父子之亲，遣送段末柸回到辽西。段末柸非常感激，在返回途中，每天面向南方叩拜三次。从此，段氏一心依附石勒，王浚的势力于是衰弱下来。

游纶、张豺向石勒请求投降。石勒率军进攻冀州州治所在地信都，杀死了冀州刺史王象。幽州刺史王浚又任命邵举代理冀州刺史，据守信都。

这一年，瘟疫大流行。

王澄从小就与哥哥王衍誉满天下。刘琨对王澄说:“您外表看来虽然豁达洒脱，实际上却好冲动、爱打抱不平。以这样的性格活在世上，恐怕难有好下场。”等到王

为己亚[216]，使之内综心膂[217]，外为爪牙[218]。澄屡为杜弢[219]所败，望实俱损[220]，犹傲然自得，无忧惧之意，但与机日夜纵酒博弈[221]，由是上下离心。南平[222]太守应詹屡谏，不听。

澄自出军击杜弢，军于作塘[223]。故山简参军王冲拥众迎应詹为刺史，詹以冲无赖，弃之，还南平，冲乃自称刺史。澄惧，使其将杜蕤守江陵，徙治孱陵[224]，寻又奔沓中[225]。别驾郭舒谏曰："使君临州虽无异政[226]，然一州人心所系。今西收华容[227]之兵，足以擒此小丑，奈何自弃遽为奔亡乎？"澄不从，欲将舒东下。舒曰："舒为万里纪纲[228]，不能匡正，令使君[229]奔亡，诚不忍渡江。"乃留屯沌口[230]。琅邪王睿闻之，召澄为军谘祭酒，以军谘祭酒周颉代之，澄乃赴召。

颉始至州，建平[231]流民傅密等叛迎杜弢，弢别将王真袭沔阳[232]，颉狼狈失据[233]。征讨都督王敦遣武昌[234]太守陶侃、寻阳[235]太守周访、历阳[236]内史甘卓共击弢，敦进屯豫章[237]，为诸军继援。

王澄过诣敦[238]，自以名声素出敦右[239]，犹以旧意[240]侮敦。敦怒，诬其与杜弢通信，遣壮士扼杀[241]之。王机闻澄死，惧祸，以其父毅、兄矩皆尝为广州刺史，就敦求广州[242]，敦不许。会广州将温邵等叛刺史郭讷，迎机为刺史，机遂将奴客门生千余人入广州。讷遣兵拒之，将士皆机父兄时部曲，不战迎降。讷乃避位，以州授之。

王如[243]军中饥乏，官军讨之，其党多降。如计穷，遂降于王敦。

镇东军司顾荣、前太子洗马卫玠[244]皆卒。玠，瓘之孙也，美风神，善清谈，常以为人有不及[245]，可以情恕[246]，非意相干[247]，可以理遣[248]，故

澄任荆州刺史的时候，非常赏识成都内史王机，认为王机的人品才干仅次于自己，就让王机对内管理自己的心腹部下，对外作为自己的得力干将。王澄屡次被流民首领杜弢打败，声望和实力全都受到很大损害，然而王澄照样态度傲慢、洋洋自得，一点也没有忧愁恐惧的意思，只与王机日夜纵情饮酒下棋取乐，因此，上下离心离德。担任南平郡太守的应詹屡次劝谏，但王澄从来不肯听从。

王澄亲自率领军队去攻击杜弢，他把军队驻扎在作塘。原来在山简手下担任参军的王冲带领众人迎接应詹取代王澄为荆州刺史，应詹认为王冲是个流民无赖，就抛弃了王冲，回到南平，王冲索性自称为荆州刺史。王澄很害怕，就派手下将领杜蕤守卫江陵，把治所迁到了孱陵，不久又跑到沓中。担任别驾的郭舒劝谏王澄说："自从您主持荆州的军政事务以来，虽然没有特殊的政绩，但仍然是维系全州人心的中心所在。如果向西调来华容县的军队，足够擒拿王冲这个跳梁小丑，为什么自己要放弃努力、惊慌失措地四处逃奔呢?"王澄不听，想带着郭舒向东逃跑。郭舒说："我身为荆州这样一个辖境辽阔的大州别驾，却不能匡扶阁下，致使阁下奔走逃亡，实在不忍心渡过长江。"于是郭舒便留下来屯扎在沌口。琅邪王司马睿听说后，就招聘王澄为军谘祭酒，让原来担任军谘祭酒的周颉接替王澄为荆州刺史，王澄这才接受了琅邪王司马睿的召请前来赴任。

周颉初到荆州任所，建平郡流民傅密等人聚众叛变迎接流民首领杜弢，杜弢手下另一支部队的将领王真率军袭击沔阳县，周颉狼狈不堪、手足无措，不知如何应对。担任征讨都督的王敦派遣武昌郡太守陶侃、寻阳郡太守周访、历阳郡内史甘卓率领军队共同围剿杜弢，王敦率军前进到豫章扎下营寨，作为各军的后援。

新任军谘祭酒的王澄前去拜访王敦，他自以为名望向来都在王敦之上，所以还依照以往的样子在言谈举止之间侮慢王敦。王敦大怒，便诬陷王澄与杜弢互通消息，派壮士掐死了王澄。王机听说王澄已死，惧怕牵连到自己，就以自己的父亲王毅、哥哥王矩都曾经担任过广州刺史为由，到王敦那里请求担任广州刺史，王敦不同意。正遇上广州将领温卲等人背叛了广州刺史郭讷，迎接王机为广州刺史，王机于是率领自己的家奴、宾客、门生一千多人去了广州。广州刺史郭讷派兵阻止王机进入广州，而派去的这些将士都是王毅、王矩担任广州刺史时的老部下，他们不但不阻止王机反而向王机投降，将王机迎入广州。郭讷只得让出刺史的位置，把广州让给了王机。

乱军首领王如军中因为缺粮，士兵都在忍饥挨饿，再加上官军的讨伐，所以他的党羽大部分都投降了官府。王如黔驴技穷，于是投降了王敦。

担任镇东军司的顾荣、前太子洗马卫玠全都去世。卫玠，是卫瓘的孙子，风采神态都很优美，善于高谈阔论，经常认为人非圣贤，总会有些缺点和过失，可以按照情理予以宽恕，只要不是存心有意冒犯，也可以按照情理不记在心上，所以终身终身不见喜愠之色。

江阳太守张启杀行㉔⑨[8]益州刺史王异而代之。启，翼㉕⓪之孙也，寻病卒。三府文武共表涪陵㉕①太守向沈行西夷校尉，南保涪陵。

南安赤亭羌㉕②姚弋仲㉕③东徙榆眉㉕④，戎、夏㉕⑤襁负随之㉕⑥者数万，自称护羌校尉、雍州刺史、扶风公。

---

**【段旨】**

以上为第一段，写晋怀帝永嘉六年（公元三一二年）一年间的大事。主要写了汉主刘聪行为残暴，多杀大臣，广立后宫，宠任刘氏，为其日后之乱做伏笔；写了汉将石勒欲攻江南，被司马睿的部将打败，退回襄国，经营河北，阴谋自立；晋将王浚与鲜卑段氏攻石勒于襄国，石勒大破段氏，与俘获的大将末柸结为父子，从而使段氏专心归附，而王浚的势力遂衰；写了晋将贾疋大破汉将刘曜夺回长安，拥戴司马邺于长安建立行台，与阎鼎、荀藩等组成小朝廷班底，但其内部钩心斗角，贾、阎分别被群胡破杀，小朝廷风雨飘摇；写了并州刺史刘琨生活骄奢，流连声色，宠信小人，杀戮部下，刘粲、刘曜进攻并州，攻下晋阳，杀死刘琨父母；刘琨引鲜卑拓跋猗卢部落大破汉将刘曜，夺回晋阳，而拓跋部落势力愈张；同时又写了陇西地区的羌人首领姚弋仲崭露头角，受夷夏拥护，自称雍州刺史，为其日后建国奠定了基础。

**【注释】**

①呼延后：刘聪的皇后，刘渊皇后单氏的堂妹。②并州：州治晋阳，在今山西太原西南。③辛未：正月十九。④甲戌：正月二十二。⑤昭仪：帝王嫔妃的封号名，地位仅低于皇后。⑥夫人：帝王嫔妃的封号名，地位低于昭仪。⑦贵妃：帝王嫔妃的封号名，地位低于夫人。⑧金印紫绶：金制印章、紫色绶带。⑨刘殷：字长盛，汉族，新兴郡（郡治即今山西忻州）人，先事晋，后为刘聪所用，累官至侍中、太保、录尚书事。传见《晋书》卷八十八。⑩刘康公：周朝的卿士，食采于刘，故其后以刘为姓。⑪殊源：指来自不同的祖宗。刘康公是周王朝的官员，而刘聪是匈奴人，本姓“栾提”，因自称是汉宗室的外甥而改姓“刘”，故曰“殊源”。⑫希复出外：很少出宫会见群臣。希，通“稀”，少。⑬事皆中黄门奏决：一切大事都通过太监的禀告来加以裁定。⑭新野王歆：司马歆。司马骏的儿子，继其父位为新野王。⑮竟陵：晋郡名，郡治石城，即今湖

见不到他脸上有喜怒的表情。

江阳郡太守张启杀死代理益州刺史的王异，自己取而代之。张启，是张翼的孙子，但没过多久就病死了。三府的文武官员共同上表推荐涪陵郡太守向沈代行西夷校尉的职权，南下保卫涪陵。

南安郡赤亭县的羌族人姚弋仲向东迁徙到榆眉县居住，无论是胡人还是汉人，用布兜背着婴儿跟随姚弋仲迁徙的有几万人，姚弋仲自称护羌校尉、雍州刺史、扶风公。

---

北钟祥。⑯寇掠：抢劫；掠夺。⑰南蛮司马新野杜曾：新野县人杜曾，现任南蛮校尉的司马。传见《晋书》卷七十。⑱被甲：身穿铠甲。⑲葛陂：古湖泊或水坝名，在今河南新蔡北。⑳课农：督促农民种好地。㉑镇东长史：镇东将军司马睿的高级僚属，职为诸史之长。㉒纪瞻：字思远，丹杨秣陵（今江苏南京）人，曾为军谘祭酒、侍中、尚书等。传见《晋书》卷六十八。㉓送款：进呈礼品与书表，以表示归附的诚意。㉔河朔：古地区名，泛指当时的黄河以北。㉕愀然长啸：悲愁地吹口哨。“啸”是当时人喜好做出的一种“高雅”姿态。㉖就高：转移到地势高的地方。㉗丹阳：晋郡名，郡治建业，即今江苏南京。㉘是勇将之计也：这是勇猛将军的打算。言外之意是也非自己所想。㉙铠马：带有护甲的战马。㉚囚执天子：指俘获晋怀帝。㉛妻略妃主：奸占晋王朝的嫔妃、公主。㉜擢将军之发二句：“擢发难数”典故的由来。拔你一根头发数你一条罪状，你的头发全拔光了，你的罪还没有数完。极言其罪行之多。㉝奈何复相臣奉：怎能还向人家去称臣、去侍奉人家。㉞霖雨：连绵大雨。㉟三台：指铜雀台、金雀台、冰井台，都在邺城西北，为当年曹操所建。㊱平阳：刘聪的京都，即今山西临汾之西南部。㊲右：上面。㊳为吾不利：给我们制造麻烦，指追击我们。㊴攘袂鼓髯：捋起衣袖，翘起胡须，形容神情振奋的样子。㊵奈何遽劝孤降：怎么能动不动地就劝我向人投降。遽，就。㊶帝：指怀帝司马炽，当时在刘聪手下当俘虏。㊷加仪同三司：让其享受三司一级的礼遇。三司，指司徒、司马、司空，亦即丞相、太尉、御史大夫一级。㊸王武子：王济，字武子，王浑之子。传见《晋书》卷四十二。㊹造卿：前去拜访你。㊺称朕于卿：向你夸奖我。称，称道、夸奖。㊻柘弓银研：桑木弓、银砚台。研，同“砚”。㊼尔日：当时。㊽大汉：敬称刘聪所建的政权。㊾自相驱除：自己来为您扫清道路。驱除，为人当先驱、清道。㊿此殆天意：这大概是上天的意思。殆，大概、差不多。(51)武皇帝：指司马炎，谥曰“武”。(52)九族敦睦：整个家族和睦一心。(53)小刘贵人：刘殷四个孙女中最小的一位。(54)乙未：三月十四。(55)卜珝：时为刘聪的平北将军。(56)收珝：拘

捕卜珝。㊼张寔：刘聪的表哥，与凉州刺史张轨之子张寔同名。㊽贵人：帝王嫔妃的第五级。㊾太后张氏：刘聪的生母，刘渊的嫔妃。㊿翼戴帝室：扶助、拥戴晋朝朝廷。翼，扶助、保护。(61)驰檄关中：向关中诸州郡发布文告。檄，檄文、文告。(62)尊辅秦王：尊奉、辅佐在关中的秦王司马邺。(63)西中郎将寔：张轨之子张寔，现为西中郎将之职。(64)络绎继发：紧跟着陆续出发。(65)丙寅：四月十六。(66)都水使者：管理河渠水利事务的官员，有左右二人。(67)襄陵王摅：刘摅。刘聪的族人，被封为襄陵王。(68)将作大匠：主管土木建筑的官员。(69)观渔：观看捕鱼。(70)昏夜：天黑半夜。(71)比：近来。(72)未专：还不坚定。(73)刘琨咫尺：指刘琨所在的晋阳（今山西太原西南）与刘聪的都城平阳（今山西临汾）相距很近。咫尺，极喻其近。咫，八寸。(74)轻出：轻率外出。(75)一夫敌：一个人就能对付您。(76)改往修来：改变过去的错误行为，注意今后的行动表现。(77)亿兆：指天下黎民。(78)王夫人：刘聪的嫔妃，王彰之女。(79)过差：犹言过度。(80)舆榇：抬着棺木，意谓抱着必死的决心。(81)切谏：恳切地提意见。(82)生来哭人：来哭我这个大活人。(83)旷世少比：当代没有一个人比得上。(84)往也唐、虞二句：古代的贤君是唐尧、虞舜，今天的贤君就数您了。(85)顷来：近来。(86)亟：屡屡地。(87)斩王公：指杀刘摅、靳陵等人。(88)忤旨：违背了您的旨意。(89)遽囚大将：指囚禁王彰。(90)相与忧之：大家都对此感到忧虑。(91)微：非；若不是。(92)先帝：指刘渊。(93)再世：两代。(94)此段之过：我这一次的过失。(95)荡然：释怀；不要放在心上。(96)后有不逮：日后我再有什么错误。不逮，不到位。(97)幸数匡之：希望你还多多帮助。数，多多。匡，扶正、指教。(98)王弥既死：王弥为石勒所杀事，见本书卷第八十七永嘉五年（公元三一一年）。(99)硛硗津：黄河渡口名，在今河南延津北。(100)邀：袭击。(101)长史临深：姓临名深，时为长史之职。(102)雍州：州治即今陕西西安，当时被汉将刘曜占领。(103)豫州：州治即今河南周口市淮阳区。(104)贾疋：晋将，原为安定太守，时被拥为平西将军，围刘曜于长安。(105)行大司马：代理大司马之职。行，临时代理。(106)河内王粲：刘粲，刘聪之子，被封为河内王。(107)三渚：地名，在今河南洛阳市孟津区西北。(108)怀：晋县名，县治在今河南武陟西南。(109)寻卒：不久去世。(110)大昌文献公刘殷：大昌公是刘殷的封号，大昌是刘聪王朝的郡名，约在当今之山西隰县。文献是刘殷死后的谥。(111)犯颜：不顾人家的喜怒，不给人家留面子。颜，脸色。(112)因事进规：趁此机会提出规劝。(113)无所是非：从不说对与错，即不表明态度。(114)敷畅条理：充分地分析是非曲直。敷畅，充分分析。(115)商榷事宜：商量事情应该怎么干。(116)当务几谏：应婉言相劝。几，微、婉言。(117)万乘：万乘之君，指皇帝。(118)功：效果。(119)不彰君之过：不暴露君主的缺点、过失。彰，暴露。(120)剑履上殿：佩带宝剑、穿着鞋子上殿，这是古代对大臣的特殊宠待，是古代的"九锡"之一。(121)入朝不趋：在朝廷上不用采取小步快走的行路姿势。趋，小步快走，这是古人在君父面前使用的一种走路姿势。(122)恂恂：谦恭谨慎的样子。(123)不失令名：不丧失美好的名声。(124)以寿考自终：长命百岁最后死在炕头上。寿考，长寿。(125)河间王易：刘易。(126)彭城王翼：刘翼。⑫⑦高平王悝：刘悝。⑫⑧济南王骥：刘骥。以上四人连同下文“魏王操”都是刘聪的儿子。⑫⑨西平城：在今山西临汾西北四十里。⑬⓪蒲子：县名，县治即今山西隰县。⑬①刘演：晋将名，时任魏郡太守，镇邺（今河北临漳西南）。⑬②曲梁：县名，县治即今河北永年。⑬③东燕：县名，县治在今河南延津东北。⑬④汲郡向冰：汲郡人，姓向名冰。⑬⑤壁枋头：筑堡垒在枋头坚守。壁，筑壁据守。枋头，在今河南浚县西南、卫辉东北。⑬⑥邀：拦腰袭击。⑬⑦尽在渎中未上：都停泊在河面，没有拖到岸上。⑬⑧间道袭取：抄小路将其夺过来。⑬⑨以济大军：以运载大军渡河。济，渡过。⑭⓪文石津：黄河渡口名，在今河南滑县西南，当时的枋头东南。⑭①棘津：黄河渡口名，在今河南延津东北，当时的文石津西南。⑭②猝拔：很快攻下。⑭③王彭祖、刘越石：皆晋将名。王浚，字彭祖，时为幽州刺史。刘琨，字越石，时为并州刺史。⑭④游行羁旅：来回行军于旅途之中。⑭⑤择便地而据之：找一块有利的地方，在那里扎下根来。⑭⑥西禀平阳以图幽、并：向西对平阳的刘聪就说咱们要留在这里以经营幽、并二州。⑭⑦邯郸：古都名，即今河北邯郸，城周达数十里。⑭⑧襄国：晋县名，县治在今河北邢台西南。⑭⑨形胜之地：形势险要的地方。⑮⓪二寇交至：指王浚、刘琨交互来攻。⑮①野谷：田野上的庄稼。⑮②镇此：驻军于此；在这里设防。⑮③营：州名，州治和龙，即今辽宁辽阳。〖按〗此时还未置营州，当时只有平州。⑮④喜声色：喜好歌儿舞女。⑮⑤干预政事：指干预刘琨州政府的行政事务。⑮⑥恢远略：做远大打算。⑮⑦收兵：招募军队。⑮⑧常山及中山：晋之二郡名，常山郡的郡治真定，在今河北正定西南。中山郡的郡治卢奴，即今河北定州。⑮⑨八月庚戌：八月初一。⑯⓪辛亥：八月初二。⑯①壬子：八月初三。⑯②卢志：字子道。初为成都司马颖谋主，洛阳失陷后，卢志投刘琨。传见《晋书》卷四十四。⑯③己卯：九月初一。⑯④辛巳：九月初三。⑯⑤行台：临时朝廷。⑯⑥登坛告类：登祭坛祭天，以告即位。⑯⑦社稷：社稷坛，帝王祭祀土神、谷神的地方。⑯⑧太子詹事：官名，掌管太子宫的各种事务。⑯⑨总摄百揆：总理朝廷的一切事务。⑰⓪南阳王保：司马保，司马模之子。⑰①荀组：字大章，荀勖之子、荀藩之弟。传见《晋书》卷三十九。⑰②凉州兵：凉州刺史张轨的军队。时张轨派其子张寔与宋配率军东下援助朝廷。⑰③柔凶坞：当时民间自建的堡寨名，在今甘肃天水西南。⑰④汾东：汾水东岸。⑰⑤中七创：七处负伤。⑰⑥自分死此：自己估计要死在这里。⑰⑦驱令渡汾：用鞭子赶马令其渡过汾河。⑰⑧蒙山：在当时的晋阳西北，今山西太原西南。⑰⑨蓝谷：在蒙山西南。⑱⓪邢延：原为刘琨部下，去年叛刘琨投刘聪。⑱①寿阳山：在今山西寿阳东北，盂县西南。⑱②陈阅皮肉：把野兽的皮肉摆放在山上展览。⑱③自营门步入：一到营门便下马步行，以表示对猗卢的尊敬。⑱④阳曲：晋县名，县治在今山西太原北四十五里。⑱⑤卢谌：字小谅，前与卢志一道为刘聪所俘，今又逃回。传见《晋书》卷四十四。⑱⑥彭仲荡：刘聪政权的凉州刺史，永嘉五年为贾疋所杀。⑱⑦阳不胜：假装失败。阳，通“佯”，假装。⑱⑧众推：此指长安西晋小朝廷的众官推荐。⑱⑨氐賨首：氐族部落的头领名叫賨首。⑲⓪广平游纶、张豺：广平郡的游纶与张豺。广平郡的郡治在今河北鸡泽东南。⑲苑乡：晋县名，县治在今河北任县东北十八里，当时属于广平郡。⑲假署：被人以皇帝的名义任以官职。⑲末柸：也作“末波”。传见《魏书》卷一百三。⑲渚阳：晋县名，县治在今河北邢台市任泽区西南约十三里。⑲悉众：率领所有的部队。⑲刻日：定下日子，这里指几天之内。⑲北城：指襄国（今河北邢台）的北城。⑲突门：可以迅速打开，向敌发起突然攻击的暗门。⑲列守：列阵防守。⑳释仗：放下兵器。⑳垒门：营堡的外门。⑳枕尸：尸体互相枕藉。⑳垂亡之虏：马上就要灭亡的贼寇（指石勒）。⑳请末柸：请求将段末柸放回。⑳辽西：晋郡名，辖地约当今辽宁之辽河以西与内蒙古东南部一带地区，当时鲜卑段氏就在这一带活动。⑳石虎：石勒之侄。传见《晋书》卷一百七。⑳誓为父子：立誓结为父子之亲。⑳在涂：在返程途中。⑳日南向而拜者三：每天向着南方磕三次头。⑳信都：今河北衡水市冀州区，当时为冀州的州治所在地。㉑保信都：依托于信都。保，依托、据守。㉑王澄：字平子，王衍之弟，任荆州刺史，领南蛮校尉。传见《晋书》卷四十二。㉑形虽散朗：外表看来虽然豁达洒脱。㉑动侠：好冲动；好打抱不平。㉑成都内史：原成都王司马颖的僚属。内史在诸侯国掌管民政。㉑谓为己亚：说他的人品才干仅次于自己。㉑内综心膂：对内管理自己的心腹部下。心膂，心腹与左膀右臂。㉑外为爪牙：对外是他的得力将领。爪牙，以喻称猛将。㉑杜弢：当时的变民首领。杜弢被变民拥为首领事，见本书卷第八十七永嘉五年（公元三一一年）。㉒望实俱损：声望和实力都受到了伤害。㉒博弈：下棋。㉒南平：晋郡名，郡治江安，在今湖北公安东北。㉒作塘：晋县名，即今湖南安乡。㉒孱陵：晋县名，县治在今湖北公安南。㉒沓中：地名，在湖北公安东。㉒临州虽无异政：主持荆州的军政事务虽然没有特殊的政绩。㉒华容：晋县名，县治在今湖北潜江西南。㉒为万里纪纲：当时郭舒为荆州别驾，位居州吏之右，而荆州又是大州，辖境辽阔，故郭舒以“万里纪纲”自称。纪纲，准绳、主心骨，以比喻州里的大吏。㉒使君：以称王澄，当时敬称刺史、郡守曰“使君”。㉓沌口：乡镇名，在今武汉西南长江上，当沌水入长江之口。㉓建平：晋郡名，郡治即今重庆市巫山县。㉓沔阳：晋县名，县治在今陕西勉县城东。㉓失据：手足无措，不知如何是好。㉓武昌：晋郡名，郡治即今湖北

【原文】

孝愍皇帝[257]上

建兴元年（癸酉，公元三一三年）

春，正月丁丑朔[258]，汉主聪宴群臣于光极殿，使怀帝著青衣行酒[259]。庾珉、王雋[260]等不胜悲愤，因号哭，聪恶之。有告珉等谋以平阳

鄂州市鄂城区。㉟寻阳：晋郡名，郡治即今江西九江。㊱历阳：晋郡名，郡治即今安徽和县。㊲豫章：晋郡名，治所即今江西南昌。㊳过诣敦：前去拜访王敦。㊴素出敦右：向来在王敦之上。㊵以旧意：按照往常的样子。㊶扼杀：掐死。㊷求广州：请求派任为广州刺史。㊸王如：关中京兆地区的乱军头领，自立为司、雍二州牧。事见本书卷第八十七永嘉四年（公元三一〇年）。㊹卫玠：字叔宝，卫瓘之孙。传见《晋书》卷三十六。㊺人有不及：别人有什么缺点、过失。㊻可以情恕：可以按情理予以宽恕。㊼非意相干：只要不是存心故意侵犯。干，侵犯。㊽可以理遣：可以按情理予以放过，不记在心。㊾行：代理。㊿翼：张翼，三国时蜀汉的将领。传见《三国志》卷四十五。(251)涪陵：晋郡名，郡治在今重庆市彭水县南。(252)南安赤亭羌：南安郡赤亭县的羌族人。南安郡的郡治獂道，在今甘肃陇西东北的渭水北。赤亭县在今甘肃陇西东北。(253)姚弋仲：羌族人，姚襄、姚苌的父亲。传见《晋书》卷一百一十六。(254)榆眉：县名，也作“喻糜”，县治在今陕西千阳东三十里。(255)戎、夏：胡人、汉人。(256)襁负随之：用布兜背着婴儿跟随着他，极言归附者之心诚。

## 【校记】

［1］忤：据章钰校，甲十一行本、乙十一行本、孔天胤本皆作“迕”。〖按〗二字同。［2］攻掠河北郡县：原无此六字。据章钰校，甲十一行本、乙十一行本、孔天胤本皆有此六字，张敦仁《通鉴刊本识误》、张瑛《通鉴校勘记》同，今据补。［3］其：原无此字。据章钰校，甲十一行本、乙十一行本、孔天胤本皆有此字，今据补。［4］固：原无此字。据章钰校，甲十一行本、乙十一行本、孔天胤本皆有此字，张敦仁《通鉴刊本识误》、张瑛《通鉴校勘记》同，今据补。［5］凉州：严衍《通鉴补》改作“梁州”。［6］疾陆眷：原脱“疾”字。据章钰校，甲十一行本、乙十一行本、孔天胤本皆有“疾”字，今据补。［7］等：原无此字。据章钰校，甲十一行本、乙十一行本、孔天胤本皆有此字，今据补。［8］行：原无此字。据章钰校，甲十一行本、乙十一行本、孔天胤本皆有此字，张敦仁《通鉴刊本识误》同，今据补。

---

## 【语译】

### 孝愍皇帝上

### 建兴元年（癸酉，公元三一三年）

春季，正月初一日丁丑，汉主刘聪在光极殿宴请文武群臣，他让晋怀帝司马炽身穿青色的平民衣服在宴会上往来斟酒。晋臣庾珉、王儁等无法控制内心的悲哀与愤怒，便大声号哭起来，刘聪非常厌恶。有人告发庾珉等人密谋为并州刺史刘琨做应刘琨[261]者，二月丁未[262]，聪杀珉、隽等故晋臣十余人，怀帝亦遇害[263]。

大赦，复以会稽刘夫人[264]为贵人。

荀崧[265]曰："怀帝天姿清劭[266]，少著英猷[267]。若遇承平，足为守文佳主[268]。而继惠帝扰乱[269]之后，东海[270]专政，故无幽、厉之衅[271]，而有流亡之祸[272]矣。"

乙亥[273]，汉太后张氏卒，谥曰光献。张后[274]不胜哀，丁丑[275]亦卒，谥曰武孝。

己卯[276]，汉定襄忠穆公王彰[277]卒。

三月，汉主聪立贵嫔刘娥为皇后，为之起凰仪殿[278]。廷尉陈元达切谏，以为："天生民而树之君，使司牧[279]之，非以兆民之命穷一人之欲[280]也。晋氏失德，大汉[281]受之，苍生引领[282]，庶几息肩[283]。是以光文皇帝[284]身衣大布[285]，居无重茵[286]，后妃不衣锦绮，乘舆马[287]不食粟，爱民故也。陛下践阼[288]以来，已作殿观四十余所，加之军旅数兴[289]，馈运[290]不息，饥馑疾疫，死亡相继，而益思营缮[291]，岂为民父母之意乎！今有晋遗类[292]，西据关中[293]，南擅江表[294]，李雄奄有巴、蜀[295]，王浚、刘琨窥窬肘腋[296]，石勒、曹嶷[297]贡禀渐疏[298]。陛下释此不忧[299]，乃更为中宫作殿[300]，岂目前之所急乎！昔太宗[301]居治安之世，粟帛流衍[302]，犹爱百金之费[303]，息露台之役[304]。陛下承荒乱之余，所有之地，不过太宗之二郡[305]，战守之备[306]，非特[307]匈奴、南越而已。而宫室之侈，乃至于此，臣所以不敢不冒死而言也。"聪大怒，曰："朕为天子，营一殿，何问汝鼠子乎！乃敢妄言沮众[308]！不杀此鼠子，朕殿不成。"命左右："曳出斩之！并其妻子同枭首东市[309]，使群鼠共穴[310]。"时聪在逍遥园李中堂[311]，元达先锁腰而入，即以锁锁堂下树[312]，呼曰："臣所言者，社稷之

内应以攻取平阳，二月初一日丁未，刘聪杀死庾珉、王儁等晋朝大臣十多人，晋怀帝司马炽也同时遇害。

汉国大赦，刘聪又把赏给司马炽为妻的会稽公刘殷的小女儿刘夫人封为贵人。

荀崧说："晋怀帝天生清秀、高雅，从小就显露出卓越的智慧。如果遇上太平年代，完全能够当好一个维持既定局面的好皇帝。然而他继承的是晋惠帝司马衷时期连续动乱的局势，又有东海王司马越专擅朝政，所以晋怀帝虽然没有周幽王、周厉王的罪行，却有颠沛流离、遭受被俘被杀灾祸的命运。"

二月二十九日乙亥，汉太后张氏去世，谥号"光献"。张皇后不胜悲哀，丁丑日这天也去世了，谥号为"武孝"。

己卯日这天，汉国定襄忠穆公王彰去世。

三月，汉主刘聪立贵嫔刘娥为皇后，还专门为刘娥皇后建造起凰仪殿。廷尉陈元达恳切地加以劝阻，他认为："上天养育了人民并且为他们设立君主，是让君主管辖、统领他们，而不是用亿万人民的生命财产来满足君主一个人的欲望。晋朝皇室品德败坏，所以大汉才能接受他们的政权，天下苍生伸长了脖子，企盼着能够放下肩上的担子稍微歇息一下。所以光文皇帝身穿粗布衣裳，连个厚垫子也不用，后宫的嫔妃不穿绫罗绸缎，给皇帝拉车的马也不用粮食喂养，这些都是因为爱护百姓、为减轻人民的负担。陛下登基以来，已经修建了四十多所宫观，加上战事频繁、军队屡次出动，人民不断地输运粮秣，再加上饥荒、瘟疫不断，死亡的百姓一个接着一个，而陛下还想大肆修建宫室，这哪里是为民父母的本意呢！如今西边有晋朝的残余势力司马邺盘踞在关中，南边有司马睿据守着江东，李雄占据着巴、蜀，王浚、刘琨在我们身边随时都在寻找机会，石勒、曹嶷贡奉的数量、禀告的次数越来越不如从前。陛下放着这些重大的事情不考虑，却只想着为皇后建造宫殿，这哪里是目前的急需呢！过去汉太宗刘恒身处太平盛世，粮食布帛充盈，尚且因为舍不得花费百金而将修建祭天露台的工程停了下来。陛下继承的是一个灾荒战乱不断的国家，所占有的土地，只不过相当于太宗时期的两个郡，而需要讨伐和防御的对象，又不仅仅是匈奴、南越而已。而宫室的奢侈竟然到了如此的程度，所以我不敢不冒着被杀头的危险来劝谏陛下。"刘聪听了大怒，说道："我贵为天子，营造一座宫殿，有必要询问你这个鼠崽子吗?！你竟敢胡言乱语来破坏大家的信心和士气！不杀掉你这个鼠崽子，我的宫殿就建不成。"他命令左右侍从说："拉出去斩了！连同他的妻儿一块儿拉到东边市场斩首，把他们全家都埋在一个坑里。"当时刘聪正在逍遥园的李中堂，陈元达先是被铁链锁着腰押到逍遥园，他就用腰中的锁链把自己锁在堂下的李树上，大声呼喊着说："我所说的话，全是为了国家社稷，而陛下却要杀掉我。朱云

计，而陛下杀臣。朱云[313]有言：‘臣得与龙逢、比干游[314]，足矣！’”左右曳之不能动。

大司徒任顗、光禄大夫朱纪、范隆、骠骑大将军河间王易[315]等叩头出血，曰：“元达为先帝所知，受命之初[316]，即引置门下[317]，尽忠竭虑，知无不言。臣等窃禄偷安[318]，每见之未尝不发愧。今所言虽狂直，愿陛下容之。因谏诤而斩列卿，其如后世何[319]！”聪默然。

刘后闻之，密敕左右停刑[320]，手疏[321]上言：“今宫室已备，无烦更营，四海未壹，宜爱民力。廷尉之言，社稷之福也，陛下宜加封赏。而更诛之，四海谓陛下何如哉！夫忠臣进谏者固不顾其身也，而人主拒谏者亦不顾其身也。陛下为妾营殿而杀谏臣，使忠良结舌[322]者由妾，远近怨怒者由妾，公私困弊[323]者由妾，社稷阽危[324]者由妾，天下之罪皆萃于妾[325]，妾何以当之！妾观自古败国丧家，未始不由妇人，心常疾[326]之，不意今日身自为之，使后世视妾由[327]妾之视昔人也。妾诚无面目复奉巾栉[328]，愿赐死此堂[329]，以塞陛下之过[330]。”聪览之变色。

任顗等叩头流涕不已。聪徐曰：“朕比年[331]已来，微得风疾，喜怒过差[332]，不复自制[333]。元达，忠臣也，朕未之察，诸公乃能破首明之[334]，诚得辅弼之义[335]也。朕愧戢于心[336]，何敢忘之！”命顗等冠履就坐[337]，引元达上，以刘氏表示之，曰：“外辅如公，内辅如后，朕复何忧！”赐顗等谷帛各有差[338]，更命逍遥园曰纳贤园，李中堂曰愧贤堂。聪谓元达曰：“卿当畏朕，而反使朕畏卿邪！”

西夷校尉向沈卒，众推汶山[339]太守兰维为西夷校尉。维率吏民北出，欲向巴东[340]。成将李恭、费黑邀击，获之[341]。

夏，四月丙午[342]，怀帝凶问[343]至长安，皇太子[344]举哀，因加元服[345]。壬申[346]，即皇帝位[347]，大赦，改元[348]。以卫将军梁芬为司徒，雍州刺史麹允为尚书左仆射、录尚书事，京兆太守索綝[349]为尚书右仆射、

曾经说过：‘我死后能够与古代的直臣龙逢、比干相提并论，就心满意足了！’”左右侍卫要拉他去服刑，却拉不动他。

大司徒任颉、光禄大夫朱纪、范隆、骠骑大将军河间王刘易等都来为陈元达求情，他们磕头磕得额头都流出血来，说道：“陈元达是先帝所赏识重用的大臣，先帝在建国之初，便把他安置在门下省作为自己的贴身侍臣，陈元达尽忠竭虑，知无不言。而我等只知道保官保命，有意见也不提，每次见到他心里都感到很惭愧。今天他所说的话虽然有些狂妄率直，还希望陛下能够宽容他。因为公卿大臣直言规劝就斩杀之，又怎么向后世、向历史做交代！”刘聪默然无语。

刘皇后听到消息后，便暗中派身边的人告诉施刑者停止行刑，又亲手写下奏疏呈交刘聪，说：“如今宫室已经齐备，没有必要重新修建宫殿，四海还没有统一，应该爱惜民力。廷尉陈元达敢于如此进言，是国家的福气，陛下应该加以封赏。然而现在却要诛杀他，天下之人将会怎么评价陛下呢！直言规劝的忠臣本来就不顾及自己的人身安全，而君主拒绝劝告也是不顾及自己安全的。陛下为给我修建宫殿而杀掉进谏的忠臣，因为我而使忠臣从此闭口不敢进献忠言，因为我而使远近的人们内心充满愤怒和怨恨，因为我而使国家和百姓生计艰难，因为我而使国家面临危险，这些罪过都集中到了我的身上，我怎么担当得起呢！我纵观历史，凡是败国丧家的，没有不是由妇人引起的，我心里非常痛恨她们，没想到如今却要亲自经历这样的事情，使后代的人看我就如同我看古代的人一样。我实在是再也没有脸面在您的身边侍奉您了，希望您在建造此堂的工地上将我赐死，以补救陛下这次的过错。”刘聪看了刘皇后的奏章之后，脸色都变了。

任颉等人依然磕头流泪不止。刘聪缓缓地说：“近年来，我得了风疾，喜怒过分，不能自我克制。陈元达是个忠臣，我没有仔细考察，你们这些人能够磕破脑袋来为他申明冤屈，确实是尽到了辅佐君主的责任。我把惭愧隐藏在心里，怎么敢忘记它呢！”刘聪让任颉等人戴好帽子、穿好鞋子，赐座坐好，叫人带陈元达上殿，把刘皇后的表章拿给陈元达观看，说：“皇宫外有像您这样忠心耿耿的大臣辅佐我，皇宫之内有像刘皇后这样明达事理的人辅助我，我还有什么可忧虑的呢！”将数量不一的谷物和布帛分别赏赐给任颉等，改逍遥园为纳贤园，改李中堂为愧贤堂。刘聪对陈元达说：“您本来应当畏惧我，现在怎么反而是我畏惧您呢？”

晋国担任西夷校尉的向沈去世，众人一致推举汶山郡太守兰维接任西夷校尉的职务。兰维率领官员、百姓向北迁移，准备前往巴东郡。成国将领李恭、费黑率军拦截，俘获了兰维。

夏季，四月初一日丙午，晋怀帝被害的消息传到长安，皇太子司马邺发布讣告，进行哀悼，接着举行加冕礼。二十七日壬申，司马邺即皇帝位，颁布大赦令，改年号为建兴。任命卫将军梁芬为司徒，雍州刺史麹允为尚书左仆射、主管尚书省事务，

领吏部、京兆尹。是时长安城中户不盈百，蒿棘成林，公私有车四乘，百官无章服、印绶[350]，唯桑版署号[351]而已。寻以索綝为卫将军、领太尉，军国之事，悉以委之。

汉中山王曜、司隶校尉乔智明寇长安，平西将军赵染[352]帅众赴之[353]，诏麹允屯黄白城[354]以拒之。

石勒使石虎攻邺，邺溃，刘演奔廪丘[355]，三台[356]流民皆降于勒。勒以桃豹为魏郡太守以抚之。久之，以石虎代豹镇邺。

初，刘琨用陈留太守焦求为兖州刺史，荀藩又用李述为兖州刺史。述欲攻求，琨召求还。及邺城失守，琨复以刘演为兖州刺史，镇廪丘。前中书侍郎郗鉴[357]少以清节[358]著名，帅高平[359]千余家避乱保峄山[360]，琅邪王睿就用[361]鉴为兖州刺史，镇邹山。三人[362]各屯一郡，兖州吏民莫知所从。

琅邪王睿以前庐江内史华谭[363]为军谘祭酒。谭尝在寿春依周馥[364]。睿谓谭曰："周祖宣何故反？"谭曰："周馥虽死，天下尚有直言之士。馥见寇贼滋蔓，欲移都以纾国难[365]。执政[366]不悦，兴兵讨之，馥死未逾时[367]而洛都沦没。若谓之反，不亦诬乎[368]？"睿曰："馥位为征、镇，握强兵，召之不入[369]，危而不持[370]，亦天下之罪人也。"谭曰："然，危而不持，当与天下共受其责[371]，非但馥也。"

睿参佐多避事自逸，录事参军陈頵[372]言于睿曰："洛中[373]承平之时，朝士以小心恭恪[374]为凡俗，以偃蹇倨肆[375]为优雅，流风相染，以至败国。今僚属皆承西台余弊[376]，养望自高[377]，是前车已覆，而后车又将寻之[378]也。请自今临使称疾[379]者，皆免官。"睿不从。三王之诛赵王伦[380]也，制己亥格[381]以赏功，自是循而用之。頵上言："昔赵王篡逆，惠皇失位[382]，三王起兵讨之，故厚赏以怀向义[383]之心。今功无大小，

京兆太守索綝为尚书右仆射、兼任吏部、京兆尹。当时长安城中户数不满一百，遍地的蒿草荆棘，公家和私人所有的车子总计只有四辆，百官没有官服、印绶，只是在桑木板上写上官号，作为任职的凭证而已。不久任命索綝为卫将军、兼任太尉，军国大事全都委托索綝办理。

汉中山王刘曜、司隶校尉乔智明率军进犯长安，平西将军赵染率领军队赶去参战，晋愍帝司马邺下诏，命令尚书左仆射麹允率军屯扎在黄白城抵挡汉军。

石勒派遣石虎攻打邺城，邺城陷落，刘演逃亡廪丘，三台的流民全都投降了石勒。石勒任命桃豹为魏郡太守以安抚这些流民。后来，又任命石虎代替桃豹镇守邺城。

当初，晋并州刺史刘琨任用陈留太守焦求为兖州刺史，司空荀藩又任用李述为兖州刺史。李述想要攻打焦求，刘琨将焦求招回。等到邺城失守，刘琨又任命刘演为兖州刺史，镇守廪丘。前中书侍郎郗鉴年少的时候就以清高、有操守而闻名于世，他率领高平县一千多家居民固守峄山躲避战乱，琅邪王司马睿就地任用郗鉴为兖州刺史，镇守邹山。三个兖州刺史各自驻守一郡，兖州的官员和百姓不知道到底应该听从谁的号令。

琅邪王司马睿任命前庐江内史华谭为军谘祭酒。华谭曾经在寿春周馥手下任职。司马睿问华谭说："周馥为什么要反叛呢？"华谭回答说："周馥虽然已死，天下仍然有敢于为他直言的人士。周馥看到贼寇滋生蔓延，想要以迁都的方式来缓和朝廷的危局。当时的掌权者不高兴，就兴兵讨伐他，周馥死后没过多长时间洛阳就陷落了。如果说他反叛，这不是强加给他的罪名吗？"司马睿说："周馥身为征、镇的最高长官，手中握有强大的兵权，征召他入朝他不去，看到朝廷有危机也不出兵去扶持救援，他也是天下的罪人啊。"华谭说："是的，看到朝廷有危机而不去救援，天下的人都应当受到责难，而不光是周馥一个人。"

琅邪王司马睿的僚属大多数都好逸恶劳、遇事就躲，担任录事参军的陈頵对司马睿说："当年建都洛阳的朝廷在天下太平无事的时候，朝中的大臣认为那些恭敬谨慎、恪尽职守的官员是凡夫俗子，认为那些优游傲慢、为官而不管政事的行为是优雅的行为，这种风气激荡感染，竟至败坏了国家。如今您的僚属全都继承了洛阳朝廷的恶习，只知道培养提高自己虚伪的名望，还自命清高，这实际上是前面的车子已经翻覆了，而后面的车子却仍旧沿着它的路子继续向前走。请从现在开始对那些一被差遣就请病假的人，一律免官。"司马睿没有采纳这个建议。当年成都王司马颖、河间王司马颙、长沙王司马乂三位亲王起兵讨伐赵王司马伦的时候，在己亥日发表了奖励条例，从那以后一直遵循沿用至今。陈頵上疏说："过去赵王司马伦篡权谋逆，惠帝司马衷被赵王司马伦废黜失去了皇位，司马颖、司马颙、司马乂三位亲王起兵讨伐赵王司马伦，所以特别提高奖赏的标准，以感动那些向往正义、维护朝

皆以格断[384]，乃至金紫[385]佩士卒之身，符策[386]委仆隶之门，非所以重名器[387]，正纪纲[388]也，请一切停之。”颙出于寒微，数为正论，府中[389]多恶之，出颙为谯郡[390]太守。

吴兴[391]太守周玘[392]宗族强盛，琅邪王睿颇疑惮之。睿左右用事者[393]，多中州亡官失守[394]之士，驾御吴人，吴人颇怨。玘自以失职[395]，又为刁协[396]所轻，耻恚[397]愈甚，乃阴与其党谋诛执政[398]，以诸南士[399]代之。事泄，玘忧愤而卒。将死，谓其子勰曰：“杀我者，诸伧子[400]也。能复之[401]，乃吾子也。”

石勒攻李恽[402]于上白[403]，斩之。王浚复以薄盛为青州刺史。

王浚使枣嵩[404]督诸军屯易水[405]，召段疾陆眷，欲与之共击石勒。疾陆眷不至[406]。浚怒，以重币赂拓拔猗卢，并檄慕容廆等共讨疾陆眷。猗卢遣右贤王六脩将兵会之，为疾陆眷所败。廆遣慕容翰[407]攻段氏，取徒河[408]、新城[409]，至阳乐[410]，闻六脩败而还，翰因留镇徒河，壁青山[411]。

初，中国士民避乱者多北依王浚，浚不能存抚[412]，又政法不立，士民往往复去之。段氏兄弟专尚武勇，不礼士大夫。唯慕容廆政事修明，爱重人物，故士民多归之。廆举其英俊，随才授任，以河东裴嶷[413]、北平阳耽、庐江黄泓、代郡鲁昌为谋主，广平游邃、北海逄羡、北平西方虔[414]、西河宋奭及封抽、裴开为股肱，平原宋该、安定皇甫岌、岌弟真、兰陵缪恺、昌黎刘斌及封奕、封裕典机要。裕，抽之子也。

裴嶷清方[415]有干略[416]，为昌黎[417]太守，兄武为玄菟[418]太守。武卒，嶷与武子开以其丧归，过廆[419]，廆敬礼之。及去，厚加资送。行及辽西，道不通，嶷欲还就廆。开曰：“乡里在南，奈何北行？且等为流寓[420]，

廷的将士。如今不管功劳大小，都依照这项标准执行，以至于金质印章、紫色绶带佩戴在一般士兵的身上，过去皇帝授予功臣元勋的符节、策书，如今竟然授予了仆役奴隶，这不是重视封爵、职位以及与名声相应的器物，整顿朝廷秩序的办法，请停止执行这一条例。”陈頵出身于贫寒的平民家庭，因为屡次提出正确的建议，琅邪王司马睿府中的很多人都厌恶他，于是司马睿便打发他离开王府去担任谯郡太守。

吴兴郡太守周玘的宗族势力非常强大，琅邪王司马睿对他颇有疑虑，很怕他。司马睿左右主事当权的，大多是中原那些丢掉官职而逃到江南的人，由这些人驾驭吴人，吴人心中非常不满。周玘自以为不受重用，又被军谘祭酒刁协轻视，就愈加感到羞辱和气愤，于是便暗地里与他的党羽谋划诛杀那些来自中原地区司马睿政权的当权者，让南方土生土长的人士代替他们掌权。事情败露，周玘忧愤而死。周玘临死的时候，对自己的儿子周勰说：“杀死我的人，是北方的那些伧奴。你要是能为我报仇，才算是我的儿子。”

石勒率军到上白城攻打被幽州刺史王浚任命为青州刺史的流民首领李恽，杀死了李恽。王浚又任命薄盛为青州刺史。

王浚派自己的女婿枣嵩率领各军屯扎在易水边，他召请段疾陆眷，想与他共同进攻石勒。段疾陆眷不肯来。王浚大怒，就用重金贿赂鲜卑族首领拓跋猗卢，并传令慕容廆等共同讨伐段疾陆眷。拓跋猗卢派遣右贤王拓跋六脩率领军队前去会战段疾陆眷，被段疾陆眷打败。慕容廆派慕容翰攻打段疾陆眷，攻克了徒河县、新城，攻进到阳乐县时，听说拓跋六脩兵败撤退，慕容翰便留在徒河县镇守，把大本营设在青山。

当初，中原的知识分子和百姓为躲避战乱，大多都到北方投奔幽州刺史王浚，王浚无法收留、安抚他们，而且行政、司法一片混乱，这些前来投靠的士民往往就又离开了。段氏兄弟专门崇尚武力和勇气，不尊重、礼遇士大夫。唯有慕容廆政治清明，爱惜人才，所以士民大多都归附了慕容廆。慕容廆从他们当中选拔那些才俊之士，根据他们的实际能力授予官职，任用河东人裴嶷、北平人阳耽、庐江人黄泓、代郡人鲁昌为主要谋臣，以广平人游邃、北海人逄羡、北平人西方虔、西河人宋奭和封抽、裴开为骨干，让平原人宋该、安定人皇甫岌、皇甫岌的弟弟皇甫真、兰陵人缪恺、昌黎人刘斌以及封奕、封裕掌管机要事务。封裕，是封抽的儿子。

裴嶷为人清廉方正，具有办大事的谋略，担任昌黎郡太守，他的哥哥裴武是玄菟郡太守。裴武去世，裴嶷与裴武的儿子裴开护送他的灵柩回乡，路过慕容廆的辖区，慕容廆对他们的接待非常恭敬礼貌。在离去的时候，慕容廆还赠送给他们十分丰厚的礼物。当裴嶷与裴开来到辽西的时候，因为道路不通，裴嶷就想再回去投靠慕容廆。裴开说：“我们的家乡在南边，为什么要到北边去呢？况且同样是漂泊在外，

段氏强，慕容氏弱，何必去此而就彼[421]也！”嶷曰：“中国[422]丧乱，今往就之，是相帅而入虎口也。且道远[423]，何由可达？若俟其清通[424]，又非岁月可冀[425]。今欲求托足[426]之地，岂可不慎择其人！汝观诸段，岂有远略，且能待国士[427]乎？慕容公修行仁义[9]，有霸王之志，加以国丰民安，今往从之，高可以立功名，下可以庇[428]宗族，汝何疑焉！”开乃从之。既至，廆大喜。阳耽清直沈敏[429]，为辽西太守[430]，慕容翰破段氏于阳乐，获之，廆礼而用之。游邃、逄羡、宋奭，皆尝为昌黎太守，与黄泓俱避地于蓟[431]，后归廆。王浚屡以手书召邃兄畅，畅欲赴之，邃曰：“彭祖[432]刑政不修[433]，华、戎[434]离叛。以邃度之，必不能久，兄且磐桓[435]以俟[436]之。”畅曰：“彭祖忍[437]而多疑，顷者[438]流民北来，命所在追杀之[439]。今手书[440]殷勤，我稽留不往，将累及卿。且乱世宗族宜分，以冀遗种[441]。”邃从之，卒[442]与浚俱没。宋该与平原杜群、刘翔先依王浚，又依段氏，皆以为不足托，帅诸流寓[443]同归于廆。东夷校尉崔毖请皇甫岌为长史，卑辞说谕，终莫能致，廆招之，岌与弟真即时俱至。辽东张统据乐浪[444]、带方[445]二郡，与高句丽[446]王乙弗利相攻，连年不解。乐浪王遵说统帅其民千余家归廆，廆为之置乐浪郡，以统为太守，遵参军事。

王如余党涪陵李运、巴西王建等自襄阳将三千余家入汉中[447]，梁州刺史张光遣参军晋邈将兵拒之。邈受运、建赂，劝光纳其降，光从之，使居成固[448]。既而邈见运、建及其徒多珍宝，欲尽取之，复说光曰：“运、建之徒，不修农事，专治器仗，其意难测，不如悉掩杀[449]之；不然，必为乱。”光又从之。五月，邈将兵攻运、建，杀之。建婿杨虎收余众击光，屯于厄水[450]。光遣其子孟苌讨之，不能克。

壬辰[451]，以琅邪王睿为左丞相、大都督，督陕东[452]诸军事，南阳王

段氏势力强大，慕容氏势力微弱，何必要离开段氏而去投靠慕容氏呢！”裴嶷说：“中原地区正在遭受战乱，如今回到家乡，就等于是手拉着手进入虎口。而且我们现在距离家乡路途遥远，什么时候才能回到家乡呢？如果等待时局太平、道路畅通，不能指望几个月或一年就能实现。如今要想寻找个立足之地，怎么能不谨慎地选择主人呢！你看他们段氏兄弟，哪一个有远谋深虑，而且能把我们当作一国之中的罕见人才来看呢？慕容廆行仁仗义，有成就霸王之业的远大志向，再加上国家富足、人民安乐，如今去投靠他，上可以建立功名，下可以使家族受到保护，你还怀疑什么呢！”裴开就听从了叔叔的劝告。他们回到慕容廆那里，慕容廆非常高兴。阳耽为人清廉正直、沉着机敏，担任辽西郡太守，慕容翰在阳乐打败段氏的时候俘获了阳耽，慕容廆对阳耽不仅以礼相待而且还重用他为谋主。游邃、逄羡、宋奭，都曾经担任过昌黎郡太守，他们与黄泓都是因为躲避战乱而来到蓟城，后来全都投靠了慕容廆。晋国幽州刺史王浚多次亲手写信征聘游邃的哥哥游畅，游畅想要前去应聘，游邃对游畅说：“王浚的刑罚政令一派混乱，汉族和少数民族都和他离心离德、纷纷叛变。以我猜测，他必然不能长久，哥哥你暂且观望一段时间再做决定。”游畅说：“王浚生性残忍而且多疑，前不久流民从他那里经过向北逃亡，他就命令沿途各地的官员对流民进行追杀。如今他多次亲笔给我写信，态度殷勤，我若拖延不去，将会连累于你。况且处在乱世，宗族应该分开，希望能够为宗族留下后代。”游邃听从了哥哥的意见，最终游畅与王浚都死了。宋该与平原人杜群、刘翔早先曾经投靠王浚，后来又投奔段氏，认为他们都靠不住，便率领那些四处漂泊流浪的人士一同投奔了慕容廆。东夷校尉崔毖请求皇甫岌担任长史，态度谦卑，一说再说，却始终没能将他说动，慕容廆征聘皇甫岌，皇甫岌便与自己的弟弟皇甫真实时赶往那里。辽东人张统占据着乐浪、带方二郡，他与高句丽王乙弗利互相攻杀，战争连年不断。乐浪人王遵说服张统，率领着两个郡一千多户归顺了慕容廆，慕容廆特意为张统设置了乐浪郡，任命张统为乐浪郡太守，任命王遵为参军事。

乱民首领王如的余党涪陵人李运、巴西人王建等从襄阳率领三千多家进入汉中，晋梁州刺史张光派遣担任参军的晋邈率军阻止他们进入。晋邈接受了李运、王建的贿赂，就劝说张光接受他们投降，张光听从晋邈的劝说，把李运、王建等人安置在汉中郡的城固县。不久晋邈看到李运、王建和他们的党羽拥有很多珍宝，就想全部夺取过来归为己有，就又去对张光说：“李运、王建这些人，不从事农业生产，专门制造器械，他们的意图实在难以预测，不如乘其不备把他们全部杀掉，不然的话，他们必定会作乱。”张光又听从了他的建议。五月，晋邈率军攻打李运、王建，把李运、王建杀死。王建的女婿杨虎召集残余的人众准备袭击张光，他把军队屯扎在厄水边。张光派遣他的儿子张孟苌前去讨伐，不能取胜。

五月十八日壬辰，晋愍帝司马邺任命琅邪王司马睿为左丞相、大都督，负责陕保[453]为右丞相、大都督，督陕西[454]诸军事。诏曰："今当扫除鲸鲵[455]，奉迎梓宫[456]，令幽、并两州勒卒三十万直造[457]平阳，右丞相宜帅秦、凉、梁、雍之师三十万径诣长安，左丞相帅所领精兵二十万径造洛阳，同赴大期[458]，克成元勋[459]。"

汉中山王曜屯蒲坂[460]。

石勒使孔苌击定陵[461]，杀田徽[462]。薄盛率所部降勒，山东[463]郡县，相继为勒所取。汉主聪以勒为侍中、征东大将军。乌桓亦叛王浚，潜附[464]于勒。

六月，刘琨与代公猗卢会于陉北[465]，谋击汉。

---

**【段旨】**

以上为第二段，写晋愍帝建兴元年（公元三一三年）上半年的大事。主要写了被俘的晋怀帝为刘聪所杀，与愍帝即位于长安时居民不过百户的艰难情景；写了汉主刘聪的凶悍好杀与皇后刘氏的睿智善谏；写了风雨飘摇的晋王朝中刘琨、荀藩、司马睿三方的争权夺利，一个兖州派三个刺史的荒唐情景；写了司马睿建业政权建立伊始就承袭着西晋王朝的腐朽，不思改革，以及东北边境慕容廆势力的发展壮大、众望所归，和王浚与鲜卑段氏势力的逐渐衰落等。

**【注释】**

㉕⑦孝愍皇帝：名业，后改作"邺"，武帝司马炎之孙，怀帝司马炽之侄，吴王司马晏之子，过继给秦王司马柬为后，故前文屡称其"秦王业"。㉕⑧正月丁丑朔：正月初一是丁丑日。㉕⑨著青衣行酒：穿着平民的衣裳给宴会上的人们巡回斟酒。㉖⓪庾珉、王隽：原皆晋臣，洛阳陷落时随怀帝一道被刘聪的军队俘虏。庾珉是庾峻之子。传见《晋书》卷五十。㉖①以平阳应刘琨：想给刘琨做内应以攻取汉都平阳。㉖②二月丁未：二月初一。㉖③怀帝亦遇害：司马炽时年三十岁。㉖④会稽刘夫人：会稽公刘殷之小女，即刘聪的小刘贵人，永嘉五年刘聪曾将其赐给司马炽为妻，今又收回。㉖⑤荀崧：字景猷，颍川颍阴（今河南许昌）人，荀彧的玄孙。先为侍中、中护军。永嘉之乱后，监江北军事。传见《晋书》卷七十五。㉖⑥清劭：清秀、高雅。㉖⑦少著英猷：年少时就表现出了卓越的智慧。㉖⑧守文佳主：能当好一个维持既定局面的好皇帝。守文，犹言"守成"。㉖⑨惠帝扰乱：惠帝时的前七王连续动乱。㉗⓪东海：东海王司马越，"八王之乱"中的最后一个。㉗①无幽、厉

县以东的各方面军事，南阳王司马保为右丞相、大都督，负责陕县以西的各方面军事。司马邺下诏说："现在应当扫除刘聪这样凶残的敌人，奉迎先帝的灵柩回京，命令幽州、并州派三十万士兵直抵汉都城平阳，右丞相司马保应当率领秦州、凉州、梁州、雍州的三十万军队径直前来长安，左丞相司马睿率领二十万精兵直接奔赴洛阳，在约定好的会师日期，建立伟大的功勋。"

汉中山王刘曜将军队屯驻在蒲坂县。

石勒派孔苌袭击定陵县，杀死了王浚任命的兖州刺史田徽。王浚所任命的青州刺史薄盛率领他的部下向石勒投降，太行山以东的郡县都相继被石勒占领。汉主刘聪任命石勒为侍中、征东大将军。乌桓也背叛王浚，暗中归附了石勒。

六月，晋并州刺史刘琨与代公拓跋猗卢在陉北会见，谋划共同攻打汉主刘聪之事。

---

之衅：晋怀帝自身没有周幽王、周厉王那样的罪过。周幽王、周厉王都是历史上有名的昏暴之君。衅，缺失，这里指罪过。㉗²有流亡之祸：落了个像幽王、厉王一样的颠沛流离，直到被俘被杀。〖按〗以上荀崧语见《晋书》卷五。㉗³乙亥：二月二十九。㉗⁴张后：刘聪的皇后张徽光，张太后的侄女。㉗⁵丁丑：二月丁未朔，没有"丁丑"日，疑字有误。㉗⁶己卯：二月无"己卯"日，疑字有误。㉗⁷定襄忠穆公王彰：定襄公是王彰的封号，"忠穆"二字是王彰的谥。㉗⁸凰仪殿：说她有雌凤的德行。㉗⁹司牧：管辖；统领。㉘⁰穷一人之欲：满足一个人的欲望。穷，尽、满足。㉘¹大汉：指刘聪政权。㉘²引领：伸长脖子张望，形容企盼解救的样子。㉘³庶几息肩：或许能够松一口气。庶几，或许。息肩，放下担子，稍稍歇息。㉘⁴光文皇帝：汉主刘渊，谥曰"光文"。㉘⁵身衣大布：身穿粗布衣服。㉘⁶居无重茵：连个厚垫子也不坐，极言其俭朴。重茵，两层坐垫。茵，褥子、毯子。㉘⁷乘舆马：给皇帝拉车的马。㉘⁸践阼：登极做皇帝。阼，台阶。㉘⁹军旅数兴：多次发动战争。㉙⁰馈运：运输粮秣。㉙¹益思营缮：越发想大兴土木。㉙²有晋遗类：晋王朝的残余势力。㉙³西据关中：指司马邺政权。㉙⁴南擅江表：指司马睿政权。擅，专、据有。江表，长江以南。㉙⁵奄有巴、蜀：占据着巴蜀。奄，覆盖、囊括。㉙⁶窥窬肘腋：在我们身边进行活动。窥窬，隔着墙缝偷看，指寻找可乘之机。肘腋，极喻其与我们距离之近。㉙⁷石勒、曹嶷：原来都是刘聪的部属。㉙⁸贡禀渐疏：对我们的进贡服从越来越不如从前。贡禀，进贡与请示报告。㉙⁹释此不忧：放下这些事情不考虑。㉚⁰为中宫作殿：为皇后建造宫殿。㉚¹太宗：指西汉文帝刘恒。因刘渊等以汉朝的继承者自居，故如此亲热地称呼汉文帝。㉚²流衍：极力形容其多。㉚³爱百金之费：指舍不得修建一个要费百金的台子。爱，吝惜、舍不得花费。㉚⁴息露台之役：将修建祭天露台的工程停了下来。汉文

帝停建露台事，见本书卷第十五文帝后七年（公元前一五七年）。㉟不过太宗之二郡：当时刘聪只占有平阳、西河二郡，约相当于西汉的河东郡（郡治在今山西夏县西北）与西河郡（郡治平定，在今内蒙古准格尔旗西南）的一部分。306战守之备：要进攻和要防御的对象。307非特：不仅仅。308沮众：破坏大家的信心与士气。309枭首东市：将其人头挂在东市场的高杆上示众。310使群鼠共穴：指把陈元达全家都埋在一个坑里。311李中堂：厅堂的名字，大概堂下种有李树。312以锁锁堂下树：用身上的链子把自己缠在树上。主语是陈元达。313朱云：西汉的直臣。元帝时因多次上书抨击尸位素餐的朝廷大臣被禁锢；成帝时，又请斩当时的佞相张禹，自己差点被杀。314与龙逢、比干游：能与古代的直臣相提并论。龙逢是夏末的直臣，因多次向桀直谏而被囚禁杀害；比干是殷末纣王的伯父，因犯颜强谏，被殷纣剖心而死。朱云以上的话见《汉书·朱云传》与本书卷第三十二元延元年（公元前十二年）。315河间王易：刘易，刘聪之子，被封为河间王。316受命之初：指刘渊刚建国称王时。事见本书卷第八十五永兴元年（公元三〇四年）。317引置门下：便把他安置在门下省，指作为贴身侍臣。318窃禄偷安：为保官保命而有意见不提。319其如后世何：将如何向后世、向历史做交代。320密敕左右停刑：暗中派身边的人告诉施刑者停刑。321手疏：亲手写奏章。322结舌：闭口不言。323困弊：生计艰难。324阽危：面临危险。325皆萃于妾：都集中在我身上。326疾：痛恨。327由：通“犹”，如同。328复奉巾栉：再在您身边侍候您。奉巾栉，侍奉人梳洗，通常指给人做妻妾。329赐死此堂：在建造此堂的工地上将我赐死。330以塞陛下之过：以补救您这次的错误。塞，弥补、补救。331比年：近年。332过差：过度；过分。333不复自制：不能自我克制。334破首明之：磕破了头来为之鸣冤。335辅弼之义：给帝王做辅佐大臣的责任。336愧戢于心：羞愧藏在心里。337冠履就坐：戴上帽子、穿好鞋，赐座坐好。338各有差：各有一定的数量。339汶山：晋郡名，郡治在今四川茂县城北。340欲向巴东：巴东是晋郡名，郡治鱼腹县，在今重庆市奉节县东。兰维率众向巴东方向移动是为了躲避李雄，出川归晋。341获之：俘获了兰维。至此，西晋所置的益州刺史府、征西将军府、西夷校尉府（即所谓“益州三府”）都被李雄消灭。342四月丙午：四月初一。343怀帝凶问：晋怀帝司马炽被害的消息。问，意思同“闻”。344皇太子：秦王司马邺。345加元服：行加冕礼，即皇帝位。元服，帽子。346壬申：四月二十七。347即皇帝位：司马邺这年十四岁。348改元：改元“建兴”。在此之前称此年为“永嘉七年”。349索綝：字巨秀，索靖之子，善征战。传见《晋书》卷六十。350无章服、印绶：没有官服、印信。章服，古代君臣所穿的正式礼服，上面绣有日月星辰、龙蟒鸟兽等图纹作为等级标志。351桑版署号：用桑木板书写官号，作为任职的凭证。352赵染：刘聪的将领。353帅众赴之：率军赶去参战。354黄白城：在今陕西三原东北十里。355刘演奔廪丘：刘演是刘琨任命的兖州刺史。廪丘是晋县名，县治在今山东郓城西北。356三台：代指邺城，因邺城西北建有铜雀、金虎、冰井三台。357郗鉴：字道徽，后为东晋名臣。传见《晋书》卷六十七。358清节：清高，有操守。359高平：晋县名，县治昌邑，在今山东巨野南。㊱〇峄山：一名邹山，在今山东邹城东南。㊱①就用：就地任用。㊱②三人：指荀藩任命的李述、刘琨任命的刘演和司马睿任命的郗鉴这三个兖州刺史。㊱③华谭：字令思，当时的正直而有才学之臣。传见《晋书》卷五十二。㊱④周馥：字祖宣，先为河南尹，后为镇东将军、扬州都督。忠于朝廷，被司马越与司马睿夹击失败而死。传见《晋书》卷六十一。㊱⑤以纾国难：以缓和朝廷的危局。纾，缓和。㊱⑥执政：当权者，指东海王司马越。㊱⑦死未逾时：死后没过多长时间。㊱⑧不亦诬乎：这不是对人的诬蔑吗？㊱⑨召之不入：召他入朝他不去。㊲〇危而不持：见到朝廷危机而不出兵救助。㊲①当与天下共受其责："危而不持"的人很多，你司马睿也是一个。㊲②录事参军陈頵：录事参军为录事曹的长官，掌总录文簿，举弹善恶，位在列曹参军之上。陈頵，字延思，官至梁州刺史，曾多次建言朝廷取消滥赏。传见《晋书》卷七十一。㊲③洛中：指当年建都洛阳的西晋王朝。㊲④小心恭恪：谨慎恭敬，恪守为官职责。㊲⑤偃蹇倨肆：优游傲慢，为官而不干事。㊲⑥承西台余弊：仍旧沿袭洛阳政权的恶习。西台，西北方的洛阳政权。㊲⑦养望自高：以提高自己虚伪的"名望"为追求目标。㊲⑧寻之：沿着已经翻车的路子继续向前走。㊲⑨临使称疾：当被差遣执行任务时装病不去。㊳〇三王之诛赵王伦：成都王司马颖、河间王司马颙、长沙王司马乂起兵攻赵王司马伦事，见本书卷第八十四永宁元年（公元三〇一年）。㊳①己亥格：己亥日发表的奖励条例。㊳②惠皇失位：晋惠帝司马衷被赵王司马伦废。㊳③以怀向义：以感动那些向往正义、维护朝廷的将士。怀，使……感动。㊳④皆以格断：都按"己亥格"加以封赏。㊳⑤金紫：金质印章，紫色绶带，原本赐予三品大员。㊳⑥符策：皇帝授予功臣元勋的符节、策书。㊳⑦重名器：重视名声与器物。名声指封爵、职位；器物指车服、印绶、仪仗等。㊳⑧正纪纲：整顿朝廷秩序。㊳⑨府中：指琅邪王府内。㊴〇谯郡：郡治即今安徽亳州。㊴①吴兴：晋郡名，郡治即今浙江湖州。㊴②周玘：西晋名臣周处之子。传见《晋书》卷五十八。㊴③用事者：主事当权的人。㊴④中州亡官失守：在中原地区丢掉官职而逃到江南。㊴⑤自以失职：自己感到不受重用。周玘曾平定石冰、陈敏之乱，三次稳定东南局势，至今只是一名太守。㊴⑥刁协：时为司马睿的军谘祭酒。㊴⑦耻恚：感到羞辱气愤。㊴⑧执政：指来自中原地区司马睿政权的当权者。㊴⑨诸南士：南方土生土长的人士。㊵〇伧子：当时江东人对北方人的贱称。㊵①能复之：能为我报这个仇。㊵②李恽：与下文"薄盛"都是由山西流亡到太行山一带找食物吃的流民头领，这时听命于王浚，被王浚任为青州刺史。㊵③上白：古城名，即今河北威县。㊵④枣嵩：王浚的女婿。㊵⑤易水：河水名，自西方流来，流经今河北保定市徐水区北，东北流至今天津市入海。㊵⑥疾陆眷不至：因石勒放回其堂弟段末柸，故疾陆眷感谢石勒而不至。㊵⑦慕容翰：慕容廆之子。㊵⑧徒河：晋县名，县治即今辽宁锦州。㊵⑨新城：地址不详，应离锦州不远。㊶〇阳乐：晋县名，县治在今河北卢龙东，当时的辽西郡治所在地。㊶①青山：应在今辽宁锦州郊区。㊶②存抚：收留、安抚。㊶③裴嶷：字文冀，河东闻喜（今山西闻喜）人，先为晋中书、黄门侍郎、昌黎太守。后投慕容廆，为长史。传见《晋书》卷一百八。⑭西方虔：人名，姓西方，名虔。⑮清方：清廉方正。⑯干略：办大事的谋略。⑰昌黎：晋郡名，郡治即今辽宁义县。⑱玄菟：晋郡名，郡治在今辽宁沈阳东北。⑲过廆：路过慕容廆的辖区，当时慕容廆在棘城，今辽宁锦州西北。⑳等为流寓：同样是漂泊在外。等，同样。㉑去此而就彼：离开这一个去投奔那一个。“此”指段氏鲜卑，当时活动在今河北与辽宁交界处。“彼”指慕容廆。㉒中国：中原地区。㉓道远：指辽西郡到山西闻喜老家路途遥远。㉔清通：时局太平，道路畅通。㉕非岁月可冀：不能指望几个月或一年就能太平。㉖托足：犹言栖身、存身。㉗国士：一国之中的罕见人才。㉘庇：保护。㉙沈敏：沉着机警。㉚为辽西太守：原来为晋朝的辽西太守，郡治阳乐，在今河北卢龙东。㉛蓟：今北京市的西南角。㉜彭祖：王浚，字彭祖。㉝刑政不修：刑法政令混乱，没有章法。㉞华、戎：汉族及少数民族。㉟磐桓：徘徊；迟留。意即观望。㊱俟：等待。㊲忍：残忍。㊳顷者：前不久。㊴命所在追杀之：曾命令流民所到之处的地方官员对流民驱赶捕杀。㊵手书：亲笔写信。㊶遗种：留下后代。㊷卒：最终。㊸诸流寓：各位流浪漂泊的人。㊹乐浪：晋郡名，郡治在今朝鲜平壤城南。㊺带方：晋郡名，郡治在今朝鲜沙里浣东南。㊻高句丽：小国名，首都在丸都，即今吉林集

【原文】

秋，七月，琨进据蓝谷[466]，猗卢遣拓拔普根屯于北屈[467]。琨遣监军韩据自西河而南[468]，将攻西平[469]。汉主聪遣大将军粲等拒琨，骠骑将军易[470]等拒普根，荡晋将军兰阳等助守西平。琨等闻之，引兵还。聪使诸军仍屯所在，为进取之计。

帝遣殿中都尉刘蜀诏左丞相睿以时[471]进军，与乘舆[472]会于中原。八月癸亥[473]，蜀至建康。睿辞以方平定江东，未暇北伐。以镇东长史刁协为丞相左长史，从事中郎彭城刘隗为司直[474]，邵陵内史广陵戴邈为军谘祭酒，参军丹阳张闿为从事中郎，尚书郎颍川锺雅为记室参军[475]，谯国桓宣为舍人，豫章熊远为主簿，会稽孔愉为掾。刘隗雅习[476]文史，善伺候睿意[477]，故睿特亲爱之。

熊远上书，以为：“军兴[478]以来，处事不用律令，竞作新意，临事立制[479]，朝作夕改，至于主者[480]不敢任法[481]，每辄关谘[482]，非为政之体

安。㊼汉中：晋郡名，郡治南郑，即今陕西汉中。㊽成固：县名。县治在今陕西城固西北十八里。㊾掩杀：乘其不备而攻杀。㊿厄水：在今陕西汉中市南郑区。451壬辰：五月十八。452陕东：陕县（今河南三门峡市陕州区西南）以东地区。453南阳王保：司马保，司马模的儿子。454陕西：陕县以西地区。〖按〗此以陕县为分野划分两大臣的管辖区域，乃效法周初之使周公、召公分陕而治的旧例，以显示二臣地位之崇重。455鲸鲵：海中大鱼，比喻凶残不义的人，此指刘聪。456梓宫：指怀帝司马炽的棺木。457直造：直趋。造，到达。458大期：约定的会师日期。459元勋：伟大的功勋。460蒲坂：晋县名，县治在今山西永济西。461定陵：晋县名，县治在今河南漯河市郾城区西北。462田徽：王浚任命的兖州刺史。463山东：此指太行山以东。464潜附：暗中归附。465陉北：指今山西代县西北的雁门山（古称句注山）之北。

## 【校记】

［9］修行仁义：据章钰校，甲十一行本、乙十一行本、孔天胤本皆作“修仁行义”。

---

## 【语译】

秋季，七月，刘琨率领军队进驻蓝谷，拓跋猗卢派遣拓跋普根率军驻扎在北屈县。刘琨派遣监军韩据率领军队沿着黄河南进，准备攻打西平城。汉主刘聪派遣大将军刘粲等人抵抗刘琨的进攻，骠骑将军刘易等人抵抗拓跋普根，荡晋将军兰阳等人协助防守西平城。刘琨等得知汉主刘聪已经做好迎战准备，便率军而回。汉主刘聪命令各军原地驻扎，做好进攻的准备。

晋愍帝司马邺派遣担任殿中都尉的刘蜀传达皇帝的诏命，让左丞相司马睿按照规定时间准时进军，到中原与皇帝相会。八月二十日癸亥，刘蜀奉命来到建康传达诏命。左丞相司马睿以刚刚平定江东，无暇顾及北伐为由拒绝出兵。司马睿任命担任镇东长史的刁协为丞相左长史，任命担任从事中郎的彭城人刘隗为司直，任命担任邵陵内史的广陵人戴邈为军谘祭酒，任命担任参军的丹阳人张闿为从事中郎，任命担任尚书郎的颍川人锺雅为记室参军，任命谯国人桓宣为舍人，任命豫章人熊远为主簿，任命会稽人孔愉为掾。彭城人刘隗一向熟悉文学历史，善于揣摩司马睿的心思而曲意逢迎，所以司马睿特别亲近他、宠信他。

新被任命为主簿的熊远上书给琅邪王司马睿，他认为：“自从战争爆发以来，处理政务全都不遵照旧有的法律条令，而是竞相标新立异，遇到一件事情就临时订立一种章程，甚至是早晨刚刚制定的法令到傍晚就又改变了，以至于主管具体事务的

也。愚谓凡为驳议[483]者，皆当引律令、经传，不得直以情言[484]，无所依准[485]，以亏旧典[486]。若开塞随宜[487]，权道制物[488]，此是人君之所得行，非臣子所宜专用也。”睿以时方多事，不能从。

初，范阳祖逖[489]少有大志，与刘琨俱为司州[490]主簿，同寝，中夜[491]闻鸡鸣，蹴琨觉[492]，曰:“此非恶声[493]也。”因起舞[494]。及渡江[495]，左丞相睿以为军谘祭酒。逖居京口[496]，纠合骁健[497]，言于睿曰:“晋室之乱，非上无道[498]而下怨叛[499]也，由宗室争权，自相鱼肉，遂使戎狄乘隙[500],毒流中土[501]。今遗民既遭残贼[502],人思自奋[503]。大王诚能命将出师，使如逖者统之，以复中原，郡国豪杰，必有望风响应者矣。”睿素无北伐之志，以逖为奋威将军、豫州刺史，给千人廪[504]，布三千匹，不给铠仗，使自召募。逖将其部曲[505]百余家渡江，中流[506]，击楫[507]而誓曰:“祖逖不能清中原[508]而复济[509]者，有如大江[510]!”遂屯淮阴[511]，起冶铸兵[512]，募得二千余人而后进。

胡亢[513]性猜忌，杀其骁将数人。杜曾[514]惧，潜引王冲[515]之兵使攻亢。亢悉精兵出拒之，城中空虚，曾因杀亢而并其众。

周颉屯浔水城[516]，为杜弢[517]所困，陶侃使明威将军朱伺救之，弢退保泠口[518]。侃曰:“弢必步向武昌[519]。”乃自径道[520]还郡以待之，弢果来攻。侃使朱伺逆击[521]，大破之，弢遁归长沙。周颉出浔水投王敦于豫章，敦留之。陶侃使参军王贡告捷于敦，敦曰:“若无陶侯[522]，便失荆州矣。”乃表侃为荆州刺史，屯沔江[523]。左丞相睿召周颉，复以为军谘祭酒。

初，氐王杨茂搜[524]之子难敌[525]遣养子贩易于梁州[526]，私卖良人子[527]一人，张光[528]鞭杀之。难敌怨曰:“使君初来，大荒[529]之后，兵民之

官员不能依法办事，每件事情都要向朝廷请示、报告，这不是正常的政治体制。我认为凡是提出不同意见的，都应当援引法律条文，或是依据对法律条文的解释，而不能仅仅凭着自己的感觉说话，没有根据、没有标准，造成与旧有的典章律令相违背的结果。至于干什么与不干什么，都因时因地随机应变，权衡情势以采取措施，这是君主才有的权力，而不是臣子所应擅自决定的。”司马睿认为时下正是多事之秋，所以没有采纳这个建议。

当初，范阳人祖逖在年轻的时候就胸怀大志，他与刘琨都担任司州主簿，二人同住，半夜听到鸡叫，他就用脚把刘琨踢醒，说：“这可不是令人厌恶的声音。”于是立即起床练习舞剑、苦练武功。由于北方战乱不断，祖逖渡过长江来到建业避乱，左丞相司马睿命祖逖担任军谘祭酒。祖逖住在京口，他聚集起一些勇猛的壮士，对司马睿说：“晋国战乱不断，并不是因为皇帝暴虐无道引起百姓怨恨朝廷而造反，而是由于宗室之间为争权夺利而自相残杀，于是让各少数民族钻了空子趁势起兵，导致灾祸遍及中原。如今，遗留在中原的百姓因为饱受少数民族的摧残、杀害，人人都想奋起自救。大王如果真能任命像我这样的人为将领统帅军队北伐，恢复中原，中原各郡、各封国的英雄豪杰必定闻风响应。”然而司马睿向来就没有北伐的雄心壮志，他任命祖逖为奋威将军、豫州刺史，拨给他一千人的军饷，三千匹布，但不给他铠甲武器，让他自己去招募军队。祖逖率领他的部下一百多户人家向北渡过长江，在到达江心时，祖逖用手敲击着船桨向天发誓说：“如果我祖逖不能使中原获得太平稳定，就不再渡过长江回到江南，这滚滚的长江水可以为我做证！”祖逖率领这一百多户屯扎在淮阴县，他们搭起炼铁炉打造兵器，又招募了两千多人而后进军北伐。

胡亢生性猜忌，他杀死了自己手下好几位骁勇的将领。被胡亢任命为竟陵太守的杜曾因此心怀恐惧，就暗中引诱荆州地区变民首领王冲的军队攻打胡亢。胡亢把自己的全部精兵都派出城外迎战王冲，城中兵力空虚，杜曾趁机杀死胡亢吞并了他的军队。

周颢屯驻在浔水城，被自立为荆州刺史的变民首领杜弢围困，陶侃派明威将军朱伺率军前去解救周颢，杜弢于是将军队撤退到泠口。陶侃说：“我估计杜弢必定偷袭武昌。”于是就抄近路返回武昌做好迎战杜弢的军事部署，杜弢果然率军来攻武昌。陶侃派朱伺率军迎头痛击，把杜弢打得大败，杜弢逃回了长沙。周颢率领军队离开浔水城前往豫章郡投靠王敦，王敦收留了他。陶侃派遣担任参军的王贡到王敦那里报捷，王敦说：“如果没有陶侃，就失去荆州了。”于是上表保举陶侃为荆州刺史，率军驻守沔江。左丞相司马睿征召周颢回到建业，仍然命他为军谘祭酒。

当初，氐族头领杨茂搜的儿子杨难敌派遣他的养子到梁州一带做买卖，他竟然私自贩卖了一个清白人家的女儿，梁州刺史张光就用鞭子把杨难敌的养子抽死了。杨难敌非常怨恨张光，他对张光说：“你刚来的时候，正值大灾荒之后，你的军队、

命仰我氐活[530]，氐有小罪，不能贳也[531]？”及光与杨虎[532]相攻，各求救于茂搜，茂搜遣难敌救光。难敌求货[533]于光，光不与。杨虎厚赂难敌，且曰：“流民珍货，悉在光所[534]。今伐我，不如伐光。”难敌大喜。光与虎战，使张孟苌居前，难敌继后。难敌与虎夹击孟苌，大破之，孟苌及其弟援皆死。光婴城自守。九月，光愤激成疾。僚属劝光退据魏兴[535]，光按剑曰：“吾受国重任，不能讨贼，今得死如登仙，何谓退也！”声绝而卒。州人推其少子迈领州事，又与氐战没[536]，众推始平太守胡子序领梁州。

荀藩薨于开封。

汉中山王曜、赵染攻麹允于黄白城[537]，允累战皆败。诏以索綝为征东大将军，将兵助允。

王贡自王敦所还至竟陵，矫[538]陶侃之命，以杜曾为前锋大都督，击王冲，斩之，悉降其众。侃召曾，曾不至。贡恐以矫命获罪，遂与曾反击侃。冬，十月，侃兵大败，仅以身免。敦表侃以白衣领职[539]。侃复帅周访等进击杜弢，大破之，敦乃奏复侃官。

汉赵染谓中山王曜曰：“麹允率大众在外，长安空虚，可袭也。”曜使染帅精骑五千袭长安。庚寅[540]夜，入外城。帝奔射雁楼。染焚龙尾[541]及诸营，杀掠千余人。辛卯旦[542]，退屯逍遥园[543]。壬辰[544]，将军麹鉴自阿城[545]帅众五千救长安。癸巳[546]，染引还。鉴追之，与曜遇于零武[547]，鉴兵大败。

杨虎、杨难敌急攻梁州，胡子序弃城[548]走，难敌自称刺史。

汉中山王曜恃胜而不设备。十一月，麹允引兵袭之，汉兵大败，杀其冠军将军乔智明，曜引归平阳。

王浚以其父字处道[549]，自谓应“当涂高”之谶[550]，谋称尊号[551]。前勃海太守刘亮、北海太守王抟、司空掾高柔[552]切谏，浚皆杀之。燕国

百姓全部依靠我们氐人来养活，氐人犯了点小罪，难道就不能饶过他们吗?”等到张光与杨虎互相攻杀的时候，两人都来向杨茂搜求救，杨茂搜派遣杨难敌率军去救张光。杨难敌向张光索取贿赂，张光不给。而杨虎却用大量的财物贿赂杨难敌，并且对杨难敌说:“流民手里的珍宝，全都在张光那里。如今你攻打我，不如去攻打张光。”杨难敌一听非常高兴。张光与杨虎作战时，派张孟苌为前锋，派杨难敌做后援。杨难敌便与杨虎前后夹击张孟苌，把张孟苌打得大败，张孟苌和他的弟弟张援全都战死。张光只得据城坚守。九月，张光因愤怒过度病倒了。张光的僚属都劝说他撤到魏兴郡据守，张光手按宝剑严肃地说:“我受国家重托担任梁州刺史，限于职责不能讨伐贼寇，如果能战死我觉得就像升到仙界一样，为什么要撤退呢!”话刚说完，便倒地身亡了。梁州人共同推举张光的小儿子张迈代理梁州刺史一职，张迈又在与氐人的战斗中阵亡，众人这才推举始平太守胡子序兼任梁州刺史。

荀藩死在了开封。

汉国中山王刘曜、赵染到黄白城攻打麹允，麹允屡战屡败。晋愍帝于是下诏，任命索綝为征东大将军，率领军队援助麹允与汉军作战。

王贡从王敦那里返回，到达竟陵时，他假传陶侃的命令，任命杜曾为前锋大都督，让杜曾率军袭击王冲，把王冲杀死，吞并了王冲的军队。陶侃征调杜曾，杜曾不来。王贡惧怕自己假传陶侃之命而获罪，就与杜曾联合起来反击陶侃。冬季，十月，陶侃被王贡和杜曾打得大败，仅自身逃得性命。王敦上表请求让陶侃以平民的身份领下荆州刺史职务。陶侃又率领周访等人攻打杜弢，把杜弢打得大败，王敦就又上奏请求恢复陶侃荆州刺史的职务。

汉国将领赵染对中山王刘曜说:“麹允率领大军出外作战，长安城内必定兵力空虚，可以乘此机会袭击长安。”刘曜于是派赵染率领五千精兵袭击长安。十一月十九日庚寅夜间，赵染的军队攻入长安外城。晋愍帝逃到射雁楼。赵染放火焚烧了龙山尾以及驻扎在附近各处的军营，杀死、劫掠了一千多人。二十日辛卯凌晨，晋愍帝撤退到逍遥园。二十一日壬辰，晋国将军麹鉴率领五千军队从阿城赶来救援长安。二十二日癸巳，赵染率军退走。麹鉴率军追赶，在零武与汉中山王刘曜的军队相遇，双方展开激战，麹鉴被刘曜打败。

杨虎、杨难敌加紧进攻梁州城，胡子序放弃州城逃跑，杨难敌于是进入梁州城自称梁州刺史。

汉中山王刘曜因为自己打了胜仗而放松警戒。十一月，晋尚书左仆射、主管尚书省事务的麹允率领军队袭击刘曜，将刘曜所率领的汉军打得大败，将刘曜手下的冠军将军乔智明杀死，刘曜率领败军退回汉国都城平阳。

王浚因为自己父亲王沈的字为“处道”，就自认为与当年“当涂高”的谶语相合，于是就阴谋篡位做皇帝。前任勃海太守刘亮、北海太守王抟、司空掾高柔都非

霍原志节清高，屡辞征辟[553]。浚以尊号事问之，原不答。浚诬原与群盗通，杀而枭其首。于是士民骇怨，而浚矜豪[554]日甚，不亲政事，所任皆苛刻小人，枣嵩、朱硕贪横尤甚。北州谣曰："府中赫赫朱丘伯[555]，十囊五囊入枣郎[556]。"调发殷烦[557]，下不堪命，多叛入鲜卑[558]。从事韩咸监护柳城[559]，盛称慕容廆能接纳士民，欲以讽浚。浚怒，杀之。

浚始者唯恃鲜卑、乌桓以为强，既而皆叛之。加以蝗旱连年，兵势益弱。石勒欲袭之，未知虚实，将遣使觇[560]之，参佐请用羊祜、陆抗故事[561]，致书于浚。勒以问张宾，宾曰："浚名为晋臣，实欲废晋自立，但患四海英雄莫之从耳。其欲得将军[562]，犹项羽之欲得韩信[563]也。将军威振天下，今卑辞厚礼，折节[564]事之，犹惧不信，况为羊、陆之亢敌[565]乎！夫谋人[566]而使人觉其情[567]，难以得志矣。"勒曰："善！"十二月，勒遣舍人王子春、董肇多赍珍宝，奉表于浚[568]，曰："勒本小胡[569]，遭世饥乱，流离屯厄[570]，窜命冀州，窃相保聚以救性命。今晋祚沦夷[571]，中原无主，殿下州乡贵望[572]，四海所宗[573]，为帝王者，非公复谁？勒所以捐躯起兵，诛讨暴乱者，正为殿下驱除[574]尔。伏愿陛下应天顺人，早登皇祚。勒奉戴[575]殿下如天地父母，殿下察勒微心，亦当视之如子也。"又遗枣嵩书，厚赂之。

浚以段疾陆眷新叛，士民多弃己去，闻勒欲附之，甚喜，谓子春曰："石公一时豪[10]杰[576]，据有赵、魏，乃欲称藩[577]于孤，其可信乎？"子春曰："石将军才力强盛，诚如圣旨[578]。但以殿下中州贵望，威行夷、夏，自古胡人为辅佐名臣则有矣，未有为帝王者也。石将军非恶[579]帝王不为而让于殿下，顾以帝王自有历数[580]，非智力之所取，虽强取之，

常诚恳地进行劝谏，王浚把他们全都杀死了。燕国人霍原志向远大、操守清廉，屡次辞去朝廷的征召、任命。王浚向他咨询登基称帝的事情，霍原不做任何回答。王浚就诬陷霍原与盗贼串通勾结，将霍原杀死，还把霍原的人头割下来示众。于是，不论官吏还是百姓都非常惊恐、怨恨，而王浚的狂妄自大、目中无人却一天比一天厉害，他不再亲自处理政务，所任用的又都是一些苛刻的小人，枣嵩、朱硕两人尤其贪婪蛮横。北州的民间歌谣说："府中赫赫朱丘伯，十囊五囊入枣郎。"征粮、征兵的次数繁多，百姓实在不堪忍受，就有好多人逃走投奔了鲜卑部落首领慕容廆。担任从事的韩咸驻守柳城，他在王浚面前极力称赞慕容廆多方接纳士民的美德，想以此讽谏王浚。不料王浚听了大怒，竟然把韩咸杀死。

王浚开始的时候只是仗着鲜卑、乌桓的势力才显得很强大，后来鲜卑、乌桓都背叛了他。再加上连年的蝗灾、旱灾，王浚的势力就越来越弱。汉征东大将军石勒想攻打王浚，但不了解王浚的虚实，就准备以派遣使者的名义去那里侦察情况，参佐请求石勒像当年羊祜、陆抗那样和王浚彼此坦诚相待，送信给王浚，和王浚友好平等往来。石勒询问张宾，张宾说："王浚名义上虽说还是晋臣，而实际上正准备废掉晋室自立为皇帝，只是担心四海的英雄不肯听从他罢了。他想要得到将军的帮助，就像项羽想要得到韩信一样。将军威震天下，如今即使是用谦卑的言辞、厚重的礼物，放下架子甘居其下，恐怕他也不会信任你，何况是采用羊祜、陆抗的故事以平等的身份相对待呢！算计别人而让别人察觉你的意图，就很难获得成功了。"石勒说："你说得对！"十二月，石勒派遣舍人王子春、董肇携带着大量珍宝来到王浚那里，向王浚献上石勒的表章，说："石勒本是匈奴民族中的一个小支派，遭遇饥荒战乱，流离失所、处境艰难，逃命来到了冀州，与众胡人私下里聚集在一起，只是为了保全性命。如今晋国的国运衰微，中原没有主人，而殿下在同州乡亲中是尊贵的高门贵族，为全国上下所尊崇，作为帝王的人选，除了您还有谁更合适呢？石勒所以不顾性命起兵，诛杀讨伐暴君、平定叛乱，正是为了给殿下做先驱、为殿下扫除障碍。但愿陛下应天意顺民心，早日登上皇位。石勒拥戴殿下就像拥戴天地父母一样，请殿下洞察我的一片忠心，也应当把我看作是您的儿子一样。"又写信给枣嵩，用厚礼贿赂他。

王浚正因为段疾陆眷背叛了自己，许多士民也都离开自己投靠了别人而苦恼，听到石勒想要归附自己，非常高兴，他对石勒的使者王子春说："石勒是当今时代的罕见人物，占据着赵、魏的广大领土，却想向我称臣，他的话能相信吗？"王子春回答说："石将军的才能很强、势力很大，确实像您所说的那样。但是，殿下是中州的高门望族，您的威名传遍了少数民族地区和汉族聚居区，自古至今，确实有胡人做过有名的辅佐大臣，但却从来没有胡人做帝王的。石将军并不是厌恶帝王所以不称帝而把帝位让予殿下，只是因为帝王是由上天安排、有一定的天命，不是靠人的智

必不为天人之所与[580]故也。项羽虽强，终为汉有。石将军之比殿下，犹阴精[582]之与太阳，是以远鉴前事，归身殿下，此乃石将军之明识所以远过于人也，殿下又何怪乎！"浚大悦，封子春、肇皆为列侯，遣使报聘[583]，以厚币[584]酬之。

游纶兄统[585]为浚司马，镇范阳，遣使私附于勒，勒斩其使以送浚。浚虽不罪统，益信勒为忠诚，无复疑矣。

是岁，左丞相睿遣世子绍镇广陵[586]，以丞相掾蔡谟[587]为参军。谟，克之子也。

汉中山王曜围河南尹魏浚于石梁[588]，兖州刺史刘演、河内太守郭默遣兵救之。曜分兵逆战于河北[589]，败之。浚夜走，获而杀之。

代公猗卢城盛乐[590]以为北都，治故平城[591]为南都，又作新平城[592]于灅水之阳[593]，使右贤王六脩镇之，统领南部。

---

【段旨】

以上为第三段，写晋愍帝建兴元年（公元三一三年）下半年的大事。主要写了晋愍帝命令诸路共同讨伐刘聪，刘琨与拓跋猗卢出兵未战，司马睿则干脆拒绝出兵；写了祖逖的年少有志，向司马睿请兵北伐，司马睿仅予以千人之饷，实令其过江自生自灭；写了陶侃大破流民首领杜弢，被王敦举为荆州刺史；写了氐王杨茂搜大破梁州刺史张光，割据于仇池，其子杨难敌攻克梁州，自称梁州刺史；写了石勒假意臣服王浚，王浚不识其诈，为王浚之灭亡做伏笔，以及代王猗卢建立南、北都与新平城，势力空前壮大等。

【注释】

[466]蓝谷：在今山西太原西南。[467]北屈：晋县名，县治在今山西吉县东北二十一里。[468]自西河而南：沿着今山西与陕西交界的黄河南进。[469]西平：西平城，在当时的平阳（今山西临汾）城西。[470]骠骑将军易：刘易，刘聪之子。[471]以时：按指定时间。[472]乘舆：皇帝的车驾，这里指晋愍帝。[473]八月癸亥：八月二十。[474]司直：官名，协助丞相察举不法。[475]记室参军：丞相府的记室曹长官，掌文疏表奏。[476]雅习：一向熟悉。[477]善

慧、力量所能改变的，即使强行占有，也必然得不到苍天的保佑、得不到人民的拥护。项羽虽然势力强大，最终还是汉王刘邦占有了天下。石将军与殿下相比，就像月亮与太阳一样，所以，石勒将军以史为鉴，投身于殿下，这就是石将军的远见卓识胜过其他人的地方，殿下又何必感到奇怪呢!”王浚大喜，封王子春、董肇都为列侯，派遣使者回访石勒，又赠送丰厚的礼物作为回报。

游纶的哥哥游统在王浚手下担任司马，负责镇守范阳郡，他派遣使者暗中依附石勒，石勒杀了游统的使者，并将使者的尸体送给王浚。王浚虽然没有责罚游统，却更加相信石勒对自己的忠诚，不再对石勒有所怀疑。

这一年，左丞相司马睿派遣长子司马绍镇守广陵，任命担任丞相掾的蔡谟为参军。蔡谟，是蔡克的儿子。

汉中山王刘曜把担任河南尹的魏浚围困在石梁，兖州刺史刘演、河内郡太守郭默派遣军队前去解救。刘曜分出一部分军队在黄河以北迎战刘演、郭默的援军，把援军打得大败。魏浚听到援军失败的消息，连夜逃走，被刘曜俘虏并处死。

代公拓跋猗卢在盛乐筑城作为北都，把旧平城作为南都，又在㶟水北岸修建新平城，派遣右贤王拓跋六脩率军镇守，统领南部地区事务。

---

伺候睿意：善于揣摩司马睿的心思。伺候，揣测。⑱ 军兴：战争爆发，指八王之间的战乱以及少数民族起兵攻晋等。⑲ 临事立制：遇到一件事就立一种章程。⑳ 主者：主管具体事务的官员。㉑ 不敢任法：不能依法令办事。㉒ 每辄关谘：每件事情都要向朝廷请示、报告。㉓ 驳议：提出不同意见。㉔ 直以情言：仅仅凭着感觉说话。㉕ 依准：依据、标准。㉖ 以亏旧典：造成与原有规定相违背的结果。㉗ 开塞随宜：干什么与不干什么，都因时因地而随机应变。㉘ 权道制物：权衡情势以采取措施。㉙ 范阳祖逖：范阳是晋郡名，郡治即今河南卫辉。祖逖字士稚。传见《晋书》卷六十二。㉚ 司州：州治在首都洛阳，其行政长官即司隶校尉。㉛ 中夜：半夜。㉜ 蹴琨觉：将刘琨踢醒。蹴，踢。㉝ 此非恶声：这不是令人厌恶的声音。当时人认为半夜鸡叫，预示不祥。㉞ 起舞：起床舞剑，刻苦练武。㉟ 渡江：因北方动乱，祖逖渡江到建业（今江苏南京）。㊱ 京口：今江苏镇江。㊲ 纠合骁健：集合一群勇猛的武士。㊳ 上无道：皇上暴虐无道。㊴ 下怨叛：百姓因怨恨朝廷而造反。㊵ 戎狄乘隙：各少数民族趁机起兵，如成都的李雄是氐族人、平阳的刘渊是匈奴人、襄国的石勒是羯族人。㊶ 毒流中土：祸害遍及中原。㊷ 残贼：摧残、杀害。贼，杀。㊸ 人思自奋：每个人都想奋起自救。㊹ 给千人廪：发给他一千人的军饷。㊺ 部曲：部下。当时南方的大族，门下都有许多归附者，称作荫户，有奴隶的意味。㊻ 中流：江心。㊼ 击楫：手拍着船桨。楫，桨。㊽ 清中原：使中原获得

太平、稳定。⑤⓪⑨复济：再渡江回来。⑤①⓪有如大江：让这滚滚江水为我做证。〖按〗这句话说得不完整，但古人宣誓多这么说。如《左传》僖公二十四年重耳起誓有所谓“所不与舅氏同心者，有如白水”，句式即与此相同。⑤①①淮阴：晋县名，县治即今江苏淮安市淮阴区。⑤①②起冶铸兵：搭起炼铁炉，铸造兵器。⑤①③胡亢：原是荆州刺史的部将，后占据竟陵（今湖北潜江西北），自称“楚公”。事见上年。⑤①④杜曾：时被胡亢任命为竟陵太守。传见《晋书》卷一百。⑤①⑤王冲：荆州地区的变民首领。⑤①⑥浔水城：汉晋时期的浔阳县治，在今湖北黄梅西南。⑤①⑦杜弢：字景文，益州流亡到荆州的变民首领，自立为荆州刺史。传见《晋书》卷一百。⑤①⑧泠口：泠水（今潇水）与营水的汇合处，在今湖南宁远西南。⑤①⑨步向武昌：奔向武昌。当时武昌郡的郡治即今湖北鄂州市鄂城区。⑤②⓪径道：小道；捷径。⑤②①逆击：迎头痛击。⑤②②陶侯：敬称陶侃。⑤②③沔江：沌口，在今湖北武汉西南郊。⑤②④杨茂搜：氐族头领。氐族自汉代以来居于仇池（今甘肃成县西），至杨茂搜，遂割据一方，一连数世。传见《魏书》卷一百一。⑤②⑤难敌：杨茂搜之子，名难敌。⑤②⑥贩易于梁州：到梁州（州治在今陕西汉中）一带做买卖。⑤②⑦良人子：清白人家的子女，以别于奴隶。⑤②⑧张光：时任梁州刺史。⑤②⑨大荒：大灾荒。⑤③⓪仰我氐活：靠我们氐族人将他们养活。〖按〗当时的仇池有一块平原，氐族封闭自立，生活稍好，故能救济外地逃来的难民。⑤③①不能贳也：难道就不能饶过他们吗？贳，通“赦”，宽免。⑤③②杨虎：梁州的变民首领。⑤③③求货：求索贿赂。⑤③④悉在光所：指张光部将晋邈杀流民夺取的珍宝。⑤③⑤魏兴：晋郡名，郡治在今陕西安康西北。⑤③⑥战没：阵亡。⑤③⑦黄白城：在今陕西三原北十里，离今陕西铜川市耀州区不远。⑤③⑧矫：假传。⑤③⑨白衣领职：以平民身份担原来职务。⑤④⓪庚寅：十一月十九。⑤④①龙尾：驻扎在龙山尾的兵营，龙山在今陕西西安北。⑤④②辛卯旦：十一月二十的凌晨。⑤④③退屯逍遥园：主语是晋愍帝。⑤④④壬辰：十一月二十一。⑤④⑤阿城：秦阿房宫之故地，在今陕西西安西北。⑤④⑥癸巳：十一月二十二。⑤④⑦零武：也作“灵武”，晋县名，县治在今陕西咸阳东，与宁夏的灵武不是一地。⑤④⑧弃城：放弃州城，即今陕西汉中。⑤④⑨其父字处道：王浚之父王沈，字处道。王沈出卖魏帝曹髦事，见本书卷第七十七景元元年（公元二六〇年）。⑤⑤⓪应“当涂高”之谶：汉末的阴谋家们编造了一种“预言”，说是“代汉者当涂高”。于是袁术、曹丕等都引这条谶语，来为自己篡位造舆论。袁术的“术”字当“街道”讲，与“涂（途）”义近。曹丕说“魏”是宫前的阙门，正好迎路高起。今王浚又说其父的名字中有“道”字，也与“当涂高”相合。谶，谶语、将来要应验的预言。⑤⑤①谋称尊号：阴谋篡位做皇帝。尊号，帝王之号。⑤⑤②司空掾高柔：司空府的大吏姓高名柔。王浚原为司空，擢升他为大司马的诏书已经发布，但还未送出，京都洛阳即已陷落，所以王浚的司空府仍保持至今。高柔，与三国时魏国的高柔同名，不是同一个人。⑤⑤③征辟：征聘；聘任。⑤⑤④矜豪：狂妄自大，目中无人。⑤⑤⑤朱丘伯：朱硕，字丘伯。⑤⑤⑥枣郎：指枣嵩。⑤⑤⑦调发殷烦：征粮、征兵的次数繁多。⑤⑤⑧叛入鲜卑：逃走投奔慕容廆。⑤⑤⑨柳城：晋县名，县治在今辽宁朝阳南，当时是慕容廆部落的驻地。⑤⑥⓪觇：窥测；侦察。⑤⑥① 羊祜、陆抗故事：羊祜为晋国将领，陆抗为吴国将领，二人虽处敌对之国，但邻境为官，彼此坦诚相待，事见本书卷第七十七泰始八年（公元二七二年）。⑤⑥② 将军：敬称石勒。⑤⑥③ 项羽之欲得韩信：项羽派武陟说韩信，劝其脱离刘邦事。见《史记·淮阴侯列传》及本书卷第十高祖四年（公元前二〇三年）。⑤⑥④ 折节：放下架子，屈己下人。⑤⑥⑤ 亢敌：彼此身份对等。⑤⑥⑥ 谋人：算计别人；打别人的主意。⑤⑥⑦ 觉其情：觉察你的意图。⑤⑥⑧ 奉表于浚：给王浚上表，意即尊之为帝王。⑤⑥⑨ 小胡：石勒是羯人，羯是匈奴民族中的一个小支派，故谦称"小胡"。⑤⑦⓪ 屯厄：指艰难困顿。"屯"是《周易》中的一个卦名，常用以代指艰难。⑤⑦① 晋祚沦夷：指晋朝的国运不济。沦夷，衰微。⑤⑦② 州乡贵望：同州乡亲中的高门贵族。王浚是太原人，石勒是武乡县人，同属并州。⑤⑦③ 四海所宗：为全国上下所尊仰。⑤⑦④ 驱除：为你做先驱，为你扫除障碍。⑤⑦⑤ 奉戴：拥戴。⑤⑦⑥ 一时豪杰：同一个时代中的罕见人物。⑤⑦⑦ 称藩：称臣。承认人家是自己的宗主，自己是人家统帅下的一个部落、小侯国。⑤⑦⑧ 诚如圣旨：的确是像您所说。⑤⑦⑨ 非恶：不是讨厌；不是不喜欢。⑤⑧⓪ 历数：天命。意谓谁当帝王都是天定，不是人力所能改变。⑤⑧① 所与：所赞同；所拥护。⑤⑧② 阴精：月亮。⑤⑧③ 报聘：回访。⑤⑧④ 厚币：厚礼。⑤⑧⑤ 游纶兄统：游统，本是广平（今河北鸡泽）的民众首领，后投归王浚，事附见本书卷第八十八永嘉六年（公元三一二年）。⑤⑧⑥ 广陵：晋郡名，郡治即今江苏淮安市淮阴区。⑤⑧⑦ 蔡谟：字道明，东晋初期的名臣。传见《晋书》卷七十七。其父蔡克，是当时著名的方正之士。⑤⑧⑧ 石梁：堡坞名，在今河南洛阳东。⑤⑧⑨ 河北：黄河之北，即富平津（今河南孟州西南、洛阳市孟津区东北）之北。⑤⑨⓪ 城盛乐：在盛乐筑城。盛乐，在今内蒙古和林格尔西北。⑤⑨① 平城：在今山西大同东北。⑤⑨② 新平城：在今山西应县西南。⑤⑨③ 漯水之阳：桑干河的北岸。漯水也叫桑干水，发源于山西宁武南，流经今山西朔州市朔城区南、山西应县北，东北流入河北省、北京市，称永定河。

## 【校记】

［10］豪：据章钰校，甲十一行本、乙十一行本皆作"英"。

## 【研析】

本卷写晋怀帝永嘉六年（公元三一二年）至晋愍帝建兴元年（公元三一三年）共两年间的西晋与前赵、成汉等国的大事，其中可议论的有以下几点。

第一，本卷写了晋怀帝司马炽为汉主刘聪所俘，文章写司马炽见刘聪的情景。"聪从容谓帝曰：'卿昔为豫章王，朕与王武子造卿，武子称朕于卿，卿言闻其名久矣，赠朕柘弓银研，卿颇记否？'帝曰：'臣安敢忘之！但恨尔日不早识龙颜。'聪曰：'卿家骨肉何相残如此？'帝曰：'大汉将应天受命，故为陛下自相驱除。此殆天意，非人事也。且臣家若能奉武皇帝之业，九族敦睦，陛下何由得之？"一副卑躬屈膝之态。当年刘禅降魏后进见司马炎，情景为："晋王与禅宴，为之作故蜀技，旁人皆为之感怆，而禅喜笑自若。王谓贾充曰：'人之无情，乃至于此；虽使诸葛亮在，不能辅之久全，况姜维邪？'他日，王问禅曰：'颇思蜀否？'禅曰：'此间乐，不思蜀也。'郤正闻之，谓禅曰：'若王后问，宜泣而答曰："先人坟墓，远在岷、蜀，乃心西悲，无日不思。"因闭其目。'会王复问，禅对如前。王曰：'何乃似郤正语邪？'禅惊视曰：'诚如尊命。'左右皆笑。"二者情态有"庄"与"谐"之不同，但丧家狗向新主子摇尾乞怜的心思是一样的，让人为他们"精明一世"的父祖感到羞耻。倒是吴主孙皓回答司马炎的几句话令人听着提神。当时司马炎以胜利者的神气对被捉来的吴主孙皓说："朕设此座以待卿久矣。"皓曰："臣于南方，亦设此座以待陛下。"贾充谓皓曰："闻君在南方凿人目、剥人面皮，此何等刑也？"皓曰："人臣有弑其君及奸回不忠者，则加此刑耳。"充默然甚愧，而皓颜色无怍。孙皓当然也不是什么好人，但在关键时刻能不失身份，能给心术本来不正而又盛气凌人者以针锋相对的反驳，有此一节，给孙皓这个历史罪人似乎平添了一抹英雄气概。

第二，西晋的灭亡。一来司马炎实施倒退的分封制，为军阀混战播下了种子；二来西晋朝廷腐朽堕落，清谈放荡，为官而不尽职。前车之鉴是章明昭著的，而司马睿、王导等人所组建的江南小王朝，又从一开始就紧依着西晋王朝的老路走下去，丝毫不想悔改。陈頵曾给王导写信说："中华所以倾弊者，正以取才失所。先白望而后实事，浮竞驱驰，互相贡荐，言重者先显，言轻者后叙，遂相波扇，乃至陵迟。加有庄、老之俗，倾惑朝廷，养望者为弘雅，政事者为俗人，王职不恤，法物坠丧。夫欲制远，先由近始。今宜改张，明赏信罚，拔卓茂于密县，显朱邑于桐乡，然后大业可举，中兴可冀耳。"这是多么切中时弊的金玉良言，但是"导不能从"。陈頵又给司马睿上书说："洛中承平之时，朝士以小心恭恪为凡俗，以偃蹇倨肆为优雅，流风相染，以至败国。今僚属皆承西台余弊，养望自高，是前车已覆，而后车又将寻之也。请自今临使称疾者，皆免官。"结果是"睿不从"。后来陈頵又对司马睿的朝纲紊乱、滥封滥赏提出批评，陈頵遂因其"出于寒微，数为正论"，而为府中众人所恶，被赶出了朝廷。东晋王朝虽然也勉强维持了百来年，但从来没有一个像样的皇帝，公而忘私的肱股大臣也很少，看来从根儿上烂起的朝廷，是难得有药石可医的。

第三，汉主刘聪，从一上台就沉迷女色，好杀成性。他"以司空王育、尚书令任颢女为左、右昭仪，中军大将军王彰、中书监范隆、左仆射马景女皆为夫人，右仆射朱纪女为贵妃，皆金印紫绶"。又"拜殷二女英、娥为左右贵嫔，位在昭仪上。又纳殷女孙四人皆为贵人，位次贵妃。于是六刘之宠倾后宫，聪希复出外，事皆中黄门奏决"。这样的行为，连古代以荒淫著名的夏桀、殷纣也望尘莫及，其丧败不消说是指日可待的。但刘聪的这些女人中也真有令读者赏心悦目的人在。当刘聪要为皇后刘娥建造劳民伤财的凰仪殿时，谏官陈元达提出强烈反对，刘聪发起牛脾气，要将陈元达满门抄斩，朝廷的许多功臣元老以及刘聪的儿子们百般为之求情无效。“刘后闻之，密敕左右停刑，手疏上言：‘今宫室已备，无烦更营，四海未壹，宜爱民力。廷尉之言，社稷之福也，陛下宜加封赏。而更诛之，四海谓陛下何如哉！……陛下为妾营殿而杀谏臣，使忠良结舌者由妾，远近怨怒者由妾，公私困弊者由妾，社稷阽危者由妾，天下之罪皆萃于妾，妾何以当之！妾观自古败国丧家，未始不由妇人，心常疾之，不意今日身自为之，使后世视妾由妾之视昔人也。妾诚无面目复奉巾栉，愿赐死此堂，以塞陛下之过。’聪览之变色。”于是收回成命。古人常称妹喜、妲己、杨玉环等女人为“祸水”，将一个王朝灭亡的责任加在她们头上，这自然不公平。但若说她们一点作用不起，恐也不合事实。试以杨玉环而论，“姊妹弟兄皆列土，可怜光彩生门户”，“一骑红尘妃子笑，无人知是荔枝来”，难道她就没有责任？不妨对比一下刘聪的刘皇后，就可知其中的差距究竟有多大！

# 卷第八十九　晋纪十一

起阏逢阉茂（甲戌，公元三一四年），尽柔兆困敦（丙子，公元三一六年），凡三年。

**【题解】**

本卷写晋愍帝建兴二年（公元三一四年）至建兴四年共三年间的西晋与前赵、成汉等国的大事。主要写了石勒骗得王浚信任让他不存戒心后，突然袭取幽州，俘杀王浚；写了刘琨被石勒的部将打败，进退失据，只好逃到蓟城依附段匹磾；写了变民头领杜弢被陶侃打败，投降司马睿，旋又叛变于临川、豫章，最后被陶侃讨平；写了陶侃被王敦罢去荆州刺史，改任广州，陶侃则果断、及时地消灭了广州的叛乱分子王机，稳定了广州一带的秩序；写了汉将刘曜打败晋将麹允，又进攻长安，攻陷外城，晋帝司马邺向刘曜投降，《资治通鉴》作者还引入了晋臣干宝对西晋政治的大段评论；写了拓跋猗卢宠爱少子，虐待长子六脩，为六脩所杀，六脩又为普根所杀，普根又死，国人遂立猗卢之子郁律为君；写了汉主刘聪荒淫酒色，杀戮大臣，小人设谋挑动丞相刘粲与太弟刘义的矛盾，为其日后的内乱、覆亡埋下伏笔；写了李雄的势力扩大，已经占有益州、梁州、宁州以及荆州的部分地区，以及辽西一带的鲜卑慕容氏势力发展，各地人士归附等。

**【原文】**

**孝愍皇帝下**

**建兴二年（甲戌，公元三一四年）**

春，正月辛未①，有如日②陨于地。又有三日相承③，出西方而东行④。

丁丑⑤，大赦。

有流星出牵牛⑥，入紫微⑦，光烛地⑧，坠于平阳北，化为肉，长三十步，广二十七步。汉主聪恶之，以问公卿。陈元达以为“女宠⑨太盛，亡国之征”。聪曰：“此阴阳⑩之理，何关人事！”聪后刘氏贤明，聪所为不道，刘氏每规正⑪之。己丑⑫，刘氏卒，谥曰武宣。自是嬖宠竞进，后宫无序矣。

聪置丞相等七公⑬。又置辅汉等十六大将军，各配兵二千，以诸子

【语译】

孝愍皇帝下

**建兴二年（甲戌，公元三一四年）**

春季，正月初一日辛未，有一个像太阳的物体坠落到地面上。又有三个太阳接连出现，从西方升起，向东方运行。

初七日丁丑，实行大赦。

有一颗流星出现在牵牛星座附近，进入紫微垣的区域，星光照亮了地面，最后坠落在汉国都城平阳的北面，坠地后变成了一块肉，长三十步，宽二十七步。汉主刘聪非常厌恶这件事，就询问公卿大臣。陈元达认为“这是皇宫中受宠的女人太多，是国家灭亡的征兆”。刘聪说：“这是自然界的变化，与人世间的事情有什么关联呢！”刘聪的皇后刘氏非常贤明、聪慧，刘聪的所作所为不符合正道，刘皇后每每规劝他改正。正月十九日己丑，刘皇后去世，谥号“武宣”皇后。从此之后，后宫之中那些受宠幸的美女竞相争宠，明争暗斗，再也没有秩序可言了。

刘聪设置了丞相等七个三公一级的高官。又设置辅汉大将军等十六个大将军，

为之[14]。又置左右司隶，各领户二十余万，万户置一内史[15]。单于左右辅[16]，各主六夷[17]十万落[18]，万落置一都尉。左、右选曹尚书，并典选举。自司隶以下六官[19]，皆位亚仆射[20]。以其子粲为丞相、领大将军、录尚书事，进封晋王。江都王延年录尚书六条事[21]，汝阴王景[22]为太师，王育为太傅，任颢为太保，马景为大司徒，朱纪为大司空，中山王曜为大司马。

壬辰[23]，王子春等及王浚使者至襄国[24]，石勒匿其劲卒[25]精甲，羸师虚府以示之[26]，北面拜使者[27]而受书。浚遗勒麈尾[28]，勒阳不敢执[29]，悬之于壁，朝夕拜之，曰："我不得见王公，见其所赐，如见公也。"复遣董肇奉表于浚，期以三月中旬亲诣幽州奉上尊号[30]。亦修笺[31]于枣嵩[32]，求并州牧、广平公。

勒问浚之政事于王子春，子春曰："幽州去岁大水，人不粒食[33]，浚积粟百万，不能赈赡，刑政苛酷，赋役殷烦，忠贤内离，夷狄外叛。人皆知其将亡，而浚意气自若[34]，曾无惧心[35]，方更置立台阁，布列百官，自谓汉高、魏武[36]不足比也。"勒抚几笑曰："王彭祖真可擒也。"浚使者还蓟，具言石勒形势寡弱，款诚无二[37]。浚大悦，益骄怠，不复设备。

杨虎[38]掠汉中吏民以奔成[39]，梁州人张咸等起兵逐杨难敌。难敌去，咸以其地归成，于是汉嘉、涪陵[40]、汉中之地皆为成有。成主雄以李凤为梁州[41]刺史，任回为宁州[42]刺史，李恭为荆州刺史。

雄虚己[43]好贤，随才授任，命太傅骧[44]养民于内，李凤等招怀于外，刑政宽简，狱无滞囚[45]。兴学校，置史官。其赋民男丁岁谷三斛，女丁半之，疾病又半之，户调[46]绢不过数丈，绵数两。事少役希[47]，民

每人配备两千士兵，由他的儿子们分别担任。又设置左司隶、右司隶，各管辖二十多万户，每一万户再设置一个内史。单于的左辅助官员、右辅助官员，分别主管六个少数民族的十万股小部队，每一万股设置一名都尉。设置左选曹尚书、右选曹尚书，共同掌管选举官吏之事。从司隶以下的内史、单于左右辅官、都尉、左右选曹尚书六种官职，级别都在仆射之下。刘聪任命自己的儿子刘粲为丞相、兼任大将军、负责尚书省事务，进封为晋王。江都王刘延年主管尚书台六条所规定的事务，任命汝阴王刘景为太师，任命王育为太傅，任命任颇为太保，任命马景为大司徒，任命朱纪为大司空，任命中山王刘曜为大司马。

正月二十二日壬辰，石勒的舍人王子春等陪同王浚的使者到达石勒所在的襄国，石勒把自己的精锐士兵、精良铠甲全都隐藏起来，展现在王浚使者面前的是羸弱的士兵、空虚的府库，石勒面向北拜见王浚的使者、接受王浚的书信。王浚赠给石勒一把用麈尾制成的拂尘，石勒假装不敢拿在手里，而是恭恭敬敬地把拂尘悬挂在墙壁上，早晚向着拂尘顶礼膜拜。石勒说："我不能亲眼看见王公，见到王公赏赐给我的东西，就像亲眼见到王公一样。"他再次派董肇向王浚递交表章，约定在三月中旬亲自前往幽州，拥戴王浚做皇帝。另外也写信给枣嵩，请求任命自己为并州牧、广平公。

石勒向王子春询问王浚的政务，王子春说："幽州去年发生大洪水，百姓连一粒粮食都没有，而王浚囤积的粮食上百万，却舍不得拿出来赈济、赡养灾民，他的刑法苛刻、政令残酷，赋税很重、徭役频繁，府内的忠良贤能与他离心离德，外部的少数民族都相继背叛了他。人们都知道他将要灭亡，而王浚自己却仍旧得意扬扬、依然如故，没有一点恐惧之情，最近又在大兴土木，修建亭台楼阁，设置文武百官，自认为汉高祖刘邦、魏武帝曹操都比不上他。"石勒抚摸着桌案笑着说："看来真的可以活捉王浚了。"王浚的使者回到蓟城，详细地汇报了他们从石勒那里看到的情况，说石勒经济单薄、实力弱小，忠实诚恳，没有二心。王浚听了非常高兴，就更加骄傲、懈怠起来，对石勒再也没有一点戒备之心。

梁州变民首领杨虎劫持着汉中的官吏、百姓进入四川去投奔成主李雄，梁州人张咸等聚众起兵驱逐了自称梁州刺史的杨难敌。杨难敌离开梁州，张咸就把梁州全部献给成主李雄，于是汉嘉郡、涪陵郡、汉中郡全部成了成国的领土。成主李雄任命李凤为梁州刺史，任命任回为宁州刺史，任命李恭为荆州刺史。

李雄为人谦恭，喜欢招贤纳士，并能量才而用，他任用太傅李骧主持内政，休养士民，命李凤等人在朝廷以外招附流民，国家刑法宽松，政令简明，监狱里没有长期关押的罪犯。他兴办学校，设置史官。规定缴纳赋税的标准是：男丁每年缴纳三斛谷物，女丁每年缴纳一斛半谷物，患有疾病的缴纳的谷物在上述基础上减少一半，按户征收的赋税每年不过是几丈丝绸、几两棉絮。国家事务不烦冗，人民徭役

多富实，新附者皆给复除[48]。是时天下大乱，而蜀独无事，年谷屡熟，乃至闾门[49]不闭，路不拾遗。汉嘉夷王冲归[50]、朱提审炤[51]、建宁爨畺[52]皆归之。巴郡尝告急，云有晋兵。雄曰："吾常忧琅邪[53]微弱，遂为石勒所灭，以为耿耿[54]，不图[55]乃能举兵，使人欣然。"然雄朝无仪品[56]，爵位滥溢，吏无禄秩[57]，取给于民，军无部伍[58]，号令不肃，此其所短也。

二月壬寅[59]，以张轨为太尉、凉州牧，封西平郡公，王浚为大司马、都督幽、冀诸军事，荀组[60]为司空、领尚书左仆射兼司隶校尉，行留台事，刘琨为大将军、都督并州诸军事。朝廷以张轨老病，拜其子寔为副刺史。

石勒纂严[61]，将袭王浚，而犹豫未发。张宾曰："夫袭人者，当出其不意。今军严经日而不行[62]，岂非畏刘琨及鲜卑、乌桓为吾后患乎？"勒曰："然。为之奈何？"宾曰："彼三方智勇无及将军者，将军虽远出，彼必不敢动；且彼未谓将军便能悬军千里[63]取幽州也。轻军[64]往返，不出二旬，藉使彼虽有心，比[65]其谋议出师，吾已还矣。且刘琨、王浚，虽同名晋臣，实为仇敌。若修笺于琨，送质[66]请和，琨必喜我之服[67]而快浚之亡[68]，终不救浚而袭我也。用兵贵神速，勿后时[69]也。"勒曰："吾所未了[70]，右侯已了之，吾复何疑！"

遂以火宵行，至柏人[71]，杀主簿游纶，以其兄统在范阳，恐泄军谋故也。遣使奉笺送质于刘琨，自陈罪恶，请讨浚以自效。琨大喜，移檄州郡[72]，称"已与猗卢方议讨勒，勒走伏无地[73]，求拔幽都以赎罪。今便当遣六脩[74]南袭平阳，除僭伪[75]之逆类，降[76]知死之逋羯[77]，顺天副民[78]，翼奉[79]皇家，斯乃曩年[80]积诚灵祐[81]之所致也"。

三月，勒军达易水[82]，王浚督护孙纬驰遣白浚[83]，将勒兵拒之[84]，游统禁之。浚将佐皆曰："胡[85]贪而无信，必有诡计，请击之。"浚怒

很少，所以百姓大多都很富足殷实，对于新来投奔的人，就全部免除他们的劳役和赋税。当时天下大乱，而唯有蜀地没有战乱，谷物连年丰收，社会治安良好，以至于百姓家家夜不闭户，路上丢失了东西也没有人拾取。汉嘉郡夷族部落酋长冲归、朱提郡夷族部落酋长审炤、建宁郡夷族部落酋长爨量全都前来归附。巴郡曾经向李雄告急，说有晋兵进犯。李雄说："我经常担心琅邪王司马睿势单力薄，会被石勒消灭，因而对此常常感到忧虑不安，没想到琅邪王竟然能够发兵打仗，真让人感到高兴。"然而李雄朝会时没有一定的仪容、等级，爵位泛滥，官吏也没有从朝廷领取的俸禄，所有开销都直接向百姓索取，军队没有严格的军事编制，号令也不整肃，这是他的美中不足。

二月初二日壬寅，晋愍帝司马邺任命张轨为太尉、凉州牧，封为西平郡公；王浚为大司马，都督幽州、冀州诸军事；荀组为司空，兼任尚书左仆射、司隶校尉，主持留守朝廷的政务；刘琨为大将军，统领并州各种军务。朝廷因为张轨已经年老多病，就任命他的儿子张寔为副刺史。

石勒已经下令戒严，集结起军队，准备袭击王浚，却又犹豫不决，没有下达出兵的命令。张宾说："袭击别人，就应当出其不意，攻其不备。如今军队已经整装待发好几天却不下令出发，难道是担心并州刺史刘琨以及鲜卑、乌桓人在背后攻击我们吗？"石勒说："正是。应该怎么办呢？"张宾说："他们三方的智慧和勇气没有人能比得上将军，将军即使远出作战，他们也一定不敢轻举妄动；况且他们并不清楚将军会远离后方，孤军深入一千里去攻取幽州。军队轻装往返用不了二十天，就算他们有心袭击我们，等到他们商议好了出师，我们已经回来了。再说刘琨、王浚，虽然名义上都是晋朝的臣子，实际上互为仇敌。如果写信给刘琨，送人质与刘琨讲和，刘琨必定因为我们归附于他而心喜，为王浚的覆亡而高兴，肯定不会为救援王浚而来袭击我们。用兵贵在神速，千万不要错过时机。"石勒说："我未想清楚、未做决断的事情，右侯已经为我分析清楚、为我做了决断，我还有什么可怀疑的呢！"

于是，大军连夜举着火把赶路，到达柏人县，先杀死了主簿游纶，因为游纶的哥哥游统在王浚手下担任司马、正率兵镇守范阳，恐怕游纶给他的哥哥通风报信。同时派遣使者携带书信、人质前往刘琨那里，陈述自己的罪恶，请求讨伐王浚为自己赎罪、为刘琨效劳。刘琨果然非常高兴，他立即向各州郡发布通告说"我已经与代公拓跋猗卢商议共同讨伐石勒，石勒因为走投无路，所以请求攻取幽州以赎罪。现在就应当派遣拓跋六脩向南攻取刘聪的老窝平阳，铲除僭称皇帝的逆贼，使自知其罪当死而逃亡在外的石勒前来归降，这真是上顺天意、下合人心，拥戴皇室，这是我以往多年积蓄的精诚感动了上苍，上苍对我们保佑的结果"。

三月，石勒的军队到达易水，在王浚手下担任督护的孙纬派人将石勒率军来攻的消息飞马报告给王浚，并准备调集军队阻击石勒，游统阻止了孙纬。王浚的将佐们都说："胡人生性贪婪而不守信用，此来必定有诡计，请出兵迎头痛击他。"王浚

曰:“石公来，正欲奉戴我耳。敢言击者斩!”众不敢复言。浚设飨⑧⑥以待之。壬申⑧⑦，勒晨至蓟⑧⑧，叱门者开门。犹疑有伏兵，先驱牛羊数千头，声言上礼⑧⑨，实欲塞诸街巷。浚始惧，或坐或起。勒既入城，纵兵大掠。浚左右请御之，浚犹不许。勒升其听事⑨⓪，浚乃走出堂皇⑨①，勒众执之。勒召浚妻，与之并坐，执浚立于前。浚骂曰:“胡奴调乃公⑨②，何凶逆如此!”勒曰:“公位冠元台⑨③，手握强兵，坐观本朝倾覆，曾不救援，乃欲自尊为天子，非凶逆乎?又委任奸贪，残虐百姓，贼害忠良，毒遍燕土⑨④，此谁之罪也?”使其将王洛生先[1]以五百骑送浚于襄国。浚自投于水，束而出之，斩于襄国市⑨⑤。

勒杀浚麾下精兵万人，浚将佐等[2]争诣军门谢罪，馈赂交错，前尚书裴宪⑨⑥、从事中郎荀绰独不至，勒召而让⑨⑦之曰:“王浚暴虐，孤讨而诛之，诸人皆来庆谢，二君独与之同恶⑨⑧，将何以逃其戮乎?”对曰:“宪等世仕晋朝，荷⑨⑨其荣禄。浚虽凶粗，犹是晋之藩臣，故宪等从之，不敢有贰⑩⓪。明公苟不修德义，专事威刑，则宪等死自其分⑩①，又何逃乎!请就死。”不拜而出。勒召而谢之，待以客礼。绰，勖⑩②之孙也。勒数⑩③朱硕、枣嵩等以纳贿乱政，为幽州患，责游统以不忠所事⑩④，皆斩之。籍⑩⑤浚将佐、亲戚家赀皆至巨万⑩⑥，惟裴宪、荀绰止有书百余袟⑩⑦，盐米各十余斛⑩⑧而已。勒曰:“吾不喜得幽州，喜得二子。”以宪为从事中郎，绰为参军。分遣流民，各还乡里。勒停蓟二日，焚浚宫殿，以故尚书燕国刘翰行幽州刺史，戍蓟，置守宰⑩⑨而还。孙纬遮击⑪⓪之，勒仅而得免。

勒至襄国，遣使奉王浚首献捷⑪①于汉，汉以勒为大都督、督陕东⑪②诸军事、骠骑大将军、东单于，增封十二郡。勒固辞，受二郡而已。

怒气冲冲地说："石公此次前来，只是想尊奉我、拥戴我称帝罢了。胆敢再说迎击的一律斩首！"众人都不敢再言语。王浚摆下筵席等待石勒的到来。初三日壬申的早晨，石勒到达蓟城城下，他呵斥守门的人打开了城门。石勒疑心王浚在城内设有埋伏，就先驱赶着几千头牛羊进入城内，声称是贡献给王浚的礼物，实际上是想堵塞各处街巷，防止王浚集结军队。王浚这时才感到有些恐惧，开始坐立不安起来。石勒已经进入城中，他放纵士兵大肆抢掠。王浚身边的人请求阻止石勒，王浚还不允许。石勒登上王浚办理公务的正厅，王浚才走出内室，石勒的人就立即将他捆绑起来。石勒唤出王浚的妻子，让她和自己并排坐在一起，将被缚的王浚拉到面前。王浚大骂说："胡奴竟敢戏弄你老子，怎么凶残悖逆到了如此的程度！"石勒说："你位居朝廷百官之首，手中握有强大的军队，袖手旁观自己的国家灭亡，竟然不肯发兵救援，却想自立为天子，难道这不是凶残悖逆吗？你又委任奸佞贪官，残酷虐害百姓，诛杀忠良，荼毒遍及燕国故土，这是谁的罪过呢？"石勒派遣自己的将佐王洛生先率领五百名骑兵把王浚押送回襄国。途中王浚投水企图自杀，押送的人员把他的手脚捆住拉到岸上，到达襄国后就在襄国的市场上将他斩首示众。

石勒斩杀了王浚的上万精兵，王浚的将佐等争相到石勒的军营门口认罪并请求宽恕，馈送的礼品、贿赂的财物前后堆积，只有以前曾经担任过尚书的裴宪、担任从事中郎的荀绰没有到，石勒派人将他们找来，责备他们说："王浚为人凶暴残酷，我率军前来讨伐他、把他杀死，众人都来向我庆贺、请罪，唯独你们与恶人站在一起，你们准备用什么方式逃避杀戮呢？"二人回答说："裴宪、荀绰世代都做晋朝的官员，享受晋朝的荣耀和俸禄。王浚虽然凶残粗暴，毕竟还是晋朝的封疆大臣，所以我们跟随他，不敢有二心。您如果没有美好的政令、不讲礼仪，而专门依靠威权和刑法，那么死是我等的本分，又何必逃避呢！请您立即把我们处死。"说完并不叩拜，扭头就走。石勒赶紧将他们召回、向他们道歉，并以对待宾客的礼节对待他们。荀绰，是荀勖的孙子。石勒历数朱硕、枣嵩等人大肆收受贿赂、扰乱政务、成为幽州的祸患等罪状，责备游统对待自己所侍奉的人不忠诚，把他们全杀了。查抄、登记王浚将佐、亲戚的家产，这些人的家产全都在万万以上，唯独裴宪、荀绰，每人仅有一百多函书籍，十多斛盐、米而已。石勒说："我对得到幽州并不感到喜悦，喜悦的是得到了这两位先生。"于是任命裴宪为从事中郎，荀绰为参军。分别遣散流民，让他们各自返回故乡。石勒在蓟城停留了两天，他焚毁王浚修建的宫室，任命故尚书燕国人刘翰代理幽州刺史，守卫蓟城，又指派了各级官吏，然后班师。王浚手下的都护孙纬率军在半路截击石勒，把石勒打得大败，石勒仅仅逃得性命而已。

石勒回到襄国之后，就派使者把王浚的人头进献给汉主刘聪，向刘聪告捷，汉主刘聪任命石勒为大都督、统管陕县以东地区各种军事、骠骑大将军、东单于，增加十二个郡的封邑。石勒坚决推辞，只接受了二个郡的封邑。

刘琨请兵于拓跋猗卢以击汉，会猗卢所部杂胡万余家谋应石勒，猗卢悉诛之，不果[113]赴琨约。琨知石勒无降意，乃大惧，上表曰："东北八州[114]，勒灭其七[115]，先朝所授，存者惟臣。勒据襄国，与臣隔山[116]，朝发夕至，城坞骇惧，虽怀忠愤，力不从愿耳。"

刘翰不欲从石勒，乃归段匹磾[117]，匹磾遂据蓟城。王浚从事中郎阳裕，耽之兄子也，逃奔令支[118]，依段疾陆眷。会稽朱左车、鲁国孔纂、泰山胡母翼自蓟逃奔昌黎，依慕容廆。是时中国流民归廆者数万家，廆以冀州人[119]为冀阳郡[120]，豫州人为成周郡[121]，青州人为营丘郡[122]，并州人为唐国郡[123]。

初，王浚以邵续[124]为乐陵太守，屯厌次[125]。浚败，续附于石勒，勒以续子乂为督护[126]。浚所署勃海太守东莱刘胤弃郡依续，谓续曰："凡立大功，必杖大义。君，晋之忠臣，奈何从贼以自污乎！"会段匹磾以书邀续同归左丞相睿，续从之。其人皆曰："今弃勒归匹磾，其如乂何[127]？"续泣曰："我岂得顾子而为叛臣哉！"杀异议者数人。勒闻之，杀乂。续遣刘胤使江东，睿以胤为参军[128]，以续为平原[129]太守。石勒遣兵围续，匹磾使其弟文鸯救之，勒引去。

襄国大饥，谷二升直[130]银一斤，肉一斤直银一两。

杜弢将王真袭陶侃于林障[131]，侃奔滠中[132]。周访[133]救侃，击弢兵，破之。

夏，五月，西平武穆公张轨[134]寝疾，遗令："文武将佐，务安百姓，上思报国，下以宁家。"己丑[135]，轨薨。长史张玺等表世子寔摄父位。

汉中山王曜、赵染寇长安。六月，曜屯渭汭[136]，染屯新丰[137]，索綝将兵出拒之。染有轻綝之色。长史鲁徽曰："晋之君臣，自知强弱不敌，

刘琨向拓跋猗卢请求出兵攻打汉主刘聪，正赶上拓跋猗卢部下的杂胡有一万多家正在密谋策划准备响应石勒，拓跋猗卢就把这一万多家全都杀死了，因此没能按时赴约。刘琨知道石勒没有向自己投降的诚意，因此心里非常害怕，就向长安的晋愍帝上表说："东北六个州的八个州官，已经先后被石勒消灭了七个，先朝所任命的刺史，现在只剩下我一个人还活在这个世上。石勒占据着襄国，与我的辖区之间仅隔着一座太行山，他的军队早晨出发傍晚就能到达，我这里城池堡寨的军民都非常惊慌恐惧，我虽然满怀忠愤，却力不从心。"

石勒所任命的幽州刺史刘翰不愿意跟随石勒，就归顺了段匹磾，段匹磾于是占有了蓟城。在王浚手下担任从事中郎的阳裕，是阳耽哥哥的儿子，王浚被灭之后，他逃往令支县，投靠了辽西公段疾陆眷。会稽人朱左车、鲁国人孔纂、泰山人胡母翼都从蓟城逃到昌黎，归顺了慕容廆。当时中原地区的流民归附慕容廆的有好几万家，慕容廆为逃来归附的冀州人设置了侨置郡冀阳郡，为逃来归附的豫州人设置了侨置郡成周郡，为逃来归附的青州人设置了侨置郡营丘郡，为逃来归附的并州人设置了侨置郡唐国郡。

当初，晋幽州刺史王浚任命邵续为乐陵太守，屯驻在厌次县。王浚失败被杀后，邵续归附了石勒，石勒任命邵续的儿子邵乂为督护。王浚任命的勃海太守东莱人刘胤抛弃太守职务依附了邵续，他对邵续说："凡是建立大功业的人，必须依仗大义而行。您，是晋朝的忠臣，为什么要服从盗匪，自己侮辱自己呢？"当时正赶上段匹磾写信约请邵续一同归顺左丞相司马睿，邵续于是答应了段匹磾的邀请。那些人都说："如果背叛石勒归附段匹磾，那您的儿子邵乂怎么办呢？"邵续哭着说："我怎能为了顾及自己的儿子而做叛臣呢！"就把好几个坚持不同意见的人杀死了。石勒听说后，杀死了邵乂。邵续派遣刘胤出使江东，司马睿任命刘胤为参军，任命邵续为平原太守。石勒派军队围攻邵续，段匹磾也派自己的弟弟段文鸯率兵赶来救援邵续，石勒率军队退走。

石勒的都城襄国遭遇大饥荒，两升谷子价值一斤白银，一斤肉价值一两白银。

流民首领杜弢的属将王真率众到林障袭击荆州刺史陶侃，陶侃抵御不住王真的进攻，于是逃往滠中。寻阳郡太守周访派军队赶来救援陶侃，攻打杜弢的军队，把杜弢军打得大败。

夏季，五月，晋西平武穆公张轨得了重病，他留下遗嘱说："文武将佐，务必要安抚百姓，对上时刻想着报效国家，对下要想着安定、和睦家庭。"二十日己丑，张轨去世。担任长史的张玺等人上表保举张轨的长子张寔代行他父亲的职务。

汉中山王刘曜、汉将赵染率军进犯长安。六月，刘曜把军队屯扎在渭汭，赵染把军队驻扎在新丰县城，索綝率军出来抵抗。赵染脸上流露出蔑视索綝的神色。担任长史的鲁徽提醒赵染说："晋朝的君臣知道他们自己力量弱小，不是强大汉军的

将致死于我[138]，不可轻也。”染曰：“以司马模之强，吾取之如拉朽[139]，索綝小竖，岂能污吾马蹄、刀刃邪！”晨，帅轻骑数百逆之，曰：“要当获綝（简体）而后食。”綝与战于城西[140]，染兵败而归，悔曰：“吾不用鲁徽之言以至此，何面目见之！”先命斩徽，徽曰：“将军愚愎[141]以取败，乃复忌前害胜[142]，诛忠良以逞忿，犹有天地[143]，将军其得死于枕席乎[144]！”诏加索綝骠骑大将军、尚书左仆射、录尚书，承制行事[145]。

曜、染复与将军殷凯帅众数万向长安，麹允逆战于冯翊[146]。允败，收兵，夜，袭凯营，凯败死。曜乃还攻河内太守郭默[147]于怀[148]，列三屯[149]围之。默食尽，送妻子为质，请籴于曜[150]。籴毕，复婴城固守。曜怒，沈默妻子于河而攻之。默欲投李矩[151]于新郑，矩使其甥郭诵迎之，兵少，不敢进。会刘琨遣参军张肇帅鲜卑五百余骑诣长安，道阻不通，还，过矩营，矩说肇，使击汉兵。汉兵望见鲜卑，不战而走，默遂率众归矩。汉主聪召曜还屯蒲坂[152]。

秋，赵染攻北地[153]，麹允拒之，染中弩而死。

石勒始命州郡阅实户口[154]，户出帛二匹，谷二斛。

冬，十月，以张寔为都督凉州诸军事、凉州刺史、西平公。

十一月，汉主聪以晋王粲为相国、大单于，总百揆[155]。粲少有俊[3]才，自为宰相，骄奢专恣，远贤亲佞，严刻愎谏[156]，国人始恶之。

周勰[157]以其父遗言[158]，因吴人之怨，谋作乱，使吴兴功曹徐馥矫称叔父丞相从事中郎札[159]之命，收合徒众，以讨王导、刁协。豪杰翕然[160]附之，孙皓族人弼亦起兵于广德[161]以应之。

对手，必将与我们以死相拼，千万不可轻视他们。”赵染说：“以司马模的兵强马壮，我打败他都像拉倒一棵腐朽的树木一样容易，索綝这小子，岂能污染我的马蹄、刀刃！”凌晨，赵染亲自率领几百名轻骑兵迎战索綝，他下令说：“一定要等活捉索綝后再吃早饭。”索綝率军与赵染在新丰县城城西展开激战，赵染兵败而回，他非常后悔地说：“我没有听从鲁徽的话以至于遭此惨败，还有何脸面再见鲁徽！”于是先下令杀死鲁徽，鲁徽说：“赵将军愚昧而又刚愎自用，自取失败，他不知反省自己，反而还忌恨比自己强的人、杀害胜过自己的人，诛杀忠良来掩盖自己的失误、泄自己的私愤，如果还有皇天后土的话，赵将军恐怕会不得好死吧！”晋愍帝下诏擢升索綝为骠骑大将军、尚书左仆射、录尚书，以皇帝的名义行事，可以先斩后奏。

汉中山王刘曜、赵染又与将军殷凯一道率领几万大军进犯长安，晋尚书左仆射麹允在冯翊郡迎击汉军。麹允作战失败，收兵回营，夜间，麹允率军偷袭了殷凯的大营，殷凯仓皇迎战，战败身亡。刘曜于是率军转向怀县进攻河内太守郭默，他设置了三座大营把郭默围困其中。郭默军中的粮食吃尽，就把自己的妻儿送到刘曜那里做人质，请求向刘曜购买粮食。等粮食买到手后，郭默又闭城坚守。刘曜大怒，就把郭默的妻儿沉到河中淹死，然后继续攻城。郭默想到新郑县投奔荥阳太守李矩，李矩派自己的外甥郭诵前来迎接郭默，因为兵少，郭诵不敢前进。正赶上刘琨派遣参军张肇率领五百多名鲜卑骑兵前往长安，因为道路不通，在返回途中，路过李矩的营寨，李矩就劝说张肇率领这五百多名鲜卑骑兵袭击汉军。汉军望见鲜卑的军队，不战而逃，郭默于是率众投靠了李矩。汉主刘聪召回刘曜，让刘曜把军队屯扎在蒲坂县。

秋季，汉将赵染率军进攻北地郡，晋尚书左仆射麹允率军抵抗，赵染被弩箭射中而死。

石勒开始命令各州郡清查、核实户口，规定每户交纳赋税的数量是两匹帛、两斛谷。

冬季，十月，晋愍帝任命张轨的长子张寔为都督凉州诸军事、凉州刺史、西平公。

十一月，汉主刘聪任命晋王刘粲为相国、大单于，总领文武百官。刘粲从小就很有才干，但自从做了宰相，就逐渐地骄奢淫逸起来，他专权骄横，疏远贤臣、亲近奸佞，为人残忍苛刻、刚愎自用又拒绝别人的劝谏，汉国的人们开始厌恶他。

周勰牢记父亲周玘的遗言，利用东吴本地居民对来自北方司马睿政权的怨恨，阴谋造反，让担任吴兴郡功曹的徐馥假传他叔父、担任丞相从事中郎的周札的命令，招聚人马，声称要讨伐王导、刁协。各处的英雄豪杰纷纷前来归附他，孙皓的族人孙弼也在广德起兵响应周勰。

【段旨】

以上为第一段，写愍帝建兴二年（公元三一四年）一年间的大事。主要写了石勒骗得王浚信任让他不存戒心后，突然袭取幽州，俘杀王浚；而汉主刘聪则两次派兵进攻长安，皆大败而回；写了李雄的势力扩大，已经占有益州、梁州、宁州以及荆州的部分地区，且行善政于其国，独偏安于一隅；写了鲜卑慕容氏势力发展，为各地人士所归附以及凉州地区的张轨病死，其子张寔继父位等。

【注释】

①正月辛未：正月初一。②有如日：有个像太阳的物体。③三日相承：三个太阳接连出现。④出西方而东行：从西方升起，向东方运行。胡三省曰："《天文占》云：'三、四、五、六日俱出并争，天下兵作。'又曰：'三日并出，不过三旬，诸侯争为帝。'"〖按〗所谓"三日相承"与"出西方而东行"云云是不可能的事，这是古人在观察天文现象时出现的一种错觉。⑤丁丑：正月初七。⑥出牵牛：出现在牵牛星附近。牵牛星即俗所谓牛郎星，隔银河与织女星相对。⑦入紫微：指流星进入紫微垣的区域。⑧光烛地：星光照亮地面。⑨女宠：皇宫中受宠的女人。⑩阴阳：泛指自然界的变化，因古人将一切天文、四时都与阴阳相比附。⑪规正：规劝使之改正。⑫己丑：正月十九。⑬七公：七个三公一级的高官，即下文所云晋王刘粲至中山王刘曜七人。⑭以诸子为之：以刘聪的儿子充当头领，目的是监视控制。⑮内史：主管民政的官员。⑯单于左右辅：匈奴单于的左右辅助官员。⑰六夷：六个少数民族，即胡、羯、鲜卑、氐、羌、巴蛮（或曰乌桓）。⑱十万落：十万个小股。落，群落，即通常所谓"股"。⑲司隶以下六官：指内史、单于左辅、单于右辅、都尉、左选曹尚书、右选曹尚书六位官员。⑳位亚仆射：级别在仆射之下。㉑录尚书六条事：此职始见于此。"六条"所指内容，史书均无记载，似与录尚书事职权相当，总领尚书台政务。㉒汝阴王景：刘景。㉓壬辰：正月二十二。㉔襄国：今河北邢台，当时石勒的都城。㉕匿其劲卒：把他的精兵都隐蔽起来。㉖羸师虚府以示之：让他们看一些老弱病残的士兵和空虚的仓库。㉗北面拜使者：让王浚的使者面南而立，自己面朝北方拜见，以表示臣服。㉘麈尾：一种表示风雅的拂尘，用麈（鹿的一种）的尾毛制成，以玉为柄，用以拂蚊蝇或扇凉风。同时，又可增加威仪，显示身份，流行于魏晋时期的贵族之间。㉙阳不敢执：假装不敢拿在手里。阳，通"佯"，假装。㉚奉上尊号：拥立他做皇帝。㉛修笺：写信。笺是上给王公的一种文体名。㉜枣嵩：王浚的部将，也是王浚的女婿。㉝不粒食：没有粮食吃。㉞意气自若：自己得意扬扬，依然如故。㉟曾无惧心：没有一点恐惧之情。曾，根本、丝毫。㊱汉高、魏武：汉高祖刘邦、魏武帝曹操。㊲款诚无二：忠实诚恳，绝无二心。㊳杨虎：梁州一带的变民头领。因杨难敌占据汉中，自称刺史，故率众离汉中入川。㊴奔成：往投自称成国的李

雄政权。㊵汉嘉、涪陵：二郡名，汉嘉郡的郡治在今四川邛崃西南，涪陵郡的郡治汉复，在今重庆市彭水县东南。㊶梁州：州治即今陕西汉中。㊷宁州：州治滇池，在今云南昆明市晋宁区东北。㊸虚己：谦卑虚心。㊹太傅骧：李骧，李特之弟，李雄之叔。㊺滞囚：长期监禁的囚犯。㊻户调：按户征收的赋税。㊼希：同“稀”，少。㊽复除：免除劳役、赋税。㊾闾门：里巷的门，这里指家门。㊿夷王冲归：夷族部落酋长，名冲归。51朱提审炤：朱提郡的夷王，名审炤。朱提，晋郡名，郡治即今云南昭通。52建宁爨畺：建宁郡的夷王，名爨畺。建宁郡的郡治味县，即今云南曲靖。53琅邪：指司马睿，最初被封为琅邪王。54耿耿：忧虑不安。55不图：没想到。56无仪品：没有固定的仪容、等级。57无禄秩：没有朝廷发给的俸禄。58无部伍：没有严格的军事编制。59二月壬寅：二月初二。60荀组：字大章，愍帝之舅，荀藩之弟，时为留台总管，驻守在今河南开封。61纂严：戒严；集结军队。62经日而不行：已经好几天还没有行动。63悬军千里：远离后方，孤军深入地去奔袭敌人。64轻军：轻装的精锐部队。65比：等到。66送质：派出人质。67喜我之服：为我们对他的降服而高兴。68快浚之亡：对王浚的覆灭感到高兴。69勿后时：不要错过时机。70未了：未想清楚、未做决断的事情。71柏人：晋县名，县治在今河北隆尧西。72移檄州郡：向各州各郡发布文告。73走伏无地：犹言无处躲、无处藏。74六脩：拓跋猗卢之子，为其部落的右贤王。75僭伪：盗用尊号，冒称皇帝，指刘聪。76降：使之来降。77知死之逋羯：自知其罪当死而逃亡在外的羯人，指石勒。78副民：符合民心。79翼奉：拥戴。80曩年：以往多少年。81积诚灵祐：我们的精诚感动上苍，上苍对我们保佑的结果。祐，保佑。82易水：西自太行山流来，经今河北易县境内，东流至今天津市入海。83驰遣白浚：派人飞马报告王浚。84勒兵拒之：调集军队加以阻挡。85胡：指石勒。石勒是羯人，胡人的一种。86设飨：摆下筵席。87壬申：三月初三。88蓟：古城名，即今北京市，当时王浚幽州刺史的防地。89上礼：呈献礼物，礼物指牛羊数千头。90听事：长官办理政事、会见僚属的正厅。91堂皇：此指王浚的内堂。堂之无四壁者曰皇。92调乃公：戏弄你老子。93位冠元台：地位处于朝廷百官之首。元台，意即朝廷。94燕土：燕国故土，即今河北东北部和与之临近的辽宁、内蒙古部分地区，当时为王浚的辖区。95襄国市：襄国的市场。古时处决罪人多在市场，以示与百姓共弃之。96裴宪：原为豫州刺史，被司马睿打败后，逃归王浚。事附见本书卷第八十七永嘉五年（公元三一一年）。97让：责备。98同恶：和恶人站在一起。99荷：蒙受。100有贰：怀有二心。101死自其分：死正是我们的本分。102勖：荀勖为司马炎的佐命功臣，荀组之父。传见《晋书》卷三十九。103数：历数其罪状。104不忠所事：指去年游统曾派密使想带其范阳郡以附石勒。105籍：查抄；登记。106巨万：也称“大万”，即“亿”，指铜钱数量。107百余袟：百余套。袟，意思同“帙”，书套。108斛：古容量单位，一斛等于十斗。与一石相同。109守宰：郡太守与县令。110遮击：拦路伏击。111献捷：献战利品。112陕东：陕县以东，取周初周公与召公分陕而治之意。113不

果：没有实现；没有做到。⑭东北八州：晋朝时，中国东北部共有六个州，即幽州、冀州、豫州、兖州、青州、并州。此指经朝廷任命的东北六州和王浚承制所授的八个刺史，即冀州刺史王斌、王象，兖州刺史袁孚、田徽，豫州刺史王确，青州刺史苟晞、李恽，幽州刺史王浚。⑮勒灭其七：指除并州（刺史刘琨）外，其他皆为石勒所灭。⑯隔山：隔着太行山。⑰段匹䃅：鲜卑人，段务勿尘之子，疾陆眷之弟。与刘琨相结，离其家族而自立。⑱令支：晋县名，县治在今河北迁安西，辽西鲜卑段氏的都城在此。⑲冀州人：指逃归慕容氏的冀州人的聚集之地。⑳冀阳郡：侨置郡名，当在今河北平泉境。㉑成周郡：侨置郡名，地点不详。㉒营丘郡：侨置郡名，在今河北秦皇岛市山海关区附近。㉓唐国郡：侨置郡名，地点不详。㉔邵续：字嗣祖，晋室忠臣。传见《晋书》卷六十三。㉕厌次：晋县名，县治即今山东惠民。㉖以续子乂为督护：实际是拿他做人质。㉗其如乂何：对邵乂又怎么办呢。㉘为参军：为司马睿的参军。㉙平原：晋郡名，郡治在今山东平原西南。㉚直：通“值”，价值。㉛林障：晋县名，县治在今湖北武汉市汉阳区城东。㉜滠中：晋县名，在今湖北武汉市黄陂区西南。㉝周访：字士达，东晋名臣，与陶侃为儿女亲家。传见《晋书》卷五十八。㉞西平武穆公张轨：西平公是张轨的封号，武穆是谥。㉟己丑：五月二十。㊱渭汭：渭水入黄河处，在陕西潼关北。㊲新丰：晋县名，县治在今陕西西安市临潼区东北。㊳致死于我：和我们拼命。致死，拼命。㊴取之如拉朽：打败他如同推倒一棵朽木。〖按〗赵染破司马模事，见本书卷第八十七永嘉五年（公元三一一年）。㊵城西：指新丰城西。㊶愚愎：既愚昧又刚愎自

【原文】

## 三年（乙亥，公元三一五年）

春，正月，徐馥杀吴兴太守袁琇，有众数千，欲奉周札为主。札闻之，大惊，以告义兴[162]太守孔侃。勰知札意不同，不敢发[163]。馥党惧，攻馥，杀之，孙弼亦死。札子续亦聚众应馥，左丞相睿议发兵讨之。王导曰：“今少发兵则不足以平寇，多发兵则根本[164]空虚。续族弟黄门侍郎莚[165]忠果[166]有谋，请独使莚往，足以诛续。”睿从之。莚昼夜兼行，至郡[167]，将入，遇续于门，谓续曰：“当与君共诣孔府君[168]，有所论[169]。”续不肯入，莚牵逼与俱。坐定，莚谓孔侃曰：“府君何以置

用。⑭忌前害胜：忌恨比自己强的人，残害胜过自己的人。⑭犹有天地：假如还有皇天后土的话。⑭其得死于枕席乎：你还能够死在炕头上吗？意即你定然不得好死。⑭承制行事：以皇帝的名义行事，先斩后奏。⑭冯翊：晋郡名，郡治在今陕西大荔。⑭郭默：原为土匪坞主，被刘琨任为河内太守。传见《晋书》卷六十三。⑭怀：晋县名，县治在今河南武陟西南。⑭三屯：三个大阵营。⑮请籴于曜：请求向刘曜购买粮食。⑮李矩：字世回，时任荥阳太守，驻兵于今河南新郑。⑮蒲坂：晋县名，县治即今山西永济西之蒲州镇。⑮北地：晋郡名，郡治泥阳，在今陕西铜川市耀州区东南。⑮阅实户口：清查户口。阅，核查。⑮总百揆：总领文武百官。⑮愎谏：刚愎拒谏。⑮周勰：字彦和，周玘之子。传见《晋书》卷五十八。⑮其父遗言：周勰之父周玘受排挤而死，恨北方人，临死嘱其子为之报仇，事见本书卷第八十八建兴元年（公元三一三年）。⑮丞相从事中郎札：周札，司马睿的从事中郎。⑯翕然：顺从的样子。⑯广德：晋县名，县治在今安徽广德东。

【校记】

［1］先：原无此字。据章钰校，甲十一行本、乙十一行本、孔天胤本皆有此字，今据补。［2］等：原无此字。据章钰校，甲十一行本、乙十一行本、孔天胤本皆有此字，今据补。［3］俊：据章钰校，甲十一行本、乙十一行本皆作“儁”。〖按〗二字同。

【语译】

## 三年（乙亥，公元三一五年）

春季，正月，吴兴功曹徐馥杀死吴兴郡太守袁琇后，拥众数千人，他想尊奉周札为首领。周札听到消息后，大惊失色，就把此事告诉了义兴郡太守孔侃。周勰知道叔父周札与自己的意见不同，因此没敢发动变乱。徐馥的党羽害怕了，就反过来攻打徐馥，把徐馥杀死，起兵响应徐馥的孙弼也被杀死。周札的儿子周续也聚集众人响应徐馥，左丞相司马睿商议发兵讨伐周续。王导说：“如果派出去的军队少了不足以平定贼寇，多派军队则城内兵力空虚。周续的族弟黄门侍郎周莚忠诚果敢，很有智谋，请派周莚一人前往，就可以除掉周续。”司马睿听从了王导的建议。周莚日夜兼程赶往义兴郡，到了义兴，正要进城的时候，在门口遇到周续，周莚对周续说：“我要和你一同去拜访孔太守，有重要事情商议。”周续不肯去，周莚就硬拉着周续强迫他一同前往。到了太守府衙，坐定之后，周莚突然对孔侃说：“您为什么让乱臣贼子坐在这里？”周续的衣服中经常藏着利刀，听到这话后，他立即拔刀逼近周莚，

贼在坐[170]？”续衣中常置刀，即操刀逼莚，莚叱郡传教[171]吴曾格杀之。莚因欲诛勰，札不听，委罪于从兄邵而诛之。莚不归家省母，遂长驱[172]而去，母狼狈追之[173]。睿以札为吴兴[174]太守，莚为太子右卫率[175]。以周氏吴之豪望[176]，故不穷治，抚勰[177]如旧。

诏平东将军宋哲屯华阴。[178]

成主雄立后任氏。

二月丙子[179]，以琅邪王睿为丞相、大都督、督中外诸军事，南阳王保[180]为相国，荀组[181]为太尉、领豫州牧，刘琨为司空、都督并、冀、幽三州诸军事。琨辞司空，不受。

南阳王模之败[182]也，都尉陈安往归世子保于秦州[183]。保命安将千余人讨叛羌，宠待甚厚。保将张春疾[184]之，谮安，云有异志，请除之。保不许，春辄伏刺客以刺安。安被创[185]，驰还陇城[186]，遣使诣保，贡献不绝。

诏进拓跋猗卢爵为代王，置官属，食代、常山二郡[187]。猗卢请[188]并州从事雁门莫含[189]于刘琨，琨遣之。含不欲行，琨曰：“以并州单弱，吾之不材而能自存于胡、羯[190]之间者，代王[191]之力也。吾倾身竭赀[192]，以长子为质[193]而奉之者，庶几[194]为朝廷雪大耻也。卿欲为忠臣，奈何惜共事之小诚[195]，而忘徇国[196]之大节乎！往事代王，为之腹心，乃一州之所赖也。”含遂行。猗卢甚重之，常与参大计[197]。

猗卢用法严，国人犯法者或举部就诛[198]，老幼相携而行。人问：“何之？”曰：“往就死。”无一人敢逃匿者。

王敦遣陶侃、甘卓[199]等讨杜弢，前后数十战，弢将士多死，乃请降于丞相睿，睿不许。弢遗南平[200]太守应詹[201]书，自陈昔与詹“共讨乐乡[202]，本同休戚[203]。后在湘中[204]，惧死求生，遂相结聚[205]。傥[206]以旧交之情，为明枉直[207]，使得输诚盟府[208]，厕列义徒[209]，或北清中原，或西取李雄，以赎前愆[210]，虽死之日，犹生之年也”。詹为启呈其书[211]，

周莚大声喝令义兴郡传教官吴曾格杀周续。周莚想趁机杀死周勰，周札不同意，就把罪过推到周勰的堂兄周卲身上，而把周卲杀死了。周莚没有回家看望母亲，就快马加鞭地离去，他的母亲狼狈地在后面追赶他。司马睿任命周札为吴兴郡太守，任命周莚为太子右卫率。因为周氏是吴地的豪门望族，所以没有对他们穷究严办，对待周勰还跟从前一样进行安抚。

晋愍帝司马邺下诏，命令平东将军宋哲把军队屯扎在华阴县。

成主李雄册立任氏为皇后。

二月十二日丙子，晋愍帝任命琅邪王司马睿为丞相、大都督、统领朝廷内外各种军事，任命南阳王司马保为相国，任命荀组为太尉、兼任豫州牧，任命刘琨为司空，都督并州、冀州、幽州三州诸军事。刘琨辞让司空一职，没有接受此项任命。

南阳王司马模失败后，在他手下担任都尉的陈安逃往秦州投奔了司马模的长子司马保。司马保命令陈安率领一千多人去讨伐叛变的羌人，他对陈安十分宠信，待遇优厚。司马保的将领张春因此心怀妒忌，就诬陷陈安，说陈安心怀不轨，请司马保除掉陈安。司马保不同意，张春就安排刺客刺杀陈安。陈安被刺伤后，策马跑回了陇城，但仍然派遣使者到司马保那里去，向司马保贡献物品，从不间断。

晋愍帝下诏，晋封拓跋猗卢的爵位为代王，为他设置文武官员，将代郡、常山郡赏赐给他做食邑。代王拓跋猗卢向刘琨请求将担任并州从事的雁门人莫含给他，刘琨于是派莫含前往拓跋猗卢那里。莫含不愿意去，刘琨对莫含说："并州势孤力弱，我又缺乏才干，然而仍然能够在匈奴人刘聪和羯人石勒两股力量之间生存下来，全靠代王拓跋猗卢的力量。我倾心相奉并将全部资财拿出来贡献给他，又让我的长子到他那里做人质去侍奉他，就是希望能为朝廷洗雪奇耻大辱。您希望做个忠臣，为什么只留恋我们一起共事的情谊，而忘记了为国家做贡献的大节呢？您去辅佐代王，如果能成为他的心腹，就是并州的依靠啊。"莫含这才同意前往。代王拓跋猗卢非常敬重莫含，经常让莫含参与重大决策的谋划。

代王拓跋猗卢执法严酷，在他的国内如果有人犯法，犯法人所属的整个部落就会被全部处死，男女老少互相搀扶着前往法场就死。有人问他们："你们这是到哪里去呀？"他们回答说："去送死。"却没有一个人敢逃跑藏匿起来。

征讨都督王敦派遣荆州刺史陶侃、历阳内史甘卓等人去讨伐流民首领杜弢，前后经过几十次战斗，杜弢的将士损失惨重，于是就向丞相司马睿请求投降，司马睿不答应。杜弢写信给南平郡太守应詹，述说自己与应詹"过去同心协力讨伐乐乡的叛乱，我二人本来是同甘共苦、休戚与共的。后来在湘州，因为怕死，为了求得生存，才聚众造反。如果能念及以往的情谊，帮忙向司马睿说明我的委屈，向司马睿表明我的诚意，让我加入正义队伍的行列，或者让我率领军队向北扫清中原，或者向西攻打李雄夺取成都，以赎往日的罪恶，即使为国捐躯，我也觉得如同获得再生一样"。

且言“弢，益州秀才，素有清望[212]，为乡人所逼[213]。今悔恶归善，宜命使抚纳，以息江、湘[214]之民”。睿乃使前南海太守王运受弢降，赦其反逆之罪，以弢为巴东监军。弢既受命，诸将犹攻之不已。弢不胜[215]愤怒，遂杀运复反，遣其将杜弘、张彦杀临川[216]内史谢摛，遂陷豫章。

三月，周访击彦，斩之，弘奔临贺[217]。

汉大赦，改元建元[218]。

雨血[219]于汉东宫延明殿，太弟义[220]恶之，以问太傅崔玮、太保许遐。玮、遐说义曰：“主上往日以殿下为太弟者，欲以安众心耳，其志在晋王[221]久矣，王公已下莫不希旨附之[222]。今复以晋王为相国，羽仪威重[223]，逾于东宫[224]，万机之事，无不由之[225]。诸王皆置营兵以为羽翼，事势已去，殿下非徒不得立也，朝夕且有不测之危，不如早为之计。今四卫[226]精兵不减五千，相国轻佻[227]，正烦[228]一刺客耳。大将军[229]无日不出，其营可袭而取。余王[230]并幼，固易夺也。苟殿下有意，二万精兵指顾可得[231]，鼓行[232]入云龙门[233]，宿卫之士，孰不倒戈以迎殿下者！大司马[234]不虑其为异[235]也。”义弗从。东宫舍人荀裕告[236]玮、遐劝义谋反，汉主聪收玮、遐于诏狱[237]，假以他事杀之。使冠威将军卜抽将兵监守东宫，禁义不听朝会[238]。义忧惧不知所为，上表乞为庶人，并除诸子之封，褒美晋王，请以为嗣。抽抑而弗通[239]。

汉青州刺史曹嶷尽得齐、鲁[240]间郡县，自镇临菑[241]，有众十余万，临河置戍[242]。石勒表称：“嶷有专据东方之志，请讨之。”汉主聪恐勒灭嶷，不可复制，弗许。

聪纳中护军靳准二女月光、月华，立月光为上皇后，刘贵妃为左皇后，月华为右皇后。左司隶陈元达极谏，以为并立三后，非礼[243]也。聪不悦，以元达为右光禄大夫，外示优崇，实夺其权。于是太尉范隆等皆请以位让元达。聪乃复以元达为御史大夫，仪同三司。

应詹便把杜弢的书信呈送给司马睿，并且说："杜弢是益州的秀才，一向享有清高的名声，因为被乡人胁迫而做了错事。如今悔恶向善，应当派遣使者前去安抚、招纳，以平息江州、湘州的叛乱。"司马睿于是派前任南海郡太守王运去接受杜弢的投降，同时赦免杜弢叛逆的罪行，任命杜弢为巴东监军。杜弢已经投降并接受司马睿的任命，然而其他将领仍然不停地攻打他。杜弢不胜愤怒，就杀了王运再次造反，他派遣手下将领杜弘、张彦杀死了临川内史谢摛，进而攻陷了豫章。

三月，寻阳郡太守周访攻击张彦，杀死张彦，杜弘逃往临贺县。

汉实行大赦，改年号为建元。

汉东宫延明殿降下血雨，太弟刘义感到很厌恶，就去询问太傅崔玮、太保许遐。崔玮、许遐借机对刘义说："陛下以往封殿下为皇太弟，只不过是想以此来安定众人之心罢了，他的心里早就想把天下传给他的儿子晋王刘粲了，王公以下所有臣子无不迎合着他的心思，顺着他的旨意办。如今又任命晋王刘粲为相国，使用的仪仗和他的实际权柄，早已超过东宫，朝中各种事务，无不由他裁决。各亲王都设置营兵用来做他的羽翼，殿下的大势已去，殿下不仅不能继承天下，恐怕旦夕之间就可能发生难以预料的灾祸，不如早做打算。如今东宫左、右、前、后四卫率所统的精兵总计不下于五千，相国刘粲好随便活动，出入戒备不严，只需派一位刺客就行了。大将军勃海王刘敷没有一天不外出，可以采用偷袭的办法夺取他的营寨。其他的亲王都还年幼，本来就容易控制。假如殿下有这个心思，两万精兵很容易弄到手，擂着战鼓直入云龙门，负责守卫的将士，有谁不倒戈以迎接殿下呢！不必担心大司马刘曜会有什么反对的表现。"刘义没有听从他们的劝说。东宫舍人荀裕告发崔玮、许遐劝说刘义谋反，汉主刘聪于是逮捕了崔玮、许遐，把他们关押在诏狱中，假借其他事由把他们杀死了。然后派遣冠威将军卜抽率军监守东宫，将刘义软禁起来，不允许他再会见部下。刘义忧愤恐惧得不知如何是好，就给汉主刘聪上了一道表章，乞求去做一个平民百姓，并请求撤销几个儿子的封号，又极力赞美晋王刘粲，请求立晋王刘粲为皇位继承人。卜抽压下刘义的奏章，不向刘聪转呈。

汉青州刺史曹嶷全部占有了故齐国、鲁国之间的郡县，亲自坐镇临淄城，拥有十多万军队，沿着黄河部署兵力把守。石勒向刘聪上表说："青州刺史曹嶷有割据东方的野心，请发兵讨伐他。"汉主刘聪恐怕石勒消灭曹嶷之后，将无法控制他，就没有批准石勒的请求。

汉主刘聪把中护军靳准的两个女儿靳月光、靳月华纳入宫中，立靳月光为上皇后，刘贵妃为左皇后，靳月华为右皇后。担任左司隶的陈元达极力进行劝阻，他认为同时册立三位皇后，不合乎礼法。刘聪很不高兴，就任命陈元达为右光禄大夫，表面上表示优待尊崇，实际上是剥夺了他的权力。于是，太尉范隆等人都请求刘聪允许自己把职位让给陈元达。刘聪不得已，只得重新任命陈元达为御史大夫，仪同三司。

月光有秽行[244]，元达奏之，聪不得已废之。月光惭恚自杀，聪恨元达。

夏，四月，大赦。

六月，盗发汉霸、杜二陵[245]及薄太后陵[246]，得金帛甚多。朝廷以用度不足[4]，诏收其余[247]以实内府[248]。

辛巳[249]，大赦。

汉大司马曜攻上党[250]。八月癸亥[251]，败刘琨之众于襄垣[252]。曜欲进攻阳曲[253]，汉主聪遣使谓之曰："长安未平，宜以为先[254]。"曜乃还屯蒲坂。

陶侃与杜弢相攻，弢使王贡[255]出挑战，侃遥谓之曰："杜弢为益州小吏，盗用库钱，父死不奔丧。卿本佳人[256]，何为随之？天下宁有白头贼[257]邪？"贡初横脚马上[258]，闻侃言，敛容下脚[259]。侃知可动，复遣使谕之，截发为信，贡遂降于侃。弢众溃，遁走，道死。侃与南平太守应詹进克长沙[260]，湘州悉平。丞相睿承制赦其所部[261]，进王敦镇东大将军，加都督江、扬、荆、湘、交、广六州诸军事、江州刺史。敦始自选置[262]刺史以下，寖益骄横[263]。

初，王如之降[264]也，敦从弟稜爱如骁勇，请敦配己麾下。敦曰："此辈险悍难畜[265]，汝性狷急[266]，不能容养[267]，更成祸端。"稜固请，乃与之。稜置左右，甚加宠遇。如数与敦诸将角射争斗[268]，稜杖之，如深以为耻。及敦潜畜异志[269]，稜每谏之。敦怒其异己，密使人激如令杀稜。如因闲宴[270]，请剑舞为欢，稜许之。如舞剑渐前，稜恶[271]而呵之，如直前杀稜。敦闻之，阳惊[272]，亦捕如诛之。

初，朝廷闻张光死[273]，以侍中第五猗[274]为安南将军，监荆、梁、益、宁四州诸军事，荆州刺史，自武关[275]出。杜曾[276]迎猗于襄阳[277]，为兄子娶猗女，遂聚兵万人，与猗分据汉、沔[278]。

靳月光与人私通，陈元达向刘聪奏报揭露她的秽行，刘聪不得已废掉了靳月光。靳月光羞愧恚恨而自杀，刘聪因此憎恨陈元达。

夏季，四月，晋愍帝颁布大赦令。

六月，盗墓贼挖掘了汉文帝刘恒、汉宣帝刘询以及刘恒之母薄太后的陵墓，挖出很多金银布帛。因为朝廷用度不足，司马邺下诏，将陵墓中那些没有被盗贼拿走的物品收集起来纳入皇宫的府库。

十九日辛巳，晋国再次实行大赦。

汉大司马刘曜率军进攻上党郡。八月初二日癸亥，刘曜在襄垣县打败了刘琨的军队。刘曜正想进攻刘琨所在的阳曲县，汉主刘聪派遣使者对刘曜说："占据长安的晋国小朝廷还没有平定，应当把长安作为首先进攻的目标。"刘曜于是仍旧回到蒲坂驻扎。

陶侃与杜弢互相攻打，杜弢派遣王贡出来挑战，陶侃远远地对王贡说："杜弢只是益州的一个小官吏，盗用国库的钱财，父亲死了他也不去奔丧。你本来是个很优秀的人才，为什么要跟随他呢？天下难道有活到老的盗贼吗？"王贡开始时还态度傲慢地把脚横在马上，听了陶侃的一番话后，脸色便开始严肃郑重起来，把脚也放了下去。陶侃知道他能被打动，就又派使者去劝说王贡，并剪下自己的头发作为信物，王贡于是向陶侃投降。杜弢的军队立时溃散，杜弢逃走，死于途中。陶侃与南平郡太守应詹率军向长沙进军，攻克了长沙，湘州境内全部平定。丞相司马睿以皇帝的名义对其部下的将士一概不予追究，擢升王敦为镇东大将军，加封都督江州、扬州、荆州、湘州、交州、广州六州诸军事、江州刺史。王敦从此有权自行挑选、设置刺史以下官员，同时也越来越骄纵蛮横起来。

当初，变民首领王如投降王敦的时候，王敦的堂弟王稜喜爱王如的骁勇善战，请求王敦把王如拨在自己的麾下为将。王敦说："这类人阴险强悍，难于驾驭，你的性子急躁，不能宽容、包涵他，反而会成为祸端。"王稜坚决请求，王敦就把王如拨给了王稜。王稜把王如安排在自己身边，对他非常宠爱、厚待。王如多次与王敦手下的将领比试射箭而发生争斗，王稜就用棍子责打王如，王如认为自己受到极大的侮辱。等到王敦阴谋称帝的时候，王稜每每劝谏王敦。王敦对王稜不能与自己同心感到恼怒，就暗中派人激将王如，让王如杀死王稜。在一次便宴上，王如请求王稜容许自己舞剑助兴，王稜同意了。王如一边舞剑一边向王稜靠近，王稜心感厌恶就大声呵斥他，王如径直向前用剑刺杀了王稜。王敦听到消息后，装作很吃惊的样子，立即把王如逮捕起来杀死了。

当初，朝廷听到梁州刺史张光已死的消息后，就任命担任侍中的第五猗为安南将军，监管荆州、梁州、益州、宁州四州诸军事，以及任荆州刺史，第五猗从武关出发前去赴任。杜曾在襄阳迎接第五猗，他为自己哥哥的儿子聘娶了第五猗的女儿，于是聚集起一万多人，与第五猗分别占据了汉水、沔水流域。

陶侃既破杜弢，乘胜进击曾，有轻曾之志。司马鲁恬谏曰："凡战，当先料其将[279]。今使君[280]诸将无及曾者，未易可逼也。"侃不从，进围曾于石城[281]。曾军多骑兵，密开门突侃陈[282]，出其后，反击之，侃兵死者数百人。曾将趋顺阳[283]，下马拜侃，告辞而去。

时荀崧都督荆州、江北诸军事，屯宛[284]，曾引兵围之。崧兵少食尽，欲求救于故吏襄城[285]太守石览。崧小女灌年十三，帅勇士数十人，逾城突围夜出，且战且前，遂达览所[286]。又为崧书[287]，求救于南中郎将周访。访遣子抚帅兵三千，与览共救崧，曾乃遁去。

曾复致笺于崧，求讨丹水[288]贼以自效，崧许之。陶侃遗崧书曰："杜曾凶狡，所谓鸱枭[289]食母之物。此人不死，州土[290]未宁，足下当识[291]吾言。"崧以宛中兵少，借曾为外援，不从。曾复帅流亡二千余人围襄阳，数日，不克而还。

王敦嬖人吴兴钱凤疾[292]陶侃之功，屡毁之。侃将还江陵，欲诣敦自陈。朱伺及安定皇甫方回谏曰："公入必不出[293]。"侃不从。既至，敦留侃不遣，左转[294]广州刺史，以其从弟丞相军谘祭酒廙为荆州刺史。荆州将吏郑攀、马儁等诣敦，上书留侃。敦怒，不许。攀等以侃始灭大贼[295]，而更被黜，众情愤惋；又以廙忌戾难事[296]，遂帅其徒三千人屯涢口[297]，西迎杜曾。廙为攀等所袭，奔于江安[298]。杜曾与攀等北迎第五猗以拒廙。廙督诸军讨曾，复为曾所败。敦意[299]攀承侃风旨[300]，被甲持矛将杀侃，出而复还者数四[301]。侃正色曰："使君雄断，当裁天下[302]，何此不决乎[303]！"因起如厕。谘议参军梅陶、长史陈颁言于敦曰："周访与侃亲姻[304]，如左右手，安有断人左手而右手不应者乎！"敦意解，乃设盛馔以饯之。侃便夜发[305]，敦引其子瞻为参军[306]。

陶侃消灭了杜弢之后，乘胜进攻杜曾，他有些不把杜曾放在眼里。陶侃手下司马鲁恬劝谏陶侃说："凡是作战，应当首先分析其统兵将领的思想个性特征。如今您手下的将领没有人能比得过杜曾，所以不要轻易地逼近杜曾。"陶侃不听劝告，继续前进把杜曾围困在石城。杜曾的军队大多数是骑兵，杜曾悄悄地打开城门，派骑兵冲破陶侃的军队行列，绕到陶侃的背后，从后面袭击了陶侃的军队，陶侃的军队死了几百人。杜曾准备前往顺阳县，他下马拜别陶侃，告辞而去。

当时荀崧统领荆州、江北诸军事，驻扎在宛县，杜曾率军包围了荀崧。荀崧的士兵很少而且粮食已尽，他想向过去的老部下、现任襄城太守的石览求救。荀崧的小女儿荀灌年仅十三岁，率领几十个勇士，翻越城墙连夜突围，一边作战一边前进，终于到达石览所在的襄城。她又以父亲荀崧的名义写了一封信，向南中郎将周访求救。周访派自己的儿子周抚率领三千名士兵与石览一起前去救援荀崧，杜曾这才逃遁而去。

杜曾又写信给荀崧，请求讨伐丹水县的盗贼为自己赎罪，荀崧答应了他的请求。陶侃写信给荀崧说："杜曾凶恶狡猾，正是俗话说的那种长大后就吃掉母亲的鸱枭。此人不死，荆州境内就不可能得到安宁，您应当记住我的话。"荀崧因为宛县军队数量很少，想借助杜曾作为外援，所以没有听从陶侃的劝告。杜曾又率领着两千多名流民围攻襄阳，围攻了几天，没有攻下就退走了。

王敦所宠信的吴兴人钱凤因为嫉妒陶侃的功劳，屡次在王敦面前诋毁陶侃。陶侃准备回到江陵，想亲自向王敦做解释。朱伺和安定人皇甫方回劝阻陶侃说："您去了一定回不来。"陶侃不听。陶侃到了王敦那里，王敦留下陶侃，不许他返回荆州刺史任上，将他降职，改任为广州刺史，王敦任命自己的堂弟、担任丞相府军谘祭酒的王廙为荆州刺史。荆州的将吏郑攀、马隽等人前往王敦那里，上书请求王敦为荆州留下陶侃。王敦非常生气，不答应他们的请求。郑攀等人认为陶侃刚刚消灭了巨寇杜弢，不仅没有受到表彰反而被贬职，于是群情激愤，又因为王廙猜忌暴戾，难以在其手下供事，于是就率领着自己的三千多部众屯扎在涢口，向西去迎接杜曾。被王敦任命为荆州刺史的王廙遭到郑攀等人的袭击，便逃往江安县。杜曾与郑攀等人到北边迎接第五猗联合抗拒王廙。王廙督促各军讨伐杜曾，又被杜曾打败。王敦认为郑攀的行动是秉承了陶侃的旨意，于是就披上铠甲、手执长矛准备杀掉陶侃，他出去了又进来，进来了又出去，一共走了四个来回。陶侃严肃地对他说："使君是人中英雄，处事一向果断，完全有能力裁决天下大事，为何在这件事情上如此犹豫不决呢！"于是陶侃起身去厕所。担任谘议参军的梅陶、担任长史的陈颁对王敦说："周访与陶侃是儿女亲家，就像是左右手的关系，岂有砍断人的左手而右手不动的道理呢！"王敦的怒气才稍微缓和下来，于是摆设了盛大筵席为陶侃饯行。陶侃立即连夜出发前往广州，王敦将陶侃的儿子陶瞻留下任用为参军。

初，交州[307]刺史顾秘卒，州人以秘子寿领州事。帐下督梁硕起兵攻寿，杀之，硕遂专制交州。王机自以盗据广州，[308]恐王敦讨之，更求交州[309]。会杜弘[310]诣机降[311]，敦欲因机以讨硕，乃以降杜弘[312]为机功，转交州刺史。机至郁林[313]，硕迎前刺史脩则子湛[314]行州事[315]以拒之。机不得进，乃更与杜弘及广州将温邵、交州秀才刘沈谋复还据广州。陶侃至始兴[316]，州人皆言宜观察形势，不可轻进，侃不听，直至广州，诸郡县皆已迎机矣。杜弘遣使伪降，侃知其谋，进击弘，破之，遂执刘沈于小桂[317]。遣督护许高讨王机，走之。机病死于道，高掘其尸，斩之。诸将皆请乘胜击温邵，侃笑曰："吾威名已著，何事遣兵[318]，但一函纸[319]自定耳。"乃下书谕之。邵惧而走，追获于始兴。杜弘诣王敦降，广州遂平。

侃在广州无事，辄朝运百甓[320]于斋外，暮运于斋内。人问其故，答曰："吾方致力中原，过尔优逸，恐不堪事[321]，故自劳[322]耳。"

王敦以杜弘为将，宠任之。

九月，汉主聪使大鸿胪赐石勒弓矢[323]，策命勒为陕东伯[324]，得专征伐，拜刺史、将军、守宰，封列侯，岁尽集上[325]。

汉大司马曜寇北地[326]，诏以麹允为大都督、骠骑将军以御之。冬，十月，以索綝为尚书仆射、都督宫城诸军事。曜进拔冯翊[327]，太守梁肃奔万年[328]。曜转寇上郡[329]。麹允去黄白城[330]，军于灵武[331]，以兵弱，不敢进。

帝屡征兵于丞相保[332]，保左右皆曰："蝮蛇[333]螫手，壮士断腕。今胡寇方盛，且宜断陇道[334]，以观其变。"从事中郎裴诜曰："今蛇已螫头，头可断乎？"保乃以镇军将军胡崧行前锋都督，须诸军集乃发。麹允欲奉帝往就保，索綝曰："保得天子，必逞其私志[335]。"乃止。于是自

当初，交州刺史顾秘去世后，交州人拥戴顾秘的儿子顾寿为代理交州刺史。在刺史手下担任帐下督的梁硕发兵攻打顾寿，把顾寿杀死，梁硕于是控制了交州。王机深知自己的广州刺史职位是非法夺取的，担心王敦前来讨伐自己，就向王敦请求调到交州担任交州刺史。碰巧杜弢的部将杜弘向王机投降，王敦就想借助王机的势力讨伐梁硕，于是就把杜弘的投降算作王机的功劳，批准了王机的请求，将王机转到交州担任刺史。王机到达郁林县，梁硕已经将前任交州刺史脩则的儿子脩湛迎接到交州代理交州刺史的职务，他们出兵阻止王机。王机无法进入交州，就与杜弘以及广州将领温卲、交州秀才刘沈另行商议，决定重新回去占据广州。陶侃前往就任广州刺史，他到达始兴郡时，广州人都劝说陶侃应当在这里停下来观察清楚广州的形势变化，不可轻易进入广州，陶侃不听，直接到达广州，而各郡县都已经去迎接王机了。杜弘派遣使者向陶侃诈降，陶侃看透了他们的阴谋，便派军进攻杜弘，把杜弘打败，随后又在小桂捕获了刘沈。陶侃派遣担任督护的许高率军去讨伐王机，将王机赶跑。王机在逃跑的路上病死，许高掘出王机的尸体，砍下了王机的人头。诸将都向陶侃请求乘胜进攻温卲，陶侃笑着说："我的威名已经传播出去，何须派军队讨伐他，只要有一封书信就可以让广州安定下来。"于是写了一封信晓谕温卲。温卲感到恐惧就逃走了，追兵在始兴郡逮住温卲。杜弘前往王敦那里投降，广州于是完全平定。

陶侃在广州无事可做，就在早晨把一百块砖从屋里运到屋外，傍晚再把这一百块砖从屋外运进屋内。人们问他为什么这样做，陶侃说："我的志向是要收复中原，生活过分安逸的话，恐怕将来不能承担任务，所以就自己劳苦自己。"

王敦任用杜弘为将领，对杜弘非常宠爱信任。

九月，汉主刘聪派遣大鸿胪赏赐给石勒弓箭，下诏册封石勒为主管陕县以东事务的诸侯霸主，可以代表皇帝自行决定军事行动，可以自行任命刺史、将军、守宰，封爵为列侯，在年末集中向皇帝汇报一次情况。

汉大司马刘曜进犯晋国管辖下的北地郡，晋愍帝下诏任命麹允为大都督、骠骑将军，率军抵抗刘曜的进攻。冬季，十月，任命索綝为尚书仆射、都督宫城诸军事。刘曜占领了冯翊郡，冯翊郡太守梁肃逃奔万年县。刘曜转而进攻上郡。麹允撤离黄白城，驻扎在灵武县，因为军力弱小，不敢前进。

晋愍帝屡次向丞相司马保征兵，司马保左右的人都说："毒蛇咬了手指，壮士就会为了保住生命而砍下手腕。如今胡人的势力强盛，应当切断关中与天水河西之间的陇山通道，以观察时局的发展变化。"担任从事中郎的裴诜说："如今毒蛇已经咬了人的脑袋，脑袋可以砍下来吗？"司马保于是任命镇军将军胡崧兼任前锋都督，等待各军聚集以后就出发。麹允准备保护晋愍帝到司马保那里去，索綝提醒他说："司马保得到天子，必然会挟天子以令诸侯。"麹允这才打消了投奔司马保的念头。从此以

长安以西，不复贡奉朝廷，百官饥乏，采稆[336]以自存。

凉州军士张冰得玺，文曰“皇帝行玺”，献于张寔，僚属皆贺。寔曰：“是非人臣所得留。”遣使归于长安[337]。

---

【段旨】

以上为第二段，写晋愍帝建兴三年（公元三一五年）一年间的大事。主要写了拓跋猗卢受晋封为代王，食代、常山二郡，刘琨派部下莫含往事猗卢，与其密切结合；写了变民头领杜弢被陶侃打败，投降司马睿，旋又叛变于临川、豫章，最后被陶侃讨平；写了变民头领杜曾游动于荆州北部，先破陶侃于石城，又围荀崧于襄阳；写了王敦被司马睿加官进爵，专横骄纵，先借用王如杀死王稜，又设谋欲害陶侃；写了陶侃被王敦罢去荆州刺史，改任广州，陶侃则果断、及时地消灭了广州的叛乱分子王机，稳定了广州一带的秩序；写了汉将刘曜进攻关中地区，司马邺小朝廷的形势更加危急等。

【注释】

⑯义兴：晋郡名，郡治即今江苏宜兴。⑯发：发动变乱。⑯根本：指京都建康（今南京）。⑯黄门侍郎莚：周莚，周处之孙，周札之侄。传见《晋书》卷五十八。⑯忠果：忠诚果敢。⑯至郡：依下文，应是义兴郡。⑯孔府君：孔侃。当时对郡太守敬称“府君”。⑯有所论：有事要讨论。⑰置贼在坐：让乱贼坐在这里。⑰传教：郡太守的属官名，主管宣读教令。⑰长驱：快马加鞭。⑰狼狈追之：艰难而不顾体面地追赶儿子。⑰吴兴：晋郡名，郡治即今浙江湖州。⑰太子右卫率：太子宫的警卫部队头领。⑰豪望：豪门望族。⑰抚勰：对待周勰。⑰诏平东将军宋哲屯华阴：这句话的主语是晋愍帝小朝廷。华阴，晋县名，县治在今陕西华阴城东。⑰丙子：二月十二。⑱南阳王保：司马保，司马模之子，当时驻兵于今甘肃天水。⑱荀组：当时驻守河南开封。⑱南阳王模之败：司马模被汉将刘粲、赵染打败、俘获、杀害事，见本书卷第八十七永嘉五年（公元三一一年）。⑱秦州：州治冀县，在今甘肃甘谷东，后移上邽，即今甘肃天水。⑱疾：嫉妒。⑱被创：被刺伤。⑱陇城：今甘肃张家川。⑱食代、常山二郡：将代郡、常山郡划给他作为领地。代郡的郡治即今河北蔚县东北的代王城，常山郡的郡治真定在今河北正定南。⑱请：请求要此人。⑱雁门莫含：雁门郡人，姓莫名含。雁门郡的郡治广武，在今山西代县西南。⑲胡、羯：指匈奴人刘聪和羯人石勒。⑲代王：指

后，长安以西不再有人向朝廷贡奉物品，百官忍饥挨饿，生活极其困苦，全靠采摘野生的草籽充饥，勉强维持着生存。

凉州军士张冰捡到一枚玉玺，玉玺上的文字是“皇帝行玺”，军士将它献给凉州刺史张寔，张寔的僚属都来向张寔道贺。张寔说：“这不是臣子应当保留的东西。”立即派使者把这枚玉玺送往长安。

---

拓跋猗卢。⑲² 倾身竭赀：倾心相奉与贡献全部资财。⑲³ 以长子为质：当时刘琨派长子刘遵在拓跋部落做人质。⑲⁴ 庶几：希望；就是为了。⑲⁵ 惜共事之小诚：留恋与刘琨合作的情谊。小诚，指二人之间的私人感情。⑲⁶ 徇国：给国家做贡献。⑲⁷ 与参大计：参与重大决策的谋划。⑲⁸ 举部就诛：整个部落都被处死。⑲⁹ 甘卓：字季思，平石冰、陈敏之乱有大功，为官有惠政。传见《晋书》卷七十。⑳⁰ 南平：晋郡名，郡治即今湖北公安。⑳¹ 应詹：字思远，当时有名的地方官。传见《晋书》卷七十。⑳² 共讨乐乡：杜弢原来是地方官，曾与应詹合作共同讨伐乐乡地区的民变。⑳³ 同休戚：同甘苦、同忧乐。休指幸福，戚指痛苦。⑳⁴ 湘中：湘州，州治即今湖南长沙。⑳⁵ 结聚：指聚众造反。杜弢在湘州被流民推为首领事，见本书卷第八十七永嘉五年（公元三一一年）。⑳⁶ 傥：同“倘”，如果。⑳⁷ 为明枉直：帮我向司马睿说明我的委屈。枉直，偏义复词，这里指枉，委屈。⑳⁸ 输诚盟府：指向司马睿表明诚意。当时琅邪王司马睿为东南各方镇的盟主，故称盟府。⑳⁹ 厕列义徒：加入正义队伍的行列。㉑⁰ 前愆：往日的罪恶。㉑¹ 启呈其书：看过他的信后，将信交给司马睿。㉑² 清望：清高的名声。㉑³ 为乡人所逼：杜弢所以成为变民首领，是被同乡的变民拥立。㉑⁴ 江、湘：江州、湘州。江州的州治豫章，即今江西南昌。㉑⁵ 不胜：控制不住。㉑⁶ 临川：晋郡名，郡治临汝，在今江西抚州城西。㉑⁷ 临贺：晋县名，县治在今广西贺州。㉑⁸ 改元建元：在此之前刘聪的年号是嘉平。㉑⁹ 雨血：天降血雨（雨中含有某种化学成分，呈现血红色）。㉒⁰ 太弟义：刘义，刘渊的嫡子，刘聪的同父异母弟。㉒¹ 志在晋王：想把天下传给他的儿子刘粲。刘粲时为晋王。㉒² 希旨附之：迎合着他的心思，顺着他的旨意办。㉒³ 羽仪威重：使用的仪仗和他的实际权柄。羽仪，用鸟羽装饰的仪仗，这里泛指表示身份的仪仗队。威重，权势。㉒⁴ 逾于东宫：远远地超过了太弟您。东宫，太弟刘义的宫殿。㉒⁵ 无不由之：一切都由他（刘粲）裁决。㉒⁶ 四卫：指东宫左、右、前、后四卫率所统的军队。㉒⁷ 相国轻佻：相国刘粲好随便活动，出入戒备不严。轻佻，不稳重，这里指疏于防备。㉒⁸ 正烦：只需要派出。烦，麻烦、动用。㉒⁹ 大将军：指刘粲的弟弟勃海王刘敷。㉓⁰ 余王：刘聪的其他儿子。㉓¹ 指顾可得：一举手、一回头的时间就可以集合起来。指顾，极言成事之容易。㉓² 鼓行：擂着战鼓长驱直入。㉓³ 云龙门：宫殿的正门。㉓⁴ 大司马：指中山王刘曜，时任大司马之职。㉓⁵ 不虑

其为异：不必担心刘曜会有什么反对的表现。㉓⑥告：告发。㉓⑦诏狱：关押由皇帝发来的犯人的监狱。㉓⑧不听朝会：不允许他再会见部下、僚属。㉓⑨抑而弗通：将其奏章压下，不向刘聪转呈。㉔⓪齐、鲁：泛指今山东一带地区。古代齐国的疆域约当今山东泰山以北的黄河流域及胶东半岛地区，鲁国的疆域约当今山东泰山以南的汶、泗、沂、洙四水流域。㉔①临菑：今山东淄博市临淄区。㉔②临河置戍：沿着河边派兵把守。㉔③非礼：不合乎古礼。㉔④秽行：指跟别人私通。㉔⑤霸、杜二陵：霸陵是汉文帝刘恒的陵墓，在今陕西西安东。杜陵是汉宣帝刘询的陵墓，在今陕西西安东南。㉔⑥薄太后陵：刘恒之母薄太后的陵墓，在霸陵之南。㉔⑦诏收其余：下令收集那些没被盗贼弄走的东西。㉔⑧以实内府：以充实皇宫的府库。〖按〗《史记·文帝本纪》有所谓“治霸陵皆以瓦器，不得以金银铜锡为饰”云云，今《资治通鉴》又言“盗发汉霸、杜二陵及薄太后陵，得金帛甚多……诏收其余以实内府”，则《史记》所言未必实也。㉔⑨辛巳：六月十九。㉕⓪上党：晋郡名，郡治壶关，在今山西长治北。㉕①八月癸亥：八月初二。㉕②襄垣：晋县名，县治在今山西襄垣北。㉕③阳曲：晋县名，县治在今山西阳曲西南，太原北四十五里。当时刘琨的大本营在此。㉕④宜以为先：应该把长安列为先攻打的对象。㉕⑤王贡：原为陶侃的部下，后投杜弢。见本书卷第八十八建兴元年（公元三一三年）。㉕⑥佳人：优秀的人才。㉕⑦白头贼：当盗贼的说不定何时被杀，没有见过一个能活到老的。㉕⑧横脚马上：言其放肆傲慢之状。㉕⑨敛容下脚：改变脸色，放下脚来。㉖⓪长沙：今湖南长沙，时为杜弢的大本营，晋朝湘州的州治所在地。㉖①赦其所部：对其部下的将士一概不予追究。㉖②始自选置：从此有权自己任命。㉖③寖益骄横：越来越骄纵蛮横。寖，渐。益，越发。㉖④王如之降：王如是变民头领，于永嘉六年被迫降于王敦。㉖⑤难畜：难以教养、驾驭。㉖⑥狷急：急躁。㉖⑦不能容养：不能宽容、包涵。㉖⑧角射争斗：因为比试射箭而发生争斗。㉖⑨潜畜异志：阴谋称帝。㉗⓪因闲宴：趁着一个安闲宴会的时机。㉗①恶：讨厌；不高兴。㉗②阳惊：假装大吃一惊。阳，通“佯”，假装。㉗③张光死：张光原为梁州刺史，被杨难敌打败愤郁而死，事见本书卷第八十八建兴元年（公元三一三年）。㉗④第五猗：人名，姓第五，名猗。㉗⑤武关：在陕西丹凤东南。㉗⑥杜曾：荆州叛乱分子胡亢的部下，被任为竟陵太守，后袭杀胡亢。事见本书卷第八十八建兴元年（公元三一三年）。㉗⑦襄阳：今湖北襄阳。㉗⑧分据汉、沔：分别占据着汉水流域地区。当时汉水的上游称沔水。㉗⑨先料其将：首先分析其统兵将领的思想个性特征。料，估计、分析。㉘⓪使君：敬称陶侃。当时对州刺史、郡太守敬称“使君”。㉘①石城：今湖北钟祥，城三面环山，正面绝壁，下临汉江，当时为竟陵郡的郡治所在地。㉘②突侃陈：冲破陶侃的军队行列。㉘③将趋顺阳：准备前往顺阳。顺阳县治在今河南淅川东。㉘④宛：晋县名，县治即今河南南阳。㉘⑤襄城：晋郡名，郡治即今河南襄城。㉘览所：石览所在的襄城。㉘为崧书：以父荀崧的名义写信。㉘丹水：晋县名，县治在今河南淅川之丹水北岸。㉘鸱枭：猫头鹰，传说这种鸟长大后即啄食母亲，所以人们常用它来比喻忘恩负义的恶人。㉙州土：指荆州境内。㉙识：记；记住。㉙疾：嫉妒。㉙必不出：肯定要被王敦扣押。㉙左转：降任。㉙大贼：指杜弢。㉙忌戾难事：猜忌暴戾，难以为其部下。㉙涢口：在今湖北武汉市汉阳区西北九十里之涢水入汉水之口。㉙江安：晋县名，县治在今湖北公安北。㉙意：猜想；认为。㉚承侃风旨：秉承陶侃的意思。㉚数四：四个来回。㉚当裁天下：应该能够裁决天下大事。㉚何此不决乎：为什么在这件事情上如此下不了决心。㉚周访与侃亲姻：周访的女儿嫁给陶侃的儿子陶瞻为妻。㉚便夜发：即刻连夜出发前往广州。㉚引其子瞻为参军：扣留其子陶瞻为人质。㉚交州：晋州名，州治龙编，在今越南河内东北。㉚王机自以盗据广州：王机原是王澄的僚属，后来乘乱被拥立为广州刺史，事见本书卷第八十八永嘉六年（公元三一二年）。㉚更求交州：请求调到交州当刺史。㉛杜弘：杜弢的部将。㉛诣机降：前来投降王机。㉛降杜弘：使杜弘归降。㉛郁林：晋郡名，郡治在今广西桂平西南。㉛脩则子湛：脩则之子脩湛。㉛行州事：代理州刺史的职务。㉛始兴：晋郡名，郡治曲江，今广东韶关。㉛小桂：晋县名，即今广东连州。㉛何事遣兵：有什么必要派兵。㉛一函纸：一封信；一道公文。㉜百甓：一百块砖。㉜不堪事：不能承担任务。㉜自劳：自己进行劳动锻炼。㉜弓矢：帝王赐给功臣的器物，以表示其所受的宠遇，是九锡中的一种。㉜陕东伯：主管陕县以东事务的诸侯霸主。㉜岁尽集上：年末集中向皇帝报告。㉜北地：晋郡名，郡治即今陕西铜川市耀州区。㉜冯翊：晋郡名，郡治即今陕西大荔。㉜万年：晋县名，与栎阳县同城而治，在今陕西西安市阎良区。㉜上郡：晋郡名，郡治肤施，在今陕西榆林东南。㉝去黄白城：从黄白城撤离。黄白城在陕西三原东北十里。㉝灵武：汉县名，县治在今宁夏灵武城北。㉝征兵于丞相保：时丞相司马保率军屯驻在今河南开封一带。㉝蝮蛇：一种毒蛇，体灰褐色，有黑褐色斑纹，能伤人致死。“蝮蛇螫手，壮士断腕”是古代成语，意谓有些东西该舍弃就得舍弃，不能因小失大。㉝断陇道：切断关中与天水河西之间的陇山通道，意即抛弃陇山以西不要了。㉝逞其私志：他将会挟天子以令诸侯。㉝稆：野谷；不种而自生的谷物。㉝归于长安：送到长安呈献给皇帝司马邺。

## 【校记】

［4］朝廷以用度不足：原无此七字。据章钰校，甲十一行本、乙十一行本、孔天胤本皆有此七字，张敦仁《通鉴刊本识误》、张瑛《通鉴校勘记》同，今据补。

【原文】

**四年（丙子，公元三一六年）**

春，正月，司徒梁芬议追尊吴王晏[338]，右仆射索綝等引魏明帝诏[339]以为不可，乃赠太保，谥曰孝。

汉中常侍王沈、宣怀[340]、中宫仆射郭猗等皆宠幸用事。汉主聪游宴后宫，或三日不醒，或百日不出。自去冬不视朝，政事一委相国粲，唯杀生[341]除拜[342]乃使沈等入白之。沈等多不白，而自以其私意决之。故勋旧[343]或不叙[344]，而奸佞小人有数日至二千石[345]者。军旅岁起，将士无钱帛之赏，而后宫之家赐及僮仆，动至数千万。沈等车服、第舍逾于诸王，[346]子弟中表[347]为守令者三十余人，皆贪残为民害。靳准阖宗[348]谄事之[349]。

郭猗与准皆有怨于太弟义，猗谓相国粲曰："殿下光文帝之世孙[350]，主上之嫡子，四海莫不属心[351]，奈何欲以天下与太弟乎？且臣闻太弟与大将军[352]谋因三月上巳[353]大宴作乱，事成，许以主上[354]为太上皇，大将军为皇太子，又许卫军[355]为大单于。二王[356][5]处不疑之地，并握重兵，以此举事，无不成者。然二王贪一时之利，不顾父兄，事成之后，主上岂有全理[357]！殿下[358]兄弟，固不待言[359]；东宫、相国、单于，当在武陵兄弟[360]，何肯与人也。今祸期甚迫，宜早图之。臣屡言于主上，主上笃于友爱[361]，以臣刀锯之余[362]，终不之信。愿殿下勿泄，密表其状。殿下傥不信臣言[6]，可召大将军从事中郎王皮、卫军司马刘惇，假之恩意[363]，许其归首[364]以问之，必可知也。"粲许之。猗密谓皮、惇曰："二王逆状，主上及相国具知之矣，卿同之乎[365]？"二人惊曰："无之。"猗曰："兹事已决，吾怜卿亲旧[366]并见族[367]耳。"因歔欷[368]流涕。二人大惧，叩头求哀。

【语译】

**四年（丙子，公元三一六年）**

春季，正月，晋司徒梁芬建议愍帝司马邺为自己的生父吴王司马晏追尊封号，右仆射索綝等人引用魏明帝曹叡的诏书作为例证，认为不可行，就追赠司马晏为太保，谥号为“孝”。

汉担任中常侍的王沈、宣怀、担任中宫仆射的郭猗等人都因为受到刘聪的宠爱而手中握有大权。汉主刘聪在后宫游玩饮宴，有时醉酒三天都醒不过来，有时长达一百天不出后宫。从去年冬天开始就不曾上朝议事，朝中政务一概委托给相国刘粲处理，只有判定大臣的生死、授官拜爵等事刘粲才让王沈等人入宫请示刘聪。而王沈等人大多数情况下并不请示刘聪，而是自行按照自己的意见裁决，所以建立过功勋的老臣有的就得不到提升，而奸佞小人有的在几天之内就升到俸禄二千石的职位。战争连年不断，将士们得不到金钱布帛的赏赐，而刘聪对后宫嫔妃的娘家人，就连僮仆都有赏赐，而且动不动就赏赐几千万。王沈等人的车子、衣服、房舍的豪华程度超过了亲王，他们的子弟、姑表兄弟中担任郡守、县令的就有三十多人，个个都贪婪残暴，成为百姓的祸害。靳准整个家族的人都向王沈等人献媚讨好。

汉中宫仆射郭猗与靳准都怨恨太弟刘义，郭猗对担任相国的刘粲说：“殿下是光文帝的嫡孙子，陛下的亲儿子，四海之内没有人不拥护您，为什么要把天下让给太弟呢？而且我听说太弟刘义与大将军刘敷密谋策划，想利用三月上巳节宴会的机会作乱，事情成功之后，答应让主上为太上皇，大将军刘敷为皇太子，又答应卫大将军刘勱为大单于。二位亲王处在不被怀疑的地位，并且都手握重兵，凭借着这些有利条件发动政变，没有不成功的道理。而二位亲王贪图一时的利益，就会不顾及父亲、哥哥的利益，事情成功之后，皇帝的性命还能保全吗？至于殿下和兄弟们，就更不用说了；即使是东宫、相国、单于这些位置，也一定会落到太弟刘义的儿子武陵王兄弟之手，如何肯让给别人。如今灾祸发生的日期日益临近，形势十分紧迫，应当及早铲除他们。我屡次向主上进言，主上十分看重与刘义之间的兄弟亲情，就凭我这个受过阉割的宦官身份，主上肯定不会相信我。希望殿下不要把这个秘密泄露出去，悄悄地上一道表章向主上说明情况。殿下如果不相信我说的话，可以把在大将军手下担任从事中郎的王皮、在卫大将军手下担任司马的刘惇找来询问，许给他们好处，准许他们弃暗投明，一定可以问出事情的真相。”刘粲赞同郭猗的意见。郭猗暗中对王皮、刘惇说：“刘敷、刘勱二位亲王的悖逆情况，主上以及相国全都知道了，你们准备与刘敷、刘勱同流合污吗？”二人大惊失色，说：“没有这回事。”郭猗说：“这件事情已经决定了，我可怜你们的亲人和故旧就要一起跟着被灭族了。”并抽泣着显出一副很伤心的样子。王皮、刘惇二人非常恐惧，就给郭猗磕头请求搭救。

猗曰："吾为卿计，卿能用之乎？相国问卿，卿但云'有之'；若责卿不先启[369]，卿即云'臣诚负死罪，然仰惟主上宽仁，殿下敦睦[370]，苟言不见信[371]，则陷于诬谮[372]不测之诛，故不敢言也'。"皮、惇许诺。粲召问之，二人至不同时[373]，而其辞若一，粲以为信然。

靳准复说粲曰："殿下宜自居东宫[374]以领相国，使天下早有所系[375]。今道路之言，皆云大将军、卫将军欲奉太弟为变，期以季春[376]。若使太弟得天下，殿下无容足之地矣。"粲曰："为之奈何？"准曰："人告太弟为变，主上必不信。宜缓东宫之禁[377]，使宾客得往来。太弟雅好待士，必不以此为嫌，轻薄小人不能无迎合太弟之意为之谋者。然后下官为殿下露表其罪[378]，殿下收[379]其宾客与太弟交通[380]者考问之。狱辞既具[381]，则主上无不信之理也。"粲乃令[7]卜抽引兵去东宫[382]。

少府[383]陈休、左卫将军卜崇为人清直，素恶沈等，虽在公座[384]，未尝与语，沈等深疾之。侍中卜幹谓休、崇曰："王沈等势力足以回天地[385]，卿辈自料亲贤孰与窦武、陈蕃？[386]"休、崇曰："吾辈年逾五十，职位已崇，唯欠一死耳。死于忠义，乃为得所，安能俯首佀眉[387]以事阉竖乎！去矣卜公，勿复有言！"

二月，汉主聪出临上秋阁[388]，命收陈休、卜崇及特进綦毋达[389]、太中大夫公师彧[390]、尚书王琰、田歆、大司农朱谐[8]，并诛之，皆宦官所恶也。卜幹泣谏曰："陛下方侧席求贤[391]，而一旦戮卿大夫七人，皆国之忠良，无乃不可乎！藉使休等有罪，陛下不下之有司[392]，暴明其状[393]，天下何从知之？诏尚在臣所[394]，未敢宣露，愿陛下熟思之。"因叩头流血。王沈叱幹曰："卜侍中欲拒诏乎？"聪拂衣而入[395]，免幹为庶人。

太宰河间王易、大将军勃海王敷、御史大夫陈元达、金紫光禄大夫西河王延[396]等皆诣阙表谏曰："王沈等矫弄诏旨，欺诬日月[397]，内谄陛下[398]，外佞相国[399]，威权之重，侔于人主[400]，多树奸党，毒流海内。知休等忠臣，为国尽节，恐发其奸状，故巧为诬陷。陛下不察，遽加极

郭猗说："我已经为你们想了个办法，只是你们能听我的吗？如果相国问你们，你们只管说'有这回事'；如果责问你们为什么不先报告，你们就说'我们确实身犯死罪，然而因为主上宽厚仁爱，殿下为人厚道，待人友善，倘若我们对您说了您不相信，我们就等于犯了诬陷罪而要遭受不可预测的杀戮，所以不敢说'。"王皮、刘惇表示愿意按照他说的去做。刘粲召问王皮、刘惇二人，二人并不是同时到达，而言辞却完全一样，刘粲于是认为他们说的是真话。

靳准又去对刘粲说："殿下应当住在东宫，以太子的身份兼任相国，让天下人早日有所依附。如今街谈巷议，都说大将军刘敷、卫大将军刘勱准备拥戴太弟谋乱，约定春末发动。如果让皇太弟得了天下，殿下就没有立足之地了。"刘粲说："应该怎么办呢？"靳准说："有人告发太弟叛乱，主上必定不相信。应当放松对东宫的禁卫，让宾客能够自由往来。太弟素来敬重读书人，必然不会对此产生怀疑，那些轻薄小人中肯定会有人为迎合太弟的心思而为太弟出谋划策。然后我为殿下公开上表奏明太弟的罪状，殿下逮捕那些与太弟有往来的宾客进行审问。有了口供，那么主上就没有不相信的道理了。"刘粲于是下令卜抽率领军队撤离东宫。

担任少府的陈休、担任左卫将军的卜崇为人清正耿直，平常就非常厌恶王沈等人，即使是在公开场合，也从来没有与他们说过话，所以王沈等非常忌恨他们。担任侍中的卜幹对陈休、卜崇二人说："王沈等人的势力完全能够改变皇帝的看法、态度，你们估计自己与皇帝的亲密程度以及自身的贤明程度，能超过汉朝的窦武、陈蕃吗？"陈休、卜崇说："我们的年龄都已经超过五十岁，职位已经很高，只欠一死了。为忠义而死，就是死得其所，岂能曲颈低眉去奉承那些宦官呢！走吧卜公，请不要再说了！"

二月，汉主刘聪出宫来到上秋阁，下令逮捕陈休、卜崇以及特进綦毋达、太中大夫公师彧、尚书王琰、田歆、大司农朱诣，全部诛杀，这些人都是宦官厌恶的人。卜幹哭泣着向刘聪进谏说："陛下正在诚心诚意地招揽贤才，却在一日之中杀戮七位卿大夫，他们都是国家的忠良，这样做恐怕不可以吧！即使陈休等人有罪，陛下却不把他们交给司法部门审理，向天下公开宣布他们的罪状，天下人又怎么知道他们为什么被杀呢？收捕诛杀陈休、卜崇等七人的诏令还在我那里放着，没敢对外宣布，希望陛下深思熟虑一下。"他磕头请求，以至于额头流血。王沈呵斥卜幹说："卜侍中想要抗诏不遵吗？"刘聪一甩袖子进入后宫，下令罢了卜幹的官，将他贬为平民。

担任太宰的河间王刘易、大将军勃海王刘敷、御史大夫陈元达、金紫光禄大夫西河王刘延等人都到宫门上表劝谏汉主刘聪说："王沈等人假传皇帝圣旨，欺天瞒日，在皇宫之内讨好陛下，在皇宫之外阿谀奉承相国，他们手中所掌握的威权，和皇帝您相当，他们树立大量奸党，毒害遍及全国。他们知道陈休等人都是忠臣，甘愿为国尽节尽忠，因为惧怕陈休等人揭发他们的奸谋罪状，所以巧妙地设下陷阱诬陷他们。

刑[401]，痛彻天地，贤愚伤惧。今遗晋未殄[402]，巴蜀不宾[403]，石勒谋据赵魏[404]，曹嶷欲王全齐[405]，陛下心腹四支，何处无患！乃复以沈等助乱，诛巫咸[406]，戮扁鹊[407]，臣恐遂成膏肓之疾[408]，后虽救之，不可及已。请免沈等官，付有司治罪。”聪以表示沈等，笑曰：“群儿为元达所引[409]，遂成痴也。”沈等顿首泣曰：“臣等小人，过蒙陛下识拔，得洒扫闺阁[410]，而王公、朝士疾臣等如仇，又深恨陛下。愿以臣等膏鼎镬[411]，则朝廷自然雍穆[412]矣。”聪曰：“此等狂言常然[413]，卿何足恨乎！”聪问沈等于相国粲，粲盛称沈等忠清。聪悦，封沈等为列侯。

太宰易又诣阙上疏极谏。聪大怒，手坏其疏[414]。三月，易忿恚而卒。易素忠直，陈元达倚之为援，得尽谏诤。及卒，元达哭之恸，曰：“‘人之云亡，邦国殄悴。’[415]吾既不复能言，安用默默苟生乎！”归而自杀。

初，代王猗卢爱其少子比延，欲以为嗣，使长子六脩出居新平城[416]，而黜其母。六脩有骏马，日行五百里，猗卢夺之以与比延。六脩来朝，猗卢使拜比延，六脩不从。猗卢乃坐比延于其步辇[417]，使人导从[418]出游。六脩望见，以为猗卢，伏谒路左[419]。至，乃比延，六脩惭怒而去。猗卢召之不至，大怒，帅众讨之，为六脩所败。猗卢微服逃民间，有贱妇人识之，遂为六脩所弑。拓跋普根[420]先守外境，闻难来赴[421]，攻六脩，灭之。

普根代立，国中大乱，新旧[422]猜嫌，迭相诛灭。左将军卫雄、信义将军箕澹久佐猗卢，为众所附，谋归刘琨，乃言于众曰：“闻旧人忌新人悍战[423]，欲尽杀之，将奈何？”晋人及乌桓皆惊惧，曰：“死生随二

陛下一时疏忽，就突然要对这些人动用极刑，天地都为此而感到悲痛，不论是贤能的人还是愚钝的人都感到伤心和恐惧。如今苟延残喘的晋王朝还没有完全被消灭，盘踞巴、蜀的李雄还没有臣服，石勒正阴谋割据赵、魏，曹嶷正想全部占有齐地称王，陛下的心腹四肢，何处没有灾祸呢！却又使王沈等人得以帮助作乱，诛杀屠戮巫咸、扁鹊一样的忠臣，我担心朝廷即将病入膏肓，今后就算竭力挽救，恐怕也来不及了。恳请陛下免去王沈等人的官职，把他们交付司法部门治罪。”刘聪把奏章让王沈等人观看，并笑着对他们说：“这些孩子被陈元达牵着鼻子走，竟然都成了白痴。”王沈等人磕头哭泣着说：“臣等都是地位卑微的小人物，过分蒙受陛下的赏识提拔，有幸替陛下打扫房间，而那些王公大臣痛恨我等就像仇敌一样，他们还非常怨恨陛下。希望陛下用鼎镬把我们烹死，朝廷自然就和睦太平了。”刘聪说：“此等狂言我经常听到，你们何必放在心上呢！”刘聪向相国刘粲询问对王沈等人的看法，刘粲极力称赞王沈等人忠贞清廉。刘聪很高兴，就把王沈等人都封为列侯。

太宰河间王刘易又到皇宫门口上疏，极力劝谏不要诛杀七位大臣。刘聪大怒，亲手把奏章撕得粉碎。三月，刘易因为愤怒恚恨过度而死。刘易为人一向忠厚正直，陈元达依靠他，把他作为后援，才得以在刘聪面前极尽谏诤之责。看到刘易去世，陈元达哭得十分悲痛，他说：“‘贤人已经不存在，国家就要灭亡了。’我既然不能再进谏，何必再默默地苟且活在这个世上呢！”回到家中就自杀了。

当初，代王拓跋猗卢喜爱自己的小儿子拓跋比延，就准备立他为继承人，于是让长子拓跋六脩去镇守新平城，随后又废黜了拓跋六脩的母亲。拓跋六脩有一匹宝马，一天能跑五百里，拓跋猗卢强行索要过来，转手就赐给了拓跋比延。拓跋六脩回朝拜见拓跋猗卢，拓跋猗卢让拓跋六脩去叩拜自己的弟弟拓跋比延，拓跋六脩拒绝从命。拓跋猗卢就让拓跋比延坐在自己乘坐的轿子里，让人前呼后拥地跟随着出游。拓跋六脩望见轿子，以为是自己的父亲拓跋猗卢出游，就在路的左边跪下叩拜。等到了跟前一看，里面坐的竟然是拓跋比延，拓跋六脩感到非常惭愧与愤怒，就返回了新平城。拓跋猗卢召见拓跋六脩，拓跋六脩不来，拓跋猗卢于是大怒，就率人讨伐拓跋六脩，却被拓跋六脩打败。拓跋猗卢仓促换上平民的衣服逃到民间躲藏，被一个贫贱的女人认了出来，于是拓跋猗卢被自己的儿子拓跋六脩弑杀。拓跋普根原本在边境驻防，听说拓跋猗卢被拓跋六脩弑杀的消息，就给晋愍帝小王朝送来讣告，并请示要讨伐六脩的弑父之恶，拓跋普根攻打拓跋六脩，将拓跋六脩消灭。

拓跋普根继承拓跋猗卢做了索头部落酋长和代王，国中秩序从此一片混乱，拓跋普根的人和原来拓跋猗卢的人互相猜疑，你杀我我杀你。左将军卫雄、信义将军箕澹一直辅佐拓跋猗卢，民心都归向他们，他们计划投奔并州刺史刘琨，就对众人说：“听说拓跋普根的部众嫉恨我们新索头部落的人强悍善战，想要把我们全部杀掉，你们看该怎么办呢？”新索头部落中的汉人和乌桓人都很惊惶恐惧，他们都说：“是死

将军。”乃与琨质子遵帅晋人及乌桓三万家、马牛羊十万头归于琨。琨大喜，亲诣平城[424]抚纳之，琨兵由是复振。

夏，四月，普根卒。其子始生，普根母惟氏立之。

张寔下令：所部吏民有能举其过者，赏以布帛羊米。贼曹佐[425]高昌隗瑾[426]曰："今明公为政，事无巨细，皆自决之。或兴师发令，府朝[427]不知，万一违失[428]，谤无所分[429]。群下畏威，受成[430]而已。如此，虽赏之千金，终不敢言也。谓宜少损聪明[431]，凡百政事，皆延访群下[432]，使各尽所怀，然后采而行之，则嘉言自至，何必赏也。”寔悦，从之，增瑾位三等。

寔遣将军王该帅步骑五千入援长安，且送诸郡贡计[433]。诏拜寔都督陕西[434]诸军事，以寔弟茂为秦州[435]刺史。

石勒使石虎攻刘演[436]于廪丘[437]，幽州刺史段匹磾使其弟文鸯救之。虎拔廪丘，演奔文鸯军，虎获演弟启以归。

宁州刺史王逊，严猛喜诛杀。五月，平夷[438]太守雷炤、平乐[439]太守董霸帅三千余家叛降于成[440]。

六月丁巳朔[441]，日有食之。

秋，七月，汉大司马曜围北地[442]太守麹昌，大都督麹允将步骑三万救之。曜绕城纵火，烟起蔽天，使反间绐允[443]曰："郡城已陷，往无及也。"众惧而溃。曜追败允于磻石谷[444]，允奔还灵武，曜遂取北地。

允性仁厚，无威断，喜以爵位悦人。新平[445]太守竺恢、始平[446]太守杨像、扶风[447]太守竺爽、安定[448]太守焦嵩，皆领征、镇[449]，杖节[450]，加侍中、常侍[451]，村坞主帅，小者犹假银青将军[452]之号。然恩不及下[453]，故诸将骄恣而士卒离怨，关中危乱。允告急于焦嵩[454]，嵩素侮允[455]，曰："须允困，当救之。"[456]

是活都跟着二位将军。”于是卫雄、箕澹就与刘琨留在索头部落中做人质的儿子刘遵一起率领三万家汉人、乌桓人，还有十万头马、牛、羊归顺了刘琨。刘琨喜出望外，亲自到平城安抚、接纳他们，刘琨的势力因此重新振作起来。

夏季，四月，拓跋普根去世。他的儿子刚出生，拓跋普根的母亲惟氏扶持这个还没有名字的小孙子继承了拓跋普根的权位。

凉州刺史张寔下令：凡是自己的部下，不论是官是民，有谁能说出他的过错，就赏给谁布、帛、羊、米。担任贼曹佐的高昌人隗瑾说：“如今您主持凉州的政务，事情无论大小，全都由自己亲自裁决。有时候兴师发令，州府的官员都不知道，万一处置失当，就完全由您一人负责，别人无法分担责任。下属官员畏惧您的威严，只是按照您的命令办事而已。这样的话，就算奖励千金，始终也不会有人敢出来说话。建议您稍微留下一些聪明不用，凡是各种政务，要多听听僚属们的意见，使他们能够畅所欲言，然后采纳好的建议去实行，那么好建议自然就来了，何必采用奖赏的办法呢？”张寔非常高兴，就采纳了他的建议，提拔隗瑾连升三级。

张寔派遣将军王该率领步兵、骑兵五千人去援助长安，同时送去各郡进贡给朝廷的东西和收支账簿。晋愍帝司马邺下诏，任命张寔都督陕县以西各种军事，任命张寔的弟弟张茂为秦州刺史。

石勒派石虎率军前往兖州治所廪丘攻打刘演，幽州刺史段匹磾派自己的弟弟文鸯去援救刘演。石虎攻克了廪丘，刘演逃奔到文鸯的军中，石虎俘虏刘演的弟弟刘启而后班师。

宁州刺史王逊，严厉凶猛，喜好杀人。五月，平夷郡太守雷炤、平乐郡太守董霸率领三千多家背叛晋朝，投降了成主李雄。

六月初一日丁巳，发生日食。

秋季，七月，汉大司马刘曜率军围困了北地郡太守麹昌，大都督麹允率领三万步兵、骑兵赶来救援麹昌。刘曜围绕着城垣放火，烟雾遮天蔽日，又派间谍送假情报欺骗麹允说：“郡城已经陷落，去也来不及了。”麹允的军队由于惧怕一下子就溃散了。刘曜随后追赶麹允，一直追到磻石谷，把麹允打败，麹允逃回灵武县，刘曜于是攻占了北地郡。

麹允天性仁慈宽厚，没有威严，处事不果断，喜欢以爵位取悦别人。新平郡太守竺恢、始平郡太守杨像、扶风郡太守竺爽、安定郡太守焦嵩，都加有四征或四镇的将军称号，麹允都授予他们旌节，并授予他们侍中、常侍这种帝王近臣的加官，就连村垒的主帅，即使是官职最小的也封以将军称号，授予银印、青色绶带。然而在自己身边的僚属却得不到任何好处，因而造成诸将骄横恣肆而士兵离心怨恨，关中危机四伏，十分混乱。麹允向安定郡太守焦嵩告急，焦嵩一向瞧不起麹允，他说：“等到麹允走投无路的时候，我自然会去救他。”

曜进至泾阳[457]，渭北诸城悉溃。曜获建威将军鲁充、散骑常侍梁纬、少府皇甫阳。曜素闻充贤，募生致之[458]。既见，赐之酒曰："吾得子，天下不足定也。"充曰："身为晋将，国家丧败，不敢求生。若蒙公恩，速死为幸。"曜曰："义士也。"赐之剑，令自杀。梁纬妻辛氏美色，曜召见，将妻之。辛氏大哭曰："妾夫已死，义不独生。且一妇人而事二夫，明公又安用之！"曜曰："贞女也。"亦听自杀，皆以礼葬之。

汉主聪立故张后侍婢樊氏为上皇后，三后[459]之外，佩皇后玺绶者复有七人。嬖宠用事，刑赏紊乱。大将军敷[460]数涕泣切谏，聪怒曰："汝欲乃公[461]速死邪？何以朝夕生来哭人？"敷忧愤，发病卒。

河东、平阳[462]大蝗，民流殍[463]者什五六[464]。石勒遣其将石越帅骑二万屯并州[465]，招纳流民，民归之者二十万户。聪遣使让勒，勒不受命，潜与曹嶷相结。

八月，汉大司马曜逼长安。

九月，汉主宴群臣于光极殿，引见太弟义。义容貌憔悴，鬓发苍然[466]，涕泣陈谢[467]。聪亦为之恸哭，乃纵酒极欢，待之如初。

焦嵩、竺恢、宋哲皆引兵救长安，散骑常侍华辑监[468]京兆[469]、冯翊[470]、弘农[471]、上洛[472]四郡兵，屯霸上[473]，皆畏汉兵强，不敢进。相国保遣胡崧将兵入援，击汉大司马曜于灵台[474]，破之。崧恐国威复振则麹、索[475]势盛，乃帅城西诸郡兵屯渭北不进，遂还槐里[476]。

曜攻陷长安外城，麹允、索綝退保小城以自固。内外断绝，城中饥甚，米斗直金二两，人相食，死者太半，亡逃不可制；唯凉州义众[477]千人，守死不移。太仓[478]有曲数十饼[479]，麹允屑之[480]为粥以供帝，既而亦尽。冬，十一月，帝泣谓允曰："今穷厄[481]如此，外无救援，当

汉大司马刘曜率军到达泾阳，晋国渭水以北各城全部瓦解崩溃。刘曜俘虏了建威将军鲁充、散骑常侍梁纬、少府皇甫阳。刘曜早就听说鲁充是个贤能之人，就悬赏要求把鲁充活着捉来。等到见了鲁充，就赏给鲁充酒喝，并对他说："我得到先生，何愁天下不能平定呢。"鲁充说："身为晋国的将领，国家败坏到如此程度，我不敢求生。如果蒙受你的恩惠，请赶快赐我一死，才是我的荣幸。"刘曜说："真是义士啊。"就赏给鲁充一把剑，让他自杀了。梁纬的妻子辛氏，容貌很美，刘曜召见她，想纳她为妻。辛氏大哭，说："我的丈夫已经死了，按照节义，我不能一个人独自活在这个世上。况且如果一个妇人却愿意侍奉两个丈夫，您要这种女人做什么呢！"刘曜说："真是一个烈女子。"也由她自杀了，刘曜以礼埋葬了他们。

汉主刘聪立已故张皇后的婢女樊氏为上皇后，除三位皇后之外，佩带皇后玺印、绶带的还有七个人。那些受刘聪宠幸的人掌握着朝政大权，刑罚、赏赐一片混乱，毫无章法。大将军刘敷多次哭泣着恳切劝谏，刘聪怒气冲冲地说："你是不是希望老子我早点死了？不然的话为什么从早到晚来我这里哭丧？"刘敷忧虑愤怒之下，一病身亡。

河东郡、平阳郡闹蝗灾，百姓四处流浪、饿死的，十个人当中就有五六个。石勒派遣他的将领石越率领两万骑兵屯驻在并州，专门招纳那些逃荒的流民，前来投奔他的有二十万户。刘聪派遣使者前来责备石勒，石勒拒绝接受刘聪的命令，暗地里与曹嶷互相勾结。

八月，汉大司马刘曜率军逼近长安。

九月，汉主刘聪在光极殿宴请文武群臣，召见太弟刘乂。刘乂容貌憔悴，鬓发苍白，痛哭流涕地向刘聪表达自己那种难以言表的凄凉之情。刘聪也被感动得失声痛哭，于是纵情饮酒，极尽欢乐，对待刘乂就像当初那样。

安定郡太守焦嵩、新平郡太守竺恢、宋哲都率领军队前来增援长安，散骑常侍华辑统领京兆郡、冯翊郡、弘农郡、上洛郡四郡的军队，驻扎在霸上，但他们都畏惧汉军的强大，不敢向汉军进攻。相国司马保派遣胡崧率领军队入朝救援，在灵台向汉大司马刘曜发起进攻，打败了刘曜。胡崧担心国威复振之后，麹允、索綝的势力就会更加强大，竟然率领长安城以西各郡的军队屯扎在渭水以北不再前进，随后又返回了槐里县。

刘曜率军攻陷了长安外城，麹允、索綝迫不得已只得退到内城坚守。城内与城外各路援军的联系全部断绝，城中粮食匮乏，人们饥饿到了极点，一斗米价值黄金二两，已经到了人吃人的地步，死亡的超过一半，逃亡的已经无法阻止，只有从凉州来的一千多名忠义之士还在坚守，面临着死亡的威胁毫不动摇。皇家的仓库里还有几十块酒糟，麹允把酒糟磨碎熬成粥供给晋愍帝司马邺食用，酒糟很快也吃完了。冬季，十一月，晋愍帝向麹允哭泣着说："如今穷困受罪到了这样的程度，外面又无

忍耻出降，以活士民。”因叹曰：“误我事者，麹、索二公也!”使侍中宗敞送降笺于曜。索綝潜留敞，使其子说曜曰：“今城中食犹足支一年，未易克也。若许綝以车骑[9]、仪同[482]、万户郡公者，请以城降。”曜斩而送之，曰：“帝王之师，以义行[483]也。孤将兵十五年，未尝以诡计败人，必穷兵极势[484]，然后取之。今索綝所言如此，天下之恶一也[485]，辄相为戮之[486]。若兵食审未尽[487]者，便可勉强固守；如其粮竭兵微，亦宜早寤天命[488]。”

甲午[489]，宗敞至曜营。乙未[490]，帝乘羊车，肉袒、衔璧、舆榇[491]出东门降。群臣号泣，攀车执帝手，帝亦悲不自胜。御史中丞冯翊吉朗叹曰：“吾智不能谋，勇不能死，何忍君臣相随，北面事贼虏乎!”乃自杀。曜焚榇受璧[492]，使宗敞奉帝还宫[493]。丁酉[494]，迁帝及公卿以下于其营。辛丑[495]，送至平阳。壬寅[496]，汉主聪临光极殿，帝稽首于前。麹允伏地恸哭，扶不能起。聪怒，囚之，允自杀。聪以帝为光禄大夫，封怀安侯。以大司马曜为假黄钺[497]、大都督、督陕西诸军事、太宰，封秦王。大赦，改元麟嘉[498]。以麹允忠烈，赠车骑将军，谥节愍侯。以索綝不忠，斩于都市[499]。尚书梁允、侍中梁濬等及诸郡守皆为曜所杀，华辑奔南山[500]。

干宝[501]论曰：“昔高祖宣皇帝[502]以雄才硕量，应时而起，性深阻[503]有若城府，而能宽绰以容纳[504]；行数术以御物[505]，而知人善采拔[506]。于是百姓与能[507]，大象始构[508]。世宗[509]承基，太祖[510]继业，咸黜异图[511]，用融前烈[512]。至于世祖[513]，遂享皇极[514]，仁以厚下，俭以足用，

救援之兵，我应当忍受着耻辱出城向汉军投降，以救活城中的百姓。”又叹息着说：“耽误我大事的人，是麹允、索綝二位大臣啊！”司马邺派担任侍中的宗敞去向刘曜送交降书。索綝暗中扣留了宗敞，他派自己的儿子去对刘曜说：“如今城内的粮食还可以支持一年，很不容易攻克。如果答应给予车骑将军、仪同三司、万户郡公的话，就愿意献出长安城向你们投降。”刘曜把索綝的儿子杀了，派人把他的人头送回长安，对长安的人说：“堂堂帝王军队，行事要讲究仁义。我率领军队征战十五年，从来不靠使用阴谋诡计打败敌人，每次必然使对方的兵势穷困到了极点，实在是无计可施的时候，然后才去夺取。如今索綝竟然说出向我索要封赏的话，天下人所厌恶的事情是一样的，我就替你们把他的儿子杀了。如果你们的军队确实还有粮食吃，就可以勉强坚守；如果你们已经到了粮食枯竭、兵力衰微的地步，也应该早点明白上天的意思。”

十一月初十日甲午，宗敞来到刘曜的军营递交降书。十一日乙未，晋愍帝乘坐着一辆用羊拉的车子，袒露着臂膀、口中衔着玉璧、用车拉着棺材从长安城东门出来向刘曜投降。群臣悲号哭泣，攀着晋愍帝的车子、拉着晋愍帝的手不舍得松开，晋愍帝也不胜悲伤。担任御史中丞的冯翊人吉朗叹息着说：“我的智慧不足以为皇帝出谋划策保有国家，我的勇力不能用在战场上为杀敌而死，怎么再忍心跟随着皇帝，面朝北去侍奉贼虏呢！”就自杀了。刘曜烧毁了晋愍帝的棺材，接受了他的玉璧，他派宗敞护送晋愍帝暂时回到长安的皇宫。十三日丁酉，刘曜把晋愍帝以及公卿以下的晋臣全部迁往他的大营。十七日辛丑，将晋愍帝等人押送到汉的都城平阳。十八日壬寅，汉主刘聪驾临光极殿，晋帝司马邺在刘聪面前磕头。麹允趴在地上痛哭，扶都扶不起来，刘聪大怒，就把麹允囚禁起来，麹允在狱中自杀。刘聪任命司马邺为光禄大夫，封为怀安侯。任命大司马刘曜假黄钺、大都督、统领陕县以西各种军事、太宰，封刘曜为秦王。实行大赦，改年号为“麟嘉”。刘聪认为麹允对晋朝忠诚性情刚烈，就追赠他为车骑将军，谥号“节愍侯”。认为索綝不忠，就在平阳街市上将索綝斩首示众。尚书梁允、侍中梁濬等以及各郡守全部被刘曜杀害，散骑常侍华辑逃入终南山。

干宝评论说：“过去高祖宣皇帝司马懿凭借着自己的雄才大略，顺应形势而崛起，他性情深沉而又曲折就像城府一样，能做出一种气度恢宏而能容纳人才的样子，虽然以玩弄权术来驾驭人才，然而也能识别人才、善于选拔任用人才。于是各个官僚贵族都肯定他的才能，一个国家政权的规模，就这样初步形成了。世宗司马师在此基础上继续开创，太祖司马昭继承了父、兄的事业，铲除持不同政见的人，因而发扬光大了前人的事业。到了世祖司马炎，便顺利地登上了皇帝的宝座，他对下仁爱宽厚，力行节俭而使国家财用富足，

和而不弛[515]，宽而能断；掩[516]唐、虞之旧域，班正朔于八荒[517]，于时有‘天下无穷人’之谚。虽太平未洽[518]，亦足以明[519]民乐其生[520]矣。

“武皇既崩，山陵未干，而变难继起。宗子[521]无维城之助[522]，师尹[523]无具瞻之贵[524]，朝为伊、周[525]，夕成桀、跖[526]；国政迭移[527]于乱人，禁兵外散于四方[528]。方岳[529]无钧石之镇[530]，关门[531]无结草之固[532]。戎、羯称制[533]，二帝失尊[534]，何哉？树立失权[535]，托付非才[536]，四维不张[537]，而苟且之政[538]多也。

“夫基广[539]则难倾，根深则难拔，理节[540]则不乱，胶结[541]则不迁。昔之有天下者所以能长久，用此道也。周自后稷[542]爱民，十六王[543]而武始君之[544]，其积基[545]树本[546]如此其固。今晋之兴也，其创基立本，固异于先代[547]矣。加以朝寡纯德之人[548]，乡乏不贰[549]之老，风俗淫僻[550]，耻尚失所[551]。学者以庄、老为宗而黜六经，谈者以虚荡为辩[552][10]而贱名检[553]，行身[554]者以放浊为通[555]而狭节信[556]，进仕者以苟得为贵[557]而鄙居正[558]，当官者以望空为高[559]而笑勤恪[560]。是以刘颂屡言治道[561]，傅咸每纠邪正[562]，皆谓之俗吏。其倚杖虚旷[563]，依阿无心[564]者，皆名重海内。若夫文王日昃不暇食[565]，仲山甫[566]夙夜匪懈[567]者，盖共嗤黜以为灰尘[568]矣。由是[569]毁誉乱于善恶之实[570]，情慝[571]奔于货欲之涂[572]。选者[573]为人择官[574]，官者为身

对文武百官宽和而不放任，宽容而有决断，国家疆域广大，超过了唐尧、虞舜时期的版图，对全国乃至四周的蛮荒地区颁布了新章程、新制度，当时就流传着‘天下无穷人’的谚语。虽然没有进入真正的太平盛世，也足以表明人民对自己的生活感到满意了。

“武皇帝司马炎逝世后，陵墓上的泥土还没有干透，变故灾难就相继而起。皇室子弟不能成为皇帝的捍卫者，朝廷的高级官员不具备给全国做榜样的素质，早晨还是伊尹、周公那样的佐命元勋，晚上就成了夏桀和盗跖那样的暴君和盗贼，国家政权一次次地被转移到作乱人的手里，保卫皇宫的禁卫军被各个诸侯王控制。独当一面的地方官员起不到一点稳定局面的作用，关卡、城门连结草绊倒敌人马匹的作用也起不到。戎人刘聪、羯人石勒相继称王，怀帝司马炽、愍帝司马邺相继被俘，完全失去了皇家的尊严，这是什么原因呢？是因为在确立接班人的问题上没有很好地权衡利弊，错误地立了晋惠帝司马衷，所委托的顾命大臣不是好材料，礼、义、廉、耻四种做人的准则没有得到提倡，而敷衍了事、得过且过的处理、决断太多。

“基础深广的建筑就不容易倒塌，根扎得很深的大树就不容易被拔起，办事有条理有节制就不容易紊乱，人心牢固就不容易发生变乱。过去享有天下的人之所以能使国家长治久安，就是因为他们深深懂得这个道理。周朝从他们的祖先后稷爱民开始，中间经过了十六代人的努力，一直到周武王才统一天下开始称王，他们奠定的基础、建立的根本，是如此坚固。如今晋朝的兴起，在创立基础、树立根本方面，本来就和商、周取得政权的方式不同，是靠篡位而得来的。再加上朝廷掌权的是贾充、荀勖、何曾等这样一群寡廉鲜耻之徒，地方缺少一心为国、不存二念的臣子，风俗崇尚淫靡、怪僻，讨厌什么追求什么，都没有一个正确的标准。学者以庄子、老子为正宗而贬斥儒家学派的六经，谈论的人把那些说空话、说废话的人看作是雄辩而看不起坚守操守的人。在立身处世方面，把任意胡来看作是豁达，而把坚持节操信用看作是狭隘；在仕途上，把不择手段地取得高官厚禄的人看作是有本事，而把那些遵循正道、靠才能、凭业绩得到提升的官员视作鄙陋；在为官方面，把不辨是非、胡乱应付的不负责任行为看作是高尚，而对勤谨工作、恪尽职守的行为进行嘲笑。因为刘颂屡屡谈论治国之道，傅咸每每纠正邪臣、弊政，所以都被看作是庸俗的官吏。那些拄着手杖只是空谈、对国家对社会不负责任、依附阿谀权贵、自己没有主见的人，却都名重四海。像周文王那样日已偏西还没有工夫吃饭，仲山甫那样每天都起得很早、睡得很晚顾不得休息地工作、一点也不松懈的人，大概都要遭受耻笑、被贬低得如同灰尘了。因此，是非善恶与表扬谴责完全错位，所有的感情、心思全部用在追求金钱与满足

择利[575]。世族贵戚之子弟，陵迈超越[576]，不拘资次[577]。悠悠风尘[578]，皆奔竞之士[579]；列官千百，无让贤之举。子真著《崇让》[580]而莫之省[581]，子雅制九班[582]而不得用。其妇女不知女工，[583]任情而动[584]，有逆于舅姑[585]，有杀戮妾媵[586]，父兄弗之罪也，天下莫之非也。礼法刑政，于此大坏，'国之将亡，本必先颠'[587]，其此之谓乎？

"故观阮籍之行[588]，而觉礼教崩弛之所由；察庾纯、贾充之争[589]，而见师尹之多僻[590]；考平吴之功，而知将帅之不让[591]；思郭钦之谋[592]，而寤戎狄之有衅[593]；览傅玄、刘毅之言[594]，而得百官之邪；核傅咸之奏[595]、《钱神》之论[596]，而睹宠赂之彰[597]。民风国势，既已如此，虽以中庸之才[598]、守文之主[599]治之，犹惧致乱[600]，况我惠帝以放荡之德[601]临之哉！怀帝承乱即位，羁以强臣[602]；愍帝奔播[603]之后，徒守虚名。天下之势既去，非命世之雄材，[604]不能复取之矣！[605]"

石勒围乐平[606]太守韩据于坫城[607]，据请救于刘琨。琨新得拓跋猗卢之众，欲因其锐气以讨勒。箕澹、卫雄谏曰："此虽晋民，久沦异域，未习明公之恩信，恐其难用。不若且内收鲜卑之余谷[608]，外抄胡贼[609]之牛羊，闭关守险，务农息兵，待其服化感义，然后用之，则功无不济矣。"琨不从，悉发其众，命澹帅步骑二万为前驱，琨屯广牧[610]为之声援。

石勒闻澹至，将逆击之。或曰："澹士马精强，其锋不可当，不若且引兵避之，深沟高垒以挫其锐，必获万全。"勒曰："澹兵虽众，远

欲望上。执掌选择官吏的人按照某些人的意愿和指令选官，当官的人全在为个人谋取私利。豪门贵戚的子弟就破格提升，不受资历、次序的限制。整个官场，都是一些追逐名利的家伙；官员成百上千，却没有一个肯于让贤的人。刘寔根据当时的社会情况著作《崇让论》，却没有一个人理睬，刘颂为抑制奔竞之风曾提出任用官吏的九班之制却得不到君主的采纳。有些妇女不懂得纺纱、织布、做针线活，纵情任性，想干什么就干什么，有的顶撞、冒犯公婆，有的杀戮丈夫的姬妾和随嫁的侍女，而她们的父兄却不责备她们，天下也没有人认为她们的行为不对。礼教、刑法、政治制度已经完全破坏，'国家将要灭亡的时候，道德礼法必然先遭到破坏'，大概说的就是这种情况吧！

"所以观察阮籍的行为，就能知道礼法松弛崩溃的原因；观察庾纯、贾充的争论，就能知道朝廷名公巨卿的行为是多么邪恶；考察平定吴国之后将士争功，就能知道将帅之间的互不相让；回想郭钦将杂居于今山西境内的匈奴人迁出境外的建议，就能明白后来发生的这些少数民族搅乱中原之事，是中原统治者给他们提供了可乘之机；浏览傅玄、刘毅对西晋官场黑暗的揭露，就可以清楚文武百官贪赃枉法的实情；根据傅咸揭露西晋官场货赂公行的奏章、鲁褒为讽西晋之恶劣世俗而写作的《钱神论》，就可以看出当时滥赏和贿赂问题是多么严重和明目张胆。民间风俗、国家形势已经如此，即使让一个具有中等才智、能遵守成法、维持国家秩序的帝王来治理这个国家，还怕会引起变乱，何况是晋惠帝司马衷这样一个办什么事情都没有一定原则的皇帝呢！怀帝司马炽在大乱之中继承皇位，处处受到强权大臣的控制，根本无法施展他的才能；愍帝司马邺东奔西走，只是徒有一个皇帝的虚名而已。天下大势已去，如果不是超越一世的雄才，无论如何是没法再挽救局面，取回政权了！"

石勒把乐平郡太守韩据围困在坫城，韩据向刘琨求救。刘琨新得到拓跋猗卢的部众，就想借助他们的锐气讨伐石勒。箕澹、卫雄都劝阻他说："这些人虽然都是晋国人，但长久地沦落在塞外异乡，对您的恩德、信义还不熟悉，恐怕很难使用他们。不如暂且把平城鲜卑剩余的粮食收集过来，在辖区之外掠夺刘聪、石勒的一些牛羊，关闭关卡、据守险要，鼓励农耕、停止战争，等到他们服从了教化、感受到仁义的熏陶，然后再派他们出兵打仗，那时一定会成功。"刘琨不听他们的劝告，把所有的兵力都拉上战场，他命令箕澹率领二万步兵骑兵为前锋，自己率军屯扎在广牧县，为箕澹做声援。

石勒听到箕澹率军将至的消息，就要率军前去迎击。有人说："箕澹的军队兵强马壮，其锋锐不可当，不如暂且率领军队躲避一下，深挖沟高打垒，先挫败他的锐气，然后再与他交锋，必定能大获全胜。"石勒说："箕澹的军队虽然人数众多，然

来疲弊，号令不齐，何精强之有！今寇敌垂至[611]，何可舍去。大军一动，岂易中还[612]。若瀶乘我之退而逼之，顾逃溃不暇，焉得深沟高垒乎！此自亡之道也。”立斩言者。以孔苌为前锋都督，令三军：“后出者斩!”勒据险要，设疑兵于山上，前设二伏，出轻骑与瀶战，阳[613]为不胜而走。瀶纵兵追之，入伏中。勒前后夹击瀶军，大破之，获铠马万计。瀶、雄帅骑千余奔代郡[614]，韩据弃城走，并土震骇。

十二月乙卯朔[615]，日有食之。

司空长史[616]李弘以并州[617]降石勒。刘琨进退失据，不知所为。段匹磾遣信邀之，已未[618]，琨帅众从飞狐[619]奔蓟[620]。匹磾见琨，甚相亲重，与之结婚[621]，约为兄弟。勒分徙[622]阳曲、乐平民于襄国[623]，置守宰[624]而还。

孔苌攻箕瀶于代郡，杀之。

苌等攻贼帅马严、冯䐗[625]，久而不克。司、冀、并、兖流民数万户在辽西，迭[626]相招引，民不安业。勒问计于濮阳侯张宾，宾曰：“严、䐗本非公之深仇，流民皆有恋本[627]之志，今班师振旅[628]，选良牧守[629]使招怀之，则幽、冀之寇可不日而清，辽西流民将相帅而至[630]矣。”勒乃召苌等归，以武遂令[631]李回为易北[632]督护，兼高阳[633]太守。马严士卒素服回威德，多叛严归之。严惧而出走，赴水死。冯䐗帅其众降。回徙居易京[634]，流民归之者相继于道。勒喜，封回为弋阳子[635]，增张宾邑千户，进位前将军，宾固辞不受。

丞相睿闻长安不守，出师露次[636]，躬擐甲胄[637]，移檄四方，刻日北征。以漕运稽期[638]，丙寅[639][11]，斩督运令史淳于伯[640]。刑者以刀拭柱，血逆流上，至柱末二丈余而下，观者咸以为冤。丞相司直刘隗上言：“伯罪不至死，请免从事中郎周莛等官。”于是右将军王导等上疏引咎，请解职。睿曰：“政刑失中[641]，皆吾暗塞[642]所致。”一无所问。

而远道而来，军士已经疲惫不堪，号令又不统一，有什么精锐强悍可言呢！如今敌人即将到来，我们怎么可以不战而退。大军一旦行动，中途返回谈何容易。如果箕澹趁我退却而进攻我们，我们恐怕连溃散逃命都来不及，又怎么能够深沟高垒呢！这是自取灭亡的办法。”他立即把提此建议的人杀了。石勒任命孔苌为前锋都督，号令三军：“最后出战的立即斩首！”石勒占据险要地形，在山上布置了疑兵，在前沿阵地部署了两处伏兵，出动轻骑兵与箕澹交战，又假装失败逃走。箕澹纵兵追赶，中了石勒的埋伏。石勒的军队前后夹击，把箕澹打得大败，缴获铠甲马匹数以万计。箕澹、卫雄率领一千多名骑兵投奔代郡，韩据弃城逃走，此次战役使并州全境都感到震动和惊骇。

十二月初一日乙卯，发生日食。

司空刘琨的长史李弘把并州献给了石勒。刘琨进退都没有了依靠，不知如何是好。段匹磾派人送信邀请他，十二月初五日己未，刘琨率领部众从飞狐谷投奔段匹磾所在的蓟城。段匹磾见到刘琨，对他非常热情尊重，与他结为儿女亲家，结拜为异姓兄弟。石勒把阳曲、乐平的百姓强制搬迁到自己的大本营襄国，又为阳曲、乐平二郡设置了郡守和县令然后班师而回。

石勒的部将孔苌率军前往代郡攻打箕澹，杀死了箕澹。

孔苌等人率军攻打变民首领马严、冯睹，攻了很久不能取胜。当时司州、冀州、并州、兖州的流民有数万户滞留在辽西，他们互相呼朋唤友前往辽西，百姓不能安居乐业。石勒向濮阳侯张宾请教，张宾说：“马严、冯睹本来和您没有深仇大恨，流民都有留恋本乡本土的思想，如果整顿部队班师之后，就选择好的州刺史、郡守，让他们招徕流民、安抚百姓，那么盘踞在幽州、冀州的贼寇用不了多久就可以肃清，逃到辽西的流民就会互相招呼着前来归附。”石勒遂命孔苌等人回师，任命武遂县令李回为易北督护，兼任高阳郡太守。马严的士兵一向佩服李回的威望和美德，于是很多人都背叛马严而归降了李回。马严心怀恐惧落荒而逃，落入水中淹死。冯睹率领部众向李回投降。李回把郡治迁移到易京，投奔他的流民络绎不绝。石勒非常高兴，立即封李回为弋阳子，为张宾的封邑增加一千户，并擢升张宾为前将军，张宾坚决辞让不肯接受封赏。

丞相司马睿听说长安已经失守，立即调动军队准备北伐，他住宿在荒郊野外，身上穿戴着盔甲，传令四方各州郡，约好日期出师北伐。因为运输物资的船只耽误了日期，十二月十二日丙寅，司马睿命令杀死主管督运粮草的督运令史淳于伯。刽子手把刀在柱子上擦拭，刀上的鲜血突然顺着柱子逆流而上，冲出柱子两丈有余而后才流向地面，围观的人都认为淳于伯死得冤枉。为丞相司马睿担任司直的刘隗上书说：“淳于伯罪不当死，请免去从事中郎周莚等人的官职。”于是右将军王导等人上书引咎辞职。司马睿说：“政令刑罚宽严失当，都是因为我自己昏庸、不明事理造成的。”一概不予追究。

隗性刚讦[643]，当时名士多被弹劾，睿率皆容贷[644]，由是众怨皆归之[645]。南中郎将王含，敦之兄也，以族强位显，骄傲自恣，一请[646]参佐及守长至二十许人，多非其才。隗劾奏含，文致甚苦[647]，事虽被寝[648]，而王氏深忌疾[649]之。

丞相睿以邵续为冀州刺史。续女婿广平刘遐聚众河、济之间[650]，睿以遐为平原内史[651]。

托跋普根之子又卒，国人立其从父郁律[652]。

---

【段旨】

以上为第三段，写晋愍帝司马邺建兴四年（公元三一六年）一年间的大事。主要写了汉主刘聪荒淫酒色，杀戮大臣，小人设谋挑动丞相刘粲与太弟刘乂的矛盾，刘聪诸子刘易、刘敷、刘延与陈元达等苦劝无效；写了拓跋猗卢宠爱少子，虐待长子六脩，被六脩杀死，六脩又被其弟普根杀死；普根又死，国人遂立猗卢之子郁律为君；写了汉将刘曜打败晋将麹允，又进攻长安，攻陷外城，晋愍帝司马邺向刘曜投降，以及《资治通鉴》作者引入晋臣干宝所写的对西晋政治的大段评论；写了刘琨被石勒的部将打败，进退失据，只好逃到蓟城依附段匹磾等。

【注释】

㊳吴王晏：司马晏，愍帝司马邺的生父。㊴魏明帝诏：魏明帝曹叡曾下诏，凡亲王子弟，入宫继位为帝者，不能追尊其生父生母为皇帝皇后，见本书卷第七十一太和三年（公元二二九年）。㊵宣怀：姓宣，名怀。㊶杀生：指判定大臣的生死。㊷除拜：授任官爵。㊸勋旧：为刘渊王朝的创建立过功勋的旧臣。㊹不叙：得不到提升。㊺二千石：朝廷九卿或地方刺史、郡守一级的高官。二千石包括中二千石、二千石、比二千石三等。㊻沈等车服句：车服，车马、服饰。古代官僚贵族的车马、服饰以及房屋的建造等，都有规定的格局，不能超越自己的名分。㊼中表："中"指本族门之内的人员，"表"指姑舅等亲戚家的人员。㊽阖宗：整个家族。㊾谄事之：向王沈等人献媚讨好。㊿光文帝之世孙：刘渊的嫡孙。刘渊被谥为光文帝。世孙，嫡孙。[351]属心：归心。属，归。[352]大将军：此指刘敷，刘粲的弟弟。[353]三月上巳：古时以阴历三月上旬的"巳"日为"上巳

刘隗性情刚直，好攻击别人的短处，当时有名的人士大多遭受他的弹劾，司马睿一般都加以宽容、饶恕，因此众人的怨恨都集中到了刘隗身上。担任南中郎将的王含，是王敦的哥哥，因为他的家族势力强大、爵位显赫，就骄横傲慢得不得了，他任意胡为，想干什么就干什么，一次就请求任用参谋辅佐人员以及郡守官吏二十多人，其中大多数人都不称职。刘隗于是弹劾王含，他在弹劾王含的奏章中对王含的罪状无限上纲，事情虽然被司马睿压下没有查办王含，然而王氏对刘隗已经是恨之入骨了。

丞相司马睿任命邵续为冀州刺史。邵续的女婿广平人刘遐在黄河、济水一带聚集部众，司马睿任命刘遐为平原内史。

拓跋普根的儿子又死了，国人拥立他的叔叔拓跋郁律继位。

---

节”，通常规定为三月三日。㉞主上：指刘聪。㉟卫军：卫大将军刘劢，也是刘粲的弟弟。㊱二王：指刘敷、刘劢二位亲王。㊲主上岂有全理：刘聪还能保全生命吗？㊳殿下：敬称刘粲。㊴固不待言：就更不用说啦，意即都将被杀。㊵当在武陵兄弟：上述三个要职，都将被刘义的各个儿子分任。武陵，当是刘义的长子此时被封为武陵王。㊶笃于友爱：看重与刘义的兄弟亲情。㊷刀锯之余：郭猗是宦官，受过阉割，故以“刀锯之余”自称。㊸假之恩意：对之以恩惠相许。假，加、给予。㊹许其归首：允许他们弃暗投明。归首，自首、归附。㊺卿同之乎：你准备与刘敷、刘劢同流合污吗？同，合流。㊻亲旧：亲人和故旧。㊼并见族：一起跟着被灭族。㊽歔欷：抽泣的样子。㊾责卿不先启：问你为何不及早报告。㊿敦睦：厚道；待人友好。[371]苟言不见信：如果我的报告一旦不被信任。[372]诬谮：诬蔑；诋毁。[373]至不同时：不是同一个时间进见。[374]殿下宜自居东宫：时皇太弟刘义居东宫。[375]早有所系：及早有所归附。[376]期以季春：约定好在春末动手。[377]缓东宫之禁：放松出入东宫的门禁。[378]露表其罪：公开表奏太弟的罪行。[379]收：拘捕。[380]交通：来往。[381]狱辞既具：口供一旦齐备。[382]去东宫：离开东宫。刘聪派卜抽率兵监守东宫是从去年开始。[383]少府：朝官名，九卿之一，负责为皇帝私家理财。[384]公座：大庭广众；公开场合。[385]回天地：旋转乾坤，以喻能改变帝王的观点、态度。[386]亲贤孰与窦武、陈蕃：你们和皇帝的亲密程度以及你们自身贤明的程度，能超过汉朝的窦武、陈蕃吗？窦武，字游平，汉桓帝的岳父，灵帝时为太尉。陈蕃，字仲举，灵帝时为太傅。二人谋诛宦官，事泄被杀。事详见《后汉书》本传与本书卷第五十六建宁元年（公元一六八年）。[387]俯首佤眉：柔顺讨好的样子。佤，通“低”。[388]上秋阁：大殿的西阁。[389]特进綦毋达：姓綦毋，名达。特进是朝廷赏给功臣元老的一种荣誉称号，地位崇高而无实权。[390]太中大夫公师彧：姓公师，名彧。太中大夫是帝王的侍从官员，

备参谋顾问之用。㊸侧席求贤：自己不坐正位，以表示对贤者的恭敬。㊹不下之有司：不让主管部门审问他们的罪行。㊺暴明其状：公布他们的罪状。㊻诏尚在臣所：收杀陈休、卜崇七人的诏令还在我那里放着。卜幹当时为侍中，诏书须由门下省颁布，所以卜幹可以扣下诏书提出劝谏。㊼拂衣而入：一甩袖子回到内室。拂衣，生气、不屑的样子。㊽西河王延：刘延，与河间王刘易、勃海王刘敷都是刘聪的儿子。㊾欺诬日月：欺天瞒日，指蒙蔽刘聪。㊿内谄陛下：对内向陛下您讨好。谄，以言语向人献媚。外佞相国：对外花言巧语以哄骗相国刘粲。侔于人主：和皇帝您相同。侔，相比、相当。遽加极刑：突然之间对陈休、卜崇等处以极刑。遗晋未殄：苟延残喘的晋王朝尚未消灭。殄，灭。巴蜀不宾：巴蜀的李雄还没来臣服。赵魏：指今河北、河南一带地区。全齐：整个的今山东地区。巫咸：商王大戊的忠臣，又是善用龟筮占卜的巫师。扁鹊：春秋末战国初的名医，这里用以比忠良之臣。膏肓之疾：指不可救药的病症。引：钩引；诖误。洒扫闺阁：打扫房子卫生，故意极言其身份地位之贱。膏鼎镬：给鼎镬涂点油，即被鼎镬煮死。鼎镬，古代煮水的大锅。雍穆：和睦太平。常然：经常如此。手坏其疏：亲手把奏疏撕得粉碎。人之云亡二句：语出《诗经·瞻卬》，意谓贤人一旦不存，国家就要灭亡了。新平城：也叫南平城，在今山西应县西南。坐比延于其步辇：让比延坐在猗卢所坐的轿子上。步辇，软轿，类似今之所谓"滑竿"。导从：前有导者，后有从者，犹今所谓"簇拥"。伏谒路左：在路边跪倒拜见。拓跋普根：拓跋猗卢之子，六脩之弟。来赴：给晋愍帝小王朝送来讣告，并请示要讨伐六脩的弑父之恶。新旧：拓跋普根的部众是原纯索头部落，故称为"旧人"；而拓跋猗卢的部众是由索头部落、汉人及乌桓人共同组成，故称"新人"。悍战：强悍善战。平城：在今山西大同东北，为拓跋猗卢的南都。贼曹佐：官名，贼曹的副手，主管缉捕盗贼。高昌隗瑾：高昌人姓隗名瑾。高昌古城在今新疆吐鲁番东南。府朝：公侯郡守办公及会见僚属的场所，此指州府官员。违失：指处置失当。谤无所分：没有人替您分担责任，完全由您一个人负责。受成：按既定的命令办事。少损聪明：留着点聪明不用，意即先让别人说说、讲讲。延访群下：多听听僚属们的意见。延访，请来问问。送诸郡贡计：把所属各郡给朝廷进贡的东西和各郡收支的账簿都送到司马邺小朝廷。陕西：陕县以西。取周公与召公的分陕而治之意。秦州：州治冀县，在今甘肃甘谷东。刘演：刘琨之侄，被刘琨任命为兖州刺史。廪丘：晋县名，县治在今山东郓城西北，晋时为兖州的州治所在地。平夷：晋郡名，郡治即今贵州毕节。平乐：晋郡名，辖地约在今云南西北部与四川西南交界一带。叛降于成：叛变晋朝，投降了成都的李雄政权。六月丁巳朔：六月初一是丁巳日。北地：晋郡名，郡治即今陕西铜川市耀州区。使反间绐允：派间谍送假情报欺骗麹允。绐，欺骗。磻石谷：在今陕西铜川东北，当时的北地郡城东北。新平：晋郡名，郡治即今陕西彬州。始平：晋郡名，郡治在今陕西兴平东北。扶风：晋郡名，郡治在今陕西乾县东。⑱安定：晋郡名，郡治在今甘肃泾川西北。⑲皆领征、镇：都加有四征或四镇将军称号。⑳杖节：都授予他们旌节。旌节是帝王授予使臣的一种信物，以表示他有某种特殊权力。㉑加侍中、常侍：并授予他们侍中、常侍这种帝王近臣的加官。㉒假银青将军：封以将军称号，给以银印与青色绶带。㉓恩不及下：对自己身边的僚属却不给什么好处。㉔焦嵩：安定人，据众驻扎在长安附近。㉕素侮允：一向瞧不起麹允。㉖须允困二句：等你到走投无路的时候，我会救你。须，等。㉗泾阳：泾水之阳。泾水由西北流来，在长安城东北汇入渭水。㉘募生致之：悬赏要求把鲁充活着捉来。㉙三后：指刘聪已封的上皇后樊氏、左皇后刘氏、右皇后靳月华。㉚大将军敷：刘敷，太弟义的同胞弟，刘聪的同父异母弟。㉛乃公：你老子；你爸爸。㉜河东、平阳：晋时之二郡名，河东郡的郡治安邑，在今山西夏县西北，平阳郡的郡治在今山西临汾西南，当时为刘聪政权的首都所在地。㉝流殍：流浪、饿死。㉞什五六：十分之五六。㉟屯并州：并州当时为刘琨的大本营，石越无由得去。胡三省曰："时勒盖遣越屯上党，招纳并州统内也。"㊱苍然：灰白色。㊲陈谢：表达其一种难以言表的凄凉之情。㊳监：监督，控制。也是统领的意思。㊴京兆：晋郡名，郡治长安，在今陕西西安北部。㊵冯翊：晋郡名，郡治临晋，即今陕西大荔。㊶弘农：晋郡名，郡治即今河南灵宝。㊷上洛：晋郡名，郡治上洛，即今陕西商洛市商州区。㊸霸上：古地名，在今陕西西安东，因地处霸水西侧的高原上而得名。古代咸阳、长安附近的军事要地。㊹灵台：周代遗留的祭台，在当时长安城西四十里。㊺麹、索：麹允、索綝。㊻槐里：晋县名，县治在今陕西兴平东南。㊼凉州义众：凉州刺史张轨父子派遣的援军。㊽太仓：国家的粮仓。㊾有曲数十饼：有酒糟几十块。圆形的块状。㊿屑之：将曲饼碾成细面。(481)穷厄：穷困受罪。(482)仪同："仪同三司"的简称。仪同三司是给功臣元老的一种荣誉待遇，意即令其享受三司（司徒、司马、司空）的排场。(483)以义行：靠着仁义存活。(484)穷兵极势：兵穷势极，无计可施。(485)天下之恶一也：天下人所讨厌的事情都是一样的。(486)辄相为戮之：现在我替你们把他的儿子杀了。(487)审未尽：的确还有剩余。(488)早寤天命：早一点明白上天的意思。(489)甲午：十一月初十。(490)乙未：十一月十一。(491)肉袒、衔璧、舆榇：肉袒，袒露着臂膀。舆榇，用车拉着棺材。肉袒、衔璧、舆榇是古代帝王向人投降的通用仪式，表示认罪服罪。(492)焚榇受璧：这也是古代接受他国帝王投降的通用仪式。(493)奉帝还宫：将晋愍帝暂时送回宫里。(494)丁酉：十一月十三。(495)辛丑：十一月十七。(496)壬寅：十一月十八。(497)假黄钺：授予他黄铜大斧，意即使他有生杀大权。(498)改元麟嘉：在此之前刘聪的年号是建元。(499)都市：京都平阳的市场。(500)南山：终南山，属秦岭山脉，在长安城南。(501)干宝：字令升，东晋人，著有《晋纪》。(502)高祖宣皇帝：司马懿，司马炎篡魏称帝后，追谥之曰"宣皇帝"。(503)性深阻：性情深沉而又曲折，即俗所谓老奸巨猾。(504)而能宽绰以容纳：又能做出一种气度恢宏、能容纳人才的样子。(505)行数术以御物：玩弄权术以驾驭人才。数术，指手段。御，驾驭。(506)善采拔：善于选拔人才。⑤⓪⑦百姓与能：各个官僚贵族都肯定他的才能。百姓，百官。与，肯定、赞同。⑤⓪⑧大象始构：一个国家政权的规模，就这样初步形成了。⑤⓪⑨世宗：指司马师。⑤①⓪太祖：指司马昭。⑤①①咸黜异图：都挫败了持不同政见的人。指内诛李丰、夏侯玄，外平毌丘俭、文钦、诸葛诞等。⑤①②用融前烈：因而发扬光大了前辈的事业。烈，事业。⑤①③世祖：司马炎。⑤①④享皇极：登上了皇帝的宝座。皇极，犹言帝位。⑤①⑤和而不弛：对群臣百官宽和而不放任。⑤①⑥掩：覆盖；辖有。⑤①⑦班正朔于八荒：对全国乃至四周的蛮荒地区颁布了新章程、新制度。正朔，指历法，每当一个新的王朝建立，总是要改用一套新历法。八荒，国家四周的蛮荒地区。蛮荒皆用晋之历法，表示归服。⑤①⑧未洽：不彻底；不充分。⑤①⑨明：表明；证明。⑤②⓪民乐其生：百姓对自己的生活感到满意。⑤②①宗子：皇室子弟，指八王。⑤②②无维城之助：不能成为皇帝的捍卫者。《诗经·板》有所谓"怀德维宁，宗子维城。无俾城坏，无独斯畏"。⑤②③师尹：指朝廷的高级官员。⑤②④无具瞻之贵：不具备给全国做榜样的素质。《诗经·节南山》有所谓"赫赫师尹，民具尔瞻"。⑤②⑤伊、周：伊尹、周公。前者是商汤的佐命元勋，后者是周武王的佐命元勋。⑤②⑥桀、跖：夏桀和盗跖。前者是夏朝的亡国之君，后者是传说中的大盗，都被用为古代恶人的代表。⑤②⑦迭移：一次次地转移。⑤②⑧外散于四方：指被各个诸侯王控制。⑤②⑨方岳：独当一面的大员，如都督、刺史等。⑤③⓪无钧石之镇：指起不到一点稳定局面的作用。钧石，古代重量单位，三十斤为一钧，四钧为一石。⑤③①关门：关卡、城门。⑤③②无结草之固：连结草绊敌人之马的作用都比不上。"结草"是《左传》中的一个典故，说有个老人的鬼魂为感谢魏颗对他女儿的恩情，当魏颗被人追杀时，这个老人就用编结野草的办法绊追兵的马蹄。⑤③③戎、羯称制：指刘聪、石勒相继称王。⑤③④二帝失尊：指怀帝司马炽、愍帝司马邺先后被人俘虏。⑤③⑤树立失权：在确立接班人的问题上没有很好地权衡利弊，即错误地立了晋惠帝司马衷。⑤③⑥托付非才：委托的顾命大臣不是好材料，指杨骏等一群恶人。⑤③⑦四维不张：指礼、义、廉、耻四种准则不能得到提倡。⑤③⑧苟且之政：敷衍了事、得过且过的处理、决断。⑤③⑨基广：基础打得大。⑤④⓪理节：政务有条理、有节制。⑤④①胶结：指人心牢固。⑤④②后稷：周族始祖，名弃，善于种植各种谷类。舜时任后稷之官，主管农事。事见《诗经·生民》。⑤④③十六王：指周族自后稷起至周武王中经十六代。⑤④④武始君之：到周武王才统一天下而称王。⑤④⑤积基：奠定基础。⑤④⑥树本：建立根本。⑤④⑦固异于先代：本来就和商、周取得政权的方式不同，是靠着篡位得来的。⑤④⑧朝寡纯德之人：朝廷上掌权的是贾充、荀勖、何曾等一群寡廉鲜耻之徒。纯德，品德高尚专一。⑤④⑨不贰：一心为国，不存二念。⑤⑤⓪淫僻：淫靡、怪诞，指纵酒、颓放、清谈等。⑤⑤①耻尚失所：讨厌什么与喜欢什么都没有正确标准。尚，追求。⑤⑤②以虚荡为辨：把那些说空话、说废话的人看作是雄辩。⑤⑤③贱名检：看不起坚守节操的人。⑤⑤④行身：持身、行事。⑤⑤⑤以放浊为通：把任意胡来看作是豁达。通，畅达、不拘小节。⑤⑤⑥狭节信：认为坚持节操信用是狭隘。⑤⑤⑦以苟得为贵：谁能取得高官厚禄谁就被认为是有本事。苟得，不择手段地夺得。⑤⑤⑧鄙居正：把遵循正道的人看作是鄙陋之人。⑤⑤⑨以望空为高：把那些不辨是非、胡乱应付的官僚看作是高尚之人。望空，不辨是非，胡乱应付。⑤⑥⓪笑勤恪：那些忠于职守、辛勤办事的人反而受到嘲笑。⑤⑥①刘颂屡言治道：刘颂是晋武帝时代的直臣，其上书论时政见本书卷第八十二太康十年（公元二八九年）。⑤⑥②傅咸每纠邪正：傅咸也是晋武帝时的直臣，其纠弹时弊见本书卷第八十二永熙元年（公元二九〇年）。邪正，偏义复词，这里指邪，邪臣、弊政。⑤⑥③倚杖虚旷：拄着手杖只是空谈，对国家社会不负责任。⑤⑥④依阿无心：依附阿谀权贵，自己没有主见。⑤⑥⑤文王日昃不暇食：周文王每天总是忙到很晚了还顾不上吃饭。昃，日西斜。⑤⑥⑥仲山甫：周宣王时的大臣。⑤⑥⑦夙夜匪懈：起得很早、睡得很晚，不得休息。夙，清早。夜，天黑。⑤⑥⑧共嗤黜以为灰尘：都被耻笑、贬低得如同灰尘。⑤⑥⑨由是：因此；从此。⑤⑦⓪毁誉乱于善恶之实：是非善恶与表扬谴责完全错位。⑤⑦①情慝：感情、心思。⑤⑦②奔于货欲之涂：全部用在追求金钱与满足欲望上。⑤⑦③选者：执掌选官权力的人。⑤⑦④为人择官：按照某些人的意愿和指令选官。⑤⑦⑤为身择利：为个人谋取私利。⑤⑦⑥陵迈超越：指被破格提拔。⑤⑦⑦资次：资历、次序。⑤⑦⑧悠悠风尘：指整个官场。⑤⑦⑨皆奔竞之士：都是一群追逐名利的家伙。⑤⑧⓪子真著《崇让》：刘寔，字子真，为批判奔竞之风曾著有《崇让论》，以倡导礼让尊贤，见本书卷第八十二太康十年（公元二八九年）。⑤⑧①莫之省：整个社会没人理睬。省，看。⑤⑧②子雅制九班：刘颂，字子雅，为抑制奔竞之风曾提出任用官吏的九班之制，见本书卷第八十二太康十年（公元二八九年）。⑤⑧③其妇女不知女工：有些女人不会做针线活。女工，指纺纱、织布、刺绣等。⑤⑧④任情而动：想干什么就干什么。⑤⑧⑤逆于舅姑：顶撞公婆。逆于，顶撞、冒犯。舅姑，公婆。⑤⑧⑥妾媵：泛指婢女。媵，随嫁侍女。⑤⑧⑦国之将亡二句：语出《左传》闵公元年。本，根本，以喻道德礼法。颠，倒塌。⑤⑧⑧阮籍之行：阮籍，字嗣宗，魏末的竹林七贤之一，以酣饮放达闻名。事见本书卷第七十八景元三年（公元二六二年）。⑤⑧⑨庾纯、贾充之争：庾纯、贾充在司马炎跟前相互指责对方不顾礼法事，见本书卷第七十九泰始八年（公元二七二年）。⑤⑨⓪师尹之多僻：朝廷名公巨卿之行为多邪恶。僻，邪恶。⑤⑨①将帅之不让：晋灭吴国后，王浑、王濬之相互争功、彼此攻击事，见本书卷第八十一太康元年（公元二八〇年）。⑤⑨②郭钦之谋：郭钦提议将杂居于今山西境内的匈奴人迁出境外事，见本书卷第八十一太康元年（公元二八〇年）。⑤⑨③寤戎狄之有衅：可以明白后来所发生的这些少数民族搅乱中原，是中原统治者给他们提供了可乘之机。⑤⑨④傅玄、刘毅之言：傅玄、刘毅对西晋官场黑暗的揭露，见本书卷第八十一太康五年（公元二八四年）。⑤⑨⑤傅咸之奏：傅咸上书揭露西晋官场的货赂公行事，见本书卷第八十二元康四年（公元二九四年）。⑤⑨⑥《钱神》之论：鲁褒写《钱神论》以讽西晋之恶劣世俗，见本书卷第八十三元康九年（公元二九九年）。⑤⑨⑦宠赂之彰：滥赏和贿赂问题之严重与明目张胆。⑤⑨⑧中庸之才：具有中等才智的君主，与低能儿晋惠帝相对而言。⑤⑨⑨守文之主：能遵守成法、维持国家秩序的帝王。守文，维持现状，与创造有为相对而言。⑥⓪⓪犹惧致乱：还怕出现乱子。⑥⓪①放荡之德：指办事没有一定的原则。⑥⑫羁以强臣：受到强梁大臣的控制。强臣，指司马颖、司马颙、司马越等人。⑥⑬奔播：犹言“奔波”，指晋怀帝为刘聪所俘之后，司马邺的东奔西跑。⑥⑭非命世之雄材：如果不是超越一世的英才。⑥⑮不能复取之矣：无论如何是没法挽救取回政权的了。〖按〗以上干宝的评论文字见《晋书》卷五所引。⑥⑯乐平：晋郡名，郡治沾县，在今山西昔阳西南三十里。⑥⑰坫城：坫县县城。⑥⑱鲜卑之余谷：指平城所存的粮食。当时因箕澹、卫雄率众归刘琨，故平城归刘琨所管。⑥⑲胡贼：指刘聪、石勒。⑥⑳广牧：晋县名，县治在今山西寿阳北。㉑垂至：将要来到。⑥㉒岂易中还：还能够半路折回来吗？⑥㉓阳：通“佯”，假装。⑥㉔代郡：晋郡名，郡治即今河北蔚县东北的代王城。⑥㉕十二月乙卯朔：十二月初一是乙卯日。⑥㉖司空长史：刘琨的长史。时刘琨任司空。⑥㉗并州：刘琨的并州州治在阳曲，今山西太原北。⑥㉘己未：十二月初五。⑥㉙飞狐：山口名，在今河北涞源北、蔚县南，两崖峭立，一线微通，蜿蜒百里，自古以来为河北平原与山西北部边郡间的交通咽喉。⑥㉚蓟：今北京市，当时为幽州的州治所在地。段匹磾当时任幽州刺史。⑥㉛结婚：结成儿女亲家。⑥㉜分徙：强制搬迁。⑥㉝襄国：晋时县名，县治在今河北邢台西南，当时为石勒的大本营所在地。⑥㉞置守宰：在乐平、阳曲二郡派驻郡守与县令。⑥㉟马严、冯䐗：幽州、冀州地区的变民首领。⑥㊱迭：不断地。⑥㊲恋本：留恋本土。⑥㊳班师振旅：将这些流民带回老家。“振旅”是古代回师的一种仪式。⑥㊴良牧守：好的州刺史与郡太守。⑥㊵相帅而至：相互招呼前来归附。⑥㊶武遂令：武遂县的县令。武遂县的县治在今河北武强东北。⑥㊷易北：易水以北。⑥㊸高阳：晋时郡名，郡治博陆，即今河北蠡县。⑥㊹易京：古城名，在今河北雄县西北。⑥㊺弋阳子：封号名，“弋阳”表示封地，“子”是爵级。⑥㊻露次：住宿在荒郊野外，这是古代哀悼国破家亡的一种仪式。⑥㊼躬擐甲胄：亲自穿戴盔甲。擐，穿戴。⑥㊽漕运稽期：运送物资的船只耽误了日期。⑥㊾丙寅：十二月十二日。⑥㊿淳于伯：姓淳于，名伯。〖按〗以上种种都是司马睿故意做出的姿态，其实他根本不想出兵援救司马邺小王朝。641政刑失中：宽严失当。642暗塞：昏聩不明。643刚讦：刚直，好攻人之短。644容贷：宽容；饶恕。645众怨皆归之：一切怨恨都集中到了刘隗身上。646一请：一次就请求任用。647文致甚苦：提出的罪状，上纲极高。648被寝：被司马睿压下不办。649忌疾：忌恨。650河、济之间：黄河、济水的夹角内，约当今之山东、河北、河南三省的交界地区。651平原内史：平原国的行政长官。平原是当时的封国名，都城在今山东平原南。652郁律：拓跋猗卢之子，普根之弟，后被谥为平文帝。

## 【校记】

[5]二王：原误作“三王”。据章钰校，孔天胤本作“二王”，张敦仁《通鉴刊本识误》同，今据校正。下文作“二王”，尚不误。[6]言：原无此字。据章钰校，甲十一行本、乙十一行本皆有此字，张敦仁《通鉴刊本识误》同，今据补。[7]令：据章钰校，甲

十一行本、乙十一行本皆作“命”。[8]朱谐：严衍《通鉴补》改作“朱诞”。[9]车骑：原无此二字。据章钰校，甲十一行本、乙十一行本皆有此二字，张敦仁《通鉴刊本识误》同，今据补。[10]辩：原作“辨”。据章钰校，甲十一行本、乙十一行本皆作“辩”，今从改。[11]丙寅：原无此二字。据章钰校，甲十一行本、乙十一行本皆有此二字，张瑛《通鉴校勘记》同，今据补。

【研析】

本卷写晋愍帝建兴二年（公元三一四年）至建兴四年共三年间的西晋与前赵、成汉等国的大事，其中可议论的主要有以下几点。

第一，石勒手下有谋士名叫张宾，可以说是石勒的智囊，为石勒筹谋划策百不失一。当石勒已将王浚骗得如醉如痴，准备一举消灭他时，石勒犹豫不发。张宾曰：“夫袭人者，当出其不意。今军严经日而不行，岂非畏刘琨及鲜卑、乌桓为吾后患乎?”勒曰：“然。为之奈何?”宾曰：“彼三方智勇无及将军者，将军虽远出，彼必不敢动；且彼未谓将军便能悬军千里取幽州也。轻军往返，不出二旬，藉使彼虽有心，比其谋议出师，吾已还矣。且刘琨、王浚，虽同名晋臣，实为仇敌。若修笺于琨，送质请和，琨必喜我之服而快浚之亡，终不救浚而袭我也。用兵贵神速，勿后时也。”勒曰：“吾所未了，右侯已了之，吾复何疑!”读到这段文字，立刻让我们想到曹操的北征乌丸。《三国志·魏书·郭嘉传》云：“太祖将征袁尚及三郡乌丸，诸下多惧刘表使刘备袭许以讨太祖，嘉曰：‘公虽威震天下，胡恃其远，必不设备。因其无备，卒然击之，可破灭也……表，坐谈客耳，自知才不足以御备，重任之则恐不能制，轻任之则备不为用，虽虚国远征，公无忧矣。’”二者的框架相同，是史实本来如此呢?还是历史家在描写智谋人物时后者对前者有所借鉴呢?

第二，汉主刘聪派赵染进攻长安。“染屯新丰，索綝将兵出拒之。染有轻綝之色。长史鲁徽曰：‘晋之君臣，自知强弱不敌，将致死于我，不可轻也。’染曰：‘以司马模之强，吾取之如拉朽，索綝小竖，岂能污吾马蹄、刀刃邪!’晨，帅轻骑数百逆之，曰：‘要当获綝而后食。’綝与战于城西，染兵败而归，悔曰：‘吾不用鲁徽之言以至此，何面目见之!’先命斩徽，徽曰：‘将军愚愎以取败，乃复忌前害胜，诛忠良以逞忿，犹有天地，将军其得死于枕席乎!’”“要当获綝而后食”，来源于《左传》的“余姑剪灭此而朝食”，这且不说。而鲁徽因有先见之明反被赵染杀害一事，又与《三国志》的田丰因有先见之明而被袁绍杀害的情节相同。《三国志·魏书·袁绍传》写田丰劝袁绍要自居已地，以逸待劳，不要急于南出与曹操争胜。袁绍不听。“丰恳谏，绍怒甚，以为沮众，械系之。绍军既败，或谓丰曰：‘君必见重。’丰曰：‘若军有利，吾必全；今军败，吾其死矣。’绍还，谓左右曰：‘吾不用田丰言，果为所笑。’遂杀之。”二者的框架相同，语言也大致相同，是史实本来如此呢？还是历史家描写人物时后者对前者有所借鉴呢？

第三，司马迁对汉代的历朝皇帝多有嘲讽，只有对汉文帝肯定较多。《史记·孝文本纪》说汉文帝死前曾下令："治霸陵皆以瓦器，不得以金银铜锡为饰，不治坟，欲为省，毋烦民。"而本卷则说"盗发汉霸、杜二陵及薄太后陵，得金帛甚多。朝廷以用度不足，诏收其余以实内府"。这几句是引自《晋书·愍帝纪》。而《晋书·索綝传》还说："盗发汉霸、杜二陵，多获珍宝。帝问綝曰：'汉陵中物何乃多耶？'綝对曰：'汉天子即位一年而为陵，天下贡赋三分之，一供宗庙，一供宾客，一充山陵，武帝享年久长，比崩，而茂陵不复容物，其树皆已可拱。赤眉取陵中物不能减半，于今犹有朽帛委积，珠玉未尽。此二陵是俭者耳，亦百世之诫也。"梁玉绳说："文帝之葬特差少于诸陵，而非真薄也。岂景帝不从遗诏之故乎？"看来《史记》的记事也未必完全可信。

第四，本卷详细记述了刘聪的宦官郭猗哄骗、挑动丞相刘粲与其叔太弟刘义结怨内讧的过程，可谓触目惊心。文章说："郭猗与准皆有怨于太弟义，猗谓相国粲曰：'殿下光文帝之世孙，主上之嫡子，四海莫不属心，奈何欲以天下与太弟乎？且臣闻太弟与大将军谋因三月上巳大宴作乱，事成，许以主上为太上皇，大将军为皇太子，又许卫军为大单于。……今祸期甚迫，宜早图之。臣屡言于主上，主上笃于友爱，以臣刀锯之余，终不之信。愿殿下勿泄，密表其状。殿下傥不信臣言，可召大将军从事中郎王皮、卫军司马刘惇，假之恩意，许其归首以问之，必可知也。'粲许之。猗密谓皮、惇曰：'二王逆状，主上及相国具知之矣，卿同之乎？'二人惊曰：'无之。'猗曰：'兹事已决，吾怜卿亲旧并见族耳。'因歔欷流涕。二人大惧，叩头求哀。猗曰：'吾为卿计，卿能用之乎？相国问卿，卿但云"有之"；若责卿不先启，卿即云"臣诚负死罪，然仰惟主上宽仁，殿下敦睦，苟言不见信，则陷于诬谮不测之诛，故不敢言也"。'皮、惇许诺。粲召问之，二人至不同时，而其辞若一，粲以为信然。"郭猗如此有权势而又如此周密地拉帮结派，共同哄骗、诬陷刘粲，真是防不胜防，一个心地善良、正直清白的人谁能想到人世间还有一种专门精于此道的魑魅魍魉？春秋时代的骊姬、战国时代的郑袖、秦朝的赵高，都是郭猗其人的祖先，而古今中外又何时没有这种人呢？只是伪装得深，不易让人看破而已。

# 卷第九十　晋纪十二

起强圉赤奋若（丁丑，公元三一七年），尽著雍摄提格（戊寅，公元三一八年），凡二年。

【题解】

本卷写晋元帝建武元年（公元三一七年）到太兴元年（公元三一八年）两年间的东晋及各国大事。主要写了晋愍帝司马邺投降汉国后，琅邪王司马睿在众臣的劝进下在建康即位晋王，备百官，立宗庙，建社稷，东晋政权初具规模；待至晋愍帝在汉都平阳受尽屈辱被刘聪杀死后，晋王司马睿立即在建康登基，成为东晋的第一个皇帝，他对劝进的臣民大加封赏，暴露了他此前多次"推让"的虚伪；写了晋王朝自建立伊始，就完全投靠世族豪门，把西晋的许多腐败制度、腐败风习全部承继了下来；写了汉国丞相刘粲为谋取皇位继承权而诬陷皇太弟刘

---

【原文】

**中宗元皇帝①上**

**建武元年（丁丑，公元三一七年）**

春，正月，汉兵东略②弘农③，太守④宋哲奔江东⑤。

黄门郎⑥史淑、侍御史⑦王冲自长安奔凉州⑧，称愍帝出降前一日⑨，使淑等赍诏⑩赐张寔⑪，拜寔大都督⑫、凉州牧⑬、侍中⑭、司空⑮，承制行事⑯，且曰："朕已诏琅邪王时摄大位⑰，君其协赞⑱琅邪，共济多难⑲。"淑等至姑臧⑳，寔大临三日㉑，辞官不受㉒。

初，寔叔父肃㉓为西海太守㉔，闻长安危逼，请为先锋入援。寔以其老，弗许。及闻长安不守，肃悲愤而卒。

义；刘聪去世，刘粲继位后，听信靳准，倒行逆施，大肆诛杀朝廷大臣；靳准又发动政变杀死刘粲，自立为汉大王，称臣于晋；随后在汉相国刘曜与汉将石勒的夹击下，靳准的部下作乱，杀死靳准，携带刘渊、刘聪的乘舆旧物投奔刘曜，刘曜被拥戴为汉主，迁都长安。此外还写了鲜卑人慕容廆在辽东以尊崇晋室为名吞并弱小，发展壮大自己；而其兄吐谷浑则率部越陇，在今甘肃、青海之河西地区逐渐强大，以及多年在并州坚持作战，与刘聪、石勒进行艰苦斗争的刘琨最后被段匹䃅杀害等。

---

【语译】

中宗元皇帝上

建武元年（丁丑，公元三一七年）

春季，正月，汉国派兵向东进发，攻打晋国管辖之下的弘农郡，弘农郡太守宋哲不敢抵抗，他抛弃城池逃亡江东。

晋国担任黄门郎的史淑、担任侍御史的王冲，从京师长安逃往凉州，他们声称晋愍帝司马邺在向汉国投降的前一天，派史淑带着皇帝诏书前往凉州，封凉州代理刺史张寔为大都督、凉州牧、侍中、司空，让张寔秉承皇帝的旨意办事，晋愍帝司马邺还说："我已经下诏让琅邪王司马睿实时代行皇帝职权，你等要协助辅佐琅邪王，共同救助这个多难的国家。"史淑等人到了凉州州治所在地姑臧，凉州代理刺史张寔得知皇帝已经向汉投降的消息后，率众哭吊了三天，表示自己愿意尽臣子之心为国效力，而不愿意在这种时刻接受加官进爵。

当初，张寔的叔父张肃担任西海郡太守，他听到京师长安已经岌岌可危的消息，就向张寔请求担任先锋率军入援京师。张寔认为叔父张肃年纪已老，就没有答应。等到长安陷落的消息传来，张肃因为悲伤过度而逝世。

寔遣太府司马㉕韩璞、抚戎将军张阆等帅步骑一万东击汉，命讨虏将军陈安、安故㉖[1]太守贾骞、陇西太守吴绍各统郡兵为前驱。又遗相国保㉗书曰："王室有事，不忘投躯。前遣贾骞瞻公举动㉘，中被符命㉙，敕骞还军㉚。俄闻寇逼长安，胡崧不进㉛，麹允㉜持金五百，请救于崧，遂决遣骞等进军度岭㉝。会闻朝廷倾覆，为忠不遂，愤痛之深，死有余责。今更遣璞等，唯公命是从㉞。"璞等卒不能进而还。

至南安㉟，诸羌断路，相持百余日，粮竭矢尽。璞杀车中牛以飨士，泣谓之曰："汝曹念父母乎？"曰："念。""念妻子乎？"曰："念。""欲生还乎？"曰："欲。""从我令乎？"曰："诺。"乃鼓噪进战。会张阆帅金城兵㊱继至，夹击，大破之，斩首数千级。

先是，长安谣曰："秦川中，血没腕，唯有凉州倚柱观。"及汉兵覆关中，氐、羌掠陇右，雍、秦之民，死者什八九，独凉州安全㊲。

二月，汉主聪㊳使从弟畅帅步骑三万攻荥阳㊴，太守李矩屯韩王故垒㊵，相去七里，遣使招矩。时畅兵猝至，矩未及为备，乃遣使诈降于畅。畅不复设备，大飨，渠帅㊶皆醉。矩欲夜袭之，士卒皆恇惧㊷。矩乃遣其将郭诵祷于子产祠㊸，使巫扬言曰："子产有教，当遣神兵相助。"众皆踊跃争进。矩选勇敢千人，使诵将之，掩击㊹畅营，斩首数千级，畅仅以身免。

辛巳㊺，宋哲至建康㊻，称受愍帝诏，令丞相琅邪王睿统摄万机㊼。三月，琅邪王素服出次㊽，举哀三日。于是西阳王羕㊾及官属等共上尊号，王不许。羕等固请不已，王慨然流涕曰："孤，罪人也。诸贤见

张寔派遣自己属下担任太府司马的韩璞、担任抚戎将军的张阆等人率领步兵、骑兵总计一万人，东下攻打汉国，命讨虏将军陈安、安故太守贾骞、陇西太守吴绍各自统领本郡的军队作为先遣部队。张寔又写信给担任相国的司马保，他在书信中说："皇家有事的时候，我没有忘记捐躯报效。前些时候我曾经派遣贾骞前去观察您的动向，以便追随行事。途中接到您的命令，我才让贾骞撤军回来。时隔不久，就得知汉军贼寇进犯长安，胡崧不肯率军向前攻打汉军，麴允带着五百斤黄金，向胡崧求救，于是决定派贾骞等人率军翻越陇山，向东救援长安。此时传来长安陷落、朝廷覆灭的噩耗，我为国尽忠的心愿没有实现，悲痛愤恨之情无法形容，觉得自己有推卸不掉的责任，即使死了也不能免除责罚。如今，我再次命令韩璞等人率军前往，一切听从相国您的命令。"但韩璞等最终仍然不能向前推进，只得撤回。

韩璞到达南安时，被诸羌部落截断归路，双方相持了一百多天，韩璞军队中已经是粮食枯竭、弓箭用尽。韩璞将拉车的牛杀掉以犒赏将士，流着泪问他们说："你们想不想念自己的父母?"众将士回答说："想。"韩璞再问："你们想不想念自己的老婆孩子?"回答："想。"韩璞又问："你们想不想活着回去?"回答："想。"韩璞最后问："你们服不服从我的命令?"众将士回答："服从。"于是将士们擂起战鼓，大声呐喊着向羌人发起进攻。此时正巧抚戎将军张阆率领着金城郡的部队随后赶到，前后夹击，大败羌人叛军，杀死了数千人。

在此之前，长安有民谣说："秦川之中，血水淹没了脚踝，只有凉州人靠着柱子在旁边观看。"等到汉国的军队征服关中，诸氐人、羌人在陇右一带大肆烧杀掳掠的时候，雍州、秦川的百姓死亡十之八九，只有凉州躲过了这场灾难。

二月，汉主刘聪派遣他的堂弟刘畅率领三万名步兵、骑兵攻打荥阳，荥阳太守李矩正率军驻扎在韩王故垒，两军相距七里远，刘畅派使者前来招降李矩。当时由于刘畅的军队突然而至，李矩没有来得及做准备，便派人向刘畅诈降。刘畅因此不再戒备，他大摆宴席犒赏将士，军中的魁首、大头领全都喝得酩酊大醉。李矩想借着黑夜的掩护袭击刘畅的营寨，而手下的士卒都心怀畏惧。于是李矩就派手下的将领郭诵到春秋时期郑国人为郑子产所建的祠庙中去祈祷，又指使神巫四处散布谣言说："子产显灵了，如果攻打汉军，他会派遣神兵神将相助。"于是众将士都踊跃争先。李矩从部队中挑选了一千名勇敢的人，让郭诵率领着，在夜幕的掩护下突然袭击了刘畅的大营，这一仗，杀死汉军数千人，刘畅全军覆没，仅刘畅一人逃得性命。

二月二十八日辛巳，晋国弘农太守宋哲到达建康，他宣称自己接受了晋愍帝司马邺的诏书，诏令担任丞相的琅邪王司马睿即皇帝位。三月，琅邪王司马睿换上素色丧服，离开正殿到宫外居住，为晋愍帝哀悼三天。这时候，西阳王司马羕以及文武官员等共同为琅邪王司马睿奉上皇帝的尊号，琅邪王司马睿不答应。司马羕等人坚决要求司马睿接受大家的请求，琅邪王感慨万千，他痛哭流涕地说："我，是一个

逼不已，当归琅邪[50]耳！”呼私奴，命驾将归国[51]。兼等乃请依魏晋故事[52]，称晋王，许之。辛卯[53]，即晋王位，大赦，改元[54]，始备百官，立宗庙，建社稷。

有司请立太子。王爱次子宣城公裒[55]，欲立之，谓王导[56]曰：“立子当以德。”导曰：“世子、宣城[57]，俱有朗隽[58]之美，而世子年长。”王从之。丙辰[59]，立世子绍为王太子。封裒为琅邪王，奉恭王后[60]，仍以裒都督青、徐、兖三州诸军事[61]，镇广陵[62]。以西阳王兼为太保[63]，封谯刚王逊之子承[64]为谯王。逊，宣帝[65]之弟子也。又以征南大将军王敦[66]为大将军[67]、江州牧[68]，扬州刺史[69]王导为骠骑将军[70]、都督中外诸军事[71]、领中书监[72]、录尚书事[73]，丞相左长史刁协[74]为尚书左仆射[75]，右长史周顗[76]为吏部尚书，军谘祭酒贺循[77]为中书令[78]，右司马戴渊、王邃为尚书[79]，司直刘隗[80]为御史中丞[81]，行参军刘超[82]为中书舍人[83]，参军事孔愉[84]长兼中书郎[85]，自余参军[86]悉拜奉车都尉[87]，掾属[88]拜驸马都尉[89]，行参军舍人拜骑都尉[90]。王敦辞州牧，王导以敦统六州，辞中外都督，贺循以老病辞中书令，王皆许之。以循为太常[91]。是时承丧乱之后，江东草创[92]，刁协久宦中朝[93]，谙练旧事[94]，贺循为世儒宗，明习礼学，凡有疑议，皆取决焉。

刘琨、段匹磾相与歃血同盟[95]，期以翼戴晋室。[96]辛丑[97]，琨檄告华夷，遣兼左长史、右司马温峤[98]，匹磾遣左长史荣邵，奉表及盟文诣建康劝进[99]。峤，羡之弟子也，[100]峤之从母为琨妻。[101]琨谓峤曰：“晋祚虽衰[102]，天命未改，吾当立功河朔[103]，使卿延誉江南[104]，行矣，勉之！”

王[105]以鲜卑大都督慕容廆[106]为都督辽左杂夷流民诸军事[107]、龙骧将军、大单于、昌黎公，廆不受。征虏将军鲁昌[108]说廆曰：“今两京覆

有罪之人。各位贤者如果非得强迫我就皇帝位，那我还回去当我的琅邪王！”他招呼自己的家奴，让他们为自己预备车驾，准备动身回琅邪。司马羕等只得让步，请求琅邪王司马睿依照曹魏末年司马炎先封晋王，继而再称皇帝的程序，先称“晋王”，司马睿这才答应。初九日辛卯，琅邪王司马睿即位晋王，大赦天下，改用自己的年号“建武”，开始设置文武百官，建立皇家宗庙，建筑祀奉天地神灵的社稷坛。

群臣请求晋王司马睿立太子。晋王喜爱自己的第二个儿子、被封为宣城公的司马裒，因此想立司马裒为太子，晋王对王导说：“选择接班人的标准，应该以品德为主。”王导说：“世子司马绍和宣城公司马裒，都是禀性英达、才智出众的人，而世子司马绍年纪为长。”晋王听从了王导的意见。四月初四日丙辰，立世子司马绍为王太子。封次子宣城公司马裒为琅邪王，继承祖父琅邪恭王司马觐之后，世袭琅邪王，仍然让司马裒统领青州、徐州、兖州三州的各种军事，统率部设在广陵。任命西阳王司马羕为太保，封谯刚王司马逊的儿子司马承为谯王。司马逊，是晋宣帝司马懿弟弟的儿子。又任命征南大将军王敦为大将军、江州牧，任命扬州刺史王导为骠骑将军、都督中外诸军事并兼任中书监、录尚书事，任命担任丞相左长史的刁协为尚书左仆射，任命担任右长史的周顗为吏部尚书，任命担任军谘祭酒的贺循为中书令，任命担任右司马的戴渊、王邃为尚书，任命担任司直的刘隗为御史中丞，任命担任行参军的刘超为中书舍人，任命担任参军事的孔愉长期兼任中书郎，其余凡是原来担任参军职务的全都任命为奉车都尉，僚属都任命为驸马都尉，行参军和舍人都任命为骑都尉。王敦辞掉了江州牧，王导因为王敦已经兼任统领六州军事的最高长官，因而也辞去中外都督一职，贺循因为自己年事已高，且又多病，因而辞去中书令，晋王司马睿都批准了他们的请求。重新任命贺循为执掌礼乐郊庙社稷事宜的太常。当时正是晋愍帝被杀、中原大乱之后，江东局面草草创立，由于刁协曾长期在洛阳朝廷任职，熟悉旧日朝廷的法律规章，贺循又是当代儒家学派的宗师，明习礼仪，所以晋王司马睿每当遇到有疑义的问题，就都请他们二人进行裁定。

晋并州刺史刘琨和幽州刺史段匹磾歃血结盟，宣誓要共同辅佐、拥戴晋王朝。三月十九日辛丑，刘琨发布檄文给汉人和各少数民族，又派出兼任左长史、右司马的温峤，段匹磾派出担任左长史的荣邵，让他二人带着奏章和歃血结盟的誓文前往建康，劝说晋王司马睿称帝登基。温峤是温羡弟弟的儿子，温峤的姨母是刘琨的妻子。刘琨对温峤说：“晋朝的国运虽然衰微，但上天对晋朝的恩宠还没有改变，我要在黄河以北建立功勋，而派你向江南朝廷禀报消息，以求在南方提高我们的声望，走吧，好好干！”

晋王司马睿任命担任鲜卑大都督的慕容廆为统领辽河以东地区各少数民族以及汉人流民的军事、行政总管，兼任龙骧将军、大单于，赐爵昌黎公。慕容廆不愿意接受晋王司马睿的任命，担任征虏将军的鲁昌对慕容廆说：“现在洛阳和长安全都

没[109]，天子蒙尘[110]，琅邪王承制江东[111]，为四海所系属[112]。明公虽雄据一方，而诸部犹阻兵未服[113]者，盖以官非王命[114]故也。谓宜[115]通使琅邪，劝承大统[116]；然后奉诏令以伐有罪，谁敢不从！”处士[117]辽东高诩曰：“霸王之资，非义不济。[118]今晋室虽微，人心犹附之。宜遣使江东，示有所尊[119]，然后仗大义以征诸部，不患无辞[120]矣。”廆从之，遣长史王济浮海诣建康劝进。

汉相国粲[121]使其党王平谓太弟义[122]曰：“适奉中诏[123]，云京师将有变，宜衷甲以备非常[124]。”义信之，命宫臣[125]皆衷甲以居。粲驰遣告靳准、王沈[126]。准以白汉主聪曰：“太弟将为乱，已衷甲矣！”聪大惊曰：“宁有是邪？”王沈等皆曰：“臣等闻之久矣，屡言之，而陛下不之信也。”聪使粲以兵围东宫[127]。粲使准、沈收氐、羌酋长十余人[128]，穷问[129]之，皆悬首高格[130]，烧铁灼目，酋长自诬与义谋反。聪谓沈等曰：“吾今而后知卿等之忠也。当念知无不言，勿恨往日言而不用也。”于是诛东宫官属及义素所亲厚，准、沈等素所憎怨者大臣数十人，坑士卒万五千余人[131]。夏，四月，废义为北部王，粲寻使准贼杀之[132]。义形神秀爽，宽仁有器度，故士心多附之。聪闻其死，哭之恸，曰：“吾兄弟止余二人而不相容，安得使天下知吾心邪？”氐、羌叛者甚众，以靳准行车骑大将军，讨平之。

五月壬午[133]，日有食之。

六月丙寅[134]，温峤等至建康。王导、周顗、庾亮[135]等皆爱峤才，争与之交。是时，太尉豫州牧荀组[136]、冀州刺史邵续[137]、青州刺史曹嶷、宁州刺史王逊[138]、东夷校尉[139]崔毖等皆上表劝进，王不许。

失守了，晋天子司马邺向汉投降后受辱被杀，琅邪王司马睿奉皇帝之命在江东建立政权，为四海之民所归心、所拥护。您虽然割据一方，但各部落仍然有人拥兵自重，不肯臣服，究其原因，就是因为您的职务不是由朝廷正式任命的。我认为您应该派使者与晋王司马睿取得联系，劝说晋王继承皇位，然后再奉他的诏命讨伐那些有罪之人，那时谁还敢不听从呢！”辽东隐士高诩对慕容廆说：“即使有称霸称王的基础，如果没有光明正大的理由、名分，仍然不能取得成功。如今晋朝的政权虽然衰弱了，但民心仍然归附晋朝。应该派使者到江东去，表示我们是尊奉晋朝的，然后打着主持正义的旗号去征伐那些不肯臣服的部落，就不愁没有借口了。”慕容廆听从了他们的建议，派手下担任长史的王济乘船渡海前往建康劝说晋王司马睿即皇帝位。

汉国担任相国的刘粲指使他的党羽王平对皇太弟刘义说：“刚才接到皇宫中颁发的密诏，说京师平阳将要发生变乱，应该衣内暗穿铠甲，以防范意想不到的事情发生。”刘义信以为真，他命令东宫的所有臣属，外衣里面都要暗穿铠甲以应付突然事变。刘粲火速派人去告诉靳准、王沈。靳准立即禀告汉主刘聪说：“太弟刘义将要发动变乱，他和他的臣属们外衣之内都已经暗穿铠甲了！”汉主刘聪听了这个消息后大吃一惊，说：“难道会有这样的事情吗？”王沈等人都说：“我们早就知道太弟的阴谋，曾经多次地向陛下禀报过，而陛下一直不肯相信。”刘聪立即命令刘粲率领兵士包围东宫。刘粲派靳准、王沈将太弟刘义身边的十几个氐人、羌人的酋长抓起来，对这些酋长穷加审问，把他们头朝下吊在木架上，用烧红的烙铁去烫他们的眼睛。那些酋长受刑不过，只得诬陷自己参与太弟刘义谋反。汉主刘聪对王沈等人说：“我从现在起才知道你们对我是忠心耿耿。你们应该常常知无不言，不要忌恨以前我没有采纳你们的话。”于是把东宫的所有臣属以及太弟刘义平常所亲近的人全部诛杀干净，靳准、王沈借此机会把自己一向憎恨的几十个大臣也一起除掉，还将一万五千名守卫东宫的警卫部队士兵全部活埋。夏季，四月，汉主刘聪将皇太弟刘义废掉，另封为北部王，不久刘粲又指使靳准将北部王刘义杀害。刘义长得眉清目秀，神态爽朗，为人宽厚仁慈，气度宽宏大量，所以士民之心都归附于他。汉主刘聪听到刘义的死讯，哭得很悲痛，他说：“我们兄弟几个，只剩下我们两个人，还不能互相包容，怎么才能使天下的人理解我的心呢？”很多氐族、羌族部落都背叛了汉国，汉主刘聪任命靳准为代理车骑大将军，靳准率军将叛变的氐人、羌人全部镇压了下去。

五月初一日壬午，发生日食。

六月十五日丙寅，晋国温峤等人到达建康。王导、周𫖮、庾亮等都很爱惜温峤的才华，争相与他结交。当时，担任太尉的豫州牧荀组、担任冀州刺史的邵续、青州刺史曹嶷、宁州刺史王逊、东夷校尉崔毖等全都上疏给晋王司马睿，劝说他即皇帝位，但晋王司马睿还是没有接受众人的劝进。

初，流民张平、樊雅各聚众数千人在谯[140]为坞主[141]。王之为丞相也，遣行参军谯国桓宣[142]往说平、雅，平、雅皆请降。及豫州刺史祖逖[143]出屯芦洲[144]，遣参军殷乂诣平、雅[145]。乂意轻平，视其屋，曰："可作马厩。"见大镬[146]，曰："可铸铁器。"平曰："此乃帝王镬[147]，天下清平方用之，奈何毁之？"乂曰："卿未能保其头，而爱镬邪？"平大怒，于坐斩乂，勒兵固守。逖攻之，岁余不下，乃诱其部将谢浮使杀之，逖进据太丘[148]。樊雅犹据谯城[149]，与逖相拒。逖攻之，不克，请兵于南中郎将王含[150]。桓宣时为含参军，含遣宣将兵五百助逖。逖谓宣曰："卿信义已著于彼，今复为我说雅。"宣乃单马从两人诣雅[151]曰："祖豫州方欲平荡刘、石[152]，倚卿为援，前殷乂轻薄，非豫州意也。"雅即诣逖降。逖既入谯城，石勒遣石虎[153]围谯。王含复遣桓宣救之，虎解去。逖表宣为谯国内史[154]。

己巳[155]，晋王传檄天下[156]，称"石虎敢帅犬羊[157]，渡河纵毒[158]，今遣琅邪王裒等九军，锐卒三万，水陆四道，径造贼场[159]，受祖逖节度[160]"。寻复召裒还建康。

秋，七月，大旱。司、冀、并、青、雍州[161]大蝗。河、汾溢[162]，漂千余家。

汉主聪立晋王粲为皇太子，领相国、大单于[163]，总摄朝政如故[164]。大赦。

段匹磾推刘琨为大都督，檄其兄辽西公疾陆眷[165]及叔父涉复辰[166]、弟末柸[167]等会于固安[168]，共讨石勒[169]。末柸说疾陆眷、涉复辰曰："以父兄而从子弟，耻也。且幸而有功，匹磾独收之，吾属何有哉？"各引兵还。琨、匹磾不能独留，亦还蓟[170]。

以荀组为司徒[171]。

当初，逃避灾荒的流民首领张平、樊雅各自聚集起数千人，在谯国筑起堡坞，当起了坞主。晋王司马睿在担任晋国丞相的时候，曾经派遣担任行参军的谯国人桓宣前往谯国劝说张平、樊雅，于是张平、樊雅请求归附朝廷。后来豫州刺史祖逖屯据芦洲，他派担任参军的殷乂前往张平、樊雅所屯居的堡坞中去进行联络。殷乂打心眼里就瞧不起张平，他看了看张平的屋舍，说："这里可以当马厩。"他看到一口大锅，说："这口大锅可以用来铸造铁器。"张平说："这是古代帝王铸的，有文物价值，天下太平的时候才使用，为什么要把它毁掉呢？"殷乂讽刺地说："你连自己的脑袋都未必保得住，还想保住这口锅吗？"张平听了殷乂的这番话，不由得大怒，就在座位上将殷乂杀死，然后部署兵力固守堡坞。祖逖率军攻打张平的堡坞，攻打了一年多也没有攻克，于是就引诱张平部下一个叫作谢浮的将领，让他斩杀了张平，进军占领了太丘。樊雅此时还占据着谯城，与祖逖对抗。祖逖攻打谯城，不能取胜，就向担任南中郎将的王含请求派兵相助。当时桓宣正在王含手下担任参军，王含便派桓宣率领五百人协助祖逖攻打樊雅。祖逖对桓宣说："你诚实守信的美德已经取得他们的信任，今天请你再次前往为我去劝降樊雅。"于是桓宣骑着一匹马，带着两个随从，前往樊雅据守的谯城，他对樊雅说："豫州刺史祖逖正想扫平刘聪和石勒，他仰仗你的支援，先前殷乂对张平态度轻薄，那是殷乂本人的问题，而不是豫州刺史祖逖的本意。"樊雅立即去见了祖逖，向祖逖投降。祖逖进入谯城以后，汉国骠骑大将军石勒派遣石虎包围了谯城。南中郎将王含又派桓宣率军来救，解了石虎之围。祖逖上表请求任命桓宣为谯国内史。

六月十八日己巳，晋王司马睿向天下发布文告，说"石虎胆敢率领着如羊似犬的蛮夷，渡过黄河南下荼毒百姓，现在派遣琅邪王司马裒等九支部队，精锐士卒三万人，分别从水路、陆路四条道路直捣贼人的巢穴，九支部队全部接受祖逖的指挥"。但过了不久，就又将司马裒召回建康。

秋季，七月，发生旱灾。司州、冀州、并州、青州、雍州蝗虫成灾。黄河、汾河大水泛滥，冲走了一千多户人家。

汉主刘聪立自己的儿子晋王刘粲为皇太子，兼任相国、大单于，仍然像过去一样辅佐汉主刘聪全面处理朝廷政务。实行大赦。

晋国幽州刺史段匹磾推举刘琨为大都督，传令他的兄长辽西公疾陆眷以及叔父涉复辰、弟弟段末柸等率军到固安会师，共同讨伐汉国骠骑大将军石勒。段末柸挑拨疾陆眷、涉复辰说："你们是叔父、兄长，却要听命于侄子、兄弟，这简直就是耻辱。再说，如果讨伐侥幸取得成功，功劳也会被段匹磾一人独占，我们这些人能得到什么好处呢？"于是几个人分别率领自己的部众返回故地。刘琨、段匹磾无法单独留下来，只好返回蓟城。

晋王司马睿任命荀组为司徒。

八月，汉赵固[172]袭卫将军华荟[173]于临颍[174]，杀之。

初，赵固与长史周振[175]有隙，振密谮固于汉主聪。李矩之破刘畅也，于帐中得聪诏，令畅既克矩，还过洛阳，收固斩之，以振代固。矩送以示固，固斩振父子，帅骑一千来降[176]。矩复令固守洛阳。

郑攀等相与拒王廙[177]，众心不一[178]，散还横桑口[179]，欲入杜曾[180]。王敦遣武昌太守赵诱、襄阳太守朱轨击之，攀等惧，请降。杜曾亦请击第五猗[181]于襄阳以自赎。

廙将赴荆州，留长史刘浚镇扬口垒[182]。竟陵内史[183]朱伺谓廙曰："曾，猾贼也，外示屈服，欲诱官军使西，然后兼道[184]袭扬口耳。宜大部分[185]，未可便西[186]。"廙性矜厉自用[187]，以伺为老怯，遂西行。曾等果还趋[188]扬口。廙乃遣伺归，裁至垒[189]，即为曾所围。刘浚自守北门，使伺守南门。马隽从曾来攻垒，隽妻子先在垒中，或欲皮其面以示之[190]。伺曰："杀其妻子，未能解围，但益其怒耳。"乃止。曾攻陷北门，伺被伤，退入船，开船底以出[191]，沈行[192]五十步，乃得免。曾遣人说伺曰："马隽德卿全其妻子，今尽以卿家内外百口付隽，隽已尽心收视，卿可来也。"伺报曰："吾年六十余，不能复与卿作贼[193]。吾死亦当南归，妻子付汝裁之[194]。"乃就王廙于甑山[195]，病创而卒。

戊寅[196]，赵诱、朱轨及陵江将军黄峻与曾战于女观湖[197]，诱等皆败死。曾乘胜径造沔口[198]，威震江、沔[199]。王使豫章太守周访[200]击之。访有众八千，进至沌阳[201]。曾锐气甚盛，访使将军李恒督左甄[202]，许朝督右甄，访自领中军。曾先攻左、右甄，访于阵后射雉以安众心[203]。令其众曰："一甄败，鸣三鼓，两甄败，鸣六鼓。"赵诱子胤，将父余兵属左甄，力战，败而复合[204]，驰马告访。访怒，叱令更进，胤号哭还战。

八月，汉国荆州刺史兼河南郡守赵固率军攻打驻兵于临颍的晋国卫将军华荟，将华荟杀死。

当初，赵固与担任长史的周振有矛盾，周振就悄悄地在汉主刘聪面前说赵固的坏话。晋国司州刺史李矩大败刘畅的时候，在刘畅的营帐中搜出了汉主刘聪写给刘畅的一封诏书，命令刘畅在攻克李矩之后，回军途中经过洛阳时，将赵固抓起来杀掉，由周振接替赵固的职务。李矩将这封诏书送给赵固看，赵固因此斩杀周振父子，带着一千名骑兵向李矩投降。李矩仍令赵固坚守洛阳。

郑攀等共同抗击新任荆州刺史王廙，由于众人的意见不统一，便各自散去，郑攀退回横桑口，想使变民首领杜曾进入荆州。晋国大将军王敦派武昌太守赵诱、襄阳太守朱轨攻击郑攀等，郑攀等心怀恐惧，因此请求投降。杜曾也请求到襄阳攻打第五猗以赎罪。

王廙将往荆州赴任，他留下担任长史的刘浚镇守扬口垒。担任竟陵内史的朱伺对王廙说："杜曾，是一个非常狡猾的巨贼，表面上向我们表示屈服，实际上是想诱使官军西进后，他再兼程奔袭扬口垒。应该加大对此处防守的力度，以防备杜曾的袭击，不可这样轻易地向西进发。"王廙一向骄傲自负，他认为朱伺劝他不要西进是因为朱伺年老胆怯，没有听从朱伺的意见，便向西进军。杜曾果然回师，直扑扬口。王廙这才派遣朱伺返回，但朱伺刚刚回到扬口垒，就被杜曾包围。刘浚坚守北门，他让朱伺坚守南门。荆州旧将马儁随从杜曾来攻扬口垒，马儁的妻子早先留在扬口垒中，于是有人主张割破马儁妻子的脸皮让马儁看。朱伺说："即使杀掉马儁的妻子，也不能解除扬口垒的包围，只会增加对方的愤怒。"主张割破脸皮的人便不言语了。杜曾攻陷了扬口垒的北门，朱伺身负重伤，逃入船中，凿开船底，然后从船底的破洞中钻出来，在水下潜行了五十步远，才勉强逃脱。杜曾派人劝说朱伺说："马儁感激你保全了他的妻子，如今已经把你全家里里外外一百口人全部交给马儁处置，马儁已经尽心把他们看护起来，欢迎你回来。"朱伺答复说："我已经六十多岁了，不能再跟你一起背叛朝廷。就是死了，我也要回到南边去，妻子就交给你裁决吧。"于是前往甑山投奔王廙，最后伤重而死。

九月二十九日戊寅，武昌太守赵诱、襄阳太守朱轨以及陵江将军黄峻与杜曾在女观湖展开激战，赵诱等人全都战败而死。杜曾乘胜直扑沔口，他的声威震动了长江、沔水流域。晋王司马睿派豫章太守周访率军攻打杜曾。周访手下有八千人，挺进到沌阳。此时杜曾军队的锐气很盛，周访派李恒将军统领左翼部队，派许朝统领右翼部队，周访亲自统领中军。杜曾率先攻打周访的左右翼，周访为了稳定军心，就显出一副从容不迫的样子在阵后射猎野鸡。他命令手下："一翼战败，战鼓连响三声；两翼都战败了，战鼓就连响六声。"赵诱的儿子赵胤率领自己父亲的残部隶属于左翼部队，他竭力苦战，被击溃后就立即集结起来再战，实在顶不住了就飞马向周访报告。周访大怒，大声呵斥他，命令他向前再战，赵胤号哭着回马投入战斗。

自旦至申[205]，两甄皆败。访选精锐八百人，自行酒饮之[206]，敕不得妄动[207]，闻鼓音乃进。曾兵未至三十步[208]，访亲鸣鼓，将士皆腾跃奔赴，曾遂大溃，杀千余人。访夜追之，诸将请待明日。访曰："曾骁勇能战，向者彼劳我逸，故克之，宜及其衰乘之[209]，可灭也。"乃鼓行而进，遂定汉、沔。曾走保武当[210]，王廙始得至荆州。访以功迁梁州刺史，屯襄阳。

冬，十月丁未[211]，琅邪王裒薨。

十一月己酉朔[212]，日有食之。

丁卯[213]，以刘琨为侍中、太尉[214]。

征南军司戴邈[215]上疏，以为："丧乱以来，庠序[216]隳废。议者或谓平世尚文[217]，遭乱尚武。此言似之，而实不然。夫儒道深奥，不可仓猝而成，比天下平泰[218]然后修之，则废坠已久矣。又，贵游之子[219]，未必有斩将搴旗[220]之才，从军征戍之役[221]，不及盛年[222]使之讲肄道义[223]，良可惜也[224]。世道久丧，礼俗日弊，犹火之消膏[225]，莫之觉也。今王业肇建[226]，万物权舆[227]，谓宜笃道崇儒[228]，以励风化[229]。"王从之，始立太学[230]。

汉主聪出畋[231]，以愍帝行车骑将军[232]，戎服执戟前导。见者指之曰："此故长安天子也。"聚而观之，故老有泣者。太子粲言于聪曰："昔周武王岂乐杀纣乎？正恐同恶相求为患[233]故也。今兴兵聚众者，皆以子业为名[234]，不如早除之。"聪曰："吾前杀庾珉辈[235]，而民心犹如是。吾未忍复杀也，且小观之[236]。"十二月，聪飨群臣于光极殿，使愍帝行酒洗爵[237]，已而更衣[238]，又使之执盖[239]。晋臣多涕泣，有失声者。尚书郎陇西辛宾[240]起，抱帝大哭，聪命引出斩之。

赵固与河内太守郭默侵汉河东[241]，至绛[242]，右司隶部民[243]奔之者

从天明一直战到下午四时前后，左右两翼全都战败。周访从中军中挑选出八百名精兵，亲自给他们敬酒，告诫他们没有命令不准擅自行动，要听到战鼓敲响再进军。杜曾的军队冲杀到距离周访不足三十步远的时候，周访亲自击鼓，将士们全都踊跃而出，杀向杜曾的部队，杜曾的军队于是大败而逃，被杀死一千多人。周访率军乘夜追击，诸将请求等到天亮以后再追杀敌人。周访说："杜曾骁勇善战，刚才是他们久战疲劳而我方以逸待劳，所以才能战胜他们，应该趁着他们战败后士气低落、军心动摇的时候攻击，才能将他们一举消灭。"周访率军一边擂动战鼓一边向前挺进，遂平定了汉水、沔水一带。杜曾逃到武当坚守，新任荆州刺史王廙这才得以进入荆州。周访因为这次战功被提升为梁州刺史，率军屯扎在襄阳。

冬季，十月二十九日丁未，东晋琅邪王司马裒去世。

十一月初一日己酉，发生日食。

十九日丁卯，任命刘琨为侍中、太尉。

征南将军戴邈上疏给晋王，他认为："国家自从遭遇丧乱以来，学校教育荒废。有人认为天下太平的时候才提倡文化教育，遭遇乱世就应该崇尚武功。这种言论听起来好像很有道理，其实并非如此。儒家学说道理深奥，不可能在短时间内就能有所成就，等到天下太平之时再去研习，那时荒废已久就来不及了。再有，那些贵族之家游手好闲的子弟，未必有斩杀敌将、拔取敌军旗帜的才能，即使从军征战也很难建立功勋，如果不趁年轻力壮时让他们读一些儒家经典，研究一些仁义道德的问题，实在是一件令人遗憾的事情。良好的社会风气丧失已经很久，礼俗也一天比一天败坏，就像是灯火消耗灯油，不知不觉之间就消耗光了。如今帝王大业刚刚建立，万事都要从头开始，我认为应该追求王道，尊崇儒学，用以改变社会风气。"晋王司马睿听从戴邈的建议，开始在京师设立国家最高学府太学。

汉主刘聪外出打猎，他命晋愍帝司马邺充当车骑将军之职，身穿军人的服装，手持着戟在前面开路。看见他的人都指点着他说："这就是以前长安城里的皇帝。"听到消息的人都聚拢过来观看晋愍帝，老年人中竟然有人哭泣起来。太子刘粲对汉主刘聪说："过去周武王难道乐意杀掉商纣王吗？他正是因为担心那些有着共同仇恨的人们聚集在一起作乱，所以才将纣王杀掉。如今那些聚众起兵的人，都是打着司马邺的旗号，不如早点将司马邺除掉。"刘聪说："过去我曾经杀掉庾珉那些人，而民心还是如此。现在我不忍心再将司马邺杀死，暂且再观察一段时间再说。"十二月，汉主刘聪在光极殿大摆宴席招待群臣，命晋愍帝司马邺为群臣斟酒、刷洗酒器，过了一会儿，汉主刘聪起身去厕所，又令晋愍帝司马邺为他拿着马桶盖。看见故主如此受辱，许多晋臣忍不住抽泣起来，有的甚至失声痛哭。担任尚书郎的陇西人辛宾站起来，抱住晋愍帝大哭，刘聪命人将辛宾拉出去斩首。

晋河南郡守赵固与河内太守郭默进犯汉国的河东郡，当他们抵达绛县的时候，

三万余人。骑兵将军刘勋追击之，杀万余人，固、默引归。太子粲帅将军刘雅生等步骑十万屯小平津[244]，固扬言曰："要当[245]生缚刘粲以赎天子！"粲表于聪曰："子业若死，民无所望，则不为李矩、赵固之用，不攻而自灭矣。"戊戌[246]，愍帝遇害于平阳[247]。粲遣雅生攻洛阳，固奔阳城山[248]。

是岁，王命课督农功[249]，二千石、长吏以入谷多少为殿最[250]，诸军各自佃作[251]，即以为禀[252]。

氐王杨茂搜[253]卒，长子难敌立，与少子坚头分领部曲。[254]难敌号左贤王[255]，屯下辨[256]，坚头号右贤王，屯河池[257]。

河南王吐谷浑[258]卒。吐谷浑者，慕容廆之庶兄也，父涉归，分户一千七百以隶之[259]。及廆嗣位，二部马斗。廆遣使让[260]吐谷浑曰："先公分建有别[261]，奈何不相远异[262]，而令马有斗伤！"吐谷浑怒曰："马是六畜[263]，斗乃其常，何至怒及于人！欲远别甚易，恐后会为难耳。今当去汝万里之外。"遂帅其众西徙。廆悔之，遣其长史乙那娄冯[264]追谢之。吐谷浑曰："先公尝称卜筮之言云：'吾二子皆当强盛，祚流后世[265]。'我，孽子[266]也，理无并大[267]。今因马而别，殆天意乎[268]！"遂不复还，西傅阴山而居[269]。属永嘉之乱[270]，因度陇而西[271]，据洮水之西[272]，极于白兰[273]，地方数千里。鲜卑谓兄为阿干，廆追思之，为之作《阿干之歌》。吐谷浑有子六十人，长子吐延嗣[274]。吐延长大有勇力，羌胡皆畏之。

---

**【段旨】**

以上为第一段，写东晋建武元年（公元三一七年）一年间的事件。主要写了晋愍帝司马邺投降汉国后，琅邪王司马睿接受众臣劝进，在建康即晋王位，备百官，立宗庙，建社稷，使东晋政权初具规模；写了晋愍帝司马邺降汉后，在汉都平阳受辱被杀；写了汉国丞相刘粲诬陷皇太弟刘乂致死而自己取得皇位继承权；

汉国右司隶管辖之下的民众投奔赵固的有三万多人。汉骑兵将军刘勋率军追杀他们，杀死一万多人，赵固、郭默带领着剩余的人回到晋国境内。汉太子刘粲率领将军刘雅生等步兵、骑兵总计十万人马驻扎在小平津，赵固扬言说："一定要活捉刘粲，赎回皇帝司马邺！"刘粲上表给汉主刘聪说："司马邺如果死了，百姓没有了希望，就不会听从李矩、赵固的驱使，李矩、赵固用不着攻打，就会自行灭亡。"十二月二十日戊戌，晋愍帝司马邺在汉国的都城平阳被杀害。刘粲派遣刘雅生率军攻打赵固所镇守的洛阳，洛阳失守，赵固逃往阳城山。

这一年，晋王司马睿下令考核官吏督导农事的功绩，凡是俸禄在二千石以上的官员都以向朝廷缴纳谷物的多少作为考核政绩的标准，缴纳最多的被评为第一，缴纳少的被评为最末，部队则就地开荒种田，收获的粮食就作为军粮，由部队自行支配。

氐族首领杨茂搜去世，他的长子杨难敌继位，杨难敌与杨茂搜的小儿子杨坚头分别统领部众。杨难敌称左贤王，驻扎在下辨县，杨坚头称右贤王，屯驻在河池县。

河南王吐谷浑去世。吐谷浑，是慕容廆的庶兄，他的父亲慕容涉归划分出一千七百户归吐谷浑所有。等到慕容廆继位，两个部落牧养的马混到一起发生争斗。慕容廆就派遣使者责备吐谷浑说："先父在世的时候已经为我们分别建立部落，划分了地界，你们为什么不离地界远一点，而让马群因为撕咬争斗而受伤！"吐谷浑很生气地说："马是六畜之一，互相争斗是常有的事，何至于迁怒于人！想让我们离得远些很容易，只怕后会无期了。现在就离开你到那遥远的万里之外去。"于是，吐谷浑便率领着自己的部众向西迁徙。慕容廆很后悔，立即派自己的长史乙那娄冯追赶吐谷浑，向吐谷浑道歉。吐谷浑说："先父曾经说起过，占卜的卦辞说：'我的两个儿子都能强盛起来，福祚流传给后代。'我吐谷浑，是父亲的姬妾所生，从道理上说，我与身为嫡子的慕容廆在同时同地无法平起平坐。现在因为两个部落的马群发生厮咬而使我们分别，这大概是上天有意安排的吧！"总之坚持不返回，率领部众继续西进，在靠近阴山的地方居住下来。此时正赶上永嘉之乱，因而他们就又翻过陇山继续西行，最后占据了洮水以西的大片地区，势力范围到达白兰，占地方圆数千里。鲜卑人称兄长为阿干，慕容廆追思兄长吐谷浑，就为吐谷浑编唱了《阿干之歌》。吐谷浑有六十个儿子，吐谷浑死后，由他的名叫吐延的长子继承了他的权位。吐延长得又高又大，很有勇力，羌人、胡人都很惧怕他。

---

写了晋王朝管区内王廙与杜曾等各派势力在荆州一带的相互争夺；写了鲜卑族慕容廆在辽西地区以尊晋为名，讨伐不服，扩大势力，而其庶兄吐谷浑则率部越陇西迁，在今青海一带逐渐强大等。

【注释】

①中宗元皇帝：司马睿（公元二七五至三二二年），字景文，司马懿的曾孙，琅邪武王司马伷之孙，恭王司马觐之子，东晋王朝建立者，公元三一七至三二二年在位。纪见《晋书》卷五。（《谥法》，始建国都曰元。）②略：攻占；掠夺。③弘农：郡名，治所弘农县，在今河南灵宝东北故函谷关城。④太守：官名，郡的最高行政长官。⑤江东：地区名，长江在芜湖至南京段作西南、东北流向，因此，隋、唐以前称自此以下长江东岸、南岸地区为江东。这里指当时司马睿的统治区。⑥黄门郎：官名，给事黄门侍郎的省称，掌宫内侍奉。⑦侍御史：官名，在御史大夫属下，行监察等职。⑧凉州：晋州名，治所姑臧县，即今甘肃武威。⑨愍帝出降前一日：建兴四年（公元三一六年）十一月初十。晋愍帝降汉在十一月十一。晋愍帝名司马邺，字彦旗，武帝司马炎之孙，吴孝王司马晏之子，西晋的第四代皇帝，公元三一三至三一六年在位。纪见《晋书》卷五。⑩赍诏：带着诏书。⑪张寔（公元二七〇至三二〇年）：字安逊，凉州刺史张轨之子，轨卒，代为刺史。传见《晋书》卷八十六。张寔当时坚持向晋王朝称臣。⑫大都督：官名，统领中外诸军的最高军事长官。⑬凉州牧：官名，凉州地区的最高行政长官。⑭侍中：官名，本为丞相属官，执掌侍从皇帝，应对顾问。魏晋以后，事实上相当于宰相。⑮司空：官名，魏晋时三公之一，参议国政。以上“大都督、凉州牧”是给张寔的实职，“侍中、司空”是给张寔的加官，以示荣宠。⑯承制行事：秉承皇帝的旨意行事，意即授予他临时制宜、先斩后奏之权。⑰摄大位：代行皇帝职权。⑱协赞：协同赞助。⑲共济多难：共同救助这个多难的国家。⑳姑臧：晋县名，即今甘肃武威，当时凉州的州治所在地。㉑大临三日：率众哭吊了三天，以表示对国都沦陷、皇帝被俘的哀悼。㉒辞官不受：意思是表示自己愿尽臣子之心为国效力，而不愿在这种时刻加官进爵、发国难财。㉓寔叔父肃：张寔的叔父张肃。㉔西海太守：西海郡的太守。晋时西海郡的郡治居延，在今内蒙古额济纳旗东南。㉕太府司马：张寔部下的司马官。太府，对张寔凉州大都督府的敬称，太府下设太府司马、太府主簿；而张寔的凉州牧则被敬称为少府，设有少府主簿等官。㉖安故：晋郡名，乃张氏分金城、西平二郡地以立之新郡，故《晋志》有所谓“张茂分武兴、金城、西平、安故四郡为定州”之语。㉗相国保：南阳王司马模之子司马保，字景度。八王之乱后盘踞于秦州（今甘肃天水）一带地区。愍帝建兴三年，被遥授为相国。传见《晋书》卷三十七。㉘瞻公举动：观察您的动向，以便追随行事。㉙中被符命：途中接到您的命令。符命，兵符、将令。㉚敕骞还军：我才让贾骞撤军回来。㉛胡崧不进：事见上卷建兴四年，当年八月汉刘曜率军进逼晋都城长安，司马保派将军胡崧率军从秦州东下入援长安。胡崧在灵台击败汉军。胡崧担心再获得重大胜利，朝廷的声威将再度振兴，麹允、索綝的势力会更强大，于是，率领长安城西各郡武装部队，移向渭水北岸，不再前进，并退守槐里。㉜麹允：晋怀帝时为始平郡太守，愍

帝时先为雍州刺史，后为愍帝之辅弼大臣。愍帝出降，允为刘聪所幽辱，愤而自杀。传见《晋书》卷八十九。㉝遂决遣骞等进军度岭：这句话的主语是张寔。度岭，越陇山东出，以救京师之急。㉞唯公命是从：绝对听从相国您的命令。㉟南安：晋郡名，治所豲道县，在今甘肃陇西东南渭水东岸。㊱张阆帅金城兵：张阆是张寔的部下，此时任金城太守，金城郡的郡治榆中，在今甘肃兰州东。㊲独凉州安全：以上引民谣云云，乃史家以此歌颂张氏家族对维护凉州一带地区安宁的历史贡献。㊳汉主聪：刘聪，字玄明，匈奴族，刘渊的第四子。公元三一〇至三一八年在位，为汉主。传见《晋书》卷一百二。㊴荥阳：晋郡名，郡治荥阳县，即今河南郑州市惠济区古荥镇。㊵韩王故垒：荥阳一带地区战国时属韩国，故其地有韩王故垒。㊶渠帅：魁首；大头领。㊷恇惧：恐慌不安。㊸子产祠：郑人祭祀子产的神庙。子产名侨，春秋时代郑国的良臣。曾在郑简、定、献、声四朝执国政。事详见《左传》《史记·郑世家》。郑国后来为韩国所灭，故韩国的荥阳一带有子产祠。㊹掩击：突然袭击。㊺辛巳：二月二十八。㊻宋哲至建康：宋哲原在晋愍帝属下为平东将军，愍帝被刘曜俘去后，宋哲逃向江东投归司马睿。建康是古城名，即今江苏南京。三国时吴建都于此，称建业；西晋时避晋愍帝司马邺讳，改名建康。㊼统摄万机：隐指即皇帝位。㊽素服出次：身穿丧服到宫外居住。古代天子诸侯常居治事之所叫"正寝"或"路寝"，凡遇国丧，天子诸侯须避正寝，出外居住。㊾西阳王羕：司马羕，字延年，汝南王司马亮之子。先被封为西阳县公，后被封为西阳王。㊿当归琅邪：我还回去当琅邪王。51命驾将归国：让人准备车驾，我要回到自己本来的封地去。故意装出一副不肯当皇帝的样子。52依魏晋故事：按照当年司马炎篡取魏国皇帝的程序行事。即第一步先称"晋王"，而后再逐步称皇帝。53辛卯：三月初九。54改元：改用自己的新年号，即所谓"建武"。55宣城公裒：司马裒，字道成，晋元帝睿之子。初封宣城郡公，后更封琅邪王。传见《晋书》卷六十四《元四王传》。56王导：字茂弘，琅邪临沂（今山东费县东）人，东晋大臣，辅佐元、明、成三帝，德高勋重，当时任扬州刺史。传见《晋书》卷六十五。57世子、宣城：这里以称司马睿的两个儿子司马绍与司马裒。世子，义同太子，帝王或诸侯正妻所生的长子，这里指未来的晋明帝司马绍。58朗隽：英达出众。59丙辰：《建康实录》卷五作"四月丙辰"，即四月初四。60奉恭王后：继承恭王司马觐之后，世袭为琅邪王。〖按〗琅邪恭王司马觐，是晋元帝司马睿的父亲。原应由司马睿继承其衣钵，但因司马睿已继承大统，为司马炎之后，其子司马绍又为己之后，故只有让次子司马裒承继司马觐。61都督青、徐、兖三州诸军事：使之为青州、徐州、兖州三州的最高军事长官。62镇广陵：其统率部设于广陵，在今江苏扬州东南。63太保：官名，与太师、太傅合称"三公"，亦称"三师"，此时用为加官，以示荣宠。64谯刚王逊之子承：司马承，字敬才。传附见《晋书》卷三十七《谯刚王逊传》。谯刚王逊，司马逊，司马懿之侄。仕魏为关内侯。晋武帝时，封谯王。谥曰刚。65宣帝：司马懿，字仲达，司马炎代魏称帝，追谥为宣帝。纪见《晋书》卷一。66征南大将军王敦：字处

仲，临沂（今山东费县东）人。传见《晋书》卷九十八。此时任征南大将军。魏晋时期国家设"四征""四镇"八个大将军，皆地位崇重。⑰大将军：官名，汉武帝以来掌管国家军政大权的最高长官，地位在丞相之上。魏、晋时期的执政大臣，多兼有"大将军"的官号。⑱江州牧：同时兼任江州刺史。当时江州刺史的州治寻阳，即今江西九江。⑲扬州刺史：扬州的州治建康，即今江苏南京。⑳骠骑将军：官名，权位仅次于"大将军"。㉑都督中外诸军事：统领全国军队，为国家的最高军事长官。都督，总统。㉒领中书监：兼任中书省长官，主管为皇帝起草一切诏书、文件。领，兼管。㉓录尚书事：总管尚书省的一切事务。录，总管。尚书省，职能犹如今之行政院。尚书省的长官为尚书令。东汉以后，常以中央高级官员"领尚书事"或"录尚书事"，权力遂集中于少数人或某一人。㉔丞相左长史刁协：丞相左长史犹如今之总理助理或办公厅主任。长史，诸史之长。刁协，字玄亮，勃海饶安（今河北盐山西南）人。传见《晋书》卷六十九。㉕尚书左仆射：官名，尚书令的副手。㉖周顗：字伯仁，安城（今河南汝南东南）人，东晋初期的名士与朝廷显官。传见《晋书》卷六十九。㉗军谘祭酒贺循：贺循，字彦先，会稽山阴（今浙江绍兴）人。传见《晋书》卷六十八。军谘祭酒，约当今之军师、总参谋长。祭酒是官名，军谘即"军师"。晋朝人给司马师避讳，故改军师曰"军谘"。㉘中书令：官名，与中书监同为中书省长官，权同宰相。由于尚书台权力过大，魏、晋以降逐渐实行三省制，增设中书省、门下省与尚书台分权，由中书决策，门下审议，尚书执行。三省长官权同宰相。㉙尚书：官名，尚书省的成员，协助皇帝处理日常政务。㉚司直刘隗：司直是丞相属下的司法官。刘隗，字大连，彭城（今江苏徐州）人。传见《晋书》卷六十九。㉛御史中丞：官名，御史台的长官，掌管督察纠弹。秦代和西汉时期设御史大夫一职，掌监察，地位仅低于丞相，御史中丞仅为其属官。西汉末以后，御史大夫改为司空，东汉光武始以御史中丞为御史台长官。㉜行参军刘超：代理参军之职的刘超。行，代理。参军，大将军的参谋人员。刘超，字世瑜，琅邪临沂（今山东费县东）人。传见《晋书》卷七十。㉝中书舍人：官名，中书令的属官，掌管传达诏命。㉞孔愉：字敬康，会稽山阴（今浙江绍兴）人。传见《晋书》卷七十八。㉟长兼中书郎：中书郎即中书侍郎，是中书监与中书令的副职，参与朝政。此职由大将军的"参军"永久性兼任，可见朝廷机要部门被掌兵之人控制之情状。胡三省曰："长兼盖始于此。"㊱自余参军：其他的参谋人员。㊲奉车都尉：皇帝的车马侍从官，平时为皇帝管理车马，外出任侍从。与驸马都尉、骑都尉同职。㊳掾属：指大将军王敦、骠骑将军王导的其他僚属。掾，手下办事人员的统称。㊴驸马都尉：官名，简称"驸马"，皇帝的侍从武官，为皇帝管理副车之马。㊵骑都尉：官名，掌管皇帝的羽林骑兵。㊶太常：官名，九卿之一，掌礼乐郊庙社稷事宜。㊷江东草创：指东晋政权刚刚建立。㊸久宦中朝：曾长期在西晋朝廷任职。中朝，东晋人以称国都洛阳时代的西晋朝廷。㊹谙练旧事：熟悉旧日朝廷的规章法令。谙练，熟悉。㊺刘琨、段匹磾相与歃血同盟：刘琨是西晋末年在今山西一带坚持抗击北方民族叛乱的晋朝将领，斗争失败后东逃至今北京地区投靠幽州刺史段匹磾，事见上年。歃血同盟，意即二人宣誓结盟。歃血是古代定盟时的一种仪式，宣誓双方把牲畜之血涂于嘴上。㊻期以翼戴晋室：约定好共同扶持、共同拥戴晋王朝。翼戴，扶持、拥戴。㊼辛丑：三月十九。㊽温峤：字太真，刘琨的僚属，后成为东晋名臣。传见《晋书》卷六十七。㊾劝进：劝司马睿由晋王进一步登基称帝。⑩⓪峤二句：温峤是温羡之弟的儿子。温羡，字长卿，太原祁县人。传见《晋书》卷四十四。⑩①峤之从母为琨妻：温峤的姨母是刘琨的妻子（刘琨是温峤的姨父）。从母，母亲的姐妹。⑩②晋祚虽衰：晋朝的国运虽然已经衰微。祚，福。⑩③立功河朔：在北方建立功勋。河朔，泛指当时的并州、幽州，即今山西、河北等一带地区。⑩④延誉江南：向南方的朝廷禀报消息，以求在南方提高我们的名望。延誉，博取声誉。⑩⑤王：此指晋王司马睿。⑩⑥慕容廆：居住于昌黎棘城（今辽宁义县）一带的鲜卑人，初自称鲜卑大单于，愍帝时，名义上投靠晋王朝，被授为镇军将军，昌黎、辽东二国公。传见《晋书》卷一百八。⑩⑦都督辽左杂夷流民诸军事：官名，意即为今辽宁一带地区各少数民族、各臣民百姓的军事、行政总管。辽左，辽河以东。杂夷，指各少数民族。流民，指从中原地区北逃到辽东地区避难的汉族人。⑩⑧鲁昌：慕容廆的部将。⑩⑨两京覆没：指洛阳与长安相继沦陷。⑪⓪天子蒙尘：指晋怀帝、晋愍帝先后被匈奴人俘去。⑪①承制江东：接受怀帝、愍帝的指令在江东建立政权。承制，奉皇帝之命。⑪②为四海所系属：为天下人所归心、所拥护。⑪③阻兵未服：拥兵自重，不肯臣服。阻兵，依靠武力。⑪④官非王命：您的职务不是由朝廷任命的。⑪⑤谓宜：我认为您应该。⑪⑥劝承大统：劝晋王司马睿正式接续为晋朝皇帝。⑪⑦处士：称有才德而隐居不仕的人。⑪⑧霸王之资二句：即使有足以称霸称王的基础，没有合理的理由、名分仍是不行。义，宜、充分的理由与合理的名分。济，成功。⑪⑨示有所尊：以表示我们是拥护晋王朝的。⑫⓪不患无辞：不担心找不到讨伐那些不服从我们的部落的借口。⑫①汉相国粲：刘粲，汉国君主刘聪之子，此时任相国。⑫②太弟义：刘渊之子刘义。刘聪继位为汉主，封刘义为皇太弟，以之为未来的接班人。⑫③适奉中诏：刚刚接到朝中的密令。中诏，来自朝中、宫中的诏书。⑫④宜衷甲以备非常：应该在外衣里面暗穿铠甲以防备意想不到的事情发生。衷甲，外衣内暗穿铠甲。⑫⑤宫臣：太弟宫中的工作人员。⑫⑥靳准、王沈：刘粲派在汉主刘聪身边的亲信。⑫⑦东宫：皇位继承人刘义所居之宫。⑫⑧收氐、羌酋长十余人：将太弟身边的十多个氐人、羌人的首领逮捕起来。收，逮捕。氐、羌，当时西部地区的少数民族而为匈奴人所服者。⑫⑨穷问：寻根究源地审问。⑬⓪悬首高格：人头朝下地吊在木架上。高格，用大木做成的类似单杠的高架子。⑬①坑士卒万五千余人：都是护卫东宫的各支警卫军队。⑬②粲寻使准贼杀之：寻，不久。贼杀，杀害。贼、杀二字同义。⑬③五月壬午：五月初一。⑬④六月丙寅：六月十五。⑬⑤庾亮：字符规，东晋前期的权臣，历仕元、明、成三帝，其妹为晋明帝皇后。传见《晋书》卷七十三。⑬⑥荀组：字大章，荀勖之子，西晋王朝下的知名人物。愍帝为匈奴所俘后，荀组与其兄藩移檄天下，以琅邪王司马睿为盟主。此时任豫州刺史，被遥授太尉。⑬⑦邵续：字嗣祖，曾为成都王司马颖参军。天下渐乱，续还乡，纠合亡命，与段匹磾联合攻石勒。此时被司马睿遥授为冀州刺史。传见《晋书》卷六十三。⑬⑧王逊：字邵伯，西晋时期的名臣，任宁州刺史期间功绩卓著。传见《晋书》卷八十一。宁州的州治在今云南昆明东南。⑬⑨东夷校尉：管理东北方少数民族事务的军事长官，驻地在今辽宁辽阳。⑭⓪谯：晋郡名，郡治谯县，即今安徽亳州。⑭①坞主：东汉、魏、晋时代筑坞自卫的豪强大姓。坞，土堡、小城。⑭②桓宣：西晋末期的名人，曾协助祖逖招抚离叛，被司马睿授谯国内史。传见《晋书》卷八十一。⑭③祖逖：字士稚，曾与刘琨同为司州主簿，中夜闻鸡起舞，并有才名。西晋末率亲党数百家南迁京口。请北伐，被司马睿任为豫州刺史。传见《晋书》卷六十二。⑭④芦洲：地名，在今安徽亳州东涡水北岸。⑭⑤诣平、雅：到张平、樊雅屯兵居住的堡坞中去。诣，往、前往。⑭⑥大镬：无脚大锅。《说文解字》云：镬，江、淮人谓之锅，浙人谓之镬。⑭⑦帝王镬：古代帝王铸的镬，有文物价值。⑭⑧太丘：晋县名，县治在今河南永城西北。⑭⑨谯城：谯国的都城，即今安徽亳州。⑮⓪南中郎将王含：王含，字处弘，东晋权臣王敦之兄，此时任南中郎将。当时晋官有东、西、南、北四中郎将。⑮①从两人诣雅：带着两个随从前往樊雅的堡坞。从，带领、使跟从。⑮②刘、石：刘聪、石勒。⑮③石虎：石勒的侄子与忠实部将，一个极度残暴的杀人狂。⑮④内史：西汉以来诸侯国内的行政长官称作“相”，“相”的职权相当于郡太守，内史在“相”之下，主管民政。⑮⑤己巳：六月十八。⑮⑥传檄天下：发布告于全国。檄，古代官方文书用木简，长尺二寸，多作征召、晓谕、申讨等用。若有急事，则插羽毛，称为羽檄。后泛称这类官方文书为檄。⑮⑦犬羊：对北方游牧民族士兵的蔑称。⑮⑧渡河纵毒：渡过黄河，骚扰劫掠中原地区。河，指黄河。纵毒，纵情劫掠。⑮⑨径造贼场：直捣贼人的巢穴。径造，一直杀向。⑯⓪受祖逖节度：接受祖逖的指挥。当时祖逖正在豫州，即今河南一带。节度，统领、指挥。⑯①司、冀、并、青、雍州：都是晋王朝的州名，司州的州治洛阳，当时匈奴刘汉政权已盘踞在此，冀州的州治信都（今河北衡水市冀州区），正为石勒所占领，并州的州治太原，已在汉主刘聪之手，青州的州治临淄，尚在晋政权的名义下，雍州的州治长安，已经陷于匈奴刘汉的统治下。⑯②河、汾溢：黄河、汾河发大水。⑯③领相国、大单于：兼任相国与大单于之职。⑯④总摄朝政如故：仍然像过去一样辅佐汉主刘聪全面处理朝廷政务。总摄，总管。摄，管制。⑯⑤疾陆眷：鲜卑族，辽西公务勿尘之子，段匹磾之兄。务勿尘死，袭号为辽西公。⑯⑥涉复辰：鲜卑族首领，务勿尘之弟。⑯⑦末柸：鲜卑族首领，疾陆眷与段匹磾的从弟。⑯⑧固安：晋县名，县治在今河北易县东南。⑯⑨石勒：字世龙，羯族，原为匈奴头领刘聪的部将，后来脱离刘聪，自己创立后赵。传见《晋书》卷一百五。⑰⓪蓟：晋县名，即今北京城的西南部，当时为段匹磾的幽州刺史所在地。⑰①司徒：古时的三公之一，掌教化；也有时职同丞相。魏、晋时期三公皆为虚衔，只是一种荣誉职务。⑰②赵固：原为晋王朝的雍州刺史，晋怀帝永嘉六年（公元三一二年）向汉投降，被汉主刘聪任命为荆州刺史兼河南郡郡守，镇守洛阳。⑰³卫将军华荟：华荟，字敬叔，为晋王朝的卫将军，驻兵于临颍。⑰⁴临颍：晋县名，县治在今河南临颍西北。⑰⁵长史周振：赵固部下的长史，姓周名振。⑰⁶来降：又反正来归降晋将李矩。⑰⁷郑攀等相与拒王廙：郑攀是陶侃为荆州刺史时的部将，因大将军王敦任命王廙代替陶侃为荆州刺史，众心不服，郑攀遂与马儁等联合变民首领杜曾发兵袭击王廙。王廙，字世将，王导的从弟。传见《晋书》卷七十六。⑰⁸众心不一：众人的意见不统一。一，一致、统一。⑰⁹横桑口：地名，在今湖北天门东南。⑱⁰欲入杜曾：想使杜曾进入荆州。入，使进入。杜曾，原是新野王司马歆的参军，后来自称南中郎将，此时正占据着靠近湖北西部的汉水上游一带地区。传见《晋书》卷一百。⑱¹第五猗：姓第五，名猗，晋愍帝建兴三年被朝廷任为安南将军、荆州刺史，后来又曾与杜曾、郑攀等共拒王廙入荆州。⑱²扬口垒：扬口地区的军事堡垒。扬口即古扬水注入汉水的汇流处，在今湖北潜江西北。⑱³竟陵内史：竟陵国的民政官。竟陵国属荆州刺史管辖，故朱伺为王廙进言。⑱⁴兼道：犹言“兼程”，以加倍速度赶路。⑱⁵大部分：加大对此防守的力度。⑱⁶未可便西：不能就这个样子地大意西进。⑱⁷矜厉自用：骄傲自负，听不进别人的意见。⑱⁸趋：赴；奔袭。⑱⁹裁至垒：刚刚回到扬口垒。裁，通“才”，刚刚。⑲⁰皮其面以示之：割开他们的面皮让马儁看。皮，用如动词，割开皮肤。⑲¹开船底以出：凿开船底，从洞里逃出。⑲²沈行：潜泳。沈，通“沉”。⑲³复与卿作贼：再与你一道背叛朝廷。⑲⁴付汝裁之：交给你随意处置。裁，裁决、处理。⑲⁵甑山：山名，在今湖北汉川东南。⑲⁶戊寅：九月二十九。⑲⁷女观湖：湖名，在今湖北江陵东北，已湮。⑲⁸沔口：也称汉口，即今湖北武汉的汉水汇入长江之口。汉水在古代也称沔水。⑲⁹江、沔：指今长江、汉水流域的湖北西部地区。⑳⁰周访：字士达，此时任豫章太守。传见《晋书》卷五十八。豫章郡的郡治即今江西南昌。⑳¹沌阳：晋县名，县治在今湖北武汉市汉阳区东。⑳²左甄：军队之左翼。晋时称军队左、右两翼为左、右甄。⑳³射雉以安众心：为了稳定军心，周访特意在阵后射野鸡，以示从容不迫。雉，野鸡。⑳⁴败而复合：被击溃之后立即集结起来再战。合，收拢、聚集。⑳⁵自旦至申：从天明到下午。旦，天亮、早晨。申，十五时至十七时。⑳⁶自行酒饮之：亲自为他们摆酒，向他们敬酒。行酒，一一地敬酒。⑳⁷敕不得妄动：告诫这选出的八百人，没有命令不准随意行动。敕，告诫。⑳⁸未至三十步：当敌兵前进到离我不到三十步远的时候。⑳⁹宜及其衰乘之：应该趁敌兵溃败无斗志的时候追击它。乘，陵、追击。㉑⁰武当：晋县名，县治在今湖北丹江口西北。㉑¹十月丁未：十月二十九。㉑²十一月己酉朔：十一月初一是己酉日。朔，农历的每月初一。㉑³丁卯：十一月十九。㉑⁴侍中、太尉：在这里都是虚衔，以示荣宠。太尉在秦、汉时代曾是全国最高军事长官，与丞相、御史大夫合称三公，魏晋时用作加官。㉑⁵戴邈：字望之，东晋时期的儒臣。传附见《晋书》卷六十九。㉑⁶庠序：学校。殷代叫“序”，周代叫“庠”。㉑⁷平世尚文：和平的时代提倡文化教育。㉑⁸比天下平泰：等到天下太平之时。

比，等到。㉑⑨贵游之子：贵族之家的游手好闲子弟。㉒⓪斩将搴旗：斩敌之将，拔取敌军之旗。㉒①从军征戍之役：此句残缺不全，意即这些贵族子弟也没法完成从军征伐的任务。㉒②不及盛年：不让他们趁着年轻力壮。㉒③讲肄道义：读些儒家的经典，研究一些仁义道德的问题。讲肄，讲习。㉒④良可惜也：实在是一件令人遗憾的事。良，甚、很。㉒⑤火之消膏：灯火消耗灯油。膏，油脂。㉒⑥王业肇建：帝王大业刚刚建立。肇建，初建。肇，始。㉒⑦万物权舆：万事都要从头开始。权舆，开始。㉒⑧笃道崇儒：追求王道，尊崇儒学。笃，热爱、追求。㉒⑨以励风化：以改良社会风气。㉓⓪太学：封建王朝在京师建立的全国最高学府。㉓①出畋：出宫打猎。㉓②行车骑将军：充当车骑将军之职，为汉主刘聪指挥参加打猎的车马。行，代理。通常指官阶高而代理较低职位。车骑将军，官名，仅次于大将军、骠骑将军。始设于汉代，唐以后废。㉓③同恶相求为患：有共同仇恨的人聚在一起作乱。㉓④皆以子业为名：都是打着司马邺的旗号。名，名义、借口。㉓⑤前杀庾珉辈：事在晋怀帝建兴元年（公元三一三年）。汉主刘聪在平阳南宫光极殿大宴群臣，命晋怀帝身穿青衣在席间行酒，庾珉、王儁等目睹故主受如此侮辱，不禁失声痛哭。事后，刘聪诛杀庾珉、王儁等晋国旧臣十余人。庾珉，字子琚，为晋怀帝侍中。传附见《晋书》卷五十。㉓⑥且小观之：再过一段时间看看。㉓⑦行酒洗爵：给参加宴会的人巡行斟酒，并为之洗酒杯。爵，古代的酒杯。㉓⑧更衣：如厕的讳称，主语是刘聪。㉓⑨执盖：手持便器之盖。㉔⓪陇西辛宾：陇西郡人，姓辛名宾，晋愍帝在位时为尚书郎。传附见《晋书》卷八十九。㉔①河东：晋郡名，郡治安邑，即今山西夏县西北之禹王城，此时在汉主刘聪的统治下。㉔②绛：晋县名，县治在今山西曲沃西南，此时属汉所有。㉔③右司隶部民：刘聪右司隶统辖下的故晋之民。司隶，官名，负责管理奴隶、俘虏。刘聪分司隶为左、右，各统所部汉民。㉔④小平津：地名，在今河南洛阳市孟津区东北。㉔⑤要当：一定要。㉔⑥戊戌：十二月二十。㉔⑦平阳：古城名，在今山西临汾西南二十里，永嘉三年刘渊始建都于此。㉔⑧阳城山：俗名东岭山，又名马岭山，在今河南登封东北。㉔⑨课督农功：检查并督促发展农事的事务。㉕⓪以入谷多少为殿最：把他们向朝廷缴纳谷物的多少作为考核政绩的标准。缴纳最多的名列第一（最），缴纳最少的名列最末（殿）。㉕①诸军各自佃作：军队都要就地垦荒种田。佃作，耕作。㉕②即以为禀：种出来的粮食就作为军粮，由部队自己支配。禀，通作"廪"。原指仓库，用为动词指供应。㉕③杨茂搜：氐族，元康中自号辅

【原文】

**太兴元年（戊寅，公元三一八年）**

春，正月，辽西公疾陆眷卒。其子幼，叔父涉复辰自立。段匹磾自蓟往奔丧。段末柸宣言："匹磾之来，欲为篡也。"匹磾至右北平[①]，

国将军、右贤王。氐人推以为主，晋愍帝授以为骠骑将军。㉕④长子难敌立二句：杨茂搜的长子杨难敌继承了他的职位。杨难敌与其弟杨坚头分别统领部众。部曲，古代军队的编制单位。大将军营设五部，部的长官即校尉；部下设曲，曲的长官称军候。引申为部下、部众。㉕⑤左贤王：原为匈奴官名，与右贤王同为仅低于匈奴单于的两个君长。左贤王居于匈奴领土的东部，右贤王居于匈奴领土的西部。匈奴尚左，单于以下以左贤王最尊贵，多由单于之子或单于之弟充任，为单于的储副。古代北方民族亦多采用此制。㉕⑥下辨：晋县名，县治在今甘肃成县西。㉕⑦河池：晋县名，县治在今甘肃徽县西。㉕⑧吐谷浑：人名，鲜卑族，慕容涉归之子，慕容廆的庶兄，原居于辽东地区。传见《晋书》卷九十七。吐谷浑后来也成了少数民族部落名。㉕⑨分户一千七百以隶之：分出一千七百户归吐谷浑所有。隶，属、管辖。㉖⓪让：责备。㉖①分建有别：为我们分建了部落，划开了地区。㉖②奈何不相远异：为什么不各自离得远一点。远异，远离。㉖③六畜：六畜之一。六畜指马、牛、羊、犬、豕、鸡六种家畜。㉖④乙那娄冯：人名，乙那娄是鲜卑族的姓氏，冯字是名。㉖⑤祚流后世：福祚流传给后代，意即建立政权，子孙相继称王。祚，福。㉖⑥孽子：古代称非正妻所生的儿子为庶子，亦即孽子。㉖⑦理无并大：孽子与嫡子并列在一起，不可能同样强大。㉖⑧殆天意乎：大概是上天有意让我强大起来吧。殆，大概。㉖⑨西傅阴山而居：向西在靠近阴山的地方居住下来。西，名词动用，意思是向西行。傅，通"附"，傍着、靠近。阴山，山名，即今内蒙古境内的阴山山脉。㉗⓪属永嘉之乱：正赶上永嘉年间的中原大乱、匈奴入侵、怀帝被俘等。属，会、正赶上。永嘉，晋怀帝司马炽的年号（公元三〇七至三一二年）。㉗①因度陇而西：因而翻过陇山继续西行。陇，陇山，也称陇阪、陇首。在今陕西陇县、甘肃清水一带。㉗②据洮水之西：占据了洮水以西的大片土地。据，占有。洮水，源出甘肃、青海二省交界处的西倾山东麓，下流至甘肃永靖注入黄河。㉗③极于白兰：势力范围到达白兰。极，至、抵达。白兰，山名，在今青海西南部。㉗④长子吐延嗣：吐谷浑的大儿子吐延继承了其父的权位。嗣，继承。

【校记】

［1］安故：据章钰校，甲十一行本、乙十一行本皆脱"安"字。

【语译】

**太兴元年（戊寅，公元三一八年）**

春季，正月，辽西公疾陆眷去世。他的儿子还很幼小，他的叔父涉复辰便自立为辽西公。段匹磾从蓟城前往辽西奔丧。疾陆眷的堂弟段末柸宣扬说："段匹磾这次来辽西的目的不是奔丧，而是篡位。"段匹磾到达右北平，涉复辰听信了段末柸的挑

涉复辰发兵拒之。末柸乘虚袭涉复辰，杀之，并其子弟党与，自称单于。迎击匹磾，败之，匹磾走还蓟。

三月癸丑[276]，愍帝凶问[277]至建康，王斩缞居庐[278]。百官请上尊号[279]，王不许。纪瞻[280]曰："晋氏统绝[281]，于今二年，陛下当承大业。顾望宗室，谁复与让[282]？若光践大位[283]，则神、民有所凭依[284]。苟为逆天时，违人事，大势一去，不可复还。今两都燔荡[285]，宗庙无主。刘聪窃号于西北，[286]而陛下方高让于东南，此所谓揖让而救火[287]也。"王犹不许，使殿中将军韩绩彻去御坐[288]。瞻叱绩曰："帝坐上应列星，[289]敢动者斩！"王为之改容。

奉朝请周嵩[290]上疏曰："古之王者，义全而后取，让成而后得，[291]是以享世长久，重光万载[292]也。今梓宫未返[293]，旧京未清[294]，义夫泣血，士女遑遑。宜开延嘉谋[295]，训卒厉兵[296]，先雪社稷大耻，副四海之心[297]，则神器将安适哉[298]？"由是忤旨[299]，出为新安太守[300]，又坐怨望抵罪[301]。嵩，𫖮之弟也。

丙辰[302]，王即皇帝位，百官皆陪列。帝命王导升御床共坐[303]，导固辞曰："若太阳下同万物[304]，苍生何由仰照？"帝乃止。大赦，改元[305]，文武增位二等[306]。帝欲赐诸吏投刺[307]劝进者加位一等，民投刺者皆除吏[308]，凡二十余万人。散骑常侍熊远[309]曰："陛下应天继统，率土归戴[310]，岂独近者情重，远者情轻？不若依汉法[311]遍赐天下爵[312]，于恩为普，且可以息检核之烦，塞巧伪之端也。[313]"帝不从。

庚午[314]，立王太子绍[315]为皇太子。太子仁孝，喜文辞，善武艺，好

拔，就发兵阻截段匹磾。段末柸趁涉复辰后方兵力空虚，便对涉复辰发动袭击，将涉复辰杀死，连同他的子弟、党羽全部除掉，便自称大单于。他发兵迎击段匹磾，将段匹磾打败，段匹磾跑回蓟城。

三月初七日癸丑，晋愍帝被害的消息传到建康，晋王司马睿穿上用粗麻布缝制的斩缞丧服，从自己的王宫寝室搬到庐幕居住，为晋愍帝守丧。文武百官请求晋王改用皇帝尊号，晋王司马睿不同意。担任丞相军谘祭酒的纪瞻说："晋国皇统断绝，到现在已经是第二年了，陛下应当担当起这份大业。看看宗室当中，还能有谁值得推让呢？如果陛下光荣地登上皇帝宝座，那么，神与黎民百姓就都有了依靠。如果陛下的行为拂逆了天心，违背了民望，大势一去，就再也找不回来了。如今长安、洛阳都被烧成了灰烬，皇家宗庙无人祭祀。刘聪在西北盗窃皇帝尊号称起皇帝，而陛下却在东南摆起了清高姿态，这就是人们所说的面对需要紧急扑救的熊熊大火却还在让来让去。"晋王还是不同意称帝，他令担任殿中将军的韩绩撤去纪瞻等事先为他摆好的皇帝宝座。纪瞻大声呵斥韩绩说："人间帝王的宝座，与上天的星宿是彼此对应的，有敢移动者斩！"晋王为此连神色都改变了。

担任奉朝请职务的周嵩上疏给晋王说："古代帝王之位，大义无亏时，然后可以取得，经过多次谦让不果之后，就可以接受。所以帝王之业能够维持长久，如同日月，光耀万年。而现在，怀帝、愍帝两位先皇的灵柩还没有返回故国，旧日的京城还在贼人的占领之下，没有收复，忠义之士正在流淌着血泪，男女老少日夜惶恐不安。此时应该广开言路、延揽贤能、制定出正确的谋略，加紧训练士卒、磨砺兵器，做好征战的准备，先洗雪国家的奇耻大辱，以符合全国人民的愿望，如此的话，皇帝的宝座还会被别人抢走吗？"因为周嵩的这番话违背了晋王的心思，所以晋王就把他调离京师建康，打发他到新安去担任太守，后来又遭人指控对皇帝心怀怨恨而被判处相应的刑罚。周嵩，是周顗的弟弟。

三月初十日丙辰，晋王司马睿登上皇帝宝座，就是晋元帝，文武百官排列在两旁侍奉。晋元帝命骠骑将军王导到御床上来坐在自己身边，王导坚决推辞说："如果天上的太阳落下来和地上的万物混在一起，天下苍生还怎么仰望阳光普照？"晋元帝这才作罢。于是大赦天下，改年号为太兴，文武百官一律提升两级爵位。晋元帝想把官吏中那些上疏劝进的每人提升一级爵位，平民百姓中上疏劝进的全部授予官职，这些人加起来有二十多万人。担任散骑常侍的熊远说："陛下上应天命下继皇统，四海的黎民百姓全都归心拥戴，难道只有距离建康近的人情意深重，而距离远的人情义就轻了吗？不如依照汉朝的制度，普天之下的人民全部赐爵一级，以示皇恩浩荡，这样一来，既可以省去检查核实的麻烦，又能堵塞那些弄虚作假、徇私舞弊事情的发生。"晋元帝没有采纳熊远的建议。

三月二十四日庚午，晋元帝司马睿立王太子司马绍为皇太子。皇太子司马绍为

贤礼士，容受规谏，与庾亮、温峤等为布衣之交[316]。亮风格峻整[317]，善谈老、庄，帝器重之，聘亮妹为太子妃。帝以贺循行太子太傅[318]，周颙为少傅，庾亮以中书郎侍讲东宫[319]。帝好刑名家[320]，以《韩非》书赐太子。庾亮谏曰："申、韩刻薄伤化，不足留圣心[321]。"太子纳之。

帝复遣使授慕容廆龙骧将军、大单于、昌黎公，廆辞公爵不受。廆以游邃为龙骧长史[322]，刘翔为主簿[323]，命邃创定府朝仪法[324]。裴嶷[325]言于廆曰："晋室衰微，介居江表[326]，威德不能及远。中原之乱，非明公不能拯也。今诸部虽各拥兵，然皆顽愚相聚，宜以渐并取[327]，以为西讨之资[328]。"廆曰："君言大，[329]非孤所及[330]也。然君中朝名德[331]，不以孤僻陋而教诲之，[332]是天以君赐孤而祐其国也。"乃以嶷为长史，委以军国之谋。诸部弱小者，稍稍[333]击取之。

李矩使郭默、郭诵救赵固，屯于洛汭[334]。诵潜遣其将耿稚等夜济河[335]袭汉营，汉具丘王翼光觇知之[336]，以告太子粲，请为之备。粲曰："彼闻赵固之败，自保不暇，安敢来此邪？毋为惊动将士。"俄而稚等奄至[337]，十道进攻。粲众惊溃，死伤太半，粲走保阳乡[338]。稚等据其营，获器械军资不可胜数。及旦，粲见稚等兵少，更与刘雅生收余众攻之。汉主聪使太尉范隆帅骑助之，与稚等相持，苦战二十余日，不能下。李矩进兵救之，汉兵临河拒守，矩兵不得济。稚等杀其所获牛马，焚其军资，突围奔虎牢[339]。诏以矩都督河南三郡[340]诸军事。

汉螽斯则百堂灾[341]，烧杀汉主聪之子会稽王康等二十一人。

聪以其子济南王骥为大将军、都督中外诸军事、录尚书[342]，齐王劢为大司徒。

人仁爱孝顺，喜欢文学，精通武艺，尊贤礼士，很能接受别人的规劝，与庾亮、温峤等人，都是不讲权位高低的忠实朋友。庾亮品格严正庄重，喜欢谈论老子、庄子的学说，晋元帝很器重他，就聘娶了他的妹妹为太子妃。晋元帝任命贺循为代理太子太傅，任命周颛为太子少傅，庾亮以中书郎的身份兼任东宫侍讲，为太子讲学。晋元帝喜好法家学派中的刑名之学，就把《韩非子》一书赏赐给皇太子。庾亮劝阻皇太子说："申不害、韩非的学说刻薄寡恩，会有伤教化，不值得把心思花费在这上面。"皇太子接受了庾亮的意见。

晋元帝又派遣使者去授予慕容廆为龙骧将军、大单于、昌黎公，慕容廆没有接受昌黎公这一爵位。龙骧将军、大单于慕容廆任命游邃为龙骧长史，任命刘翔为参与机要、总领府事的主簿，让游邃负责为自己的官署制定礼仪和章程。裴嶷对慕容廆说："晋室衰微，晋元帝司马睿孤独地立朝于江南，恩德和威势都不能到达远方。中原地区的战乱，除去您以外没有人能够拯救。如今，其他部落虽然都各自拥有部队，然而都是一些顽劣之辈聚集在一起，应该逐渐地把他们吞并掉，以此作为日后向西进攻中原的资本。"慕容廆说："你的目标太远大宏伟，恐怕不是我所能实现的。然而先生是晋朝德高望重的人物，不嫌弃我地处偏僻、孤陋寡闻而来投奔我，给我以教诲，这是上天把你赏赐给我以保佑我的国家呀。"于是任命裴嶷为长史，把军国大计全部委托给他办理。对那些弱小的部落，渐渐地征服和吞并它们。

晋司州刺史李矩派郭默、郭诵率军救援赵固，他们把军队驻扎在洛汭。郭诵暗中派遣自己手下的将领耿稚等趁黑夜偷偷渡过黄河袭击汉军的营寨，被汉主刘聪封为具丘王的刘翼光探听到了晋军渡河来袭的消息，便赶紧派人禀告汉太子刘粲，请他加强戒备。汉太子刘粲说："我听说赵固兵败之后，连自保都来不及，又怎么敢到这里来袭击我的营寨呢？不要为此惊动将士。"不久，耿稚等率军突然杀到，兵分十路，同时进攻。刘粲手下的将士惊慌失措、溃不成军，被晋军杀死杀伤了一大半，刘粲率领残兵败将撤退到阳乡据守。耿稚等占领刘粲的大营，缴获的器械、军用物资多得都清点不过来。到了天亮，刘粲发现耿稚等所帅晋军并不多，就与汉军将领刘雅生一起将残败兵众重新组织起来，向耿稚等发动进攻。汉主刘聪派太尉范隆率领骑兵前来助战，与耿稚等对峙，苦战二十多天，仍然不能取胜。晋荥阳太守李矩率军进前救援耿稚等，汉军沿着黄河岸边把守，李矩的士卒无法渡过黄河。耿稚等便把所缴获的牛马全部杀掉，放火把军用物资全部烧成灰烬，然后突出包围奔往虎牢。晋元帝下诏任命李矩为都督河南三郡诸军事。

汉"螽斯则百堂"发生火灾，大火烧死二十一人，其中包括汉主刘聪的儿子、会稽王刘康。

汉主刘聪任命他的儿子济南王刘骥为大将军、都督中外诸军事、录尚书，任命齐王刘劢为大司徒。

焦嵩[343]、陈安[344]举兵逼上邽[345]。相国保遣使告急于张寔，寔遣金城太守窦涛督步骑二万赴之。军至新阳[346]，闻愍帝崩，保谋称尊号。破羌都尉张诜言于寔曰："南阳王，国之疏属[347]，忘其大耻而亟欲自尊[348]，必不能成功。晋王近亲[349]，且有名德，当帅天下以奉之。"寔从之，遣牙门蔡忠奉表诣建康。比至[350]，帝已即位。寔不用江东年号，犹称建兴[351]。

夏，四月丁丑朔[352]，日有食之。

加王敦江州牧，王导骠骑大将军、开府仪同三司[353]。

导遣八部从事行扬州郡国[354]，还，同时俱见。诸从事各言二千石官长[355]得失，独顾和[356]无言。导问之，和曰："明公作辅[357]，宁使网漏吞舟[358]，何缘采听风闻[359]，以察察[360]为政邪？"导咨嗟称善。和，荣之族子也。

成丞相范长生[361]卒，成主雄[362]以长生子侍中贲为丞相。长生博学，多艺能，年近百岁，蜀人奉之如神。

汉中常侍王沈养女有美色，汉主聪立以为左皇后。尚书令王鉴、中书监崔懿之、中书令曹恂谏曰："臣闻王者立后，比德乾坤[363]，生承宗庙，没配后土，[364]必择世德名宗，幽闲令淑[365]，乃副[366]四海之望，称神祇[367]之心。孝成帝[368]以赵飞燕[369]为后，使继嗣绝灭，社稷为墟，此前鉴也。自麟嘉[370]以来，中宫之位[371]不以德举。借使[372]沈之弟女[373]，刑余小丑[374]，犹不可以尘污椒房[375]，况其家婢邪！六宫妃嫔，皆公子公孙，奈何一旦以婢主之！臣恐非国家之福也。"聪大怒，使中常侍宣怀谓太子粲曰："鉴等小子，狂言侮慢，无复君臣上下之礼，其速考实[376]！"于是收鉴等送市[377]，皆斩之。金紫光禄大夫王延驰将入谏，门者弗通。

晋安定太守焦嵩、讨虏将军陈安率军逼近上邽。相国司马保派遣使者向凉州刺史张寔告急求救，张寔派遣金城太守窦涛率领着二万名步兵、骑兵赶赴上邽救援。窦涛的军队到达新阳时，听到晋愍帝司马邺已经被害身亡，相国司马保想要自己当皇帝的消息。担任破羌都尉的张诜提醒凉州刺史张寔说："南阳王司马保在皇族中与皇帝的血缘关系疏远，他忘掉了两朝皇帝被汉俘虏杀害、自己父亲司马模也死于汉人之手的奇耻大辱，只想着自己当皇帝，他肯定不会成功。而晋王司马睿是皇室的近亲，且又有名望、有恩德，应当率领天下人尊奉晋王为皇帝。"张寔听从张诜的建议，马上派担任牙门官的蔡忠带着劝进的奏章前往建康。蔡忠来到建康才知道晋王司马睿已经登基做了皇帝。张寔不用江东皇帝司马睿的"太兴"年号，仍用晋愍帝司马邺的"建兴"年号。

夏季，四月初一日丁丑，发生日食。

晋元帝加封大将军王敦为江州牧，王导为骠骑大将军、开府仪同三司。

王导派遣八位担任部从事的官员巡察扬州管辖之下的郡国，八位部从事巡察回来后，同时参见王导。他们分别汇报了各郡国俸禄二千石级别的官员施政的得与失，只有顾和没有言语。王导就问他，顾和说："您作为皇帝的辅弼大臣，宁愿使网眼大到可以漏掉吞舟的大鱼，现在为什么竟然听信起这些道听途说得来的信息，要以苛察作为施政的原则呢?"王导听了之后叹息了一番，认为顾和说得很对。顾和，是顾荣同族的侄子。

成国丞相范长生去世，成主李雄任命范长生的儿子、担任侍中的范贲为丞相。范长生学问渊博，多才多艺，活到年近百岁，蜀地的人敬奉他，如同敬奉神明一样。

在汉国宫中担任中常侍的宦官王沈有一个养女，长得非常漂亮，汉主刘聪就把王沈的这个养女封为左皇后。担任尚书令的王鉴、担任中书监的崔懿之，还有担任中书令的曹恂全都劝阻说："我等听说，君主选立皇后，其品德要能堪配乾坤、母仪天下，活着的时候奉祀宗庙，死后与土地神灵分享人间香火，所以必须选择世代有品行有名望的家族、沉静贤淑的好女子，才能符合四海人民的愿望，满足天地神灵的心意。西汉孝成帝刘骜册封赵飞燕为皇后，结果使后嗣灭绝，国家祭祀土神谷神的社稷坛成为一片废墟，这就是前车之鉴。我们汉国自麟嘉以来，选立皇后都不是根据她们的品行。即使是王沈的妹妹，也属于阉割刑余的宦官的亲属，都不可以让她污染后宫，更何况是王沈家的奴婢！六宫中的嫔妃，不是公爵的女儿就是公爵的孙女，怎么能突然间让一个奴婢充当她们的主子！我担心这样做不是国家的福分。"刘聪大发雷霆，立即派担任中常侍的宣怀去对皇太子刘粲说："王鉴等这批小子，言辞狂妄、态度傲慢，一点也不讲君臣上下的礼节，赶紧调查核实他们的罪名！"于是，王鉴等人被押送到闹市上，全部斩首示众。担任金紫光禄大夫的王延飞奔而来，将要入宫谏阻，把守宫门的卫士不给他通报。

鉴等临刑，王沈以杖叩之曰："庸奴，复能为恶乎？乃公[378]何与汝事[379]！"鉴瞋目叱之曰："竖子！灭大汉者，正坐[380]汝鼠辈与靳准耳！要当诉汝于先帝，取汝于地下治之。"准谓鉴曰："吾受诏收君，有何不善，君言汉灭由吾也？"鉴曰："汝杀皇太弟，使主上获不友之名[381]。国家畜养汝辈，何得不灭！"懿之谓准曰："汝心如枭獍[382][2]，必为国患。汝既食人，人亦当食汝。"

聪又立宣怀养女为中皇后。

司徒荀组在许昌，逼于石勒，帅其属数百人渡江。诏组与太保西阳王羕并录尚书事。

段匹磾之奔疾陆眷丧也，刘琨使其世子群送之。匹磾败，群为段末柸所得。末柸厚礼之，许以琨为幽州刺史，欲与之袭匹磾，密遣使赍群书，请琨为内应，为匹磾逻骑[383]所得。时琨别屯征北小城[384]，不知也，来见匹磾。匹磾以群书示琨曰："意亦不疑公，是以白公耳。"琨曰："与公同盟，庶[385]雪国家之耻，若儿书密达，亦终不以一子之故负公而忘义也。"匹磾雅重琨[386]，初无害琨意，将听还屯[387]。其弟叔军谓匹磾曰："我，胡夷耳，所以能服[388]晋人者，畏吾众也。今我骨肉乖离[389]，是其良图之日[390]。若有奉琨以起[391]，吾族尽矣。"匹磾遂留琨[392]。琨之庶长子遵惧诛，与琨左长史杨桥等闭门自守，匹磾攻拔之。代郡太守辟闾嵩[393]、后将军韩据复潜谋[394]袭匹磾，事泄，匹磾执嵩、据及其徒党悉[395]诛之。五月癸丑[396]，匹磾称诏收琨[397]，缢杀之，并杀其子侄四人。琨从事中郎卢谌、崔悦[398]等帅琨余众奔辽西，依段末柸，奉刘群为主，将佐多奔石勒。悦，林之曾孙也。[399]朝廷以匹磾尚强，冀[400]其能平河朔[401]，乃不为琨举哀。温峤表"琨尽忠帝室，家破身亡，

王鉴等即将被斩首之前，王沈来到刑场，他用手杖敲打着王鉴说："愚蠢的奴才，你还能再做坏事吗？你老子的事情跟你有什么关系！"王鉴瞪圆了眼睛大声斥责他说："小子！将来导致汉国灭亡的，必定是由于你等这些鼠辈和靳准！我要到先帝面前去控告你，让先帝在地下逮捕你治你的罪。"靳准对王鉴说："我接受皇帝的诏命逮捕你，有什么不对，你凭什么说大汉灭亡是因为我？"王鉴说："你杀死了皇太弟刘乂，使皇帝背上不友爱弟弟的恶名。国家豢养着你们这类人，怎么能不灭亡！"崔懿之对靳准说："你的心就像吞食父母的枭鸟和獍兽一样狠毒，必定成为国家的祸患。你既然能吃人，人也要把你吃掉。"

汉主刘聪册封宣怀的养女为中皇后。

晋司徒荀组驻扎在许昌，因为承受汉骠骑大将军石勒沉重的军事压力，就放弃许昌，率领自己的部属数百人渡过长江来到建康。晋元帝下诏命荀组与太保西阳王司马羕一同管理朝廷机要。

当初辽西公疾陆眷去世，段匹磾自蓟城前往辽西奔丧的时候，刘琨派自己的世子刘群护送段匹磾前往辽西。段匹磾被堂弟段末柸打败，刘群被段末柸俘获。段末柸对刘群优礼相待，许诺任用刘琨为幽州刺史，希望刘琨与自己联合袭击段匹磾。他暗中派遣使者带着刘群的书信，请求刘琨在城内做内应，不料这个密使被段匹磾巡逻的骑兵抓获。当时刘琨驻扎在蓟城外面的征北小城，对上述情况一点也不知道，他来到蓟城会见段匹磾。段匹磾就把刘群写给刘琨的密信拿给刘琨看，段匹磾对刘琨说："我心里对你一点也不怀疑，所以才把这事告诉你让你知道。"刘琨说："我与你曾经歃血盟誓，希望共同洗雪国家的耻辱，即使我儿子的信能够秘密地送到我的手中，我也绝不会为了一个儿子而忘掉大义。"段匹磾一向敬重刘琨，一开始并没有要杀害刘琨的想法，他准备让刘琨返回自己的驻地。段匹磾的弟弟段叔军提醒段匹磾说："我们在晋人眼里只不过是胡人而已，之所以能使晋人顺从我们，是因为晋人畏惧我们人多势众。如今我们骨肉之间互相残杀，正是他们谋划袭击我们的好机会。如果有人拥戴刘琨起兵消灭我们，我们就会被灭族。"段匹磾于是扣留了刘琨。刘琨的庶长子刘遵惧怕被杀，就与担任左长史的杨桥等人关闭了征北小城城门据守，段匹磾率军攻打，很快就攻陷小城。担任代郡太守的辟闾嵩、后将军韩据暗中谋划袭击段匹磾，事情泄露，段匹磾将辟闾嵩、韩据及其党羽徒众全都抓起来，一个不留地全部处死。五月初八日癸丑，段匹磾假传皇帝的诏命将刘琨正式逮捕收监，然后用绳子将刘琨勒死，同时被杀的还有刘琨的四个儿子和侄子。在刘琨手下担任从事中郎的卢谌、崔悦等人率领着刘琨的余众逃往辽西，依靠段末柸，尊奉刘琨的儿子刘群为首领，而刘琨手下的其他将领大多投奔了石勒。崔悦，是崔林的曾孙。东晋朝廷认为段匹磾势力很强大，希望他能为晋国平定黄河以北的广大地区，因而就没有为刘琨举行任何形式的追悼。温峤上疏给朝廷说刘琨尽忠皇室，自己却落个家破

宜在褒恤[402]”。卢谌、崔悦因[403]末柸使者，亦上表为琨讼冤。后数岁，乃赠琨太尉、侍中[404]，谥曰愍。于是夷、晋[405]以琨死故[3]皆不附匹磾。

末柸遣其弟攻匹磾，匹磾帅其众数千将奔邵续[406]，勒将石越邀之于盐山[407]，大败之。匹磾复还保蓟，末柸自称幽州刺史。

初，温峤为刘琨奉表诣建康，其母崔氏固止之[408]，峤绝裾[409]而去。既至，屡求返命[410]，朝廷不许。会琨死[411]，除散骑侍郎[412]。峤闻母亡，阻乱[413]不得奔丧临葬[414]，固让不拜[415]，苦请北归。诏曰："凡行礼者，当使理可经通[416]。今桀逆未枭[417]，诸军奉迎梓宫[418]犹未得进。峤以一身[419]，于何济其私难[420]，而不从王命[421]邪?"峤不得已受拜。

初，曹嶷既据青州[422]，乃叛汉来降。又以建康悬远[423]，势援不接，复与石勒相结，勒授嶷东州大将军、青州牧，封琅邪公。

六月甲申[424]，以刁协为尚书令，荀崧[425]为左仆射[426]。协性刚悍，与物多忤[427]，与侍中刘隗俱为帝所宠任。欲矫时弊[428]，每崇上抑下[429]，排沮豪强[430]，故为王氏所疾，诸刻碎之政[431]，皆云隗、协所建。协又使酒放肆[432]，侵毁[433]公卿，见者皆侧目惮之[434]。

戊戌[435]，封皇子晞为武陵王。

刘虎自朔方侵拓跋郁律[436]西部。秋，七月，郁律击虎，大破之。虎走出塞，从弟路孤[437]帅其部落降于郁律。于是郁律西取乌孙[438]故地，东兼勿吉[439]以西，士马精强，雄于北方。

汉主聪寝疾[440]，征大司马曜为丞相，石勒为大将军，皆录尚书事，受遗诏辅政。曜、勒固辞。乃以曜为丞相、领雍州牧，勒为大将军、领幽、冀二州牧。勒辞不受。以上洛王景为太宰，济南王骥为大司马，昌国公颛为太师，朱纪为太傅，呼延晏为太保，并录尚书事。范隆守[441]尚书令、仪同三司，靳准为大司空、领[442]司隶校尉，皆迭决[443]尚

身亡，朝廷应该给予褒扬和抚恤。卢谌、崔悦也借助段末柸的使者，上疏为刘琨诉讼冤屈。但一直拖了好几年，才追赠刘琨为太尉、侍中，谥号为愍。于是，夷人和晋人因刘琨被害死这一缘故，都不再归附段匹磾。

自称大单于的段末柸派遣自己的弟弟率军攻打堂兄段匹磾，段匹磾率领自己的部众数千人准备投奔冀州刺史邵续，汉国骠骑大将军石勒的部将石越在盐山一带进行截击，大败段匹磾。段匹磾又返回蓟城坚守，段末柸便自称幽州刺史。

当初，温峤作为刘琨的使者，带着刘琨的奏章前往建康，温峤的母亲崔氏坚决阻止他，温峤扯断了衣袖决然而去。温峤到了建康以后屡次请求返回蓟城复命，朝廷都没有允许。正好此时刘琨被害身亡，朝廷遂授予温峤散骑侍郎的官职。温峤听说自己的母亲去世，因为战乱道路不通而不能前去奔丧送葬，因此坚决不接受朝廷的授职，苦苦地要求北还。晋元帝下诏说："凡是坚持礼义的人，就应该让这种'礼'能符合人之常情，能够贯彻实行。如今还没有将刘聪、石勒等凶狠忤逆的叛贼斩首，各路奉迎怀、愍二位皇帝灵柩的人马还不能前进。温峤只为自己一个人考虑，为何只想解救自己一家的苦难，而不听从君主的统一安排？"温峤迫不得已只好接受皇帝的任命。

当初，汉青州刺史曹嶷占据青州之后，就背叛了汉国向晋投降。又因为青州距离建康路途遥远，担心自己一旦有事，建康方面势必无法及时赶来救援，于是就又与汉骠骑大将军石勒结好，石勒授予曹嶷东州大将军、青州牧，并封他为琅邪公。

六月初九日甲申，晋元帝司马睿任命刁协为尚书令，任命荀崧为左仆射。刁协性情刚烈强悍，总是和人闹矛盾，他与担任侍中的刘隗深受皇帝司马睿的宠爱和信任。他们想要纠正当时的社会风气，往往尊崇皇帝、压制群臣，强化等级秩序，排斥、打击豪门势族，所以遭到王氏家族的忌恨，凡是苛刻、烦琐的政治措施，就都说是刘隗、刁协的主意。刁协又爱撒酒疯，飞扬跋扈，侵凌诋毁朝廷的公卿大臣，看见他的人连正眼看他一眼都不敢。

六月二十三日戊戌，晋元帝司马睿封皇子司马晞为武陵王。

汉楼烦公刘虎从朔方侵入拓跋郁律国境的西部。秋季，七月，拓跋郁律率军攻打刘虎，将刘虎打得大败。刘虎逃出塞外，刘虎的堂弟刘路孤率领自己的部众投降了拓跋郁律。于是拓跋郁律向西攻占古乌孙国的故地，向东兼并勿吉以西的土地，兵强马壮，称雄于北方。

汉主刘聪卧病在床，他征调担任大司马的刘曜为丞相，任命石勒为大将军，共同主管朝廷机要，接受遗诏辅佐朝政。刘曜、石勒坚决辞让。于是任命刘曜为丞相，兼任雍州牧，石勒为大将军，兼任幽州、冀州二州州牧。石勒推辞没有接受任命。刘聪任用上洛王刘景为太宰，任用济南王刘骥为大司马，任用昌国公刘颐为太师，任命朱纪为太傅、呼延晏为太保，以上各官员同时管理朝廷机要事务。又任命范隆为代理尚书令、仪同三司，任命靳准为大司空，兼任司隶校尉，二人轮流处理尚书

书奏事。癸亥[444]，聪卒。甲子[445]，太子粲即位。尊皇后靳氏为皇太后，樊氏号弘道皇后，武氏号弘德皇后，王氏号弘孝皇后。立其妻靳氏为皇后，子元公为太子。大赦，改元汉昌。葬聪于宣光陵，谥曰昭武皇帝[446]，庙号烈宗[447]。靳太后等皆年未盈二十[448]，粲多行无礼，无复哀戚。

靳准阴有异志[449]，私谓粲曰："如闻诸公欲行伊、霍之事[450]，先诛太保及臣，以大司马统万机[451]，陛下宜早图[452]之。"粲不从。准惧，复使二靳氏[453]言之，粲乃从之。收其太宰景、大司马骥、骥母弟[454]车骑大将军吴王逞、太师顗、大司徒齐王劢，皆杀之。朱纪、范隆奔长安[455]。八月，粲治兵于上林[456]，谋讨石勒。以丞相曜为相国[457]、都督中外诸军事，仍镇长安，靳准为大将军、录尚书事。粲常游宴后宫，军国之事，一决于准[458]。准矫诏[459]以从弟明为车骑将军，康为卫将军。

准将作乱，谋于王延。延弗从，驰，将告之。遇靳康，劫延以归。准遂勒兵[460]升光极殿，使甲士执粲[461]，数而杀之[462]，谥曰隐帝。刘氏男女，无少长皆斩东市[463]。发永光、宣光二陵[464]，斩聪尸，焚其宗庙。准自号大将军、汉天王，称制[465]，置百官。谓安定胡嵩曰："自古无胡人为天子者，今以传国玺[466]付汝，还如晋家[467]。"嵩不敢受。准怒，杀之。遣使告司州刺史李矩[468]曰："刘渊，屠各小丑[469]，因晋之乱，矫称天命，使二帝幽没[470]。辄率众扶侍梓宫[471]，请以上闻[472]。"矩驰表于帝，帝遣太常韩胤等奉迎梓宫。汉尚书北宫纯等招集晋人，堡于东宫[473]，靳康攻灭之。准欲以王延为左光禄大夫，延骂曰："屠各逆奴，何不速杀我，以吾左目置西阳门，观相国之入也！右目置建春门，观大将军之入也！"准杀之。

省的奏章。七月十九日癸亥，汉主刘聪病逝。二十日甲子，太子刘粲继位为汉皇帝。刘粲尊奉右皇后靳氏为皇太后，尊皇后樊氏为弘道皇后，武氏为弘德皇后，王氏为弘孝皇后。册封自己的妻子靳氏为皇后，立儿子刘元公为皇太子。在国内实行大赦，改年号为汉昌。将刘聪葬入宣光陵，谥号昭武皇帝，庙号烈宗。靳太后等年龄都未满二十岁，刘粲与先皇的这些嫔妃日夜胡闹取乐，对父亲的去世一点也不悲伤。

靳准暗中怀有篡位的野心，他私下里对刘粲说："我听说有几位大臣要效法商代伊尹放逐太甲、西汉霍光废黜昌邑王刘贺的故事，准备先杀掉太保呼延晏和我，让大司马刘骥掌管朝廷的一切大权，陛下应该早点做好应付的对策。"刘粲没有听信靳准的话。靳准心怀恐惧，就又指使自己的两个女儿刘聪的皇后和刘粲的皇后再对刘粲说同样的话，刘粲才相信确有其事。于是将担任太宰的刘景、担任大司马的刘骥、刘骥的同母弟弟担任车骑大将军的吴王刘逞、太师刘顗、大司徒齐王刘劢全都逮捕起来，一齐杀掉。朱纪、范隆逃往长安去投奔丞相刘曜。八月，刘粲在平阳的上林苑中检阅军队，准备讨伐大将军石勒。刘粲任命丞相刘曜为相国，总领全国诸军事，仍然在长安镇守，任命靳准为大将军，主管朝廷机要。刘粲经常在后宫中游荡宴饮，军国大事一概由靳准说了算。靳准便诈称奉了皇帝刘粲的命令任命自己的堂弟靳明为车骑将军，靳康为卫将军。

靳准准备发动政变，他找担任金紫光禄大夫的王延商量此事。王延不肯参与靳准谋反，他飞速跑向皇宫，准备将靳准的阴谋禀告刘粲。路上正巧遇到靳准的堂弟、担任卫将军的靳康，靳康便将王延劫持回来。靳准统帅军队冲进皇宫，登上光极殿，命令武士们拘捕汉主刘粲，并当众一条一条地数说刘粲的罪状，然后将刘粲杀死；给刘粲的谥号是"隐帝"。凡是姓刘的，不论男女老少全都被押赴东市斩首示众。靳准又挖掘了汉主刘渊的永光陵、刘聪的宣光陵，将刘聪的尸体扯出来砍下人头，同时放火烧毁了皇家宗庙。靳准自称为大将军、汉天王，行使皇帝职权，设置文武百官。他对安定人胡嵩说："自古以来就没有胡人做皇帝的，现在我把传国玉玺交付给你，请你把它归还给晋国皇帝。"胡嵩不敢接传国玉玺。靳准很生气，杀了胡嵩。靳准派人去对晋国司州刺史李矩说："刘渊，只不过是匈奴屠各部落的一个小丑，趁着晋国内乱，就假托天命做起皇帝来，致使晋国的两位皇帝被他们囚禁而死。我长期率领部众在北方为已经逝世的两位皇帝守护灵柩，请你将这些情况代为向朝廷报告。"李矩不敢怠慢，他飞速将奏章上奏给晋元帝司马睿，晋元帝司马睿立即派遣担任太常的韩胤等人出发迎接两位先皇的灵柩。在汉担任尚书的北宫纯等人将在平阳的晋人召集起来，在东宫筑起堡垒坚守待援，最后被靳康率人攻破杀灭。靳准想让王延担任左光禄大夫，王延厉声大骂说："你这个屠各族的叛逆奴才，为何不快点将我杀死，你把我的左眼球放在西阳门，我要观看相国刘曜率军从西阳门杀入城中！把我的右眼球放在建春门，我要观看大将军石勒率领军队从建春门杀入城中！"靳准遂将王延杀死。

相国曜闻乱，自长安赴之。石勒帅精锐五万以讨准，据襄陵北原[474]。准数挑战，勒坚壁[475]以挫之。

冬，十月，曜至赤壁[476]。太保呼延晏等自平阳归之，与太傅朱纪等共上尊号。曜即皇帝位，大赦，惟靳准一门不在赦例。改元光初。以朱纪领司徒，呼延晏领司空，太尉范隆以下悉复本位。以石勒为大司马、大将军，加九锡[477]，增封十郡，进爵为赵公。

勒进攻准于平阳，巴及羌、羯降者十余万落[478]，勒皆徙之于所部郡县[479]。

汉主曜使征北将军刘雅、镇北将军刘策屯汾阴[480]，与勒共讨准。

十一月乙卯[481]，日夜出[482]，高三丈。

诏以王敦为荆州牧，加陶侃都督交州[483]诸军事。敦固辞州牧，乃听为刺史。

庚申[484]，诏群公卿士各陈得失。御史中丞熊远上疏，以为："胡贼猾夏[485]，梓宫未返，而不能遣军进讨，一失也。群官不以仇贼未报为耻，务在调戏酒食[486]而已，二失也。选官用人，不料实德[487]，惟在白望[488]，不求才干，惟事请托[489]。当官者以治事[490]为俗吏，奉法[491]为苛刻，尽礼为谄谀，从容[492]为高妙，放荡为达士[493]，骄蹇为简雅[494]，三失也。世之所恶者[495]，陆沈泥滓[496]，时之所善者[497]，翱翔云霄[498]。是以万机未整[499]，风俗伪薄。朝廷群司[500]，以从顺为善，相违见贬[501]，安得朝有辨争[502]之臣，士无禄仕[503]之志乎？古之取士，敷奏以言[504]，今光禄不试[505]，甚违古义。又举贤不出世族[506]，用法[507]不及权贵，是以才不济

汉相国刘曜听到靳准政变的消息，立即率领军队从驻地长安赶来。大将军石勒也率领五万精锐军队前来讨伐靳准，占据了襄陵城北的高地。靳准多次派人挑战，石勒却深沟高垒、以坚守不战的策略来挫败他的锐气。

冬季，十月，相国刘曜率军抵达赤壁。太保呼延晏等人从平阳跑来投靠他，呼延晏与太傅朱纪等人共同拥戴相国刘曜，为他奉上皇帝的尊号。刘曜便登上皇帝宝座，继位为皇帝，实行大赦，唯独靳准一门不在赦免之例。改年号为“光初”。刘曜任命太傅朱纪兼任司徒，任命太保呼延晏兼任司空，太尉范隆以下的官员，全都官复原职。刘曜任命大将军石勒为大司马、大将军，并给予他极高的礼遇加九锡，同时为他增加十个郡的封地，进爵为赵公。

石勒攻打驻守平阳的靳准，巴人、羌人、羯人有十多万个村落向石勒投降，石勒把他们全都迁徙到自己管辖的郡县中。

汉主刘曜派担任征北将军的刘雅、担任镇北将军的刘策驻扎在汾阴，与石勒共同讨伐靳准。

十一月十三日乙卯，太阳在夜间升起，高出地平线三丈。

晋元帝司马睿下诏任命王敦为荆州牧，加封担任广州刺史的陶侃为都督交州诸军事。王敦坚决推让荆州州牧这个名位，晋元帝同意王敦为荆州刺史。

十一月十八日庚申，晋元帝司马睿下诏，命令文武百官，上至公卿，下及百姓，每个人都要上疏评论朝政的得失。担任御史中丞的熊远于是上疏评论说：“匈奴等少数民族扰乱中原王朝，被汉囚禁、害死的两位皇帝的灵柩还没有运回来，而朝廷却不能派遣大军前往征讨，这是第一个失误。朝廷的文武百官没有人认为大仇未报是国家的耻辱，每天都把主要精力用在游戏取乐、大摆酒宴上，这是第二个失误。朝廷选择官吏，考察的不是他的真实品行如何，而只看他的虚名，不衡量他的工作才干。当了官的人，把忠于职守、认真处理公务的人看成庸俗的官吏，把奉公守法、按章办事看作是施政苛刻，把待人接物彬彬有礼看作是阿谀奉承、溜须拍马，而把办事拖拉、敷衍了事看作是潇洒高妙，把行为放荡、狂傲不羁当成胸襟阔达，把散漫懒惰说成是平易风雅，这是第三个失误。那些被世俗风气厌恶的官员大多都被人踩在脚下，不得出头，那些被时俗赞赏的官员，则都飞黄腾达、青云直上。正是因为如此，所以朝廷政事一塌糊涂，都没有得到很好的治理，社会风俗虚伪浇薄。朝廷的各部门、各官长，都把驯服顺从看作美好，而与官长持有不同意见的人就会遭到贬逐，这样朝堂之上哪会有敢于明辨是非、敢于坚持自己意见的大臣，怎么能让知识分子不会只为了获取俸禄而做官呢？古代遴选官吏，都要让他们陈述对国家大事的见解，而今光禄大夫对进入官场的人并不进行考试，完全违背了古人的做法。还有，推举贤能永远跳不出豪门贵族的范围，而刑罚却从来用不到权贵身上，所以官员的才干都不足以胜任他们所承担的工作，而有才干的人又得不到居官任职，贪

务[508]，奸无所惩。若此道不改，求以救乱，难矣！”

先是，帝以离乱之际，欲慰悦[509]人心，州郡秀、孝[510]，至者不试，普皆署吏[511]。尚书陈頵[512]亦上言：“宜渐循旧制，试以经策[513]。”帝从之，仍诏[514]：“不中科[515]者，刺史、太守免官。”于是秀、孝皆不敢行。其有到者，亦皆托疾，比三年[516]无就试者。帝欲特除[517]孝廉已到者官，尚书郎孔坦[518]奏议，以为：“近郡惧累君父[519]，皆不敢行，远郡冀于不试[520]，冒昧来赴。今若偏加除署[521]，是为谨身奉法者失分[522]，侥幸投射[523]者得官，颓风伤教[524]，恐从此始。不若一切罢归，而为之延期，使得就学，则法均而令信矣。”帝从之，听孝廉申[525]至七年乃试。坦，愉之从子[526]也。

靳准使侍中卜泰送乘舆服御[527]请和于石勒。勒囚泰，送于汉主曜。曜谓泰曰：“先帝[528]末年，实乱大伦[529]。司空[530]行伊、霍之权，使朕及此[531]，其功大矣。若早迎大驾[532]者，当悉以政事相委，况免死乎？卿为朕入城[533]，具宣此意。”泰还平阳，准自以杀曜母兄[534]，沈吟[535]未从。十二月，左、右车骑将军乔泰、王腾，卫将军靳康等，相与杀准，推尚书令靳明为主，遣卜泰奉传国六玺降汉[536]。石勒大怒，进军攻明。明出战，大败，乃婴城固守[537]。

丁丑[538]，封皇子焕为琅邪王。焕，郑夫人之子，生二年矣。帝爱之，以其疾笃[539]，故王之。己卯[540]，薨。帝以成人之礼葬之，备吉凶仪服[541]，营起园陵，功费甚广。琅邪国右常侍会稽孙霄上疏谏曰：“古者凶荒杀礼[542]，况今海内丧乱，宪章旧制[543]，犹宜节省，而礼典所无[544]，

赃枉法的官吏从来没有受到应有的惩处。这些弊端如果不改正，却希望将国家治理好，那是非常困难的！”

在这之前，晋元帝司马睿因为当时正逢天下大乱之际，他想安抚百姓、取悦民心，凡是州郡推举的秀才、孝廉，来到建康，不必经过考试就都授予一定的官职。担任尚书的陈頵也上疏说：“应该逐渐恢复旧有的考试取士制度，测试他们对儒家经典的理解。”晋元帝司马睿听从了陈頵的建议，于是下诏说：“各州郡所推举的秀才、孝廉，经过考试，如果不合格，所在州郡的刺史、太守一律免官。”于是各地推举出来的秀才、孝廉都不敢前往建康。即使有人到了建康，也都借口有病而不参加考试，一连三年，竟然没有一个人参加考试。晋元帝司马睿想破格任用那些已经到达建康的孝廉，担任尚书郎的孔坦上疏认为：“建康附近州郡推举出来的秀才、孝廉，害怕考试不合格而连累自己所在州郡的刺史、太守丢掉官职，所以都不敢前来应试，而地处偏僻或距离建康路途遥远的州郡所推举的秀才、孝廉则寄希望于万一不用考试，就抱着一种侥幸心理来到建康。如果对这些撞大运的人全部任用，就等于使行为谨慎、奉公守法的人得不到官职，而心怀侥幸、投机射利的人却得到官职，败坏风俗、有害教化，恐怕就要从此开始了。不如让他们全都回去，将考试的时间延期，让他们有更多的时间去学习，如此制度公平，法令才有威信。”晋元帝司马睿同意孔坦的意见，听任把孝廉考试时间推迟七年。孔坦，是孔愉的侄子。

靳准派担任侍中的卜泰为使者，把刘聪称帝时使用过的车驾、衣物及日常用品送给大将军、赵公石勒，请求和解。石勒将卜泰囚禁起来，派人押送给汉主刘曜。刘曜对卜泰说：“先帝刘粲末年，确实淫乱后宫违背伦常。当时担任司空的靳准像伊尹、霍光那样行使辅政大权除掉了刘粲，才使我有机会当上皇帝，靳准的功劳实在是太大了。如果他能早一点前来迎接我回到都城平阳，我会把国家政事全部委托给他，岂止是免他一死呢？你为我进城去见靳准，把我的意思转达给他。”卜泰回到平阳，靳准因为自己已经将刘曜的母亲、哥哥杀死，所以犹豫不决。十二月，左右车骑将军乔泰、王腾和卫将军靳康等联合起来杀死靳准，推举担任尚书令的靳明为首领，又派卜泰捧着皇帝的传国六玺，投降了汉主刘曜。赵公石勒大为愤怒，就率领军队进攻靳明。靳明出来迎战，被石勒打得大败，只好退回平阳城中坚守。

十二月初五日丁丑，晋元帝司马睿封皇子司马焕为琅邪王。司马焕，是郑夫人生的儿子，出生两年了。晋元帝非常疼爱他，因为司马焕病势沉重，所以就赶在他去世之前封他为琅邪王。初七日己卯，两岁的琅邪王去世。晋元帝司马睿按照成年人的礼节安葬了他，并为参与丧事的人备办了全套的丧服与丧礼过后改穿的吉服，又为司马焕营建陵园，工程浩大，费用可观。担任琅邪国右常侍的会稽人孙霄给晋元帝司马睿上疏，他劝谏晋元帝说：“在古代，凡是遇到战乱或灾荒之年，礼仪就要从简，何况如今海内大乱，就是宪章所明确规定的有关丧事的章程法度，尚且要本

顾崇饰如是乎[545]！竭已罢之民[546]，营无益之事[547]，殚已困之财[548]，修无用之费[549]，此臣之所不安也。”帝不从。

彭城内史周抚杀沛国内史周默，以其众降石勒。诏下邳内史刘遐[550]领彭城内史[551]，与徐州刺史蔡豹、泰山太守徐龛共讨之。豹，质之玄孙也。[552]

石虎帅幽、冀之兵会石勒攻平阳。靳明屡败，遣使求救于汉。汉主曜使刘雅、刘策迎之，明帅平阳士女万五千人奔汉。曜西屯粟邑[553]，收靳氏男女无少长皆斩之。曜迎其母胡氏之丧于平阳，葬于粟邑，号曰阳陵，谥曰宣明皇太后。石勒焚平阳宫室，使裴宪、石会修永光、宣光二陵，收汉主粲已下百余口葬之，置戍[554]而归。

成梁州刺史李凤数有功，成主雄兄子稚在晋寿[555]，疾之，凤以巴西叛[556]。雄自至涪[557]，使太傅骧讨凤，斩之。以李寿为前将军，督巴西军事。

---

**【段旨】**

以上为第二段，写司马睿太兴元年（公元三一八年）一年间的大事。主要写了晋王司马睿接到晋愍帝司马邺被杀的消息后，在建康登基，成为东晋的第一代皇帝。司马睿登基后对那些曾经劝进的臣民大加封赏，暴露了他在此之前多次“推让”的虚伪。写了汉主刘聪因为立皇后事而诛杀直言劝谏的大臣，从而使阴谋家王沈、靳准等专权肆志。至刘聪死，刘粲继位后，听信靳准，倒行逆施，大批诛杀朝廷大臣；靳准又发动政变，杀死刘粲，挖掘刘渊、刘聪坟墓，自立为汉大王，称臣于晋；而汉相国刘曜自长安起兵讨靳准，靳准在刘曜与石勒的夹攻下内部混乱。靳准的部下杀靳准，携刘渊、刘聪的乘舆旧物投刘曜，刘曜被拥戴为汉主，迁都于长安。写了司马睿政权公开投靠世族高门，为官掌权者偃蹇不问政事，真正有才干的人不得任用，整个官场与社会风气败坏；写了段匹磾因为怀疑刘琨要与段末柸合谋袭己而将刘琨及其子侄杀害；写了鲜卑人慕容廆假借向晋称臣为名，而吞并弱小，以发展壮大自己的势力等。

着从简从省的原则，何况是用成人之礼葬无服之殇，反要铺张到如此的程度！对已经疲惫不堪的民众如此竭力搜刮，用来去操办对国家毫无益处的陵园建筑，消耗原本就所剩无几的财富，使已经枯竭的国家财政又增加毫无意义的开支，这使我深感不安。”晋元帝对孙霄的规劝置若罔闻。

晋国彭城内史周抚杀死沛国内史周默，然后率领着自己的部众投降了石勒。晋元帝司马睿下诏命担任下邳内史的刘遐兼任彭城内史，会同徐州刺史蔡豹、泰山太守徐龛共同讨伐周抚。蔡豹，是蔡质的玄孙。

石虎率领幽州、冀州的兵力会同石勒攻打平阳叛臣靳明。靳明多次战败，派遣使者向汉主刘曜求救。汉主刘曜派征北将军刘雅、镇北将军刘策前往接应，靳明率领平阳男女总计一万五千人投奔汉主刘曜。刘曜向西屯驻在粟邑，将靳姓男女不论老少全部斩首。汉主刘曜到平阳迎接自己母亲胡氏的灵柩，将其安葬在粟邑，称为阳陵，所上谥号为宣明皇太后。赵公石勒焚毁了平阳皇宫，派将领裴宪、石会重新整修汉主刘渊的永光陵和刘聪的宣光陵，埋葬了汉主刘粲以下一百多口人的尸体，留下一批兵士守陵，然后撤军而回。

大成国梁州刺史李凤多次立功，成主李雄哥哥的儿子李稚率军在晋寿驻防，李稚对李凤非常嫉妒，李凤因此在巴西叛变。成主李雄亲自率军抵达涪城，命担任太傅的李骧进兵讨伐李凤，李骧将李凤斩首。成主李雄任命李寿为前将军，负责主管巴西军事。

---

## 【注释】

㉗⑤右北平：汉郡名，西晋改右北平郡置北平郡，郡治徐无县，在今河北遵化东。㉗⑥三月癸丑：三月初七。㉗⑦凶问：死讯。问，通“闻”，消息。㉗⑧斩缞居庐：身穿斩缞的丧服，出居于庐幕，为晋愍帝守丧。斩缞，宗法制度下的丧服名称，是“五服”中最重要的一种。其上下衣裳都是用最粗的麻布做成，缝制时不包边，使布边外露，以表示不修饰，叫作“斩”。用长六寸宽四寸的麻布连缀外衿当心之处，以示哀戚，叫作“缞”。见《仪礼·丧服》及《通典·礼·凶》。居庐，古代丧礼。父母死后，守丧者搬出卧室，另搭棚庐居住，名叫守丧。㉗⑨请上尊号：请晋王司马睿改用皇帝尊号。上，请其改用。尊号，皇帝的称号。㉘⓪纪瞻：字思远，西晋后期以来的儒学名臣，早早地依附司马睿，任军谘祭酒、会稽内史等职。传见《晋书》卷六十八。㉘①晋氏统绝：晋国皇帝历代相传的世系断绝。统绝，皇统断绝。㉘②谁复与让：还有谁值得推让呢。㉘③光践大位：荣登帝位。㉘④则神、民有所凭依：神与黎民百姓就都有了依靠。凭依，依靠。㉘⑤两都燔荡：指长安、洛阳两个都城都已成为废墟。燔荡，焚毁。㉘⑥刘聪窃号于西北：刘聪在西北方窃

号自称皇帝。㉘⑦揖让而救火：面临救火的紧急而让来让去。㉘⑧彻去御坐：撤去纪瞻等为司马睿摆好的皇帝宝座。彻，通“撤”，搬开。㉘⑨帝坐上应列星：人间帝王的座位与上天的星宿是彼此对应的。天文志，帝座在紫宫中。㉙⓪奉朝请周嵩：奉朝请是朝廷给大臣们的一种荣誉官名，意思是只让他们参加朝会，而没有具体职务。古代诸侯春季朝见天子叫朝，秋季朝见天子叫请。周嵩是周浚的次子，字仲智，一个比较正直的儒臣。传附见《晋书》卷六十一。㉙①义全而后取二句：大义无亏时，然后可以获取，经过多次谦让之后，才可以接受。㉙②重光万载：王业万年。重光，以喻后王能继前王之功德。㉙③梓宫未返：晋怀帝、晋愍帝两位皇帝的灵柩还没有运回。梓宫，皇帝、皇后所用的梓木制棺材。㉙④旧京未清：旧日的都城还在贼人的占领之下，没有光复。㉙⑤开延嘉谋：广开言路、引进人才、制定正确的谋略。㉙⑥训卒厉兵：训练士卒，磨砺兵器。厉，磨刀石，这里用如动词。兵，兵器。㉙⑦副四海之心：符合天下民心。副，符合、与之相称。㉙⑧神器将安适哉：皇帝的宝座还会跑到别人那里去吗？神器，指帝位、国家政权。适，往。㉙⑨忤旨：违背了司马睿的心思。㉚⓪出为新安太守：赶出京城，让他到新安郡去当太守。新安郡的郡治始新，在今浙江淳安西北。㉚①又坐怨望抵罪：又被指控为对皇帝有不满言行而受到相应的刑罚。坐，因……而获罪。怨望，怨恨、不满。抵罪，获罪。㉚②丙辰：三月初十。㉚③升御床共坐：司马睿以此表示对王导的特殊恩宠。㉚④若太阳下同万物：如果太阳落下来与地上的万物混在一起。㉚⑤改元：改今年为“太兴元年”。在此之前称“建武二年”。㉚⑥文武增位二等：每个官僚都晋升两级爵位。㉚⑦投刺：上书。刺，毛晃说：“书姓名于奏白曰刺。”㉚⑧除吏：授予官职。㉚⑨熊远：字孝文，东晋初期的正直儒雅之臣。传见见《晋书》卷七十一。㉛⓪率土归戴：四海的黎民都归心拥戴。率土，率土之滨，即四境之内。㉛①汉法：汉朝的制度。㉛②遍赐天下爵：谓遍赐天下民爵一级。汉代自惠帝继位，赐民爵一级，其后诸帝初即位，均赐民爵一级，以示皇恩浩荡。㉛③息检核之烦二句：既省去考察核实的麻烦，又堵塞弄虚作假、徇私舞弊问题的产生。㉛④庚午：三月二十四。㉛⑤王太子绍：司马绍，即日后的晋明帝，元帝长子。事详见《晋书》卷六《明帝纪》。㉛⑥布衣之交：不讲权位高低的忠实朋友。㉛⑦风格峻整：品格严正庄重。㉛⑧行太子太傅：代理太子太傅之职。从汉代开始以太子太傅、太子少傅为太子的正副辅导官，尽教导训育之责。㉛⑨侍讲东宫：在东宫给太子讲学。㉜⓪刑名家：战国时的法家一派，以申不害为代表，强调循名责实，以强化上下关系。刑，通“形”，所以刑名也作“形名”。㉜①不足留圣心：不值得学习这一套。留，留心、注意。㉜②龙骧长史：龙骧将军的诸史之长，是主官手下有实权的人物。㉜③主簿：官名，汉代中央及郡、县官府都设有主簿，掌文书簿籍。魏、晋以后，渐变为统兵开府之大臣幕府中的幕僚之长，参与机要，总领府事。㉜④府朝仪法：慕容廆衙门的一切礼仪章程。府朝，六朝以前侯国郡守得征聘僚属，同于公府，其治所也称朝，是为府朝。仪法，礼仪法度。㉜⑤裴嶷：字文冀，西晋时累迁至中书侍郎、荥阳太守。晋末大乱，求为昌黎太守，因送兄丧南归，道路梗塞，遂投奔慕容廆，成为其得力参谋。传附见《晋书》卷一百八。㉖介居江表：孤独地立朝于江南。介，孤独。江表，指长江以南地区。从中原看，地在长江之外，故称江表。㉗宜以渐并取：应该逐渐地吞并他们。㉘以为西讨之资：以此为日后的进兵中原做准备。西讨，指从辽东进兵中原。㉙君言大：你所提出的目标宏伟远大。㉚非孤所及：不是我所能达到的。及，达到。㉛中朝名德：晋王朝德高望重的人物。中朝，中国，此指晋朝。㉜不以孤僻陋而教诲之：不嫌弃我地处偏僻、孤陋寡闻，而来投我，给我以教诲。㉝稍稍：渐渐；逐渐。㉞洛汭：洛水入黄河处，在今河南巩县东。汭，河流汇合或弯曲处。㉟济河：渡河。河，指黄河。㊱具丘王翼光觇知之：被刘聪封为具丘王的刘翼光探听到了晋军渡河来袭的消息。觇，探听。㊲奄至：忽然而至。㊳粲走保阳乡：刘粲退到阳乡据守。阳乡，地名，在今河南泌阳西南。㊴虎牢：关名，在今河南荥阳汜水镇西北大邳山上。㊵河南三郡：此指河南、荥阳、弘农三郡。㊶汉螽斯则百堂灾：刘聪的螽斯则百堂被大火焚毁。螽斯则百堂是刘聪的后妃与其子孙所居住的宫殿名，取《诗经》中的《螽斯》篇之义。《螽斯》篇中有所谓"宜尔子孙振振兮""宜尔子孙绳绳兮""宜尔子孙蛰蛰兮"等句，故解诗者多以为此篇主旨是祝颂官僚贵族子孙成群。㊷录尚书：录尚书事，总管国家政事的施行。㊸焦嵩：西晋末曾任安定太守，率众驻于雍州。㊹陈安：西晋末时任秦州刺史，率众驻天水一带。㊺逼上邽：想进一步向西扩展势力。上邽是晋县名，县治在今甘肃天水市西南。㊻新阳：晋县名，县治在今甘肃秦安东南。㊼国之疏属：南阳王司马保之父司马模，是司马懿弟弟司马馗的孙子，于晋皇室为远支。㊽忘其大耻而亟欲自尊：司马保忘掉了晋国两个皇帝以及自己父亲司马模都被汉人杀死的奇耻大辱，而急于自己当皇帝。㊾晋王近亲：司马睿之父司马觐是司马懿的孙子，于晋室为近亲。㊿比至：等蔡忠到达建康。比，及、等到。(351)犹称建兴：仍用晋愍帝司马邺的年号，即接续建兴五年、建兴六年。不用当今皇帝的年号，政治上称为"不奉正朔"，是一种反叛行为。(352)四月丁丑朔：四月初一是丁丑日。(353)开府仪同三司：一种特权名号，原指可以按照三司仪制开建府署，辟置属僚。三司，即三公。汉制，唯三公可开府。魏、晋以后开府者日多，故别置开府仪同三司名号。晋代重臣多以将军开府，都督军事。(354)导遣八部从事行扬州郡国：王导派遣八个担任部从事的官员前往扬州管辖下的郡国去视察。部从事，官名，即部郡国从事。郡国各一人，掌管文书和察举非法。行，巡察。扬州郡国，当时扬州管辖八个郡国，即丹阳、会稽、吴、吴兴、宣城、东阳、临海、新安，所以分遣部从事八人。(355)二千石官长：指郡守与诸侯王国的相，他们的秩禄都是二千石一级。(356)顾和：东晋名士，顾荣的族侄，此时也是王导派出八从事之一。(357)明公作辅：您作为国家的辅弼大臣。(358)宁使网漏吞舟：宁肯使网眼大到能够漏掉吞舟之鱼，以喻为政应宽缓。(359)何缘采听风闻：何必去搜集那些道听途说的信息。(360)察察：酷苛细碎的样子。(361)成丞相范长生：成国的丞相名叫范长生。成是当时的十六国之一。公元三〇一年巴氐族首领李特在蜀地领导西北流民起义。公元三〇四年其子李雄称成都王。两年后称帝，国号成，都成都。据有今四川东部和云南、贵州的一部分。范长生，名贤，成国的谋士、军师。㊳成主雄：李雄，字仲俊，李特的第三子。公元三〇四至三三四年在位。传见《晋书》卷一百二十一。㊳比德乾坤：与天地同德。比，并列。乾坤，通常即以称天地。㊳生承宗庙二句：活着承祀祖先宗庙，死后比配土地神灵。没，通“殁”，死。后土，土神或地神。㊳幽闲令淑：指沉静安闲的好女子。㊳副：与……相称；相符合。㊳神祇：泛指神灵。神谓天神，祇谓地神。㊳孝成帝：指汉成帝，名骜，字太孙，元帝刘奭之子。公元前三三至前七年在位。纪见《汉书》卷十。㊳赵飞燕：初为汉成帝的宫人，善歌舞，以体态轻盈号曰“飞燕”。受成帝爱幸，封为婕妤，又立为皇后。传见《汉书》卷九十七下《孝成赵皇后传》。㊲麟嘉：刘聪的年号，自公元三一六至三一八年，共三年。㊲中宫之位：指皇后的位置。中宫，皇后所居之宫。常用为皇后的代称。㊲借使：假使；即使。㊲沇之弟女：王沇的妹妹。弟女，女弟。㊲刑余小丑：对宦官的鄙称，此指王沇。㊲尘污椒房：污染后宫。㊲考实：调查核实他的罪名。㊲送市：古代处决犯人多在市场，并陈尸示众。㊲乃公：你爸爸。骂人语。㊲何与汝事：与你有何相干。㊳正坐：正是由于。㊳不友之名：杀弟之罪。不友，弟兄之间不友爱。儒家语有所谓“兄则友，弟则恭”。㊳枭獍：枭为恶鸟，生而食母。獍为恶兽，生而食父。通常用来比喻不忠不孝与忘恩负义之人。㊳逻骑：巡逻的骑兵。㊳征北小城：征北将军临时的驻兵之地。㊳庶：希望；为了。㊳雅重琨：素来敬重刘琨。雅，素来、一向。㊳将听还屯：准备让他返回驻地。听，听任、随其意。㊳服：使之顺从。㊳骨肉乖离：指段氏兄弟叔侄之间相互争斗。乖离，相互矛盾。㊴是其良图之日：是他们谋划袭取我们的好时机。㊴奉琨以起：拥戴刘琨起兵以消灭段氏。㊴留琨：将刘琨扣留。㊴辟闾嵩：人名，复姓辟闾，名嵩。㊴潜谋：密谋。㊴悉：全；都。㊴五月癸丑：五月初八。㊴称诏收琨：假托皇帝的旨意，正式逮捕刘琨。收，逮捕。㊴卢谌崔悦：刘琨的部属，刘琨在段匹磾的狱中作有《赠卢谌》诗，今存。㊴悦二句：崔悦是崔林的曾孙。崔林是三国曹魏时的官僚，曾位至司空。㊵冀：期望。㊵平河朔：平定黄河以北地区。河朔，古代泛指黄河以北的地区。㊵褒恤：表彰体恤。㊵因：通过；借助。㊵赠琨太尉、侍中：追赠刘琨为太尉之职，并有侍中的加官。㊵夷、晋：河北地区的少数民族与晋朝人。㊵将奔邵续：准备往投邵续。邵续是晋将，为平原、乐安太守，又有冀州刺史之衔，当时驻兵在今河北东南部一带地区。㊵邀之于盐山：在盐山对段匹磾进行截击。邀，截击。盐山，在今河北盐山东南八十里。㊵固止之：坚决地拦阻他。㊵绝裾：扯断了衣袖。㊶返命：指回刘琨处复命。㊶会琨死：正好刘琨这时被害而死。会，适逢、正碰上。㊶除散骑侍郎：朝廷遂授以散骑常侍之职。除，授官。㊶阻乱：由于战乱而道路不通。㊶临葬：等到该对其母进行安葬的时候。㊶固让不拜：坚决推辞，不接受朝廷的任命。㊶当使理可经通：应让这种“礼”能符合人之常情，能够贯彻实行。经，常。㊶桀逆未枭：作乱的头子们尚未诛灭。桀逆，指刘聪、石勒等。枭，杀人而悬其头于木。㊶奉迎梓宫：迎接怀、愍二帝灵柩。⑲ 峤以一身：温峤只为自己一人做考虑。⑳ 于何济其私难：为什么只为解决自家的私难。于何，为何。济，成、解决。㉑ 不从王命：不服从帝王的统一安排。㉒ 曹嶷既据青州：曹嶷出身于西晋末年王弥所率领的乱民暴动，与刘聪、石勒等相勾结。后来归晋，被授为青州刺史，驻兵于今山东淄博一带地区。㉓ 悬远：隔绝、遥远。㉔ 六月甲申：六月初九。㉕ 荀崧：字景猷，三国曹魏名臣荀彧之玄孙。传见《晋书》卷七十五。㉖ 左仆射：官名，即尚书左仆射。㉗ 与物多忤：总是和人闹矛盾。物，人。忤，背，和不来。㉘ 欲矫时弊：想要纠正当时的社会风气。㉙ 崇上抑下：尊君卑臣，强化等级秩序。㉚ 排沮豪强：排斥、打击豪门势族。排沮，排斥、压抑。㉛ 刻碎之政：苛刻、烦琐的政治措施。㉜ 使酒放肆：好耍酒疯，飞扬跋扈。㉝ 侵毁：侵陵诋毁。㉞ 侧目惮之：不敢正眼看，表示畏惧和愤恨。惮，惧怕。㉟ 戊戌：六月二十三。㊱ 拓跋郁律：拓跋猗卢之子，继其父为鲜卑拓跋部的首领。㊲ 从弟路孤：刘虎的堂弟，名唤路孤。㊳ 乌孙：汉代西域国名，在今新疆伊犁河流域。乌孙原居敦煌、祁连间，与月氏为邻，后攻占月氏地，建立乌孙国。㊴ 勿吉：古代北方少数民族名，居住在今吉林长白山松花江一带。两汉称沃沮，亦称挹娄，南北朝时称勿吉，后称靺鞨、女真，为满族的祖先。㊵ 寝疾：卧病。㊶ 守：代理，官阶低而代理官阶高的职务叫“守”。㊷ 领：兼任，官阶高而兼理官阶低的职位叫“领”。㊸ 迭决：轮流处理。㊹ 癸亥：七月十九。㊺ 甲子：七月二十。㊻ 谥曰昭武皇帝：刘聪谥曰“昭武”，意即英明、威武。古代帝王、显官死后，往往要依其生前事迹给他追加一个称号，由礼官议上。㊼ 庙号烈宗：帝王死后，在太庙立室供奉，并追尊以某祖、某宗的名号，称庙号。始于商代，汉承其制，其后历代封建帝王皆有庙号。㊽ 未盈二十：不满二十岁。㊾ 阴有异志：怀有篡位的野心。阴，暗中。㊿ 伊、霍之事：指朝廷大臣发动政变，废掉现任皇帝，改立别人为帝。伊，指商代的大臣伊尹，曾一度放逐商王太甲。霍，指汉代的大臣霍光，曾废掉昌邑王刘贺而改立汉宣帝。451 以大司马统万机：让大司马刘骥掌管朝廷的一切大权。452 图：设法对付。453 二靳氏：指刘聪皇后和刘粲皇后，二人皆靳准之女。454 骥母弟：刘骥的同母弟。既同父又同母，极言其血缘之亲近。455 奔长安：指前往投奔刘曜。时刘曜驻守长安。456 上林：此指刘粲在平阳（今山西临汾西南金殿村）所建的上林苑。457 相国：职同丞相，但比丞相位高而权专。458 一决于准：一概由靳准说了算。459 矫诏：诈称是奉了皇帝的命令。矫，假托、诈称。460 勒兵：统率军队。461 执粲：拘捕刘粲。462 数而杀之：一条一条地指说罪状后将其杀死。数，一条一条地列数其罪状。463 东市：汉代处决犯人常在长安的东市，故后人遂以“东市”隐指刑场。464 发永光、宣光二陵：将刘渊、刘聪两人的陵墓挖开。发，挖掘。永光，刘渊的陵墓名。宣光，刘聪陵墓名。465 称制：行使皇帝的职权。皇帝的命令称作“制”。466 传国玺：皇帝的印章。又称秦玺。相传秦始皇得蓝田玉，雕为印，四周刻龙，正面刻有李斯手书篆文“受命于天，既寿永昌”八字。历代帝王争以得玺为符瑞。晋末大乱，洛阳沦陷，此玺遂迁于平阳。467 还如晋家：把它归还给晋朝皇帝。⑱司州刺史李矩：李矩是西晋末年的著名将领，曾多次大破汉兵，被司马睿授为司州刺史，驻兵在今河南荥阳一带地区。⑲屠各小丑：匈奴族的小痞子。屠各，刘渊所属部落名，是南匈奴的部落之一。⑳使二帝幽没：杀害了晋怀帝与晋愍帝。㉑辄率众扶侍梓宫：我长期率领部众在北方为已逝的两位皇帝守护灵柩。㉒请以上闻：请把这些情况代向朝廷报告。㉓堡于东宫：在东宫构筑堡垒，坚守待援。㉔襄陵北原：襄陵县的城北高地。襄陵县治在今山西临汾东南。师古曰："晋襄公之陵，因以名县。"㉕坚壁：深沟高垒，谨慎防守。㉖赤壁：赤石川，在今山西河津西北。㉗加九锡：加赐九种特殊待遇，即车马、衣服、虎贲、乐器、纳陛、朱户、弓矢、铁钺、秬鬯。㉘十余万落：十多万个村落、部落。㉙所部郡县：自己管辖下的郡县。㉚汾阴：晋县名，县治在今山西万荣西南庙前村北古城。㉛十一月乙卯：十一月十三。㉜日夜出：黑夜里出了太阳。这可能是清早日全食给人造成的误解。㉝交州：晋州名，治所龙编，在今越南北宁仙游城东。㉞庚申：十一月十八。㉟胡贼猾夏：匈奴等少数民族扰乱中原王朝。猾，乱、捣乱。夏，华夏，中原地区或中原王朝。㊱务在调戏酒食：把全部力量都用在玩乐与吃喝上。玩乐，指清谈、纵欲、游山玩水等，都是当时贵族们所倾心追求并视为清高绝伦的活动。㊲不料实德：不考察实际德行如何。料，考察。㊳白望：虚名。㊴惟事请托：一切都靠走后门。请托，请人帮忙、关照。㊵治事：处理公务。治，处理。㊶奉法：按章程办事。㊷从容：不认真、不抓紧，敷衍了事。㊸达士：阔达的人。达，不拘小节。㊹骄蹇为简雅：散漫懒惰被看作是平易风雅。㊺世之所恶者：那些被社会风气讨厌的官员，指"治事""奉法""尽礼"的人。㊻陆沈泥滓：被人踩在脚下，不得出头。陆沈，通作"陆沉"。无水而沉，以喻被压抑、被埋没。㊼时之所善者：那些被社会风气赞赏的官员，指从容、放荡、骄蹇的人。㊽翱翔云霄：飞黄腾达。㊾万机未整：朝廷政事一塌糊涂。㊿朝廷群司：朝廷上的各部门、各官长。司，主管、主管者。(501)相违见贬：谁跟当权者的意见不合，谁就立刻被贬逐。(502)辨争：敢于明辨是非，敢于坚持个人意见。(503)禄仕：为了获取俸禄而做官。禄，薪俸。仕，从政、做官。(504)敷奏以言：让他陈述对国家大事的见解。敷奏，展开陈述。(505)光禄不试：光禄大夫不对进入官场的人进行考试。光禄大夫是朝官名，主管朝廷礼仪与考试等事。(506)不出世族：一概都是贵族子弟。(507)用法：施法，意即惩办犯罪。(508)才不济务：现任官员的才干都不足以胜任他们所承担的工作。(509)慰悦：安慰、讨好。(510)州郡秀、孝：州郡推举到朝廷来的秀才和孝廉。秀，秀才，才能优秀的人。《管子·小匡》："农之子常为农，朴野而不慝，其秀才之能为仕者，则足赖也。"注："有秀异之材，可为士者。"秀才之称始见此。至汉始为学士之科目。汉武帝元封四年令诸州岁各举秀才一人。到了宋代凡是应举者都称为秀才。孝，孝廉，本来是汉代选举官吏的科目名。孝，指孝子、廉，指廉洁之士。汉武帝元光元年初，令郡国举孝廉各一人，后来合称为孝廉。历代因之，州举秀才，郡举孝廉。(511)普皆署吏：

全部任以为官。⑫陈頵：字延思，当时的正直儒学之吏。传见《晋书》卷七十一。⑬经策：测试他们对儒家经典的理解。经，指儒家经典。策，古代考试将问题书写在竹片或木片上，让应试的人作答，称为策问，也简称为策。⑭仍诏：于是下诏。仍，此处通“乃”。⑮不中科：推荐上来的人考试不合格。中科，合格。⑯比三年：连续三年。比，挨、一连。⑰特除：特别予以任用。除，任用。⑱孔坦：字君平，当时的正直儒学之吏。传附见《晋书》卷七十八《孔愉传》。⑲惧累君父：害怕由于自己考试不及格而连累地方长官。⑳冀于不试：寄希望于万一不用考试。㉑偏加除署：全部地任用了这些撞大运的人。㉒失分：得不到官职。分，职务。㉓投射：投机、押宝。射，下赌注。㉔颓风伤教：败坏风气，有害教化。㉕申：通“伸”，延缓、改期。㉖愉之从子：孔坦是孔愉的侄子。㉗送乘舆服御：把当初刘聪称帝时用过的车驾与日常用品送给石勒，意即尊石勒为帝，从而离间他与刘曜的关系。乘舆，帝王所乘的车驾。服御，衣服及各种生活用品。㉘先帝：指刘粲。㉙乱大伦：指刘粲与其父刘聪的后妃淫乱之事。㉚司空：以称靳准。㉛使朕及此：使我登上帝位。㉜迎大驾：指迎接刘曜进入平阳。㉝为朕入城：以见靳准。㉞杀曜母兄：曜母胡氏为准所杀；兄则史失其名。㉟沈吟：通“沉吟”。心口相问，犹豫不决的样子。㊱降汉：投降刘曜。㊲婴城固守：据城坚守。婴城，环城四面拒敌。㊳丁丑：十二月初五。㊴以其疾笃：因为他病势沉重。笃，病重。㊵己卯：十二月初七。㊶备吉凶仪服：给参与丧事的人备办全套的丧服与丧礼过后改换使用的服装。仪服，礼服。吉服，丧礼结束后所更换的服装。㊷凶荒杀礼：凡遇战乱或灾荒之年礼仪就要从简。凶荒，战乱与灾荒。杀，降、减。㊸宪章旧制：国家明文规定的有关丧事的章程法度。㊹礼典所无：指给年幼的孩子出大殡，为古典所无。《仪礼·丧服》规定，男女未满八岁而死称殇，丧礼无服。㊺顾崇饰如是乎：反而如此铺张吗？顾，反而。崇饰，极力铺张。㊻竭已罢之民：对已经疲惫不堪的民众还如此竭力搜刮。竭，极力搜刮。罢，通“疲”。㊼营无益之事：操办一种对国家毫无益处的事情。营，从事、操办。㊽殚已困之财：消耗原本就所剩无几的财富。殚，竭尽。㊾修无用之费：花在毫无意义的开支上。修，循、用于。㊿下邳内史刘遐：下邳是晋王朝治下的诸侯国名，都城在今江苏宿迁境内。内史是诸侯国内的民政长官。刘遐，字正长。传见《晋书》卷八十一。(551)领彭城内史：兼任叛变的周抚的职务。当时的彭城国都城即今江苏徐州。领，兼任。(552)豹二句：蔡豹是蔡质的第五代孙子。玄孙，本身以下的第五代。《尔雅·释亲》：“曾孙之子为玄孙。”郭璞注曰：“玄者，言亲属微昧也。”蔡豹字士宣。传见《晋书》卷八十一。(553)栗邑：晋县名，县治在今陕西白水西北。(554)置戍：留下一些守兵。(555)晋寿：晋县名，县治在今四川广元西南。(556)以巴西叛：占据巴西发动叛变。巴西，晋郡名，郡治即今四川阆中。(557)涪：晋县名，县治在今四川绵阳东。

## 【校记】

［2］獍：原作“镜”。据章钰校，乙十一行本作“獍”，今从改。［3］故：原无此字。据章钰校，甲十一行本、乙十一行本皆有此字，今据补。

## 【研析】

本卷写了晋元帝建武元年（公元三一七年）到太兴元年（公元三一八年）两年间的大事。其中比较重要、值得议论的有以下几件事。

第一，晋愍帝司马邺之死。晋朝的建立是经过司马懿、司马师、司马昭两代三人几十年的努力，才由司马炎以篡位的方式取代曹魏而实现的。整个夺权的过程中废曹芳、杀曹髦、篡曹奂，充满了血腥。司马炎在位二十余年，他死后，坟土未干，变乱就已兴起，经过一番内乱之后，北方各民族纷纷登上皇帝宝座，而西晋末年的两位皇帝晋怀帝司马炽、晋愍帝司马邺相继被匈奴人刘渊建立的汉国俘虏，他们丧失的不仅是高贵的帝位，还有做人的尊严。刘聪在南宫光极殿大宴群臣，令晋怀帝司马炽身穿平民的衣服，在席间劝酒，即使如此驯服，最后还是被杀死，年仅三十岁。晋愍帝司马邺被俘后，刘聪外出打猎，命司马邺手持铁戟，在前面为刘聪开路，刘聪上厕所坐马桶，让司马邺为他捧着马桶盖，最后司马邺也没有逃脱被杀的命运，死时只有十八岁。他们的结局比起曹芳、曹髦、曹奂还要不如，假如司马炎死后有知，将会做何感想？

第二，司马睿与其组建的东晋王朝。司马睿在群臣开始劝其进位为帝时，他一再唱高调，并说什么“诸贤见逼不已，当归琅邪耳！”，于是“呼私奴，命驾将归国”，待至晋愍帝去世的消息一到，司马睿立即迫不及待地即位为帝。周嵩劝他再忍耐一下以进一步地争取人心时，司马睿竟恼怒地将周嵩逐出了朝廷。这前后的鲜明对比，是多么令人生厌！东晋王朝从建立伊始就非常腐朽，它完全依附于世家豪族，赤裸裸地维护世家豪族利益，把西晋王朝、西晋官场的种种严重弊病都通通地承袭了下来。对此熊远、陈頵等人都提过中肯的意见，有些是司马睿根本不听，有些是王氏大族从中作梗，使之不能实行。对此王夫之的《读通鉴论》说过一些似是而非的话。他说：“承倾危以立国，倚众志以图存，则为势已孤，或外有挟尊亲之宗藩，或内有挟功名之将相，日陵日夷，而伏篡弑之机，此正君子独立以靖宗社之时，而縻躯非其所恤。然君之所急与吾之所以事君者在是，则专心致志以弥缝之而恐不逮。即有刑赏之失，政教之弛，风俗之敝，且置之，以待主权既尊，国纪既立之后。而必不可迫为张弛，改易前政，以解臣民之心，使权奸得挟以为辞，而诱天下以归己。”并说：“沈静以收人心，而起衰救敝之人作，且从容以俟人心之定，则权臣自戢，而外侮以消。况名法综核为物情所骇者，其可迫求之以拂众怒也乎？”结果东晋王朝就这

么一天天地烂了下去，内忧外患，战乱不绝，而唯一得利的是世族豪门，与司马氏皇室相依为命地苟延残喘了一百年。当然这也可以说是一种成功，但那就得看是从哪个角度说话了。司马睿为他只活了两年的儿子出大殡、修陵墓，言官出来谏阻，说“古者凶荒杀礼，况今海内丧乱，宪章旧制，犹宜节省，而礼典所无，顾崇饰如是乎！竭已罢之民，营无益之事，殚已困之财，修无用之费”，言辞恳切，司马睿置若罔闻。这也是千古少见的事！

第三，并州刺史刘琨是一个让人非常惋惜的人物，他心怀晋室，与段匹磾歃血为盟，期以翼戴晋室。他对温峤说“晋祚虽衰，天命未改，吾当立功河朔”云云，是何等的豪迈！当刘琨儿子刘群在段末柸处致书刘琨，约刘琨与末柸里应外合共破段匹磾，书信被段匹磾截获，段匹磾持书以责刘琨时，刘琨毫不犹豫地说：“与公同盟，庶雪国家之耻，若儿书密达，亦终不以一子之故负公而忘义也。”是何等的光明磊落！然而壮志未酬，最后竟被段匹磾杀害。对这样一个一心报国而最终被害的人物，古人评价不一。明代张溥《汉魏六朝百三家集题辞》中赞颂刘琨的文章说：“劲气直辞，迥薄霄汉，推此志也，屈平沅湘，荆轲易水，其同声耶?”“夫汉贼不灭，诸葛兴师；二圣未还，武穆鞠旅；二臣忠贞，表悬天壤。上下其间，中有越石。予尝感中夜荒鸡，月明清啸，抑览是集，仿佛其如有闻乎！”而王夫之《读通鉴论》则对刘琨多有指责，如其所谓：“琨亦功名之士耳，志在功名而不闻君子之道，则功不遂、名不贞，而为后世僇，自贻之矣。”深责刘琨的不自量力，似乎太不看大节了。

第四，靳准是一个“成功”的阴谋家，他把自己的两个女儿分别献给刘聪、刘粲父子，轻而易举地获取了刘聪、刘粲对他的宠信和重用。他重权在握之后，就借刘聪、刘粲的手，逐个处死了那些真心拥护刘聪、刘粲的忠臣；等到刘聪父子把自己的左膀右臂全部斩杀之后，靳准立即实施政变，他把活主子刘粲杀死，把两代死主子刘渊、刘聪掘墓戮尸，他将刘氏宗庙焚毁，还把这支刘姓的匈奴人不论男女老少通通杀光。靳准对刘氏为何如此仇恨？其手段为何如此恶毒？其从内部兴起而一举颠覆刘渊、刘聪政权的极端省力与其功效之巨大与彻底，都是历史上之所罕闻。靳准到底是怎么一回事，过去的历史家没有做出深刻的分析判断。赵高颠覆了秦王朝，于是有人说赵高是赵国人，是采取一种特殊手段而完成了曲线复仇。赵高尚可立论，为什么就没有人说靳准是晋王朝的内奸，说他是为晋王朝沦陷的江山社稷、为呻吟于匈奴铁蹄下的汉族遗民而潜入敌营、行此手段的？靳准政变成功后，“遣使告司州刺史李矩曰：‘刘渊，屠各小丑，因晋之乱，矫称天命，使二帝幽没。辄率众扶侍梓宫，请以上闻。’”明确宣告臣服于晋。倘若晋王朝能不失时宜地加以联合、借用，岂不是一支很好的力量？凡此种种，似乎都应再做深入的考察。

# 卷第九十一　晋纪十三

起屠维单阏（己卯，公元三一九年），尽重光大荒落（辛巳，公元三二一年），凡三年。

【题解】

本卷写晋元帝司马睿太兴二年（公元三一九年）至太兴四年共三年间的东晋及各国大事。主要写了苏峻在永嘉之乱中纠合乡里数千家，结垒自保，后因曹嶷之逼率众南渡，因为助讨周抚有功，被晋元帝任命为淮陵内史，为其日后称兵为逆做伏线；写了汉将石勒在平定靳准余部后派王脩向汉主刘曜献捷，结果因有人谗毁挑动，刘曜杀王脩，致使石勒与刘曜反目；写了汉主刘曜更改国号为赵国（史称前赵），建都于长安，尊奉匈奴冒顿单于为祖，创立太学，修建宫室、陵墓，又能容人纳谏，听用游子远的建议，收服自称“大秦”的巴人部落，颇具王者气象；写了石勒也建国为赵（史称后赵），自称赵王，建都襄国（今河北邢台）；写了石勒的一些生活琐事，甚有草莽英雄的气概；写了石勒部将石虎打败并擒获邵续，进而攻打、俘获段匹磾的部将段文鸯，段匹磾被部下劫持，投

【原文】

中宗元皇帝中

太兴二年（己卯，公元三一九年）

春，二月，刘遐、徐龛击周抚于寒山①，破斩之。初，掖人苏峻②帅乡里数千家结垒以自保，远近多附之。曹嶷③恶其强，将攻之，峻率众浮海来奔。帝以峻为鹰扬将军④，助刘遐讨周抚有功，诏以遐为临淮⑤太守，峻为淮陵内史⑥。

石勒遣左长史王脩献捷⑦于汉。汉主曜遣兼司徒郭汜授勒太宰⑧、领大将军，进爵赵王，加殊礼，出警入跸⑨，如曹公辅汉故事⑩，拜王脩及其副刘茂皆为将军，封列侯⑪。脩舍人⑫曹平乐从脩至粟邑，因留仕汉，言于曜曰：“大司马⑬遣脩等来，外表至诚，内觇大驾强弱⑭，

降石勒，段匹磾、段文鸯、邵续都为石勒所杀，晋王朝的幽州、并州、冀州全部归入后赵的版图；写了晋王朝豫州刺史祖逖协调中原地区不同派系晋军将领，不断攻击后赵，使后赵疆土日益缩小，以及使管区内的百姓与石勒占区的百姓相互通商，百姓稍得休息；而由于司马睿另派亲信戴渊任豫州刺史，都督中原诸州军事，祖逖因军权被取代而失望愤慨病故；写了东晋王朝内部王敦与司马睿的矛盾加剧，各树党羽，刘隗、司马承等与王敦的斗争已经公开化；写了凉州刺史、西平公张寔被自己的部下杀死，其弟张茂被推举为凉州刺史；写了慕容廆接受晋王朝任命为都督幽州、平州、东夷诸军事，且任平州牧，雄踞一方；拓跋猗㐌的妻子惟氏杀死代王拓跋郁律而立自己的儿子拓跋贺傉为代王，惟氏专制朝政，为日后什翼犍的兴起做了伏笔。

---

**【语译】**

**中宗元皇帝中**

**太兴二年（己卯，公元三一九年）**

春季，二月，晋下邳内史刘遐、泰山太守徐龛率军攻打叛变后盘踞寒山的彭城内史周抚，他们攻破寒山，将周抚斩首。当初，掖县人苏峻为应付日益蔓延的战乱之势，率领家乡的数千户人家构筑起堡寨，武装自卫，远近很多百姓都来投靠他。晋青州刺史曹嶷厌恶苏峻的日益强大，发兵攻打他，于是苏峻率领着他的部众乘船渡海前来建康投靠。晋元帝司马睿任命苏峻为鹰扬将军，他协助下邳内史刘遐讨伐周抚，建立了功劳，晋元帝下诏任命刘遐为临淮太守，任命苏峻为淮陵内史。

汉赵公石勒派遣担任左长史的王脩向汉主刘曜报捷。汉主刘曜派遣兼任司徒的郭汜主持授予石勒太宰、兼任大将军，进爵为赵王，并加授特殊的尊崇礼仪，出行时按照皇帝的规格进行警戒与清道，就像东汉末年曹操辅佐汉献帝时，进爵魏王，特加殊礼之事，任命王脩及其副使刘茂都为将军，封侯爵。王脩的属官曹平乐跟随王脩来到粟邑，便留下来在汉主刘曜手下任职，他对汉主刘曜说："大司马石勒这次派王脩等人前来，表面上看起来对汉非常忠诚恭敬，而实际上是为了窥探陛下的虚

俟[15]其复命，将袭乘舆[16]。”时汉兵实疲弊，曜信之。乃追汜还，斩脩于市。三月，勒还至襄国[17]。刘茂逃归，言脩死状。勒大怒，曰：“孤事刘氏，于人臣之职有加矣。彼之基业，皆孤所为。今既得志，还欲相图[18]。赵王、赵帝，孤自为之，何待于彼邪！”乃诛曹平乐三族。

帝令群臣议郊祀[19]，尚书令刁协等以为宜须还洛乃修之[20]。司徒荀组等曰：“汉献帝都许[21]，即行郊祀，何必洛邑！”帝从之，立郊丘[22]于建康城之巳地[23]。辛卯[24]，帝亲祀南郊[25]。以未有北郊[26]，并地祇合祭之。诏：“琅邪恭王宜称皇考[27]。”贺循曰：“《礼》，子不敢以己爵加于父[28]。”乃止。

初，蓬陂坞主[29]陈川自称陈留太守。祖逖之攻樊雅[30]也，川遣其将李头助之。头力战有功，逖厚遇之。头每叹曰：“得此人为主，吾死无恨[31]。”川闻而杀之。头党冯宠帅其众降逖。川益怒，大掠豫州诸郡，逖遣兵击破之。夏，四月，川以浚仪[32]叛降石勒。

周抚之败走也，徐龛部将于药追斩之。及朝廷论功，而刘遐先之。龛怒，以泰山[33]叛降石勒，自称兖州[34]刺史。

汉主曜还，都长安，立妃羊氏[35]为皇后，子熙为皇太子，封子袭为长乐王，阐为太原王，冲为淮南王，敞为齐王，高为鲁王，徽为楚王，诸宗室皆进封郡王[36]。羊氏，即故惠帝后也。曜尝[37]问之曰：“吾何如司马家儿？”羊氏曰：“陛下开基之圣主，彼亡国之暗夫，何可并言！彼贵为帝王，有一妇、一子及身三耳，曾不能庇[38]。妾于尔时，实不欲生，意谓世间男子皆然。自奉巾栉[39]已来，始知天下自有丈夫耳。”曜甚宠之，颇干预国事。

南阳王保自称晋王，改元建康，置百官，以张寔为征西大将军、

实强弱，等到他回去汇报情况之后，石勒就要发兵攻打您了。”当时汉国的军队确实是疲惫不堪，所以刘曜就听信了曹平乐的话，立即派人将郭汜等追回来，将石勒的使者王脩拉到闹市斩首示众。三月，赵公石勒回到自己的都城襄国。担任副使的刘茂从汉逃了回来，将王脩被汉主刘曜处死的情形详细报告给石勒。石勒勃然大怒，说道：“我侍奉刘氏，已经远远超出人臣的职分。他的皇家基业，都是我的汗马功劳。如今他们的目的实现了，就想来谋害我。赵王、赵帝，我想做什么就做什么，难道还要经他允许吗?!”于是诛灭曹平乐三族。

晋元帝司马睿令群臣商议有关在郊外祭祀天地的礼法章程，担任尚书令的刁协等人都认为应该等到收复旧都洛阳之后再讲究这一套。担任司徒的荀组等人则说：“汉献帝被曹操迁出洛阳、建都许昌的时候，汉献帝就在许昌郊外举行祭祀天地的仪式，何必非要在洛阳!”晋元帝听从了荀组等人的意见，就在建康城的东南方筑起祭祀天地神灵的土坛。辛卯日，晋元帝司马睿亲自到南郊祭天。因为还没有在北郊建筑夏至日祭祀地祇的神台，就在南郊祭天的时候将地神一起合祭。晋元帝下诏说：“我应该称我的父亲琅邪恭王司马觐为‘皇考’。”担任中书令的贺循说：“按照《仪礼》，当儿子的不应该让自己的爵位超过父亲。”晋元帝这才作罢。

当初，在蓬陂修筑堡寨以自卫的武装头领陈川，竟然自称封留太守。早先，豫州刺史祖逖攻打樊雅的时候，陈川曾经派遣手下将领李头前去协助作战。李头作战英勇，立了战功，所以祖逖很厚待他。李头时常叹息说：“能得到祖逖这样的人为首领，我就是死了也没有什么遗憾。”陈川听到这话，就把李头杀死了。李头的党羽冯宠率领自己的部众归降了祖逖。陈川更加恼怒，就率人到豫州管辖下的各郡大肆抢掠，祖逖派军队出击，将陈川打败。夏季，四月，陈川在浚仪叛变，投降了石勒。

晋国叛将周抚被打败逃走的时候，徐龛的部将于药追赶上去将周抚斩首。到了朝廷论功行赏的时候，下邳内史刘遐的功劳却在徐龛之上。徐龛一怒之下，献出泰山城，投降了石勒，自称兖州刺史。

汉主刘曜从粟邑回到长安，就把都城从平阳迁到长安，他册封羊氏为皇后，封自己的儿子刘熙为皇太子，封皇子刘袭为长乐王，封刘阐为太原王，封刘冲为淮南王，封刘敞为齐王，封刘高为鲁王，封刘徽为楚王，其余皇室成员都晋封郡王。羊氏，就是已故晋惠帝司马衷的皇后羊献容。刘曜曾经问羊皇后说：“我跟姓司马的那个男人比起来怎么样?”羊皇后回答说：“陛下是开创基业的君主，而他是一个亡国的愚夫，怎么能和陛下相提并论呢！司马衷贵为皇帝，一个皇后、一个儿子，连他自己不过三个人，他竟然都保护不了。我在那个时候，真的是不想再活着了，心想天下的男人大概都如此。自从做了你的妻子，才知道天下原来真有大丈夫。”刘曜自此非常宠幸羊皇后，而羊皇后有时候也干预一些朝政。

晋南阳王司马保自称晋王，并改年号为“建康”，设立文武百官，任用凉州刺史

开府仪同三司。陈安自称秦州㊵刺史，降于汉，又降于成㊶。上邽大饥，士众困迫，张春奉保之㊷南安祁山㊸，寔遣韩璞帅步骑五千救之。陈安退保绵诸㊹，保归上邽。未几㊺，保复为安所逼，寔遣其将宋毅救之，安乃退。

江东大饥，诏百官各上封事㊻。益州刺史应詹㊼上疏曰："元康㊽以来，贱经尚道㊾，以玄虚弘放㊿为夷达51，以儒术清俭52为鄙俗。宜崇奖53儒官，以新俗化54。"

祖逖攻陈川于蓬关55。石勒遣石虎将兵五万救之，战于浚仪，逖兵败，退屯梁国56。勒又遣桃豹将兵至蓬关，逖退屯淮南57。虎徙川部众五千户于襄国，留豹守川故城。

石勒遣石虎击鲜卑日六延58于朔方59，大破之，斩首二万级，俘虏三万余人。孔苌60攻幽州诸郡，悉取之。段匹䃅士众[1]饥散，欲移保上谷61。代王郁律62勒兵将击之，匹䃅弃妻子奔乐陵63，依邵续64。

曹嶷遣使赂石勒，请以河为境65。勒许之。

梁州刺史周访击杜曾，大破之。马隽等执曾以降，访斩之，并获荆州刺史第五猗66，送于武昌67。访以猗本中朝所署68，加有时望69，白70王敦不宜杀，敦不听而斩之。初，敦患杜曾难制，谓访曰："若擒曾，当相论为荆州71。"及曾死而敦不用72。王廙在荆州，多杀陶侃将佐73，以皇甫方回74为侃所敬，责其不诣己75，收斩之。士民怨怒，上下不安。帝闻之，征廙为散骑常侍76，以周访代廙为荆州刺史。王敦忌访威名，意难之。从事中郎郭舒说敦曰："鄙州77虽荒弊，乃用武之国，不可以假人，宜自领78之，访为梁州足矣。"敦从之。六月丙子79，诏加访安南将军，余如故。访大怒，敦手书譬解，并遗玉环玉椀以申

张寔为征西大将军、开府仪同三司。陈安自称秦州刺史，先是投降汉刘曜，后来又投降了成国李雄。上邽遇到大灾荒，百姓困苦不堪，部将张春侍奉着晋王司马保迁往南安郡的祁山，张寔派太府司马韩璞率领五千名步兵、骑兵救援司马保。陈安撤到绵诸自守，司马保返回上邽。不久，司马保再次受到陈安的逼迫，张寔又派手下将领宋毅赶来救援，陈安这才退去。

江东地区遭遇大灾荒，晋元帝司马睿下诏给文武官员，让他们上密折奏陈机密之事。担任益州刺史的应詹上疏说："自从惠帝元康年间以来，读书人都轻视儒家经典，而尊崇道家学说，把故弄玄虚、任性而为看成旷达，把谨守儒术、清廉检点当作卑贱庸俗。如今应该奖励儒家学派的官员，使社会风气为之一新。"

东晋豫州刺史祖逖率军攻打据守蓬关的陈川。赵公石勒派遣他的侄子石虎率军队五万人救援陈川，与祖逖在浚仪发生激战，祖逖兵败，退到梁国驻扎。石勒又派部将桃豹率军抵达蓬关，祖逖只得向淮南撤退。石虎将陈川的五千户部众全部迁移到襄国，留下桃豹镇守陈川的故城蓬关。

赵公石勒派石虎率军前往朔方攻打鲜卑部落酋长日六延，将日六延打得大败，斩首二万级，俘虏三万多人。石勒的另一部将孔苌率军攻打晋国管辖下的幽州各郡，全部攻占。幽州刺史段匹磾的部众因为饥饿难忍而纷纷离散，段匹磾想移驻上谷郡据守。代王拓跋郁律组织兵力准备攻打段匹磾，段匹磾只得抛下妻子逃往乐陵，依附于乐安太守邵续。

晋青州刺史曹嶷派使者到襄国贿赂赵公石勒，请求以黄河为界。石勒表示同意。

东晋梁州刺史周访率军攻打杜曾，大败杜曾。杜曾的部将马隽等将杜曾擒获，向周访投降，周访将杜曾斩首，并且抓获了依从于杜曾的荆州刺史第五猗，将第五猗押送到武昌移交给大将军王敦。周访认为第五猗原本是西晋朝廷正式任命的官员，加上在当时又很有声望，就劝告大将军王敦不应该将第五猗杀死，王敦没有采纳周访的意见，而杀死了第五猗。当初，王敦担心杜曾难以制服，就对周访说："如果你能将杜曾擒获，我当推荐你为荆州刺史。"等到杜曾被处死，王敦竟然没有任用周访为荆州刺史。担任荆州刺史的王廙在荆州，将原任荆州刺史陶侃所任命的部分将佐杀掉，因为皇甫方回一向受到陶侃的敬重，王廙责备他不亲附、不来拜见自己，竟然以此为借口将皇甫方回收监、斩首。荆州的士民对此充满怨恨与愤怒，上下不安。晋元帝司马睿听说了这种情况，就将王廙征调到建康担任散骑常侍，准备让周访代替王廙为荆州刺史。王敦忌恨周访的威名，正在感到为难。担任从事中郎的郭舒向王敦建议说："荆州虽然荒僻残破，却是一个用武之地，不能把它交到别人手里，您应该自己兼任荆州刺史，让周访担任一个梁州刺史就足够了。"王敦听从了郭舒的意见。六月初七日丙子，晋元帝司马睿下诏加封周访为安南将军，其他职务不变。周访大为愤怒，王敦于是写信给周访加以解释，并赠送给周访玉环、玉碗，以表达自

厚意。访抵之于地[80]，曰："吾岂贾竖[81]，可以宝悦邪！"访在襄阳[82]，务农训兵，阴有图敦之志，守宰[83]有缺辄补，然后言上。敦患之而不能制。

魏该为胡寇所逼，自宜阳率众南迁新野[84]，助周访讨杜曾有功，拜顺阳[85]太守。

赵固死，郭诵留屯阳翟[86]。石生屡攻之，不能克。

汉主曜立宗庙社稷，南北郊于长安[87]。诏曰："吾之先，兴于北方。光文立汉宗庙[88]以从民望。今宜改国号，以单于为祖。亟议以闻[89]！"群臣奏："光文始封卢奴伯[90]，陛下又王中山[91]。中山，赵分[92]也，请改国号为赵。"从之。以冒顿配天[93]，光文配上帝[94]。

徐龛寇掠济、岱[95]，破东莞[96]。帝问将帅可以讨龛者于王导，导以为太子左卫率[97]泰山羊鉴[98]，龛之州里冠族[99]，必能制之。鉴深辞才非将帅[100]，郗鉴[101]亦表鉴非才，不可使。导不从。秋，八月，以羊鉴为征虏将军[102]、征讨都督[103]，督徐州刺史蔡豹、临淮太守刘遐、鲜卑段文鸯[104]等讨之。

冬，石勒左、右长史张敬、张宾，左、右司马张屈六、程遐等劝勒称尊号[105]，勒不许。十一月，将佐等复请勒称大将军、大单于、领冀州牧、赵王，依汉昭烈在蜀、魏武在邺故事[106]，以河内等二十四郡[107]为赵国，太守皆为内史[108]；准禹贡[109]，复冀州之境[110]；以大单于镇抚百蛮[111]，罢并、朔、司三州[112]，通置部司以监之[113]。勒许之。戊寅[114]，即赵王位，大赦，依春秋时列国称元年[115]。

初，勒以世乱律令烦多，命法曹令史贯志[116]采集其要，作《辛亥制》五千文，施行十余年，乃用律令。以理曹参军上党续咸为律学祭酒[117]。

己的诚意。周访将玉环玉碗扔到地上，说："我难道是一个做买卖的商人，用宝物就能使我高兴吗?!"周访在襄阳，推广农耕、训练士卒，暗中有谋算王敦的志向，襄阳郡所辖的地方官一旦出现空缺，周访就立即进行委派，然后再向上级报告。王敦对此十分担忧，然而又无法制止。

魏该深受汉国军队的侵扰、逼迫，便率众从宜阳向南迁移到了新野，他帮助周访讨伐杜曾有功，被任命为顺阳太守。

晋河南太守赵固去世，扬武将军郭诵留下来驻防阳翟。汉将石生屡次攻打，都没有攻克。

汉主刘曜在长安兴建皇家宗庙，建造祭祀土神谷神的社稷坛，在南郊北郊祭祀天地。刘曜下诏说："我的祖先兴盛于北方。光文帝当年建立汉家宗庙是为了顺从人民的愿望。如今是我们更改国号的时候了，要以匈奴单于作为我们的祖先。你们赶快进行商议，然后将商议的结果奏报上来!"群臣经过一番讨论之后，向汉主刘曜奏报说："汉光文帝开始受封的是卢奴伯，陛下又封为中山王。中山是古代赵国疆土的一部分，请改国号为赵国。"刘曜听从了大臣们的意见。于是在祭天时，将秦汉之际的匈奴单于冒顿的灵位放在天神牌位的旁边，让他一同享受祭祀；在祭祀上帝时，将汉光文帝刘渊的灵位放在上帝牌位的旁边，让刘渊一同享受祭祀。

徐龛派人大肆劫掠东晋的济水流域和泰山一带，并攻占了东莞。晋元帝司马睿咨询王导哪位将帅可以征讨徐龛，王导便推举担任太子左卫率的泰山人羊鉴，认为羊鉴是徐龛的同乡，又是那一带最显赫的豪门士族，必定能制服徐龛。羊鉴恳切地推辞，说自己不是将帅之才，兖州刺史郗鉴也上表给晋元帝，认为羊鉴不是这个材料，不能让他担当此项重任。王导拒不听从。秋季，八月，任命羊鉴为征虏将军、征讨都督，统领徐州刺史蔡豹、临淮太守刘遐、鲜卑人段文鸯等前去讨伐徐龛。

冬季，石勒的左右长史张敬、张宾，左右司马张屈六、程遐等全都劝说石勒称帝，石勒不同意。十一月，将佐们又请求石勒称大将军、大单于、兼任冀州牧、称赵王，依照蜀汉昭烈皇帝刘备当年在蜀先领益州牧、自称汉中王、最后称帝，魏武帝曹操在邺县置邺都、为汉丞相、后晋封魏公、继而封魏王的历史旧例，把河内等二十四郡作为赵国的疆土，太守都改称内史；根据《尚书·禹贡》的记载，重新设置冀州，并恢复旧时冀州的疆域；以大单于的身份镇抚境域内的各族人民，撤销并州、朔州、司州三州的建置，另行设立部司进行监管。石勒赞同这个意见。戊寅日这一天，石勒即位为赵王，实行大赦，按照春秋时期各国都使用本国年号的旧例，称本年为赵王元年。

当初，后赵王石勒因为时逢乱世，法律条文多且烦琐，就命令担任法曹令史的贯志，从当时的法律条文中采择精华，作《辛亥制》五千条，施行了十多年，才定为正式法律条令。任命担任理曹参军的上党人续咸为律学祭酒。续咸执法周密公平，

咸用法详平[118]，国人称之。以中垒将军支雄、游击将军王阳领门臣祭酒[119]，专主胡人辞讼，重禁胡人[120]，不得陵侮衣冠华族[121]，号胡为国人[122]。遣使循行州郡[123]，劝课农桑[124]。朝会始用天子礼乐，衣冠仪物[125]，从容可观[126]矣。加张宾大执法[127]，专总朝政。以石虎[128]为单于元辅[129]、都督禁卫诸军事，寻[130]加骠骑将军、侍中[131]、开府[132]，赐爵中山公。自余群臣，授位进爵各有差[133]。

张宾任遇优显，群臣莫及，而谦虚敬慎[134]，开怀下士[135]，屏绝阿私[136]，以身帅物[137]，入则尽规[138]，出则归美[139]。勒甚重之，每朝，常为之正容貌[140]，简辞令，呼曰"右侯[141]"，而不敢名[142]。

十二月乙亥[143]，大赦。

平州刺史崔毖自以中州人望[144]，镇辽东[145]，而士民多归慕容廆，心不平。数遣使招之，皆不至。意廆拘留之[146]，乃阴说[147]高句丽[148]、段氏[149]、宇文氏[150]，使共攻之，约灭廆分其地。毖所亲勃海高瞻[151]力谏，毖不从。

三国合兵伐廆，诸将请击之。廆曰："彼为崔毖所诱，欲邀[152]一切之利[153]。军势初合，其锋[154]甚锐，不可与战，当固守以挫[155]之。彼乌合[156]而来，既无统壹[157]，莫相归服[158]，久必携贰[159]，一则疑吾与毖诈而覆之[160]，二则三国自相猜忌。待其人情离贰，然后击之，破之必矣。"

三国进攻棘城[161]，廆闭门自守，遣使独以牛酒犒宇文氏。二国疑宇文氏与廆有谋，各引兵归。宇文大人悉独官[162]曰："二国虽归，吾当独取之。"

宇文氏士卒数十万，连营四十里。廆使召其子翰[163]于徒河[164]。翰遣使白廆曰："悉独官举国为寇，彼众我寡，易以计破，难以力胜。

后赵人都很称赞他。任命担任中垒将军的支雄、担任游击将军的王阳兼任门臣祭酒，专门负责胡人的诉讼，严厉约束、禁止胡人，胡人不得凌辱汉族士大夫，把胡人称作“国人”。后赵王石勒派使者到辖境内各州郡进行巡视考察，鼓励和督促农民耕种土地、植桑养蚕。朝会时开始使用天子的礼乐仪仗，君臣的穿着打扮、行为做派就相当可观了。石勒加授张宾为大执法，专职总领朝廷政务。任命自己的侄子石虎为单于元辅，同时统领禁卫军的各项军务，不久，又加授石虎为骠骑将军、侍中、开府，赐爵中山公，其余臣属根据不同级别都有不同的加官进爵。

大执法张宾所受到的特别任用和优厚待遇，满朝文武大臣都比不上，而张宾为人谦虚谨慎、待人恭敬有礼、胸襟开阔、礼贤下士，杜绝营私舞弊，处处以身作则，进入朝堂，在赵王石勒面前总是知无不言，直言规谏，离开朝堂则把美好的声誉归功于主上。赵王石勒非常器重他，每当朝见的时候，常常为了张宾而特意整肃自己的仪容，简短自己的谈话，称呼张宾为“右侯”，而不敢直接称呼他的名字。

十二月初九日乙亥，晋国实行大赦。

东晋担任东夷校尉、平州刺史的崔毖自以为是中原地区有影响力的人物，镇守辽东，而当地的士民却大多归附了鲜卑大单于慕容廆，心中因此而愤愤不平。他多次派遣使者去招集那些流亡的百姓，然而谁都不来。崔毖怀疑是慕容廆阻挠他们，不允许他们到自己这边来，于是便暗中派人联络高句丽国和鲜卑族的段氏部落、宇文部落的首领，让他们共同出兵攻打慕容廆，约定灭掉慕容廆之后瓜分他的土地。崔毖的亲信渤海人高瞻极力劝阻，崔毖不肯听从。

高句丽国、段氏部落、宇文部落联合讨伐慕容廆，慕容廆手下的将领都请求出兵还击。慕容廆说：“这三个国家都是受了崔毖的诱惑，想要获取一时的利益。他们的军队刚刚集结起来，士气正高，现在还不能跟他们交战，我们应当先采取坚守不战的策略挫败他们的锐气。他们此来，就像一群乌鸦为了争食而聚合在一起，既然没有一个统一的指挥，就谁也不会服从别人，时间一长，他们之间必然互相猜忌，一是怀疑我方与崔毖一起设下圈套，将他们骗到一起集中加以消灭，二是他们三国之间自相猜忌。等到他们军心离散，然后出兵攻打，一定能把他们打得大败。”

高句丽、段氏、宇文氏三国进攻慕容廆的都城棘城，慕容廆一方面紧闭城门坚守不出，一方面派遣使者带着牛肉和美酒单独去犒赏宇文氏的军队。高句丽、段氏因此怀疑宇文氏与慕容廆互相勾结，定有不可告人的阴谋，于是各自撤军而回。宇文部落的首领名叫悉独官，悉独官说：“高句丽和段氏部落虽然撤军而回，我也可以单独夺取棘城。”

宇文氏部落有士卒数十万人，营寨连绵四十里。慕容廆派人到徒河去叫他的儿子慕容翰率军增援棘城。慕容翰派使者到棘城禀告他的父亲慕容廆说：“悉独官发动全国的兵力来进犯我们，敌众我寡，容易用计谋破败他们，而很难凭借军事对抗取得胜利。

今城中之众，足以御寇。翰请为奇兵于外，伺其间[165]而击之。内外俱奋[166]，使彼震骇不知所备，破之必矣。今并兵为一，彼得专意攻城，无复他虞[167]，非策之得者也。且示众以怯，恐士气不战先沮[168]矣。”廆犹疑之。辽东韩寿言于廆曰：“悉独官有凭陵[169]之志，将骄卒惰，军不坚密[170]。若奇兵卒起[171]，掎其无备[172]，必破之策也。”廆乃听翰留徒河。

悉独官闻之曰：“翰素名骁果[173]，今不入城，或能为患。当先取之，城不足忧。”乃分遣数千骑袭翰。翰知之，诈为段氏使者，逆[174]于道曰：“慕容翰久为吾患，闻当击之，吾已严兵[175]相待，宜速进也。”使者既去，翰即出城，设伏以待之。宇文氏之骑见使者，大喜驰行，不复设备，进入伏中。翰奋击，尽获之，乘胜径进[176]，遣间使[177]语廆出兵大战。廆使其子皝与长史裴嶷将精锐为前锋，自将大兵继之。悉独官初不设备，闻廆至，惊，悉众[178]出战。前锋始交，翰将千骑从旁直入其营，纵火焚之。众皆惶扰[179]，不知所为，遂大败，悉独官仅以身免。廆尽俘其众，获皇帝玉玺三纽[180]。

崔毖闻之，惧，使其兄子焘诣棘城伪贺。会[181]三国使者亦至请和，曰：“非我本意，崔平州教我耳。”廆以示焘，临之以兵[182]。焘惧，首服[183]。廆乃遣焘归谓毖曰：“降者上策，走[184]者下策也。”引兵随之。毖与数十骑弃家奔高句丽，其众悉降于廆。廆以其子仁为征虏将军，镇辽东，官府市里[185]，按堵如故[186]。

高句丽将如奴子[187]据于河城[188]，廆遣将军张统掩击[189]，擒之，俘其众千余家。以崔焘、高瞻、韩恒[190]、石琮归于棘城，待以客礼。恒，安平人[191]。琮，鉴之孙[192]也。廆以高瞻为将军，瞻称疾不就。廆数临候[193]之，

如今棘城中的兵力，足以抵御敌人。我请求让我留在棘城之外，作为奇兵，窥测到可乘之机就立即出兵攻打他们。城内城外同时奋勇杀敌，使敌人感到震惊和不知所措，就一定能把他们击败。如果我们把兵力都集中在城里，他们就可以专心攻城，而没有其他的顾虑，这不是好计策。而且如果放弃徒河，就等于向众人表明我们胆怯，恐怕还没等交战，士气就已经沮丧低落了。”慕容廆对此犹豫不决。辽东人韩寿对慕容廆说：“悉独官有凌驾于他人之上的野心，然而他手下的将领骄傲、士卒懈怠，军队内部不能紧密团结。如果突然对其发动进攻，打他一个措手不及，就一定可以将其打败。”于是慕容廆同意慕容翰留在徒河。

悉独官听到慕容翰留在徒河的消息说：“慕容翰以骁勇善战而闻名于世，如今他不肯离开徒河进入棘城，可能会成为我们的祸患。应当首先拿下徒河，棘城就不值得忧虑了。”于是派遣数千名骑兵分头去袭击慕容翰。慕容翰探知消息，就派人装扮成段氏的使者，在路旁迎候，对宇文氏的骑兵说：“慕容翰早就成了我们段氏部落的祸患，听说你们要袭击他，我们已经整顿好军队在前面等候，请你们快速进军。”慕容翰把使者派出去之后，立即出城，设好埋伏等待宇文氏骑兵的到来。宇文氏的骑兵遇见段氏的使者之后，非常高兴，催马奔驰，不再警惕，于是进入慕容翰为他们设好的埋伏圈。慕容翰奋力攻击，把宇文氏派来的数千名骑兵全部俘获，然后乘胜前进，一面派人从小路去禀告慕容廆出兵会战。慕容廆派自己的儿子慕容皝与担任长史的裴嶷率领精锐打前锋，自己则统帅大军紧随其后。悉独官根本就没有警戒，听到慕容廆大军来到的消息，不禁大惊，赶紧把所有部众全都拉出来投入战斗。担任先锋部队的慕容皝刚与宇文氏的军队交上手，慕容翰就率领着一千名骑兵从侧翼径直冲入宇文氏的营寨，放火焚烧。宇文氏的将士全都惊惶失措，不知如何是好，于是立即大败，首领悉独官只身逃得一命。慕容廆把悉独官的部众全部俘获，缴获皇帝玉玺三枚。

晋平州刺史崔毖听到宇文氏被慕容廆打败的消息后，感到非常恐惧，就派自己的侄子崔焘前往慕容廆所在的棘城假装祝贺。正遇上高句丽、段氏、宇文氏三国的使者也都来到棘城，请求与慕容廆讲和，他们说：“前来攻打棘城并不是我们的本意，是平州刺史崔毖教我们这样做的。”慕容廆示意崔焘当面听取他们的证词，并将兵器对准了他。崔焘心中害怕，只得点头承认高句丽、宇文氏、段氏三国使者所说的都是事实。慕容廆就把崔焘放回去，让他带话给崔毖说：“投降是最好的出路，逃走是最坏的办法。”慕容廆的大军尾随崔焘之后。崔瑟毖领着几十名骑兵抛弃家小逃往高句丽，他的所有部众全部投降了慕容廆。慕容廆任命自己的儿子慕容仁为征虏将军，率军镇守辽东，原有的官署、城市街巷，没有受到丝毫的惊扰，一切如常。

高句丽的将领如奴子据守于河城，慕容廆派遣手下将领张统率军突袭如奴子，将如奴子生擒活捉，俘获了他的部众数千家。将同时俘获的崔焘、高瞻、韩恒、石琮等护送到棘城，当作宾客一样对待。韩恒，安平人。石琮，是石鉴的孙子。慕容廆任命高瞻为将军，高瞻推说自己有病而不肯就职。慕容廆几次亲自登门看望问候，

抚其心曰："君之疾在此[194]，不在他也。今晋室丧乱，孤欲与诸君共清世难，翼戴帝室[195]。君中州望族[196]，宜同斯愿[197]，奈何以华夷之异[198]，介然疏之[199]哉！夫立功立事，惟问志略[200]何如耳，华夷何足问乎！"瞻犹不起。廆颇不平[201]。龙骧主簿宋该与瞻有隙[202]，劝廆除之，廆不从。瞻以忧卒。

初，鞠羡既死[203]，苟晞[204]复以羡子彭为东莱[205]太守。会曹嶷徇青州[206]，与彭相攻[207]。嶷兵虽强，郡人皆为彭死战，嶷不能克。久之，彭叹曰："今天下大乱，强者为雄。曹亦乡里[208]，为天所相[209]，苟可依凭[210]，即为民主[211]，何必与之力争，使百姓肝脑涂地[212]！吾去此[213]，则祸自息矣。"郡人以为不可，争献拒嶷之策，彭一无所用，与乡里千余家浮海归崔毖[214]。北海郑林客于东莱，彭、嶷之相攻，林情无彼此[215]。嶷贤之，不敢侵掠，彭与之俱去。比至辽东[216]，毖已败，乃归慕容廆。廆以彭参龙骧军事[217]。遗[218]郑林车牛粟帛，皆不受，躬[219]耕于野。

宋该劝廆献捷江东[220]。廆使该为表，裴嶷奉之[221]，并所得三玺诣建康献之。

高句丽数寇辽东，廆遣慕容翰、慕容仁伐之。高句丽王乙弗利[222]逆来求盟[223]，翰、仁乃还。

是岁，蒲洪[224]降赵，赵主曜以洪为率义侯[225]。

屠各路松多[226]起兵于新平[227]、扶风[228]以附晋王保，保使其将杨曼、王连据陈仓[229]，张颉、周庸据阴密[230]，松多据草壁[231]，秦、陇氐、羌多应之。赵主曜遣诸将攻之，不克，曜自将击之。

并抚摸着高瞻的心口说："先生的病是在这里，而不在别处。如今晋国遭遇战乱，朝廷丧失了统治国家的能力，我想要与各位先生共同清除这场人世间的灾难，拥戴晋室。先生出自中原地区有名望的世家豪族，应该与我有同样的愿望，为什么却因你是汉人、我是少数民族的这点不同，就断然地拒绝我呢！建立伟大的功业，只需问他的志向韬略怎么样就够了，何必要问他是汉人还是少数民族呢！"高瞻仍然装病不起。慕容廆心里非常不高兴。担任龙骧主簿的宋该，与高瞻有矛盾，就劝说慕容廆除掉高瞻，慕容廆没有照他的话去做。高瞻最后因为忧惧过度而死。

当初，东莱太守鞠羡被王弥杀死，兖州刺史苟晞任命鞠羡的儿子鞠彭为东莱太守。正遇曹嶷率军到青州来抢夺地盘，与新任东莱太守鞠彭互相攻打。曹嶷的兵力虽然强大，但东莱郡的人都愿意为鞠彭拼死作战，所以曹嶷不能取胜。过了许久，鞠彭感叹地说："如今天下大乱，势力强大的就是英雄。曹嶷也是本地人，是我的同乡，他正得到上天的关照，只要能够依靠，那他就可以被看作是一方黎民的主子，我何必要与他奋力拼争，使这里的百姓惨遭杀害呢！我离开这里，灾祸自然就平息了。"郡民认为鞠彭不能这样做，都争相为攻破曹嶷献计献策，鞠彭一个也没有采用，他带领乡里的一千多户人家乘船渡渤海去投奔镇守辽东的平州刺史崔毖。北海人郑林客居于东莱，在鞠彭与曹嶷相互攻击的时候，郑林一直保持中立的态度，不偏倚任何一方。曹嶷认为他是一个贤能的人，因此不敢侵犯他，鞠彭与郑林一同离开东莱。当他们到达辽东的时候，崔毖已被慕容廆打败，于是就归附了慕容廆。慕容廆任命鞠彭为参龙骧军事。送给郑林车辆、牛、粮食、布帛等赏赐，郑林一样也没有接受，他自食其力，亲自在田野中耕作。

宋该向慕容廆建议，应该向江东的司马睿王朝奏报并献上战利品。慕容廆便令宋该撰写表章，派担任长史的裴嶷捧着表章以及从宇文氏那里获得的三颗皇帝玉玺前往建康呈献给晋元帝司马睿。

高句丽多次进犯辽东，慕容廆派自己的两个儿子慕容翰和慕容仁率军讨伐高句丽。正好迎头遇上高句丽国王乙弗利派人前来请求和解结盟，慕容翰、慕容仁于是撤军而回。

这一年，氐族部落酋长蒲洪投降了前赵，前赵主刘曜封蒲洪为率义侯。

匈奴屠各部落首领路松多为了归附晋王司马保而在新平、扶风起兵，晋王司马保派属下将领杨曼、王连据守陈仓，派张顗、周庸据守阴密，派松多据守草壁，秦陇一带的氐人部落、羌人部落纷纷响应。前赵主刘曜派遣诸将攻打晋王司马保，不能取胜，刘曜便准备御驾亲征。

【段旨】

以上为第一段，写晋元帝太兴二年（公元三一九年）的大事。主要写了石勒派王脩为使者向汉主刘曜献捷，被刘曜进爵为赵王；又因王脩舍人在刘曜面前挑拨，致使王脩被杀，石勒与刘曜反目；写了汉主刘曜建都长安，改国号为“赵”（史称“前赵”），尊奉匈奴冒顿单于为祖，创立种种制度；而石勒也建国于赵地，自称赵王（史称“后赵”），并写了其军师张宾对发展石勒政权所起的重要作用；写了梁州刺史周访击杜曾有功，而遭权臣王敦排抑；而周访遂尽心经营襄阳一带，为日后协助朝廷平定王敦叛乱积蓄力量；写了平州刺史崔毖欲联络高句丽、段氏、宇文氏攻打慕容廆，结果被慕容廆离间三方，致宇文氏部落与崔毖被慕容廆打得大败，慕容廆的势力大大增强。此外还写了晋将祖逖在豫州坚持抗战，南阳王司马保自称晋王，在上邽建立小朝廷，以及苏峻因曹嶷之逼，率众南渡，因助讨周抚有功，被晋元帝任命为淮陵内史等，为苏峻的日后叛变做铺垫。

【注释】

①击周抚于寒山：周抚原任彭城内史，率众叛降石勒。朝廷命下邳内史刘遐兼任彭城内史，率泰山太守徐龛等共讨周抚。事见上卷。寒山，在今江苏徐州市铜山区东南。②苏峻：字子高，长广郡掖县（今山东莱州）人。永嘉之乱，峻纠合数千家，结垒自保。因曹嶷之逼，率众南渡，助讨周抚有功，为淮陵内史，迁兰陵相。传见《晋书》卷一百。③曹嶷：时为晋王朝的青州刺史。④鹰扬将军：东汉时始建的杂号将军，主征伐。⑤临淮：晋郡名，郡治盱眙，在今江苏盱眙东北。⑥淮陵内史：淮陵国的民政长官。淮陵国的都城淮陵，在今江苏盱眙西北八十五里。⑦献捷：打胜仗后进献俘虏和战利品。⑧太宰：官名，周代亦名冢宰，为天官之长。秦、汉、魏不设。晋避司马师讳，改太师为太宰，其职掌与冢宰不同。⑨出警入跸：指古代帝王出入时的警戒与清道。左右侍卫为警，止人清道为跸。帝王有时也把这一特权赐给地位显赫的权臣，以示恩宠之意。⑩如曹公辅汉故事：像东汉末曹操辅佐汉献帝，进爵魏王，特加殊礼之事。⑪列侯：或称彻侯，爵位名，秦制爵分二十等，彻侯位最高。汉代为避武帝刘彻讳，始改彻侯为列侯，魏、晋后仍然袭用。⑫舍人：王公贵族的左右亲近属官。⑬大司马：以称石勒。⑭内觇大驾强弱：真正目的是来探看您的虚实。觇，窥视、暗中观察。大驾，尊称刘曜。⑮俟：等候。⑯将袭乘舆：将要对您发起攻击。乘舆，帝王乘坐的车驾，这里用以谦称刘曜。⑰襄国：晋县名，县治在今河北邢台西南，时石勒据以为都城。⑱还欲相图：还要想来谋害我。图，谋、加害。⑲议郊祀：讨论在郊外祭祀天地的礼法章程。郊祀，又叫“郊社”“郊祭”，指帝王在郊外祭祀天地。⑳宜须还洛乃修之：应该等收复旧都洛阳之后再讲究这一套。须，等候。修，治、举行。㉑汉献帝都许：汉献帝被曹操迁

出洛阳、建都许昌的时候。汉时的许昌在今河南许昌东。㉒郊丘：古代帝王为祭祀天地神灵而筑起的土坛。祭天神时于地上筑圜丘，称太坛；祭地祇时于泽中筑方丘，称太折。㉓巳地：东南方。㉔辛卯：三月朔壬寅，无辛卯日，此处记载有误。应为二月辛卯。㉕祀南郊：古代冬至日于南郊祭祀天神。㉖未有北郊：还没有建造夏至日于北郊祭祀地祇的神台。㉗琅邪恭王宜称皇考：司马睿想称自己的生父作"皇考"。皇考，对亡父的尊称。㉘子不敢以己爵加于父：做儿子的不能让自己的爵位超过父亲。意即司马睿既然已继司马炎之统系称皇帝，就不能再称琅邪恭王司马觐为父亲。㉙蓬陂坞主：蓬陂地区的武装头领。蓬陂，在今河南开封南。坞主，依靠坞堡与匪盗相抗的武装头领。汉末、魏、晋时期这种势力星罗棋布，到处都有。㉚祖逖之攻樊雅：祖逖是当时在今河南地区坚持抗战的晋军统帅，被任为豫州刺史，州治在今河南周口市淮阳区。樊雅是谯郡一带的堡坞势力，被军阀刘演授为谯郡太守。㉛死无恨：死而无憾。恨，遗憾。㉜以浚仪：带着浚仪县。浚仪县治即今河南开封。㉝泰山：晋郡名，郡治奉高县，在今山东泰安东北。㉞兖州：晋州名，州治廪丘，在今山东郓城西。东晋建武初移治邹山县，在今山东邹城东南。㉟羊氏：晋惠帝司马衷的羊皇后。晋怀帝永嘉五年六月十二，"曜杀太子诠、吴孝王晏、竟陵王楙、右仆射曹馥、尚书闾丘冲、河南尹刘默等，士民死者三万余人。遂发掘诸陵，焚宫庙、官府皆尽。曜纳惠帝羊皇后，迁帝及六玺于平阳。"㊱郡王：爵号为"王"，封地为一个郡的地盘。㊲尝：曾经。㊳曾不能庇：竟然都不能保护。曾，竟然、根本。㊴奉巾栉：伺候其日常生活。巾栉，洗沐用具。巾用以拭手，栉用以梳发。古代贵族认为奉执巾栉为婢妾的事情，旧因以奉巾栉为做妻子的谦辞。㊵秦州：晋州名，初治冀县，在今甘肃甘谷东，后移治上邽，即今甘肃天水。㊶成：此时建都于成都的少数民族名，其帝王名叫李雄，其传见《晋书》卷一百二十一。㊷之：迁往。㊸南安祁山：南安郡的祁山县。南安郡的郡治豲道，在今甘肃陇西东南渭水东岸。祁山县在今甘肃西和东北。㊹绵诸：晋县名，西汉置绵诸道，其地在今甘肃清水西南。㊺未几：不久。㊻封事：密封的章表，又叫封章。百官上书奏机密之事，用皂囊封缄呈进，以防泄露。㊼应詹：字思远，此时任益州刺史。传见《晋书》卷七十。㊽元康：晋惠帝司马衷的第三个年号（公元二九一至二九九年）。㊾贱经尚道：轻视儒家经典，崇尚道家学说。㊿玄虚弘放：玄妙虚无，萧散放达。51夷达：旷达。52儒术清俭：谨守儒教，行为检点。53崇奖：提高、奖励。54以新俗化：使社会风气为之一新。55蓬关：前文所说的"蓬陂"，春秋时称逢泽，在今河南开封南。56梁国：晋代诸侯国名，都城睢阳，在今河南商丘南。57淮南：晋郡名，郡治寿春，即今安徽寿县。58日六延：鲜卑族的部落首领名。59朔方：古郡名，郡治朔方，在今内蒙古杭锦旗西北之黄河南岸。东汉移治临戎县，在今内蒙古磴口北。60孔苌：石勒的部将。61上谷：晋郡名，郡治沮阳，在今河北怀来东南。62代王郁律：当时活动在今山西北部与河北西北部的少数民族部落首领名，鲜卑族，姓拓跋，名郁律。传见《魏书》卷一。63乐陵：晋郡名，郡治厌次，在今山东阳信东南。㊹邵续：坚持在敌后抗战的晋军统领，此时任乐安太守，驻兵在今山东与河北的邻近地区。㊺以河为境：以黄河为双方的分界线。当时黄河下游的流向与今时之黄河大致相同，在利津入海。㊻第五猗：姓第五，名猗，晋愍帝任命的荆州刺史，此时为独立军阀，曾与杜曾、郑攀等共拒司马睿派来的荆州刺史王廙前来上任。㊼武昌：晋县名，县治即今湖北鄂州，当时大将军王敦的行营在武昌。㊽中朝所署：西晋朝廷所任命。中朝，中原地区的朝廷。㊾时望：在现时有威信、有声望。㊿白：禀告；劝告。(71)当相论为荆州：我将推举你为荆州刺史。论，议论、建议。荆州，指荆州刺史。(72)不用：不任用周访，因为他任用了亲党王廙。(73)陶侃将佐：当年陶侃为荆州刺史时所任命的一些部属。(74)皇甫方回：姓皇甫，名方回，皇甫谧之子，荆州地区的高士。传附见《晋书》卷五十一。(75)不诣己：不亲附、不来拜见自己。诣，往、到。这里指拜见。(76)散骑常侍：朝官名，侍从皇帝左右，起参谋顾问之用。(77)鄙州：郭舒曾在荆州历事刘弘、王澄，故谦称荆州为鄙州。(78)自领：自己兼任。官阶高而兼任较低级的职务曰“领”。(79)六月丙子：六月初七。(80)抵之于地：扔在地上。抵，扔。(81)贾竖：对商人的蔑称。(82)襄阳：古城名，即今湖北襄阳，东晋时的梁州刺史侨居于此。(83)守宰：这里指襄阳一带的地方官。(84)自宜阳率众南迁新野：魏该时为宜阳县令。宜阳是晋县名，县治在今河南宜阳西。新野，晋县名，县治即今河南新野。(85)顺阳：晋郡名，郡治在今河南淅川东南。(86)阳翟：晋县名，县治即在今河南禹州。(87)南北郊于长安：冬至日在长安的南郊祭天，夏至日在长安的北郊祭地。这是历代帝王一直沿用的礼仪制度。(88)光文立汉宗庙：刘渊当年建立汉国，事见晋惠帝永兴元年。光文，刘渊的谥号。(89)亟议以闻：你们赶紧议论一下，上报给我。亟，赶快、急速。(90)卢奴伯：刘渊当年被晋王朝加的封号。封地卢奴，即今河北定州，爵位为伯。(91)中山：汉代的诸侯国名，都城即今河北定州。(92)赵分：赵国疆土的一部分。分，即整体中的一部分。(93)以冒顿配天：在祭天时，把冒顿的灵位放在天神旁边，一同享受祭祀。冒顿是秦汉之际的匈奴单于，是使匈奴强大一时的关键人物。他东灭东胡，西破月氏，进占今河套地区，威胁西汉政权。事迹详见《史记》与《汉书》的《匈奴传》。(94)光文配上帝：在祭祀上帝时，让刘渊的灵牌一同享受祭祀。(95)济、岱：指今山东境内的济水、泰山一带地区。济，济水，源出今河南济源西王屋山，其故道东流至山东，与黄河并行东流入海，后下游为黄河所夺。岱，岱岳，即泰山，在山东泰安北。古称“东岳”，为“五岳”之一。(96)东莞：晋郡名，郡治即今山东莒县。(97)太子左卫率：皇太子的侍卫官名，统领禁兵，设左右二人。(98)羊鉴：字景期，泰山郡人。传见《晋书》卷八十一。(99)龛之州里冠族：是徐龛的同乡，在那一带是最显贵的豪门世族。(100)深辞才非将帅：恳切推辞自己非将帅之才。(101)郗鉴：字道徽，此时任兖州刺史。传见《晋书》卷六十七。(102)征虏将军：东汉时始建的杂号将军，主征战。(103)征讨都督：军官名，是临时设置的征讨总指挥。(104)鲜卑段文鸯：鲜卑族段匹磾的部将。(105)称尊号：自称皇帝的尊号。即称帝。(106)汉昭烈在蜀、魏武在邺故事：指蜀汉昭烈帝刘备在公元二一九年自称汉中王、二二一年称帝，和魏武帝曹操在邺都称魏王的历史旧例。事详见《三国志·蜀书·先主传》和《魏书·武帝纪》。⑩⑦ 河内等二十四郡：指河内、魏、汲、顿丘、平原、清河、巨鹿、常山、中山、长乐、乐平、赵国、广平、阳平、章武、勃海、河间、上党、定襄、范阳、渔阳、武邑、燕国、乐陵等二十四郡。其地大致包括今河北、山西和河南北部。⑩⑧ 太守皆为内史：以上二十四郡的太守官皆改称“内史”。⑩⑨ 准禹贡：按照《尚书·禹贡》的章程。《禹贡》是我国最古老的地理书，记载了大禹治水与大禹分天下为九州的情形。⑪⓪ 复冀州之境：重新设立冀州，并恢复旧时冀州的地盘，包括今山西与河北东南境之地。⑪⑪ 百蛮：这里泛指赵国境内的各少数民族。⑪⑫ 罢并、朔、司三州：撤销并州、朔州、司州三州的建制。罢，撤销。⑪⑬ 通置部司以监之：在过去三州的地面上设立部司以监督官民的动向。⑪⑭ 戊寅：十一月朔戊戌，此月无戊寅日，当是记载有误。⑪⑮ 依春秋时列国称元年：按照春秋时期各国都使用本国年号的旧例，称赵王元年。⑪⑯ 贯志：姓贯名志。⑪⑰ 律学祭酒：官名，石勒创置，主管制定和讲授律令。⑪⑱ 详平：周密公平。⑪⑲ 门臣祭酒：官名，石勒创置，负责在胡人中实行法令。⑫⓪ 重禁胡人：严厉约束、禁止胡人。⑫⑪ 衣冠华族：指汉族士大夫。⑫⑫ 号胡为国人：称胡人是本国的基本国民。⑫⑬ 循行州郡：到各州郡巡行视察。⑫⑭ 劝课农桑：督促鼓励百姓种地养蚕。⑫⑮ 衣冠仪物：君臣的穿戴与礼仪章程。⑫⑯ 从容可观：行为做派，全都有个看头了。⑫⑰ 加张宾大执法：加封张宾为“总裁”“总指挥”。张宾，字孟孙，为人谦虚谨慎，是石勒的智囊人物，传附见《晋书》卷一百五《石勒载记》下。⑫⑱ 石虎：石勒之父的养子，故称石勒之弟，为人残忍善战。事见《晋书》卷一百六。⑫⑲ 单于元辅：石勒的首辅。因居大臣首位，故称元辅。⑬⓪ 寻：不久。⑬⑪ 侍中：帝王的侍从官员。南北朝时为亲信大臣的加官，地位相当于宰相。⑬⑫ 开府：原指准许该臣设立办事衙门，聘任各部僚属，这里是对宠臣的加官名。⑬⑬ 进爵各有差：都有程度不同的加官进爵。⑬⑭ 敬慎：恭敬、谨慎。⑬⑮ 开怀下士：胸襟开阔，礼贤下士。下，屈己尊人。⑬⑯ 屏绝阿私：杜绝营私舞弊。屏，除。阿私，邪恶、不正当的行为。⑬⑰ 以身帅物：以身作则。帅，通“率”，带领。物，人、公众。⑬⑱ 入则尽规：在石勒当面，总是直言规谏。⑬⑲ 出则归美：在处理具体事务时，总是把好处都推归石勒。⑭⓪ 正容貌：态度端庄的样子。⑭⑪ 右侯：石勒对张宾的尊称。古人以右为尊，故称所重者为右。⑭⑫ 不敢名：不敢直呼其名。⑭⑬ 十二月乙亥：十二月初九。⑭⑭ 中州人望：中原（泛指黄河中下游）地区有影响的人物。人望，众望所归。⑭⑮ 辽东：晋王朝的郡国名，郡治襄平，在今辽宁辽阳。⑭⑯ 意廆拘留之：怀疑是慕容廆阻挠他们。意，怀疑、猜想。⑭⑰ 阴说：暗中联络。⑭⑱ 高句丽：古国名，又称句丽、句骊、高丽，其地在今朝鲜北部和吉林长白山一带。⑭⑲ 段氏：鲜卑段氏部落，当时活动在今河北秦皇岛一带。⑮⓪ 宇文氏：鲜卑宇文氏部落，当时活动在今内蒙古赤峰一带。⑮⑪ 高瞻：字子前，渤海蓨县（今河北景县南）人，永嘉之乱，与叔父率数千家避乱幽州，先后依附王浚、崔毖。毖败，降慕容廆。传附见《晋书》卷一百八《慕容廆传》。⑮⑫ 邀：

求。⑮³一切之利：一时的利益。⑮⁴锋：锋芒；气势。⑮⁵挫：挫败。⑮⁶乌合：比喻没有组织，像见食而聚的乌鸦一样。⑮⁷统壹：“统一”。⑮⁸莫相归服：彼此互不服气。⑮⁹携贰：彼此分崩离析。携，离。⑯⁰诈而覆之：骗其聚合一起，集中加以消灭。⑯¹棘城：古城名，当时属于昌黎郡，在今辽宁义县西北。慕容廆当时的都城在此地。⑯²宇文大人悉独官：宇文部落的首领，名叫悉独官。⑯³其子翰：慕容翰。⑯⁴徒河：晋县名，县治在今辽宁锦州西北。时慕容翰驻兵于此。⑯⁵伺其间：窥测其可乘之机。伺，等候。间，空隙。⑯⁶内外俱奋：里外一齐发动进攻。奋，发起。⑯⁷无复他虞：再没有其他的任何顾虑。虞，虑、担心。⑯⁸沮：沮丧；灰心丧气。⑯⁹凭陵：欺侮人；不把人看在眼里。⑰⁰坚密：坚强团结。⑰¹卒起：突然对其发动攻击。卒，通“猝”。突然。⑰²掎其无备：打他个毫不提防。掎，从旁攻击。⑰³骁果：骁勇果敢。⑰⁴逆：迎。⑰⁵严兵：调集好军队。严，整饬、整顿。⑰⁶径进：一直向前。⑰⁷遣间使：派使者化装入城。⑰⁸悉众：所有的部众。⑰⁹惶扰：恐惧混乱。⑱⁰皇帝玉玺三纽：晋朝皇帝用过的印玺三方。纽，玉玺或印章上用以提携的部分，多雕刻成鸟兽、人形。天子玺必用螭虎或龙虎纽。胡三省注：“皇帝玺，即宇文大人普回出猎所得者。”⑱¹会：适逢；正赶上。⑱²临之以兵：举兵器威胁他。⑱³首服：点头服罪。此处是指点头承认高句丽、段氏、宇文氏三国所说的是事实。⑱⁴走：逃跑。⑱⁵市里：城市街巷。⑱⁶按堵如故：各就各位，一切正常。按堵，安居。⑱⁷如奴子：高丽将领名。⑱⁸于河城：在今辽宁沈阳东北。⑱⁹掩击：乘其不备，突然袭击。⑲⁰韩恒：字景山，灌津（今河北武邑东南）人，永嘉之乱，避地辽东，历仕慕容廆，正直敢言，官历谘议参军，加扬烈将军、太子太傅。传附见《晋书》卷一百十《慕容儁传》。⑲¹安平人：《晋书》作“灌津人”。安平，晋县名，即今河北安平。⑲²鉴之孙：石琮是石鉴之孙。石琮在慕容廆部任都尉，石鉴的事迹不详。⑲³临候：亲自去看望问候。临，到其家。候，问候。⑲⁴疾在此：指其忘不了晋王朝，不愿做别族的官。⑲⁵翼戴帝室：拥戴晋王朝。⑲⁶望族：有声望的世家豪族。⑲⁷宜同斯愿：应该有与此相同的志愿。斯，此，指“共清世难，翼戴帝室”。⑲⁸华夷之异：华夏人与少数民族的出身不同。⑲⁹介然疏之：断然拒绝我。介

【原文】

三年（庚辰，公元三二〇年）

春，正月，曜攻陈仓，王连战死，杨曼奔南氐[232]。曜进拔草壁，路松多奔陇城[233]。又拔阴密，晋王保惧，迁于桑城[234]。曜还长安，以刘雅为大司徒[235]。

然，坚定不移的样子。⑳志略：志向才略。㉑不平：指心里不愉快。㉒有隙：有裂痕；有矛盾。㉓鞠羡既死：晋怀帝永嘉元年二月，王弥率暴乱之民寇青、徐二州，自称征东大将军。太傅司马越任命东莱鞠羡为东莱太守以讨王弥，被王弥击杀。㉔苟晞：字道将，西晋末曾为都督青、兖诸州军事。传见《晋书》卷六十一。㉕东莱：郡国名，都城掖县，在今山东莱州。㉖徇青州：在青州扩大地盘。徇，略地、扩大地盘。㉗与彭相攻：曹嶷与苟晞虽然同为晋将，但因接受封拜的派系不同，故而彼此相攻。㉘曹亦乡里：自己与曹嶷也是同乡。㉙相：关照；辅助。㉚苟可依凭：只要能够依靠。㉛即为民主：那他也就可以被看作是一方民众的主子。㉜肝脑涂地：通常所说的“洒鲜血、抛头颅”。㉝吾去此：只要我离开这个地方。去，离开。㉞浮海归崔毖：渡渤海去了辽东。时崔毖为东夷校尉，驻兵在今辽宁辽阳。㉟林情无彼此：郑林的态度无所偏依，谁来听谁的。㊱比至辽东：等他们到达辽东。比，及。㊲参龙骧军事：为慕容廆当参谋。慕容廆当时被东晋王朝任命为龙骧将军。㊳遗：给予。㊴躬：亲自。㊵献捷江东：向司马睿王朝报破败崔毖与高句丽、段氏、宇文氏之捷并送上战利品。㊶奉之：捧着表章。㊷乙弗利：高丽王名。㊸逆来求盟：正好迎着前来请求讲和。逆，迎。㊹蒲洪：字广世，氐族。世为西戎酋长，西晋永嘉之乱，被部族首领推为盟主。传见《晋书》卷一百十二。㊺率义侯：取其能观测风向，带头投靠刘曜。㊻屠各路松多：屠各部落的首领名叫路松多。屠各是匈奴部落之一，故前文也有人称刘渊、刘聪为“屠各小丑”。㊼新平：晋郡名，郡治漆县，即今陕西彬州。㊽扶风：晋郡名，郡治槐里，在今陕西兴平东南。西晋移治池阳县，在今陕西泾阳西北。㊾陈仓：晋县名，县治在今陕西宝鸡东。㊿阴密：晋县名，县治在今甘肃灵台西五十里。(231)草壁：晋地名，在阴密县东。陇山西南降陇城北有松多川，即其地。

## 【校记】

［1］众：据章钰校，甲十一行本、乙十一行本、孔天胤本皆作“卒”。

---

## 【语译】

### 三年（庚辰，公元三二〇年）

春季，正月，前赵主刘曜亲自率军攻打据守陈仓的王连、杨曼，王连战败阵亡，杨曼逃奔投靠居住在陈仓以南的氐族部落首领杨氏。刘曜乘胜进军，一举攻克了由路松多据守的草壁，路松多逃奔陇城。刘曜又攻下了张顗、周庸据守的阴密，晋王司马保大为惊恐，立即从上邽迁往桑城。前赵主刘曜得胜班师返回自己的都城长安，任命刘雅为大司徒。

张春谋奉晋王保奔凉州[236]。张寔遣其将阴监将兵迎之，声言翼卫[237]，其实拒之。

段末柸攻段匹磾，破之。匹磾谓邵续曰："吾本夷狄，以慕义破家[238]。君不忘久要[239]，请相与共击末柸。"续许之，遂相与追击末柸，大破之。匹磾与弟文鸯攻蓟。后赵王勒知续势孤，遣中山公虎将兵围厌次[240]，孔苌攻续别营十一，皆下之。二月，续自出击虎，虎伏骑断其后，遂执续，使降其城[241]。续呼兄子竺等谓曰："吾志欲报国，不幸至此。汝等努力奉匹磾为主，勿有贰心。"匹磾自蓟还，未至厌次，闻续已没[242]，众惧而散，复为虎所遮[243]。文鸯以亲兵数百力战，始得入城，与续子缉、兄子存、竺等婴城[244]固守。虎送续于襄国[245]，勒以为忠，释而礼之，以为从事中郎[246]。因下令："自今克敌获士人，毋得擅杀，必生致之[247]。"

吏部郎刘胤[248]闻续被攻，言于帝曰："北方藩镇[249]尽矣，惟余邵续而已。如使复为石虎所灭，孤义士之心[250]，阻归本之路[251]，愚谓宜发兵救之。"帝不能从。闻续已没，乃下诏以续位任授其子缉。

赵将尹安、宋始、宋恕、赵慎四军屯洛阳，叛降后赵[252]，后赵将石生引兵赴之[253]。安等复叛，降司州刺史李矩[254]。矩使颍川太守郭默将兵入洛[255]。石生虏宋始一军，北渡河。于是河南之民皆相帅归矩，洛阳遂空。

三月，裴嶷至建康，盛称慕容廆之威德，贤隽皆为之用，朝廷始重之。帝谓嶷曰："卿中朝名臣，当留江东，朕别诏龙骧[256]送卿家属。"嶷曰："臣少蒙国恩，出入省闼[257]，若得复奉辇毂[258]，臣之至荣。但以旧

张春计划保护着司马保投奔凉州。凉州牧张寔派遣手下的将领阴监率军前往迎接，宣称要对晋王司马保严加保护，而实际上是用武力阻止他进入凉州。

晋辽西公段末柸率军攻击段匹磾，将段匹磾打败。段匹磾对冀州刺史邵续说："我本出身于北方的少数民族，因为倾慕大义、衷心拥戴晋王朝，我与段末柸兄弟之间互相攻击，弄得家破人亡。先生如果没有忘记我们旧日的友好同盟，就让我们联合起来共同打败段末柸。"邵续答应了段匹磾的请求，于是联起手来追击段末柸，将段末柸打得大败。段匹磾与自己的弟弟段文鸯率军攻打原本属于自己却被后赵占领的蓟城。后赵王石勒发现段匹磾率军北上，厌次城内只剩下势孤力单的邵续，于是就派中山公石虎率军包围了厌次城，孔苌则率领着一支部队专门攻打邵续的其他营寨，他一连攻下了十一处。二月，冀州刺史邵续亲自出城攻打石虎，石虎埋伏的骑兵截断了邵续的退路，遂活捉了邵续，并想让邵续招降厌次城。邵续借机冲着守城的侄子邵竺等高喊："我立志报效国家，却不幸落到如此下场。你们要努力拥戴段匹磾，让他做你们的首领，不要怀有二心。"段匹磾从蓟城返回厌次，还没有抵达，就听说邵续已经全军覆没，属下的部众因为心中惧怕，于是四散逃亡，又遭到石虎大军的截击。段文鸯率领着自己的数百名亲兵奋力死战，他们才得以进入厌次城，与邵续的儿子邵缉、侄子邵存、邵竺等共同坚守厌次城。石虎将邵续押送到后赵的都城襄国，后赵主石勒认为邵续是一个忠臣，就将邵续释放，并以礼相待，任命他为从事中郎。石勒并借此下令说："从今以后，战胜了敌人俘获了士大夫，任何人不得擅自杀戮，一定要把他们活着护送到我这里来。"

晋吏部郎刘胤听说冀州刺史邵续被后赵石虎攻打的消息，就对晋元帝司马睿说："我们北方的几个藩镇都丢掉了，只剩下冀州刺史邵续一个人而已。如果再听任邵续被石虎消灭而坐视不管，将会使坚持敌后作战的义士感到孤立无援，断绝北方军民归附东晋朝廷的道路，我以为朝廷应该出兵救援邵续。"晋元帝司马睿没有听取刘胤的意见。后来听说邵续被后赵俘获的消息，就下诏将邵续的冀州刺史职位授予他的儿子邵缉。

前赵的将领尹安、宋始、宋恕、赵慎率领四支军队驻扎在洛阳，他们背叛前赵，投降了后赵，后赵将领石生率领军队前去接应。不料尹安等又改变主意，投降了晋国司州刺史李矩。李矩派颍川太守郭默率领军队进入洛阳。后赵将领石生俘虏了宋始和他的所有部众，向北渡过黄河。黄河南岸的民众全都你跟着我、我跟着他，纷纷投靠了李矩，洛阳成了一座空城。

三月，裴嶷来到了东晋的都城建康，在晋元帝面前极力称赞慕容廆的威望和美德，说那些有才能的人都愿意为慕容廆效劳，朝廷这才开始重视慕容廆。晋元帝对裴嶷说："你原本是朝廷有名的大臣，应当留在江东朝廷之中，我另外下一道诏命令龙骧将军慕容廆将你的家属送回来。"裴嶷回答说："我从小就蒙受国家的厚恩，出入宫廷，如果能够回来侍奉陛下，那是我最大的荣耀。但是，故都已经沦陷，皇家陵

京[259]沦没，山陵穿毁[260]，虽名臣宿将，莫能雪耻；独慕容龙骧竭忠王室，志除凶逆，故使臣万里归诚[261]。今臣来而不返，必谓[262]朝廷以其僻陋而弃之，孤[263]其向义之心，使懈体[264]于讨贼。此臣之所甚惜，是以不敢徇私而忘公也[265]。”帝曰：“卿言是也。”乃遣使随嶷拜廆安北将军[266]、平州[267]刺史。

闰月[268]，以周颉为尚书左仆射。

晋王保将张春、杨次与别将杨韬不协[269]，劝保诛之，且请击陈安，保皆不从。夏，五月，春、次幽保[270]，杀之。保体肥大，重八百斤，喜睡，好读书，而暗弱无断[271]，故及于难。保无子，张春立宗室子瞻为世子[272]，称大将军。保众散，奔凉州者万余人。陈安表于赵主曜，请讨瞻等。曜以安为大将军，击瞻杀之，张春奔枹罕[273]。安执杨次，于保柩前斩之，因以祭保。安以天子礼葬保于上邽，谥曰元王。

羊鉴讨徐龛，顿兵下邳[274]，不敢前。蔡豹败龛于檀丘[275]，龛求救于后赵，后赵王勒遣其将王伏都救之，又使张敬将兵为之后继。勒多所邀求[276]，而伏都淫暴，龛患之。张敬至东平[277]，龛疑其袭己，乃斩伏都等三百余人，复来请降[278]。勒大怒，命张敬据险以守之[279]。帝亦恶龛反覆，不受其降，敕鉴、豹[280]以时进讨。鉴犹疑惮[281]不进，尚书令刁协劾奏[282]鉴，免死除名[283]，以蔡豹代领其兵。王导以所举失人，乞自贬[284]。帝不许。

六月，后赵孔苌攻段匹磾，恃胜而不设备。段文鸯袭击，大破之。

京兆[285]人刘弘客居凉州天梯山[286]，以妖术惑众，从受道者千余人，西平元公张寔左右皆事之。帐下阎涉、牙门赵印，皆弘乡人，弘谓之曰：“天与我神玺，应王凉州[287]。”涉、印信之，密与寔左右十余人谋杀

墓遭受破坏，即使是著名的大臣和能征善战的老将，都不能洗雪这个耻辱，只有龙骧将军慕容廆竭心尽力效忠王室，志在为王室铲除凶手逆贼，所以才派我不远万里前来奉献一片忠诚。现在如果我来到建康就不再返回，龙骧将军慕容廆必定会认为朝廷嫌他地处偏远、孤陋寡闻而抛弃他不用，辜负了他一片归向朝廷的心愿，使他为国家讨伐逆贼的心志懈怠下来。这是我感到十分惋惜的，所以我不敢为了个人的私利而忘记了国家讨贼的公义。”晋元帝司马睿说：“你说的也有道理。”于是派遣使者跟随裴嶷前往棘城，拜慕容廆为安北将军、平州刺史。

闰三月，晋国任命周颉为尚书左仆射。

晋王司马保的部将张春、杨次与另一将领杨韬关系不睦，就劝说司马保将杨韬杀掉，并且请求攻打陈安，司马保没有听从他们。夏季，五月，张春、杨次囚禁了晋王司马保，并将他杀害。司马保身体肥胖高大，体重八百斤，爱睡觉，喜欢读书，但性情懦弱，遇事优柔寡断，所以被害。司马保没有儿子，张春就立皇室子弟司马瞻为世子，称其为大将军。司马保的部众见司马保已死，就都四散而去，光是投奔凉州的就有一万多人。陈安上表给前赵主刘曜，请求出兵讨伐司马瞻等人。前赵主刘曜于是任命陈安为大将军，率军攻击司马瞻，将司马瞻杀死，张春逃往枹罕。陈安活捉了杨次，就在司马保的灵柩前将杨次斩首，用他的人头祭奠司马保。陈安用埋葬皇帝的盛大礼仪，把司马保安葬在上邽，谥号为“元王”。

晋征虏将军羊鉴率军讨伐投降后赵的泰山太守徐龛，他却中途把军队驻扎在下邳，不敢前进。徐州刺史蔡豹在檀丘打败了徐龛，徐龛向后赵求救，后赵王石勒派遣他的将领王伏都率军前往救援，又派张敬率军作为后续部队。然而石勒不断地向徐龛索取财物，而王伏都又极其凶狠暴虐，徐龛对此很是忧虑。张敬率军到达东平，徐龛怀疑他是来袭击自己的，就将王伏都等三百多人斩首，又向晋国投降。石勒见徐龛如此反复无常，又杀死自己的将领，不禁勃然大怒，命令张敬扼守险要之地截断徐龛的退路。晋元帝司马睿也厌恶徐龛的反复无常，因而不接受他的投降，并下诏给羊鉴、蔡豹，要他们抓住时机进军讨伐。羊鉴还是犹豫畏惧，不敢向前，担任尚书令的刁协上疏弹劾羊鉴畏敌不前，羊鉴虽然被免除了死罪，他的征虏将军与征讨都督的官职全部被撤销，由蔡豹接管他的军队。王导因为自己举荐人才不当，便主动请求受降职处分。晋元帝司马睿没有同意。

六月，后赵将领孔苌攻打据守厌次的段匹磾，他仗恃自己打了胜仗而戒备松懈。段匹磾的弟弟段文鸯率军袭击，将孔苌打得大败。

京兆人刘弘客居在凉州的天梯山，他用妖术迷惑众人，跟从他学习妖术的有一千多人，就连西平元公张寔身边的亲信也都成了刘弘的弟子。张寔帐下的阎涉、担任牙门官的赵印，都是刘弘的同乡，刘弘对阎涉和赵印说：“上天赐给我神印，说我应该在凉州称王。”阎涉、赵印真的相信了他，于是暗中联络张寔身边的十多个亲

寔，奉弘为主。寔弟茂[288]知其谋，请诛弘。寔令牙门将史初[289]收之。未至，涉等怀刃而入，杀寔于外寝[290]。弘见史初至，谓曰："使君[291]已死，杀我何为！"初怒，截[292]其舌而囚之，轘[293]于姑臧市[294]，诛其党与数百人。左司马阴元等以寔子骏[295]尚幼，推张茂为凉州刺史、西平公，赦其境内，以骏为抚军将军[296]。

丙辰[297]，赵将解虎及长水校尉尹车谋反，与巴酋[298]句徐、厍彭[299]等相结。事觉，虎、车皆伏诛。赵主曜囚徐、彭等五十余人于阿房[300]，将杀之。光禄大夫游子远谏曰："圣王用刑，惟诛元恶[301]而已，不宜多杀。"争之，叩头流血。曜怒，以为助逆而囚之。尽杀徐、彭等，尸诸市[302]十日，乃投于水。于是巴众尽反，推巴酋句渠知[303]为主，自称大秦，改元曰平赵。四山氐、羌、巴、羯应之者三十余万，关中大乱，城门昼闭。子远又从狱中上表谏争。曜手毁其表，曰："大荔奴[304]，不忧命在须臾[305]，犹敢如此，嫌死晚邪！"叱左右速杀之。中山王雅、郭汜、朱纪、呼延晏等谏曰："子远幽囚，祸在不测，犹不忘谏争，忠之至也。陛下纵不能用，奈何杀之？若子远朝诛，臣等亦当夕死，以彰[306]陛下之过。天下将皆舍陛下而去，陛下谁与居乎！"曜意解[307]，乃赦之。

曜敕内外戒严，将自讨渠知。子远又谏曰："陛下诚能用臣策，一月可定，大驾不必亲征也。"曜曰："卿试言之。"子远曰："彼非有大志，欲图非望[308]也，直[309]畏陛下威刑，欲逃死[310]耳。陛下莫若廓然[311]大赦，与之更始[312]，应前日坐虎、车等事[313]，其家老弱没入奚官[314]者，皆纵遣[315]之，使之自相招引[316]，听其复业。彼既得生路，何为不降？若其中自知罪重，屯结[317]不散者，愿假臣[318]弱兵五千，必为陛下枭之[319]。不

信准备谋杀张寔，尊奉刘弘为首领。张寔的弟弟张茂知道了他们的阴谋，请求张寔将刘弘杀掉。张寔就命令担任牙门将的史初去逮捕刘弘。史初还没到，阎涉等人已经怀揣利刃闯入张寔的外寝室，将张寔杀死。刘弘看见史初来收捕自己，就对史初说："凉州刺史张寔已死，你杀我还有什么用！"史初一听大怒，立即将刘弘的舌头割断，而后将他囚禁起来，拉到姑臧的闹市中，用车裂的酷刑将刘弘处死，又将刘弘的数百名党羽杀死。担任左司马的阴元等人因为张寔的世子张骏年纪还小，就推举张寔的弟弟张茂为凉州刺史、西平公，张茂实行大赦，任命张寔的儿子张骏为抚军将军。

六月二十三日丙辰，前赵将领解虎以及担任长水校尉的尹车谋反，他们与巴人部族首领句徐、厍彭等相互勾结。事情败露，解虎、尹车都被处死。前赵主刘曜将句徐、厍彭等五十多人囚禁于阿房，准备把他们全部处死。担任光禄大夫的游子远劝阻说："圣明的君主动用刑罚只将元凶首恶杀掉而已，不应该将那么多的人全都杀死。"他极力劝谏，以至于磕头流血。前赵主刘曜非常愤怒，认为游子远是在帮助逆贼说话，就将游子远囚禁起来。然后把句徐、厍彭等人全部杀死，并将他们的尸体陈列在闹市中示众十天，最后又将尸首投入水中。这一来激怒了巴人民众，他们全都造反了，共同推举巴人部族酋长句渠知为首领，自称大秦，改年号为"平赵"。四山中的氐人部落、羌人部落、巴人部落、羯人部落中起兵响应的有三十多万人，闹得关中局势大乱，即使在大白天也是城门紧闭。游子远在监狱中又上疏给前赵主刘曜，极力谏诤。刘曜把他的奏章撕得粉碎，说："这个大荔奴才，不担忧自己死到临头，还敢如此，是不是嫌死得太晚了！"喝令左右赶紧把游子远杀死。中山王刘雅、将军郭汜、朱纪、呼延晏等人全都劝阻说："游子远已经被囚禁起来，对他来说，灾祸随时都有可能发生，但他仍然不忘谏诤，他的忠心真是达到了极致。陛下即使不采纳他的意见，为何非要杀他呢？如果游子远早晨被杀死，我们就在晚上去死，以此来彰显陛下的过失。那时，天下的人都会抛弃陛下离开赵国，陛下将跟什么人在一起呢！"刘曜的怒气消了，这才把游子远释放出狱。

前赵主刘曜诏令内外戒严，准备御驾亲征句渠知。游子远又劝谏说："陛下如果能够采纳我的计策，一个月就可以平定这场叛乱，陛下用不着御驾亲征。"刘曜说："那就把你的想法试着跟我说说。"游子远说："句渠知并不是那种胸怀大志、想图谋夺取皇帝之位的人，他是因为惧怕陛下会对他们施以威严的刑罚，只想逃生救死而已。陛下不如宽宏大度一些，实行一次大赦，给他们重新做人的机会，就是前日因为受解虎、尹车一案牵连而获罪的人，其家中老弱被没收到官府充当奴隶的，都应该释放出来，使他们各自去召唤他们的子弟回乡，听任他们恢复旧业。他们已经有了活路，怎么会不投降呢？如果其中那些知道自己罪行严重的人，仍然集结不散，继续对抗，希望陛下拨给我五千名弱兵，我一定能为陛下消灭他们，将他们的人头

然，今反者弥山被谷[320]，虽以天威临之[321]，恐非岁月[322]可除也。”曜大悦，即日大赦，以子远为车骑大将军，开府仪同三司，都督雍、秦征讨诸军事。

子远屯于雍城[323]，降者十余万。移军安定[324]，反者皆降。惟句氏宗党五千余家保于阴密，进攻，灭之，遂引兵巡陇右[325]。先是，氐、羌十余万落据险不服，其酋虚除权渠[326]自号秦王。子远进造其壁[327]，权渠出兵拒之，五战皆败。权渠欲降，其子伊余大言于众曰：“往者刘曜自来，犹无若我何[328]，况此偏师[329]，何谓降也[330]！”帅劲卒五万，晨压[331]子远垒门[332]。诸将欲击之，子远曰：“伊余勇悍，当今无敌；所将之兵，复精于我；又其父新败，怒气方盛，其锋不可当也。不如缓之，使气竭而后击之。”乃坚壁[333]不战，伊余有骄色。子远伺其无备[334]，夜，勒兵蓐食[335]，旦，值大风尘昏，子远悉众出掩之[336]，生擒伊余，尽俘其众。权渠大惧，被发[337]剺面[338]请降。子远启曜[339]，以权渠为征西将军、西戎公[340]，分徙伊余兄弟及其部落二十余万口于长安。曜以子远为大司徒、录尚书事。

曜立太学，选民之神志可教者[341]千五百人，择儒臣以教之。作酆明观及西宫，起陵霄台于滈池[342]，又于霸陵[343]西南营寿陵[344]。侍中乔豫、和苞上疏谏，以为：“卫文公[345]承乱亡之后，节用爱民，营建宫室，得其时制[346]，故能兴康叔之业[347]，延九百之祚[348]。前奉诏书营酆明观，市道细民[349]咸讥其奢[350]，曰：‘以一观之功[351]，足以平凉州[352]矣。’今又欲拟阿房而建西宫，法琼台[353]而起陵霄，其为劳费亿万酆明。若以资军旅[354]，乃可兼吴、蜀[355]而壹齐、魏[356]矣。又闻营建寿陵，周围四里，深三十五丈，以铜为椁[357]，饰以黄金。功费若此，殆[358]非国内[2]所能办

悬挂在高杆上示众。不如此的话，今天谋反的人漫山遍野，即使陛下御驾亲征，恐怕也不是一年半载所能根除的。”刘曜听了游子远的这番话非常高兴，当天就下诏实行大赦，任命游子远为车骑大将军，开府仪同三司，都督雍、秦征讨诸军事。

游子远率军屯扎在雍城，前来向他投降的有十多万人。游子远进军来到安定，谋反的人全部投降。只有句氏家族的五千多家据守阴密，游子远率军攻打，很快就将其消灭，于是引兵巡行于陇山以西至黄河以东地区。先前，氐人、羌人的十多万部落占据险要而不肯归服，他们的酋长虚除权渠自称秦王。游子远率军一直前进到虚除权渠屯兵自保的坞寨前，虚除权渠出兵抵抗，五次出战五次失败。虚除权渠想向游子远投降，他的儿子虚除伊余在众人面前说大话：“以前赵主刘曜亲自率军前来，都对我们无可奈何，何况现在来的只是一支非主力部队，怎么能向他们投降呢！”虚除伊余率领着五万名精锐士兵，在黎明时分直逼游子远营寨的大门，游子远属下的将领都想出兵攻打伊余，游子远说：“虚除伊余勇猛强悍，在当今之世还没有人能敌得过他；他所率领的军队，又比我们的精良；再加上他的父亲刚刚打了败仗，复仇的怒气正盛，锋芒不可阻挡。不如延缓一下，使他的锐气逐渐衰竭再攻击他。”于是坚守营寨，拒不出战，虚除伊余脸上露出骄傲的神色。游子远抓住虚除伊余戒备松懈的机会，在夜间，集合部队早早地吃了早饭，黎明时分，忽然刮起大风，尘土飞扬，天昏地暗，游子远全军出动突然袭击虚除伊余，把虚除伊余生擒活捉，他所率领的五万精锐也全部成了俘虏。虚除权渠大为震恐，他披散着头发，用刀划破脸皮，请求投降。游子远派人禀告前赵主刘曜，刘曜任命虚除权渠为征西将军、西戎公，把虚除伊余兄弟及其部落二十多万人分别迁徙到前赵的都城长安附近。前赵主刘曜提升游子远为大司徒、录尚书事。

前赵主刘曜在都城长安设立相当于国家最高学府的太学，从民间遴选出资质聪颖、有培养前途的一千五百人送入太学，又选择研习儒家经典的官员担任老师对他们进行教育。刘曜又兴建酆明观以及西宫，在滈池起造陵霄台，还在霸陵西南方为自己预造陵墓。担任侍中的乔豫、和苞上疏劝谏说：“春秋时期，卫国国君卫文公姬燬，他在国家遭遇危难之时登上国君的宝座，节俭开支爱护百姓，营建宫室，采用了一种合乎时宜的俭朴的制度，所以才使由卫国始祖康叔所建立的大业得到复兴，使卫国政权延续了九百年之久。前些时候接受诏命营造酆明观，街头巷尾的老百姓都讥讽它太奢华，说：‘凭修建酆明观所花费的人力物力，完全可以平定凉州的张氏政权。’现在又模仿秦始皇的阿房宫建造西宫，效法商纣王的琼台起造陵霄台，所花费的人力物力比酆明观多出亿万。如果把这些费用用于军事行动，完全可以兼并吴地的东晋政权、蜀地的李特政权，统一齐地的曹嶷、魏地的石勒！我等还听说陛下为自己预造陵墓，周围四里，深达三十五丈，罩在棺材外面的椁完全用铜打造，还用黄金做装饰。开支如此庞大，恐怕倾尽全国的财力也负担不起。秦始皇为自己修

也。秦始皇下锢三泉[359]，土未干而发毁[360]。自古无不亡之国，不掘之墓。故圣王之俭葬，乃深远之虑也。陛下奈何于中兴[361]之日，而踵亡国之事[362]乎！”曜下诏曰：“二侍中[363]恳恳有古人之风，可谓社稷之臣[364]矣。其悉罢宫室诸役，寿陵制度，一遵霸陵之法[365]。封豫安昌子[366]，苞平舆子[367]，并领谏议大夫[368]。仍[369]布告天下，使知区区之朝，欲闻其过也[370]。”又省酆水囿[371]以与贫民。

祖逖将韩潜与后赵将桃豹分据陈川故城[372]，豹居西台[373]，潜居东台，豹由南门，潜由东门，出入相守[374]四旬。逖以布囊盛土如米状，使千余人运上台。又使数人担米，息于道。豹兵逐之，弃担而走。豹兵久饥，得米，以为逖士众丰饱，益惧。后赵将刘夜堂以驴千头运粮馈豹[375]，逖使韩潜及别将冯铁邀击于汴水[376]，尽获之。豹宵遁，屯东燕城[377]。逖使潜进屯封丘[378]以逼之，冯铁据二台，逖镇雍丘[379]，数遣兵邀击后赵兵，后赵镇戍[380]归逖者甚多，境土渐蹙[381]。

先是，赵固、上官巳、李矩、郭默[382]互相攻击，逖驰使[383]和解之，示以祸福[384]，遂皆受逖节度[385]。秋，七月，诏加逖镇西将军。逖在军与将士同甘苦，约己务施[386]，劝课农桑，抚纳新附[387]，虽疏贱者皆结以恩礼。河上诸坞[388]先有任子[389]在后赵者，皆听两属[390]，时遣游军[391]伪抄之[392]，明其未附[393]。坞主皆感恩，后赵有异谋[394]，辄密以告，由是多所克获[395]。自河以南，多叛后赵归于晋。

建陵墓，地宫之深挖到三层泉水以下，再冶铜汁堵塞地宫的石缝以防止渗水，然而陵墓上的土还没有干就遭人挖掘而被毁坏。自古以来没有不灭亡的国家，没有不被挖掘的坟墓。所以圣明的君主都主张丧葬从简，实在是一种深谋远虑呀。陛下为何在国家中兴之时，却追随亡国之君去做那些能导致国家灭亡的事情呢！”前赵主刘曜立即下诏说：“乔豫、和苞两位侍中言辞恳切，有古人的风范，可以称得上是能与国家、社稷共存亡的栋梁之臣。从现在起，修建宫室等土木工程全部停止，我百年之后所用的寿陵规模和体制，完全以汉文帝的霸陵为样板。封乔豫为安昌子，封和苞为平舆子，兼任谏议大夫之职。还要向天下宣布，让人民知道，我们这个朝廷虽小，却非常愿意让人指出我们的缺点和过失。”又撤销了在酆水两岸修建的皇家园林，分给当地的平民百姓进行经营耕作。

晋豫州刺史祖逖的部将韩潜与后赵将领桃豹分别据守陈川从前所占据的蓬陂城，桃豹占据着蓬陂的西台，韩潜占据着蓬陂的东台，桃豹的军队由蓬陂的南门进出，韩潜的军队由蓬陂的东门进出，两军对峙了四十多天。祖逖用布袋装上沙土假装成粮米的样子，派一千多人将其运上东台。又另外派几个人用担子挑着粮米，在路边休息。桃豹的军队看见后就来追击，这几个挑米的军人把米担子扔下就跑。桃豹的军队因为缺粮已经饿了很久，他们从韩潜的军士手中抢到了米，就认为晋国军队中军粮充足、军士都吃得很饱，因此心中更加恐惧。后赵将领刘夜堂武装押运着一千头驴驮运粮食给桃豹，祖逖派韩潜以及另外一员将领冯铁率军在汴水岸边进行截击，将这批粮食全部缴获。桃豹因军中缺粮而无法坚守，就抛弃了西台，率领着自己的部下趁黑夜逃走，他们在东燕城驻扎下来。祖逖派韩潜进军封丘以逼近桃豹，派部将冯铁驻防蓬陂的东西二台，祖逖自己则镇守雍丘，多次派兵袭击后赵的军队，后赵沿边各城镇和军营归降祖逖的人很多，后赵的疆土因此日益缩小。

在此之前，晋国河南太守赵固、已故东海王司马越的部将上官巳、司州刺史李矩以及河内太守郭默之间内斗不止，互相攻打，祖逖立即派使者往来奔走、说和调解，为他们分析这样做对国家与个人有利还是有害的道理，最后大家都愿意接受祖逖的统领。秋季，七月，晋元帝司马睿下诏加授祖逖为镇西将军。祖逖在军队当中，与将士同甘共苦，严格要求自己，施恩于人，督促鼓励农民耕田植桑，安抚招纳从石勒占领区逃过来的军民，即使是地位低下、关系疏远的人，祖逖也都以礼相待，对他们施以恩德。黄河沿岸的堡坞中，原先有人为了获得安定而把亲属送到后赵去做人质，祖逖就听凭他们接受两方面政权的管辖，同时又不时地派出负责巡逻的小股部队假装去劫掠他们，让石勒一方看起来好像这些堡坞并未归附晋国。因此这些堡坞的首领都很感激祖逖的恩德，后赵国内如果有向晋国进攻的阴谋，他们就秘密地告诉晋国，因为这个原因，所以祖逖大军所向，大多都能获取胜利。黄河以南的很多城镇、堡坞都背叛后赵而归附于晋国。

逖练兵积谷，为取河北之计。后赵王勒患之，乃下幽州为逖修祖、父墓[396]，置守冢二家，[397]因与逖书，求通使及互市[398]。逖不报书[399]，而听其互市[400]，收利十倍。逖牙门童建杀新蔡[401]内史周密，降于后赵，勒斩之，送首于逖，曰："叛臣逃吏，吾之深仇，将军之恶，犹吾恶也。"逖深德之。自是后赵人叛归逖者，逖皆不纳，禁诸将不使侵暴后赵之民，边境之间，稍得休息。

八月辛未[402]，梁州刺史周访卒。访善于抚纳[403][3]，士众皆为致死[404]。知王敦有不臣之心[405]，私常切齿[406]，敦由是终访之世[407]，未敢为逆。敦遣从事中郎郭舒监襄阳军[408]，帝以湘州刺史甘卓[409]为梁州刺史，督沔北[410]诸军事，镇襄阳[411]。舒既还[412]，帝征为右丞[413]，敦留不遣[414]。

后赵王勒遣中山公虎帅步骑四万击徐龛。龛送妻子为质，乞降，勒许之。蔡豹屯卞城[415]，石虎将击之，豹退守下邳，为徐龛所败。虎引兵城封丘[416]而旋[417]，徙士族[418]三百家置襄国崇仁里[419]，置公族大夫以领[420]之。

后赵王勒用法甚严，讳"胡"尤峻[421]。宫殿既成，初有门户之禁[422]，有醉胡乘马，突入止车门[423]，勒大怒，责[424]宫门小执法冯翥。翥惶惧忘讳，对曰："向[425]有醉胡，乘马驰入，甚呵御之[426]，而不可与语[427]。"勒笑曰："胡人正自难与言。"恕而不罪。

勒使张宾领选[428]，初定五品[429]，后更定九品[430]。命公卿及州郡岁举秀才、至孝、廉清、贤良、直言、武勇[431]之士各一人。

西平公张茂立兄子骏为世子[432]。

蔡豹既败，将诣[433]建康归罪[434]，北中郎将王舒[435]止之。帝闻豹退，遣使收之。舒夜以兵围豹，豹以为他寇，帅麾下击之。闻有诏，乃止。

晋祖逖积极训练军队、积存粮食，为夺取河北地区积极做着准备。后赵王石勒对此很是担忧，就下令给幽州官府，为祖逖的祖父、父亲修建坟墓，并安置两户人家专门负责为祖逖的祖父、父母看守墓地，石勒借此写信给祖逖，要求互通使者以及通商贸易。祖逖没有给他答复，但听任两地的百姓互通贸易，仅此一项，每年就获利十倍。在祖逖手下担任牙门的童建杀死新蔡内史周密，而后投降后赵，后赵王石勒将童建斩首，还将他的人头送给祖逖，石勒说："叛臣逃吏，是我最痛恨的，将军所憎恶的，就是我所憎恶的。"祖逖对石勒的做法非常感激。从此以后，凡是后赵的人背叛后赵前来归附的，祖逖一概不予接纳，祖逖还下令给诸将领，不许侵略劫掠后赵边境内的居民，两国边境之间的人民，稍微得到休养生息。

八月辛未日，晋国梁州刺史周访去世。周访在军中很能体恤、接纳士卒，众人都乐意为他卖命。周访知道大将军、江州牧王敦有图谋篡逆的野心，私下里常常恨得咬牙切齿，而王敦在周访在世的时候，也一直没敢轻举妄动。王敦派担任从事中郎的郭舒去督察襄阳军事，晋元帝司马睿任命湘州刺史甘卓为梁州刺史，统帅沔北诸军事，甘卓将治所设在襄阳。郭舒在甘卓到任后便返回王敦处，晋元帝征调郭舒到建康担任右丞，王敦留住郭舒不让他到建康赴任。

后赵王石勒派遣中山公石虎率领四万名步兵、骑兵攻击徐龛。徐龛赶紧将妻小送到后赵做人质，请求投降，石勒再次接受了他的投降。晋国徐州刺史蔡豹驻扎在卞城，后赵中山公石虎率军攻击蔡豹，蔡豹撤退到下邳防守，被徐龛打败。石虎率领军队修筑了封丘城之后撤军返回，同时把三百户豪门大族强行迁徙到后赵的都城襄国，安置在崇仁里，并专门设置公族大夫负责看守。

后赵王石勒用法严苛，尤其忌讳人们说"胡"字。襄国的宫室建成之后，开始执行有关出入宫门的禁令，有一个喝醉酒的胡人骑着马，突然闯入止车门，石勒大发雷霆，责问在宫门担任小执法的冯翥。冯翥因惊慌过度，一时之间竟然忘记了忌讳，脱口说出："刚才有一个喝醉酒的胡人骑着马闯入，我使劲地呵斥阻挡他，却无法与他交流，怎么也跟他说不清楚。"石勒笑着说："胡人本来就很难跟他说清楚。"竟然宽恕了冯翥而没有责罚他。

后赵王石勒派担任大执法、总朝政的张宾负责官吏的选拔工作，开始时把人分成五个等级进行品评，后来又更定为九等。命令公卿以及州郡级别的官吏每年向朝廷推举秀才、至孝、廉清、贤良、直言、武勇方面的人才各一人。

凉州刺史、西平公张茂立自己哥哥张寔的儿子张骏为世子。

晋徐州刺史蔡豹被徐龛打败之后，就要亲自前往建康请罪，担任北中郎将的王舒阻止他不要去。晋元帝司马睿听到蔡豹失败的消息，就派遣使者前来逮捕他。王舒在接到诏书后连夜率军包围了蔡豹的住所，蔡豹还以为是敌人前来袭击，就率领手下部众进行反击。后来听说有皇帝的诏书，这才停止反击。王舒捉住蔡豹，然后

舒执豹送建康，冬，十月丙辰[436]，斩之。

王敦杀武陵内史向硕。

帝之始镇江东也，敦与从弟导同心翼戴[437]，帝亦推心任之[438]。敦总征讨[439]，导专机政[440]，群从子弟[441]布列显要[442]。时人为之语曰："王与马[443]，共天下[444]。"后敦自恃有功，且宗族强盛，稍益骄恣，帝畏而恶之，乃引刘隗、刁协等以为腹心，稍抑损王氏之权，导亦渐见疏外[445]。中书郎孔愉陈导忠贤，有佐命之勋[446]，宜加委任。帝出愉为司徒左长史[447]。导能任真推分[448]，澹如[449]也，有识[450]皆称其善处兴废[451]。而敦益怀不平[452]，遂构嫌隙[453]。

初，敦辟[454]吴兴沈充[455]为参军[456]，充荐同郡钱凤于敦，敦以为铠曹参军[457]。二人皆巧谄凶狡[458]，知敦有异志，阴赞成之[459]，为之画策。敦宠信之，势倾内外。敦上疏为导讼屈[460]，辞语怨望[461]。导封以还敦[462]，敦复遣奏之。左将军谯王承[463]忠厚有志行[464]，帝亲信之。夜，召承，以敦疏示之，曰："王敦以顷年[465]之功，位任[466]足矣，而所求不已，言至于此，将若之何？"承曰："陛下不早裁[467]之，以至今日。敦必为患。"

刘隗为帝谋，出心腹以镇方面[468]。会敦表以宣城内史沈充代甘卓为湘州[469]刺史，帝谓承曰："王敦奸逆已著，朕为惠皇其势不远[470]。湘州据上流[471]之势，控三州之会[472]，欲以叔父[473]居之，何如？"承曰："臣奉承诏命，惟力是视[474]，何敢有辞！然湘州经蜀寇之余[475]，民物凋弊，若得之部[476]，比及三年[477]，乃可即戎[478]。苟未及此，虽复灰身[479]，亦无益也。"十二月，诏曰："晋室开基[480]，方镇之任[481]，亲贤并用[482]，其以谯王

把蔡豹押送到建康，冬季，十月二十五日丙辰，将蔡豹斩首。

大将军、江州牧王敦杀死了担任武陵内史的向硕。

当初，晋元帝司马睿开始镇守江东的时候，大将军、江州牧王敦与他的堂弟王导同心同德地辅佐他、拥戴他，晋元帝对王敦、王导二人也是推心置腹地信任他们、倚重他们。王敦全面负责征讨方面的事务，王导专门管理朝政，王氏家族的诸多子弟遍布于朝廷的各个显要部门。当时的人形容说："王氏与司马氏，共同享有天下。"后来大将军王敦自恃有功，而且家族势力强盛，便逐渐地骄傲放纵起来，晋元帝对他既惧怕又憎恶，遂引用刘隗、刁协作为自己的心腹，对王氏的权力稍微进行压制，对王导也逐渐地疏远。担任中书郎的孔愉在晋元帝面前称赞王导的忠诚贤能，有翼戴晋室、辅佐皇帝建立东晋王朝的功勋，应该加以信任。晋元帝便免去孔愉的中书郎，让他到司徒手下去做司徒左长史。王导能够听任自然，守分自安，态度恬静淡薄，有识之士都称赞王导无论是受重用得到提拔还是被疏远遭到废斥，都能坦然处之。而王敦对此则心中愤愤不平，与晋元帝之间结下怨恨。

当初，王敦征召吴兴人沈充为参军，沈充又向王敦举荐了与自己同郡的钱凤，王敦任命钱凤为铠曹参军。沈充、钱凤不仅为人巧言令色善于谄媚，而且奸诈狡猾凶狠残暴，他们知道王敦有背叛朝廷的念头，就暗中支持他，为他出谋划策。王敦也特别宠信他们，因此两人的权势遂压倒朝廷内外的官员。王敦上疏给晋元帝为王导申诉冤屈，字里行间流露出对晋元帝的强烈不满与怨恨。王导看到后就将他的奏章密封起来退还给他，王敦又派人将奏章呈递上去。担任左将军的谯王司马丞，为人忠厚，有志气操守，晋元帝对他很亲近信任。夜间，晋元帝司马睿召见谯王司马丞，把王敦的奏章拿给司马丞看，晋元帝说："凭王敦近年来所建立的功劳，他现在的职务和地位已经够高的了，而他的要求却没完没了，言辞竟然如此的恶劣，该怎么办呢?"司马丞说："陛下没有早点节制他，才弄到今天这种地步。王敦早晚必然成为祸患。"

丹杨尹刘隗为晋元帝出主意，让晋元帝把自己的心腹之臣派出去担任地方大员。正巧此时王敦上表请求任命担任宣城内史的沈充代替甘卓为湘州刺史，晋元帝对谯王司马丞说："王敦阴谋叛逆的迹象已经显现出来，我成为晋惠帝第二、受权臣挟制已经为期不远。湘州占据着长江上游的有利地势，是控制荆州、广州、交州的咽喉，我想让叔父您去镇守湘州，您觉得怎么样?"司马丞回答说："我接受诏命，当不惜余力，尽力而为，怎么敢推辞！然而，湘州经过蜀地贼寇杜弢之乱以后，民穷财尽，百业凋敝，如果我到湘州赴任，得需要三年的修整，才能组建成军队投入战斗。如果没有三年的时间，我就是粉身碎骨，也无益于事。"十二月，晋元帝司马睿下诏说："按照晋国开基创业以来的惯例，各地区军政大员的任用，都是司马氏皇族的兄弟子侄与其他姓氏的贤才同时并用，现在任命谯王司马丞为湘州刺史。"

承为湘州刺史。”长沙邓骞[483]闻之，叹曰：“湘州之祸，其在斯乎！”承行至武昌，敦与之宴，谓承曰：“大王雅素佳士[484]，恐非将帅才也。”承曰：“公未见知[485]耳。铅刀岂无一割之用！[486]”敦谓钱凤曰：“彼不知惧而学壮语，足知其不武，无能为也。”乃听之镇[487]。时湘土荒残，公私困弊，承躬自[488]俭约，倾心绥抚[489]，甚有能名。

高句丽寇辽东，慕容仁[490]与战，大破之，自是不敢犯仁境。

---

【段旨】

以上为第二段，写晋元帝太兴三年（公元三二〇年）一年间的大事。主要写了晋王司马保先是被御驾亲征的前赵王刘曜打败，后被属下将领张春、杨次杀死；写了晋幽州刺史段匹磾与冀州刺史邵续联合击败晋辽西公段末柸；写了凉州刺史、西平公张寔被自己部下杀死，其弟张茂被推举为凉州刺史；写了巴族民众推句渠知为主，号称大秦，与刘曜对抗；刘曜听取游子远的建议，有勇有谋地将巴人部落讨平；写了刘曜建太学、立制度，大兴土木，建造宫室陵园，生灵涂炭，后来接受乔豫、和苞的规劝而悉罢诸役，并褒奖谏官，下诏让天下人“知区区之朝，欲闻其过也”；写了刘曜将领尹安、宋始、宋恕、赵慎投降晋司州刺史李矩，黄河南岸居民亦纷纷投归李矩，李矩的势力壮大；写了豫州刺史祖逖调节中原地区诸路晋军的矛盾，使其听己节度；写了祖逖用计夺得陈川故城，并不断攻击后赵，使后赵的疆土日益缩小；写了后赵石虎打败并擒获邵续，邵续遂为石勒所用；写了石勒招纳中原地区的望族，将其迁入襄国的崇仁里，以及用各种方式向祖逖示好，使双方管辖的百姓彼此通商，生活稍得安定；写了晋征虏将军羊鉴被王导举荐往讨徐龛，羊鉴因畏敌不前而被免职，其部将蔡豹先胜后败，被司马睿杀死，以及王敦自恃族大有功，渐益骄纵，与司马睿的矛盾日益尖锐等。

【注释】

㉜南氐：居住在陈仓以南的氐族部落，即仇池杨氏。㉝陇城：两汉时的陇县县治，在今甘肃张家川。两晋陇县废，故称陇城。㉞桑城：晋地名，在今甘肃临洮西南。㉟大司徒：官名，周代置司徒，掌教化。汉哀帝以大司徒代丞相。东汉时又改称司徒，为

长沙人邓骞听到这个消息后叹息着说："湘州的灾祸，恐怕就要因此而起吧！"谯王司马承前往湘州赴任，当他行至武昌的时候，大将军、江州牧王敦设宴招待他，席间，王敦对司马承说："大王一向是个风流倜傥的人，恐怕不是将帅的材料。"谯王司马承回答说："那是因为你不了解我。我虽然才薄力弱如同铅刀，但尽其所能，也未尝不可一用！"王敦对自己的亲信钱凤说："司马承不知道畏惧，而只会学说一些豪言壮语，仅凭这一点就能知道此人不足以显示威武，不会有什么大作为。"遂任凭他前往湘州上任。当时湘州境内土地荒芜，到处都是断壁残垣，无论是官府还是私人都困窘不堪，司马承以身作则，厉行节俭，全身心地投入招徕人民、安抚百姓的工作之中，在湘州享有"能臣"的美誉。

高句丽侵犯辽东，辽东守将慕容廆的儿子慕容仁率领军队与高句丽作战，将高句丽打得大败，从此以后，高句丽再也不敢进犯慕容仁所管辖的区域。

---

三公之一。魏、晋以后三公渐为虚衔，不预朝政。南北朝时北方少数民族政权多在司徒、司空前加"大"字。㊱凉州：晋州名，州治姑臧县，即今甘肃武威，是当时张寔政权的都城所在地。㊲翼卫：拱卫；护卫。㊳以慕义破家：由于坚持心向晋王朝而使家庭分裂，指与弟末柸对立相攻。㊴不忘久要：不忘旧日的友好前盟。久要，旧时的约定，指共同忠于晋室。㊵厌次：晋县名，县治在今山东阳信东南，当时晋将邵续驻兵于此。㊶使降其城：让邵续招呼他所管辖的未破城镇投降石勒。㊷没：全军覆没。㊸遮：拦截；截击。㊹婴城：环城；绕城。㊺襄国：晋县名，县治即今河北邢台，当时石勒据以为都城。㊻从事中郎：官名，为将帅的近侍、幕僚，掌机要和日常事务。㊼生致之：生擒押解回来。㊽刘胤：字承胤，此时任东晋尚书吏部郎。传见《晋书》卷八十一。㊾藩镇：各地区的州刺史等军政长官，因其势力之大相当于一个诸侯。㊿孤义士之心：使坚持敌后作战的义士感到孤立无援。(251)阻归本之路：断绝北方军民归附晋王朝的道路。归本，归附东晋朝廷。(252)后赵：指石勒新建的河北襄国政权，以区别于建都长安的刘曜前赵政权。(253)石生引兵赴之：石生是石勒的部将，引兵前往受降。赴，趋往。(254)李矩：字世回，东晋名将，前曾大破刘聪的部将刘畅于荥阳，此时任荥阳太守。传见《晋书》卷六十三。(255)入洛：进驻洛阳。(256)龙骧：敬称慕容廆。(257)出入省闼：出入禁中、宫中。裴嶷在西晋时历任中书侍郎、给事黄门郎，故云。(258)复奉辇毂：再回到皇帝身边。辇毂，皇帝的车驾，这里用以敬称皇帝。(259)旧京：指西晋都城洛阳。(260)山陵穿毁：西晋诸帝的陵墓被挖掘。(261)归诚：向朝廷敬献忠心。(262)必谓：必然使慕容廆认为。(263)孤：有负；辜负。(264)懈体：胡三省注，"体，当依《载记》作'怠'"，即松弛、懈怠。(265)是以不敢徇私而忘公也：胡三省注，"谓留江东乃是徇一身之私计，归棘城则可辅

庞以讨贼，乃天下之公义也。嶷之心盖以庞可与共功名，鄙晋之君臣宴安江沱，为不足与共事而已。”㉖安北将军：杂号将军之一，掌征伐。㉗平州：晋州名，州治襄平，即今辽宁辽阳。㉘闰月：太兴三年的闰三月。㉙不协：不和睦。㉚春、次幽保：张春、杨次将司马保囚禁。㉛暗弱无断：昏庸懦弱，办事不果断。㉜世子：义同太子。接班人、继承人。㉝枹罕：晋县名，县治在今甘肃临夏。㉞顿兵下邳：中途屯兵于下邳而不敢进。顿，停留。下邳是当时的诸侯国名，都城在今江苏睢宁西北的古邳镇东。㉟檀丘：晋地名，在今山东泗水东南。㊱邀求：指索取贿赂。邀求，索取、讨要。㊲东平：晋诸侯国名，都城须昌，在今山东东平西北。当时徐龛驻兵于此。㊳复来请降：又来请求归降于晋。㊴据险以守之：占据险要之地以断徐龛的南逃之路。㊵敕鉴、豹：命令羊鉴、蔡豹。㊶疑惮：犹豫畏惧。㊷劾奏：向皇帝检举弹劾某人的罪状。㊸除名：除去名籍，这里指撤销其征虏将军与征讨都督的官职。㊹乞自贬：请求受降职处罚。㊺京兆：晋郡名，郡治长安，在今陕西西安城西北十三里。㊻天梯山：山名，在今甘肃武威城南八十里。㊼王凉州：在凉州称王。㊽寔弟茂：张茂，字成逊，张轨之子，张寔之弟。传附《晋书》卷八十六《张轨传》。㊾牙门将史初：帐下亲兵统领名叫史初。㊿外寝：又叫“路寝”“正寝”。天子、诸侯的常居办公之处。张寔虽名为晋臣，但实同于一方的藩镇割据，相当于诸侯，故有外寝之居。(291)使君：汉代以来对刺史、太守的敬称。时张寔为凉州刺史，故称。(292)截：割断。(293)轘：车裂，即俗所谓五马分尸。(294)姑臧市：姑臧城的闹市。姑臧即今甘肃武威，当时是凉州的州治所在地。古代处死罪犯，刑场常设于集市，以表示与众人共同蔑弃这个人，故斩首也称“弃市”。(295)寔子骏：张骏，字公庭，凉州刺史张寔之子。传附见《晋书》卷八十六《张轨传》。(296)抚军将军：三国时曹魏始建的将军名号，掌军事。(297)丙辰：六月二十三。(298)巴酋：巴人部落的头领。巴是当时的少数民族名，主要活动在今川东、鄂西一带。(299)句徐、厍彭：均为巴族的豪帅名。(300)阿房：此指秦时的阿房宫旧址，亦称阿城，在今陕西西安西郊。(301)元恶：首恶。元，为首的。(302)尸诸市：把他们的尸体陈列闹市。尸，用如动词，陈尸。(303)句渠知：巴族人名。(304)大荔奴：骂人语。大荔是古代西戎族的一支，居住在今陕西大荔一带。游子远为大荔人，故刘曜骂他大荔奴。(305)命在须臾：犹言死到临头。须臾，顷刻。(306)彰：显扬；暴露。(307)意解：怒气消失。(308)非望：指谋夺帝位。胡三省注曰：“谓帝王之事，非常人所望。”(309)直：只不过；仅仅。(310)逃死：求得一条活命。(311)廓然：空旷的样子，这里指豁然大度，不计前嫌。(312)与之更始：允许他们重新开始，指给他们一个改过自新、重新做人的机会。(313)坐虎、车等事：因受解虎、尹车等人的牵连。坐，因……而获罪。(314)没入奚官：被收进官府为奴隶。奚官，官署名，管理罪犯家属被罚没为奴隶、充当苦役者。(315)纵遣：释放。(316)自相招引：各自去召唤他们的子弟回乡。(317)屯结：集结不散，继续对抗。(318)愿假臣：请你给我。假，给予的谦称。(319)枭之：杀其人头悬于高竿示众。(320)弥山被谷：漫山遍野。弥，满。被，覆盖。(321)虽以天威临之：即使您御驾亲征。天威，敬称刘曜的威严。㉜岁月：犹言“一年半载”。㉝雍城：雍县的县治所在地，在今陕西凤翔南。㉞安定：晋郡名，郡治在今甘肃泾川北五里。㉟巡陇右：带兵巡行陇山以西至黄河以东地区。㊱虚除权渠：人名，姓虚除，名权渠。㊲进造其壁：一直前进到他的营垒前面。壁，营房周围的防御工事。㊳无若我何：对我无可奈何。㊴偏师：指全军的一部分，有别于主力大军。㊵何谓降也：怎么能投降呢。何谓，何为、为何。㊶压：迫近。㊷垒门：犹上所谓壁门。㊸坚壁：坚守营寨。㊹伺其无备：选择了一个他没有防备的机会。伺，侦察、窥测。㊺勒兵蓐食：集合军队，提前吃饭。蓐，通“褥”。在床上就把饭吃完了，极言其用饭之早。㊻悉众出掩之：全军出动，对其发动突然袭击。悉，全部。掩，突然袭击。㊼被发：散发以示请罪。被，通“披”。㊽剺面：用刀划面表示悲哀。我国古代北方少数民族，凡遇大丧大忧，即用刀划脸以示悲愁。此处是表示认罪。㊾启曜：禀明刘曜。㊿西戎公：西戎部族的最高君长。“公”比“王”低一等，比“侯”高一等。341神志可教者：指资质聪颖可栽培的人。342滈池：地名，在今陕西西安城西南昆明池北。滈，亦作“镐”。343霸陵：汉文帝刘恒的陵墓，因在霸水西岸，因以为陵号，在今陕西西安东北。344营寿陵：为自己预建陵墓。寿陵，生人之墓。345卫文公：春秋时代的卫国诸侯，公元前六五九至前六三五年在位，姓姬名辟疆，后改名燬。承卫懿公好鹤亡国之后，被齐桓公选立为卫君。即位后节用爱民，发展农工，使卫国一度得到稳定。346得其时制：采用了一种合乎时宜的俭朴的制度。347故能兴康叔之业：使卫国又能兴旺起来。康叔，名封，周武王之弟。因初封于康（今河南禹州西北），故称康叔，亦称康侯。周公平定武庚及三监叛乱后，封康叔在殷朝的故都淇县，国号曰卫。348延九百之祚：使卫国政权延续了九百余年。祚，福，这里指国运。349市道细民：街市道路上的平民百姓。细民，小民、平民。350咸讥其奢：都批评它过于奢侈。351以一观之功：凭修这个台子所花费的人力物力。352足以平凉州：足以讨平凉州的张氏政权。353法琼台：模仿琼台。法，模仿、学习。琼台，夏桀建造的台观。354资军旅：用于军事行动。资，助、用于。355兼吴蜀：吞并江东的东晋与成都李氏政权。356壹齐、魏：统一山东的曹嶷与魏地的石勒政权。357椁：外棺。古代棺木有两重，内称棺，外称椁。358殆：大概；大约。359下锢三泉：地宫之深挖到三层泉水以下，再冶铜汁以灌塞地宫的石缝，以防其渗水。锢，铸塞。360土未干而发毁：相传刘邦灭秦后，项羽焚秦宫室，有牧儿持火把进入始皇陵的洞穴寻找亡羊，失火烧毁了始皇陵墓。361中兴：指刘曜平靳准之乱而重新强大。362踵亡国之事：学习那些奢侈亡国的事例。踵，脚跟，这里指追随、步其后尘。363二侍中：指乔豫、和苞。364社稷之臣：与国家、社稷共存亡的中正之臣。365遵霸陵之法：按照汉文帝霸陵那种俭朴的样子，即因山为藏，不再起坟，山下川流不断绝，就其水名作为陵号等。366安昌子：安昌是封地名，子是爵位。367平舆子：平舆是封地名，子是爵位。368领谏议大夫：兼任谏议大夫。谏议大夫的职责是给皇帝参谋顾问，拾遗补阙。369仍：这里是“乃”的假借字。370使知区区之朝二句：我是想让人们知道，我们这个朝廷虽小，但是愿意让人指出我们的缺点。㊲鄷水囿：刘曜在丰水两侧建立的苑囿。鄷，通“丰”。河水名，出京兆南山，东北流注于渭。囿，古代帝王畜养禽兽的园林。㊲陈川故城：指蓬陂，亦作“蓬关”“蓬池”，在今河南开封南。陈川曾为蓬陂坞主，后降石勒。㊲台：古城四周所筑用以瞭望守卫的土垒。㊲相守：各方自守，成对峙状态。㊲馈豹：供应桃豹。㊲邀击于汴水：在汴水对刘夜堂发动截击。汴水是古运河名，在河南荥阳北由黄河分出，东南流经今开封南，商丘北，复东南流经今安徽砀山、萧县北，至江苏徐州合泗水入淮河。上流又称鸿沟、狼荡渠，中下游又称汳水、获水。古汴水河道在元代为黄河所夺，今已淤塞。㊲东燕城：西汉南燕县的故城，在今河南延津东三十五里。㊲封丘：晋县名，县治即今河南封丘。㊲雍丘：晋县名，县治即今河南杞县。㊳镇戍：城镇和营垒。㊳渐蹙：越来越少。㊳赵固、上官巳、李矩、郭默：四人都是活动在豫州一带的晋军将领，只是派系不同。㊳驰使：急速地派出使者。㊳示以祸福：告诉他们这样做对国家与个人有利还是不利。㊳受逖节度：接受祖逖的统领、指挥。㊳约己务施：严于律己，施恩于人。务，致力、从事。施，施恩、加惠。㊳抚纳新附：安抚招纳从石勒占领区逃过来的军民。㊳河上诸坞：黄河沿岸的各个坞堡。㊳任子：人质，以亲属为其人质以获取安定。㊴皆听两属：都任凭他们接受两方面政权的管辖。㊴游军：负责巡逻的小部队。㊴伪抄之：假装对他们进行掠夺。㊴明其未附：让石勒一方看起来这些堡坞像是没有归顺晋王朝。㊴有异谋：有向晋王朝进攻的阴谋。㊴多所克获：多有胜利；多有收获。㊴下幽州为逖修祖、父墓：下令幽州的地方长官为祖逖的祖父、父亲修整坟墓。祖逖是范阳人，其祖父、父亲的坟墓都在范阳。范阳隶属幽州，即现在的河北涿州。㊴置守冢二家：安排两家人专门为祖逖的祖父、父亲守墓。这守坟的人家不再向官府缴粮纳税，而是把粮税代金，作为扫墓祭祀之用。㊴互市：相互通商。㊴不报书：不回信。报，回复、答复。㊵听其互市：听任两地的百姓相互通商。㊵新蔡：晋郡名，郡治即今河南新蔡。㊵八月辛未：八月朔癸巳，无辛未日，此处疑有误。㊵抚纳：安抚和接去。㊵致死：犹言效死，豁得出去。㊵不臣之心：指图谋篡逆的野心。㊵切齿：咬牙，表示极端愤恨。㊵终访之世：犹言“周访在世的全部时间”。㊵监襄阳军：监督前时周访所统的军队。㊵甘卓：字季思，东晋名臣，在平息叛乱中多有战功。传见《晋书》卷七十。㊶沔北：汉水以北地区。沔，沔水，即今之汉水。源出陕西宁强北嶓冢山，东流经汉中、安康、襄樊，至武汉注入长江。㊶襄阳：今湖北襄阳市襄州区，当时为梁州的州治所在地。㊶舒既还：周访一死，王敦反心即现，派郭舒为监军，控制周访的襄阳军。正逢晋元帝派甘卓代周访为梁州刺史，故郭舒又返回王敦处。㊶征为右丞：召他到朝廷任尚书右丞之职，主持尚书台并掌监察百官。㊶敦留不遣：把死党留在自己身边，以备大用。㊶卞城：卞县县城，在今山东泗水东南五十里。㊶城封丘：在封丘县筑城。㊶旋：归；返回。㊶徙士族：强制豪门大族向石勒的辖区搬迁。㊶襄国崇仁里：襄国即今河北邢台，石勒的都城所在地。石勒修建崇仁里，以安置搬迁来的衣冠之族。㊷领：统率；管理。㉑讳“胡”尤峻：特别忌讳人们说这个“胡”字。㉒门户之禁：出入宫廷的禁令。㉓止车门：石勒的宫门名，官员人等至此须下车马步行。㉔责：斥问。㉕向：刚才。㉖甚呵御之：我大声地吆喝他停止。御，制止。㉗不可与语：无法与他交流，彼此听不懂对方的话。㉘领选：主管选举工作。领，管理。㉙五品：指把人分五等进行品评，是石勒初定选举制时的一种临时措施。㉚九品：指把人分九等进行品评。三国曹魏始立九品之制，各郡县均设中正官以评定人才高下。两晋、南北朝时沿袭此制。㉛秀才、至孝、廉清、贤良、直言、武勇：均为公卿、州郡察举人才的不同科目，儒家学术和伦理道德标准是察举的基本准则。㉜世子：太子。是天子、诸侯的法定继承人。㉝诣：往；到。㉞归罪：犹言“请罪”。归，自首。㉟王舒：字处明，王导的从弟，时任北中郎将之职。传见《晋书》卷七十六。㊱十月丙辰：十月二十五。㊲翼戴：辅佐、拥戴。㊳推心任之：推心置腹地加以委任。㊴敦总征讨：王敦总管征讨方面的事务。胡三省注曰：“晋怀帝永嘉五年，帝以敦刺扬州，加都督征讨诸军事，其讨华轶、王机、杜曾，皆有功也。”总，全面负责。㊵导专机政：王导全面管理政务。胡三省注曰：“尚书，万机之本，导录尚书事，是专机政也。”专，总揽。机政，机要、政务。㊶群从子弟：指王氏家族的诸多子弟。群从，王敦、王导的各个堂兄弟。㊷布列显要：遍布于各个显要部门。㊸王与马：指王氏与司马氏。㊹共天下：平分天下。共，共有、平分。㊺疏外：疏远。㊻佐命之勋：辅佐司马睿建立东晋王朝的功勋。命，指承天命而为帝。㊼司徒左长史：官名，司徒属官。掌礼仪教化。㊽任真推分：听任自然，守分自安。推，辞让。分，职务、名分。㊾澹如：恬静淡泊的样子。㊿有识：有识之士。㊿善处兴废：在自己受提拔重用或被疏远废斥的时刻能恰当对待。处，对付、对待。㊿益怀不平：内心越来越不满。㊿遂构嫌隙：于是便和司马睿产生矛盾，结下怨仇。㊿辟：聘任。㊿沈充：字士居，吴兴人。传附见《晋书》卷九十八《王敦传》。㊿参军：又名“参军事”，晋以后军府和王国皆设此职，位任颇重。㊿铠曹参军：王公府及军府的佐吏，主管军中铠甲。㊿巧谄凶狡：巧语谄媚，凶暴狡猾。㊿阴赞成之：暗中予以赞助。㊿讼屈：申诉冤屈。讼，申诉。㊿辞语怨望：给司马睿的上书中表现怨恨不满。㊿封以还敦：密封起来退给王敦。时王导录尚书事，大臣上疏先经王导之手，故可以中途扣下，封以退回。㊿谯王承：司马承，司马逊之子，当时继父位为谯王。㊿志行：志气操守。㊿顷年：近年。顷，刚才、近来。㊿位任：职位和权力。㊿裁：压抑；节制。㊿出心腹以镇方面：派心腹大臣到各州各军镇任刺史、任督军。方面，一个大区域的军政大权。㊿湘州：晋州名，州治即今湖南长沙。㊿朕为惠皇其势不远：我成为第二个晋惠帝的局势已经不远了。指皇帝受制于权臣。㊿据上流：指长沙在南京的长江上游。㊿控三州之会：控制着荆州、交州、广州三州的交接点。㊿叔父：司马睿以称司马承。司马睿是司马懿的曾孙，司马承是司马懿兄长司马孚的后代，比司马睿大一辈，故司马睿称之为叔父。㊿惟力是视：不惜余力，尽力而为。㊿蜀寇之余：指刚被杜弢严重地祸害过。杜弢原是巴蜀地区的地方官，后被变民拥为首领，率部周游于今四川、湖北、湖南一带地区，历经许多曲折才被陶侃、王敦等平定。事见《晋书》卷一百。476之部：前往长沙军府。477比及三年：必须三年的时间。478即戎：组建成军队。479灰身：犹言粉身碎骨。灰，碎裂。480晋室开基：晋王朝建国以来的惯例。481方镇之任：各地区军政大员的任用。方镇，指掌握一方军政大权的长官。482亲贤并用：既用司马氏皇室的兄弟子侄，也任用其他姓氏的贤才。这里的意思是不能让王氏家族通通把持各地区的军镇，也应该派一些姓司马的人前去担当。483邓骞：字长真，此时任司马承的主簿。传附见《晋书》卷七十《甘卓传》。484雅素佳士：一向是个风流倜傥的人。雅，平素、平常。485公未见知：那是您不了解我。见知，了解、知道。486铅刀岂无一割之用：铅质软钝，用来自谦。指才能虽薄弱如铅刀，但尽其所能，

【原文】

**四年（辛巳，公元三二一年）**

春，二月，徐龛复请降。

张茂筑灵钧台，基高九仞[491]。武陵[492]阎曾夜叩府门呼曰："武公[493]遣我来，言'何故劳民筑台？'"有司[494]以为妖，请杀之。茂曰："吾信劳民[495]。曾称先君之命[496]以规我，何谓妖乎？"乃为之罢役。

三月癸亥[497]，日中有黑子[498]。著作佐郎河东郭璞[499]以帝用刑过差[500]，上疏以为："阴阳错缪[501]，皆繁刑所致。赦不欲数[502]，然子产[503]知铸刑书[504]非政之善[505]，不得不作者，须以救弊[506]故也。今之宜赦[507]，理亦如之。"

后赵中山公虎攻幽州刺史段匹磾于厌次[508]，孔苌攻其统内[509]诸城，悉拔之。段文鸯言于匹磾曰："我以勇闻，故为民所倚望。今视民被掠而不救，是怯也。民失所望，谁复为我致死！"遂帅壮士数十骑出战，杀后赵兵甚众。马乏，伏不能起，虎呼之曰："兄与我俱夷狄，久欲与兄同为一家。今天不违愿，于此得相见，何为复战？请释仗[510]。"文鸯骂曰："汝为寇贼，当死日久。吾兄不用吾策，故令汝得至此。

未尝不可一用。《后汉书·班超传》有所谓："昔魏绛列国大夫，尚能和辑诸戎，况臣奉大汉之威，而无铅刀一割之用乎？"㊽听之镇：任凭他前往长沙上任。㊾躬自：亲自；亲身。㊿绥抚：安抚。⑩慕容仁：慕容廆庶子。

【校记】

［2］国内：据章钰校，此二字下，甲十一行本、乙十一行本皆有"之"字。［3］纳：原无此字。据章钰校，甲十一行本、乙十一行本、孔天胤本皆有此字，张敦仁《通鉴刊本识误》同，今据补。

【语译】

**四年（辛巳，公元三二一年）**

春季，二月，徐龛又来向晋国请求投降。

凉州刺史、西平公张茂建筑灵钧台，台基高九仞。武陵人阎曾深夜中就来敲凉州府的大门，他大声呼喊说："武公派我来问你：'为什么如此劳动民众，修筑高台？'"群臣以为这是妖言惑众，就请求将阎曾杀死。张茂说："我修筑这个高台确实是劳民伤财。阎曾说是奉了我老父亲的命令来规劝我，怎么能说是妖言呢？"为此，张茂下令停止修筑灵钧台。

三月初四日癸亥，太阳中发现了黑子。晋国担任著作佐郎的河东人郭璞认为是晋元帝司马睿用刑过于苛刻造成的，于是就上疏给晋元帝，他说："阴阳错乱都是因为用刑太多造成的。实行大赦也不能太频繁，然而春秋时期郑国的子产明知将法律条文铸在鼎上并不是治理国家的上策，但他又不得不这样去做，因为需要用法律来补救道德教化的无力。现在国家因为用法太苛刻，所以也应该施行一次大赦，用'恩德''感化'来缓和一下这个矛盾，其道理就像郑子产铸刑鼎一样。"

后赵中山公石虎率军攻打晋幽州刺史段匹磾所据守的厌次城，后赵将领孔苌率军攻打段匹磾管辖之下的其他城池，大获全胜。段文鸯对他的哥哥段匹磾说："我以勇冠三军而闻名于世，所以成为百姓的依靠和希望。如今看到百姓遭受后赵军队的劫掠却不去救援，显然是胆怯。人民对我们失去了希望，谁还肯再为我们卖命！"于是率领几十名精壮的骑兵出去应战，杀死很多后赵的士兵。段文鸯的战马累得倒在地上起不来，石虎见状就呼喊他说："老兄和我，咱们都是胡人，我很早就想和你成为一家人。如今我的愿望总算实现了，能够在此与你相见，为什么还要再战？请放下你手中的兵器吧。"段文鸯痛骂石虎说："你当强盗，早就该死了。我哥哥不肯听我

我宁斗死，不为汝屈！”遂下马苦战，槊[511]折，执刀战不已，自辰至申[512]。后赵兵四面解马罗披[513]自鄣[514]，前执文鸯。文鸯力竭被执，城内夺气[515]。

匹磾欲单骑归朝[516]，邵续之弟乐安内史洎勒兵不听，洎复欲执台使[517]王英送于虎。匹磾正色责之曰：“卿不能遵兄之志，逼吾不得归朝，亦已甚矣。复欲执天子使者，我虽夷狄，所未闻也。”洎与兄子缉、竺等舆榇[518]出降。匹磾见虎曰：“我受晋恩，志在灭汝，不幸至此，不能为汝敬[519]也。”后赵王勒及虎素与匹磾结为兄弟，虎即起拜之。勒以匹磾为冠军将军，文鸯为左中郎将[520]，散诸流民[521]三万余户，复其本业，置守宰[522]以抚之。于是幽、冀、并三州皆入于后赵。匹磾不为勒礼，常着朝服，持晋节[523]。久之，与文鸯、邵续皆为后赵所杀。

五月庚申[524]，诏免中州[525]良民遭难为扬州诸郡僮客[526]者，以备征役。尚书令刁协之谋也。由是众益怨之。

终南山[527]崩。

秋，七月甲戌[528]，以尚书仆射戴渊[529]为征西将军[530]，都督司、兖、豫、并、雍、冀六州诸军事、司州刺史，镇合肥[531]；丹杨尹刘隗为镇北将军，都督青、徐、幽、平四州诸军事、青州刺史，镇淮阴[532]。皆假节[533]领兵，名为讨胡，实备王敦也。

隗虽在外，而朝廷机事，进退[534]士大夫，帝皆与之密谋。敦遗隗书曰：“顷[535]承圣上顾眄[536]足下，今大贼未灭，中原鼎沸[537]，欲与足下及周生[538]之徒，戮力[539]王室，共静海内。若其泰[540]也，则帝祚于是乎隆[541]；若其否也[542]，则天下永无望[543]矣！”隗答曰：“‘鱼相忘于江湖[544]，

的话，所以才使你有了今天。我宁可战死在沙场，也不会向你屈服！”于是下马徒步苦战，手里的长矛折断了，就拿起刀再战，从早上七八点钟一直战斗到下午四五点。后赵的军队从四面包围上来，他们都将战马身上的障泥取下来遮挡自己，然后步步向前进逼，要活捉段文鸯。段文鸯战得精疲力竭，最后被后赵军擒获，厌次城内看见段文鸯被擒，立时胆气尽丧。

段匹磾想单人匹马奔回东晋朝廷建康，冀州刺史邵续的弟弟、乐安内史邵洎统领军队不许他离开厌次，邵洎还想把东晋朝廷派来的使者王英抓起来送给后赵石虎。段匹磾神情严肃地责备邵洎说：“你不能遵从你哥哥邵续的志愿，逼迫我不能回归朝廷，就已经太过分了，还想抓捕晋朝天子派来的使者。我虽然是一个胡人，也从未听说过这样的事情。”邵洎与邵续的儿子邵缉、邵竺等用车拉着棺材，押着段匹磾等到后赵中山公石虎的军前投降。段匹磾看见石虎，说：“我深受晋国大恩，立志要将你们消灭，今天不幸落到这种地步，不可能向你表示恭敬。”后赵王石勒和中山公石虎过去曾与段匹磾结拜为兄弟，石虎立即站起身来叩拜段匹磾。石勒任命段匹磾为冠军将军，任命段文鸯为左中郎将，把从厌次俘获的三万多户军民释放，让他们恢复原来所从事的职业，并为段匹磾所管辖的区域派遣后赵的地方官吏，负责安抚那里的百姓。至此，晋国的幽州、冀州、并州三个州就都并入后赵的版图。段匹磾不肯向后赵王石勒俯首称臣，他经常穿着晋国的官服，手持晋王朝所赐予的旌节，表示自己永远都是晋朝的臣子。过了很久，石勒实在无法再容忍，就把段匹磾、段文鸯、邵续全都杀死了。

五月初二日庚申，晋元帝司马睿下诏，凡是中原地区的良家百姓因为逃避战乱来到扬州各郡而沦落为奴仆的，一律免除他们的奴仆身份，准备应征入伍。这是担任尚书令的刁协的主意。因为这个原因，很多官僚贵族都更加怨恨刁协。

终南山发生崩裂。

秋季，七月十七日甲戌，晋元帝司马睿任命担任尚书仆射的戴渊为征西将军，都督司州、兖州、豫州、并州、雍州、冀州六州诸军事、司州刺史，军府设在合肥。任命丹杨尹刘隗为镇北将军，都督青州、徐州、幽州、平州四州诸军事，青州刺史，军府设在淮阴。二人皆假节领兵，名义上是为讨伐胡人，实际上是为防范大将军、江州牧王敦谋反。

刘隗虽然到地方任职，然而对朝廷中的机密要事以及官员的升迁与降免，晋元帝司马睿都与他秘密磋商后再做决定。大将军、江州牧王敦写信给刘隗说：“近来圣明的皇帝特别青睐、看重阁下，如今强大的贼寇还没有被消灭，中原的局势就像锅里的沸水一样动荡不安，我想与阁下以及周顗这样的人物一起，齐心协力效忠皇室，共同平定海内。如果顺利的话，皇家的国运就会从此兴旺；如果不顺利，那么天下就没有希望了！”刘隗回复说：“‘鱼游在江湖之中各自活得自由自在，谁也不管谁、

人相忘于道术[545]。'‘竭股肱之力，效之以忠贞。’[546]吾之志也。”敦得书，甚怒。

壬午[547]，以骠骑将军王导为侍中、司空、假节、录尚书、领中书监。帝以敦故，并疏忌导。御史中丞周嵩上疏，以为：“导忠素竭诚，辅成大业，不宜听孤臣[548]之言，惑疑似之说[549]，放逐旧德，以佞伍贤[550]，亏既往之恩，招将来之患[551]。”帝颇感寤。导由是得全。

八月，常山[552]崩。

豫州刺史祖逖，以戴渊吴士，虽有才望[553]，无弘致远识[554]，且已翦荆棘[555]，收河南地，而渊雍容[556]，一旦来统[557]之，意甚快快[558]。又闻王敦与刘、刁构隙[559]，将有内难，知大功不遂[560]，感激[561]发病。九月壬寅[562]，卒于雍丘。豫州士女[563]若丧父母，谯、梁间皆为立祠。王敦久怀异志，闻逖卒，益无所惮。

冬，十月壬午[564]，以逖弟约[565]为平西将军、豫州刺史，领逖之众。约无绥御[566]之才，不为士卒所附。

初，范阳李产[567]避乱依逖，见约志趣异常[568]，谓所亲曰：“吾以北方鼎沸，故远来就此，冀全宗族[569]。今观约所为，有不可测之志[570]。吾托名姻亲[571]，当早自为计，无事[572]复陷身于不义也，尔曹[573]不可以目前之利而忘长久[4]之策。”乃帅[574]子弟十余人间行[575]归乡里。

十一月，皇孙衍[576]生。

后赵王勒悉召武乡耆旧[577]诣襄国，与之共坐欢饮[578]。初，勒微时[579]，与李阳邻居，数争沤麻池[580]相殴[581]，阳由是独不敢来。勒曰：“阳，壮士也。沤麻，布衣之恨[582]。孤方兼容天下[583]，岂仇匹夫乎[584]！”遽[585]召与饮，引阳臂[586]曰：“孤往日厌卿老拳[587]，卿亦饱孤毒手[588]。”因

不靠谁；每个人都有自己的理想和主张，各行其是，谁也不要干涉谁。’‘既然是辅佐皇帝的股肱之臣，那就一定要为皇帝竭尽全力，奉献出自己的忠诚与节操。’这就是我的志向。”王敦看了刘隗的信，不由怒火中烧。

七月二十五日壬午，任命骠骑将军王导为侍中、司空、假节、录尚书、兼任中书监。晋元帝司马睿因为王敦，对王导也心怀猜忌而疏远他。担任御史中丞的周嵩上疏给晋元帝说："骠骑将军王导对陛下一向忠心耿耿，他辅佐陛下成就大业，现在不应该听信那些固执己见、言辞偏颇的大臣的意见，被他们似是而非的说法迷惑，因而疏远有恩于己的旧臣，把佞臣与贤臣放在一起。这样一来，不仅过去的恩义有始无终，还会给将来招致不可预测的灾祸。"晋元帝一下子醒悟过来。王导因此得以保全。

八月，后赵境内的常山发生崩裂。

晋国豫州刺史祖逖，因为戴渊是吴地人，虽然有才能有声望，但没有恢宏的志向和远见卓识，而且自己已经诛除胡夷，讨平叛逆，收复了黄河以南的广大地区，而戴渊从从容容、未经战阵，忽然之间就成了自己的顶头上司，心中很不服气。又闻听王敦与刘隗、刁协之间矛盾很深，国家内部将要爆发内乱，知道扫灭胡羯、平定北方的大业将无法实现，因生气、受刺激而一病不起。九月壬寅日，在雍丘病逝。豫州老少军民就像死了亲生父母一样悲痛，谯郡、梁国一带都为豫州刺史祖逖修建祠堂，进行祭祀。大将军、江州牧王敦早就心怀异志，听到祖逖已死的消息，就更加肆无忌惮。

冬季，十月壬午日，晋朝廷任命祖逖的弟弟祖约为平西将军、豫州刺史，统领祖逖的部众。祖约没有安抚百姓、统率军队的才能，因此士卒都不亲附他。

当初，范阳人李产为躲避战乱来到江南依附祖逖，他看出祖约的兴趣爱好都跟别人不一样，就对自己的亲友说："我因为北方政局动荡、战乱不止，所以不远万里来到这里，希望能够借此保全我们这个家族。如今观察祖约居心叵测，心怀异志。我们名义上是因为与祖家有姻亲关系而前来投奔，现在应该早点为自己打算，不要使自己陷入不义的政治旋涡之中，你们这些人不要贪图目前比较安逸这点小利而忘记了未来的危险。"于是就率领着十几名子弟从偏僻小路返回自己的故乡。

十一月，晋元帝司马睿的孙子司马衍降生。

后赵王石勒把自己家乡武乡的年老故交全都请到后赵的都城襄国，同他们坐在一起欢乐饮酒。当初，石勒未显达的时候，在家乡与李阳是邻居，曾多次为争夺一个沤麻池而互相殴打，因此，李阳不敢来。石勒说："李阳，是一个壮士。为了争夺沤麻池而相斗，那是平民时代的一些小矛盾。我现在正在广泛地容纳普天下的人，难道还和一个平民百姓记仇吗?!"石勒立即召见李阳，和他一块饮酒，石勒拉着李阳的胳膊说："我以前被你的老拳打得不轻，你也饱尝了我的毒手。"于是任命李阳为

拜参军都尉。以武乡比丰沛[589]，复之三世[590]。

勒以民始复业，资储未丰，于是重制禁酿[591]，郊祀宗庙，皆用醴酒[592]。行之数年，无复酿者。

十二月，以慕容廆为都督幽、平二州、东夷诸军事、车骑将军、平州牧，封辽东公，单于如故，遣谒者[593]即授印绶[594]，听承制[595]置官司守宰[596]。廆于是备置僚属[597]，以裴嶷、游邃为长史[598]，裴开为司马[599]，韩寿为别驾[600]，阳耽为军谘祭酒，崔焘为主簿[601]，黄泓、郑林参军事。廆立子皝[602]为世子。作东横[603]，以平原刘赞为祭酒[604]，使皝与诸生同受业，廆得暇，亦亲临听之。皝雄毅多权略，喜经术，国人称之。廆徙慕容翰镇辽东[605]，慕容仁镇平郭[606]。翰抚安民夷，甚有威惠，仁亦次之。

拓跋猗㐌妻惟氏忌代王郁律[607]之强，恐不利于其子，乃杀郁律而立其子贺傉，大人[608]死者数十人。郁律之子什翼犍幼在襁褓[609]，其母王氏匿于袴中，祝之曰："天苟存汝，则勿啼。"久之，不啼，乃得免。惟氏专制国政，遣使聘[610]后赵，后赵人谓之"女国使"[611]。

---

**【段旨】**

以上为第三段，写晋元帝太兴四年（公元三二一年）的大事。主要写了后赵石虎攻打据守厌次的晋幽州刺史段匹磾，段氏部将段文鸯战败被俘，段匹磾被邵续之弟邵洎劫持投归后赵，最后段匹磾、段文鸯、邵续等均被石勒击杀，晋国的幽州、并州、冀州全部归入后赵的版图，以及石勒一些豁达干练的动人故事；写了晋王朝内部权臣王敦与晋元帝的矛盾日益尖锐，晋元帝派亲信刘隗、戴渊等出镇方面，分散王氏之权；写了豫州刺史祖逖，因戴渊被任命都督司、兖、豫、并、雍、冀诸州军事，司州刺史，而自己被取代，悲愤失望，发病身死，从而使王敦更加有恃无恐；写了晋国任命慕容廆为都督幽、平、东夷诸军事，封辽东公，并有权设置官司守宰，势力越来越大；写了代王拓跋郁律被拓跋猗㐌之妻惟氏击杀，写惟氏立其子贺傉而自己专政，为日后什翼犍上台做伏笔。

参军都尉。石勒比照汉高祖刘邦免除故乡沛县丰邑赋税徭役的先例，给武乡县全县人免除三辈子的赋税徭役。

后赵王石勒因为百姓刚刚恢复生产，资财和储备还不丰裕，因此制定了严格的法律法规禁止酿酒，就连在南郊北郊举行的祭祀天地，在宗庙中祭祀祖先的盛大典礼，所用的都是甜酒。这样推行了几年之后，酿酒就基本绝迹了。

十二月，晋国朝廷任命安北将军、平州刺史慕容廆为都督幽州、平州、东夷诸军事，车骑将军，平州牧，封为辽东公，仍然是鲜卑单于，派遣谒者前往棘城为慕容廆送去符节和印绶，授权慕容廆代表皇帝在自己的辖区内设立各级官府，任命州郡官员。慕容廆于是将各种僚属全部配备齐全，他任命裴嶷、游邃为长史，任命裴开为司马，任命韩寿为别驾，任命阳耽为军谘祭酒，任命崔焘为主簿，任命黄泓、郑林为参军事。立慕容皝为世子。在自己的都城设立太学，任命平原人刘赞为管理太学的祭酒，令慕容皝与诸生一起到太学进修学业。慕容廆闲暇的时候，也亲自到学校视察听讲。慕容皝高大威武，又很有权谋韬略，喜好儒家经典，国内的人都称赞他。慕容廆把镇守徒河的慕容翰调去镇守辽东，把原来镇守辽东的征虏将军慕容仁调去镇守平郭。慕容翰在辽东安抚汉人和夷人，施恩惠于百姓，很有威望，慕容仁稍次于他，但也很不错。

拓跋猗㐌的妻子惟氏，忌恨代王拓跋郁律的强大，恐怕将来对自己的儿子不利，就杀死拓跋郁律而立自己的儿子拓跋贺傉为代王，这次政变中，部落酋长死了几十个。拓跋郁律的儿子什翼犍还在襁褓之中，他的母亲王氏把他藏在套裤里，祷告说："上天如果要你活下来，你就不要啼哭。"很久，什翼犍都没有啼哭，这才免于被杀。惟氏控制了政权，她派遣使者访问后赵，后赵人说使者是"女主掌权的国家派来的使者"。

---

【注释】

㊾㉑仞：长度单位。汉尺，七尺为一仞；东汉末尺，五尺六寸为一仞。㊾㉒武陵：据胡注，疑当作"武威"。㊾㉓武公：张茂之父张轨的谥号。㊾㉔有司：负责该项事务的官吏。㊾㉕信劳民：确实是劳民伤财。信，的确。㊾㉖称先君之命：假托是我先人的命令。称，声称、假托。㊾㉗三月癸亥：三月初四。㊾㉘黑子：今天所说的"太阳黑子"。是一种太阳光球层上出现斑点的自然现象。黑子温度比光球低一千至二千摄氏度，和光球相比就成为暗淡的黑斑。黑子磁场强度在零点一到零点四五特斯拉之间，它常成群出现。㊾㉙郭璞：字景纯，博学，善辞赋，精天文、历算、卜筮。在东晋任著作佐郎，与王隐共撰《晋史》，又注《尔雅》《方言》《山海经》《穆天子传》等。传见《晋书》卷七十二。㊿⓪过差：过度；过分酷苛。㊿①阴阳错缪：阴阳错乱。古人讲天人感应，故郭璞认

为太阳黑子是元帝用刑过繁，使得自然失序，阴侵阳，象见于天所致。502 赦不欲数：大赦不能用得太频繁。数，频繁。503 子产：春秋时期郑国的著名政治家，为使国家的施法有所依据而铸过刑鼎。504 铸刑书：将法律条文刻在鼎上。刑书，刑法条文。505 非政之善：不是治理国家的上策。儒家与道家都认为最高的太平境界是不用法律而天下自治，故用法律治好天下就是低一个层次的治绩了。506 须以救弊：需要用法律来补救道德教化的无力。须，待、靠。弊，无能为力。507 今之宜赦：现在国家因用法过苛，故而也应该用"恩德""感化"来缓和一下。508 厌次：晋县名，在今山东惠民东北，阳信东南，当时为段匹磾的驻兵之地。509 统内：指段匹磾统辖的幽州境内。510 释仗：放下兵器。511 槊：古代兵器，即长矛。512 自辰至申：从辰时一直打到申时。辰，指上午七时至九时。申，下午三时至五时。513 马罗披：垂于马腹两侧，用以遮挡尘土的设备，又叫"障泥"。514 自鄣：以遮蔽自己。鄣，此处通"障"，遮蔽。515 夺气：丧气。516 归朝：归往东晋朝廷。517 台使：朝廷派来的使者。518 舆榇：用车拉着棺材，表示请罪，接受处死。榇，棺。519 不能为汝敬：不可能向你表示恭敬、客气。520 左中郎将：皇帝的禁兵统领，这里为加官，以表宠信。521 散诸流民：将俘获的段匹磾部下的军民释放。522 置守宰：派遣官吏去管理这些人。523 持晋节：手中时常秉持着晋王朝所赐予的旌节，以表示永远不忘晋王朝。节，朝廷赐予使臣以及地方官、方面大员的一种信物。旌节是以竹为之，以牦牛尾为之旄，三重。524 五月庚申：五月初二。525 中州：中原，泛指黄河中游地区。526 僮客：奴仆。当时有很多中原地区的百姓逃难到淮河以南、长江以南，因无法生活而沦为淮南、江南当地百姓的奴隶。527 终南山：又名"中南山""太乙山"，在今陕西西安南，为秦岭主峰之一。528 七月甲戌：七月十七。529 戴渊：字若思，西晋王朝的名臣，后又为司马睿所宠信。传见《晋书》卷六十九。530 征西将军：东汉末始建的将军称号，为四征将军之一，地位崇重。531 镇合肥：军府设在合肥。532 镇淮阴：军府设在淮阴，在今江苏淮安市淮阴区西南。533 假节：授予旌节。当时朝廷赐予大臣或使臣的旌节分三个等级，最高者称"持节"，其次称"使持节"，其下称"假节"。三者之间的权限有所不同。534 进退：升迁与降免。535 顷：近来。536 顾眄：这里的意思是垂青、看重。还视叫顾，斜视叫眄。537 鼎沸：鼎中的开水沸腾，以喻时局的纷扰动乱。538 周生：周顗。王敦素来畏惧周顗，故举以为官。539 戮力：并力；齐心协力。540 泰：通畅；顺利。《易》的卦名，与"否"卦相反。"泰"为好，"否"为坏；"泰"为顺，"否"为逆；"泰"为通畅，"否"为不通。541 隆：兴旺；兴盛。542 若其否也：如果干事不顺利。言外之意是如果刘隗等不与王敦合作，故意与王敦等为难、作对。543 则天下永无望：朝廷政权就要遭到毁灭。这是王敦在威胁刘隗，让他屈服。544 鱼相忘于江湖：鱼在大水之中各自活得自由自在，谁也不管谁、不靠谁。545 人相忘于道术：每个人都有自己的理想、主张，各行其是，谁也不用管谁。二句出自《庄子·大宗师》。刘隗引这两句话，是表示不怕王敦的威胁，不理睬他。546 竭股肱之力二句：自己既然是皇帝的左膀右臂，那就一定要为皇帝竭尽全力。

二句引自《左传》僖公九年，是晋大夫荀息的话。股肱，大腿和胳膊，以喻辅佐君主的大臣。547 壬午：七月二十五。548 孤臣：指固执己见，言辞偏颇的大臣，指刘隗等。549 惑疑似之说：被似是而非的说法迷惑。550 以佞伍贤：把佞臣与贤臣排在一起。佞，奸巧谄谀。伍，配、列。551 亏既往之恩二句：亏，损、辜负。胡三省注曰："向者亲倚导而今疏忌之，是亏既往之恩也；导或自疑，外而与敦同，是招将来之患也。"552 常山：本名"恒山"，五岳中的北岳。主峰在今河北曲阳西北一百四十里。汉代避文帝刘恒讳，改名常山。宋以后又名大茂山。553 才望：才能名望。554 弘致远识：高风远见。555 翦荆棘：用来比喻诛除胡夷，讨平叛逆。翦，通"剪"，消灭。556 雍容：从容闲暇的样子，这里指一点事情也没干，有未经战阵而坐享其成的意思。557 来统：来取代祖逖的职务，都督六州诸军事。558 快快：不服、不满的样子。559 构隙：结怨；发生矛盾。560 大功不遂：扫灭胡羯、平定北方的大业不能实现。561 感激：生气受刺激。562 九月壬寅：九月朔丁巳，无壬寅日，此处记载有误。563 士女：男女，泛指军民百姓。564 十月壬午：十月朔丙戌，无壬午日。疑与上文壬寅错置。壬寅，十月十七。565 逖弟约：祖约，字士少。传见《晋书》卷一百。566 绥御：安抚、统率。567 李产：字子乔。传附见《晋书》卷一百十《慕容儁载记》。568 志趣异常：兴趣爱好都跟别人不一样。569 冀全宗族：目的是想借以保全自己的家族。570 有不可测之志：犹言"居心叵测""心怀异志"。571 托名姻亲：名义上作为祖氏的亲戚。托名，名义上是。572 无事：不能；不应该。573 尔曹：犹言"汝辈""尔等"，以称其族中诸人。574 帅：通"率"，带领。575 间行：投空隙而行，犹今言"抄小路走"。576 皇孙衍：司马衍，元帝孙，太子司马绍的长子，即日后的晋成帝。577 武乡耆旧：武乡县的年长好友。武乡县治在今山西榆社西北之杜城，是石勒的故乡。耆旧，年老的旧好，人年六十称耆。578 共坐欢饮：亦如当年刘邦之称帝后还乡。579 微时：未显达的时候。580 沤麻池：沤麻用的水坑。沤，浸泡。麻秆长到一定程度时，将其砍下沤在水中，过些天后，其表皮便与麻秆脱离，种植者剥取其表皮，加工后就是制绳用的麻。魏收《地形志》："武乡郡三台岭上有李阳墓，有麻池，石勒与李阳争沤麻处也。"581 相殴：相互打架。582 布衣之恨：平民时代的一些小矛盾。布衣，平民的服装，代称平民。583 兼容天下：广泛地容纳普天下的人。584 岂仇匹夫乎：难道还和一个平民百姓记仇吗？匹夫，古代指平民中的男子，也泛指寻常的个人。585 遽：疾；立刻。586 引阳臂：拉着李阳的胳膊。587 厌卿老拳：被你老兄的拳头打得不轻。厌，饱、饱受。588 饱孤毒手：也被我这两手整治得不轻。饱，饱受。589 比丰沛：与当年刘邦给丰沛的待遇相同，即免除全县人的徭役租税。比，比照、相同。刘邦是沛县丰邑人，刘邦称帝后还乡，与父老畅饮叙旧，并免除全县的赋税徭役。事见《史记·高祖本纪》。590 复之三世：给武乡县全县人免除三辈子的赋税徭役。591 重制禁酿：用严格的法规禁止造酒。592 醴酒：甜酒，一宿而熟的酒，以示节俭。593 谒者：皇帝的侍从官，掌宾赞及奉诏出使。594 即授印绶：将封赐慕容廆的符节印绶都送到棘城，当面赐予。即，就、送到。595 听承制：允许他用皇帝的名义。596 置官司守宰：建立自己管辖地区的各部门、各级别的官吏。597 备置僚属：将各种僚属都任命齐全。598 长史：丞相、大将等权贵属下的诸史之长，位任崇重。599 司马：将军属下的司法官员。600 别驾：州刺史的高级属官，因随州牧、刺史出巡时另乘一辆车，故称别驾。601 主簿：总领门下众事，掌管簿书，匡辅拾遗。602 皝：慕容皝，字符真，慕容廆之子。传见《晋书》卷一百九。603 东横：慕容廆都城里的太学。横，通“黉”。学舍。604 祭酒：管理太学的官员，亦称国子祭酒。605 辽东：慕容廆辖区的郡名，郡治即今辽宁辽阳。606 平郭：慕容廆辖区的县名，县治在今辽宁盖州南。607 代王郁律：拓跋猗卢之子，普根之弟。晋愍帝建兴四年，拓跋普根刚出世的儿子即位为代王，不久去世，国人便推举拓跋郁律为代王。国都平城，在今山西大同东北。608 大人：鲜卑、乌桓等族各部落首领称“大人”。609 襁褓：背负小儿的背带和布兜。610 聘：古代国与国之间友好访问。611 女国使：女主掌权的国家派来的使者。

## 【校记】

［4］长久：据章钰校，甲十一行本、乙十一行本、孔天胤本二字皆互乙。

## 【研析】

本卷写晋元帝太兴二年（公元三一九年）至太兴四年共三年间的各国大事。其中引人思考的有以下几点。

第一，羯人石勒在张宾、张敬等人的劝说下脱离前赵，以所占据的河内、魏、汲、顿丘、平原、清河、巨鹿、常山等二十四郡为后赵，建都于襄国。他删减律令，制定了五千言的《辛亥制》；他设立门臣祭酒，专管胡人的诉讼；他重视汉人中的名门士族，下令诸将帅，俘获士人不得杀死，要送到襄国来。石虎率军攻打徐龛，徙晋士族三百家安置在襄国的崇仁里，特意设置公族大夫来管理这些人，这对于争取汉人对其政权的承认与拥护是有重要作用的。石勒政权在鼎盛时期全部占领了晋王朝的幽州、并州、冀州，并用各种方式向祖逖示好，他在祖逖的家乡为祖逖的父祖修建坟墓、专门派人为之看守；他让管区的百姓发展生产，与祖逖管区的百姓彼此通商，使百姓生活稍得安定。石勒其人在当时少数民族的众多领袖中是比较有雄才大略、比较令人喜爱的一个，至少要比司马睿之流更令人喜爱。

第二，本卷用了较大篇幅写前赵主刘曜采纳谋士游子远的意见，轻而易举地平定巴人叛乱，以及听从乔豫、和苞的进言停止修宫室、建陵墓等，表现出了一种英主的姿态。前者是由于部将解虎、尹车勾结巴族头领句徐、厍彭等图谋反汉，事情被发觉，解虎、尹车被诛，巴族头领句徐、厍彭等五十余人被囚禁。光禄大夫游子远劝刘曜不要杀这些巴族人。刘曜不听，不仅杀了句徐、厍彭等五十余人，而且以为游子远是“助逆”，也将其囚禁。结果招得巴族诸部“尽反，推巴酋句渠知为主，自称大秦，改元曰‘平赵’。四山氐、羌、巴、羯应之者三十余万，关中大乱，城门昼闭”。这时刘曜又准备派大兵进行讨伐，游子远则又从狱中上表谏争，刘曜不悟，下令处死游子远。刘曜的群臣刘雅、郭汜、朱纪、呼延晏等都说：“子远幽囚，祸在不测，犹不忘谏争，忠之至也。陛下纵不能用，奈何杀之？若子远朝诛，臣等亦当夕死，以彰陛下之过。”刘曜见此情景，渐渐回过味来，他赦免游子远，褒奖了刘雅、郭汜、朱纪、呼延晏等人。刘曜准备亲自往讨句渠知，游子远为他分析说：“彼非有大志，欲图非望也，直畏陛下威刑，欲逃死耳。陛下莫若廓然大赦，与之更始，应前日坐虎、车等事，其家老弱没入奚官者，皆纵遣之，使之自相招引，听其复业。彼既得生路，何为不降？若其中自知罪重，屯结不散者，愿假臣弱兵五千，必为陛下枭之。不然，今反者弥山被谷，虽以天威临之，恐非岁月可除也。”说得刘曜大喜，即日大赦巴族人，并以子远为将军前往处理诸事。结果“雍城降者十余万”，“安定反者皆降”，只有少数骨干坚持对抗，“子远伺其无备，夜，勒兵蓐食，旦，值大风尘昏，子远悉众出掩之，生擒伊余，尽俘其众”。游子远又建议刘曜任命归降的巴人头领权渠为征西将军、西戎公，令其统领巴人部落。真是君臣和谐如鱼水，事情干得漂亮！

当刘曜准备大兴土木，要建造酆明观、西宫、陵霄台，并要学着秦汉皇帝的样子为自己预建陵墓时，侍中乔豫、和苞上疏谏，以为“前奉诏书营酆明观，市道细民咸讥其奢，曰：‘以一观之功，足以平凉州矣。’今又欲拟阿房而建西宫，法琼台而起陵霄，其为劳费亿万酆明。若以资军旅，乃可兼吴、蜀而壹齐、魏矣。又闻营建寿陵，周围四里，深三十五丈，以铜为椁，饰以黄金。功费若此，殆非国内所能办也。秦始皇下锢三泉，土未干而发毁。自古无不亡之国，不掘之墓。故圣王之俭葬，乃深远之虑也。陛下奈何于中兴之日，而踵亡国之事乎！”于是刘曜下诏曰：“二侍中恳恳有古人之风，可谓社稷之臣矣。其悉罢宫室诸役，寿陵制度，一遵霸陵之法。”接着他把这件事情布告天下，目的是让天下人都知道：我们这个王朝虽然没有多大，但是我们能接受意见，愿意听到人们对我们的批评！这是何等的胸襟气魄！翻检一遍“二十四史”，也找不出几个这样的人来！

第三，本卷写了梁州刺史周访与豫州刺史祖逖的死，这是两位功勋卓著的名将，也是一心想为国家效力的贞臣，可惜都默默地死在了晋元帝这样的时代下，令人生千古之憾。周访大破流民头领杜曾，使荆湘地区获得安定，这样的人才竟在司马睿的妥协与权臣王敦的压抑下，有志不得伸，抱恨死去，从而使日后王敦作乱更加肆无忌惮。豫州刺史祖逖转战于中原地区，气吞胡虏，志在复国，并收复了不少失地，正当他“练兵积谷，为取河北之计”的时候，晋元帝却把一个“无弘致远识”的戴渊派去都督司、兖、豫、并、雍、冀六州诸军事，压在了祖逖头上，其排斥异己之行为谁能忍受？加上王敦篡国的野心已路人皆知，灭贼复国的大计已经无法实

现，于是竟使自少年之时就胸怀大志、闻鸡起舞，后又屡立战功的祖逖抑郁成疾而死。当时盘踞着冀州、幽州、并州等大片地区的后赵石勒，所视为劲敌而不敢不与之百般讨好，力求通商、保民的就是祖逖这一支中原大军。王夫之《读通鉴论》曾高度评价祖逖当时允许自己占区的百姓与石勒占区的百姓通商一事，他说："祖逖立威河南，石勒求与通好，逖不报书，而听其互市，可谓善谋矣。两军相距而绝其市，非能果绝之也。岂徒兵民之没于利者虽杀之而不止哉？吾且有时而需彼境之物用而阴购之矣。绝市者，能绝吾之不往，而不能绝彼之不来也。若彼之来也，授受于疆埸，一夕而竟千金之易，而自我以逮吏士编氓无不仰给焉，恶可绝也？逖之虑此密矣。此两军相距，赡财用、杜奸人之善术，用兵者不可不知也。"

第四，晋元帝司马睿是一个胸无大志的君主，他只图苟安于江南，而无收复失地、洗雪耻辱的愿望。这时的北方，对晋王朝忠心耿耿的刘琨已死，剩下的只有冀州刺史邵续和幽州刺史段匹磾了。当段匹磾的地盘已经被后赵占领，段匹磾率领残部投奔邵续，邵续又被后赵围攻，孤军奋战于数千里之外时，吏部郎刘胤请求晋元帝出兵相救，并为他分析了救与不救的利害关系，晋元帝置若罔闻，听任邵续兵败为石勒所俘。当慕容廆派裴嶷为使者到建康报捷，晋元帝唯一想做的就是把裴嶷留下来给自己效力。裴嶷看透了晋元帝的自私与无能，他说："但以旧京沦没，山陵穿毁，虽名臣宿将，莫能雪耻；独慕容龙骧竭忠王室，志除凶逆，故使臣万里归诚。今臣来而不返，必谓朝廷以其僻陋而弃之，孤其向义之心，使懈体于讨贼，此臣之所甚惜，是以不敢徇私而忘公也。"其内心恐怕是看这司马睿的人头儿、气魄还不如个慕容廆！他不肯在这个腐朽的王朝中混下去！

# 卷第九十二　晋纪十四

起玄黓敦牂（壬午，公元三二二年），尽昭阳协洽（癸未，公元三二三年），凡二年。

**【题解】**

本卷写晋元帝永昌元年（公元三二二年）至晋明帝太宁元年（公元三二三年）共两年间的东晋及各国大事。主要写了东晋王朝的大权奸王敦以清除晋元帝所宠信的刘隗、刁协为名，在武昌起兵谋反，攻克都城建康，刁协被杀，刘隗北投石勒；接着王敦又杀了当时的名臣周𫖮、戴渊等人；写了湘州刺史谯王司马承举义旗讨伐王敦，但因势孤力单，最后长沙失陷，司马承与虞悝、桓雄、易雄等一批忠义之士被俘、被杀；写了梁州刺史甘卓先是动摇观望，后来起兵反王敦，又逗留不进，坐视湘州刺史司马承被围而不救，任其被灭；当甘卓攻下建康后，便率军返回襄阳，结果被王敦指使的襄阳太守周虑杀死，梁州刺史也由王敦的党羽充任；写了王敦先是返回武昌，居武昌而遥控朝廷，后又返回朝廷，独揽朝

---

**【原文】**

**中宗元皇帝下**

**永昌元年（壬午，公元三二二年）**

春，正月，郭璞复上疏[①]，请因皇孙生[②]下赦令，帝从之。乙卯[③]，大赦，改元[④]。

王敦以璞为记室参军[⑤]。璞善卜筮[⑥]，知敦必为乱，己预其祸[⑦]，甚忧之。大将军掾[⑧]颍川陈述卒，璞哭之极哀，曰："嗣祖[⑨]，焉知非福[⑩]也！"

敦既与朝廷乖离[⑪]，乃羁录[⑫]朝士有时望[⑬]者置己幕府[⑭]，以羊曼[⑮]及陈国谢鲲[⑯]为长史。曼，祜[⑰]之兄孙也。曼、鲲终日酣醉[⑱]，故敦不委以事。敦将作乱，谓鲲曰："刘隗奸邪，将危社稷，吾欲除君侧

政，封王邃、王含、王舒、王彬、王诜等皆为大州刺史；写了晋元帝忧愤病死，其子司马绍继位；写了王敦与其心腹钱凤密谋篡位，被王舒的儿子王允之听到告发，司马绍等预为之备；写了氐族头领杨难敌称雄于武都，被前赵主刘曜说服，称藩于刘曜；写了秦州的军阀陈安被刘曜消灭，陇城、上邽一带并入前赵；写了前凉张茂攻取陇西、南安之地，设置为秦州；刘曜亲征张茂，张茂不敌而向刘曜称臣；写了后赵石虎生擒了自称兖州刺史的徐龛，又破杀青州刺史曹嶷，使兖州、青州落入后赵；又因兖州刺史郗鉴被召入朝廷，豫州刺史祖逖死后，继任者祖约无能，于是徐州、兖州、豫州的大片国土被后赵占领；写了成国将领李骧、任回进犯台登，东晋的将领司马玖战死，越巂、汉嘉太守相继以郡投降成国等。

【语译】

**中宗元皇帝下**

**永昌元年（壬午，公元三二二年）**

春季，正月，晋著作佐郎郭璞又上疏给晋元帝司马睿，请求晋元帝借着皇孙诞生的喜庆颁布大赦令，晋元帝听从了他的建议。初一日乙卯，大赦天下，改年号为“永昌”。

晋大将军、江州牧王敦任命著作佐郎郭璞为记室参军。郭璞精于占卜，知道王敦必定会发动变乱，自己会因处于王敦作乱的行列中而躲不过这场灾祸，因此心里非常忧虑。在王敦手下担任大将军掾的颍川人陈述去世了，郭璞吊唁他时，哭得非常哀痛，说：“嗣祖，你此时死去，怎么知道这不是你的福分呢！”

大将军王敦与朝廷已经是离心离德，就把朝廷中有名望的人士强行留任在自己的官署中，任命羊曼和陈国人谢鲲为长史。羊曼，是西晋太傅羊祜哥哥的孙子。羊曼与谢鲲一天到晚喝得酩酊大醉，所以王敦也不安排他们负责什么事情。王敦准备起兵反叛晋廷，他对谢鲲说：“刘隗是一个奸佞邪恶的人，将会威胁到国家的安全，

之恶，何如?”鲲曰:“隗诚始祸[19]，然城狐社鼠[20]。”敦怒曰:“君庸才，岂达大体[21]!”出为豫章[22]太守，又留不遣。

戊辰[23]，敦举兵于武昌，上疏罪状[24]刘隗，称:“隗佞邪谗贼，威福自由[25]，妄兴事役[26]，劳扰士民，赋役烦重，怨声盈路。臣备位宰辅[27]，不可坐视成败，辄进军致讨[28]。隗首朝悬，诸军夕退[29]。昔太甲[30]颠覆厥度[31]，幸纳伊尹之忠[32]，殷道[33]复昌。愿陛下深垂[34]三思，则四海乂安[35]，社稷永固矣!”沈充亦起兵于吴兴[36]以应敦，敦以充为大都督、督护东吴诸军事[37]。敦至芜湖[38]，又上表罪状刁协。帝大怒，乙亥[39]，诏曰:“王敦凭恃宠灵[40]，敢肆狂逆，方朕太甲[41]，欲见幽囚[42]，是可忍也，孰不可忍!今亲帅六军以诛大逆，有杀敦者，封五千户侯。”敦兄光禄勋含[43]乘轻舟逃归于敦。

太子中庶子温峤[44]谓仆射周顗曰:“大将军此举似有所在[45]，当无滥邪[46]?”顗曰:“不然。人主自非尧、舜[47]，何能无失，人臣安可举兵以胁之!举动如此，岂得云非乱乎?处仲狼抗无上[48]，其意宁有限邪?[49]”

敦初起兵，遣使告梁州刺史甘卓，约与之俱下[50]，卓许之。及敦升舟，而卓不赴[51]，使参军孙双诣武昌谏止敦。敦惊曰:“甘侯前与吾语云何[52]，而更有异，正当虑吾危朝廷[53]耳!吾今但除奸凶，若事济[54]，当以甘侯作公[55]。”双还报，卓意狐疑。或[56]说卓:“且伪许敦，待敦至都而讨之。”卓曰:“昔陈敏之乱，吾先从而后图之，[57]论者谓吾惧逼而思变[58]，心常愧之。今若复尔[59]，何以自明[60]!”

我准备把皇帝身边像刘隗那样邪恶的人清除掉，你认为怎么样？”谢鲲回答说：“刘隗确实是一个最早制造祸端的人，然而他就像是住在城墙里的狐狸，不能去挖他，如果去挖恐怕会毁坏城墙，他就像是住在社庙里的老鼠，不能去熏他，如果去熏就要破坏社庙。”王敦听了大怒，说：“你简直就是一个蠢材，哪里知道应该怎样去处理大问题！”因此把谢鲲放出去做豫章太守，却又留住他不让他去豫章赴任。

正月十四日戊辰，王敦在武昌起兵，他上疏给晋元帝司马睿，指控镇北将军、青州刺史刘隗的罪状，他说：“刘隗是一个性情奸佞邪恶、用谗言残害忠良的乱臣贼子，作威作福，一切都由他个人说了算，随随便便地制造一个事由就向人民征收赋税劳役，扰乱人民的正常生活，百姓因为赋税繁多、劳役繁重而怨声载道。我位居宰辅，不能眼看国家败坏而坐视不管，因此决定率军东下进行讨伐。刘隗的首级早上悬挂在高杆上示众，诸路大军晚上就撤退。古时候，商代国君太甲败坏了商汤制定的法度，幸亏有宰辅之臣伊尹的忠诚，商朝的法度才得以恢复、国家才得以复兴。希望陛下能够认真、深刻地思考我所说的这番话，那么四海之内就会平安无事，国家政权也会永远巩固！”王敦的亲信沈充在吴兴起兵响应王敦，王敦任命沈充为大都督、总领东吴一带的各路兵马。王敦抵达芜湖的时候，又上表给晋元帝司马睿，指控刁协的罪状。晋元帝怒不可遏，二十一日乙亥，下诏说：“王敦凭借着朝廷对他的恩宠，竟敢如此的犯上作乱，把我比作商朝的太甲，想把我也囚禁起来，如果我连这个都能容忍的话，还有什么是不能容忍的呢！现在，我要亲自统帅六军去诛灭这个大逆不道之人，有谁能将王敦杀死，我就封谁为五千户侯。”王敦的哥哥、光禄勋王含搭乘一艘轻快的小船逃出建康投奔王敦去了。

担任太子中庶子的温峤向担任仆射的周顗询问说：“大将军王敦这次行动的目的似乎只是为了清君侧，应当不是叛乱，不会做得太过分吧？”周顗断然回答说：“不然。除了尧舜之外，每个君主都可能犯有过错，作为臣子怎么可以用发兵的形式对君主进行要挟！举动如此明显，难道能说不是叛乱吗？王敦如此暴戾、目无君长，他的欲望难道还会有止境吗？”

王敦开始起兵的时候，派使者告诉梁州刺史甘卓，约请他共同出兵东下进攻建康，甘卓答应了王敦的约请。等到王敦登上战船准备出发的时候，甘卓却没有按照约定如期到达，而是派属下担任参军的孙双来到武昌，劝王敦不要进攻建康。王敦非常吃惊地说：“甘侯以前同我怎么说来着，而现在却临时变卦，他是担心我会做出危害朝廷的事情！我今天只清除奸邪元凶，如果事情成功了，我一定让甘卓进位为公爵。”孙双回到梁州治所襄阳，将王敦的话汇报给甘卓，甘卓心中犹豫不决。有人对甘卓说：“你不妨假装答应王敦，等到王敦率军抵达建康的时候，再出兵讨伐他。”甘卓说：“过去陈敏作乱的时候，我先跟随了陈敏，后来才讨伐陈敏，世人都认为我是经不住考验，见利忘义，没有节操，我常常为此而心怀惭愧。今日如果再这样，我将如何表明自己的真实想法！”

卓使人以敦旨[61]告顺阳太守魏该[62]。该曰："我所以起兵拒胡贼[63]者，正欲忠于王室耳。今王公举兵向天子，非吾所宜与[64]也！"遂绝之。

敦遣参军桓罴说谯王丞，请丞为军司[65]。丞叹曰："吾其死矣！地荒民寡，势孤援绝，将何以济！然得死忠义，夫复何求！"丞檄[66]长沙虞悝[67]为长史，会悝遭母丧，丞往吊之，曰："吾欲讨王敦，而兵少粮乏，且新到，恩信未洽[68]。卿兄弟湘中[69]之豪俊，王室方危，金革之事，古人所不辞，[70]将何以教之？"悝曰："大王不以悝兄弟猥劣[71]，亲屈临[72]之，敢不致死[73]！然鄙州荒弊，难以进讨。宜且收众固守，传檄[74]四方。敦势必分[75]，分而图之，庶几可捷[76]也。"丞乃囚桓罴，以悝为长史，以其弟望[77]为司马，督护诸军，与零陵[78]太守尹奉、建昌太守长沙王循、衡阳太守淮陵刘翼、舂陵令长沙易雄[79]同举兵讨敦。雄移檄远近，列敦罪恶，于是一州之内皆应丞。惟湘东太守郑澹不从，丞使虞望讨斩之，以徇四境[80]。澹，敦姊夫也。

丞遣主簿邓骞至襄阳说甘卓曰："刘大连[81]虽骄蹇[82]失众心，非有害于天下。大将军以其私憾[83]称兵向阙[84]，此忠臣义士竭节[85]之时也。公受任方伯[86]，奉辞伐罪[87]，乃桓、文之功[88]也。"卓曰："桓、文则非吾所能，然志在徇国[89]，当共详思之。"参军李梁说卓曰："昔隗嚣跋扈[90]，窦融[91]保河西[92]以奉光武[93]，卒受其福[94]。今将军有重望[95]于天下，但当按兵坐以待之。使大将军事捷，当委[96]将军以方面[97]，不捷，朝廷必以将军代之，何忧不富贵！而释此庙胜[98]，决存亡于一战[99]邪？"骞谓梁曰："光武当创业之初[100]，故隗、窦可以文服[101]从容顾望[102]。

甘卓派人将王敦的意图告诉顺阳太守魏该。魏该回复说："我之所以聚众起兵抗击胡贼，就是为了效忠于晋王室。如今王敦起兵把攻击的矛头指向天子，这不是我等应该参与的事情！"甘卓遂与王敦断绝了关系。

王敦派自己手下担任参军的桓罴前往湘州去游说谯王司马承，请求司马承为自己担任军司。司马承叹息着说："我的死期大概到了！湘州这个地方土地荒僻，人口稀少，势孤力单，援救断绝，靠什么渡过这个难关！然而能够为了忠义而死，我还要求什么呢！"司马承用公文征召长沙人虞悝为长史，正好遇上虞悝的母亲去世，司马承就亲自前往虞悝的家中吊唁，他对虞悝说："我准备率军去讨伐王敦，但是我手下的军队很少，又缺少粮食，而且新到湘州，恩德没有深入人心，信誉也还没有建立起来。你们兄弟是湘州的豪杰，晋王室正陷于为难之际，古人如果遇到国家危难，即使正在服丧期间，也会义不容辞地脱下孝服投入战斗，对此你将如何教导我？"虞悝说："大王您不因为我们兄弟地位卑微、性情愚钝，亲自屈尊光临，我们怎敢不为大王效死！然而本州荒凉破败，实在没有能力进军讨伐。现在应该集结所有人马固守湘州，然后向四方发布讨伐王敦、救援王室的檄文。如此一来，王敦势必要分散兵力对付四方的反对者，等王敦兵力分散之后再想办法对付他，或许有可能打败他。"司马承就把王敦的使者桓罴囚禁起来，任用虞悝为长史，任命虞悝的弟弟虞望为司马，统领各路军队，与零陵太守尹奉、建昌太守长沙人王循、衡阳太守淮陵人刘翼、舂陵令长沙人易雄，共同起兵讨伐王敦。易雄向远近郡县发布檄文，列数王敦的罪恶，于是整个湘州全都响应谯王司马承。只有湘东太守郑澹不肯听从司马承，司马承派遣担任司马的虞望去讨伐郑澹，将郑澹斩首，将他的人头在湘州的四面边境巡行示众。郑澹，是王敦的姐夫。

司马承派遣属下担任主簿的邓骞前往襄阳，对梁州刺史甘卓说："刘隗虽然因为为人骄傲蛮横而失去民心，但对于国家并没有造成危害。大将军王敦因为私人之间的恩怨举兵杀向朝廷，这正是忠臣义士向皇帝奉献忠诚的时候。你接受朝廷任命成为独当一面的地方大员，如果能够秉承皇帝的诏命讨伐犯有谋乱之罪的王敦，其功劳就如同当年齐桓公、晋文公一样啊。"甘卓说："建立齐桓公、晋文公那样的功劳不是我所能做到的，即便如此，我的志向一直是想为国难献身，应当让我们共同详细思考一下应对的策略。"担任参军的李梁对甘卓说："新莽末年隗嚣骄横跋扈，窦融占据并坚守河西地区，他拥戴汉光武帝刘秀，终于封侯拜相，后福无穷。如今将军在全国享有很高的声望，只应按兵不动，坐待时机。如果大将军王敦获得胜利，必将把一方的军政事务委派给将军，如果大将军王敦没有取胜，朝廷必定会让您接替王敦的职位，到那时还担忧没有富贵找上门来吗?！放着这个不战而胜的谋略不用，反要把希望寄托在以一场战争来决定生死存亡吗?"邓骞对李梁说："汉光武帝刘秀彼时正当创业之初，所以隗嚣、窦融可以表面上装出服从的样子，采取脚踩两条船的策略，从容观望。

今将军之于本朝，非窦融之比[103]也；襄阳之于太府[104]，非河西之固[105]也。使大将军克刘隗，还武昌，增石城之戍[106]，绝荆、湘之粟[107]，将军将安归乎？势在人手，而曰我处庙胜，未之闻也。且为人臣，国家有难，坐视不救，于义安乎？”卓尚疑之。骞曰：“今既不为义举[108]，又不承大将军檄[109]，此必至之祸，愚智所见也。且议者之所难，以彼强而我弱也。今大将军兵不过万余，其留者不能五千，而将军见众[110]既倍之矣。以将军之威名，帅此府之精锐，杖节鸣鼓[111]，以顺讨逆，岂王含所能御[112]哉！溯流之众势不自救[113]，将军之举武昌[114]若摧枯拉朽，尚何顾虑邪？武昌既定，据其军实[115]，镇抚二州[116]，以恩意招怀[117]士卒，使还者如归[118]，此吕蒙所以克关羽[119]也。今释必胜之策，安坐以待危亡，不可以言智矣！”

敦恐卓于后为变，又遣参军丹杨乐道融[120]往邀之，必欲与之俱东。道融虽事敦，而忿其悖逆，乃说卓曰：“主上亲临万机，自用谯王为湘州[121]，非专任刘隗也。而王氏擅权日久，卒见分政[122]，便谓失职[123]，背恩肆逆[124]，举兵向阙。国家遇君[125]至厚，今与之同[126]，岂不违负[127]大义。生为逆臣，死为愚鬼，永为宗党[128]之耻，不亦惜乎！为君之计，莫若伪许应命，而驰袭[129]武昌。大将军士众闻之，必不战自溃，大勋可就矣！”卓雅[130]不欲从敦，闻道融之言，遂决曰：“吾本意也！”乃与巴东监军柳纯、南平太守夏侯承、宜都太守谭该等露檄[131]数敦逆状[132]，帅所统致讨[133]。遣参军司马赞、孙双奉表诣台[134]，罗英至广州，约陶侃同进[135]。戴渊在江西[136]先得卓书，表上之，台内[137]皆称万岁。

而将军与窦融完全不同，将军是本朝任命的官员，有为国讨贼的义务；襄阳的实力与大将军王敦的军事实力相比，也没有当年窦融占据河西时那样强大。假使大将军王敦击败了刘隗，回到武昌后，加强他在石城的驻兵，断绝汉水下游对荆州、湘州军民的粮食供应，将军将怎么办呢？局势掌握在别人手中，却说‘我有克敌制胜的万全之策’，这样的事情从来没有听说过。再说，身为国家的大臣，国家有了危难，却坐视不救，从道义上来说能心安吗？”甘卓还是犹豫不决。邓骞说：“现在既然不能亮明旗号起兵勤王讨贼，又不接受大将军王敦的指令，必然会大祸临头，不论是有识之士，还是愚钝之人，都能看出这一点。议论的人都觉得此事比较难办，就是认为大将军实力强大而我们实力弱小。如今大将军王敦的兵力不过一万多人，留下来守卫武昌的不会超过五千人，而将军您现有的部众已经超过王敦一倍了。以将军的威名，率领自己管辖区域内的精锐，手持朝廷赐予的符节、擂动战鼓，用我们的正义之兵去讨伐叛逆之贼，哪里是王含的留守部队所能抵抗得了的！顺长江而下的王敦部队如果想要回师救援武昌，需要逆流而上，到那时恐怕就无能为力了，将军攻克王敦的老巢武昌，就如同摧枯拉朽一样，还有什么可顾虑的？武昌一旦被攻下之后，王敦的全部军用物资就归我们所有，我们镇守王敦统治之下的荆州、江州，安抚那里的百姓，用恩德招徕抚慰士卒，使回来的人就像回到家中一样，这就是三国时期，吴国将领吕蒙攻破蜀汉关羽所采用的战术。如果放弃这个必胜的计策，安心地坐在这里等待灭亡，不能说是明智之举呀！”

王敦担心甘卓在自己的后方采取不利于自己的军事行动，就又派担任参军的丹杨人乐道融前往襄阳邀请甘卓，一定要甘卓与自己一同东下进攻建康。参军乐道融虽然在王敦手下做事，但对于王敦的叛逆行为感到非常愤恨，于是劝说甘卓：“皇帝亲自处理朝政、日理万机，是他自己任用谯王司马承为湘州刺史，而不是把所有权力都交给刘隗、一切听从刘隗。而王氏因为自己专擅国家权柄时间太久，一旦看见皇帝把权力分散给别人，就觉得自己被架空、被夺了权，于是就忘掉皇帝的恩义，肆无忌惮地发动叛乱，兴兵杀向朝廷。国家对您恩德深厚，如果现在与王敦同心合作，岂不是违背了大义、辜负了皇恩吗？活着的时候成为一个叛逆之臣，死后成为一个愚蠢之鬼，永远成为宗族的耻辱，不是太可惜了吗?！为您考虑，目前不如假装答应王敦的邀请，然后突然奔袭武昌。大将军王敦手下的将士听到武昌被袭的消息，必然从内部崩溃，阁下伟大的勋业就可以成功了！”甘卓素来不愿意听从王敦，他听了乐道融的一番话之后，遂下定决心说：“这才是我的本意！”于是就与巴东监军柳纯、南平太守夏侯承、宜都太守谭该等，张贴公告列数王敦叛逆的罪状，率领自己属下的军队东下讨伐王敦。又派担任参军的司马赞、孙双，携带着表章前往建康，将情况禀告朝廷，派罗英到广州，约请广州刺史陶侃同时进军。戴渊在江西地区最先看到甘卓的露檄，就转呈给了晋元帝司马睿，朝廷的文武百官全都欢呼万岁。

陶侃得卓信，即遣参军高宝帅兵北下。武昌城中传卓军至，人皆奔散。

敦遣从母弟⑬⑧南蛮校尉魏乂、将军李恒帅甲卒二万攻长沙。长沙城池不完⑬⑨，资储又阙⑭⓪，人情震恐。或说谯王承南投陶侃，或退据零、桂⑭①。承曰："吾之起兵，志欲死于忠义，岂可贪生苟免，为奔败之将乎！事之不济⑭②，令百姓知吾心耳。"乃婴城固守⑭③。未几⑭④，虞望战死。甘卓欲留邓骞为参军，骞不可，卓[1]乃遣参军虞冲与骞偕⑭⑤至长沙，遗谯王承书，劝之固守，当以兵出沔口⑭⑥，断敦归路，则湘围自解。承复书称："江左中兴，草创始尔，岂图⑭⑦恶逆萌自宠臣⑭⑧。吾以宗室受任，志在陨命⑭⑨，而至止尚浅⑮⓪，凡百茫然⑮①。足下能卷甲电赴⑮②，犹有所及。若其狐疑⑮③，则求我于枯鱼之肆⑮④矣！"卓不能从。

二月甲午⑮⑤，封皇子昱为琅邪王。

后赵王勒立子弘为世子。遣中山公虎将精卒四万击徐龛，龛坚守不战，虎筑长围守之⑮⑥。

赵主曜自将击杨难敌⑮⑦。难敌逆战⑮⑧不胜，退保仇池。仇池诸氐羌及故晋王保⑮⑨将杨韬、陇西⑯⓪太守梁勋皆降于曜。曜迁陇西万余户于长安，进攻仇池。会军中大疫，曜亦得疾，将引兵还。恐难敌蹑其后⑯①，乃遣光国中郎将⑯②王犷说难敌，谕⑯③以祸福，难敌遣使称藩⑯④。曜以难敌为假黄钺⑯⑤，都督益、宁、南秦、凉、梁、巴⑯⑥六州，陇上、西域⑯⑦诸军事，上大将军⑯⑧，益、宁、南秦三州牧，武都王⑯⑨。

秦州刺史陈安求朝⑰⓪于曜，曜辞以疾。安怒，以为曜已卒，大掠⑰①而归。曜疾甚，乘马舆⑰②而还，使其将呼延寔监辎重⑰③于后。

广州刺史陶侃得到甘卓的书信，立即派遣担任参军的高宝率军北上。王敦的大本营武昌城中听说甘卓的讨伐大军即将到来，人心惶恐，四散奔逃。

王敦派自己的姨母弟、担任南蛮校尉的魏乂及将军李恒率领全副武装的士兵两万人攻打驻守长沙的谯王司马丞。长沙城池修建得既不坚固也不完备，物资储备又十分缺乏，因此人心惶恐不安。有人劝说谯王司马丞，希望他向南投奔镇守广州的陶侃，或是撤退到零陵、桂阳进行坚守。谯王司马丞说："我在起兵之时，就下定了为忠义而献身的决心，怎么能够贪生怕死，为了逃得性命而做一个逃奔的败军之将呢！事情即使不能成功，也要让百姓知道我对朝廷的一片忠心。"于是便围着城池构筑营垒，进行严密防守。时隔不久，谯王新任命的司马虞望在沙场阵亡。梁州刺史甘卓想把谯王的使者邓骞留在自己手下担任参军，邓骞不同意，甘卓就派自己属下担任参军的虞冲与邓骞一同来到长沙晋见谯王司马丞，他在写给谯王的信中劝说谯王固守长沙城，并许诺将率军从沔口出兵进入长江，截断王敦的归路，到那时长沙的包围自然也就解除了。司马丞在给甘卓的复信中说："晋国虽然在江东复兴，但还处在草创阶段，一切都刚刚开始，没料到乱臣贼子竟然出在最受皇帝宠信的大臣之中。我以一名皇室成员的身份接受了皇帝的任命，志在一死，然而不幸的是我来到湘州任职的时间太短，对各种事务还没有理出个头绪。阁下如果能够率领军队飞速赶来救援，还能来得及。如果还在犹豫不决，那就到店铺的死鱼堆中去寻找我吧！"甘卓没有听从司马丞的意见。

二月初十日甲午，晋元帝司马睿封皇子司马昱为琅邪王。

后赵王石勒册立自己的儿子石弘为世子。他派遣中山公石虎率领四万名精锐士卒攻击自称为兖州刺史的徐龛，徐龛坚守泰山拒不出战，石虎就在城外围绕城池修筑起一道长墙，将泰山城长期围困起来。

前赵主刘曜亲自率军征讨氐王杨难敌。杨难敌迎战刘曜不能取胜，就退入仇池山中坚守。仇池辖境之内的氐族、羌族以及已故晋王司马保的旧将杨韬、陇西太守梁勋都投降了前赵主刘曜。刘曜将陇西的一万多户迁居到自己的都城长安，而后进攻坚守仇池山的氐王杨难敌。军中忽然瘟疫流行，刘曜也感染了这种瘟疫，因此准备率军班师。他又担心杨难敌紧随其后攻打，就派担任光国中郎将的王犷去说服杨难敌，为他分析形势，指明前途，于是杨难敌派使者晋见前赵主刘曜，表示愿意归降前赵，做前赵的藩属国。刘曜便将饰有黄金的大铜斧赐予杨难敌，以示荣宠，任命他为都督益州、宁州、南秦州、凉州、梁州、巴州六州及陇上、西域诸军事，上大将军，益州、宁州、南秦州三州牧，武都王。

秦州刺史陈安请求朝见前赵主刘曜，刘曜以自己有病为由拒绝了他的请求。陈安因此发怒，以为刘曜已经去世，于是在仇池大肆抢掠一番后返回秦州。刘曜病势沉重，不能骑马，乘坐用马拉着的轿车返回前赵的都城长安，派属下将领呼延寔押

安邀击[174]，获之[175]，谓寔曰："刘曜已死，子尚谁佐[176]？吾当与子共定大业。"寔叱之曰："汝受人宠禄[177]而叛之，自视智能何如主上？吾见汝不日[178]枭首于上邽市[179]，何谓大业！宜速杀我！"安怒，杀之，以寔长史鲁凭为参军。安遣其弟集帅骑三万追曜，卫将军呼延瑜逆击，斩之。安乃还上邽，遣将袭汧城[180]，拔之。陇上氐、羌皆附于安，有众十余万，自称大都督，假黄钺，大将军，雍、凉、秦、梁四州牧，凉王，以赵募为相国。鲁凭对安大哭，曰；"吾不忍见陈安之死也！"安怒，命斩之。凭曰："死自吾分，悬吾头于上邽市，观赵之斩陈安也。"遂杀之。曜闻之，恸哭曰："贤人，民之望[181]也。陈安于求贤之秋而多杀贤者，吾知其无所为也。"

休屠王石武[182]以桑城[183]降赵，赵以武为秦州刺史，封酒泉王[184]。

帝征戴渊、刘隗入卫建康。隗至，百官迎于道。隗岸帻大言[185]，意气自若[186]。及入见，与刁协劝帝尽诛王氏。帝不许，隗始有惧色[187]。

司空导[188]帅其从弟中领军邃[189]，左卫将军廙[190]，侍中侃、彬及诸宗族二十余人，每旦诣台待罪[191]。周顗将入，导呼之曰："伯仁[192]，以百口累卿[193]！"顗直入不顾。既见帝，言导忠诚，申救甚至[194]。帝纳其言。顗喜饮酒，至醉而出。导犹在门，又呼之。顗不与言，顾左右曰："今年杀诸贼奴[195]，取金印如斗大，系肘后。"既出，又上表明导无罪，言甚切至[196]。导不之知，甚恨之。

帝命还导朝服，召见之。导稽首[197]曰："逆臣贼子，何代无之，不意今者近出臣族！"帝跣[198]而执其手，曰："茂弘[199]，方寄卿以百里之

解着军用物资断后。陈安在中途拦截前赵军的辎重，俘获了呼延寔，他对呼延寔说："赵主刘曜已经去世，你还辅佐谁呢？我当与你共同创造大业。"呼延寔斥责他说："你接受了赵国的宠爱和爵禄，现在却又背叛了赵国，你自己的智慧和能力比得上主上刘曜吗？我看你过不了几天就会在上邽的闹市中被枭首示众，还谈得上什么创建大业！你应该快点把我杀死！"陈安大怒，就真的把呼延寔杀死了，他任命呼延寔的长史鲁凭为参军。陈安派自己的弟弟陈集率领三万名骑兵追杀前赵主刘曜，刘曜属下的卫将军呼延瑜迎头痛击，将陈集斩首。陈安这才返回上邽，他又派兵袭击汧城，将汧城攻克。陇上的氐人、羌人都归附了陈安，陈安此时已经拥有部众十多万人，于是便自称大都督、假黄钺、大将军，雍州、凉州、秦州、梁州四州牧，凉王，任用赵募为相国。鲁凭对陈安大哭着说："我不忍心看到陈安死！"陈安一怒之下就命人将鲁凭斩首。鲁凭说："死对我来说是应该的，你把我的首级悬挂在上邽的街市上，我要亲眼看到赵国人如何将陈安斩首。"陈安遂杀死鲁凭。刘曜听到鲁凭被陈安杀死的消息，痛哭流涕地说："贤能的人，是众望所归的人物。陈安在需要贤才的时候，却杀掉了许多贤能之人，于此就知道陈安成不了什么大气候。"

匈奴休屠王石武献出桑城，投降了前赵，前赵任命石武为秦州刺史，封他为酒泉王。

晋元帝司马睿征召征西将军、司州刺史戴渊和镇北将军、青州刺史刘隗率军回来守卫京师建康。刘隗奉命回到建康，朝中的文武官员在道旁迎接。刘隗把头巾往上推了推，露出额头，大声讲着话，气概谈吐还像往常一样。等他见到晋元帝司马睿的时候，就与刁协一起劝说晋元帝把王氏家族的人全部诛灭。晋元帝没有同意，刘隗这才感到事态严重，流露出了畏惧的神色。

在朝中担任司空的王导率领着自己的堂兄弟，即担任中领军的王邃、担任左卫将军的王廙、担任侍中的王侃与王彬以及宗族中的二十多人，每天天一亮就到皇宫门外请罪听候处置。担任尚书仆射的周顗将要入朝，王导叫着他的字对他说："伯仁，我将全族一百多口全部托付给你了！"周顗径直进入皇宫，连看也没看王导一眼。周顗见到晋元帝时，就替王导申冤，反复说明王导的冤枉并予以救助，情辞非常恳切。晋元帝决定采纳周顗的意见。周顗喜欢饮酒，一直喝得酩酊大醉才辞别出宫。王导此时还在皇宫门口等候，看见周顗出来，就又呼叫他。周顗没有与王导说话，他看着自己的左右侍从，说："今年我要诛杀王敦等乱臣贼子，换取如斗大的金印，系在胳膊肘后。"周顗回到家中，又上表给晋元帝司马睿，申明司空王导没有罪过，话说得非常恳切。周顗为王导所做的一切，王导毫不知情，还以为周顗对自己见死不救，因此对周顗非常痛恨。

晋元帝命人将朝服归还给王导，然后召见他。王导见到晋元帝就磕头至地说："乱臣贼子，哪朝哪代没有，没料到现在竟然出在我的家族之中！"晋元帝顾不得穿鞋就赶紧离开座位，上前拉起他的手，叫着王导的字说："茂弘，我正要把国家的政

命，[200]是何言邪！[201]”

三月，以导为前锋大都督，加戴渊骠骑将军。诏曰：“导以大义灭亲[202]，可以吾为安东时节假之[203]。”以周𫖮为尚书左仆射，王邃为右仆射。帝遣王廙往谕止敦[204]，敦不从而留之，廙更为敦用[205]。征虏将军周札[206]素矜险[207]好利，帝以为右将军、都督石头[208]诸军事。敦将至，帝使刘隗军金城[209]，札守石头，帝亲被甲徇师[210]于郊外。以甘卓为镇南大将军，侍中，都督荆、梁二州诸军事，陶侃领江州[211]刺史，使各帅所统以蹑敦后[212]。

敦至石头，欲攻刘隗。杜弘言于敦曰：“刘隗死士[213]众多，未易可克，不如攻石头。周札少恩，兵不为用，攻之必败，札败则隗自走矣。”敦从之。以弘为前锋，攻石头，札果开门纳弘。敦据石头，叹曰：“吾不复得为盛德事矣[214]！”谢鲲曰：“何为其然也[215]？但使自今以往日忘日去耳[216]。”

帝命刁协、刘隗、戴渊帅众攻石头，王导、周𫖮、郭逸、虞潭等三道出战[217]，协等兵皆大败。太子绍闻之，欲自帅将士决战。升车将出，中庶子温峤执鞚[218]谏曰：“殿下国之储副[219]，奈何以身轻天下！[220]”抽剑斩鞅[221]，乃止。

敦拥兵不朝，放士卒劫掠，宫省奔散[222]，惟安东将军刘超按兵直卫[223]，及侍中二人侍帝侧。帝脱戎衣，著朝服，[224]顾而言曰[225]：“欲得我处[226]，当早言，何至害民如此！”又遣使谓敦曰：“公若不忘本朝[227]，于此息兵，则天下尚可共安[228]。如其不然[229]，朕当归琅邪[230]以避贤路[231]。”

刁协、刘隗既败，俱入宫，见帝于太极东除[232]。帝执协、隗手，流涕呜咽，劝令避祸[233]。协曰：“臣当守死，不敢有贰[234]！”帝曰：“今事

令托付于你，你说的这是什么话呢！”

三月，晋元帝司马睿任命王导为前锋大都督，加封征西将军、司州刺史戴渊为骠骑将军。司马睿下诏说：“王导大义灭亲，把我当年任安东将军时的符节授予王导使用。”任命周𫖮为尚书左仆射，任命王导的堂弟中领军王邃为尚书右仆射。晋元帝派王廙前往王敦那里，劝他不要造反，王敦不但没有听从晋元帝的劝阻，反而将王廙留下来，王廙反倒成了王敦的帮凶。担任征虏将军的周札，一向骄矜阴险、贪图私利，晋元帝任用他为右将军、都督石头诸军事。王敦的大军即将逼近，晋元帝派刘隗驻兵于金城，周札驻兵于石头城，晋元帝身披铠甲亲自到建康郊外巡视检阅部队。晋元帝任命梁州刺史甘卓为镇南大将军、侍中、都督荆梁二州诸军事，任命广州刺史陶侃兼任江州刺史，令他们各自率领属下部队在王敦军队的两侧跟踪。

王敦率军抵达石头城，准备先攻打防守金城的刘隗。杜弘向王敦建议说：“刘隗身边聚集的敢死之士很多，因此金城不容易攻克，不如先攻取石头城。防守石头城的周札对属下刻薄少恩，士卒不会为他去拼命作战，只要攻打石头城，周札必败无疑，周札一败，刘隗自己就逃走了。”王敦听从了杜弘的意见。任命杜弘为前锋，率军攻打石头城，周札果然打开城门，放杜弘进城。王敦顺利地占据了石头城，他叹息着说：“我不可能再被后世称赞为有美好品德的人了！”谢鲲在旁边说：“怎么可能是这个样子呢？随着时光的推移，今后大家会一点点将以往的事情忘却的。”

晋元帝下令刁协、刘隗、戴渊率军攻夺被王敦占领的石头城，王导、周𫖮、郭逸、虞潭等兵分三路同时出战，刁协等全都被王敦打得大败。皇太子司马绍听到战败的消息，就要亲自率领将士与王敦决一死战。他登上战车准备出城的时候，担任中庶子的温峤抓住马络头劝阻说：“殿下是国家未来的君位继承人，怎么能不顾国家利益，非要亲自冒险出战呢！”说完抽出宝剑就砍断了马缰绳，皇太子司马绍这才不再坚持亲自出战。

王敦拥兵自重而拒绝晋见晋元帝司马睿，他放任士卒在建康城中大肆抢掠，宫廷及朝廷的官员全都四处逃散，只有担任安东将军的刘超统领着手下士兵，照常值勤护卫皇宫，另外还有两位担任侍中的官员侍奉在晋元帝身边。晋元帝司马睿脱下身上的戎装，换上朝服，他对四周的人说：“谁要是想得到我这个皇帝宝座，应当早点说出来，何至如此地残害百姓！”晋元帝又派使者去对王敦说：“你如果还没有忘记自己是本朝的官员，还承认我是皇帝，就请从此停止战争，我们还可相安共处。如果存心要推翻晋王朝，要我下台，那我就回到封地去当琅邪王，给你们当中的贤才让位。”

刁协、刘隗打了败仗之后，一起进宫，他们在太极殿的东台阶见到了晋元帝司马睿。晋元帝拉着刁协、刘隗的手，痛哭流涕，声音哽咽，他劝说刁协、刘隗离开建康，找地方躲起来。刁协说：“我应当守候在这里等死，而不敢有背离之心！”晋元帝说：“如

逼[235]矣，安可不行!”乃令给协、隗人马，使自为计。协老，不堪骑乘[236]，素无恩纪[237]，募从者[238]皆委之[239]。行至江乘[240]，为人所杀，送首于敦。隗奔后赵，官至太子太傅而卒。[241]

帝令公卿百官诣石头[242]见敦。敦谓戴渊曰：“前日之战，有余力乎?”渊曰：“岂敢有余，但力不足耳!”[243]敦曰：“吾今此举，天下以为何如?”渊曰：“见形者谓之逆，体诚者谓之忠。”[244]敦笑曰：“卿可谓能言。”又谓周顗曰：“伯仁，卿负我[245]!”顗曰：“公戎车犯顺[246]，下官亲帅六军，不能其事[247]，使王旅[248]奔败，以此负公[249]!”

辛未[250]，大赦。以敦为丞相、都督中外诸军、录尚书事、江州牧，封武昌郡公，并让不受。

初，西都覆没[251]，四方皆劝进于帝[252]。敦欲专国政，忌帝年长[253]难制，欲更议所立，王导不从。及敦克建康，谓导曰：“不用吾言，几至覆族。”

敦以太子有勇略，为朝野所向[254]，欲诬以不孝而废之。大会百官，问温峤曰：“皇太子以何德称[255]!”声色俱厉。峤曰：“钩深致远[256]，盖非浅局所量[257]，以礼观之[258]，可谓孝矣[259]。”众皆以为信然，敦谋遂沮[260]。

帝召周顗于广室[261]，谓之曰：“近日大事[262]，二宫无恙[263]，诸人平安，大将军固副所望[264]邪?”顗曰：“二宫自如明诏[265]，臣等尚未可知。”护军长史郝嘏[266]等劝顗避敦，顗曰：“吾备位大臣[267]，朝廷丧败，宁可[268]复草间求活[269]，外投胡越[270]邪?”敦参军吕猗尝为台郎[271]，性奸谄。戴渊为尚书，恶之。猗说敦曰：“周顗、戴渊，皆有高名，足以惑众[272]。近者之言[273]，曾无怍色[274]。公不除之，恐必有再举之忧[275]。”敦素忌二人之才，心颇然之，从容[276]问王导曰：“周、戴，南北之望，[277]当登三

今事情紧急，怎么能不走呢!”就下令拨给刁协、刘隗二人一部分人马，让他们各奔前程。刁协年事已高，忍受不了骑马、坐车的颠簸，再加上平时对部下既没有恩德，又无法纪，所以应募而来的一些随从都抛下刁协自己逃走了。刁协逃到江乘的时候，被人杀死，并将他的首级送给了王敦。刘隗投奔了后赵，官至太子太傅而卒。

晋元帝司马睿让公卿百官前往石头城去见王敦。王敦对戴渊说:“前天的战斗，你是不是还有力量没有使出来呀?”戴渊回答说:“我怎么敢留有余力，只是力量不足罢了!”王敦又问:“我的举动，天下人是怎么个看法?”戴渊说:“只看你行动的人会认为你是叛逆，体会你内心的人会认为你是忠臣。”王敦笑着说:“你可算得上会说话。”王敦又叫着周颉的字说:“伯仁，你对不起我!”周颉说:“你率领战车进逼朝廷，我亲自率领六军阻止，却没能胜任此事，使帝王的军队遭到失败，这才是我对不起你的地方!”

三月十八日辛未，晋实行大赦。任命王敦为丞相、都督中外诸军、录尚书事、江州牧，封为武昌郡公，王敦全部辞让没有接受。

当初，西都长安陷落、晋愍帝被俘之后，四面八方的官员都劝说司马睿即皇帝位。王敦想要专擅国政，忌讳晋元帝年纪太大难以控制，就想选择年幼些的立为国君，王导没有听从他的意见，而是拥戴司马睿做了皇帝。等到王敦攻克建康之后，便对王导说:“你当初不听我的话，现在差点被他灭族。”

王敦因为皇太子司马绍勇敢而有谋略，深受在朝官员和乡野百姓的敬仰，所以就想给他冠上一个不孝的罪名而把他废掉。于是王敦聚集文武百官，问温峤说:“司马绍有何德能符合太子的称号!”说这话的时候声色俱厉。温峤回答说:“皇太子才力广大，物在深处能把它钩取出来，物在远方能把它招致来，这不是我等这种见识浅薄、气度狭小的人所能妄加衡量的，仅从知礼这一点而论，皇太子可以称得上是大孝子。”众人都认为确实如此，王敦的阴谋才没有得逞。

晋元帝司马睿在广室召见周颉，他对周颉说:“近几天所发生的事情，幸好两宫平安无事，大家也都平安，大将军王敦是否满足心愿、达到目的，不再干别的事情了?”周颉回答说:“两宫确实像陛下所说的那样，已经平安无事，但我等臣属是否平安还是个未知数。”担任护军长史的郝嘏等都劝说周颉躲着点王敦，周颉说:“我身为朝廷大臣，朝廷遭遇如此挫折和失败，我怎么能逃避到草泽山间去求得活命，或是跑到北方去投奔胡人、逃往南方去投奔越人呢?”王敦属下的参军吕猗，曾经在朝廷担任过台郎，性情奸诈，擅长阿谀奉承。戴渊担任尚书时，很讨厌他。吕猗于是借此机会对王敦说:“周颉、戴渊这两个人，都有很高的名望，说话很有号召力。他们近来的言论，竟然没有一点畏惧之意。您现在不把他们除掉，恐怕以后还得再一次起兵来解决他们的问题。”王敦一向忌惮二人的才能，心里认为吕猗的话说得很对，于是便装出一副漫不经心的样子试探着问王导说:“周颉、戴渊，在南北两地都有很

司[278]无疑也。”导不答[279]。又曰：“若不三司，止应令仆[280]邪？”又不答。敦曰：“若不尔，正当诛尔！”又不答。丙子[281]，敦遣部将陈郡邓岳收[282]𫖮及渊。先是，敦谓谢鲲曰：“吾当以周伯仁为尚书令，戴若思为仆射。”是日，又问鲲：“近来人情[283]何如？”鲲曰：“明公之举，虽欲大存社稷，然悠悠之言[284]实未达高义[285]。若果能举用周、戴，则群情帖然[286]矣。”敦怒曰：“君粗疏[287]邪！二子不相当[288]，吾已收之矣！”鲲愕然自失[289]。参军王峤曰：“‘济济多士，文王以宁’[290]，奈何戮诸名士！”敦大怒，欲斩峤，众莫敢言。鲲曰：“明公举大事，不戮一人。峤以献替忤旨[291]，便以衅鼓[292]，不亦过乎？”敦乃释之，黜[293]为领军长史[294]。峤，浑[295]之族孙也。

𫖮被收，路经太庙[296]，大言[297]曰：“贼臣王敦，倾覆社稷，枉杀忠臣，神祇有灵，当速杀之！”收人[298]以戟伤其口，血流至踵，容止自若[299]，观者皆为流涕。并戴渊杀之于石头南门之外。

帝使侍中王彬[300]劳敦。彬素与𫖮善，先往哭𫖮，然后见敦。敦怪其容惨[301]，问之。彬曰：“向[302]哭伯仁，情不能已。”敦怒曰：“伯仁自致刑戮，且凡人遇汝[303]，汝何哀而哭之！”彬曰：“伯仁长者，兄之亲友。在朝虽无謇愕[304]，亦非阿党[305]。而赦后加之极刑[306]，所以伤惋[307]也。”因[308]勃然数敦曰：“兄抗旌[309]犯顺，杀戮忠良，图为不轨[310]，祸及门户[311]矣！”辞气慷慨，声泪俱下。敦大怒，厉声曰：“尔狂悖[312]乃至此，以吾为不能杀汝邪！”时王导在坐，为之惧[313]，劝彬起谢[314]。彬曰：“脚痛不能拜，且此复何谢[315]！”敦曰：“脚痛孰若颈痛？”彬殊无[316]惧容，竟不肯拜[317]。

王导后料检[318]中书故事[319]，乃见𫖮救己之表，执之流涕曰：“吾虽不杀伯仁，伯仁由我而死[320]，幽冥之中[321]，负此良友！”

高的声望，让他们出任三司的职务是毫无疑问的。”王导没有回答王敦的提问。王敦又问：“如果不能担任三司的职务，那就只能出任尚书令及左右仆射了？”王导还是没有回答。王敦说：“如果都不是的话，那就应当把他们杀掉！”王导依然没有回答。三月二十三日丙子，王敦派自己的部将陈郡人邓岳带人去逮捕周顗和戴渊。先前，王敦曾经对谢鲲说：“我想让周顗担任尚书令，让戴渊担任仆射。”这天，他又问谢鲲说：“近来人心如何？”谢鲲回答说：“您这次采取的军事行动，虽然目的是保存国家社稷，然而从社会上一般人的议论来看，都没有理解您的崇高目的。如果能够举用周顗、戴渊，众人之心就会安定下来。”王敦一听不禁勃然大怒，说：“你太粗心了！这两个人的德识与他们的声望是不相称的，我已经派人把他们抓起来了！”谢鲲对王敦突然改变态度感到非常惊愕而自觉失言。担任参军的王峤说：“‘因为有了威仪济济的众多贤士，周文王的国家才得以安宁’，为什么非得要杀戮那些有名望的士人呢！”王敦更加恼怒，就要杀死王峤，众人当中没有人敢出来劝阻。谢鲲说：“明公率军东下建康以清君侧，这么大的举动都没有杀戮任何一个。王峤因为提意见不合您的心思，您就要把他斩首，是不是有点过分了？”王敦这才释放了王峤，但把他降职为领军长史。王峤，是王浑的族孙。

周顗被逮捕，在押送途中经过皇家太庙，周顗大声地说：“乱臣贼子王敦，颠覆国家，枉杀忠臣，神明如果有灵，必定很快将他杀死！”负责逮捕、押送他的人用戟猛戳他的嘴，鲜血一直流到脚下，而周顗的神情举止仍然和往常一样，旁观的人都为他痛惜地流下眼泪。周顗与戴渊一起被杀死在石头城的南门之外。

晋元帝司马睿派担任侍中的王彬前去慰劳王敦。王彬一向与周顗友善，所以他在临行之前先去哭祭周顗，而后才去见王敦。王敦看王彬面容悲怆，感到很奇怪，就询问他原因。王彬回答说：“刚哭完周顗，情不自禁。”王敦发怒说：“周顗是自己找死，再说他像对待普通人那样对待你，你有什么可悲哀的要去哭他！”王彬说：“周顗是一个待人宽厚的长者，也是兄长的亲近好友。在朝中虽然不能坚持真理、仗义执言，但从来没有放弃原则，一味顺从、以讨好于人。大赦令已经发布，现在却用极刑将他处死，所以我深感悲伤和惋惜。”越说越气，竟然抨击王敦说：“兄长你兴兵进犯朝廷冒犯君主，杀戮忠良，阴谋造反，将给我们王氏家族招致灭门之祸！”言辞慷慨激昂，声泪俱下。王敦大怒，大声说：“你竟敢如此狂妄无理，以为我不能杀你吗！”当时王导也在座，很为王彬感到害怕，就劝说王彬起来向王敦道歉。王彬说：“我的脚痛不能下拜，再说，我有什么可道歉的?!”王敦说：“脚痛与脖子痛，哪一个更痛？”王彬没有一点畏惧的神色，到头来也没有向王敦赔礼道歉。

王导后来在整理中书省所保存的档案资料时，看到了周顗为营救自己而上奏的表章，他捧着周顗的表章泪流满面地说：“我虽然没有亲手杀死周顗，但周顗却因我而死，黄泉之下，辜负了这样的好朋友！”

沈充拔吴国[322]，杀内史张茂。

初，王敦闻甘卓起兵，大惧。卓兄子卬为敦参军，敦使卬归说卓曰："君此自是臣节，不相责也。吾家计急[323]，不得不尔。想便旋军襄阳[324]，当更结好。"卓虽慕忠义，性多疑少决。军于猪口[325]，欲待诸方[326]同出军，稽留累旬[327]不前。敦既得建康[328]，乃遣台使[329]以驺虞幡驻卓军[330]。卓闻周顗、戴渊死，流涕谓卬曰："吾之所忧，正为今日。且使圣上元吉[331]，太子无恙，吾临敦上流[332]，亦未敢遽危社稷[333]。适吾径据武昌[334]，敦势逼[335]，必劫天子以绝四海之望[336]，不如还襄阳，更思后图。"即命旋军。都尉秦康与乐道融说卓曰："今分兵断彭泽[337]，使敦上下不得相赴[338]，其众自然离散，可一战擒也。将军起义兵而中止，窃为将军不取。且将军之下，士卒各求其利[339]，欲求西还，亦恐不可得也。"卓不从。道融昼夜泣谏，卓不听，道融忧愤而卒。卓性本宽和，忽更强塞[340]，径还襄阳，意气骚扰[341]，举动失常，识者知其将死矣。

王敦以西阳王羕[342]为太宰，加王导尚书令，王廙为荆州刺史。改易百官及诸军镇，转徙黜免[343]者以百数，或朝行暮改，惟意所欲。敦将还武昌，谢鲲言于敦曰："公至都以来，称疾不朝，是以虽建勋，而人心实有未达[344]。今若朝天子，使君臣释然[345]，则物情[346]皆悦服矣！"敦曰："君能保无变乎？"对曰："鲲近日入觐[347]，主上侧席[348]，迟得见公[349]，宫省穆然[350]，必无虞[351]也。公若入朝，鲲请侍从。"敦勃然曰："正复[352]杀君等数百人，亦复何损于时！"竟不朝而去。夏，四月，敦还武昌。

初，宜都内史天门[353]周级闻谯王承起兵，使其兄子该潜诣长沙

王敦的亲信沈充从吴兴出兵，灭掉了吴国，将吴国内史张茂杀死。

当初，王敦听到梁州刺史甘卓在襄阳起兵的消息，心里非常恐惧。甘卓兄长的儿子甘卬在王敦手下担任参军，王敦就派甘卬回去劝说甘卓："你这样做自然是尽一个臣子的责任，我也不责怪你。我因为整个家族面临的形势紧急，所以才不得不这样做。你如果能够把军队撤回襄阳，我们当再结盟好。"甘卓虽然也倾慕忠义，但性情多疑，遇事缺少决断。他把军队驻扎在猪口，想要等到讨伐王敦的各路人马到齐后再共同进军，因此在猪口逗留了几十天都没有向前进兵。王敦攻克建康，控制了朝廷政权之后，就派朝廷的使臣携带着驺虞幡，命甘卓停止进军。甘卓听到周𫖮、戴渊已经被王敦杀死的消息，痛哭流涕地对甘卬说："我所担忧的，正是今天的这种局势。只要皇帝吉祥，皇太子安然无恙，我率领大军驻扎在王敦的上游，王敦也不敢马上对朝廷怎么样。如果我径直攻占他的大本营武昌，王敦一看形势紧迫，必然会劫持天子以断绝天下人对晋王朝存在的希望，我们不如退回襄阳，以后再做打算。"于是下令班师。担任都尉的秦康与乐道融都来劝说甘卓，他们说："现在如果派出一部分兵力去攻占彭泽，截断王敦老巢武昌与他现在所占据的建康之间的水路要冲，使王敦上下游之间无法互相救援，他的部众必然溃散，到那时可以一战将王敦擒获。将军起义军勤王却半途而废，我们认为将军不应该这样做。而且将军此次东下讨伐王敦，事情成功之后，士卒都能有所获益，现在要他们向西返回襄阳，恐怕是做不到的。"甘卓不接受他们的意见。乐道融日夜不停地哭泣着劝谏，甘卓都听不进去，乐道融因为忧愤过度而死。甘卓原本待人宽厚和善，忽然变得固执己见、一意孤行起来，他率军径直回到襄阳，情绪更加烦躁不安，一举一动都失去常态，有见识的人都预感到甘卓的死期将至了。

王敦任用西阳王司马羕为太宰，提升王导为尚书令，任用王廙为荆州刺史。他调整朝廷的文武百官以及各军镇的官员，被调动、迁移、降职、罢免的有上百人，有时早晨刚刚决定的事情，到了晚上就又改变了主意，想干什么就干什么。王敦准备返回武昌，谢鲲向王敦建议说："自从到达京师以来，你一直推说有病而不朝见皇帝，所以虽然建立了很大的功勋，而民心并不明白你到底想要干什么。现在如果朝见天子，使君臣之间消除疑虑，那么人们就都心悦诚服了！"王敦说："你能保证我朝见天子时不发生意外吗？"谢鲲回答说："我近日入见天子的时候，看见天子侧身而坐，皇帝一旦见到你，整个宫廷必然呈现出一片祥和肃静的景象，必定不会有什么值得担忧的。你如果入朝，我愿意跟从侍奉在你的左右。"王敦勃然大怒说："即使杀死几百个像你们这样的人，对现时能有什么损失！"竟然没有朝见晋元帝就离开了建康。夏季，四月，王敦返回武昌。

当初，宜都内史天门人周级听说谯王司马承起兵抵抗王敦的消息，就派自己的侄子周该悄悄地前往长沙，向谯王司马承表明拥护支持的诚意。王敦姨母弟南蛮校

申款于丞[354]。魏乂等攻湘州急，丞遣该及从事邵陵[355]周崎间出[356]求救，皆为逻者[357]所得。乂使崎语城中，称大将军已克建康，甘卓还襄阳，外援理绝[358]。崎伪许之。既至城下，大呼曰："援兵寻至，努力坚守！"[359]乂杀之。乂考[360]该至死，竟不言其故。周级由是获免。

乂等攻战日逼，敦又送所得台中人书疏[361]，令乂射以示丞。城中知朝廷不守，莫不怅惋[362]。相持且百日[363]，刘翼战死，士卒死伤相枕[364]。癸巳[365]，乂拔长沙，丞等皆被执。乂将杀虞悝，子弟对之号泣。悝曰："人生会当[366]有死，今阖门[367]为忠义之鬼，亦复何恨！"

乂以槛车[368]载丞及易雄送武昌，佐吏皆奔散，惟主簿桓雄、西曹书佐韩阶、从事武延毁服为僮[369]从丞，不离左右。乂见桓雄姿貌举止非凡人，惮[370]而杀之，韩阶、武延执志[371]愈固。荆州刺史王廙承敦旨[372]杀丞于道中。阶、延送丞丧[373]至都，葬之而去。易雄至武昌，意气慷慨，曾无惧容。敦遣人以檄[374]示雄而数之。雄曰："此实有之。惜雄位微力弱，不能救国难耳。今日之死，固所愿也。"敦惮其辞正，释之，遣就舍。众人皆贺之，雄笑曰："吾安得生？"既而[375]敦遣人潜杀[376]之。

魏乂求[377]邓骞甚急，乡人皆为之惧。骞笑曰："此欲用我耳。彼新得州[378]，多杀忠良，故求我以厌人望[379]也。"乃往诣乂。乂喜曰："君，古之解扬也。"[380]以为别驾。

诏以陶侃领湘州刺史。王敦上侃复还广州[381]，加散骑常侍。

甲午[382]，前赵羊后卒，谥曰献文。

甘卓家人皆劝卓备王敦，卓不从，悉散兵佃作[383]，闻谏辄怒。襄

尉魏乂奉王敦之命率领二万甲卒攻打长沙，情况十分紧急，司马承就派周该以及担任从事的邵陵人周崎偷偷混出长沙城去求取救兵，但都被魏乂的巡逻兵抓获。魏乂让周崎向长沙城中喊话，告诉城中，大将军王敦已经攻克都城建康，梁州刺史甘卓已经返回襄阳，等待外援来救的想法已经不可能实现。周崎假装答应魏乂的要求。等来到长沙城下，周崎就冲着城里大声呼喊说："救援的人马不久就要到达，你们努力坚守城池！"魏乂立时将周崎杀死。魏乂用酷刑拷打周该，周该到死也没有透露实情。周级因此得以保全。

魏乂等加紧攻打长沙，王敦又把自己所得到的司马承与朝廷官员之间的通信送给魏乂，让魏乂射入长沙城中给谯王司马承看。城中人因此知道京师建康已经被王敦控制，没有人不为此感到怅恨和惋惜。谯王司马承在长沙城中与魏乂相持将近一百天，衡阳太守淮陵人刘翼战死，士兵的尸体互相枕藉、堆积。四月初十日癸巳，魏乂攻克了长沙，司马承等都被魏乂擒获。魏乂准备杀死长沙长史虞悝，虞悝的子弟们对着他放声大哭。虞悝说："人生总有死亡的一天，今天我们全家人为了忠义而成为刀下之鬼，还有什么遗憾呢！"

魏乂用囚车把谯王司马承以及舂陵令易雄押解武昌，司马承的大小僚属全都逃散了，只有担任主簿的桓雄、担任西曹书佐的韩阶，以及担任从事的武延，他们毁弃官服，改扮成奴仆的模样跟随着司马承，而且寸步不离左右。魏乂见桓雄姿态容貌举止都不像一个普通人，心中惧怕因而杀死了桓雄，韩阶、武延更加坚定地坚持自己的思想节操。荆州刺史王廙秉承王敦的旨意，在谯王司马承去往武昌的途中把他杀死。韩阶、武延把司马承的灵柩送到都城建康，安葬之后才离去。舂陵令易雄被送到武昌，他的意志坚定，气概慷慨，竟然没有丝毫畏惧的神情。王敦派人把易雄所写的列举王敦罪状、号召天下起兵讨伐王敦的檄文拿给易雄看，对他严加责问。易雄说："这件事情确实是有的。可惜的是我易雄地位卑微、力量薄弱，不能拯救国家的灾难。今日之死，本来就是心甘情愿的。"王敦被易雄义正词严的话震慑，就当场释放了他，遣送他回到客舍。众人都来向他道贺，易雄笑着说："我怎么能够活命呢？"事后不久，王敦就派人将易雄暗杀了。

魏乂紧急寻找司马承的主簿邓骞，乡里人都为邓骞担心。邓骞笑着说："魏乂只不过是想利用我罢了。他刚刚攻下湘州，又杀了许多忠良，所以找我出来以顺从民众的愿望。"于是就主动去见魏乂。魏乂高兴地说："先生简直就是古代的解扬啊。"任命邓骞为别驾。

晋元帝司马睿下诏，任命广州刺史陶侃兼任湘州刺史。王敦上奏让陶侃仍回原地任广州刺史，晋元帝只好同意，加授陶侃为散骑常侍。

四月十一日甲午，前赵主刘曜的皇后羊献容去世，谥号是献文。

梁州刺史甘卓的家人都劝说甘卓，要他提防王敦的报复，甘卓没有听从家人的

阳太守周虑密承敦意，诈言湖中多鱼，劝卓遣左右悉出捕鱼。五月乙亥[384]，虑引兵袭卓于寝室，杀之，传首于敦，并杀其诸子。敦以从事中郎周抚督沔北诸军事，代卓镇沔中[385]。抚，访之子也。

敦既得志，暴慢滋甚，四方贡献多入其府，将相岳牧[386]皆出其门。以沈充、钱凤为谋主[387]，唯二人之言是从，所谮[388]无不死者。以诸葛瑶、邓岳、周抚、李恒、谢雍为爪牙。充等并凶险骄恣，大起营府，侵人田宅，剽掠市道[389]，识者咸知其将败焉。

---

【段旨】

以上为第一段，写晋元帝永昌元年（公元三二二年）正月到六月半年间的大事。主要写了东晋王朝的大权奸王敦以清除晋元帝所宠信的刘隗、刁协为名，在武昌起兵谋反，攻克都城建康，刁协被杀，刘隗北奔石勒，接着又杀了当时的名臣周顗、戴渊等人；写了王敦独居石头城，不见司马睿，后又返回武昌而遥控朝廷；写了湘州刺史谯王司马丞举义旗讨伐王敦，但因势孤力单，长沙失陷，司马丞与虞悝、桓雄、易雄等一批忠义之士被俘、被杀；写了梁州刺史甘卓先是动摇观望，后来起兵反王敦，但又逗留不进，坐视湘州刺史司马丞被围而不救，任其被灭；待王敦攻下建康，控制朝权，仅仅保留司马睿与其太子的虚名，其他一切由己，乃至“四方贡献多入其府，将相岳牧皆出其门”时，甘卓便以为大事已定，率军返回襄阳，结果被王敦指使的襄阳太守周虑杀死，梁州刺史也由王敦党羽充任；写了王导在王敦专权的日子里，因误解而不救周顗，致使周顗被杀的自私面目；此外还写了氐族头领杨难敌称雄于武都，被前赵主刘曜说服，称藩于刘曜，前赵的秦州刺史陈安反赵，聚众自称凉王等。

【注释】

①郭璞复上疏：郭璞于太兴四年三月，因为日中有黑子，曾上疏给晋元帝请求大赦。现在又请求大赦，故曰“复”。复，又、再。郭璞是当时著名的学者与文学家。②皇孙生：皇孙司马衍于太兴四年十一月出生。司马衍即后来的晋成帝，公元三二六至三四二年在位。③乙卯：正月初一。④改元：改变年号。将“太兴”年号改为“永昌”。⑤记

劝告，他把军士全部遣散到农田去从事农业耕作，而且他听到别人的劝谏就发怒。襄阳太守周虑暗中秉承王敦的旨意，谎称湖中有许多鱼虾，劝说甘卓把自己身边的侍从全部打发出去捕鱼。五月二十三日乙亥，周虑率领军士冲进甘卓的寝室，将甘卓杀死，并将他的首级送给王敦，甘卓的几个儿子也同时被杀。王敦任命担任从事中郎的周抚为都督沔北诸军事，代替甘卓镇守沔中。周抚，是周访的儿子。

王敦专擅国政的愿望已经实现，于是他凶暴、傲慢的本性便愈发高涨，四方呈献给朝廷的贡品大多流入他的大将军府，将领、宰相、地方最高行政长官、军事长官全都出自他的门下。任用沈充、钱凤为心腹谋士，对沈充、钱凤二人言听计从，凡是遭到二人诬陷的，就没有人能躲得过被杀死的命运，任用诸葛瑶、邓岳、周抚、李恒、谢雍作为自己的爪牙。沈充等人全都是凶恶阴险、骄傲放纵的人，他们大肆兴建府第，侵占别人的田地家产，在街市上抢掠东西，在道路上劫人财物，有识之士都知道他们就要败亡了。

---

室参军：王公与将军的属官，掌书记文翰。⑥卜筮：算卦。古人用火灼烧龟甲，通过分析龟甲上被灼开的裂纹以推测事情的吉凶称“卜”；用投掷蓍草以分析吉凶称“筮”。《礼记·曲礼上》：“龟为卜，蓍为筮。”⑦己预其祸：自己处于王敦作乱的行列中。预，参与、加入。⑧大将军掾：大将军属下办事人员。掾，属官。⑨嗣祖：陈述字嗣祖。⑩焉知非福：你的死谁能断定不是一种福分呢。“塞翁失马，焉知非福”的典故出自《淮南子·人间训》。比喻暂时受损失，却因此而得到好处，坏事可以变成好事。此指陈述死，不会再被卷入王敦之乱。⑪乖离：背离。⑫羁录：羁留录用。羁，马笼头，这里是羁缚、强留的意思。录，任用。⑬时望：声望。⑭置己幕府：收罗在自己属下。幕府，古代将帅在军中所居的营帐。这里指军部、军事衙门。⑮羊曼：字祖延，西晋太傅羊祜的侄孙。传见《晋书》卷四十九。⑯谢鲲：字幼舆，陈国阳夏（今河南太康）人。传见《晋书》卷四十九。⑰祜：羊祜，字叔子，司马氏的开国元勋，晋王朝建立后被封为巨平侯，都督荆州诸军事，对吞并东吴有重要贡献。事见《晋书》卷三十四。⑱终日酣醉：整天喝酒，故意不参与王敦造反的阴谋。⑲隗诚始祸：刘隗的确是第一个挑起祸端。指按照司马睿的指令，从事了一系列削弱王氏势力的活动。⑳城狐社鼠：城墙中的狐狸，社稷坛里的老鼠。挖掘狐狸害怕毁坏城墙，熏杀老鼠害怕毁坏社庙，以比喻栖身于帝王身边的恶人。胡三省注曰：“后汉虞延曰：‘城狐社鼠，不畏熏烧，谓有所凭托也。’又中山王胜曰：‘社鼷不灌，屋鼠不熏，所托者然也。’《尔雅翼》曰：‘管仲称社束木而涂之，鼠因往托焉，熏之则恐烧其木，灌之则恐败其涂，此鼠之所以不可得而杀者，以社故也。’以喻君之左右。”㉑岂达大体：哪里知道该如何处理大问题。㉒豫章：晋郡名，郡

治即今江西南昌。㉓戊辰：正月十四。㉔罪状：这里用如动词，即声讨刘隗的罪状。㉕威福自由：作威作福，都是由他个人说了算。自由，由自，出于自己。㉖妄兴事役：随随便便地兴风作浪。事役，指工程、徭役、征调等。㉗备位宰辅：身处宰相之职。备位，谦辞，犹言聊以充数，徒占其位。宰辅，皇帝的辅政大臣，一般指宰相或三公。王敦时为大将军、侍中，故自称备位宰辅。㉘辄进军致讨：于是我起兵讨伐他。辄，乃、于是。㉙隗首朝悬二句：朝廷一旦处死刘隗，我们便立刻退兵。悬，枭首示众。㉚太甲：商代帝王，成汤的长孙，太甲即位后，不遵汤法，被伊尹放逐于桐（今河南虞城东北）。三年后，因悔过返善而得复位。事详见《孟子·万章上》《史记·殷本纪》。㉛颠覆厥度：指败坏商汤的法度。颠覆，败坏。厥，其。度，谓法度、典刑。㉜纳伊尹之忠：多靠有伊尹的忠心。纳，用，这里是靠着。伊尹是商初大臣，名挚。传说出身家奴，以有莘氏女的陪嫁之臣助商灭夏，掌国政。汤死后，先辅佐外丙、仲壬，官为保衡。仲壬去世，又辅佐太甲。事见《史记·殷本纪》。㉝殷道：殷朝的国家政权。㉞深垂：听取臣子们的意见。垂，垂听，垂字用为敬辞。㉟乂安：太平无事。㊱吴兴：晋郡名，郡治乌程县，在今浙江湖州南下菰城。王敦的亲信沈充当时任吴兴太守。㊲督护东吴诸军事：总领东吴一带的各路兵马。督护，监督、节制。东吴，泛指太湖流域一带。㊳芜湖：晋县名，县治在今安徽芜湖东。㊴乙亥：正月二十一。㊵凭恃宠灵：凭借着朝廷对他的恩宠。宠灵，恩宠。㊶方朕太甲：把我比喻成太甲。方，比拟。㊷欲见幽囚：想把我也囚禁起来。见，对……，把……。㊸光禄勋含：王含，时任光禄勋之职。光禄勋的职责是为皇帝管理宫廷门户。㊹温峤：东晋名臣，原为刘琨的部将，后为刘琨捧表南归，遂留仕于朝，此时任太子中庶子，是太子的辅导官。传见《晋书》卷六十七。㊺似有所在：好像是有预定的目标，指讨伐刘隗、刁协等。㊻当无滥邪：也许不会做得过分吧。当无，也许不会。滥，过分、越轨。㊼自非尧、舜：除了尧舜之外。㊽处仲狼抗无上：王敦如此暴戾无君。王敦，字处仲。狼抗，傲慢、暴戾。胡三省曰："狼似犬，锐头白颊，高前广后，贪而敢抗人，故以为喻。"㊾其意宁有限邪：他的欲望还会有止境吗？宁，岂。㊿俱下：一同东下进攻朝廷。当时甘卓镇襄阳（今湖北襄阳），与王敦驻兵的武昌都在建康西面，进军建康是顺长江东下。(51)不赴：不往，意即不与之合作。(52)前与吾语云何：犹今言"以前同我怎么说来着"。(53)虑吾危朝廷：担心我做出对朝廷不利的事情。(54)事济：事情获得成功。(55)当以甘侯作公：一定让甘卓进升公爵，或位列三公。(56)或：有人。(57)昔陈敏之乱二句：晋惠帝永兴二年，军阀陈敏据历阳叛乱，此时任吴王常侍的甘卓投归陈敏，与陈敏结为姻亲。随后陈敏势力扩大，占有了整个江东地区，遂网罗党羽，图谋割据。陈敏把他的坚甲精兵都托付给甘卓，委以征讨之任。这时东海王司马越派人劝说已受陈敏网罗的江东名士顾荣、周玘脱离陈敏，而后顾荣、周玘又共同对甘卓进行策反，甘卓遂与顾荣、刘准等联合，消灭了陈敏。事见本书卷第八十六永兴二年（公元三〇五年）、永嘉元年（公元三〇七年）。(58)惧逼而思变：意思是经不住考验，见利忘义，没有节操。⑤⑨复尔：又是这样。尔，如此、这样。⑥⓪何以自明：何以表明自己的真实想法。⑥①敦旨：王敦的意图。⑥②魏该：在中原地区坚持抗战的将领，与李矩、郭默相联合，共拒刘曜。此时任顺阳太守。⑥③胡贼：指刘渊、刘聪、石勒等。⑥④与：亲附；联合。⑥⑤军司：军师。晋避司马师讳，改称军师为军司。⑥⑥檄：征召。檄是古代官方文书用的木简，这里用作动词，意即征召。⑥⑦虞悝：东晋初期的节义之士，长沙人。传见《晋书》卷八十九。⑥⑧未洽：未周；未深入人心。⑥⑨湘中：湘州地区，指今湖南。⑦⓪金革之事二句：古人凡遇国家危难，即使正在服丧，也义不容辞。金革，兵器、甲胄，代指战争。⑦①猥劣：卑贱；低下。⑦②屈临：屈尊驾临。临，尊者往见卑者。⑦③致死：献身；效死。⑦④檄：讨伐王敦的檄文。⑦⑤敦势必分：王敦必然要分兵以对付四方的反对者。⑦⑥庶几可捷：这样就可以打败他。庶几，或许，表示推测。⑦⑦望：虞望，字子都，虞悝之弟。⑦⑧零陵：晋郡名，郡治即今湖南永州市零陵区。⑦⑨易雄：字兴长，当时的节义之士。传见《晋书》卷八十九。⑧⓪以徇四境：在湘州的四面边境巡行示众。⑧①刘大连：指刘隗，字大连。⑧②骄蹇：傲慢不逊。⑧③私憾：私人之间的怨恨。⑧④称兵向阙：举兵杀向朝廷。称兵，兴兵。阙，古代宫门前的左右两台，以其两台之间有空缺，故名阙。这里代指帝王的宫殿。⑧⑤竭节：尽忠。⑧⑥受任方伯：为一方的诸侯之长，这里用以代称州刺史。⑧⑦奉辞伐罪：如果能以皇帝的名义讨伐叛逆。辞，皇帝的命令。⑧⑧桓文之功：和当年齐桓公、晋文公一样的功勋。齐桓公、晋文公都是春秋时代的诸侯盟主，当周天子两次遇到危难时，都是靠着齐桓公、晋文公率领诸侯打败作乱者，恢复与稳定周天子的统治地位。齐桓公、晋文公都是受到历史称赞的诸侯霸主。事见《左传》与《史记》。⑧⑨志在徇国：一心想为国难献身。徇，通“殉”。⑨⓪隗嚣跋扈：隗嚣称霸一方。隗嚣字季孟，东汉初期的地方军阀，割据于天水、武都、金城等郡，最后被汉光武帝刘秀消灭。传见《后汉书》卷十三。⑨①窦融：西汉末年王莽乱政时期的军事统领，他联合酒泉、敦煌等五郡，割据河西，自称行河西五郡大将军事，后来帮着光武帝刘秀消灭了隗嚣，成为东汉的大功臣。传见《后汉书》卷二十三。⑨②保河西：占据并坚守河西地区。河西，泛指今甘肃、青海的黄河以西地区。⑨③以奉光武：以拥戴光武帝刘秀。刘秀是东汉王朝的建立者，公元二五至五七年在位。纪见《后汉书》卷一。⑨④卒受其福：指隗嚣被消灭后，窦融封侯为卿相等事。李梁说此，是劝甘卓像窦融对待隗嚣和刘秀那样，选好目标，为明主立功。⑨⑤重望：崇高的声誉。⑨⑥委：委派；委任。⑨⑦方面：指掌管一个地区的军政大权的长官。⑨⑧释此庙胜：放着这种不战而胜的路子不走。庙胜，指临战前朝廷做出的克敌制胜的谋略，这里指不战而胜的谋略。古人谋事必祭祖，故有“庙谋”“庙策”“庙算”“庙胜”之称。⑨⑨决存亡于一战：通过一场战斗来决定自己的生死。〖按〗李梁劝甘卓坐山观虎斗，谁胜利投向谁，乃不辨是非、不思顺逆，有奶就是娘的小人行径。⑩⓪当创业之初：指还有许多反对势力尚未削平，尚待征讨。⑩①文服：内心不服，只是口头上表示臣服。⑩②从容顾望：有时间可以游移、观望。⑩③非窦融之比：你与朝廷有君臣之分，有为国讨贼的义务。⑭襄阳之于太府：你甘卓与王敦的军事实力对比。襄阳，指甘卓梁州的军事实力。太府，指王敦军府的实力。⑮非河西之固：也没有当年窦融占据河西时那么强大。⑯增石城之戍：增加他在石城的驻兵，做出进攻甘卓的姿态。石城在今湖北钟祥北，靠近甘卓的军镇襄阳。⑰绝荆、湘之粟：断绝汉水下游对襄阳军民的粮食供应。⑱不为义举：不亮明旗号讨伐王敦。⑲不承大将军檄：不接受王敦的指令。承，接受、听从。⑪见众：现有的兵力。见，通“现”。⑪杖节鸣鼓：手执朝廷的旌节，鸣鼓而攻之。⑫岂王含所能御：哪里是王含所能抵抗的。御，抵抗。当时王敦留下王含守卫武昌。⑬溯流之众势不自救：王敦已经率兵东下，甘卓如果从襄阳顺汉水去攻打他的武昌大本营，王敦即使想逆流西上回师自救，也已无能为力。溯，逆流而上。⑭举武昌：攻克王敦的老巢武昌。⑮据其军实：占有他的一切军事物资，指器械、粮饷等。⑯二州：指王敦统治下的荆州和江州。⑰招怀：招纳安抚。⑱如归：像回到家里一样。⑲吕蒙所以克关羽：吕蒙是三国时吴国的大将。公元二一九年，吕蒙乘蜀将关羽在襄阳同曹军作战之机，潜军袭取江陵，并于麦城擒获关羽，事见《三国志》卷五十四与本书卷第六十九《魏纪一》。⑳乐道融：东晋初期的忠义之士，丹杨人，此时任王敦的佐史。事见《晋书·忠义传》。㉑为湘州：任湘州刺史。㉒卒见分政：突然见朝廷又给别人分出了一些权柄。卒，通“猝”。㉓便谓失职：便说自己被架空了、被夺权了。㉔背恩肆逆：违背皇恩，恣意为乱。㉕遇君：对待你。遇，对待、待遇。㉖与之同：与他同流合污。㉗违负：违背。㉘宗党：同宗同族。㉙驰袭：奔袭。㉚雅：一向；素来。㉛露檄：不缄封的文书，相当于现在的“公告”。㉜数敦逆状：罗列王敦的罪行。数，一条条地列举谴责。㉝致讨：对其进行讨伐。㉞诣台：到建康禀告朝廷。台，本为朝廷的官署名，如御史台、兰台、尚书台，这里代指朝廷。㉟约陶侃同进：时陶侃任广州刺史。㊱江西：当时习惯上称长江西北侧的淮水以南为江西，当时戴渊驻兵合肥，在长江西北侧。㊲台内：犹言朝廷内。㊳从母弟：姨表兄弟。从母，即姨。㊴不完：不完好；不坚固。㊵资储又阙：粮食、兵械等储备又很缺乏。阙，同“缺”。㊶零、桂：零陵郡或桂阳郡。零陵郡的郡治泉陵县，即今湖南永州，桂阳郡的郡治即今湖南郴州，当时都是湘州刺史的管辖区。㊷事之不济：事情即使不成功。济，完成、成功。㊸婴城固守：环绕四面坚守。㊹未几：时间不长。㊺偕：一同。㊻出沔口：从沔口出兵进入长江。沔口，以沔水入长江之口而得名。沔水即今汉水，沔口即今汉口。㊼岂图：犹言“岂料”“哪里料到”。㊽恶逆萌自宠臣：乱臣贼子从宠臣中冒出来。萌，萌生、冒头。㊾陨命：丧命；为国捐躯。㊿至止尚浅：来湘州任职的时间短浅。至止，来此湘州。(151)凡百茫然：一切事情都还没有个头绪。凡百，一切，指各项政务。茫然，头绪不清。(152)卷甲电赴：飞兵前来。卷甲，为急速行军而脱下铠甲抱持而行。电赴，如闪电一般来到。(153)狐疑：优柔寡断。(154)求我于枯鱼之肆：意思是那样我就等不及了。此语出《庄子·外物》。庄子见到车辙中的鲋鱼，鲋鱼问道：“君岂有斗升之水而活我哉?”庄子说：

“我且南游吴越之土，激西江之水而迎子，可乎?”鲋鱼说:“吾得斗升之水然活耳，君乃言此，曾不如早索我于枯鱼之肆!”司马承引此来表明自己身陷困境，亟待救援。肆，店铺。⑮⑤甲午：二月初十。⑮⑥筑长围守之：围着城池修筑起一道长墙，对城中之敌进行长期围困，待其山穷水尽而灭之。⑮⑦杨难敌：当时氐族部落的头领，占据今甘肃一带地区，根据地为仇池，在今甘肃成县西。⑮⑧逆战：迎战。⑮⑨晋王保：司马保，南阳王司马模之子，曾盘踞在秦州一带自称晋王，后被部将张春、杨次杀死。⑯⑩陇西：晋郡名，郡治襄武，在今甘肃陇西东南。⑯①蹑其后：紧随其后而击之。⑯②光国中郎将：刘曜政权的官名，中郎将是帝王的侍卫长官，“光国”是加以美名。⑯③谕：分析形势，指出前途。⑯④称藩：犹言称臣。藩，藩国、属国。⑯⑤假黄钺：古代帝王赐予大臣的一种特殊荣誉。黄钺，以黄金为饰的大斧，本天子所用，后世遂作为帝王的仪仗，有时也授予大臣，表示特别权力与特别荣宠。⑯⑥益、宁、南秦、凉、梁、巴：都是当时的州名，益州的州治原在成都，因此时成都为李雄政权所占据，故寄治巴郡，在今重庆市，宁州的州治滇池，在今云南昆明市晋宁区东北的晋城街道，南秦州的州治下辨，在今甘肃成县西，巴州的州治在今重庆市奉节县东五里。⑯⑦陇上、西域：都是地区名，陇上指陇山所绵亘的今甘肃清水、张家川回族自治县和陕西陇县、宝鸡之间的地区，西域是玉门关（今甘肃敦煌西北）以西地区的总称。⑯⑧上大将军：官名，三国吴始置，掌军事，位在大将军上。⑯⑨武都王：武都原是晋郡名，郡治下辨，在今甘肃成县西。〖按〗刘曜为讨好杨难敌，给杨难敌加了许多荣誉称号，但大多数都有名无实，因为上述的许多州郡根本不在刘曜的管辖之内。⑰⑩求朝：请求拜见。⑰①大掠：指大掠仇池附近。⑰②马舆：马拉的车子，以区别于人抬的肩舆。⑰③监辎重：押解军用物资。监，看护、押运。⑰④邀击：半路袭击。⑰⑤获之：将呼延寔俘获。⑰⑥子尚谁佐：你还在那里准备辅佐谁。⑰⑦受人宠禄：指陈安在太兴二年降前赵，刘曜以安为大将军事。⑰⑧不日：不久；过不了几天。⑰⑨枭首于上邽市：斩首悬挂于上邽的市场。上邽即今甘肃天水，当时为陈安的秦州刺史所驻兵之地。⑱⑩汧城：汧县县治，故城在今陕西庆阳南。⑱①民之望：众望所归的人物。⑱②休屠王石武：休屠是匈奴的一个部落名，其头领名叫石武。“石武”即“石虎”，与石勒的部将石虎同名，但不是同一个人。⑱③桑城：其地不详，应在甘肃东部一带。⑱④酒泉王：酒泉是晋郡，郡治福禄，即今甘肃酒泉。石武被刘曜封为酒泉王，疑只是封号，刘曜的势力当时不可能远达酒泉。⑱⑤岸帻大言：一副傲慢的样子。岸帻，推起头巾，露出前额，形容衣着简率不拘。帻，头巾。大言，大声讲话，以言其无所顾忌。⑱⑥意气自若：气概谈吐还与出事前的样子相同。自若，如常，极言其不知收敛，缺乏自知之明。⑱⑦隗始有惧色：才感觉到了自己的问题严重。⑱⑧司空导：王导，王敦的堂兄，此时在朝任司空之职，位同宰相。传见《晋书》卷六十五。⑱⑨中领军邃：王邃，时任中领军，皇帝亲兵的统帅。⑲⑩左卫将军廙：王廙，王敦的亲信，时在朝任左卫将军，皇帝警卫部队的将领。传见《晋书》卷七十六。⑲①诣台待罪：到朝廷听候处置。⑲②伯仁：周顗的字。周顗是江东名士，与王导等豪族最早出面拥戴司马睿，此时在朝任尚书仆射，领吏部。传见《晋书》卷六十九。⑲³以百口累卿：请你搭救我们这全家一百多口。累，给你添麻烦，请你受累给解救一下。⑲⁴申救甚至：帮着申冤救助，做得很到位。⑲⁵诸贼奴：指王敦等逆臣。⑲⁶切至：恳切妥帖。⑲⁷稽首：古代最虔敬的跪拜礼，行礼时，磕头至地。⑲⁸跣：光脚，表示顾不上穿鞋，慌忙离座的样子。⑲⁹茂弘：王导的字。呼人称字，表示敬重。⑳⁰方寄卿以百里之命：犹言“正要把整个国家的政令托付与你”。寄，托付。百里，谦言国家之小。命，指国家的政令。⑳¹是何言邪：你这是说的什么话呢。意思是你刚才的话太言重了。⑳²大义灭亲：言王导能与王敦划清界限。胡三省曰：“卫石碏之子厚，与公子州吁弑卫桓公，又与州吁如陈，碏使告于陈而杀之。君子曰：‘石碏，纯臣也，恶州吁而厚与焉。大义灭亲，其是之谓乎？’”石碏的故事见《左传》与《史记·卫康叔世家》。⑳³以吾为安东时节假之：把我当年任安东将军时使用的旌节授予王导使用。安东，指安东将军，司马睿登基前镇扬州，领安东将军之职。节，旌节，朝廷所授予将军以表示权威与荣宠的凭信。假，授予。⑳⁴往谕止敦：到王敦处劝他不要造反。⑳⁵廙更为敦用：于是王廙又反过来为王敦效力。⑳⁶周札：字宣季，周处的第三子。传附见《晋书》卷五十八《周处传》。⑳⁷矜险：骄矜而阴险。⑳⁸石头：石头城，也叫“石首城”，简称“石城”，遗址在今南京西清凉山后。⑳⁹军金城：驻兵于金城。金城在今江苏句容北。㉑⁰徇师：巡行检阅军队。㉑¹江州：晋州名，州治即今江西南昌。㉑²蹑敦后：在王敦军队的西侧对之跟踪、追踪。㉑³死士：敢死之士。㉑⁴吾不复得为盛德事矣：我不可能再被后世称赞为有美好品德的人了。盛德，美好的品德。《易·系辞上》：“日新之谓盛德。”㉑⁵何为其然也：怎么会这个样子呢。㉑⁶但使自今以往日忘日去耳：随着时光推移，今后不就一点点地忘记了吗？日，犹言“一天天地”。去，去掉、消失。㉑⁷三道出战：三路出击。㉑⁸执鞚：拉住马笼头。鞚，马勒、有嚼口的马络头。㉑⁹储副：储君；未来的君位继承人。㉒⁰奈何以身轻天下：怎么能不顾国家亲自出去冒险。㉒¹斩鞅：斩断了马拉车的引绳。㉒²宫省奔散：朝廷与宫廷的官员四散逃跑。省，设于皇宫内的官署。㉒³按兵直卫：掌握住手下士兵，照常地值勤护卫。直，通“值”。㉒⁴脱戎衣二句：表示不再进行战斗，要通过谈判解决。㉒⁵顾而言曰：对四周的人说。㉒⁶欲得我处：谁要是想得我这个皇帝的座位。㉒⁷不忘本朝：还不忘本朝的旧恩，还承认我是皇帝。㉒⁸尚可共安：尚可相安共处，即仍维持“王与马，共天下”的局面。㉒⁹如其不然：存心要推翻晋王朝，要让我下台。㉓⁰归琅邪：还回到我原来的封地去当琅邪王。司马睿的父祖是世袭的琅邪王，司马睿在当晋王以前也是琅邪王。㉓¹以避贤路：来给你们当中的贤人让位。避，让。㉓²太极东除：太极殿的东台阶。㉓³劝令避祸：劝他们离开京城，找地方躲躲。㉓⁴贰：二心；背离之心。㉓⁵逼：急迫；紧急。㉓⁶不堪骑乘：受不了骑马、坐车的颠簸。㉓⁷素无恩纪：平常对部下既无恩情，又无法纪。㉓⁸募从者：应募来的一些跟从刁协的人。㉓⁹皆委之：都抛下刁协，自己逃走。㉔⁰江乘：晋县名，县治在今江苏句容北。㉔¹隗奔后赵二句：胡三省注曰：“成帝咸和八年，刘隗从石虎战死于潼关，岂即此刘隗邪？”㉔㉒诣石头：到石头城的王敦军部。㉔㉓岂敢有余二句：怎敢留有余力，只是力量不足罢了。但，只是。㉔㉔见形者谓之逆二句：看你的行动的人，会认为你是叛逆；领会你内心的人，会认为你是忠臣。体，体察、领悟。㉔㉕卿负我：晋愍帝建兴元年（公元三一三年），周颉为荆州刺史时为杜弢所困，曾到豫章投奔王敦，所以王敦认为他对周颉有恩。㉔㉖戎车犯顺：指王敦起兵进逼朝廷，是大逆不道。㉔㉗不能其事：不能胜任其事。能，胜任。㉔㉘王旅：帝王的军队。㉔㉙以此负公：这才是我真正对不起你的地方。㉕㉐辛未：三月十八。㉕㉑西都覆没：指长安陷落，晋愍帝被俘。㉕㉒劝进于帝：劝司马睿即皇帝位。㉕㉓忌帝年长：司马睿当时四十二岁。㉕㉔所向：所向往；所仰慕。㉕㉕以何德称：有何德才能符合太子的称号。称，符合、相当。㉕㉖钩深致远：语出《易·系辞上》，意思是物在深处，能钩取它，物在远方，能招致它。这里指才力广大。㉕㉗非浅局所量：不是我等这种器量狭小的人所能够妄加衡量的。局，器量。㉕㉘以礼观之：仅从知礼这一点而论。㉕㉙可谓孝矣：可以说是大孝子。儒家讲究“百行孝为先”，故而这一条可以顶百条千条。㉖㉐敦谋遂沮：王敦的阴谋遂告失败。沮，失败、废止。㉖㉑广室：殿名。㉖㉒近日大事：指王敦打败朝廷军队后独揽朝政的各举动。㉖㉓二宫无恙：两宫暂尚安好。此处指皇帝与太子，都没有被废除。㉖㉔固副所望：满足心愿、达到目的，不再干别的了吗？副，符合、满足。㉖㉕自如明诏：自然是像陛下所说的，意即皇帝与太子不会被废。㉖㉖护军长史郝嘏：周颉的属下。胡三省注曰：“颉代戴渊为护军将军，以郝嘏为长史。”㉖㉗备位大臣：身居大臣之位。备位是谦辞，犹言“充数”。㉖㉘宁可：岂可；怎么能。㉖㉙草间求活：指逃到草泽山间等荒僻之地。㉗㉐外投胡越：外逃到北方或南方的少数民族地区。㉗㉑台郎：尚书郎，尚书省的办事人员。尚书台最高长官是尚书令，其副手是左右仆射。令下又设若干曹尚书，每曹下更设尚书郎若干人，掌文书和诏令的起草。㉗㉒足以惑众：有威望，说话有号召力。㉗㉓近者之言：指周颉、戴渊在石头城回答王敦时所说的话。㉗㉔曾无怍色：竟然没有一点畏惧之情。怍，这里指畏惧。㉗㉕必有再举之忧：我担心还得再一次起兵来解决他们的问题。㉗㉖从容：假装漫不经心。㉗㉗周、戴二句：周颉是汝南安城（今河南汝南东南）人，戴渊是广陵（今江苏扬州西北）人，一个是北方的名人，一个是南方的名人，晋室南迁，二人名冠当时。㉗㉘当登三司：当处于三公之位。东汉曾改大司马为太尉，与司徒、司空并称“三公”，也称“三司”。㉗㉙导不答：因王导正在误解周颉，对周颉充满怨恨，故不应王敦任周颉以高位之说。㉘㉐令仆：指尚书令及左右仆射。㉘㉑丙子：三月二十三。㉘㉒收：逮捕。㉘㉓人情：人们的反应；人们的看法。㉘㉔悠悠之言：社会上的一般言论，指人们对王敦举兵向朝廷的非议。㉘㉕未达高义：不能理解你的崇高目的。㉘㉖群情帖然：犹言众心安定。帖然，赞成、安定的样子。㉘㉗粗疏：粗心。㉘㉘不相当：不合适，指德识与官位不相称。㉘㉙愕然自失：吃惊王敦态度的改变而自觉失言。㉙㉐济济多士二句：出自《诗·大雅·文王》。意思是说有了威仪济济的众多贤士，文王的国家就因此安宁。王峤引此劝王敦不要杀害这些名士。

济济，多而整齐的样子。多士，众多的士子。㉑以献替忤旨：由于提意见让你不开心。献替，“献可替否”的略语，意思是进献其可行者，除去不可行者，这里指提意见。忤旨，不对心思。㉒便以衅鼓：便将其杀头。古代新制鼓成，杀牲以祭，用其血涂抹缝隙，这里指杀人。㉓黜：贬官；降职。㉔领军长史：官名，领军将军（亦称中领军）的长史。魏晋以后，凡刺史带将军称号开府的，其幕府长史多兼任首郡太守，所以位任颇重。王峤以大将军府参军黜为领军长史，可见王敦府重于诸府。㉕浑：王浑，字玄冲，武帝时任安东将军，在灭东吴的战争中有功。传见《晋书》卷四十二。㉖太庙：皇族的宗庙。㉗大言：高声。㉘收人：逮捕、押送的人员。㉙容止自若：面容举止就和往常一样。自若，自如、照旧。㉚王彬：字世儒，王廙之弟，王敦的从弟。传附《晋书》卷七十六《王廙传》。㉛容惨：面容悲怆。㉜向：刚才。㉝凡人遇汝：过去对待你就像对待普通人一样。㉞謇愕：坚持真理，仗义正直的样子。㉟阿党：没有原则地顺从、讨好人。阿，曲从。党，拉帮结派。㊱赦后加之极刑：先已饶过人家，而后又将人处死。赦，指王敦进入石头城于三月十八日大赦天下事。㊲伤惋：悲伤惋惜。㊳因：随后；接着。㊴抗旌：对抗朝廷的旌旗。古代凡出征必建旌旗，这里代指朝廷的军队。㊵图为不轨：阴谋造反。不轨，越出常轨、不遵守法度。㊶祸及门户：将招致满门被杀。㊷狂悖：狂妄无理。㊸为之惧：为他感到害怕。㊹起谢：起来向王敦道个歉。谢，道歉、谢罪。㊺复何谢：又有什么可道歉的。㊻殊无：毫无。㊼竟不肯拜：到头来也没有向王敦赔礼。竟，到头来，到底。㊽料检：整理、检查。㊾中书故事：这里指中书省所保存的档案资料。㊿伯仁由我而死：愧悔当初王敦三问而已不答。[321]幽冥之中：犹言黄泉之下。[322]沈充拔吴国：沈充是王敦的死党，首先从吴兴起兵响应王敦，今又擅自灭吴国。吴是晋代的诸侯国名，都城即今江苏苏州。[323]吾家计急：我们家族所处的形势紧急，指晋元帝抑制、分散王氏势力。[324]想便旋军襄阳：如果你现时能把军队撤回到襄阳。旋，回、撤回。[325]猪口：地名，胡三省据《水经注·沔水》认为，猪口即江夏云杜县东夏水注入沔水处的猪口。云杜县故城在今湖北仙桃沔城西北。但今本《水经注》作“堵口”，不作“猪口”。[326]诸方：指讨伐王敦的各路人马。[327]稽留累旬：几十天一直驻兵不前。十天为一旬。[328]既得建康：已经控制了朝廷政权。[329]乃遣台使：乃以朝廷的名义派出一名使者。台使，朝廷的使者。[330]以驺虞幡驻卓军：以挥动驺虞幡为号，命令甘卓的军队停止前进。驺虞幡，一种画有驺虞的旗帜。晋代朝廷有白虎幡、驺虞幡。白虎威猛主杀，用于督促进军；驺虞仁兽，用以命令撤退。[331]元吉：大吉。[332]临敦上流：驻兵于王敦的上游，指王敦驻兵武昌，甘卓占据襄阳，可以威慑处于下游的王敦。[333]亦未敢遽危社稷：我看王敦也不敢对朝廷怎么样。遽，疾、立即。[334]适吾径据武昌：如果我直接占据了他的武昌。适，假如。[335]敦势逼：王敦所处的形势紧迫。[336]绝四海之望：断绝天下人对晋王朝存在的希望，意思是还不如现时这样的局面。[337]断彭泽：驻兵彭泽，以断绝王敦的老巢武昌与他现在所占据的建康之间的联络。彭泽是晋县名，在今江西湖口东，地处武昌与建康之间的水路要冲。㊳㊳⑧不得相赴：不能相互救援。赴，趋往。339各求其利：指做成一件事情，每个人都能有所收获。340忽更强塞：忽然变得固执己见、一意孤行。341骚扰：烦躁不安。342西阳王羕：司马羕，司马懿之孙，司马亮之子，袭其父祖之爵为西阳王。343转徙黜免：调动、迁移、降职、罢免。344实有未达：不明白你到底想干什么。达，明白、理解。345释然：犹言“放心”，彼此之间消除疑虑。346物情：人心，人情。物，人。347觐：大臣朝见天子。348侧席：侧身而坐，以言其虚心对待臣下。《后汉书·章帝纪》：“朕思迟直士，侧席异闻。”李贤注：“侧席，谓不正坐，所以待贤良也。”349迟得见公：皇帝如果见到你。迟，待、一旦。350宫省穆然：整个宫廷必然是一副谦和肃静的样子。351无虞：不会有任何问题。虞，虑、意外。352正复：即使。353天门：晋郡名，胡三省注曰：“吴孙皓永安六年，分武陵立天门郡。充县有松梁山，山有石，石开处数十丈，其高，以弩仰射，不至其上，名天门，因此名郡。”354申款于丞：向司马丞表明拥护支持之意。款，真诚。355邵陵：晋郡名，胡三省注曰：“此非颍川之邵陵。吴孙皓宝鼎元年，分零陵北部都尉立邵陵郡。”356间出：潜出；偷偷出城。357逻者：敌方的巡逻骑兵。358外援理绝：等待外援来救的想法已经不可能实现。359援兵寻至二句：寻，不久。〔按〕周崎的表现，有如《左传》所写的解扬，令人感动。周崎的事迹见《晋书》卷八十九。360考：通“拷”。拷问。361台中人书疏：指司马丞与朝廷官员之间的通信。362怅惋：感慨惋惜。363且百日：将近一百天。且，将近。364相枕：互相枕藉、堆积，极言其多。365癸巳：四月初十。366会当：必然。367阖门：全家。368槛车：有栅栏的囚车。369毁服为僮：毁弃官服化装为奴仆。370惮：惧怕。371执志：坚持自己的思想节操。372承敦旨：秉承王敦的意思。373丞丧：司马丞的灵柩。374檄：指前此易雄所写的列举王敦罪恶、号召天下起兵讨伐王敦的檄文。375既而：事后不久。376潜杀：秘密杀害。377求：寻找。378新得州：刚刚攻下湘州。379以厌人望：以顺从众人的愿望。厌，满足、顺从。380君二句：解扬是春秋时晋国大夫。鲁宣公十五年（公元前五九四年），楚国攻打宋国。晋国派解扬到宋宣布晋君的要求，让宋不要降楚，并表明晋国救兵不久即到。解扬途中被俘获，楚君以重金收买他，使反其言。他伪许，等登上楼车后，便把晋君的意图呼告给宋人。楚君感叹他的忠心，没有杀他。〔按〕此处行文有舛误。与解扬表现相同的是周崎，而不是邓骞。邓骞的行为有点像是为袁绍写檄文讨伐曹操的陈琳。381王敦上侃复还广州：王敦上奏让陶侃仍回原地任广州刺史。382甲午：四月十一。383佃作：从事农业耕作。384五月乙亥：五月二十三。385沔中：地区名，指今陕西汉中至湖北襄阳汉水（沔水）流域地区。386岳牧：古官名，指一方的诸侯之长，传说舜时有四岳、十二牧。此处用以代指州刺史。387谋主：主谋；言听计从的心腹谋士。388谮：说人坏话；以挑动、诬陷等手段加害于人。389剽掠市道：抢东西于市场，劫人财物于道路。

**【校记】**

［1］卓：原无此字。据章钰校，甲十一行本、乙十一行本皆有此字，张敦仁《通鉴刊本识误》同，今据补。

---

**【原文】**

秋，七月，后赵中山公虎拔泰山㊿390，执徐龛送襄国。后赵王勒盛之以囊，于百尺楼上扑杀391之，命王伏都392等妻子刳而食之393，坑其降卒三千人。

兖州刺史郗鉴在邹山三年394，有众数万，战争不息，百姓饥馑395，掘野鼠蛰燕396而食之。为后赵所逼，退屯合肥397。尚书右仆射纪瞻，以鉴雅望清德398，宜从容台阁399，上疏请征之，乃征拜400尚书。徐、兖间诸坞多降于后赵，后赵置守宰401以抚402之。

王敦自领宁、益二州都督。403

冬，十月己丑404，荆州刺史武陵康侯王廙卒。

王敦以下邳内史王邃都督青、徐、幽、平四州诸军事，镇淮阴，卫将军王含都督沔南诸军事，领荆州刺史，武昌太守丹杨王谅405为交州406刺史。使谅收交州刺史脩湛407、新昌408太守梁硕，杀之。谅诱湛，斩之，硕举兵围谅于龙编。

祖逖既卒，后赵屡寇河南409，拔襄城、城父410，围谯411，豫州刺史祖约412不能御，退屯寿春。后赵遂取陈留413，梁、郑之间414复骚然415矣。

十一月，以临颍元公荀组416为太尉。辛酉417，薨。

罢司徒，并丞相府。418王敦以司徒官属为留府419。

帝忧愤成疾，闰月己丑420，崩，司空王导受遗诏辅政。帝恭俭有余而明断不足，故大业未复421而祸乱内兴。庚寅422，太子即皇帝位，大赦，尊所生母荀氏为建安君。

【语译】

秋季，七月，后赵中山公石虎攻陷泰山，活捉了自称兖州刺史的徐龛，将他押送回后赵的都城襄国。后赵王石勒把徐龛装在一个袋子里，从高达百尺的楼上推下来摔死，命王伏都等人的妻子割徐龛的肉吃，投降的三千名士卒全部被活埋。

东晋兖州刺史郗鉴镇守邹山之后，在三年的时间里，就聚集起民众数万人，因为连年战争，再加上灾荒年景，当地的民众因为饥饿，就到旷野中挖掘老鼠、攀上树去寻找躲藏在窝中避寒的燕子充饥。遭受后赵的袭击，郗鉴只得放弃邹山率众退到合肥坚守。担任尚书右仆射的纪瞻认为郗鉴具有美好的声望和廉洁的品德，应该让他到朝廷里来任职，于是就上疏给晋元帝司马睿，请求征召郗鉴。晋元帝批准了纪瞻的奏章，就将郗鉴调到朝廷，拜为尚书。徐州、兖州之间的大多堡坞都投降了后赵，后赵在那里设置地方官吏以镇守当地、安抚百姓。

东晋大将军王敦自行兼任宁州、益州二州都督。

冬季，十月初九日己丑，东晋荆州刺史王廙去世，死后被追认为武陵康侯。

东晋王敦任命下邳内史的王邃都督青、徐、幽、平四州诸军事，镇守淮阴，卫将军王含都督沔南诸军事，兼任荆州刺史，武昌太守丹杨人王谅为交州刺史。王敦让王谅逮捕交州刺史脩湛、新昌太守梁硕，把他们杀掉。王谅诱骗脩湛，将脩湛斩首。梁硕起兵将王谅包围在龙编。

东晋豫州刺史祖逖去世后，后赵多次派军队进犯黄河以南地区，先后攻占襄城、城父，围困谯城，继任豫州刺史的祖约没有能力抵御后赵的进攻，就率军撤退到寿春屯扎。后赵遂夺去陈留，从此梁、郑之间的局势又陷入动荡不安的状态。

十一月，东晋任命临颍元公荀组为太尉。十二日辛酉，荀组去世。

东晋将司徒所掌管的业务并入丞相府管理。大将军王敦把司徒府改建为自己丞相府的驻京办事处留府，原任司徒府官员全部纳入留府。

晋元帝司马睿忧愤成疾，于闰十一月初十日己丑驾崩，司空王导在晋元帝临终前接受遗诏辅佐朝政。晋元帝一生恭谨节俭有余，而英明果断不足，所以光复北方失地的事业还没有取得任何成就而内乱就已经兴起。十一日庚寅，皇太子司马绍即皇帝位，在全国实行大赦，他尊奉自己的生母荀氏为建安君。

十二月，赵主曜葬其父母于粟邑[423]，大赦。陵下周二里[424]，上高百尺，计用六万夫，作之百日乃成。役者夜作，继以脂烛，民甚苦之。游子远谏，不听。

后赵濮阳景侯张宾卒，后赵王勒哭之恸，曰："天不欲成吾事邪，何夺吾右侯[425]之早也！"程遐代为右长史。遐，世子弘之舅也。勒每与遐议，有所不合，辄叹曰："右侯舍我去，乃令我与此辈共事，岂非酷乎[426]！"因流涕弥日[427]。

张茂使将军韩璞帅众取陇西、南安[428]之地，置秦州[429]。

慕容廆遣其世子皝袭段末柸，入令支[430]，掠其居民千余家而还。

【段旨】

以上为第二段，写晋元帝永昌元年（公元三二二年）七月至十二月半年间的大事。主要写了后赵石虎生擒自称兖州刺史的独立军阀徐龛，徐龛被石勒杀死；写了晋兖州刺史郗鉴退据合肥，又被召入朝廷为官，于是晋王朝所辖的徐州、兖州遂有很多堡寨归降后赵，大片国土丢失；写了豫州刺史祖逖死后，继任者祖约无能，被后赵占领襄城、城父、陈留，于是梁、郑一带惊恐不安；写了前凉西平公张茂派韩璞攻取已故晋王司马保占据的陇西、南安之地，设置为秦州；写了王敦任命亲信王邃都督青、徐、幽、平四州诸军事，镇守淮阴，任命亲信王含都督沔南诸军事，领荆州刺史，任命亲信王谅为交州刺史，袭杀原任的交州刺史脩湛，结果被反对派官员新昌太守梁硕包围，以及晋元帝忧愤成疾病死等。

【注释】

㊾泰山：晋郡名，郡治奉高，在今山东泰安东，时徐龛驻兵于此。㊿扑杀：摔死。[392]王伏都：后赵将领。公元三二〇年，徐龛被晋国蔡豹打败，向后赵求救；后赵王石勒派王伏都等率军往救。后来徐龛叛变后赵，王伏都被徐龛杀死，一同被杀的还有三百多人。[393]刳而食之：割他的肉吃。刳，剖开，这里指割。[394]在邹山三年：邹山又名"峄山""邹峄山""邾峄山"，在今山东邹城东南。公元三一三年，时任中书侍郎的郗鉴率领高平居民一千多户，逃避战乱，退保邹山，琅邪王司马睿任命郗鉴为兖州刺

十二月，前赵主刘曜将自己的父母埋葬在粟邑，大赦天下。刘曜父母的陵墓下沿周长二里，地上部分高一百尺，总计征调民夫六万人，需要劳作一百天才能完工。由于工程日夜不停，夜间就用烛火照明，人民痛苦不堪。游子远百般劝阻，刘曜就是不听。

后赵濮阳景侯张宾去世，后赵王石勒哭得非常悲痛，他说："上天不想让我成就伟大的功业了吧，为什么这么早就将我的右侯夺走呀!"程遐接替张宾为右长史。程遐，是世子石弘的舅舅。石勒每次与程遐商议国是，遇到意见不能统一的时候，石勒就叹息着说："右侯舍我而去，竟让我与这种人共事，岂不是太惨了点!"往往会伤心落泪一整天。

凉州西平公张茂派将军韩璞率领部众攻取了陇西、南安地区，张茂把它设置为秦州。

慕容廆派遣世子慕容皝袭击辽西公段末柸，进入段末柸的领地令支，掳掠了那里的一千多户居民而后返回。

---

史，镇守邹山。从那时算起，迄今已经九年。胡三省注曰："所谓三年有众数万者，言鉴既镇邹山之后，三年之间，民归之者有此数也。"㊂㊄饥馑：饥荒。谷不熟为饥，蔬不熟为馑。⑯蛰燕：藏伏避寒的燕。⑰合肥：今安徽合肥。⑱雅望清德：美好的声望，廉洁的品德。⑲宜从容台阁：应该让他到朝廷里来为官。从容，悠闲自得的样子。台阁，尚书台的别称，这里指朝廷。⑳征拜：调到朝廷授任以职。(401)守宰：太守与县令，指各级地方官。(402)抚：镇守；安抚。(403)王敦自领宁、益二州都督：胡三省注曰："非君命，故史以'自领'书之。"宁州的州治在今云南昆明东南，益州的州治在今重庆市奉节县。(404)十月己丑：十月初九。(405)王谅：字幼成，王敦的亲信。传见《晋书》卷八十九。(406)交州：晋州名，州治龙编，在今越南河内东北。(407)脩湛：前交州刺史脩则之子，被王敦的反对派新昌太守梁硕拥立为交州刺史。(408)新昌：晋郡名，吴孙皓建衡三年，分交趾立新兴郡，武帝太康三年，更名新昌郡。(409)河南：指今河南古黄河以南地区。(410)襄城、城父：皆晋县名，襄城即今河南襄城，城父县的县治在今安徽亳州东城父集。(411)谯：晋郡名，郡治即今安徽亳州。(412)祖约：祖逖之弟，此时接其兄任为豫州刺史。传见《晋书》卷一百。(413)陈留：晋代诸侯国名，都城小黄县，在今河南开封东。(414)梁、郑之间：指今安徽砀山县至河南新郑一带地区。梁、郑都是古代国名，梁国的都城在今河南商丘城南，郑国的都城即今河南新郑。(415)骚然：惊恐不安的样子。(416)荀组：荀藩之弟，忠于晋王朝的腐败官僚，曾任豫州刺史，因无法抵抗石勒而逃过江东。传附见《晋书》卷三十九《荀勖传》。(417)辛酉：十一月十二日。(418)罢司徒二句：将司徒所掌管的事务，并归丞

相府管理。荀组任太尉之前为司徒，荀组调任后，司徒暂时无人，王敦时任丞相，遂乘机将司徒的职权并为己有。[419] 以司徒官属为留府：把司徒府的一班官员改组为王敦丞相府的驻京办事处，以加强对朝廷的控制。留府，驻京办事机构。[420] 闰月己丑：闰十一月初十。[421] 大业未复：光复北方失地的事业没有任何成就。[422] 庚寅：闰十一月十一。[423] 粟邑：晋县名，县治在今陕西白水西北。[424] 陵下周二里：陵墓下沿周长二里，极言其奢

---

**【原文】**

**肃宗明皇帝[431]上**

**太宁元年（癸未，公元三二三年）**

春，正月，成李骧、任回[432]寇台登[433]。将军司马玖战死，越嶲[434]太守李钊、汉嘉[435]太守王载皆以郡降于成。

二月庚戌[436]，葬元帝于建平陵[437]。

三月戊寅朔[438]，改元[439]。

饶安、东光、安陵[440]三县灾[441]，烧七千余家，死者万五千人。

后赵寇彭城、下邳[442]，徐州刺史卞敦与征北将军王邃退保盱眙[443]。敦，壸之从父兄也。[444]

王敦谋篡位，讽朝廷征己[445]。帝手诏[446]征之。夏，四月，加敦黄钺[447]班剑[448]，奏事不名[449]，入朝不趋[450]，剑履上殿[451]。敦移镇姑孰[452]，屯于湖[453]。以司空导为司徒[454]，敦自领扬州牧。敦欲为逆，王彬谏之甚苦。敦变色，目左右[455]，将收之。彬正色曰："君昔岁杀兄[456]，今又杀弟邪！"敦乃止，以彬为豫章太守。

后赵王勒遣使结好于慕容廆，廆执送建康。

成李骧等进攻宁州，刺史褒中壮公王逊[457]使将军姚岳等拒之，战于螗蜋[458]，成兵大败。岳追至泸水[459]，成兵争济，溺死者千余人。岳以道远，不敢济而还。逊以岳不穷追，大怒，鞭之。怒甚，冠裂而卒。

修。㊵右侯：石勒对其谋士张宾的尊称。㊶岂非酷乎：岂不是太惨了点！胡三省注曰："酷，惨也，虐也，言天夺张宾之年，何其虐我之惨也。"㊷弥日：一整天。㊸南安：晋郡名，郡治豲道县，在今甘肃陇西东南渭水东岸。㊹秦州：张茂所置的秦州，州治陇西郡，在今甘肃陇西东南。㊺令支：晋县名，县治在今河北迁安西，当时为段末柸的盘踞之地。

---

【语译】

肃宗明皇帝上

**太宁元年（癸未，公元三二三年）**

春季，正月，成国太傅李骧、镇南大将军任回率领军队进犯东晋管辖之下的台登县。东晋司马玖将军战死，越嶲太守李钊、汉嘉太守王载都献出城池，投降了成国。

二月初二日庚戌，东晋将晋元帝司马睿安葬于建平陵。

三月初一日戊寅，东晋改年号为"太宁"元年。

后赵的饶安、东光、安陵三县发生火灾，烧毁七千多家，死亡一万五千人。

后赵派军队进犯东晋的彭城郡、下邳国，担任徐州刺史的卞敦与征北将军王邃退入盱眙坚守。卞敦，是卞壶的堂兄。

东晋大将军王敦阴谋篡夺皇位，他暗示朝廷将他从武昌调回建康朝廷。晋明帝司马绍就亲自写下诏书征调王敦入朝。夏季，四月，加授王敦象征生杀大权的镀金大铜斧、画有花纹的班剑作为仪仗，向皇帝奏事时不用司仪唱名拜见，上朝的时候不用像其他朝臣那样用小步急行之礼，可以佩着剑、穿着靴上殿见皇帝。王敦从武昌移驻姑孰，屯扎在于湖。王敦改任司空王导为司徒，王敦自己则兼任扬州牧。王敦准备谋划政变，他的堂弟王彬苦苦劝谏。王敦马上翻了脸，他给身边的侍从使眼色，示意他们把王彬抓起来。王彬严肃地说："你过去曾经杀死过兄长，现在又要杀死弟弟吗?!"王敦只得作罢，任用王彬为豫章太守。

后赵王石勒派遣使者访问东晋慕容廆，想与慕容廆结好，慕容廆将使者抓起来送往建康。

成国太傅李骧等进攻臣属于东晋的宁州，宁州刺史褒中壮公王逊派属下将军姚岳等抵御成国李骧等的进攻，双方在螗蜋展开激战，成国的军队被打得大败。姚岳率军追赶败军，一直追到泸水岸边，成国的士兵争相渡河，被挤入水中淹死的有一千多人。姚岳因为路途遥远，就没敢渡过黄河继续追赶，而是撤军而回。宁州刺史王逊因为姚岳没有对战败的成国军队穷追猛打而勃然大怒，他用鞭子抽打姚岳。由于怒火太盛，帽子都被胀裂了，王逊也因此而气绝身亡。王逊在宁州任职十四年，

逊在州十四年，威行殊俗[460]。州人立其子坚行州府事[461]，诏除[462]坚宁州刺史。

广州刺史陶侃遣兵救交州。未至，梁硕拔龙编，夺刺史王谅节。谅不与，硕断其右臂。谅曰："死且不避，断臂何为[463][2]！"逾旬而卒。

六月壬子[464]，立妃庾氏为皇后[465]，以后兄中领军亮[466]为中书监[467]。

梁硕据交州，凶暴失众心。陶侃遣参军高宝攻硕，斩之。诏以侃领交州刺史，进号征南大将军、开府仪同三司。未几，吏部郎阮放求为交州刺史，许之。放行至宁浦[468]，遇高宝，为宝设馔，伏兵杀之。宝兵击放，放走得免，至州少时病卒。放，咸[469]之族子也。

陈安围赵征西将军刘贡于南安，休屠王石武自桑城[470]引兵趣上邽[471]以救之，与贡合击安，大破之。安收余骑八千，走保陇城[472]。秋，七月，赵主曜自将围陇城，别遣兵围上邽。安频出战，辄败。右军将军刘幹攻平襄[473]，克之，陇上[474]诸县悉降。安留其将杨伯支、姜冲兒守陇城，自帅精骑突围，出奔陕中[475]。曜遣将军平先等追之。安左挥七尺大刀，右运丈八蛇矛，近则刀矛俱发，辄殪五六人[476]，远则左右驰射而走。先亦勇捷如飞，与安搏战，三交[477]，遂夺其蛇矛。会[478]日暮雨甚，安弃马与左右匿于山中。赵兵索[479]之，不知所在。明日，安遣其将石容觇[480]赵兵，赵辅威将军呼延青人[481]获之，拷问安所在，容卒[482]不肯言，青人杀之。雨霁[483]，青人寻其迹，获安于涧曲[484]，斩之。安善抚将士[485]，与同甘苦。及死，陇上人思之，为作《壮士之歌》[486]。杨伯支斩姜冲儿，以陇城降，别将[487]宋亭斩赵募，以上邽降。曜徙[488]秦州大姓杨、姜诸族二千余户于长安，氐、羌皆送任[489]请降。以赤亭羌酋[490]姚弋仲为平西将军，封平襄公。

他的声威震慑了习俗不同的边远地区。宁州人拥戴他的儿子王坚担任宁州刺史和南夷校尉府的职权。东晋朝廷下诏正式任命王坚为宁州刺史。

东晋担任广州刺史的陶侃派军队救援交州。军队还没有赶到交州，新昌太守梁硕已经攻克了龙编，想夺取王敦所任命的交州刺史王谅手中的符节。王谅不给，梁硕就砍断了王谅的右胳膊。王谅说："我连死都不躲避，断一条胳膊又算得了什么！"十多天后，王谅去世。

六月初六日壬子，晋明帝司马绍册封庾氏为皇后，任命皇后哥哥、担任中领军的庾亮为中书监。

新昌太守梁硕占据了交州，他凶恶残暴不得民心。广州刺史陶侃就派参军高宝率军去攻打梁硕，将梁硕斩首。晋明帝司马绍下诏任命陶侃兼任交州刺史，加授陶侃为征南大将军、开府仪同三司。不久，担任吏部郎的阮放请求担任交州刺史，晋明帝又答应了阮放的请求，任命阮放为交州刺史。阮放前往交州赴任，当他来到宁浦的时候，正巧遇上陶侃的部将高宝，阮放宴请高宝，他事先设好埋伏，在席间将高宝杀死。高宝的部众反击阮放，阮放逃走才保住性命，但他到交州不久就病死了。阮放，是阮咸的堂侄。

陈安将前赵的征西将军刘贡包围在南安城中，休屠王石武率军从桑城赶往上邽救援刘贡，他与刘贡联合攻打陈安，将陈安打得大败。陈安集结起八千名残余骑兵，逃到陇城坚守。秋季，七月，前赵主刘曜御驾亲征，包围了陇城，派遣另一支部队包围上邽。陈安屡次出战，都是大败而回。前赵右军将军刘幹率军攻占了平襄，陇上各县全部向前赵投降。陈安留下部将杨伯支、姜冲儿镇守陇城，自己则率领精锐骑兵突破包围，逃往陕中。前赵主刘曜派遣将军平先等率军追赶陈安。陈安左手挥舞七尺大刀，右手抖动丈八蛇矛，对靠近他的人刀矛同时出击，一出手就能杀死五六人，距离远的则一边奔跑一边从左右用强弩射击。平先也是骁勇异常，而且行动快捷，就像飞的一样，他与陈安进行搏斗，只三个回合，就夺下了陈安的丈八蛇矛。恰巧黄昏时分又下起大雨，陈安抛弃战马与左右亲信躲藏到山中。前赵兵进山搜索，却不知陈安躲藏在什么地方。第二天，陈安派部将石容去侦查前赵军的动静，被前赵辅威将军呼延青人抓获，呼延青人严刑拷问陈安的藏身之处，石容却始终不肯告诉他，呼延青人便将石容杀死。雨过天晴，呼延青人追踪陈安等逃走时留下的痕迹，在一个山涧的拐弯处将陈安抓获，并将陈安斩首。陈安爱护、体恤将士，与将士同甘共苦。等到陈安一死，陇上的人都很怀念他，特别编了一首《壮士之歌》来纪念他。陈安留守陇城的部将杨伯支将另一名留守将领姜冲儿杀死，献出陇城，投降了前赵，陈安的另一部将宋亭将镇守上邽的赵募杀死，献出上邽，也投降了前赵。前赵主刘曜强迫秦州大姓杨、姜诸豪族二千多户迁往都城长安，氐族、羌族全都送人质到前赵，表示归附。前赵主刘曜任命赤亭地区的羌人酋长姚弋仲为平西将军，封他为平襄公。

帝畏王敦之逼，欲以郗鉴为外援，拜鉴兖州刺史，都督扬州江西诸军事，镇合肥。王敦忌之，表鉴[491]为尚书令。八月，诏征鉴还，道经姑孰，敦与之论西朝人士[492]，曰："乐彦辅[493]，短才耳，考其实，岂胜满武秋邪[494]！"鉴曰："彦辅道韵平淡[495]，愍怀之废，柔而能正。[496]武秋失节之士，[497]安得拟之！"敦曰："当是时，危机交急[498]。"鉴曰："丈夫当死生以之[499]。"敦恶其言，不复相见，久留不遣。敦党皆劝敦杀之，敦不从。鉴还台，遂与帝谋讨敦。

后赵中山公虎帅步骑四万击安东将军曹嶷，青州郡县多降之，遂围广固[500]。嶷出降，送襄国，杀之，坑其众三万[3]。虎欲尽杀嶷众，青州刺史刘徵曰："今留徵，使牧民[501]也。无民焉牧？徵将归耳。"虎乃留男女七百口配徵，使镇广固。

赵主曜自陇上西击凉州，遣其将刘咸攻韩璞于冀城[502]，呼延晏攻宁羌护军阴鉴于桑壁[503]，曜自将戎卒二十八万军于河上[504]，列营百余里，金鼓之声动地，河水为沸。张茂临河诸戍，皆望风奔溃。曜扬声欲百道俱济[505]，直抵姑臧[506]，凉州大震。参军马岌劝茂亲出拒战，长史氾祎怒，请斩之。岌曰："氾公糟粕书生，刺举小才[507]，不思家国大计。明公父子[508]欲为朝廷诛刘曜有年矣，今曜自至，远近之情[509]，共观明公此举。当立信勇之验[510]，以副秦、陇之望。[511]力虽不敌，势不可以不出[512]。"茂曰："善！"乃出屯石头[513]。茂谓参军陈珍曰："刘曜举三秦之众[514]，乘胜席卷而来，将若之何？"珍曰："曜兵虽多，精卒至少，大抵皆氐、羌乌合之众，恩信未洽[515]；且有山东之虞[516]，安能舍其腹心之疾，旷日持久，与我争河西之地邪？若二旬不退，珍请得弊卒[517]数千，

晋明帝司马绍惧怕大将军王敦的逼迫，想让郗鉴作为外援，于是任命郗鉴为兖州刺史，都督扬州、江西诸军事，镇守合肥。王敦对此很是忌恨，就上表奏请任命郗鉴为尚书令。八月，晋明帝下诏将郗鉴征召回建康任尚书令，郗鉴回建康途中经过王敦所驻扎的姑孰，王敦就与郗鉴谈论起西晋时期有哪些重要人物，王敦说："乐彦辅这个人，没有什么才干，考察他的实际，哪里能胜过满武秋呢！"郗鉴说："乐彦辅风格朴实、平淡无奇，愍怀太子被废时，他虽然柔弱，行事却很正直。武秋是一个失去操守的人，怎能拿他与乐彦辅做比较！"王敦又说："那个时候，危机四伏，形势紧急。"郗鉴说："大丈夫应当为坚持真理而豁出性命。"王敦厌恶郗鉴说的话，就不再与他见面，但长时间留住郗鉴，不放他回建康。王敦的朋党都劝说王敦杀掉郗鉴，但王敦没有听从。郗鉴回到朝廷之后，就与晋明帝司马绍谋划讨伐王敦之事。

后赵中山公石虎率领四万名步兵、骑兵攻打东晋青州刺史、安东将军曹嶷，青州所属郡县大多都投降了石虎，石虎包围了曹嶷的大本营广固。曹嶷出城向后赵石虎投降后，被送往后赵的都城襄国，在襄国被杀死，跟随曹嶷投降后赵的三万名部众全部被石虎活埋。石虎还想把曹嶷的部众全部杀光，后赵所任命的青州刺史刘征说："现在把我刘征留在这里担任青州刺史，就是让我来治理这里的百姓。如果把人都杀光了，我还治理谁去？我准备回去了。"石虎这才留下男女老少总共七百口分配给刘征，让刘征镇守广固。

前赵主刘曜率军从陇上出发，向西攻打凉州，他派遣手下将领刘咸攻打凉州将领韩璞所镇守的冀城，派遣呼延晏攻打宁羌护军阴鉴镇守的桑壁，刘曜则亲自率领着二十八万装备齐全的军队驻扎在黄河边上，沿河结营一百多里，金鼓之声惊天动地，黄河水都被震得沸腾起来。凉州张茂沿着黄河所设置的各处营垒，全都望风溃逃。刘曜扬言要同一时间在一百个渡口强渡黄河，直取凉州刺史张茂政府所在地的姑臧，凉州境内大为震动，人人惊恐不安。凉州参军马岌劝说张茂亲自出战，担任长史的氾祎大怒，请求将马岌斩首。马岌说："氾先生不过是一个没用的书生，只有刺探揭发别人隐私的小聪明，遇事不考虑国家的前途。明公父子想要为朝廷铲除刘曜已经很多年了，如今刘曜亲自送上门来，全国各地都在关注着明公此刻的举动。应当拿出一种既勇敢又有信义的实际行动，以顺应秦川、陇上一带人民的愿望。我们的军事实力虽然敌不过刘曜，但无论如何我们不能不出兵抗敌。"凉州刺史张茂说："说得对！"张茂于是离开姑臧，在石头城集结军队。张茂向担任参军的陈珍询问说："前赵主刘曜把他占领的三秦地区的军民全部出动，又是乘胜而来，我们应该如何对付他呢？"陈珍为张茂分析说："刘曜的兵众数量虽然很多，真正的精锐却很少，大多是由氐人、羌人组合起来的没有组织、没有训练的军队，刘曜的恩德与威信在他们当中还没有建立起来，而且又有华山以东的军事势力对他的威胁，他怎么能不顾心头大患，在这里旷日持久地与我们争夺河西地区呢？如果两旬之后，

为明公擒之。”茂喜，使珍将兵救韩璞。赵诸将争欲济河，赵主曜曰：“吾军势虽盛，然畏威[518]而来者三分有二，中军[519]疲困，其实难用。今但按甲[520]勿动，以吾威声震之。若出中旬[521]张茂之表[522]不至者，吾为负卿[523]矣。”茂寻[524]遣使称藩[525]，献马、牛、羊、珍宝不可胜纪[526]。曜拜茂侍中，都督凉、南北秦、梁、益、巴、汉、陇右、西域杂夷、匈奴诸军事，太师，凉州牧，封凉王，加九锡[527]。

杨难敌闻陈安死，大惧，与弟坚头南奔汉中[528]。赵镇西将军刘厚追击之，大获而还。赵主曜以大鸿胪田崧为镇南大将军、益州刺史，镇仇池。难敌送任请降于成，成安北将军李稚[529]受难敌赂，不送难敌于成都。赵兵退，即遣归武都，难敌遂据险不服。稚自悔失计，亟[530]请讨之。雄遣稚兄侍中、中领军琀与稚出白水[531]，征东将军李寿及琀弟玝出阴平[532]，以击难敌。群臣谏，不听。难敌遣兵拒之，寿、玝不得进。而琀、稚长驱至下辨[533]，难敌遣兵断其归路，四面攻之。琀、稚深入无继[534]，皆为难敌所杀，死者数千人。琀，荡之长子，[535]有才望[536]，雄欲以为嗣，闻其死，不食者数日。

初，赵主曜长子俭，次子胤。胤年十岁，长七尺五寸。汉主聪奇之，谓曜曰：“此儿神气，非义真[537]之比也，当以为嗣。”曜曰：“藩国[538]之嗣，能守祭祀足矣，不敢乱长幼之序。”聪曰：“卿之勋德，当世受专征之任[539]，非他臣之比也。吾当更以一国封义真[540]。”乃封俭为临海王，立胤为世子[541]。既长，多力善射，骁捷如风。靳准之乱，没于黑匿郁鞠部[542]。陈安既败，胤自言于郁鞠。郁鞠大惊，礼而归之。曜悲喜，谓群臣曰：“义光[543]虽已为太子，然冲幼儒谨[544]，恐不堪[545]今之多难。义孙[546]，故世子也，材器过人，且涉历艰难。吾欲法周文王、汉光

刘曜还不退兵，就请您拨给我几千名老弱残兵，我将为明公生擒刘曜。”张茂听了很高兴，就派陈珍率领军队去救援韩璞。前赵的将领都争着要渡过黄河去攻打张茂，赵主刘曜对他们说：“我军的声势虽然很盛大，但因为畏惧我们的声威才跟随前来的大概占到三分之二，军中的主力部队现在已经十分疲惫困顿，其实很难再投入战场作战。如今只能按兵不动，用我们盛大的军威震慑他们。如果过了本月中旬，张茂归降的表章还没有送来，就算我输给了你。”不久，张茂果然派使者前来表示臣服，并献上马、牛、羊、珍宝等，数量多得无法统计。刘曜封张茂为侍中，都督凉、南北秦、梁、益、巴、汉、陇右、西域杂夷、匈奴诸军事，太师，凉州牧，封凉王，加授九锡。

杨难敌听到陈安已经被前赵消灭的消息后，非常恐惧，就与自己的弟弟杨坚头向南逃入汉中。前赵镇西将军刘厚率军追击杨难敌，大获全胜而回。前赵主刘曜任命担任大鸿胪的田崧为镇南大将军、益州刺史，镇守仇池。杨难敌将人质送到成国，请求归降，担任成国安北将军的李稚因为接受了杨难敌的贿赂，就没有将杨难敌送往成国的都城成都。等到前赵兵一退，李稚就立即送杨难敌返回武都，杨难敌遂据守险要，不再臣服成国。安北将军李稚后悔自己打错了算盘，就屡次请求讨伐杨难敌。成主李雄派李稚的哥哥、担任侍中、中领军的李琀与李稚一同从白水出兵征讨杨难敌，征东将军李寿及李琀的弟弟李玝率军从阴平出兵攻打杨难敌。群臣纷纷劝阻，李雄都没有听从。杨难敌派兵抵抗成军的进攻，李寿、李玝无法前进。而李琀、李稚则长驱直入，抵达下辨，杨难敌派兵截断李稚、李琀的退路，然后四面攻打。李琀、李稚由于深入敌境，没有后续部队接应，便都被杨难敌杀死，部众也被杀死数千人。李琀，是李荡的长子，有才能、有声望，李雄想立他为继承人，现在听说李琀战死，痛苦得几天吃不下饭。

当初，前赵主刘曜的长子叫刘俭，次子叫刘胤。刘胤十岁的时候，身高就有七尺五寸。汉主刘聪认为刘胤非同寻常，就对刘曜说：“这个孩子的神色气度，他的哥哥义真可比不上，应该立刘胤为合法继承人。”刘曜说：“作为一个藩属国的继承人，能够保有封国、守住封国的宗庙祭祀就足够了，我不敢扰乱了长幼的秩序。”刘聪说：“凭你的功劳和德望，应当世世代代成为一方诸侯，执掌征伐的重任，其他臣属是不能和你相比的。我要另外划出一块地盘封给你的长子义真。”遂封刘俭为临海王，封刘胤为世子。等到长大之后，刘胤力大无比，善于骑马射箭，骁勇敏捷，行走如风。靳准之乱时，刘胤被裹挟流落到一个首领叫作黑匿郁鞠的匈奴部落中。陈安败亡之后，刘胤向黑匿郁鞠说明了自己的身份。黑匿郁鞠大吃一惊，就用最尊敬的礼仪将刘胤送回到前赵主刘曜的身边。刘曜悲喜交加，他对群臣说：“我的幼子刘熙虽然已经被立为太子，然而年纪幼小、懦弱拘谨，恐怕在这多难之时担负不了储君的重任。在我还是亲王时义孙就是世子，他的才能气度超过常人，而且历经艰难。

武[547]，以固社稷而安义光[548]，何如？”太傅呼延晏等皆曰：“陛下为国家无穷之计，岂惟臣等赖之，实宗庙四海之庆！”左光禄大夫卜泰、太子太保韩广进曰：“陛下以废立为是，不应更问群臣。若以为疑，固乐闻异同之言。臣窃以为废太子，非也。昔文王定嗣于未立之前，则可也。光武以母失恩而废其子[549]，岂足为圣朝之法[550]！向以东海为嗣[551]，未必不如明帝[552]也。胤文武才略，诚高绝于世，然太子孝友仁慈，亦足为承平贤主[553]。况东宫[554]者，民、神所系[555]，岂可轻动！陛下诚欲如是[556]，臣等有死而已，不敢奉诏[557]。”曜默然。胤进曰：“父之于子，当爱之如一。今黜熙而立臣，臣何敢自安！陛下苟以臣为颇堪驱策[558]，岂不能辅熙以承圣业[559]乎？必若以臣代熙，臣请效死于此，不敢闻命。”因歔欷[560]流涕。曜亦以熙羊后所生，不忍废也，乃追谥前妃卜氏[561]为元悼皇后。泰，即胤之舅也，曜嘉其公忠，以为上光禄大夫[562]、仪同三司、领太子太傅。封胤为永安王，拜侍中、卫大将军、都督二宫禁卫[563]诸军事、开府仪同三司、录尚书事。命熙于胤尽家人之礼[564]。

张茂大城姑臧[565]，修灵钧台[566]。别驾吴绍谏曰：“明公所以修城筑台者，盖惩既往之患[567]耳。愚以为苟恩未洽于人心，虽处层台[568]，亦无所益，适足以疑群下忠信之志[569]，失士民系托之望[570]，示怯弱之形，启[571]邻敌之谋，将何以佐天子、霸诸侯乎？愿亟罢兹役[572]，以息劳费。”茂曰：“亡兄一旦失身于物[573]，岂无忠臣义士欲尽节者哉？顾祸生不意[574]，虽有智勇，无所施耳。王公设险[575]，勇夫重闭[576]，古之道也。今国家未靖[577]，不可以太平之理[578]，责人于屯邅之世[579]也。”卒为之。

我想要效法周文王舍弃长子伯邑考而立武王、汉光武舍弃长子刘彊而立明帝刘庄的做法，使国家保持稳定强大，又能保证现在的太子义光安然无恙，你们觉得怎么样？”担任太傅的呼延晏等人都说：“陛下为国家长远利益考虑，不仅是我们这些臣属仰赖于陛下，就是皇家祖先以及四海的百姓也托福于陛下！”担任左光禄大夫的卜泰、担任太子太保的韩广进前说：“陛下如果认为废掉现任太子刘熙而立刘胤为太子是正确的，就不应该再向群臣征求意见。如果拿不定主意，那就是希望听到各种不同的意见。我认为，废黜太子是错误的。古代周文王立武王姬发为继承人之前并没有指定其他人为继承人，所以舍弃长子伯邑考而立武王姬发为继承人是可以的。汉光武帝是因为太子的母亲失宠，先废掉了太子的母亲，而后废掉了太子，哪里值得我们这个圣明的王朝效法！当初，如果汉光武帝立东海王刘彊为继承人，未必就比改立的汉明帝差。刘胤的文才武略，确实高于世人，然而太子刘熙孝敬尊长，友爱兄弟，为人仁厚慈爱，也完全能够成为继开国英主之后的太平时期的优秀君主。何况东宫太子的人选，是全国人民和祖宗神灵所关心瞩目的，怎么能轻易地改变！陛下如果确实想废立太子，那我等只有一死而已，不敢遵奉您的诏命。”刘曜沉默不语。刘胤进前说：“父亲对于儿子，应当一样的疼爱。如果废掉太子刘熙而立我为太子，我心里怎能安宁！陛下如果认为我还能为国家做一点事情，难道不能让我辅佐刘熙以继承您的神圣事业吗？如果一定要让我代替刘熙为太子，我请求现在就死在这里，不敢听从陛下废立的诏命。”声音哽咽，涕泪交下。刘曜也因为刘熙是羊皇后所生，不忍心将他废掉，遂追认亡妃、刘胤的母亲卜氏为元悼皇后。卜泰，是刘胤的舅舅，刘曜很赞赏卜泰的公正和忠诚，就任命卜泰为上光禄大夫、仪同三司、兼任太子太傅。封刘胤为永安王，同时任命他为侍中、卫大将军、负责统领皇帝和皇太子二宫的禁卫事、开府仪同三司、录尚书事。令皇太子刘熙对待哥哥刘胤，不要因为自己是储君而废兄弟之礼，要像平民家庭那样以兄弟之礼相待。

张茂在其都城姑臧大兴土木修筑城墙，再次起造灵钧台。担任别驾的吴绍劝谏说：“明公现在修筑城墙、兴建高台，是因为上次遭受刘曜进攻。我倒是认为如果恩惠没有普遍施予民众，没有赢得民众的真心拥戴，就是躲藏在高高的楼台之上，也没有什么好处，反而适得其反，足以让部下的忠信之士对你产生怀疑，使民众对你失去可以依赖的希望，把自己怯懦的一面展现出来，使邻近的敌人产生算计我们的阴谋，将何以辅佐晋天子、称霸于诸侯呢？希望赶紧把这些工程停下来，节约费用，使民众得到休息。”张茂答复说：“我已故的哥哥张寔突然之间就被部下杀死，那时难道没有忠臣义士想要竭尽忠心进行保护吗？关键在于灾祸发生得太出人意料，即使有智慧、有勇气也来不及施展啊。历代君主都在险要的地方筑城建关以守卫自己的国家，再勇敢的人也要注意紧闭好门户以防止突发事件，古人都懂得严格遵守这种防患于未然的道理。如今，国家政局不稳，内忧外患，就不能用太平时期的道理，批评动荡年代里人们所采取的措施。”最终还是坚持把工程完工了。

王敦从子允之[580]，方总角[581]，敦爱其聪警[582]，常以自随。敦尝夜饮，允之辞醉[583]先卧。敦与钱凤谋为逆，允之悉闻其言[584]，即于卧处大吐，衣面并污。凤出，敦果照视[585]，见允之卧于吐中，不复疑之。会其父舒拜廷尉[586]，允之求归省父[587]，悉以敦、凤之谋白舒。舒与王导俱启帝，阴为之备。

敦欲强其宗族，陵弱帝室，冬，十一月，徙王含为征东将军、都督扬州江西诸军事，王舒为荆州刺史、监荆州沔南诸军事，王彬为江州刺史。

后赵王勒以参军樊坦为章武内史[588]。勒见其衣冠弊坏，问之。坦率然[589]对曰："顷为羯贼所掠[590]，资财荡尽。"勒笑曰："羯贼乃尔[591]无道邪！今当相偿。"坦大惧[592]，叩头泣谢。勒赐车马、衣服、装钱三百万而遣之。

是岁，越嶲斯叟[593]攻成将任回，成主雄遣征南将军费黑讨之。

会稽内史周札[594]一门五侯[595]，宗族强盛，吴士[596]莫与为比，王敦忌之。敦有疾，钱凤劝敦早除周氏，敦然之。周嵩以兄𫖮之死，心常愤愤。敦无子，养王含子应[597]为嗣。嵩尝于众中言应不宜统兵，敦恶之。嵩与札兄子莚皆为敦从事中郎。会道士李脱以妖术惑众，士民颇信事之[598]。

---

**【段旨】**

以上为第三段，写晋明帝太宁元年（公元三二三年）一年间的大事。主要写了王敦返回朝廷，让晋明帝为他加黄钺、班剑，奏事不名，剑履上殿；写了王敦为强化王氏家族的势力，封王含、王舒、王彬等为大州刺史；写了王敦嫉妒周札一门五侯，准备除掉周氏；写了王敦与其心腹钱凤密谋篡位，被王舒的儿子王允晋国大将军王敦的侄子王允之，还是个孩子，因为他非常聪明伶俐，王敦非常喜欢，经常把他带在自己身边。一天，王敦又在深夜饮酒，王允之推说自己醉酒就先到床上睡下了。王敦与钱凤密谋叛乱之事，王允之全部听到了他们的谈话，立即在床上大声呕吐，衣服上、脸上全都弄得污秽不堪。钱凤告辞后，王敦果然拿着灯到允之床前照看，他看到允之躺在呕吐物上，就没有怀疑他。正巧允之的父亲王舒升任廷尉之职，允之请求回家探望父亲，回到家中，就把王敦与钱凤密谋叛乱之事告诉了他的父亲王舒。王舒与王导一同将此事禀报给晋明帝司马绍，暗中做好应变的准备。

晋大将军王敦为了加强自己家族的势力、削弱皇室的力量，冬季，十一月，改任王含为征东将军、都督扬州、江西诸军事，王舒为荆州刺史，兼任荆州、沔南诸军事，王彬为江州刺史。

后赵王石勒任命担任参军的樊坦为章武内史。石勒看见樊坦身上的衣服、头上戴的帽子都很破旧，就询问他怎么会这样。樊坦没加考虑就坦率地回答说："最近遭到羯族强盗的抢掠，所有的家财都被抢光了。"石勒笑着说："羯人强盗竟敢如此不讲道理！现在我应当全部偿还你。"樊坦马上意识到自己的失言，心里非常恐惧，赶紧向石勒磕头请罪。石勒赏赐给他车马、衣服，还给他的车上装了三百万钱，打发他去章武赴任。

这一年，越嶲郡的少数民族部落首领斯叟率众攻打成国的将领任回，成主李雄派遣征南将军费黑率军征讨斯叟。

东晋会稽内史周札，一门之中有五位侯爵，宗族势力很强盛，吴郡一带的士大夫没有人能比得上，王敦因此很忌恨他。王敦有病，钱凤劝说王敦早点除掉周氏，王敦表示同意。周嵩因为自己的哥哥周颢为王敦所杀，心里常愤愤不平。王敦没有儿子，他的胞兄王含就把自己的儿子王应过继给王敦当儿子。周嵩曾经在大庭广众之中说王应不应该统兵，王敦因此对周嵩很厌恶。周嵩与周札的侄子周莚都在王敦手下担任从事中郎。正巧此时有一个名叫李脱的道士用妖术迷惑民众，士民中不少人都信奉、尊崇他。

---

之听到告发，司马绍等预为之备；写了秦州的军阀陈安被刘曜消灭，陇城、上邽一带并入前赵；写了刘曜亲征凉州张茂，张茂不敌而向刘曜称臣；写了刘曜在立太子上的种种曲折，以及刘胤备受荣宠；写了成国将领李骧、任回进犯台登，东晋的将领司马玖战死，越嶲、汉嘉太守相继以郡投降成国，以及后赵石虎破杀曹嶷，青州并入后赵等。

## 【注释】

㉛肃宗明皇帝：司马绍，字道畿，元帝司马睿的长子，公元三二三至三二五年在位。纪见《晋书》卷六。《谥法》，“思虑果远曰明”。㉜李骧、任回：成国李雄政权的将领。㉝寇台登：进犯台登县。台登县的县治在今四川冕宁南泸沽镇。㉞越嶲：晋郡名，郡治会元县，在今四川会理西。㉟汉嘉：晋郡名，郡治在今四川雅安北。㊱二月庚戌：二月初二。㊲建平陵：晋元帝陵墓。在今江苏南京城北鸡笼山。㊳戊寅朔：三月初一。㊴改元：改用晋明帝的年号，即称“太宁元年”。㊵饶安、东光、安陵：皆晋县名，饶安县的县治在今河北盐山西南五十里千童镇，东光县的县治在今河北东光东二十里，安陵县又名东安陵县，县治在今河北吴桥西北二十五里。㊶灾：失火。㊷彭城、下邳：晋王朝的郡国名，彭城郡的郡治即今江苏徐州，下邳国的都城在今江苏睢宁西北古邳镇东。㊸盱眙：晋县名，县治在今江苏盱眙东北。㊹敦二句：卞敦是卞壸的堂兄弟。卞敦、卞壸的事迹见《晋书》卷七十。㊺讽朝廷征己：给朝臣吹风，让皇帝把他从武昌调回朝廷。讽，用含蓄的语言示意。征，调。㊻手诏：亲自写诏书。㊼黄钺：铜制的镀金大斧，原为帝王统兵征伐所执，后用为赐予权臣的一种仪仗，意即给予他生杀之权。㊽班剑：手执木剑的仪仗队。胡三省引刘良《文选注》曰：“班剑，谓执剑而从行者也。”又吕向曰：“班，列也，言使勇士行列持剑以为仪仗也。”李周翰曰：“班剑，木剑无刃，假作剑形，画之以文，故曰班也。”《晋志》：“文武官公，给虎贲二十人，持班剑。”班，通“斑”。㊾奏事不名：向皇帝禀奏事项不用司仪唱名拜见。下文“入朝不趋”“剑履上殿”也是帝王赐给亲信大臣的特殊待遇。㊿入朝不趋：上朝时不用小步急行之礼。古人见帝王和尊长时，须小步急行，即所谓“趋”，以示恭敬。(451)剑履上殿：受赐者可以佩着剑、穿着靴进入殿堂见皇帝。(452)姑孰：晋县名，即今安徽当涂。(453)屯于湖：驻兵在于湖城。于湖城在今安徽当涂南三十八里。(454)司徒：上年罢司徒官，并其职任于丞相，现在又予以恢复。(455)目左右：用眼睛向身边的侍从示意。目，名词动用，即使眼色。(456)昔岁杀兄：指王敦于怀帝永嘉六年之杀王澄。王澄、王彬皆王敦族人。(457)褒中壮公王逊：西晋以来的著名地方官，曾任南夷校尉、宁州刺史。以功封褒中县公。壮字是谥。传见《晋书》卷八十一。(458)螗蜋：又作“堂琅”或“堂狼”，晋县名，县治在今云南巧家东。(459)泸水：指今金沙江自四川攀枝花汇合雅砻江以后的河段。(460)威行殊俗：威震生番化外。殊俗，指风俗不同的边远地区。(461)行州府事：代理宁州刺史与南夷校尉府的职权。(462)诏除：朝廷正式任命。除，任命、授予职务。(463)断臂何为：胳膊断了有何关系。(464)六月壬子：六月初六。(465)立妃庾氏为皇后：这句话的主语是晋明帝。(466)中领军亮：领军将军庾亮。中领军即领军将军的简称，统率皇帝的禁卫军。庾亮，字符规，晋明帝的妻兄，后成为执政大臣。传见《晋书》卷七十三。(467)中书监：中书令的副职，离丞相只差一步。(468)宁浦：晋郡名，郡治在今广西横州西南。(469)咸：阮咸，字仲容，阮籍的侄子。狂放不拘礼

法，为“竹林七贤”之一。传附《晋书》卷四十九《阮籍传》。⑩桑城：在今甘肃临洮西南。⑪趣上邽：奔向上邽城。趣，通“趋”，急往。上邽城在今甘肃天水西南，当时为陈安的驻兵之地。⑫陇城：在今甘肃张家川，是汉、魏陇县的故城。⑬平襄：晋县名，县治在今甘肃通渭西南。⑭陇上：陇山绵亘于今甘肃清水、张家川和陕西陇县、宝鸡之间，这一带通称陇上。陇上当时是陈安的势力范围。⑮陕中：古城名，在陇城南。⑯辄殪五六人：一出手就能杀死五六个。⑰三交：三次交手；三个回合。⑱会：适逢；正赶上。⑲索：搜索；寻找。⑳觇：窥视；暗中侦察。㉑呼延青人：姓呼延，名青人。㉒卒：始终。㉓雨霁：雨过天晴。㉔涧曲：山涧拐角。㉕抚将士：对部下有恩。抚，体恤、爱护。㉖壮士之歌：歌词是：“陇上壮士有陈安，躯干虽小腹中宽，爱养将士同心肝，騳骢父马铁锬鞍。七尺大刀奋如湍，丈八蛇矛左右盘，十荡十决无当前。战始三交失蛇矛，弃我騳骢窜岩幽，为我外援而悬头。西流之水东流河，一去不还奈子何?”㉗别将：与主力部队配合作战的别路将领。㉘徙：强制搬迁。㉙送任：派出人质。㉚赤亭羌酋：赤亭地区的羌族头领。赤亭在今甘肃陇西西，汉时烧当羌的一支徙居于此，后人称之为“赤亭羌”，姚弋仲即其后裔。㉛表鉴：上表请求改任郗鉴。㉜西朝人士：西晋王朝的重要人物。西朝，东晋人称建都洛阳的西晋政权为西朝。㉝乐彦辅：名广，字彦辅，西晋王朝的名士，善清谈，累官至尚书令。长沙王司马乂当政时，因他是成都王司马颖的岳父而迫害之，忧愤而死。传见《晋书》卷四十三。㉞岂胜满武秋邪：能说是比满武秋强吗?岂胜，怎能超过。满武秋，名奋，字武秋，西晋元康中官至尚书令、司隶校尉。㉟道韵平淡：风格朴实。㊱愍怀之废二句：愍怀，西晋惠帝的太子司马遹，死后谥为愍怀。惠帝元康九年（公元二九九年）冬，贾后、贾谧废太子遹为庶人，惠帝永康元年（公元三〇〇年）春，幽禁遹于许昌宫，下令宫臣不得辞送。江统、潘滔等冒禁至伊水拜辞涕泣。司隶校尉满奋收缚统等送狱。其系河南狱者，被河南尹乐广释放。都官从事孙琰担心压制过甚会引发人们对太子的怀念，劝贾谧释放所有在押人员，乐广因此未被治罪。所以郗鉴说乐广“柔而能正”。㊲武秋失节之士：指满奋收捕江统、潘滔等送太子的东宫官员以及惠帝永宁元年（公元三〇一年）赵王司马伦篡位时替赵王持节、奉玺绶等事。其实据《晋书》记载，乐广也是向赵王司马伦进玺绶的官员之一。这里王敦、郗鉴各怀心事，引古证今，各为己用，不必考究史实。㊳危机交急：指贾后、贾谧专权妄为，倾危朝政。王敦这里似乎以赵王司马伦自况，篡位之心已溢于言表。㊴死生以之：为坚持真理而豁出生命。㊵广固：古城名，在今山东青州西北八里尧王山之南。㊶牧民：管理百姓，以放牧牲畜为喻。㊷冀城：晋县名，县治在今甘肃甘谷南。㊸桑壁：地名，在今甘肃陇西。㊹河上：黄河边上。㊺百道俱济：同时在一百个渡口强渡黄河。济，渡河。㊻直抵姑臧：直取姑臧。姑臧即今甘肃武威，当时是张茂凉州政权的都城。㊼刺举小才：只有刺探、揭发别人隐私的小聪明。㊽明公父子：指张茂之父张轨，与其兄张寔及张茂本人。㊾远近之情：全国各地区的人心动向。㊿当立信勇之验：应当做出一种既勇敢又有信义的样子。⑪以副秦、陇之望：以顺应秦川、陇上一带人民的愿望。副，相称、符合。⑫势不可以不出：无论如何我们不能不出兵抗敌。势，势必、无论如何。⑬石头：城名，在今甘肃武威东。⑭举三秦之众：他占领区的三秦地区的军民全部出动。三秦，指今陕西一带，项羽破秦入关，三分秦之关中地，以咸阳以西为雍，咸阳以东至黄河为塞，上郡之地为翟，分别置王，合称三秦。当时为前赵的占领区。⑮恩信未洽：刘曜的恩惠与信义尚未深入人心。洽，遍、广。⑯山东之虞：华山以东的军事势力对他的威胁，指晋王朝的兵力与石勒后赵的兵力。山东，华山或崤山以东，当时是石勒与晋王朝正在争夺的区域。虞，忧虑，这里主要指石勒的威胁。⑰弊卒：老弱残兵。⑱畏威：畏惧刘曜的声威。⑲中军：指主要的作战部队。⑳按甲：犹"按兵"。驻扎下来。㉑出中旬：过了这个月的中旬。㉒张茂之表：指张茂的降表。㉓吾为负卿：那就算我输给你。负，输。㉔寻：不久。㉕遣使称藩：派使臣来求和称臣。藩，王朝的属国。㉖不可胜纪：无法统计。纪，此处通"计"。㉗九锡：帝王赏赐给权臣的九种特殊待遇，即"剑履上殿""赞拜不名""纳陛以登"等，当年曹丕、司马炎等都接受过前一个王朝的傀儡皇帝授予的这些待遇，王敦也接受了类似待遇。㉘汉中：晋郡名，郡治南郑，即今陕西汉中。㉙李稚：成王李雄的部将，时任镇北将军。㉚亟：屡次。㉛白水：晋县名，县治在今四川青川东北。㉜阴平：县名，县治在今甘肃文县西北。㉝下辨：当时武都郡的郡治所在地，在今甘肃成县西北。㉞无继：无后续部队。㉟琀二句：李琀是李荡的长子。李荡是李雄之兄，李琀是李雄的侄子。㊱有才望：有才能、有名望。㊲义真：长子刘俭，字义真。㊳藩国：大国国内的诸侯国，当时刘曜对刘聪自称藩国。㊴世受专征之任：世世代代地为一方诸侯，专主征伐。㊵更以一国封义真：另划出一块地盘，以封立你的大儿子义真。更，另外。㊶世子：义同太子，正式的接班人。㊷没于黑匿郁鞠部：被裹挟沦陷到了一个首领名叫黑匿郁鞠的匈奴部落中。没，沦陷，沦落而不得归。㊸义光：刘曜后来所立的太子刘熙，字义光。㊹冲幼儒谨：年纪幼小，懦弱拘谨。冲，幼小。㊺不堪：担负不了。㊻义孙：刘胤，字义孙。㊼法周文王汉光武：效法周文王舍伯邑考而立武王，汉光武舍长子彊而立明帝。㊽固社稷而安义光：使国家能保持稳固强大，让现在的太子义光也能安全无虞。㊾光武以母失恩而废其子：刘秀是因为先废了太子的母亲，故而后来才又废了太子。东汉光武帝建武十七年废郭皇后，太子彊不自安，屡次表示愿备藩国。十九年，遂废为东海王。㊿岂足为圣朝之法：哪里值得我们这个王朝学习。(551)向以东海为嗣：当初刘秀如果让东海王刘彊接班。向，当初。(552)未必不如明帝：未必就比改立的汉明帝差。汉明帝名刘庄，公元五七至七五年在位。事详见《后汉书》的《光武帝纪》《明帝纪》。(553)承平贤主：继开国英主之后的和平时代的优秀君主。(554)东宫：太子所居之宫，这里指太子。(555)民、神所系：是全国上下与天地神灵所关心瞩目的。系，关心、瞩目。(556)诚欲如是：指一定要更换太子。(557)不敢奉诏：不能按照你的意思僦。558颇堪驱策：还能为国家做一些事情。颇，一点儿、不多。堪驱策，能接受指挥为国立功。559承圣业：继承您的神圣事业。560歔欷：哽咽、抽泣的样子。561卜氏：刘胤之母。562上光禄大夫：光禄大夫无固定职掌，相当于顾问。在前加“上”，有特别尊宠之意。563都督二宫禁卫：统领汉主刘曜与太子刘熙两宫的禁卫军。564尽家人之礼：像平民家庭那样以兄弟之礼相论。刘熙是刘胤之弟，刘曜命刘熙不要因是储嗣而废兄弟之礼。565大城姑臧：在其都城姑臧大兴土木建筑城墙。566灵钧台：晋元帝太兴四年，张茂曾建筑灵钧台，因阎曾谏阻而停止，现在又开始修建。567惩既往之患：是接受上次的教训，指刘曜大兵来攻。惩，接受教训。568层台：高台。569疑群下忠信之志：让部下的忠信之士对你生疑。疑，使……产生怀疑。570失士民系托之望：让部下臣民对您失去可依赖的感觉。系托，依靠、仰仗。571启：引发；使其产生。572亟罢兹役：赶紧停止这项工程。亟，急速、马上。573亡兄一旦失身于物：指本书卷第九十一太兴三年（公元三二〇年）张茂之兄张寔因刘弘妖术惑众，为部下所杀事。失身于物，指为人所杀。574顾祸生不意：关键在于事情突然发生在意料之外。顾，但是，总是在于。575王公设险：历代的帝王都要筑城建关，以守其国。《易·坎卦·彖辞》：“王公设险以守国，险之时用大矣哉。”576勇夫重闭：再勇敢的人也要注意紧闭门户。《左传》成公八年：“勇夫重闭，况国乎？”重闭，内外门户，层层关闭。577未靖：尚未太平。578以太平之理：以和平时期的道理。579责人于屯邅之世：来批评动荡年代人们所采取的措施。责，要求、批评。屯邅，也作“迍邅”。艰险难行，以比喻动荡、险恶的时局。580从子允之：王敦的侄子王允之，其父王舒，是王敦的堂兄弟。传附见《晋书》卷七十六《王舒传》。581总角：古代男女未成年的一种发式，束发为两髻，形状如角，故称总角。后用来代指童年。582聪警：聪明伶俐。583辞醉：推说酒醉离席。584悉闻其言：他们说的话全部听到了。585照视：举灯照看。586拜廷尉：授任廷尉之职。廷尉是国家的最高司法官，掌刑狱。587求归省父：请求回家探看父亲。588章武内史：章武县的行政长官。胡三省注曰：“章武县，汉属勃海郡；武帝泰始元年，分置章武国；隋废章武，并入河间郡；唐为瀛洲。”589率然：坦率地；极自然地。590顷为羯贼所掠：刚刚遭到几个羯族匪盗的抢夺。顷，刚刚。羯，石勒所属的少数民族。591乃尔：竟然如此。592坦大惧：因石勒是羯人，自知失言。593越巂斯叟：越巂郡的少数民族部落首领。胡三省注曰：“《前汉·西南夷传》云：‘自巂以东北，君长以十数，徙、筰都最大。’师古曰：‘徙及筰都二国也。’巂，音髓。徙，音斯。此斯，即汉之徙种也，蜀谓之叟。”594周札：周处的第三个儿子。595一门五侯：周札封东迁县侯；兄靖之子懋，封清流亭侯；懋弟赞，封武康县侯；赞弟缙，封都乡侯；兄玘之子勰，封乌程县侯。凡五侯。596吴士：谓吴郡一带士大夫。吴，晋郡名，郡治即今江苏苏州。597王含子应：王含的儿子王应。王含是王敦的胞兄。598信事之：信奉而尊崇拥戴之。

## 【校记】

［2］何为：严衍《通鉴补》改作“何有”。从文义看，当作“何有”。［3］三万：据章钰校，乙十一行本作“二万”。

## 【研析】

本卷写了晋元帝永昌元年（公元三二二年）至晋明帝太宁元年（公元三二三年）两年间的大事，值得议论的事情有以下几件。

第一，关于司马睿起用刘隗、刁协以分王氏之权，从而引发王敦造反的事实。王夫之《读通鉴论》对此有详细的分析，他说：“元帝之立也，王氏逼王室而与之亢尊，非但王敦之凶悍也，王导之志亦僭矣。帝乃树刁协、刘隗于左右，以分其权而自固。然而卒以取祸者，非帝之不宜树人以自辅，隗、协之不宜离党以翼主也。其所以尊主以抑强宗者，非其道也。……孟子曰‘不得罪于巨室’，非谓唯巨室之是听也，不得罪于臣民，巨室弗能加之罪也。沈静以收人心，而起衰救敝之人作，且从容以俟人心之定，则权臣自戢而外侮以消。况名法综核为物情所骇者，其可迫求之以拂众怒也乎？方正学未之逮也，隗与协又何足以及此？”意思是说，刘隗、刁协忠于王室，其用心原本不错，但头脑简单，操之过急，结果弄巧成拙，引发一场大动乱。因此可以说东晋的刘隗、刁协，就如同是西汉的晁错。道理是发人深思的。

第二，关于甘卓其人。梁州刺史甘卓是一个缺乏政治头脑的人物，做事没有原则，没有坚定明确的目标，私心甚重，一切以个人利益为转移。早在晋惠帝永兴二年陈敏之乱时，在吴王手下担任常侍的甘卓，就与陈敏结为儿女亲家，按照陈敏的旨意，假称皇太弟令，拜陈敏为扬州刺史，陈敏占据江东，其中就有甘卓的一份“功劳”。永嘉元年，陈敏派甘卓讨伐钱广，把精锐部队全部交付给了他。是顾荣与周玘详细地为他分析利害之后，甘卓才反戈一击，消灭了陈敏。这回王敦搞叛乱，甘卓又成了王敦争取的对象。当王敦邀请他共同进兵建康，甘卓先是答应，但王敦带兵东下时，甘卓又改变主意，派孙双前去劝阻。当王敦许诺成功之后封甘卓为公爵时，甘卓又变得犹豫不决。甘卓秉承王敦的旨意，派人请顺阳太守魏该支持王敦，遭到魏该义正词严的拒绝，这时甘卓遂又准备与王敦决裂，但仍然拿不定主意。当谯王司马承派邓骞来劝说甘卓起兵讨伐王敦，就连王敦派来说服甘卓共同谋反的乐道融也都劝说甘卓讨伐王敦时，甘卓这才竖起了勤王的义旗。但他驻兵猪口又累旬不前，眼睁睁地看着王敦攻克了都城建康。之后，王敦又以一介手持驺虞幡的使者把甘卓赶回了襄阳，这时甘卓的家人都意识到了形势的危险，他们劝甘卓要防备王敦，而甘卓却将手下兵众遣散去耕种农田，最后在毫无防范的情况下被杀死在家里。甘卓的死即使不说“死有余辜”，至少也让人觉得活该。

第三，关于周顗之死。丁南湖说："王敦杀周顗，由于敦问导而导不答，人谓导之罪矣，余谓敦之反也，导固不能无罪，而顗之杀也亦有三失而自取焉。夫导因敦反而待罪，顗将见帝，而导呼之以求救，顗有救之之心，则虽难言而以垂颔可矣，身长诺可矣，而直入不顾以致导疑，一失也。顗救导甚切，帝纳其言，反出，导犹在门呼之，顗宜亟述帝意以慰导，乃不与言以滋导疑，二失也。既不与导言，乃顾左右曰'杀诸贼奴，取金印如斗大系肘后'，夫曰'诸贼奴'，则显然连及于导，以发其恨，三失也。卒使猜忿致仇，假杀于贼敦之手。导之恶不足言矣，而顗之自取祸，至拙也哉！"袁了凡说："当是时导为反者族，天子方蓄疑于鬼车，顗无意于救导则已，救之则不得不晦其迹。不然且以为求而应之，是徒益天子之疑而无救于导也。要之顗救人于危疑之中，故其术益深；导望人于迫切之际，故其怨特切。此导所以生，而顗所以杀，然负则在导矣。"丁南湖没有充分考虑当时的具体政治环境，袁了凡对周顗当时的苦心理解得比较深刻。

第四，关于王允之的传奇故事。柏杨有过评论，他说王允之这桩传奇的遭遇，在历史上留下佳话，然而，我们怀疑它的真实性。一个十岁左右的娃儿，不过小学四年级程度，即令他再聪明伶俐，也不可能了解两个大人的谋反谈话。因为任何谋反言辞，都不会出现赤裸裸的谋反词语，王允之如何判断分辨？即令可以判断分辨，而他又怎么会想到危险？王敦如果当了皇帝，王允之就是亲王，他如果想不到自己的前途如锦，也就想不到他敬爱的叔父会杀他灭口。这不是一个十岁乳臭未干的孩子所能有的思维。即令王允之聪明早熟，他又怎么能够呕吐？而且又呕吐得衣服、脸上一团肮脏。而且王敦和钱凤秘密磋商的声音，娃儿都听得清楚；而呕吐的声音，王、钱二位竟没有发觉。最可疑的是皇帝司马绍在听到王导等的报告后才暗中戒备，好像是如果没有娃儿通风报信，就没有戒备似的。难道司马绍不知道王敦的危险性？事实上就在不久之前他还任命郗鉴当兖州刺史，目的就是对付王敦。我们觉得，此事从头到尾是一场骗局。是王导和王舒在娃儿回京后教导小家伙的一番说辞，用来向皇家表示忠心。王敦如果成功，他们有享不尽的荣华富贵，这件事就不会再提，反正奏报是秘密性质，了无痕迹可寻；而王敦万一失败，先布一个棋子在要害之处，不但可以免祸，还可以嚷嚷得天下皆知，忠肝义胆，照耀千秋。说来说去，这是官场上混世政客的一个小动作而已。